이영도

1972년생. 경남대학교 국어국문학과 졸업. 1998년 여름, 컴퓨터 통신 게시판에 연재했던 첫 장편『드래곤 라자』가 출간되어 100만 부를 돌파함으로써 한국에 판타지 시대를 열었다.

『드래곤 라자』는 일본, 중국, 대만 등에서도 출간되어 베스트셀러가 되었다. 라디오 드라마, 만화, 온라인 게임, 모바일 게임 등으로 만들어졌을 뿐 아니라, 고등학교 문학 교과서에 수록되며 그 가치를 인정받았다.

이후『퓨처워커』,『폴라리스 랩소디』를 차례로 발표하였으며, 장대한 구상 위에 집필하여 2003년 내놓은 대작『눈물을 마시는 새』는 한국적 소재를 자연스럽게 녹여낸 판타지 대하 소설로 이영도 붐을 새롭게 했다. 2005년에는 후속작『피를 마시는 새』가 출간되었다.

9년에는『드래곤 라자』와『퓨처워커』의 뒤를 잇는『그림자 자국』 간되어 문화관광부 우수 교양 도서에 선정되었다.

에는 중단편「오버 더 호라이즌」,「오버 더 네블러」,「오버 더 │트」,「골렘」,「키메라」,「행복의 근원」,「에소릴의 드래곤」,「상파이의 광부들」을 수록한 중단편집『오버 더 호라이즌』과 함께 후속 장편소설 인『오버 더 초이스』가 출간되었다. 2019년에는 중단편 소설「마트 이야기」를 발표하였고, 2020년에는 SF 단편집『별뜨기에 관하여』를 출간하였다.

2022년에는『눈물을 마시는 새』가 한국 저작물 사상 최고 금액으로 미국을 비롯하여 영국, 독일, 프랑스, 스페인 등 유럽 14개 국에 선계약 되며 세계적인 소설로 발돋움했다. 이와 함께 그래픽노블과 게임화 역시 이어질 예정이며, 이를 위한 아트북이 먼저 출간되어 베스트셀러에 등극하기도 하였다. 현재 마산에서 꾸준히 집필 활동 중이다.

디자인
김나연

캘리그라피
강병인

백성민

1948년 경남 통영 출생. 1973년「권율장군」으로 데뷔하였다.「장길산」, 「토끼」,「뻐리」,「붉은 말」등 먹과 붓을 활용한 동양적 색채가 강한 그림을 주로 발표해 왔다.

눈물을
마시는
새
下

이영도 판타지 장편소설

백성민 그림

눈물을
마시는
새

下

황금가지

눈물을 마시는 새

출판 20주년 일러스트 특별판 (하)

1판 1쇄 찍음 2023년 3월 15일
1판 1쇄 펴냄 2023년 4월 25일

지은이 | 이영도
그 림 | 백성민
발행인 | 박근섭
편집인 | 김준혁
책임 편집 | 김준혁, 장은진, 정미리
독자 편집 | 민건식, 변종화, 유현아, 윤승노
펴낸곳 | 황금가지

출판등록 | 2009. 10. 8 (제2009-000273호)
주소 | 06027 서울 강남구 도산대로 1길 62 강남출판문화센터 5층
전화 | 영업부 515-2000 편집부 3446-8774 팩시밀리 515-2007
홈페이지 | www.goldenbough.co.kr

도서 파본 등의 이유로 반송이 필요할 경우에는 구매처에서 교환하시고
출판사 교환이 필요할 경우에는 아래 주소로 반송 사유를 적어 도서와 함께 보내주세요.
06027 서울 강남구 도산대로 1길 62 강남출판문화센터 6층 민음인 마케팅부

© ㈜민음인, 2023. Printed in Seoul, Korea
ISBN 979-11-7052-268-3 04810(하권)
ISBN 979-11-7052-266-9 04810(세트)

㈜민음인은 민음사 출판 그룹의 자회사입니다.
황금가지는 ㈜민음인의 픽션 전문 출간 브랜드입니다.

차례

제11장 ——————————— 007

침수(侵水)

제12장 ——————————— 127

땅의 울음

제13장 ——————————— 219

파국으로의 수렴

제14장 ——————————— 311

혈루(血淚)

제15장 ——————————— 383

셋은 부족하다

제16장 ——————————— 451

춤추는 자

제17장 ——————————— 551

독수(毒水)

제18장 ——————————— 669

천지척사(天地擲柶)

부록 ——————————— 707

고대 아라짓 왕국의 계보

지명 및 용어 설명

핵심 용어에 대한 색다른 설명

소묘들

일러두기

† 본 작품에는 '니름'이라는 표현이 등장합니다. 〈 〉로 묶여 있는 대화로서,
일반적으로 입에서 나는 말이 아니라 정신적 소통으로 이루어지는
대화입니다. 이를 가리켜 작품에서는 '니르다', '닐러' 등으로 표기하고
있으며 이는 '말하다', '말해'와 비슷한 의미를 지닙니다.

† 본 도서에 수록된 삽화는 본문 내용을 기반으로 하되, 그림 작가의 구상과
이미지화 방향에 따라 원작자의 의도와 다르게 표현될 수 있습니다.

† 본문의 삽화는 별지 기준으로 8배수에 따라 수록되었습니다. 따라서 본문의
흐름과 정확히 일치하지 않을 수 있습니다.

제11장

침수(侵水)

지배자, 상인, …… 등 …… 의 권능을 소원하는 많은 이들이
분명히 …… 해야 하는 사실이 있다. 용인들 중에는 영웅이나 위인은 커녕
이름이 좀 알려진 …… 조차 없다. 용인의 권능은 타인을 지배하거나
타인이 소유한 정보를 얻어내는 데 …… 이 되지 않는 것이다.
오히려 …… 에게 지배당할 위험에 노출되게 만드는 것이 용인의 능력이다.
…… 들은, 둔감함이라는 것이 얼마나 강력한 …… 인지 알지 못하고 있다.
그리고 …… 는 이 사실에서 사람들의 마음이 역시 …… 으로 가득하다는
사실을 확인할 수 있다.

― 많은 부분들이 훼손되어 안타까움을 일으키고 상상력을 자극하는
「카시다 암각문」 중 일부

사흘을 퍼붓던 비는 기력을 소진한 듯 간헐적인 헐떡임으로 바뀌어 있었다. 그러나 금방이라도 끊어질 듯한 빗줄기는 정오가 지난 지금까지 계속되고 있었다. 끊길긴 빗줄기 아래로 광대한 엔거 평원은 축축하고 질척하고 찰박거렸다. 종아리에 닿을락 말락 하는 엷은 안개층이 평원의 지면을 뒤덮고 있었고, 그 아래에는 재와 뒤섞인 보기 흉한 진흙이 끝없이 펼쳐져 있었다.

평원 한 귀퉁이, 언덕 위에 의자를 가져다놓고 앉아 있던 괄하이드 규리하는 무심한 손길로 이마를 닦아내었다. 날씨는 온화했다. 비를 쏟아붓는 것과 동시에 적들은 엔거 평원의 기온을 상당히 높여놓았다. 그들로서는 키보렌과 비슷한 온도까지 올려놓고 싶었겠지만, 그런 고온을 실현하기 위해서는 비를 포기해야 했을 것이다. 결과적으로 기온은 피아 모두에게 크게 불편하지 않을 정도에 머물렀다.

괄하이드는 대도에 씌워둔 덮개를 만지작거렸다. 널리 쓰이는 작살검 대신 괄하이드는 자신의 대도를 고집했고, 아무도 노무사의 고집에 이의를 제기하지 않았다. 그 대도는 작살검 수십 자루가 해낼 일을 홀로 해내곤 했기 때문이다.

덮개 아래로 느껴지는 대도의 믿음직한 감촉이 노무사에게 향수와도 같고 설레

임과도 같은 감정을 불러일으켰다. 그것은 절대로 익숙해지지 않는 감정이다. 괄하이드는 씩 웃었다.

"녀석. 보채지 마라. 오늘도 포식할 거다."

언덕 위에 있던 다른 장수들도 난폭한 미소를 지어보였다. 하지만 괄하이드의 말에 맞장구를 치거나 재치 있는 말 한 마디를 보태는 등의 행동을 하는 자는 없었다. 괄하이드는 그 사실에 만족하면서도 한편으로는 아릿한 슬픔을 느꼈다. 밝은 청년들, 젊음의 단점이자 특권이기도 한 밝은 성품을 주체하지 못하던 젊은이들이 너무 많이 사라졌다는 반증이기 때문이다. 괄하이드는 그의 골칫거리였던 그 사랑스러운 젊은이들의 이름을 모두 기억하고 있었다. 사마귀 페서다, 난폭자 그리몰스, 상사병자 디구르, 난쟁이 고하, 자러 나온 귀하츠…….

귀하츠의 별명을 되새긴 괄하이드는 우수 어린 미소를 지었다.

'자러 나온 귀하츠라.'

슈라도스에서 온 귀하츠 신뷰레는 독특한 전쟁관을 피력하곤 했다. 그 잘생긴 젊은이는 침대가 자신의 전장(戰場)이며 다른 사람들이 말하는 전장에는 모자란 잠을 보충하러 나온다고 설명하여 전우들을 당황하게 했다. 진격 나팔 소리를 들으며 '취침 나팔이 울렸군. 달콤한 꿈의 시간인가.'라고 중얼거리던 귀하츠의 모습은 뻣뻣하게 긴장해 있던 동료 장수들을 웃게 만들었고 다가올 공포에 위축되어 있던 병사들을 감탄하게 했다. 전장에서 쓰러뜨린 적보다 침대에서 상대한 여자가 더 많은 것 아니냐는 짓궂은 질문에 대해 귀하츠가 확실한 대답을 한 적은 없었다. 그리고 그 대답은 절대로 들을 수 없게 되었다. 귀하츠는 그의 표현대로 자러 나온 전장에서 영원히 잠들었다.

하지만 괄하이드는 귀하츠가 침대를 전장이라고 부른 진짜 이유를 알고 있었다. 그 생각 깊은 귀하츠는 살을 파먹고 뼈를 부수는 것 같은 악몽 때문에 제대로 잘 수 없음을 고백하느니 막돼먹은 호색한으로 남는 쪽을 택했다. 그편이 부하들을 안심시키기 때문이다.

'이제 더 이상 악몽을 꿀 일은 없겠지. 편히 쉬게. 귀하츠.'

빗줄기를 보며 괄하이드는 무거운 한숨을 내쉬었다. 지나치게 많은 젊은이들이 죽었다. 탐스러운 열매를 보장할 아름다운 꽃들이 참혹한 폭우에 떨어졌다. 그리고 그들의 무덤 앞에 살아남은 노병이 바칠 수 있는 것은 아무것도 없었다. 긴 시간 동안 괄하이드의 능력은 위대한 승리의 쟁취보다는 몰살을 전력 도주로 바꾸는 쪽에서 주로 발휘되고 있었다. 물론 살아서 도망친 자들에겐 무엇보다 고마운 재능이었다. 하지만 괄하이드 규리하는 페서다, 그리몰스, 디구르, 고하, 그리고 귀하츠가 그렇게 말해 줄 거라고 감히 믿을 수 없었다.

그리고 그가 지키지 못한 도시들도.

슈라도스의 아름다움은 이제 옛 노래 속에서나 가늠할 수 있을 것이다. 자보로의 전설적인 성벽은 끝내 그 시민들의 신뢰를 배신하고 말았다. 상고토(上古土)의 위대한 도시들 중에서도 으뜸이던 판사이의 육형제 탑이 영원히 수면 아래로 잠겨 버렸을 때 베미온 마립간은 미쳐버렸다. 그는 지금까지도 탑들이 익사하며 내지르는 비명을 듣고 있었고, 레콘보다 더 심한 공수증을 보이고 있었다.

'나를 용서해다오. 위대한 도시들이여.'

고통스러운 회한에 빠져 있던 괄하이드의 눈에 빗줄기 저편에서 언덕을 달려올라오는 사람의 모습이 들어왔다.

찰박거리며 달려오는 병사를 보며 괄하이드는 우려를 느꼈다. '저렇게 달리다간 넘어지고 말 텐데.' 아니나 다를까, 달려오던 병사는 보기 좋게 미끄러졌다. 안개층에 얼굴을 들이박는 병사를 보며 괄하이드는 혀를 찼다. 하지만 병사는 곧 씩씩하게 일어나 괄하이드를 향해 달려왔다. 괄하이드의 앞에 멈춰선 병사는 우렁차게 외쳤다.

"원수부로부터의 전갈을 가지고 왔습니다! 대장군님!"

"얼굴이나 좀 닦고 말하게."

병사는 얼굴에서 1킬로그램은 됨직한 진흙을 닦아내었고 그러자 그 아래에서 빨갛게 변한 소녀의 얼굴이 나타났다. 쓰디쓴 추억에 빠져 있던 괄하이드 대장군도 부지불식간에 미소를 짓고 말았다. 대장군의 미소를 본 소녀 병사는 외워온 말을 떠올리기 위해 그렇잖아도 붉은 두 뺨을 더욱 빨갛게 물들였다. 그렇게 어려운 말도 아니었는데도.

"기상이 곧 변할 겁니다! 대장군님! 곧 사열이 있을 겁니다! 대장군님!"

"알았다. 그리고 데오늬. 땅이 이 모양일 때는 좀 천천히 달리는 편이 어떨까."

"천천히 달리겠습니다! 대장군님!"

"자네만 있다면 내가 대장군이라는 거 잊어먹을 일은 없겠군. 돌아가봐."

"돌아가겠습니다! 대장군님!"

데오늬 달비는 몸을 돌렸고, 천천히 달려갔다. 너무 천천히 달렸다. 결과적으로 데오늬는 중심을 잃고 요란한 동작으로 진흙탕에 처박히고 말았다. 하지만 괄하이드가 예상하고 그 광경을 본 모든 사람이 그러리라 짐작했던 것처럼 데오늬 달비는 벌떡 일어나서는 아무 일도 없었다는 듯이 씩씩하게 달려갔다. 데오늬 달비에 대한 중론은 그녀가 곰굴에 던져져도 난처하다는 듯 얼굴만 조금 붉힌 다음 씩씩하게 달려나올 것이라는 쪽에 쏠려 있다. 그리고 당황한 곰이 그녀를 따라 영문도 모르고 달릴 거라는, 많은 이들의 동의를 얻어낸 부연도 따른다. 괄하이드는 헛웃음을 지으며 몸을 일으켰다.

괄하이드는 빗줄기 저편을 노려보았다.

'사라져간 영웅들이여. 무너진 도시들이여. 그대들을 위해 슬퍼하지만, 그러나 미래는 저 데오늬 달비의 것이겠구나.'

노무사는 다시 대도의 덮개를 만지작거렸다. 상대방의 살을 파헤치는, 가장 극단적인 친선의 도구. 괄하이드는 입술을 깨물었다.

'언젠가 당신들 곁으로 가 함께 웃고 함께 노래할 수 있을 것이다. 희망 속에 그 날이 오기를 기다리겠다. 그때까지, 나는 저 무릎 성할 날이 없는 소녀를 위해 싸우겠다.'

장수들을 향해 몸을 돌렸을 때 괄하이드는 더 이상 웃지 않았다. 그리고 회한에 젖어 있지도 않았다. 싸워야 할 이유가 있었고, 싸워야 할 적도 있었다.

싸워야 할 시간이다.

건물 안으로 누군가가 들어오는 것을 느낀 바우 머리돌은 고개를 그쪽으로 돌렸고, 다음 순간 비명을 내지르고 말았다.

"진흙 마귀다!"

하지만 라수 규리하는 들여다보던 지도에서 눈을 떼지도 않은 채 말했다.

"아니, 그건 데오늬 달비요."

곧 명쾌한 동의의 목소리가 터져나왔다.

"그렇습니다! 상장군님! 명령을 전달하고 돌아왔습니다! 상장군님!"

우렁찬 고함에 생각의 가닥을 놓쳐버린 라수 규리하는 결국 지도에서 눈을 들어 데오늬 달비를 바라보아야 했다. 그리고 기겁했다. 바우 머리돌 성주의 표현은 절대로 과장이 아니었다. 라수 규리하는 문가에 서서 진흙을 뚝뚝 떨어뜨리고 있는 그 기괴한 생명체가 자신이 보낸 전령이 맞는지 확신할 수 없었다.

"도대체 전령 노릇을 어떻게 하면 그렇게 되는 거냐? 아니, 됐어. 대답하지 않아도 좋다. 나가보거라."

"알겠습니다! 상장군님!"

데오늬가 씩씩한 동작으로 달려나가자 바우와 라수는 자신도 모르게 한숨을 내쉬었다. 다시 지도를 들여다볼 생각이 사라져버린 라수 규리하는 바우 머리돌에게 말했다.

"그래, 시우쇠 님은 좀 어떻습니까?"

"많이 지쳐 있소."

"예? 넉 달 가까이 쉬었잖습니까?"

"휴식에 지쳐 있다는 거요. 지금 기세가 어찌나 살벌하고 악랄한지 나도 가까이 가기 어렵군요."

라수는 혀를 내둘렀다.

"대단하군요. 그렇다면 오늘 대활약을 기대해도 되겠군요."

바우 머리돌은 불편한 신음을 흘렸다. 그는 라수가 말하는 대활약이 무슨 의미인지 잘 알고 있었다.

"마호가니 군단 쪽에서 당신 예상대로 준비하고 있다면야. 물론 당신 예상은 틀린 적이 없지만."

"틀림없을 겁니다. 지난 넉 달 동안 우리는 다섯 번 대패했습니다. 저놈들은 절대로 시우쉬 님이 여기 있다는 생각을 못 할 겁니다. 포위를 갖춰 우리를 이곳에 몰아넣은 것만 봐도 확실합니다."

"다섯 번 대패하면서 몇 명이 죽었소?"

"글쎄요. 1만 5000명쯤 될 겁니다."

바우 머리돌은 눈을 붉게 물들였다. 흥분 때문이었다.

"나는 때론 나가들보다 당신이 더 무섭소. 그 1만 5000명은 당신 자신이 죽인 셈 아니오?"

라수 규리하는 상대방이 자신을 미워하는 것은 아랑곳하지 않았다. 하지만 전투 직전의 이런 상황에서 완벽히 쓸모없는 이야기를 꺼내는 것에는 개탄을 금할 수 없었다. 하지만 바우 머리돌은 도깨비였다. 라수 규리하는, 혐오하는 행위였지만 변명을 할 필요를 느꼈다.

"예. 동의합니다. 하지만 저는 그 1만 5000명을 죽였다고 생각하느니 다른 4만 명을 살렸다고 생각할 겁니다."

"이 전투에서 이긴다면 그렇게 말할 수 있을지도⋯⋯."

"이길 겁니다. 상장군."

바우 상장군은 비딱한 시선으로 라수를 바라보다가 천천히 고개를 돌렸다. 그의 시선이 향하는 곳에는 륜 페이가 무표정한 얼굴로 탁자를 내려다보고 있었다.

방심하고 있는 것 같은 모습이었지만, 지금 륜 페이는 사방 수 킬로미터 내에서 이루어지는 물의 움직임을 모두 추적하고 있었다. 조만간 비가 그칠 거라고 예상한 것 또한 륜이었다. 륜이 추적하고 있는 범위를 생각한 바우 상장군은 현기증을 느꼈다. 그것은 2차원이 아니라 3차원적인 범위였는데, 왜냐하면 륜은 직경 수 킬로미터의 지면과 그 위쪽 수 킬로미터 상공, 그리고 지하 수 킬로미터까지—언젠가 적들이 지하수를 용출시켜 기병들을 공격한 이후로 륜은 지표면 아래쪽까지도 자신의 감시 범위에 포함시켰다.―관찰하고 있었기 때문이다. 따라서 륜의 감시 범위는 직경 수 킬로미터의 거대한 구(球)였다.

류 페이가 말했다.

"곧 떠나셔야겠습니다. 바우 상장군님."

바우는 큰 몸을 부르르 떨었다. 류 페이는 여전히 탁자를 내려다보고 있었지만 실제로는 바우를 보고 있는 것이나 다름없었다. 그가 아는 가장 기괴한 자를 찾아보라면 바우는 주저없이 류을 꼽았을 것이다. 어쨌든 바우 머리돌은 상대방의 체액까지 포착하여 눈 감고도 상대를 '보는' 자를 사람이라고 생각하기 어려웠다. 그것은 다른 나가들마저 경악하는 능력이었다. 포로로 붙잡힌 적들은 류의 그런 능력을 절대로 믿으려 하지 않았다. 하지만 그들이 아무리 공포 속에 격렬히 부정한다 해도 류은 그럴 수 있었으며, 실제로 그렇게 했다.

"얼마 있지 않아 하늘이 갤 겁니다. 수호자들은 이미 엔거 평원의 날씨를 바꿔놓았습니다. 지금은 자연스럽게 개도록 내버려두고 있는 것입니다. 다가오는 전투에 대비해서 힘을 아껴두려고 그러는 것 같습니다. 그러니 도깨비들을 데리고 떠나십시오."

"알았소. 공작."

공작이라는 말에 류은 얼굴을 약간 찡그렸다. 물론 류이 공작이 아닌 것은 아니다. 위대한 아라짓의 왕령을 따른다면 류 페이는 존엄한 하텐그라쥬 공인 것이다.

사람들은 그것을 류의 정체에 대한 바람직한 해답으로 받아들였다. 널리 알려진 사실들을 따른다면, 류은 하텐그라쥬에서 발생한 공작 계승의 투쟁에서 밀려나 북부로 도망쳐와서는 때마침 북쪽에 돌아온 왕을 돕고 있는 망명 귀족인 것이다. 나가 사회에 대해 아는 자들이 있었다면 실소를 금할 수 없는 설명이었겠지만 보통의 북부인들에게 그것은 친숙함을 불러일으키는 설명이 되었다.

자신의 정체에 대한 황당하기까지 한 설명을 떠올리며 류은 자신들에게 허위가 너무도 많다는 생각을 지울 수 없었다. 물론 그 허위의 정점은 북부인들을 지배하는 왕의 정체일 것이다. 류은 고개를 들었다. 2층에 있는 사람을, 류은 시각으로 볼 수는 없었지만 능력으로 볼 수는 있었다.

바우 머리돌은 의자에서 일어나 인사를 한 다음 물러갔다. 그는 이곳을 나가는 것이 행복한 듯했다. 그들이 있는 곳은 괄히이드와 병사들이 있는 들판에서 조금 떨어진 곳에 있는 2층짜리 농가의 1층이었다. 다른 사람들은 적절한 위치에 있는 그 건물에 크게 기꺼워했지만 바우만큼은 그 건물을 달가워할 수 없었다. 살해당한 농부 가족들의 시체는 없었지만 벽과 바닥에 핏자국은 선명하게 남아 있었기 때문이다. 병사들이 핏자국을 모두 지운 후에야 바우 머리돌은 그 안으로 들어오는 것을 승낙했고, 그리고 건물 안에 있는 동안 내내 언짢아했다.

류은 문득 의문을 느꼈다.

"이 집을 왜 남겨둔 걸까요?"

"무슨 말이시오, 공작?"

"그들은 우리와 싸울 장소로 이곳 엔거 평원을 택했습니다. 계속된 추격으로 우리를 이 땅으로 몰아넣었고, 우리가 이곳의 작물을 이용할 수 없도록 주변의 농토를 모두 불질러버렸습니다. 나가인 제가 확실히 말씀드릴 수 있습니다. 아무리 곡물이라지만 식물을 불지른 그 행위는 대단한 결심의 증거입니다. 그런데 왜 이 집은 남겨둔 걸까요?"

라수는 소름끼치는 기분을 느꼈다.

"혹 이 집에 어떤 함정이 있다는…….."

"아니요. 그런 것은 없습니다. 여긴 지대가 높은 편이라 폭우에도 문제가 없고요."

"그러면 집까지 부술 시간은 없었나 보지요. 하긴 곡물을 태우는 것과는 다르지요. 그저 우리를 불편하게 만들 작정으로 집을 부순다면 그것은 노동력의 낭비지요."

류은 고개를 갸웃했지만 더 이상 반론하지는 않았다. 그 역시 적당한 이유를 떠올릴 수 없었기 때문이다. 그때 류은 농가를 향해 다가오는 사람들을 보았다. 류은 무심히 말했다.

"코네도 교위와 그의 아들들이 오는군요."

말을 끝낸 륜은 라수의 얼굴을 보고는 자신이 또 실수를 저질렀음을 깨달았다. 라수 규리하는, 어느 쪽이냐 하면 냉소적 합리주의자에 가까운 사람으로 인간보다는 오히려 나가에 가까웠다. 하지만 그런 라수조차도 건물 바깥에 있는 사람을 눈으로 보듯이 말하는 륜의 태도에 완전히 익숙해지지는 못했다. 하지만 라수는 그 이상 감정을 드러내는 것을 자제했고 빌파 삼부자가 건물 안으로 들어섰을 때는 완벽히 냉정한 어투로 말했다.

"어서 오게. 이리 가까이."

삼부자는 륜에게 묵례를 하며 탁자 가까이 다가왔다.

세 사람이 가까이 다가왔을 때 륜은 코네도 빌파의 오른손을—혹은 오른손이 있던 자리를—보지 않을 수 없었다. 오늘 그의 오른팔에 매달려 있는 것은 7번 손, 그러니까 흉측한 가시가 돋은 철퇴였다. 그들이 탁자 옆에 멈춰섰을 때 륜은 코네도의 허리춤에 5번 손과 6번 손도 매달려 있음을 확인했다. 코네도 빌파로서는 완전 무장을 하고 온 셈이었다. 라수 역시 코네도의 무장을 훑어보고는 고개를 끄덕였다.

"기다리던 장난감이 도착했네."

코네도와 그룸, 그리고 토카리의 얼굴이 밝게 변했다. 라수는 탁자 한쪽에 있던 상자를 조심스럽게 열고는 그 안에서 감투 세 개를 꺼내었다. 라수가 감투들을 내려놓자 코네도는 쓰고 있던 투구를 벗었다. 그리고 한 손으로 재치 있게 감투를 들어 머리에 얹었다.

코네도의 모습이 사라졌다.

이미 몇 번 본 일이기에 그룸과 토카리, 그리고 라수는 놀라지 않았다. 대신 걱정스러운 표정으로 륜을 바라보았다. 아무것도 없는 허공에서 코네도의 조심스러운 목소리가 들려왔다.

"공작님? 제가 보입니까?"

륜은 한동안 말없이 허공을 응시했다. 세 남자—보이지 않는 사람까지 따지면 네 남자는 초조하게 륜의 대답을 기다렸다. 마침내 륜이 말했다.

"보이지 않습니다."

네 사람은 탄성을 내질렀다. 그룸과 토카리는 더 참지 못하고 감투를 썼다. 라수는 세 남자의 모습이 온데간데없이 사라지는 모습을 보며 흡족한 표정을 지었다. 그러나 그때 류이 말했다.

"토카리 부위. 멈추십시오. 그러다가 코네도 교위에게 부딪힙니다. 감투 망가지 겠어요."

류의 지적이 내포한 뜻을 이해한 라수는 곧 실망을 느꼈다. 그리고 차례로 나타난 토카리와 그룸도 실망이 역력한 표정을 짓고 있었다. 마지막으로 감투를 벗은 코네도 빌파가 탁자에 그것을 내려놓으며 말했다.

"보이지 않는다고 하셨잖습니까?"

"보이진 않습니다. 하지만 여러분들의 몸속엔 물이 있습니다."

어리둥절해하던 코네도와 그룸과는 달리 토카리는 당장 류의 말을 알아들었다.

"아아! 무슨 말씀이신지 알겠습니다. 그럼 역시 다른 나가에겐 안 보이는 겁니까?"

"예. 드디어 성공이군요. 체온까지 감춰버리다니, 대단합니다."

라수와 토카리는 안도했다. 그리고 토카리는 형과 아버지를 위해 설명을 했다.

"이건 나가의 눈에도 보이지 않습니다. 하지만 공작님께서는 지하수까지 간파하시는 능력으로 우리 몸속의 물을 보신 겁니다. 음, 그럼 공작님. 혹 적들이, 물론 공작님만 한 능력을 가진 자는 없습니다만, 공작님보다 좀 못한 능력으로도 우리를 알아차릴 수 있을까요?"

"어려울 거라고 생각합니다. 저 갈로텍 대장군 이외에 저와 비슷한 능력을 가진 자가 등장했다는 이야기는 들은 적이 없습니다. 만에 하나 저와 비슷한 능력을 가진 자가 출현했다 하더라도 전쟁터같이 사람이 많은 곳에서는 절대로 불가능할 겁니다."

그룸과 코네도도 마침내 희희낙락한 얼굴이 되었다. 코네도는 왼손으로 오른손의 철퇴를 만지작거리며 말했다.

"그렇다면 됐습니다! 오늘 이놈을 한 번 신나게 써먹을 수 있겠군요."

라수는 고개를 가로저었다.

"너무 신나게 써먹는 건 자제하게. 적들도 우리가 도깨비 감투를 개량하고 있다는 것은 알고 있어. 꼭 필요할 때만……, 이런, 발케네 남자들에게 쓸데없는 주의를 주고 있었군."

코네도, 그룸, 그리고 토카리는 사나운 미소로 라수의 실수를 용서해 주었다. 발케네 남자인 그들은 당연히 참을성을 가지고 있었다. 도둑의 필요 자질이기 때문이다. 그때 그룸이 계단 쪽을 곁눈질하며 말했다.

"저, 보늬인지 나늬인지 알려면 두 사람은 있어야 하지 않습니까? 확실히 안 보이는지 알려면 폐하께서 확인해 주시는 것이……."

그룸은 말끝을 흐리고 말았다. 륜을 제외한 세 남자가 어이없다는 표정으로 그를 노려보았기 때문이다. 라수 규리하는 말도 하기 싫다는 표정으로 코네도를 바라보았고 코네도는 라수에게 머리를 숙여 보인 다음 첫째 아들의 정강이를 사정없이 걷어찼다. 그룸은 비명을 지르며 다리를 붙잡았다. 그런 그의 정수리를 향해 코네도의 불호령이 쏟아졌다.

"이 멍청한 녀석아, 폐하께서 어떻게 확인하시냐!"

그룸은 그제야 자신의 실수가 무엇인지 깨달았다.

"아, 아니죠! 절대로 확인하실 수 없습니다!"

"그럼 조금 전의 그건 무슨 소리냐?"

"제가 잠시 미쳤나 봅니다!"

라수는 고개를 가로저었다.

"다시는 미치지 말게. 그룸 부위."

그룸 빌파의 얼굴이 화끈 달아올랐다. 라수는 저 용맹하지만 주의력은 좀 부족한 사내를 전선에서 떼어놔야 하는 것이 아닌가 하는 고민을 잠시 해보았다. 하지만 곧 그런 생각을 거두고 간단한 주의만 주기로 했다.

"그리고 코네도 교위와 토카리 부위는 그룸 부위가 또 미치지 않도록 애정으로 보살피게."

그룹은 아버지와 동생의 따가운 시선을 피하기 위해 농가의 바닥을 노려보아야
했다.

라수 규리하는 헛기침을 한 다음 말했다.

"자네들은 출발하도록 하게. 알고 있겠지만 모두 충분한 거리를 두고 흩어져야
해. 우리들도 자네들을 볼 수 없으니까. 그다음에는 어떻게 해야 하는지 잘 알고
있겠지?"

빌파 삼부자는 물론이라고 대답한 다음 떠났다. 라수는 륜을 돌아보았다.

"공작님. 폐하께서 사열을 하셔야 하는데, 제가 갈까요?"

"제가 가겠습니다."

륜은 계단을 올라 2층에 도달했다. 왼쪽 방으로 다가간 륜은 방문을 두드렸다.
반복된 연습으로 이제는 익숙해진, 그리고 완전히 무의미한 동작이었다.

〈륜입니다. 들어가도 되겠습니까?〉

방 안에서도 익숙한 대답이 돌아왔다.

"누구인가?"

"륜 페이입니다."

"들어오시오. 공작."

방 안은 횡뎅그렁했다. 간소한 침대 하나와 옷장이 전부였다. 사모 페이는 침대
에 걸터앉아 있었다. 그녀는 이미 갑옷을 갖춰 입고 있었고 손에는 가면을 든 채
그것을 내려다보고 있었다. 륜은 잠시 제자리에 서서 사모를 바라보았다.

사모는 가면을 내려다보며 닐렀다.

〈준비가 끝난 거야?〉

〈그렇습니다. 라수 상장군이 어떻게 흥분을 가라앉히고 있는지 모르겠습니다.〉

〈넉 달 동안 1만 5000명을 죽이며 오늘을 준비해 온 사람이니까.〉

륜은 고개를 끄덕였다. 사모는 천장 쪽을 잠시 바라보다가 닐렀다.

〈그동안 적들은 얼마나 죽었지?〉

〈200명쯤 될 겁니다.〉

사모는 침묵했다.

〈우리 병사들이 사기를 유지하고 있다는 것이 기적 같구나.〉

〈대장군과 장수들의 노력이 컸습니다.〉

사모는 또 침묵했다가 닐렀다.

〈자러 나온 귀하츠, 기억나니?〉

〈악몽을 꾸던 청년 말씀이십니까?〉

〈요즘 내가 그렇구나.〉

〈네?〉

〈요즘 계속해서 꿈 때문에 잠을 설치곤 해. 며칠에 한 번씩은 꼭 꾸는 것 같은데, 형태는 매번 조금씩 달라. 하지만 결과는 항상 똑같아. 나는, 어떤 이유에서인가 내 병사들 앞에 서게 돼. 사열, 연설, 추모, 포상…… 이유는 매번 달라. 어쨌든 나는 병사들을 내려다보는 위치에 서지. 그때 누군가가 갑자기 내게 다가와. 그게 누군지 모르겠어. 아는 사람인지 모르는 사람인지조차도 모르는 어떤 사람이야. 아니, 사람인지도 모르겠어. 어쨌든 그자는 내게 다가와 내 가면을 벗겨버리지. 그럴 거라는 것을 알고 있지만, 나는 매번 막지 못해. 그리고 내 얼굴이 장병들 앞에 드러나게 되는 거지.〉

사모는 희미하게 웃었다.

〈그다음이 정말 궁금해. 꼭 그 지점에서 깨어나거든.〉

〈가면의 부담감 때문에 그런 꿈을 꾸시는 것이겠지요.〉

〈륜. 침대에 누워봐.〉

〈네?〉

〈여기, 침대에 누워봐.〉

륜은 어리둥절해하며 침대로 다가갔다. 사모는 침대에서 일어난 다음 옆으로 비켜섰다. 륜은 그다지 매끄럽지 못한 동작으로 침대에 누웠다.

륜은 탄성을 질렀다.

천장에 글이 적혀 있었다. 침대에 누웠을 때만 보이도록 서까래들의 특별한 위치에 먹을 발라서 이루어진 글이었다. 사모는 고개를 끄덕이며 닐렀다.

〈그래. 서자들은 이 십을 비워두면 우리가 늘어오리라는 것, 그리고 이 방에 내가 묵을 거라는 것을 짐작했지. 그냥 서신을 보내는 것보다는 훨씬 위협적이고 충격적인 방법이잖아?〉

륜은 사모의 니름에 동감하며 글을 읽었다. 기상천외한 내용이 있는 것은 아니었다. 항복을 권하는 간단한 문장이었다. 하지만 그 조건이 예사롭지 않았다. 륜은 일어나 침대 옆에 섰다.

〈무장을 해제하고 항복하면 자치 지역을 내주겠다는 건가요? 라수 상장군이 보면 좋아하겠군요. 우리가 저런 조건을 받아들일 만큼 약화되었다고 판단한 것일 테니까.〉

〈불신자들을 한자리에 모아놓고 50년쯤 후에 한 번에 몰살하려는 것이겠지. 하지만 내 주의를 끄는 것은, 저것이 나가뿐만 아니라 불신자들에 대해서도 알고 있는 자가 생각해 낼 법한 제안이라는 거야. 역시 그들에게 협력하는 불신자가 있는 걸까? 그렇잖으면, 나가들은 이제 불신자들에 대해 익숙해진 걸까?〉

사모는 잠시 멈췄다가 닐렀다.

〈그들이 불신자들에게 익숙해진 거라면, 이제 불신자들도 나가에 대해 익숙해져 있을까?〉

〈……그래도 나가가 자신의 왕이라는 것을 알면 경악할 겁니다.〉

사모는 한숨을 내쉬었다.

〈그래. 그렇겠지.〉

륜은 쓸쓸한 표정으로 사모를 바라보았다. 사모는 모호한 방향을 향해 웃은 다음 가면을 썼다.

아름다우면서도 무시무시한 가면이었다.

구름이 서서히 흩어져 맑은 하늘이 그 틈에서 드러났다. 엔거 평원을 뒤덮고 있던 안개도 사라져 흙탕물로 뒤덮인 땅이 지평선까지 펼쳐졌다. 류은 평원 곳곳을 덮고 있는 그 물을 보며 한숨을 내쉬었다. 적들은, 이왕이면 강이나 거대한 호수를 낀 지역을 선택하고 싶었을 것이다. 하지만 라수 규리하는 그런 지역으로 절대 다가가지 않았다. 그러자 적들은 예상 전장으로 지목된 엔거 평원에 구름을 끌어모아 사흘 동안 비를 퍼부었다. 전장 전체를 '적셔두는' 그 행동에 라수 상장군은 감탄했다. 그리고 라수는 '전투 역시 일종의 사회 관계—대단히 극단적인 형태이긴 하지만—이고 따라서 서로 간의 양보는 있어야 한다'고 말하며 그 정도의 요구는 들어주겠다고 결정했다. 그래서 그들은 적들이 전장을 충분히 적시기를 기다리며 그곳에 머물렀다.

사흘이 지난 지금, 마침내 적들은 비를 물러가게 했다. 전투 시작을 통고하는 매우 자연스러운 방법이다. 생각의 그 지점에서 류은 쓴웃음을 지었다. 자연의 힘을 자유롭게 사용하는 적들과의 오랜 투쟁의 결과로, 그즈음 '자연스럽다'는 표현은 냉소적 농담으로 사용되고 있었다.

기병 5,000명, 그리고 보병 3만 5000명이 도열해 있었지만 엔거 평원은 고요했다. 그래서 바위를 향해 걸어오는 대호의 발소리가 잘 들릴 정도였다.

왕은 언제나처럼 대호 마루나래에 올라탄 채 금군과 함께 걸어왔다.

왕을 보호하는 금군을 인간이나 레콘들로 구성하는 것이 어떻겠느냐는 의견은 끊이지 않고 제기되었지만 그것은 언제나 의견 제시에 머물고 말았다. 나가와의 전투를 평생 숙원으로 천명하고 종군하고 있는 레콘들은 왕의 주위를 지키느니 최전선에서 싸우기를 원했고, 원수부는 왕의 주위에 인간을 두는 것을 탐탁지 않아 했다. 그래서 왕은 언제나처럼 스물두 명의 두억시니들로 이루어진 금군의 호위를 받으며 바위로 향했다. 그리고 금군의 모습을 본 인간들은 원수부의 결정이 타당하다고 생각했다. 원래부터 신체 곳곳이 흉기나 다름없는 그 두억시니들은 열성적인 대장장이들의 도움으로 그들에게 적합한 여러 개성적인 장비들을 갖추어 더욱 무시무시한 모습으로 되태어났다.

왕을 보며 류은 다시 한번 자신의 감각을 최대한 확장시켰다. 거의 10킬로미터 이상 감각을 확장시킨 륜은 이미 몇 번씩 확인한 결론을 다시 얻었다. 왕을 겨냥한 불순한 물의 움직임은 없었다. 만약 조금이라도 의심스러운 움직임이 발생하면 취할 조처들을 꼼꼼히 되새기며 륜은 왕을 저다보았다.

바위에 도달한 마루나래는 가볍게 그 위로 뛰어올랐다. 대호 위에 탄 왕은 상당한 높이에서 병사들을 내려다보게 되었다. 왕의 얼굴을 가리고 있는 그 유명한 가면은 장병들로 하여금 왕이 모든 방향을 동시에 바라보고 있는 것 같은 느낌을 받게 했다.

왕이 자리를 잡자 레콘 한 명이 바위 앞으로 다가가서는 왕과 같은 방향을 향해 섰다. 왕에게 등을 보이는 무례는 이 경우 불가피한 것이기에 용납될 수 있다. 레콘이 똑바로 선 것을 확인한 왕은 천천히 말을 시작했다.

"짐의 말을 들어라."

"짐의 말을 들어라."

레콘이 왕의 말을 따라 큰 목소리로 외쳤다. 그 덕분에 그곳에 모인 4만 명 모두가 왕의 이야기를 들을 수 있었다. 사실 별 필요 없는 배려일지도 모른다. 왕이 하는 말은 언제나 똑같았으니까.

"지고 돌아오는 것은 백 번이라도 용서하겠지만, 이기고 죽어버리는 것은 용서하지 않겠다."

륜 페이는 라수 규리하가 한숨을 내쉬는 것을 목격했다. 라수 상장군은 단 한 번만이라도 '짐을 사랑한다면 나가서 적을 도륙하라!'라고 말해 달라고 왕에게 졸랐지만 왕은 요지부동이었다. 언젠가 왕은 라수 규리하를 거의 자포자기 상태로까지 몰아넣은 다음 진지하게 질문한 적이 있었다. '짐이 자네에게 그렇게 말한다면 어쩔 텐가?' 라수는 콧방귀를 뀌었다. '왕보다는 제 목숨을 더 사랑한다고 대답할 겁니다.' 륜과 다른 이들은 라수의 뻔뻔함에 질려버렸지만 왕은 싱긋 웃으며 라수의 무례를 용서했다. 그리고 라수의 요청도 묵살했다.

륜도 왕의 고집을 이해할 수 없었다. 전투를 앞두고 병사들의 예기(銳氣)를 북돋자는 라수 상장군의 요청은 륜에게도 당연한 상식으로 생각되었다. 하지만 왕은

'승리'도, '명예와 자존심'도, '죽음을 두려워하지 않는 용기'도 말하지 않았다. 왕은 언제나 '살아 돌아오라'는 말만 했다.

'그걸 원하지 않는 병사가 어디 있다고?'

류이 잠시 상념에 빠져 있는 사이 왕은 바위에서 내려와 금군과 함께 물러났다. 전투 배치 신호가 울렸고 장군들은 자신의 군단을 움직였다. 군기들이 움직이고 나팔과 호각 소리가 소란을 떨었다. 교위들의 함성이 들려왔고 그보다 더 난폭한 부위들의 욕지거리들도 들려왔다.

전투는 이미 시작되고 있었다. 비록 왕이 맥 빠지는 소리를 했지만, 병사들은 자신이 어디에 있는지 잘 알고 있었다. 지휘관들은 그들을 죽음과 삶을 가르는 가느다란 선 위에 올려놓고 있었다.

추하고 희미한, 비정함으로 가득한 선이었다.

지난 사흘 동안 엔거 평원을 뒤덮고 있던 구름이 마침내 소멸했다. 그 사이로 드러난 맑은 하늘을 바라보며 마호가니 군단의 군단장 그로스는 자신이 이룩한 일이라도 되는 양 의기양양해했다.

사실, 그가 해낸 일이다.

그로스는 주위를 둘러보며 더욱 자신만만해졌다. 저 멀리 있는 코끼리 부대의 모습이 특히 그를 즐겁게 했다. 나가 보병들을 짓밟아대는 적군 기병들에 대한 대비책으로 제안된 코끼리 부대는 예상을 뛰어넘는 맹활약을 보여주었다. 빼어난 정신 억압자 수디 가리브를 주축으로 한 정신 억압자 무리는 이제 자신들의 코끼리와 완전히 한 몸이 되어 움직이고 있었고, 실제로 다른 병사들 또한 그것을 나가의 두뇌와 코끼리의 육체가 결합된 하나의 생물로 여기고 있었다. 실로 파괴적인 생물이었다. 그로스는 지난번 전투에서 적 기병의 말을 짓밟고 그 기수를 코끼리의 상아에 꿴 채 전장을 누비고 다니던 수디 가리브의 모습을 생생하게 기억할 수 있었다.

2만에 달하는 마호가니 군단의 보병들의 모습 또한 장려했다. 비록 그로스의 야심찬 계획, 즉 적군의 작살검에 대비하여 군단병 전원을 중장갑으로 무장시킨다는 계획은 실현 가능성이 없다는 이유로 폐기되었지만—나가에겐 좋은 대장장이들이 부족했다.—사이키를 움켜쥔 보병들의 위엄 있는 모습은 그런 약점 따위를 잊게 만들었다.

흡족해하고 있는 그로스에게 부관이 다가왔다.

〈군단장님. 마지막으로 닐러드리겠습니다. 정말 전투를 시작하실 생각이십니까?〉

그로스는 좋던 기분이 싹 사라지는 것을 느끼며 부관을 돌아보았다. 하지만 그로스는 곧 자신을 회복했다. 어쨌든 그의 부관은 여자였다. 그리고 남자 지휘관들을 더 이상 부정하지 않게 된 여인들도 남자들의 지휘에 대해 트집을 잡을 권리까지는 포기하지 않았다. 그로스는 부관을 설득하기로 마음먹었다.

〈그래. 부관. 전투를 시작할 생각이네. 대호왕(大虎王)은 내 항복 권고를 거부했어.〉

〈사흘만 더 비를 뿌리시며 기다리면 갈로텍 대장군께서 도착하실 텐데요.〉

〈그리고 우리 수호 장군들은 지쳐빠지겠지. 무의미한 일이야.〉

〈하지만 대장군께서는 자신의 도착을 기다리라고 하셨습니다.〉

〈모든 전투에 참여하려는 대장군의 그런 태도 때문에 전선의 확장이 늦어지고 있어. 가끔은 믿고 군단장들에게 맡겨야 되는데, 그러지 못하고 있지. 그리고 대장군의 그런 태도는 당연해. 모든 장군들이 실수를 무서워해서 독자적인 판단을 거부하기 때문이야. 하지만 대장군 혼자 이 넓은 전선을 감당할 수는 없어. 이제는 우리 능력을 보여줘야 해.〉

〈니름 옳습니다만 저곳에는 그들의 왕이 있잖습니까? 게다가 륜 페이도 있습니다. 군단장님께서는 우리 군단의 수호 장군들만으로도 륜 페이를 충분히 상대할 수 있다고 하셨고 저 또한 그 판단을 믿습니다. 하지만 그 경우 병사들은 수호 장군들의 지원을 받지 못하는 상태에서 적군들과 상대해야 합니다.〉

〈그리고 그들을 도륙할 걸세. 기병은 수디가 제거할 테고 우리 보병들은 홀로 불

신자 열 명이라도 쓰러뜨릴 수 있어. 뭐가 문제인가?〉

부관은 솔직히 문제를 제시할 수 없었다. 그들의 군단은 2만 명의 보병과 500기의 코끼리병으로 이루어져 있었고 그 숫자는 확실히 4만의 적병을 제압할 수 있는 숫자였다. 하지만 부관은 꺼림칙한 기분을 느꼈다. 그리고 오랜 시간의 전투 경험이 그 느낌을 지지하고 있었다. 좋지 않았다.

그녀가 자신의 기분을 설명할 니름을 떠올리기 전에 그로스가 준엄하게 닐렀다.

〈나는 그들의 왕에게 항복을 제안했고 그들은 살아날 기회를 포기했어. 이제 우리는 그들을 도륙하기만 하면 되네. 부관.〉

부관은 마지막 갈등을 느꼈다. 결정을 내릴 시간은 길지 않았다.

〈알겠습니다. 군단장님. 하지만 제가 이 전투를 반대했다는 것을 분명히 해두고 싶습니다.〉

그로스의 얼굴이 일그러졌다. 이런 고집을! 그로스는 날카롭게 닐렀다.

〈좋아. 자네는 반대했어. 비아스 마케로우!〉

〈감사합니다.〉

비아스는 완전히 무감각한 니름으로 대꾸한 다음 뒤로 물러났다. 그로스는 그녀를 잠시 노려보다가 다시 앞을 쳐다보았다. 그로스는 진격을 명령했다.

횃불이 크게 움직였다. 코끼리들과 병사들은 전장을 향해 걸어갔다.

전쟁터에 도달한 그로스는 엔거 평원의 북쪽을 바라보았고 적군이 이미 배치를 끝냈음을 깨달았다. 그로스는 그것이 누구의 솜씨인지 알고 있었고, 그래서 괄하이드 대장군에 대한 아낌없는 찬사를 보내었다. 하지만 그로스는 서두르지 않고 진형을 갖추었다. 괄하이드는 기다려줄 것이다. 과거 나가들이 진형을 갖추느라 어수선한 척하며 괄하이드를 유인한 적이 있었다. 돌격해 온 괄하이드는 지하수의 분출과 강력한 진눈깨비에 노출되고 말았다. 륜 페이가 나서지 않았다면 괄하이드는 돌이킬 수 없는 패배를 당했을 것이다. 그 이후로 괄하이드 규리하는 경의를 가지고 나가들이 진형을 다 갖추기를 기다렸다. 그로스는 그런 괄하이드를 자극하기 위해 일부러 늑장을 부리리라 마음먹었다.

잠시 후, 그로스는 의아함을 느꼈다.

불신자들의 부대가 갑자기 움직이기 시작했다. 그로스는 그 사실에 놀랐지만 당황하지는 않았다. 그로스가 보내는 강력한 니름에 의해 진선 곳곳에 펼쳐져 있는 수호 장군들은 준비를 갖추었다. 다른 장수들이 수력을 통제할 준비를 갖추었다는 것을 확인한 그로스는 적군을 관찰하며 태연하게 병력 배치를 계속했다.

그로스의 예상대로 적군은 돌격할 생각이 없는 듯했다. 전방에 배치된 보병들이 좌우로 갈라설 뿐이었다. 그로스는 북부군이 왜 그런 움직임을 취하는지 알 수 없었다. 좌우로 움직이는 보병들은 결과적으로 기병들의 앞을 가로막게 되었고, 그 때문에 기병들은 당장은 돌진할 수 없게 되었다. 왜 저런 쓸모없는 짓을?

문득 불길한 예감이 그로스를 엄습했다. 그로스는 적군을 뚫어지게 관찰했다. 그때 같은 의심을 하고 있었던 듯 곁에 있던 비아스가 닐렀다.

〈도깨비불은 아니군요. 진짜 병사들입니다. 왜 저런 움직임을 취하는 걸까요?〉

그로스는 짧게 고민했다.

〈뭔가 새로운 진형을 시험해 볼 것인지를 놓고 조금 전까지 고민하다가 방금 결심했나 보군. 괄하이드답지 않은 일인데. 필사적인 심경인 모양이군.〉

〈괄하이드는 노련한 전략가입니다. 무슨 꿍꿍이가 있을 겁니다.〉

그로스는 비아스의 니름에 대해 뭔가 대답하려 했다. 그러나 곧 그 대답을 잊어먹고 말았다.

좌우로 갈라진 보병 사이로 걸어나온 것을 본 순간 그로스는 모든 것을 깨달았다. 왜 괄하이드가 기다려주지 않았는지, 왜 보병들이 좌우로 갈라졌는지.

그리고 왜 그들이 항복하지 않았는지.

그것은 도깨비의 모습을 지니고 있었다. 그러니까, 다른 모든 존재들보다는 도깨비를 더 닮아 있다는 뜻이다. 그 피부는 달아오른 쇳덩이처럼 빛나고 있었고 관절 부위마다 연기가 피어오르고 있었다. 눈은 있었지만 눈알은 없었으며, 이마 아래에 있는 그 두 개의 구멍에서 볼 수 있는 것이라고는 작열하는 화염뿐이었다. 똑같은 화염이 콧구멍에서도, 입 안에서도, 그리고 온몸의 털이 나 있어야 하는 곳마다 솟구치고 있었다. 그것은 실로 백열하는 불덩이에 도깨비의 피부를 씌워놓은 존재였으며, 대파멸의 요구에 대한 가장 확실한 대답이었다. 그로스는 비늘을 부딪치며 절규했다.

〈시우쇠!〉

시우쇠는 거대한 두 팔을 좌우로 펼쳤다. 화염으로 이루어진 머리카락이 거칠게 휘날리며 불똥을 흩날렸다. 화염의 화신은 산더미 같은 불덩이를 토했다. 그리고 자신이 내뿜은 불꽃 속으로 뛰어들었다. 불꽃은 그대로 그의 몸에 엉겨붙었다. 시우쇠는 달리기를 멈추지 않았고, 그러자 그의 몸에 엉겨붙은 불꽃은 수십 미터에 달하는 망토처럼 그의 뒤에서 춤췄다.

자신을 죽이는 신의 화신은 나가들을 향해 달렸다.

병력 배치 따위는 더 이상 그로스의 고민거리가 될 수 없었다. 그로스의 다급한 지시에 따라 평원 곳곳에 흩어져 있던 수호 장군들이 각자의 신명을 닐렀다. 그리고 그들은 다가오는 시우쇠를 향해 수력을 집중시켰다.

사흘 동안의 비로 충분히 적셔져 있던 평원에서 물이 형체 없는 유령처럼 일어났다.

그리고 그것은 파도가 되었다.

광대한 평원 전체에서 물이 파도치듯 일어나는 광경은 압도적이었다. 우묵한 곳마다 괴어 있던 물을 게걸스럽게 삼키며 거대해지던 파도는 마침내 수십 미터의 높이로 치솟아올랐다. 그 거대한 파도는 한 지점을 향해 거세게 돌진했고 그곳에는 시우쇠가 있었다. 시우쇠는 사방에서 몰려오는 육상의 파도를 보며 으르렁거렸다.

부글거리는 물거품을 머리에 인 파도가 산더미 같은 기세로 시우쇠를 강타했다.

수증기가 폭발하며 용솟음쳤다.

화염의 화신과 육상의 파도가 격돌한 곳에서부터 불어나온 열풍이 헐벗은 평원을 치달렸다. 지독히 '자연스러운' 광경이었다. 고개를 돌려 외면했던 그로스는 잠시 후에야 충돌 지점을 바라보았다. 그곳에서는 그때까지도 수증기가 피어오르고 있었다.

갑자기 수증기 뒤편에서 가공할 열이 번득였다. 그리고 수증기가 회오리치며 솟구쳤다. 비늘을 곤두세운 채 열을 바라보던 그로스는 정신적 비명을 질렀다.

수백 미터의 거리가 있었지만, 그리고 시우쇠에겐 눈동자 따위도 없었지만, 그로스는 시우쇠와 정면으로 눈이 마주쳤음을 깨달았다. 시우쇠는 한쪽 무릎을 꿇은 채 몸에서 불길을 일으키고 있었다. 그 불길은 수증기를 불살라먹고 주위의 흙탕물을 끓어오르게 했다. 영이 빠져나갈 것 같은 공포 속에서 그로스가 굳어 있는 동안 시우쇠는 천천히 무릎을 폈다.

똑바로 일어난 시우쇠는 이전보다 두 배나 큰 불길을 일으키고 있었다. 그리고 다시 달리기 시작했다.

그로스는 후퇴해야 한다는 절박한 느낌을 받았다. 그러나 병력 배치는 방금 시작되고 있었고 따라서 당장은 빼돌릴 수도 없는 형국이었다. 무지막지한 혼란이 일어날 것이 분명했다. 그때 비아스가 군단장의 정신을 온통 흔들어놓을 정도로 강력한 니름을 보내어왔다.

〈후퇴해야 합니다!〉

〈뭐라고?〉

〈후퇴해야 합니다! 우리가 속았습니다. 이곳에 시우쇠가 있다면 싸움은 불필요합니다!〉

조금 전 그런 결정에 기울어 있었지만, 그로스는 부관의 참견에 격분하지 않을 수 없었다.

〈눈이 멀었나! 이런 상태에서 후퇴를 명령하면 시우쇠는 혼란에 빠진 아군을 깡그리 불태울 것이다. 아킨스로우 협곡을 기억해라. 돌격해야 해!〉

비아스는 욕설을 니르고 싶은 강력한 충동을 느꼈다. 그로스는 그런 비아스의 속마음을 꿰뚫어본다는 듯 경멸에 찬 눈으로 부관을 노려본 다음 강력하게 닐렀다.

〈돌격하라! 돌격! 접근하면 시우쇠는 불을 쓸 수 없다!〉

나가들은 그로스의 니름을 이해했다. 그로스의 지적처럼 북부군과 밀착하는 것만이 시우쇠가 무작정 불을 일으키는 것을 저지하는 유일한 방법이었다. 나가들은 살기 위해 적군을 향해 돌격했다.

당황 때문에 그로스는 미처 깨닫지 못했지만, 갑작스러운 개전(開戰) 때문에 나가들은 소드락 복용 시점을 놓친 채 돌격하고 말았다.

북부군의 병사들 뒤편에서 맑고 거대한 나팔 소리가 들려왔다. 장수들은 각자의 무기를 높이 들어올려 신호를 보내었다. 보병들은 전진을 시작했다. 하지만 거센 돌격을 개시한 나가들과 달리 북부군의 보병들은 천천히 걸음을 뗐다. 각자 고르고 고른 첫 번째 작살검을 오른손에 쥔 병사들은 교위들의 명령에 따라 열을 맞추어 저벅저벅 걸었다.

땅의 감촉은 기묘했다. 사흘 동안 젖어 있던 땅은 갑자기 물기를 뺏겨 기묘한 모습으로 메말라 있었고 병사들의 발아래에서 퍼석거리며 부서졌다. 기분 나쁜 땅이었다. 하지만 교위들은 주의 깊게 그들을 인도했다.

보병들의 진군 속도는 조금씩 달랐다. 중앙부의 속도가 다른 부분들보다 상대적으로 느렸다. 마침내 3만 5000명에 달하는 북부군 보병들은 양익이 앞쪽으로 돌출한 쐐기 모양을 형성했다.

쐐기의 오목한 부분 앞쪽에서 시우쇠는 무시무시하게 불타며 달리고 있었다. 시우쇠에게 닿으려면 아직 먼 시점에서 나가 보병들은 자신의 옷이 불타는 것을 깨닫고 공포에 질려버렸다. 그런 나가들을 향해 시우쇠는 담백하기 그지없는 돌격을 감행했다.

하지만 나가들의 뒤편에 있던 수호 장군들은 이미 물을 끌어모은 후였다. 불과 100미터라는, 도저히 비나 눈이 형성될 수 없는 높이에서 물이 응결되기 시작했다. 하늘을 올려다본 시우쇠는 난폭하게 으르렁거리며 몸의 불길을 더욱 거세게 일으켰다. 그 순간 수십 명의 수호 장군들이 일으킨 진눈깨비가 시우쇠를 향해 폭포처럼 쏟아졌다.

시우쇠와 수호 장군들의 진눈깨비가 격돌하는 지점에서 굉음과 수증기가 뿜어졌다.

나가들은 그 충돌 지점에 뛰어들 수 없었고 그리고 싶지도 않았다. 그 때문에 돌진하던 나가 보병대의 선두는 가위가 천을 가르는 형상으로 좌우로 갈라졌다. 그런 식으로 시우쇠를 우회한 나가들은 그 뒤편의 북부군을 향해 돌격을 계속했다.

격분한 나가들의 모습이 점점 커지고 있었지만 북부군의 진군 속도에는 변함이 없었다.

땅이 사정없이 울렸다. 코끼리들의 포효가 허공을 갈랐다. 나가들에겐 없는 심장이 북부군 병사들의 가슴속에서 요동쳤다. 확대된 동공, 그러나 발걸음은 여전히 자제력 속에 단속된다. 다가오는, 다가오는, 다가오는. 너무 가깝다. 지나치게 가깝다. 이대로 죽는가? 저 사이커가 내 목을 노리며 날아오고 있는데 이런 바보 같은 병정놀이를 계속해야 하나? 보병들은 그들의 지휘관들이 갑자기 벙어리가 되지 않았나 격렬하게 의심해 보았다. 그 순간 양익을 지휘하고 있던 세미쿼 장군과 무핀토 장군이 거의 동시에 외쳤다.

"찢어발겨!"

작살검과 사이커가 살을 탐내며 뛰쳐나갔다.

북부군의 보병들은 모두 세 자루씩의 작살검을 휴대하고 있었다. 나가들을 상대하기 위해 고안된 흉측한 병기인 작살검은 한 번 몸에 박히면 잘 빠지지 않으며, 지속적인 고통을 줌과 동시에 나가들의 움직임을 방해한다. 미처 소드락을 복용할 틈이 없었던 나가들은 작살검의 공격에 속수무책으로 당할 수밖에 없었다. 그러나 나가들에게 작살검은 이미 익숙한 병기였다. 나가들은 몸을 헤집는 격통을 견뎌내었다. 그리고 작살검을 몸에 꽂은 채 북부군을 향해 사이커를 휘둘렀다.

참혹한 비명이 피의 분출과 어우러져 전장을 물들였다.

살인이 집단 살육으로, 그리고 다시 전투 행위로 바뀌어갔다. 혐오스러운 도덕의 파괴가 무미건조한 역사적 사건으로 변모되는 속도는 가공할 정도였다. 하지만 그 순간 순간을 적시는 유혈은 뜨거웠다. 습기를 강탈당해 푸석푸석해진 땅은 욕심껏 피를 들이켰다. 쓰러지는 시체를 위해 유혈의 널이 제공되었다. 언젠가 그 음부에서 꺼내어 건네준 강철의 대가로, 대지는 냉정하게 시체를 수령하고 있었다. 차가운 정산.

바쁘고 소란스럽고,

구슬프다.

칼릭 미소레스는 판사이에서 온 청년이다. 물려받은 가산도 없는 데다 중병을 앓는 어머니를 모시느라 늦은 나이까지 결혼을 하지 못했고 어느 정도 포기한 지도 오래였다. 효자라는 입에 발린 소리 대신 딸을 내주면 어떻겠냐고 말하고 싶은 충동을 셀 수 없이 느꼈지만, 끝내 그런 험한 말을 꺼내지 못하고 대신 겸손하게 웃어버리며 39년의 세월을 살아온 청년은, 눈앞의 나가를 향해 작살검을 내찔렀다. 탁월한 솜씨였다.

곤두선 비늘 사이로 매끄럽게 파고드는 작살검이 짐보리 투나의 근육을 찢고 뼈 사이에 자리를 잡았다. 비스그라쥬에서 온 짐보리 투나는 2년 전까지만 해도 다섯 살짜리 딸의 어머니였다. 하지만 그 어린 것이 발코니에서 추락하여 죽은 후 짐보리는 그 끔찍한 집을 떠나와 성전에 종군했다. 작살검이 몸을 파고드는 고통은 짧은 순간 그녀에게 알을 낳을 때의 느낌을 상기시켰다. 그러나 추락사한 딸과 달리 작살검은 어미의 몸을 찢는 고약한 딸이었다. 작살검이 흔들릴 때마다 잔혹한 고통이 육체를 불살랐다. 짐보리는 미쳐버렸다. 분노와 슬픔 속에서 짐보리는 사이커를 휘둘렀다.

다음 작살검을 미처 빼들지 못한 칼릭 미소레스의 턱에 강렬한 충격이 찾아들었다. 자신이 입은 손실을 미처 깨닫지 못한 채 칼릭은 어깨로 눈앞의 나가를 밀쳐버렸다. 짐보리 투나는 휘청하다가 쓰러졌다. 칼릭은 가까스로 뽑아낸 두 번째 작살검으로 짐보리의 배를 내찔렀다. 짐보리는 땅에 꿰였다. 니름을 듣지 못하는 칼릭은 당연히 짐보리의 비명을 들을 수 없었다. 쓰러진 적수에게 욕설을 퍼부어주려던 칼릭은, 그제야 자신의 아래턱이 떨어져나갔음을 깨달았다. 턱을 만지려던 손길로 입천장을 만지게 된 칼릭은 피와 침이 뒤섞인 괴이한 비명을 내질렀다.

칼릭은 단검을 뽑아들며 짐보리의 가슴에 쓰러졌다. 마치 서로를 애무하는 연인과 같은 모습이었다. 하지만 짐보리 투나의 입술에 날아든 것은 단검이었다. 짐보리의 입에 단검을 쑤셔넣은 칼릭은 악착같이 그 아래턱을 도려내기 시작했다. 짐보리는 정신적 비명을 내지르며 사이커로 칼릭의 옆구리를 난도질했다. 하지만 아래턱을 도려내는 단검의 움직임은 멈추지 않았다.

그런 두 사람의 등 위로 코끼리의 거대한 앞발이 떨어졌다. 대지의 종기가 터지듯 피와 체액이 비산했다.

코끼리에겐 이름이 없었다. 켄테롭 평야에서 16년을 살아오는 동안 이름이 없어서 불편했던 적은 없었다. 그 거수가 기억하는 마지막 기억은 코를 휘둘러 아카시아 가지를 휘감던 기억이었다. 아카시아 가지는 의외로 단단했고 코끼리는 더 힘을 주려 하고 있었다. 그리고 끝. 아무것도 남지 않았다. 물론 코끼리는 그 이후에 일어난 모든 일을 알고 있었다. 하지만 아무것도 모르고 있었다. 두 앞발로 적들을 짓밟고 코를 휘둘러 주위를 텅 비워버리는 그 순간에도 코끼리는 자신이 처한 상황을 모두 알면서 그 상황과 자신 사이의 관련성은 느끼지 못했다. 객관성이라는 말은 그 코끼리를 위해 발명된 것 같았다.

카시다에서 온 주라타는 낙천적인 사내였다. 조부모는 있으되 부모는 없는 아이라는 것이 정상적인 일이 아니라는 것을 알게 된 이후로 한번도 변하지 않은 그 낙천성은 언제나 주라타의 최고 재산이었다. 눈물 짓는 것을 손자에게 들키지 않으려 애쓰는 조부모를 보면서도 주라타는 슬퍼하지 않았다. '젠장. 근친상간을 벌이고 마을 사람들에게 맞아죽은 남매의 자식이라는 것이 어쨌다고? 쌍이다!' 작살검을 거꾸로 쥐고 미친 듯이 날뛰는 코끼리를 향해 달려들 때도 주라타는 한없이 낙천적이었다.

"요 덩치 큰 바보야, 즈믄누리제 가시 하나 꽂아주마!"

코끼리의 등 위에 있던 수디 가리브는 두통에 시달리고 있었다. 언젠가 소드락을 복용한 비에나가에게 어처구니없는 공격을 당한 이후로 그녀를 괴롭혀온 두통은 때론 격렬하게, 때론 미약하게 계속되었고 절대로 멎지는 않았다. 그리고 그 순간 두통은 꽤 심한 편이었다. 자신을 향해 달려오는 주라타를 발견한 수디는 왈칵 화를 내며 개념을 코끼리에게 전달했다. 코끼리는 주저없이 코를 휘둘렀다.

주라타는 코와 입, 그리고 귀로 피를 뿌리며 쓰러졌다. 선혈과 함께 그의 영원한 반려였던 낙천성도 흘러나왔다. 그런 주라타의 머리 위에 다시 코끼리의 발이 떨어졌다. 주라타의 투구는 사체의 두개골을 보존하는 데 별 도움이 되지 못했다. 수디의 희망에도 불구하고 그것은 분풀이가 되지 못했고, 그리고 수디는 가일층 격화되는 두통에 비늘을 세웠다. 수디의 분노가 그대로 전달된 듯 코끼리는 충혈된 눈으로 다음 희생자를 찾아 두리번거렸다.

그러나 코끼리의 다음 상대는 위쪽에 있었다. 살아 있기에 느낄 수밖에 없는 죽음의 예감에 수디 가리브와 그녀의 코끼리는 황급히 고개를 들었다.

하고토(下古土) 출신의 즈라더는 레콘이었고, 그 사실에 좀 지나칠 정도로 만족하고 있었다. 그는 평소 자신의 벼슬이 근사하다고 믿었고 자신의 부리가 멋지다고 생각했다. 그러나 그날 엔거 평원에서, 수디 가리브와 그녀의 코끼리를 향해 똑바로 낙하하며, 즈라더는 자신의 벼슬과 부리도 멋지지만 날폭이 2미터에 가까운 자신의 양날 도끼야말로 정말 환상적이라고 생각했다. 그래서 즈라더는 코끼리의 두개골을 대상으로 자신의 도끼가 얼마나 멋진지 확인해야겠다고 결심했다.

도무지 어찌할 수 없는 죽음의 예감에 코끼리는 찰나의 순간 정신 억압을 벗어났다. 코끼리는 공포 속에서 몸을 피하려 했다. 그러나 즈라더의 도끼는 의도와 행동 사이의 짧은 틈을 파고들었다.

즈라더는 단박에 코끼리를 8톤짜리 살코기 덩어리로 바꾸어놓았다. 코끼리의 거대한 몸이 허물어졌다. 즈라더는 그 몸 위에 서서 승리의 포효를 내질렀다. 계명성이 천지를 울렸다.

코끼리의 등에서 추락한 수디 가리브는 땅에 부딪히자마자 비처럼 쏟아지는 작살검에 유린당했다. 약속이나 한 듯 인간들은 내찌른 작살검을 억지로 잡아뽑았다. 살이 덩이째 떨어져나가며 수디 가리브의 시체는 넝마 조각처럼 바뀌었다. 끊임없이 그녀를 괴롭혔던 두통에서 영원히 해방된 수디 가리브가 만족감을 느꼈는지는 확실치 않다.

어쨌든, 그 전장에서 수디 가리브의 만족감 따위는 중요한 문제도 아니었다.

시우쇠를 저지하기 위해 전장에서 습기를 박탈해야 했던 그로스와 수호 장군들은 자신들이 레콘들에게 최적의 전쟁터를 제공했음을 깨닫고는 분함에 어쩔 줄 몰라 했다. 레콘들은 닥치는 대로 코끼리를 거꾸러뜨리고 있었다. 하지만 수호 장군들은 당장은 레콘들을 위해 수력을 차출할 수 없었다. 나가의 보병대 한가운데서 사납게 불타오르고 있는 시우쇠의 존재감이 더욱 큰 문제였다. 대지의 습기는 이미 고갈되었기에 수호 장군들은 지하수의 수맥을 더듬고 하늘의 습기까지 그러모았다. 수호 장군들이 갈취하다시피 습기를 모아들였기에 하늘의 빛깔이 바뀔 지경이었다.

최초로 자신을 죽이는 신의 화신이 전선에 모습을 드러낸 이후로 나가들은—그러니까, 살아남은 나가들은—시우쇠에 대한 대략적인 대응 수단을 정의내릴 수밖에 없었다. 대전제는 이러했다. 절대로 상대하지 않는다. 하지만 라수 규리하가 넉 달에 걸쳐 준비한 잔인한 기만에 의해 시우쇠와 정면으로 맞닥뜨리게 된 수호 장군들은 어쩔 수 없이 대전제를 포기하고 '그러나, 여의치 않을 경우' 운운하는 부분을 참조할 수밖에 없었다. 수호 장군들은 사방의 습기를 다 끌어모아 시우쇠를 '식히고' 병사들은 주위의 불신자들에게 밀착하는 현재의 움직임도 바로 '여의치 않은 경우'에 사용되는 해결책이었다.

시우쇠에 대해 알려진 가장 놀라운 사실은 그의 기량이 보통의 도깨비와 똑같다는 사실이었다. 시우쇠가 구사하는 도깨비불은 다른 도깨비들 또한 어렵잖게 구사할 수 있는 것이었다. 도깨비불의 운용에 있어 다른 도깨비들과 시우쇠 사이의 차이점은 하나뿐이었다. 전자가 나가를 새긴 목각상을 불태울 때조차도 상당한 정신적 충격을 각오해야 하는 것에 반해 후자는 살아 있는 나가를 땔감 취급할 수 있다.

그 사실을 알게 되었을 때 나가들은 비늘이 무더기로 뽑혀나가는 듯한 기분을 느끼지 않을 수 없었다. 만약 도깨비들의 가치관이 지금 알려진 모습과 조금이라도 달랐다면 키보렌과 나가들은 오래전에 잿더미로 바뀌었을 것이다. 시우쇠는 화산을 폭발시키거나 지상에 별을 떨어뜨리지는 않았다. 단지 페시론 섬과 아킨스로우 협곡의 재난을 '침착하게' 구사할 수 있을 뿐이었다. 자신을 죽이는 신이 가진 신성(神性)의 증명은 그런 식으로 이루어지고 있었다.

하늘과 땅으로부터 시우쇠에게 퍼부어줄 물을 짜내며 그로스가 터무니없이 감사를 느낀 까닭은 바로 그 때문이다. '저런 행패를 부릴 수 있는 놈들 중에서 저런 행패를 실제로 시도하는 녀석이 하나뿐이라는 사실에 감사하나이다, 여신이여.' 마호가니 군단의 수호 장군들은 모두 스무 명 정도였고 그들이 활용할 수 있는 수력은 시우쇠를 억류하는 것으로 이미 고갈된 상태였다. 그 시점에서 그 지긋지긋한 류 페이가 나타난다면 그로스와 수호 장군들은 대처할 방법이 없었다.

하지만 전선의 어느 지점에서도 류 페이는 나타나지 않았다. 그로스는 괄하이드가 왜 류을 내보내지 않는지 의아하게 여겼다.

그로스의 의문에 대한 답은 그 시점에 이미 제시되고 있었다. 그로스는 답을 발견하지 못하고 있었을 뿐이다. 인생의 거의 대부분의 문제들이 그렇듯이.

코네도 빌파는 자신의 행동에 해학을 부여하는 감각이 부족한 사내였다. 하지만 해학에 관한 한 둘째가라면 웃어버릴 도깨비들의 작품은 코네도 빌파 같은 사납고 잔인한 사내에게서도 희극적 감각을 이끌어내었다. 어쨌든 코네도는 상대방의 정면에 서서 오른손을 흔들어대며 "지금부터 네 면상을 이걸로 쓰다듬어 주겠다."라고 말해 줄 수 있다는 것이 대단히 즐거웠다.

모처럼 고무된 희극적 감각은 코네도로 하여금 한 마디 말을 덧붙이게끔 했다. "대답이 없으면 동의하는 것으로 알겠다." 물론 상대는 아무 대답도 하지 않았다.

코네도는 경의 어린 동작으로 고개를 끄덕인 다음 수호자의 턱을 겨냥하여 오른손을 세심하게 날렸다.

수호자의 얼굴이 단박에 으스러졌다.

코네도는 휘파람을 불며 왼손으로 허리춤을 더듬었다. 약간 떨어진 곳에서는 그의 장남 그룸 빌파가 도살장의 돼지와 접전이 예상되는 목소리로 노래를 부르고 있었다. "신부를 감금한 신랑은 천하에 둘도 없는 개새끼야." 어쩌고 하는 퇴폐적이고 몰지각하기 짝이 없는 노래였다. 또 다른 방향에서 코네도의 차남 토카리 빌파가 형의 소름끼치는 노래 실력에 대해 야유를 보내었다. 빌파 삼부자는 그렇게 제멋대로 떠들며 수호자들의 얼굴을 뭉개어놓았다. 서로의 위치를 파악한다는 보다 현실적인 이유가 있긴 했지만, 삼부자가 그렇게 떠들어대는 것에는 책임질 필요가 없는 악담을 즐기는 못된 성벽이 더 크게 작용하는 듯했다. 정면에서 혀를 날름거려도 보지 못하고, 턱을 빠개어주겠노라고 외쳐주어도 듣지 못하고, 잘 죽지 않기 때문에 사정도 볼 필요가 없는 자들을 대상으로 한 폭력이었다. 폭력의 강도를 낮출 수 있는 완충 기제는 존재하지도 않았다. 혹 있다 하더라도 삼부자는 신경 쓰지 않았을 것이다.

허리춤에서 쇠못을 꺼낸 코네도는 쓰러진 수호자를 내려다보며 잔인하게 웃었다. 그의 오른손은 망치를 쥘 수 없었지만, 그 자체로도 망치가 부럽지 않았기에 아무런 문제가 되지 않았다.

시우쇠에게 쏟아지고 있던 진눈깨비가 줄어들기 시작했다.

시우쇠가 뿜어올리는 불길이 진눈깨비를 꿰뚫고 치솟아올랐다. 그로스는 기겁하며 다른 수호 장군들을 돌아보았다. 그리고 당황해 버렸다. 어처구니없게도 수호 장군들은 땅에 누워 있었다.

〈프리앗! 키베인! 맙소사, 그루이스! 도대체 어떻게들 된 거야! 이봐, 코키타!〉

100미터쯤 떨어져 있는 곳에 있던 수호 장군 코키타가 당황하여 그로스를 돌아보았다. 그로스는 손짓을 하며 수호 장군들이 왜 땅에 누워 있는지 물어보았다. 코키타 또한 당황이 역력한 기세로 주위를 둘러보았다.

그때 그로스는 비늘 서는 장면을 보았다.

코키타의 얼굴이 갑자기 뭉개어졌다. 눈에 보이지 않는 망치가 그의 얼굴을 후려친 것 같았다. 코키타는 허공으로 떠올랐고 기절한 다음에 땅에 떨어졌다. 그로스는 입을 쩍 벌린 채 코키타를 바라보았다.

그때 코키타의 복부 근처의 허공에서 불꽃이 튕겨져나왔다. 믿을 수 없는 광경이었다. 불꽃이 튄 허공에서 쇠못이 출현했다. 그 쇠못은 코키타의 복부를 관통하여 땅에 꽂혀 있었다. 그로스는 다시 땅에 누워 있는 수호 장군들을 돌아보았고, 그제야 그들의 뭉개진 얼굴과 복부를 꿰뚫고 있는 쇠못을 확인할 수 있었다.

그로스가 가진 나가의 정신은 미신적 공포를 이겨낼 만큼 냉정했다. 그래서 그로스는 불가해한 공포에 휩싸이는 대신 분노하여 닐렀다.

〈도깨비 감투! 그렇게 발달했나!〉

그의 곁에 있던 비아스 또한 비늘을 부딪치며 닐렀다.

〈후퇴해야 합니다!〉

그로스는 비아스를 돌아보지도 않은 채 닐렀다.

〈너는 그 니름밖에 할 줄 모르나! 비아스 마케로우! 지금 병사들을 후퇴시키면 시우쇠가 병사들을 다 불태울 거다!〉

비아스는 어처구니없는 얼굴로 그로스의 뒤통수를 바라보았다. 그로스는 이곳에 감투를 쓴 암살자들이 있는 이상 시우쇠가 함부로 불을 사용할 수 없다는 당연한 사실을 모르고 있었다. 그로스의 등을 노려보던 비아스는 곧 주저없이 몸을 돌렸다. 잠시 후 비아스의 모습은 언덕 위에서 사라졌다.

보병들을 전선에 먼저 보낸 채 초조하게 기다리고 있던 기병들의 앞쪽에서, 괄하이드 규리하는 시우쇠의 머리 위로 쏟아지고 있는 진눈깨비를 유심히 관찰했다. 진눈깨비의 기세가 조금씩 줄어들고 있음을 확인한 대장군의 입에서 날카로운 고함이 터져나왔다. 기병들은 환호를 지르며 창을 똑바로 세워들었다.

대장군의 두 번째 명령이 떨어지자 전선 전체에서 놀랍도록 장대한 움직임이 펼쳐졌다.

시우쇠는 갑자기 몸을 돌렸다. 그리고 오랜 시간 참고 기다려왔다는 듯이 맹폭한 동작으로 두 팔을 좌우로 펼쳤다. 그러자 그의 팔을 따라 난폭한 불의 벽이 일어났다. 땅에서 솟아오르듯 형성된 불의 벽은 번개 같은 속도로 동서 방향을 향해 뻗어나갔다. 불길에 휘말린 나가들은 무슨 일이 일어난 건지 깨닫지도 못한 채 탄화되고 말았다.

거대한 불의 벽이 엔거 평원을 동서 방향으로 가로지르는 순간 나가의 군대는 남북으로 동강났다.

불의 벽 남쪽에는 시우쇠와 나가 보병대의 절반이 남게 되었다. 시우쇠를 억제할 수호 장군들이 모두 공격을 당한 이후인지라 보병대는 아무런 보호도 받을 수 없었다. 그런 나가들을 상대로 시우쇠는 만행이라고밖에 표현할 수 없는 폭력을 휘둘렀다. 그저 달리기만 해도 주위가 불타버렸지만, 시우쇠는 거기에 덧붙여 화염의 검으로 나가들을 자르고 화염의 채찍으로 그들을 후려쳐 쓰러뜨린 다음 화염의 수의를 입혀주었다. 그러나 도망을 선택할 수 있었던 남쪽의 나가들은 차라리 형편이 나은 편이었다.

전장 북쪽의 형편은 끔찍했다. 먼저, 거꾸로 된 쐐기 모양이던 북부군의 보병들이 좌우로 갈라졌다. 둘로 나뉜 보병들은 동서 방향에서 나가들을 압박해 들어갔다. 그러자 보병들이 좌우로 갈라진 틈에서 저수지가 무너진 형상으로 나가들이 쏟아져 나왔다. 그 지점을 향해 기병들이 장려한 나팔 소리와 함께 돌격해 들어갔다. 기병들을 상대해야 할 코끼리들은 이미 레콘에 의해 처리된 후였다. 무서운 속도로 질주하는 기병들을 가로막을 것은 어디에도 없었다.

불의 벽에 의해 구분된 전장 북쪽에서, 동강난 마호가니 군단의 1만 명 남짓한 부대는 4만 명에 달하는 북부군에게 완전 포위되고 말았다. 남쪽에는 불의 벽이 퇴로를 막고 있었고 동쪽과 서쪽에서는 보병대가 그들을 압박했다. 그리고 북쪽에서는 기병들이 나가 병사들을 짓밟고 들어왔다. 동서남북 어디로도 도망칠 길은

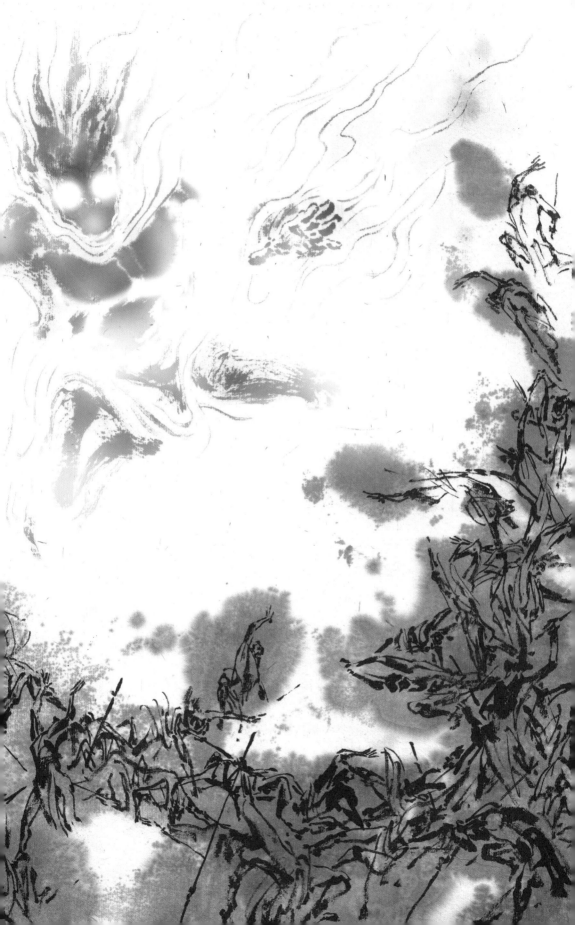

없었다.

물론 그럴 능력도 없었지만, 그들은 위쪽으로도 도망칠 수 없었다.

"용이 날아온다!"

동쪽 보병대를 지휘하고 있던 무핀토 장군이 먼저 기성을 올렸다. 그러자 서쪽에 있던 세미쿼 장군 또한 지지 않겠다는 듯이 외쳤다. "용이 날아온다!" 뒤이어 보병들도 환호를 올렸다. 전쟁터 전체에서 희열에 들뜬 외침이 폭발처럼 일어났다.

"뇌룡공(雷龍公)이 온다!"

라수 규리하가 구상한 포위 작전의 마지막 병력이 등장한 것이다. 물론 라수 규리하는 극한의 상황에 처한 나가들이 갑자기 비상의 재주를 터득할지도 모른다는 기우를 한 것은 아니다. 하늘에서부터 등장한 북부군의 다섯 번째 병력은 포위보다는 소각에 주안점을 두고 있었다. 어디로도 도망칠 수 없이 한자리에 억류된 나가들은 공포에 미쳐버릴 것 같은 눈으로 하늘을 올려다보았다.

북쪽 하늘에서 나타난 아스화리탈이 포위된 나가의 머리 위로 날아들고 있었다. 그 목에 저 저주스러운 용인 류 페이를 태운 채.

길지만 강력한 힘에 의해 뻗은 아스화리탈의 목은 천공의 극점을 가리키는 지남철 같다. 가슴에서 마치 터럭인 양 뻗어 나온 무수한 뿔은 그 길이와 크기가 천차만별이지만 모두 앞쪽을 향해 굽어 있었다. 길고 거대한 날개의 모양은 뚜렷하지 않다. 날개 가닥들 사이에서 끊임없이 번개가 으르렁거리고 있었기에 차라리 번개로 이루어진 날개인 듯하다. 동체 뒤편에서 춤추는 다섯 가닥의 꼬리 끝에서도, 그리고 등에서 수직으로 돋아 있는 세 번째 날개에서도 규모가 조금 작지만 형태는 유사한 번개를 찾아볼 수 있었다.

갑자기 어두워지는 하늘 아래로 번갯불을 흩뿌리며 날아든 아스화리탈은 나가의 머리 위에서 천천히 선회했다. 나가들은 모두 아스화리탈의 목에 타고 있는 류 페이의 모습을 볼 수 있었다. 류은 아래를 내려다보지 않으려 애쓰며 아스화리탈의 목을 두드렸다. 그러자 아스화리탈은 가볍게 번개를 뿌리며 허공에 멈췄다. 아스화리탈의 양쪽 뺨—다른 적당한 이름이 없기에 그렇게 부를 수밖에 없는—에는 상어의 아가미를 연상시키는 다섯 줄의 홈이 비스듬하게 나 있었다. 하지만 뒤를 향해 열리는 상어의 아가미와 달리 그것들은 앞으로 열렸으며, 상어보다 훨씬 넓게 벌어졌다.

류의 어깨에 앉기를 좋아하던 조그맣던 시절 아스화리탈은 꼬리를 이용하여 자신이 뿜어낸 기체에 불을 붙이곤 했다. 하지만 그 점화 기제는 이제 아스화리탈의 뺨 속으로 옮겨져 있었다. 따라서 다음 순간, 도합 열 개의 홈에서 쏟아져나온 것은 열 줄기의 불꽃이었다.

폭발적으로 커지는 불길이 눈을 향해 정면으로 날아오는 순간 거의 모든 나가들은 눈을 감았다. 그중 많은 수의 나가들이 다시는 눈을 뜨지 못했다.

키베인은 전투가 끝난 시점을 명확히 알 수 없었다.

그의 입장에서 전투는 끝났다고 니르기 어려웠다. 키베인이 아닌 다른 사람이라도 전투 후의 쓸쓸함이나 비장함, 시체들 사이를 맴도는 음습한 슬픔 따위를 감지하기 위해서는 여러 가지 조건이 필요하다. 그러니까, 복부를 관통하고 있는 70센티미터 길이의 쇠못 같은 요소는 배제되는 편이 적절하다.

피는 그다지 배어나오지 않았다. 못이 빠르게 관통했기 때문이다. 땅이 부드러운 탓도 있겠지만 쇠못을 때려박은 자의 완력이 상당했다. 보이지 않는 상대는 단 네 번의 못질로 못대가리를 키베인의 배에 밀착시켰다. 그 때문에 조직의 파괴가 적었고 피의 유출이 적은 것 또한 그 때문이었다. 키베인은 그 쇠못을 제거하려는 시도를 이미 오래전에 포기했다. 못대가리와 자신의 배 사이에 손가락을 집어넣는 것만으로도 키베인은 머릿속이 불타는 것 같은 고통을 느껴야 했다.

〈이건 별로 재미없군.〉

키베인은 수호자였다. 다른 신분도 가지고 있었지만 마호가니 군단 내에서 그의 위치는 수호 장군이었고 다른 수호 장군들과 똑같이 행동했다. 그 말은 그가 언제나 전선 뒤쪽의 비교적 조용한 위치에 머문 채 전장의 습기를 통제해 왔다는 의미다. 그것이 수호 장군 키베인의 전투였다. 그리고 키베인은 별 생각 없이 자신의 전투가 몸에 이미 작살검을 꽂은 채 두 번째 작살검을 꽂아넣으려 광분하는 상대에게 사이커를 내찔러야 하는 보병의 전투와 같은 것이라고 믿었다. 특별히 기대했던 것은 아니지만, 키베인 또한 때가 오면 자신 또한 작살검을 몸에 꽂은 채 영광에 찬 전투를 벌일 수 있을 거라 자신했다.

오후의 대기를 물씬 적시는 피냄음을 맡으며 키베인은 그것이 자기 과신이었음을 인정했다.

〈하지만 좀 다른 방법으로 확인되었어도 좋았을 텐데.〉

재가 거대한 까마귀 떼처럼 날아올랐다. 하늘은 분명 맑을 테지만 키베인의 눈에 들어오는 하늘은 끔찍했다. 나가의 눈이 아닌 다른 눈으로 하늘을 보는 사람들도 그 하늘을 마음에 들어하긴 어려울 것이다. 연기로 뒤덮인 하늘 아래로 재와 흙먼지가 우울하게 부유했다.

〈예. 저도 이 풍경이 마음에 들진 않는군요.〉

누군가가 니름을 보내어왔다. 키베인은 살아 있다는 사실에 고통받으며 고개를 돌렸다.

어떤 나가가 그를 내려다보고 있었다. 하지만 키베인은 그 나가보다 그 뒤에 있는 초월적 존재를 응시할 수밖에 없었다. 거대한 용이 그를 내려다보고 있었다. 낭떠러지를 올려다보는 기분을 느끼게 하는 모습에 키베인은 압도될 수밖에 없었다. '지독하게 크군.' 용은 날개를 접고 번개의 성장(盛裝) 또한 흩어버린 모습이었지만 그 크기만으로도 점유하고 있는 공간 내에서 현실성을 추방하기에 충분했다.

키베인은 힘겹게 눈길을 내렸다.

용 때문에 터무니없이 작게 보이는 젊은 나가 남자가 그를 내려다보고 있었다. 이름을 물어볼 필요는 없었고, 그래서 키베인은 다른 질문을 던졌다.

〈소문대로 정신을 읽는 건가?〉

〈그냥 날카로운 감각을 가졌을 뿐입니다. 당신도 꼭 물어보거나 독심술을 하지 않아도 친구의 기분 정도는 알 수 있을 텐데요. 남달리 눈치가 좋은 사람에 대해서도 들어보셨을 테고. 그것과 비슷한 겁니다.〉

〈용인은 눈치의 달인이라는 니름인가, 뇌룡공?〉

〈물론 당신에게 현재의 풍경이 만족스럽지 않을 거라는 것을 짐작하는 데는 용인의 예민함까지 필요하지는 않습니다만. 이름이 뭡니까?〉

키베인은 감히 지체할 엄두를 내지 못했다. 상대방의 날카로움은 비늘 설 정도였다. 그래서 키베인은 곧장 닐렀다.

〈키베인.〉

키베인은 안도했다. 용인은 별다른 것을 느끼지 못한 듯했다. 아직 북부군에는 키베인이라는 이름이 의미하는 바가 알려지지 않은 것이다. 류은 담담하게 닐렀다.

〈항복하겠습니까, 키베인?〉

〈항복하면 어떤 이점이 있지?〉

〈항복한 것을 후회할 권리를 얻으실 겁니다.〉

〈실로 매력적인 제안이군. 류 페이.〉

키베인의 니름은 비꼼이 아니었다. 예민한 류은 그것을 잘 알 수 있었다. 키베인은 담담하게 감탄하고 있는 것이었다.

〈고마운 제안이군. 하지만 모래로 밧줄을 꼴 수는 없는 법이야. 나를 묶을 다른 밧줄은 없나?〉

〈스스로 꼬아보시는 것은 어떨까요. 그럴 각오도 되어 있으신 것 같은데.〉

〈역시 날카로운 용인이군.〉

류은 씁쓸한 미소에 해당하는 니름을 보내었다.

〈부러워하실 필요는 없습니다. 키베인. 기회가 된다면 당신에게 어느 정도의 둔감함이 얼마나 큰 축복인지 가르쳐드리고 싶군요. 꼭 알고 싶지 않은데도 사람들의 기분이나 심리를 바로 깨달아버린다는 것이 어떤 고통인지도.〉

키베인은 그것을 이해할 수 없었고 이해하고 싶지도 않았다. 류의 등 뒤에 있는 거대한 재앙을 바라보며 키베인은 힘겹게 닐렀다.

〈한 가지 더 물어보지.〉

〈용이 나가를 태운다는 것이 그렇게 놀랄 일은 아닙니다. 나가가 용을 싫어한다는 사실에 대해 용이 신경 쓸 거라고 믿는 것은 나가의 오만입니다. 그리고 용근에 대해서는, 용은 큰 관심이 없습니다. 씨를 보호하는 식물은 없습니다. 그리고 그 용근 또한 먹히는 것이 싫었다면 발아하지 않았을 겁니다. 용근은 저에게 먹히길 수락하고 발아한 거죠.〉

키베인은 정신을 닫았다. 륜은 고개를 가로저었다.

〈아니, 날카로운 것일 뿐입니다.〉

〈쳇. 그렇게 날카롭다면 내가 니르기도―〉

〈―전에 당신 질문에 대답해 버리는 것이 당신을 당혹시킨다는 것도 알고 있습니다. 하지만 당신에겐 시간이 많지 않습니다. 저는 당신과 비슷한 곤경에 빠져 있는 다른 수호자들에게도 찾아가봐야 합니다. 그러니 당신 자신과 당신 동료들을 위해 대화를 좀 빠르게 진행시켰으면 합니다. 어쩌실 겁니까?〉

〈역시―〉

〈―항복할 수밖에 없는 거지요. 훌륭한 판단이십니다. 정신을 여세요.〉

〈뭐?〉

〈정신을 여세요. 키베인. 당신 속에서 당신의 신명을 결박해야 하니까.〉

키베인은 비늘을 부딪쳤다. 그리고 곧 그것을 후회했다. 미칠 것 같은 고통이 찾아들었기 때문이다. 복부를 부여잡은 채 숨도 제대로 내쉬지 못하는 키베인을 내려다보며 륜은 담담하게 닐렀다.

〈이해할 수 있으실 겁니다. 키베인. 신명을 가지고 있게 놔둘 수는 없잖습니까. 저는 당신의 신명을 지울 수도 있습니다.〉

〈신명―〉

〈―도 지울 수 있습니다. 완전히 잊어버린 기억 같은 것을 생각해 보세요.〉

〈그런―〉

〈―것을 받아들일 수는 없겠지요. 그래서 당신의 신명을 잠시 묶어두겠다는 겁니다. 예. 저는 그렇게 할 수 있습니다. 언젠가 제 친구가 제게 그렇게 했지요. 그는 제 마음속에서 제 죄책감을 묶어버렸습니다. 저는 그의 모든 추억을 떠올릴 수 있지만, 그의 죽음에 대한 죄책감은 느끼지 못합니다. 그리고 이미 죽어버린 제 친구는 그것을 풀어줄 수도 없습니다.〉

〈내가—〉

〈—잃는 것은 신명을 통해 구현되는 수력의 통제력뿐입니다. 여신에 대한 사랑이나 존경심 같은 것을 잃지는 않습니다. 아니, 믿어도 됩니다. 제 니름은 사실입니다. 속일 이유가 없지요. 굳이 당신을 속여서 신명을 지워버릴 바엔 제 등 뒤에 있는 친구에게 당신을 건네주는 편이 훨씬 속 편한 방법이라고 생각되지 않습니까?〉

키베인은 그것이 훨씬 끔찍한 방법이라고 생각했다.

〈그렇다면—〉

〈—때가 되면, 여건이 되면 저는 당신 정신 속의 결박을 풀고 신명을 돌려드리겠습니다.〉

합리적인 나가답게 키베인은 류의 제안이 받아들일 만한 것이라는 사실을 인정했다. 의견 조정을 시도할 만한 여건은 아니었고 그리고 싶지도 않았다. 키베인은 한 가지 약속에 만족하기로 했다. 물론 류은 그가 니르기도 전에 대답했다.

〈여신의 이름에 걸고 맹세하겠습니다. 그런데 뭘 잃는 것에 당황하는 겁니까?〉

〈뭐?〉

〈당신은 당황하고 두려워하고 있군요. 여신의 이름을 잃을지도 모른다는 것에 대해서. 그런데 그 외에 또 다른 무엇인가를 상실할지도 모른다고 생각하고 있군요? 그게 무엇입니까?〉

키베인은 비명을 지를 뻔했다. 그러나 그가 뭔가 변명이나 설명을 하기도 전에 류이 닐렀다.

〈니르고 싶지 않다면, 됐습니다. 당신은 그것을 잃는 것에 대해 크게 두려워하는 것 같지는 않군요. 그러니 저도 구태여 묻지 않겠습니다. 당신의 신명을 결박해도 되겠습니까?〉

〈묶어.〉

고통 속에서 키베인은 륜을 향해 정신을 열었다. 그리고 상실의 공포를 억누르려 애썼다. 륜은 키베인을 내려다보았다.

〈당신은 역시 나가군요.〉

〈무슨 니름이지?〉

〈아니, 아닙니다.〉

륜의 정신이 부드럽게 키베인의 안으로 파고들었다.

무지막지한 고통이나 정신을 뒤흔드는 혼란 같은 것은 없었다. 인식할 수 있는 느낌은 조금도 없었다. 키베인은 의아한 표정으로 륜을 바라보았다. 그러나 다음 순간 키베인은 자신의 신명이 기억나지 않는다는 사실을 깨달았다. 키베인은 신명을 알 수 없었다. 지나치게 오래전에 보았던 책의 뒤표지처럼, 혹은 그날 아침 잠에서 깨어 처음 맡았던 냄새처럼. 륜은 차분하게 닐렀다.

〈묶었습니다. 아니, 연상은 소용이 없습니다. 우회한다고 해서 그걸 떠올리지는 못할 겁니다.〉

〈그렇군. 그렇다면—〉

〈—기꺼이 그 못을 뽑아드릴 겁니다. 저는 다른 분께 가봐야 하니 저기 오는 불신자들이 그 못을 뽑아줄 겁니다. 그들의 명령을 따르십시오. 청각에 집중하십시오.〉

륜은 어디론가로 손짓을 보낸 다음 몸을 돌렸다. 그러자 아스화리탈이 그 뒤를 따라 걸었다. 청각에 주의를 기울이고 있었기에 키베인은 아스화리탈이 일으키는 엄청난 소음을 들을 수 있었다. 현실 감각을 앗아가는 용의 뒷모습을 보느니 쇠못을 뽑아줄 구원자를 보는 쪽이 낫겠다는 판단을 내린 키베인은 륜이 손짓을 보낸 방향을 돌아보았다.

몇 명의 불신자들이 걸어오고 있었다. 불신자들은 쇠못을 뽑아낼 도구 같은 것은 가져오지 않았다. 그리고 키베인은 그 사실에 낙담하지 않았다. 선두에 있는 자가 레콘이었기 때문이다. 큼직한 걸음으로 걸어오는 레콘의 뒤로는 인간 사내 몇 명이 따르고 있었다.

레콘은 키베인의 곁에 도달하자 장중한 음성으로 말했다.

"못을 뽑을 테니 서둔 짓은 하지 마."

"하지 않을 테니 빨리 뽑으시죠."

불신자들 중 일부가 뚜렷한 동요를 보였다. 의아해하고 있는 키베인을 무시하며 한 인간이 다른 인간에게 말했다.

"내 말이 맞지?"

"뭐? 그렇게 말할 거라고 생각하지 않았는데."

"저 정도면 똑같잖아?"

"똑같긴 뭐가 똑같아. 우리 폐하의 옥음에 비하면 저건 변비 걸린 까마귀 힘주는 소리구먼. 완전히 달라."

"야야, 까마귀는 좀 심했다. 멋진 목소리잖아."

"공통점이 전혀 없다는 의미야."

"음. 뇌룡공의 목소리와 비슷한 것 같은데."

"그건 당연하잖아! 같은 나가니까."

키베인은 불신자들이 목소리에 관련된 어떤 토론을 하고 있다는 것까지는 깨달았지만 그 이상은 알고 싶지 않았다. 수호자는 약간 언성을 높였다.

"이봐요들. 보편 상식의 이름으로 요구하겠는데, 배에 못을 꽂고 있는 자를 앞에 두고 토론을 벌이는 짓은 좀 삼가주면 안 되겠습니까? 정 어렵다면 못을 제거한 다음으로 연기해 주는 것으로도 만족하겠습니다."

사내들은 키베인을 돌아보더니 낄낄거렸다. 키베인의 예상대로 레콘이 가까이 다가왔다. 거북할 정도로 거대한 신장을 구부린 레콘은 키베인의 옆에 무릎을 꿇고는 못을 움켜쥐었다.

"각오 단단히 하라고. 나가."

"저는 심장도 뽑았습니다. 가지고 태어난 것도 아닌 그까짓 못쯤이야 아무것도 아니죠."

불신자들은 다시 사나운 미소를 지어보였다. 레콘은 못을 쑥 잡아뽑았다.

북부군 병사들은 키베인이 어떤 비명도, 심지어 신음조차 흘리지 않았다는 사실에 감탄했다. 그리고 키베인은 자신이 머리가 터져라 정신적 비명을 내질렀다는 사실을 알려주지는 않았다.

류은 모두 다섯 명의 수호 장군들을 구할 수 있었다. 빌파 삼부자는 그보다 더 많은 수의 수호 장군들을 못 박았지만 도주하던 나가 병사들이 구출해 가거나 불운하게도 시우쇠와 맞닥뜨린 수호 장군들도 많았기에 포로로 잡을 수 있었던 숫자는 그 정도였다.

그리고 그 다섯 명은 모두 류의 제안에 동의했다.

완전히 탄화된 여섯 번째 수호 장군을 내려다보던 류은 가까이 다가오는 시우쇠를 느꼈다. 여신의 힘으로 느낀 것은 아니었다. 시우쇠는 그 몸에 물기라곤 가지고 있지 않았고, 따라서 엔거 평원에 있는 자들 중 류이 제대로 추적하기 힘든 유일한 존재이기도 했다. 그러나 용인의 날카로운 감각은 시우쇠의 접근에 따라 뜨거워지는 온도를 느꼈다.

고개를 돌린 류은 그를 내려다보는 화염의 눈을 발견했다. 시우쇠는 아스화리탈을 흘끔 올려다보곤 말했다.

"몇이나 구웠어?"

류은 울컥하는 기분을 억누르며 최대한 공손하게 말했다.

"굽는다고 하셨습니까? 제 친구 중에 사람을 대상으로 썬다느니 하는 말을 사용하는 이가 있었지요. 그자의 어투와 비슷하시군요."

"그래서, 얼마나 구웠냐고?"

"모르겠습니다. 족히 몇천 명은 될 것 같군요."

"흐음. 나도 그 정도 구운 것 같군."

류은 더 참지 못했다.

"제 동족입니다. 시우쇠 님."

시우쇠는 고개를 갸웃했다.

"이봐. 갇힌 여신의 신랑. 골육상잔의 비극에 사로잡혀 있다는 것을 강조하고 싶은 거냐? 태우기로 작정했으면 그런 건 집어치우지 그래?"

"당신은 독자(獨者)의 화신이지만 저는 그렇지 못합니다. 잔학한 운명 때문에 동족을 땔감 삼아 희망의 불을 지펴야 하는 처지에 빠져 있지만, 그것에 무감각해지기는 어렵습니다."

용인의 예민함으로도 시우쇠의 다음 말을 예측하기는 어려웠다. 상대는 사람의 예민함으로는 판단하기 어려운 존재였다. 시우쇠는 빙긋 웃더니 발을 뒤로 당겼다.

그리고 탄화된 수호 장군을 걷어찼다.

먼지와 재가 뒤섞여 작은 구름이 일어났다. 류은 입을 가리며 뒤로 물러났다. 하지만 시우쇠는 물러나지 않았다. 사체의 재 구름 속에서 시우쇠는 남쪽 하늘을 바라보았다.

"그렇게 어려운 것 아니야."

"예?"

"너절한 단어로 처지 골치 아프게 만들지 말라고. 가로막으니까 태우는 거야. 살을 지지고 뼈를 녹이고 골수가 끓어오를 때까지 태워버려. 잿더미 위에 네 발자국을 남기며 걸어가. 그러면 돼."

"뭐가 어떻게 된다는 겁니까?"

"겸허함을 알게 되지."

"네?"

시우쇠는 반복하지 않았다. 그리고 부연하지도 않았다. 시우쇠는 그대로 류과 아스화리탈을 남겨둔 채 그 언덕을 떠났다. 화신은 떠나며 말했다.

"대호왕에게 전해라. 이 주위에 숨어 있는 놈들 몇 명 더 태우고 돌아가겠다고."

떠올랐던 재와 먼지가 서서히 가라앉았다. 화신의 뒷모습을 바라보던 용과 용인은 잠시 후 몸을 돌려 화신의 반대편으로 걸어갔다.

원수부에서는 모처럼의 대승에 고무된 장수들이 열기를 잔뜩 뿜어대고 있었다.

평소 륜이 근처에 다가오는 것조차 꺼림칙해하던 많은 장수들이 반갑게 륜을 맞이했다. 물론 그들 중 몇 명은 나가 앞에서 무수한 나가를 살해한 일을 즐거워해도 되는 건가 의심했다. 륜은 눈치 빠르게 그것을 깨달았고 웃음으로써 그들을 안심시켰다. 그리고 그들과 자신 양쪽을 괴롭히는 대신 필요한 말만 전달한 다음 조용히 원수부를 떠나왔다.

원수부를 떠나온 륜은 자신의 천막으로 돌아와 갑옷을 벗었다. 그의 천막 옆에는 아스화리탈이 거대한 몸을 누이고 있었고, 따라서 북부군의 진지 전체에서 가장 한적한 곳이기도 했다. 륜은 의자 하나를 가지고 천막 밖으로 나왔다. 그리고 아스화리탈의 머리 옆에 의자를 놓고 앉았다.

해는 기울고 있었고 진지 곳곳에서 불이 켜지고 있었다. 륜의 천막 주위는 승전 후의 진지를 채우고 있는 흥분된 기류에서도 자유로웠다.

어두운 하늘로 잔인한 새들이 날고 있었다. 유사 이래 모든 전투의 승리자들인, 사체의 내장을 탐내는 새들이다. 밤이 다가오고 있었지만 륜은 그 활기찬 불덩이 같은 뜨거운 새들의 모습을 잘 볼 수 있었다. 땅 위를 오가는 온기들을 보던 륜은 갑자기 구토할 뻔했다.

가까스로 메슥거림을 억누른 륜은 등 뒤에 있는 자를 향해 말했다.

"그래. 와도 된다. 베미온."

륜의 등 뒤 어둠 속에서 한 인간 남자가 걸어나왔다.

머리카락은 뒤엉킨 철사 같고 뻣뻣한 수염은 고슴도치에 필적할 지경이다. 그나마 체모가 적은 눈 아래나 이마 같은 부분도 시커먼 땟국물에 덮여 있었다. 구부정한 허리는 그때까지 쌓아온 고통을 암시했고 기이하게 떨리는 팔다리의 움직임은 죽을 때까지 가져가야 할 공포를 드러내고 있다. 남자라는 대명사보다는 수컷이라는 표현이 적합할, 아니, 생명이 가져야 할 최소한의 품위조차 잃어버려 차라리 한 물체라 불러야 할 '그것'에겐 놀랍게도 지성의 흔적을 읽을 수 있는 두 눈이 달려 있었다. 그 눈이 륜을 바라보았다.

"저, 젖었어요."

류은 억지로 미소 지으며 그 남자의 발을 바라보았다. 잠시 후 남자의 발에 묻어 있던 물기가 주위의 땅속으로 스며들었다. 남자는 몇 번이나 바닥을 만져본 다음 그곳에 털썩 주저앉았다. 그리고 칭얼거렸다.

"나, 나를, 나를 씻기려고 해."

그럴 사람은 아무도 없다는 것을 알고 있었지만 류은 질문했다.

"누가?"

"데오늬. 데오늬 달비."

류은 어찌된 일인지 알 수 있었다.

"그 애가 물을 튀기며 달렸나 보구나."

"씻기려고 했어요! 혼내줘요!"

류은 그럴 생각이 없었다. 그 착한 소녀에게 베미온의 고발을 전해 주면 죄책감에 몸부림치며 어딘가로 달려갈 것이다. 하지만 류은 고개를 끄덕였다.

"혼내줄게."

베미온 굴도하는 환하게 웃었다. 그리고 류을 놀라게 했다.

"너무 혼내지는 마. 착한 아이야. 내 딸의 친구가 될 수 있을 텐데……."

류은 가까스로 자신을 억눌렀다. 놀란 나머지 급히 대응하는 바람에 몇 번이나 상황을 악화시켰던 기억이 충동적으로 움직이려는 그의 몸을 붙잡았다. 호흡을 고른 다음, 류은 베미온 굴도하가 당황하지 않도록 천천히 고개를 돌렸다. 그리고 지나가는 투로 말했다.

"베미온 마립간?"

베미온은 바닥을 보며 뭐라 중얼거렸다. 류의 말을 알아들은 기색은 없었다. 류은 조심스럽게 한 번 더 불렀다.

"베미온 마립간?"

베미온 굴도하의 상체가 기이하게 움직였다.

다음 순간 베미온은 땅에 얼굴을 부딪치며 통곡했다. 류은 황급히 의자에서 일어나 베미온의 어깨를 부여잡았다. 하지만 베미온은 놀라운 힘으로 류을 뿌리치며 계속 땅에 이마를 부딪쳤다.

"탑이 빠져죽는다! 탑이 빠져죽는다!"

류은 베미온의 팔을 잡아뽑듯이 잡아당겼다. 그래서 베미온이 갑자기 방향을 바꿔 들이받는 기세로 안겨왔을 땐 류은 숨이 막힐 뻔했다. 류은 가까스로 함께 쓰러지는 대신 베미온을 끌어안았다. 베미온은 류에게 안긴 채 목을 놓아 울었다.

상고토의 맹주이자 판사이의 마립간이었던 사내는 짐승 같은 소리로 통곡했다. 그를 끌어안은 채 다독이던 류의 눈에서도 어느새 은루가 흘러나오고 있었다.

어디선가 명랑한 목소리가 들려왔다.

"태우라고. 류 페이."

류은 비늘을 세우며 고개를 들었다. 저편에서 황혼을 등진 채 시우쇠가 걸어오고 있었다. 아스화리탈이 고개를 들었고 그 간단한 동작 끝에 용은 무려 15미터 높이에서 시우쇠를 쏘아보게 되었다. 시우쇠는 용에게도, 나가에게도, 정신나간 인간에게도 적합한 기묘한 거리에 멈춰 서서는 팔짱을 낀 채 류을 바라보았다.

"태워. 그렇게 해줘."

류은 비늘을 사납게 부딪쳤다.

"이분은 나으실 겁니다."

"넌 그 녀석에 대해서만 생각할 뿐 너 자신에 대해서는 생각지 않는군."

"네?"

어떤 암흑 속에서도 놓칠 수 없는 시우쇠의 시선이 류을 뚫어지게 바라보았다.

"베미온이 왜 너를 따른다고 생각하나? 아마도 용인인 네가 어머니가 자식에게 베풀 수 있을 정도의 예민함으로 그를 보살필 수 있기 때문이라고 착각하고 있겠지? 그렇지 않아. 베미온은 정신이 나갔지만 생물의 마지막 감각은 잃지 않았어. 죽음을 찾아내는 감각 말이야. 북부군 전체를 통틀어 가장 죽음에 가까운 것은 너와 나뿐이지. 호흡과도 같은 자연스러움으로 죽음을 행사할 수 있는 자들은 우리 둘뿐이라고."

류은 흠칫했다. 시우쇠의 눈에서 불길이 앞으로 흘러넘치고 있었다.

"그래. 그래서 베미온은 너를 따르는 거야. 우두머리 코끼리가 대호를 향해 걸어가는 그 감각으로 그는 네게 다가가는 거지. 그를 왕으로 만들어줘. 륜 페이. 가장 가련한 자에서 가장 위대한 자로 재탄생하게 해줘."

"재탄생? 재탄생은 없습니다. 잿더미가 남을 뿐이죠!"

"신의 제안을 무시하려는 건가?"

"당신은 신이 아니라 화신입니다!"

"발음의 차이 외의 다른 차이를 지적해 보겠나?"

륜은 침묵했다. 그리고 두 팔로는 베미온 굴도하를 더욱 세차게 끌어안았다. 시우쇠는 빙긋 웃었다.

자신을 죽이는 신의 화신은 작별 인사 없이 떠났다.

시우쇠의 모습이 충분히 멀어진 다음에야 륜은 베미온을 끌어안고 있던 팔을 풀었다. 그리고 베미온 마립간의 검은 얼굴을 내려다보았다. 눈물로 젖어 있는 얼굴을 본 륜은 베미온이 그것을 깨닫기 전에 재빨리 물기를 증발시켰다.

"베미온. 너는 살고 싶지?"

베미온은 콧소리를 심하게 내며 말했다.

"탑이 빠져 죽고 있어."

"그래. 너는 나을 거야."

"탑이 빠져 죽고 있어."

"나는 오늘 6,000명을 태워죽였어."

"탑이 빠져죽고 있어."

"손 한 번 놀려서 그렇게 했어. 용인의 예민함 따위 도깨비나 줘버리라지. 평원 저편의 풀잎 위로 이슬 한 방울이 구르는 것까지 깨달을 수 있는 예민함이라는 것이 무슨 의미인지 저들은 정말 모르는 걸까? 아니면 알고도 모르는 척하는 걸까? 제기랄! 이 예민함이라는 것이 칼로 도려낼 수 있는 것이라면 나는 그게 뼈 속에 있는 것이라도 주저없이 도려내었을 거야. 나는 알고 있어. 그게 6,217명이라는 것을!"

승전의 밤이 깊어가고 있었다.

승패는 우애 깊은 쌍둥이며, 승전의 밤인 그 밤은 당연하게도 패전의 밤이기도 했다. 엔거 평원에서 지리적으로 상당히 먼 곳, 그러나 패전의 잔존자들에겐 심리적으로 지나치게 가까운 곳에서, 나가들은 고통과 공포의 타협점을 찾아내느라 절치부심하고 있었다.

나가들은 거의 울지 않는다. 패배에 서러워하며 우는 나가의 모습이란 비현실적이다. 그러나 공포는 전혀 다른 문제다. 심장이 없는 생물을 죽이기 위해 동원되어야 하는 수단이 초현실적인 것이어야 함은 분명하다. 그리고 그런 수단을 간단히 동원할 수 있는 존재 둘과 맞닥뜨려야 했다는 것은, 불사에 가까운 그들 냉혹한 존재들에게도 떨칠 수 없는 충격을 선사했다. 발 딛고 있는 것이 굳건한 반석이 아닌 쓰레기 언덕임이 밝혀졌을 때 느끼게 되는 당황은 말할 나위 없이 거대하다. 하물며 그것이 자신의 불사성과 관련된 문제라면 심적 충격은 간단히 몇 배로 늘어난다. 위엄을 갉아먹고 자긍심을 내동댕이치게 하고 주위의 모든 곳에 초점을 맞추게 하는, 하지만 아무것도 제대로 볼 수 없게 만드는 감정, 두려움.

그들은 모든 생명체에게 익숙하지만 도깨비와 나가들에게만은 낯선 필멸의 공포라는 감정을 가혹한 대가를 치르며 체득하고 있었다.

이름 없는 그 계곡에 모인 나가들 중 그런 감정에 휘둘리지 않는 나가는 둘뿐인 듯했다. 그 특별한 두 사람 중 한 명인 갈로텍 대장군은 가눌 길 없는 분노에 비늘을 부딪치고 있었다. 갈로텍은 방금 들었던 니름을 반복했다.

〈1만 8000명이라고?〉

〈예. 대부분은 시우쇠와 륜 페이가 해치운 숫자입니다.〉

〈수호 장군들은 어떻게 되었나, 마케로우 장군?〉

〈돌아온 분은 없습니다. 전원 사망하거나 체포된 것으로 생각됩니다.〉

갈로텍은 의미가 될 수 없는 광포한 니름을 토해 내며 주위를 둘러보았다.

계곡에는 2,000명 남짓한 나가들이 지쳐 쓰러져 있었다. 마호가니 군단의 잔존자들인 그들 가운데서 약간의 위엄이라도 유지하고 있는 자는 찾아보기 어려웠다. 아직껏 몸에 작살검을 한두 자루씩 꽂고 있는 자들이 많았고 비늘이 홀랑 타버려 개구리 같은 비참한 모습으로 쓰러져 있는 나가들도 많았다. 그나마 그런 자들은 오히려 사정이 나은 편이었다. 사지가 제대로 달린 자들 중 많은 수가 그 번듯한 사지를 흔들며 발작하고 있었다. 전투 전에 복용하지 못한 소드락을 도망치는 데 사용했기 때문이다. 일인 지참량인 세 정을 한꺼번에 복용하는 것이 정신나간 짓이라는 것을 모르는 나가는 없었지만, 시우쉐와 륜 페이의 동시 등장은 나가의 이성마저 태워버릴 불꽃이었다.

어쨌든 그들은 그 끔찍한 괴물들에게서 도망치는 데 성공했다. 하지만 그 때문에 고통이라는 이름의 또 다른 괴물의 먹잇감이 되어 신음하고 있었다. 고통과 분노, 비탄의 니름들 때문에 그곳은 니름을 들을 수 있는 자들에겐 혼이 빠져나갈 것 같은 아수라장이었다. 갈로텍은 주먹을 움켜쥐었다.

그때 비아스가 질문했다.

〈그런데 어떻게 이렇게 빨리 도착하셨습니까?〉

〈뭐라고?〉

〈어떻게 이렇게 빨리 도착할 수 있으셨던 건지 질문했습니다. 사흘 후에 오실 줄 알고 있었습니다만.〉

〈시우쉐가 엔거 쪽에 있다는 것을 알게 되었다. 그래서 혼자 말을 타고 왔다.〉

〈말? 아, 네. 승마술을 가진 분이 있으신가 보군요. 아쉽군요. 몇 시간만 기다렸으면 좋았을 텐데.〉

갈로텍은 믿을 수 없었다.

〈잠깐. 아쉽다고 했나, 마케로우 장군?〉

〈네.〉

〈그걸 니름이라고 하는 건가! 1만 8000명이 학살당했는데 하는 니름이 고작 아쉽다는 건가!〉

비아스 마케로우는 대답하지 않았다. 하지만 그녀는 의미가 되기 직전의 무의미들을 연속적으로 흘려보냈다. 갈로텍은 비아스가 니르고 싶은 바를 간단히 깨달았다. 갈로텍은 분노했다.

〈내가 뭘 놓치고 있다는 건지 닐러보겠나?〉

〈닐러드려도 되겠습니까?〉

〈닐러!〉

〈지금껏 적들은 시우쇠의 정확한 위치를 노출시키지 않는 방법으로 북부의 불신자들을 보호해 왔습니다. 그에 대한 대책으로 우리는 시우쇠가 있는 곳을 피했습니다. 그리고 우리가 원하는 곳에 시우쇠가 있도록 하기 위해 노력했습니다. 그 탓에 북부군과 우리는 지루한 심리전을 벌여왔습니다. 우리가 한 지역을 공격하면 그들은 일단 판단을 해야 합니다. 우리의 공격이 진짜 공격인지, 그렇지 않으면 시우쇠를 유인해 놓고 다른 곳을 치기 위한 위장 공격인지.〉

갈로텍은 어이없다는 듯이 닐렀다.

〈전략의 창안자에게 전략의 개요를 설명해 줄 필요는 없다고 보는데.〉

〈죄송합니다만 제가 원하는 방법으로 닐러드리도록 해주십시오.〉

〈계속해.〉

〈그런 유인은 성공할 때도 있었고 실패할 때도 있었습니다. 하지만 그건 우리가 항상 이기는 계책입니다. 시우쇠가 우리의 유인에 넘어오면 그를 내버려두고 다른 지역을 공격하면 그만이었습니다. 넘어오지 않으면 그냥 물러나면 됩니다. 가장 나쁜 경우라고 해봐야 우리가 진짜 공격하려고 마음먹고 대규모 병력을 집중시킨 장소에 시우쇠가 나타나는 경우입니다만, 이 경우에도 우리는 수호자들로 하여금 시우쇠를 묶어두게 하고는 도망치면 그만이었습니다. 오늘 그로스 군단장은 그렇게 하지 못했습니다만.〉

〈지금 생사가 불확실한 자네 상관을 헐뜯으려는 건가?〉

〈아닙니다. 그들이 시우쇠를 노출시킬 수 없었던 이유를 설명하고 있었습니다. 그들은 시우쇠를 노출시킬 수 없습니다. 그렇게 하면 우리가 다른 지역을 공격하니까.〉

〈무슨 니름인가?〉

〈오늘, 그들은 시우쇠를 노출시켰습니다. 그 덕분에 그들은 1만 8000명이나 되는 아군을 살해할 수 있었습니다. 하지만 그들이 만족하기엔 적은 숫자가 아닐까요? 제가 그 숫자에 큰 감흥을 느끼지 못하는 것도 그 때문입니다.〉

갈로텍은 정신적 신음을 흘렸다. 그는 비아스가 무슨 니름을 하는 건지 깨달았다.

〈예. 시우쇠가 이곳에 나타난 이상 우리는 내일이나 모레쯤 이곳에서 먼 지역에서 불신자들을 18만 명이라도 죽일 수 있습니다. 그런데 왜 그들은 시우쇠를 노출시켰을까요?〉

농가의 내부는 환희로 가득했다. 피와 땀을 채 닦아내지 못한 험상궂은 모습으로 앉아 있었지만 북부군의 장수들은 승리에 배불러 있었고, 완벽하게 만족한 얼굴로 라수의 말을 기다리고 있었다. 그리고 라수가 꺼내놓은 서두는 그들을 더욱 만족시켰다. 라수 규리하는 차분하게 말했다.

"우리는 이곳으로 쫓겨오긴 했습니다만, 그것은 저들의 착각과 달리 우리의 선택입니다."

괄하이드 규리하는 고개를 한번 끄덕였다. 입소문이나 짐작으로 약간씩 알고 있던, 하지만 아직은 그 전모를 깨닫지는 못했던 전략에 대한 설명에 북부군의 다른 장수들은 집중했다. 라수는 벽에 붙여놓은 지도를 가리키며 말했다.

"지난 몇 달 동안의 패배를 통해 우리는 나가 수뇌부로 하여금 이곳에 시우쇠 님이 없다고 믿게 만들었습니다. 나가들은 다른 어딘가에 있을 시우쇠 님을 감지하기 위한 노력을 경주했고 그동안 우리는 이곳까지 큰 경계를 받지 않고 다가올 수 있었습니다. 적들이 엔거 평원을 전장으로 선택하리라는 것은 자명했습니다. 그들은 폐하와 우리를 한꺼번에 붙잡길 원할 것이고, 이곳으로 우리를 몰아넣으면 흑단 군단, 마호가니 군단, 대나무 군단의 3개 군단이 우리를 대포위할 수 있으니까요. 그리고 마호가니 군단이 나설 것 또한 분명했습니다. 어르신들의 보고를 따른다면 마호가니 군단이 보유한 수호자가 가장 많고, 따라서 하텐그라쥬 공작을 상대하기 위한 최적의 부대였습니다."

라수는 잠깐 멈춘 다음 말했다.

"그리고 오늘 우리는 마침내 마호가니 군단을 패주시켰습니다."

아직 가시지 않은 승전의 흥취에 자제력을 잃은 젊은 장수들에게서 짧은 함성이 터져나왔다. 라수는 엄격한 얼굴로 그들을 침묵시키고서 말을 이었다.

"여러분들의 즐거움은 이해합니다만 승리는 패배할 기회를 한 번 더 얻은 것에 불과하다는 사실을 강조해 두고 싶습니다. 예. 우리는 오늘 마호가니 군단을 패퇴시킴으로써 그들에게 짓밟혔던 슈라도스 사람들의 복수를 달성했습니다. 적들은 꽤 화가 나겠지요. 하지만 그 이성적인 나가들은 곧 이 지점에서 우리가 시우쇠 님을 노출시켰다는 사실에 의아해할 겁니다. 왜냐하면 시우쇠 님의 모습이 확실히 노출된 지금, 그들은 북부의 다른 지역을 초토화할 수 있으니까요."

장수들은 창백해졌다. 북부군 최고의 지략가가 내놓은 예측은 정확했다. 나가들이 전장을 북부 전체로 넓히지 않는 것은 본질적으로 북부군이 시우쇠의 위치를 계속 모호하게 유지해 왔다는 것에 기인한다. 시우쇠의 정확한 위치를 알 수 없었기에 나가의 수호자들은 기후 조절에 마냥 매달릴 수 없었고, 기후가 바뀌지 않기에 나가들은 어느 정도 이상 북진할 수 없었으며, 나가들이 북진할 수 없기에 시우쇠는 전선 배후의 넓은 북부 지역을 통해 쉽게 이동하며 이곳저곳에 출몰했다. 나가들에겐 분통 터지는 악순환이었다.

그러나 북부군이 가진 가장 빠른 연락 수단인 어르신 전령도 동시 대화가 가능한 나가들의 뱀단지에 비하면 도저히 빠르다 할 수 없었다. 나가들은 시우쇠가 출현할 때마다 수백 킬로미터 저편에서 기온을 대규모로 변화시켜 북진하곤 했다. 그 때문에 북부군 또한 시우쇠의 모습을 함부로 노출시킬 수 없었다. 장수들은 걱정에 잠겨 서로를 바라보다가, 그래도 라수 규리하라면 뭔가 생각이 있었을 거라 믿는 눈으로 북부군의 두뇌를 바라보았다.

라수는 고개를 숙였다. 그러곤 갑자기 엉뚱한 말을 꺼냈다.

"햇수로 4년째입니다."

장수들은 어리둥절했다. 그에 상관하지 않은 채 라수는 회상하는 어조로 말했다.

"여기 계신 많은 분들이 3년 전의 세퀴라도 공방전을 기억하시겠지요. 저는 그날을 절대로 잊을 수 없을 것 같습니다. 바로 그날 시우쉬 님께서 우리에게 오셨지요. 하지만 그분이 도착하기 직전 우리들은 이미 패배를 받아들이고 있었습니다. 예. 24일 밤낮에 걸친 공방전의 마지막 날, 싸우다 죽기 위해 성문을 열고 돌격하기로 결정하셨던 여러분들의 곁에, 대호왕 폐하와 하텐그라쥬 공작, 아스화리탈, 그리고 두억시니들까지 있었지만, 저는 없었습니다. 나중에 괄하이드 대장군은 여러분들이 저를 비난하지 않았다고 제게 알려주셨습니다. 감사합니다. 이제야 고백합니다만 저는 그때 성벽 위에 있었습니다. 그곳에서 몸에 기름을 붓고 있었지요."

세퀴라도에 있었던 장수들 중 일부가 신음을 흘렸다. 라수는 싱긋 웃었다.

"여러분과 같은 무용이 없는 저로서는 돌격을 시도해 봤자 적 한 놈 잡지 못하고 죽을 것이 뻔하다고 판단했습니다. 그건 섭섭하더군요. 어차피 죽을 수밖에 없는 처지이긴 했지만 적 한 놈 잡지 못하고 죽는다고 생각하니 화가 치밀더군요. 예. 저도 별 볼 일 없는 규리하 사내였던 모양입니다. 그래서 기름통을 들고 성벽 위로 올라갔습니다. 나가들이 성안으로 들어오면, 어느 놈이 지휘자인지 알아낸 다음 몸에 불을 붙이고 뛰어내릴 작정이었습니다. 그리고 뜨겁게 안아줄 계획이었지요."

지코마 상장군이 더듬거리며 말했다.

"그렇다면, 우물에 숨어 있었던 거라는 말씀은……?"

라수는 냉정하게 대답했다.

"시우쉬 님 앞에 나가려면 기름은 일단 씻어야 했으니까요. 그분 근처에 가면 타 죽을 것이 뻔했습니다. 그래서 기름을 대충 씻어내고서야 나설 수 있었던 겁니다."

"하긴 좀 의심스러웠습니다. 아무리 당황하셨다 하더라도 우물 속에 숨거나 하실 분은 아니라고 생각했었지요. 그러면 왜 숨었던 거라고 말씀하셨습니까?"

"글쎄요. 그런 분신 특공을 하려 했다고 말하려니 좀 부끄럽더군요. 그리고 그때 그렇게 말했다면 변명처럼 들리지 않았겠습니까? 그래서 그렇게 말했습니다."

오래된 오해가 풀리는 것을 느끼며 장수들은 한숨과 웃음을 지어보였다. 라수는 천장을 바라보며 말했다.

"그리고, 3년이 지난 지금에 와서 그 사실을 고백하는 것 또한 변명을 위한 것은 아닙니다. 제가 이 말씀을 드리는 것은 그날 그 성벽 위에서, 몸에서 나는 지독한 기름 냄새마저 잊은 채 제가 했던 생각을 들려드리기 위해서입니다. 여러분들은 어떠했는지 모르겠습니다만, 그날 저는 우리를 구하기 위해 달려오는 화신을 바라 보면서 이제 살았다고 생각하지는 않았습니다. 대신 죽었다고 생각하기로 했습니 다. 도깨비의 영처럼 말입니다."

라수는 갑자기 불타는 눈으로 장수들을 바라보았다.

"시우쇠 님께서 우리에게 오신 지 3년이 지났습니다. 그동안 우리는 나가들을 기만하며 그들의 북진을 늦추어왔고 그 파상적인 공격에서 간신히 건져낸 자투리 병력들을 조금씩 규합하여 겨우 여왕 폐하의 군대를 만들 수 있었습니다. 그리고 이곳 엔거에서 마침내 4년 만에 대승까지 거뒀습니다."

장수들이 다시 기뻐할 준비를 갖췄다. 하지만 라수는 빠르게 말했다.

"여러분들은 제게 속으셨습니다."

장수들이 당황했다. 세미퀴 장군이 외치듯 말했다.

"속다니오? 무슨 말이오, 라수 상장군님?"

"오늘의 승리를 기뻐하시는 여러분들에게 이런 말씀을 드리는 것이 가슴 아픕니 다만, 이 승리에 의해 우리는 돌아갈 수 없는 길로 접어들었습니다."

이번엔 무핀토 장군이 이맛살을 찡그렸다.

"돌아갈 수 없다니, 무슨 말이오? 우리가 돌아갈 곳이라도 있었소? 즈믄누리를 말씀하시는 거라면……."

"아니요. 그런 말이 아닙니다. 오늘 시우쇠 님은 이곳 엔거에서 노출되었습니다. 저는 조금 전 이곳을 선택했다고 말씀드렸습니다. 엔거에서 남쪽으로 뭐가 있는지 아십니까? 차례로 말씀드리면 페로그라쥬, 악타그라쥬, 시모그라쥬가 나옵니다.

익숙지 않은 지명이겠지만 뭔가 연상되는 것은 있으시겠지요. 예. 나가들의 도시입니다. 그다음에는 뭐가 나오는지 아십니까?"

라수는 갑자기 몸을 돌려 지도를 짚었다. 그 손가락 끝은 상당히 남쪽에 있었고 그 위치가 시사하는 바를 깨달은 장수들은 전율을 느꼈다. 라수는 지도에 씌어 있는 글자를 음미하듯 말했다.

"하텐그라쥬. 침묵의 도시. 우리는 그곳으로 진군해야 합니다."

갈로텍은 비명처럼 닐렀다.

〈하텐그라쥬라고!〉

비아스는 고개를 끄덕였다.

〈다른 이유가 있을 리 없습니다. 시우쇠를 노출시키면 북부의 다른 지역이 초토화된다는 것을 괄하이드 규리하가 모를 리 없습니다. 그런 그가 이곳에서 시우쇠를 노출시켰다는 것은 지금부터 한계선 이남으로 내려가겠다고 선언한 것이나 다름없습니다. 잘 생각해 보십시오. 엔거에서 남쪽으로 무엇이 있는지. 그들은 석 달 안에 하텐그라쥬에 도달할 수 있습니다.〉

갈로텍은 비아스의 니름을 받아들이고 싶지 않았다. 냉혹의 도시가 공격 대상이 될 수 있다는 사실을 받아들이기 힘들었기 때문이다. 유사 이래로 한 번도 없던 일이다. 한계선에 가까운 나가의 도시들 중에는 대확장 전쟁 당시 아라짓 전사들이나 키탈저 사냥꾼의 습격을 겪었던 도시도 있지만 냉혹의 도시에는 그런 역사가 없었다.

갈로텍은 부정하려 했다. 하지만 비아스는 차분하게 닐렀다.

〈그들은 그렇게 할 겁니다. 우리가 취할 수 있는 대책은 두 가지입니다. 그들이 키보렌에 들어가도록 내버려두고 그 대신 군 전체에 대공격령을 내려 북부의 전 지역을 파괴하는 방법과, 그렇잖으면 지금 당장 군 전체를 이곳으로 집중시켜 그들이 하텐그라쥬로 다가가기 전에 물리치는 방법.〉

갈로텍은 주퀘도 사르마크를 위해 대화 방법을 바꿨다.

"육성으로 말하게. 만약 우리가 북부군을 저지하지 않는다면 그들은 하텐그라쥬를 공략할 수 있을 거라고 보나?"

"그건 모르겠습니다. 하지만 시우쇠가 그곳에 있고 륜 페이도 있습니다."

"하지만 그들이 하텐그라쥬에 도달하려면 페로그라쥬, 악타그라쥬, 시모그라쥬를 거쳐야 할 텐데?"

"그게 무슨 상관입니까? 우리 도시들은 생활 공간이 곧 전투 공간인 불신자들의 도시와는 다릅니다. 한계선 남쪽을 다 뒤져봐도 성벽이나 전투 요새 같은 것은 없잖습니까."

"키보렌이 바로 우리의 성벽이고 요새다. 그렇잖은가?"

"몇 년 전까지는 그랬을 겁니다. 인간의 말은 우리 숲 속에서 아무 소용이 없고 그 빽빽한 숲 속에서 대규모 부대는 오히려 방해만 될 뿐이니까요. 하지만 그들에겐 륜 페이가 있습니다. 물을 감지할 수 있는 여신의 능력에 용인의 예민함이 더해진 그 괴물에게 숲은 장애가 되지 않습니다. 륜은 평원에 있는 것처럼 접근하는 나가들을 볼 겁니다. 그리고 시우쇠는, 아마도 단지 걸어가는 것으로 키보렌에 대로를 만들 수 있을 겁니다."

갈로텍은 욕설을 중얼거렸다. 비아스의 지적대로였다. 결국 주퀘도 사르마크가 못 말리겠다는 듯이 전면으로 나섰다.

"주퀘도 사르마크다. 비록 내가 훌륭한 교사라고 말하긴 어렵겠지만, 갈로텍 이 녀석도 가능성 풍부한 제자라고 하긴 어렵겠군. 이봐, 마케로우 장군."

비아스의 얼굴에 짧게 경계심과 불안 같은 것이 드러났다. 하지만 짧은 시간 동안이었을 뿐 비아스는 곧 침착하게 말했다.

"예. 주퀘도 사르마크 상장군님."

"자네 추측은 정확하다. 그들이 이곳에서 시우쇠를 노출시킨 이유를 다른 것으로 생각하기 어렵지. 그렇다면 이 점도 설명할 수 있겠나? 괄하이드 규리하는 왜 그런 의도를 노출시켰을까? 정말로 하텐그라쥬를 칠 계획이었다면 시우쇠를 아예 노출시키지 않은 채 키보렌에 잠입하는 쪽이 낫지 않을까?"

비아스는 불만스러운 기분으로 이 시험에 응했다.

"그들이 키보렌에 들어가면 북부에는 우리와 싸울 병력이 남지 않게 됩니다. 그래서 위험한 선택을 할 수밖에 없는 거지요. 우리들로 하여금 북부에서 분탕질을 치는 대신 황급히 그들을 따라가게 하고 싶은 거지요."

"비밀리에 잠입한 다음 하텐그라쥬를 잡는 편이 나을 텐데?"

비아스는 웃었다. 최소한 웃음처럼 보이는 표정을 지어보였다.

지코마 상장군이 고개를 가로저었다.

"모순입니다. 정말 하텐그라쥬를 칠 계획이시라면 왜 시우쇠 님을 노출시킨 겁니까? 아예 키보렌으로 들어간 다음, 아니, 하텐그라쥬에 도달하고 나서 노출시키는 편이 훨씬 낫잖습니까?"

라수는 대답했다.

"말씀하신 대로입니다. 하지만 우리의 의도를 뚜렷이 함으로써 당장 북부의 다른 사람들을 나가의 손길에서 해방시킬 수 있습니다. 넉 달 동안 준비된 이 전투는 사실 거대한 공갈입니다. 당장 이쪽으로 오라고 외친 셈이지요. 나가들은 우리를 저지하기 위해 북부를 짓밟는 것을 그만두고 우리를 뒤쫓아와야 할 겁니다."

"하지만, 우리가 정말로 저지당한다면 아무 소용이 없잖습니까?"

"우리 처지가 패배를 상정한 전략을 검토해 볼 정도로 여유 있는 처지라고 생각되진 않습니다. 지금 당장 북부의 모든 사람들을 구할 수 있는 다른 방도가 있다면 고려해 보겠습니다."

"하지만, 만약 그들이 우리를 뒤쫓지 않고 내버려두면 어쩐단 말입니까?"

다른 장수들도 걱정스러운 낯빛으로 라수를 바라보았다. 라수는 서늘한 얼굴로 말했다.

"물론 나가들은 그런 시도를 할 수도 있습니다. 북부를 닥치는 대로 유린함으로써 우리가 어쩔 수 없이 회군하게 되기를 바랄 수도 있습니다. 따라서 우리는 그들에게 그런 선택을 하게끔 내버려둘 수 없습니다. 어쩔 수 없이 우리를 따라오게 만들어야지요."

"어떻게 그럴 작정입니까?"

라수는 다시 몸을 돌려 지도를 가리켰다.

"이미 말씀드린 대로 하텐그라쥬에 도달하기 위해서 우리는 페로그라쥬, 악타그라쥬, 시모그라쥬를 거쳐야 합니다. 모두 나가의 도시들이지요. 그리고 나가의 도시에는 공통적으로 존재하는 건물이 있습니다."

"심장탑!"

지코마 상장군이 넋나간 표정으로 외쳤다. 라수는 살짝 고개를 끄덕였다.

"예. 뇌룡공께서는 우리에게 심장 파괴라는 것을 알려주셨습니다. 우리는 나가가 자랑하는 불사성 그 자체를 공격할 겁니다. 그들은 자신들의 불사를 위해 행한 심장 적출이 다시 없는 무서운 무기가 되어 그들에게 돌아왔음을 깨닫게 되겠지요. 그리고 무슨 수를 써서든 우리를 막기 위해 되돌아올 겁니다. 세 도시의 심장탑을 파괴해도 나가들이 쫓아오지 않는다면, 한계선 남쪽의 심장탑을 모조리 파괴해 버릴 각오임을 보여줘야 할 겁니다. 어쨌든 그들은 우리를 뒤쫓게 될 겁니다……. 그리고 우리는 필사적인 각오로 우리를 뒤쫓아오는 나가들을 꼬리에 매단 채 하텐그라쥬로 진격할 겁니다. 그리고 침묵의 도시에서 여신을 구출할 겁니다. 그러면 세계의 기온은 정상으로 돌아갈 테고, 우리를 뒤쫓아온 나가들은 다시 한계선 이북으로 되돌아갈 수 없게 되었다는 것을 깨닫게 될 겁니다."

라수는 경악한 장수들을 향해 옅은 미소를 지어보였다.

"그것이 제 작전입니다."

장수들은 얼이 빠진 채 라수의 말을 곱씹었다. 그때 사람들이 만들어내는 그림자들이 중첩되어 쌓여 있는 곳에서 한 목소리가 들려왔다.

"결말을 말씀해 주시지 않는군요. 상장군님. 고의적으로 누락하시는 겁니까?"

장수들은 목소리의 주인공이 누구냐는 듯이 고개를 돌렸다. 하지만 라수는 그 목소리를, 정확히 말하자면 그 목소리에 낙인처럼 찍혀 있는 슬픔을 알고 있었다. 그래서 라수는 상대방의 얼굴을 확인하지 않은 채 대답했다.

"내가 누락시켰다고 짐작한 내용을 말해 보겠나, 자보로 장군?"

장수들의 뒤편에서 키타타 자보로가 몸을 일으켰다.

그곳에 있는 장수들 중 흉터나 해묵은 상처쯤 가지고 있지 않은 무사는 드물었다. 오른팔이 통째로 잘린 코네도 빌파—전쟁 때문에 잘린 것은 아니지만—같은 자가 평범하게 보이는 북부군 장수들 사이에서 키타타 자보로의 정갈한 모습은 오히려 이질적이었다. 그러나 잘 기능하는 뼈와 살과 체액이 사람의 모든 구성 요소라고 주장할 만큼 과격한 자는 없을 것이며, 그런 견지에서 보자면 키타타 자보로는 그곳에 있는 장수들 중 가장 많은 것을 잃은 장수 중 하나였다. 물론 자보로 성벽의 낙성과 자보로 씨족의 멸망 중 어느 것이 키타타 자보로를 더 파괴했는지 가늠해 보는 것은 불가능할 것이다.

그 키타타 자보로가 차분하게 말했다.

"그 전략이 성공한다는 전제하에, 그 진격의 끝에서 우리가 보게 될 것은 분노한 나가들에게 포위당한 채 키보렌 한가운데서 고립된 우리 자신의 모습이겠군요. 한계선 이북으로 돌아갈 수 없다는 사실, 그들의 심장탑을 파괴했다는 사실, 그리고 한번도 외침을 당하지 않았던 그들의 가장 소중한 도시를 파괴당했다는 사실 등에 화가 머리끝까지 치밀어오른 살인귀들 사이에 말입니다."

라수는 눈을 감았다. 조금 후 눈을 다시 떴지만, 어느 곳도 바라보지 않은 채 라수는 말했다.

"그래. 자보로 장군. 더 간단히 말해 주지. 우리는 돌아올 수 없어. 내가 이곳에서 시우쇠 님을 노출시킨 근본적인 이유는 우리의 그런 의도를 적이 이해해 주기를 바라기 때문이야."

천둥 같은 침묵이 장수들을 엄습했다. 라수는 확신이 담긴 어조로 말했다.

"다시 말하지만, 우리가 돌아올 가능성은 거의 없어. 하지만 시우쇠 님이나 하텐그라쥬 공작 두 분 중 한 명을 하텐그라쥬에 도달시키기만 한다면 우리 작전은 성공이야. 그리고 우리 모두가 돌아오지 않을 각오를 한다면 그 작전이 성공할 가능성은 충분하지."

누군가가 목이 멘 목소리로 말했다.

"단지 그 두 분 중 한 분이 침묵의 도시에 도달할 수 있도록 해주기 위해 우리 4만 명 모두가 희생해야 하는 겁니까?"

"그렇다."

누군지 모를 사람의 질문에 대답하면서도 라수는 여전히 키타타를 바라보았다. 강대한 씨족의 마지막 생존자는 무표정하게 말했다.

"저는 그렇지 않습니다만, 누군가는 받아들이기 어려운 작전이겠군요."

라수는 속으로 안도의 한숨을 내쉬었다.

"고맙다. 자보로 장군. 앉도록."

키타타는 다시 앉았다. 라수는 벽난로가로 걸어갔다. 어딘가에 기대고 싶었지만 그런 모습은 나약하게 보일 것이다. 라수는 다만 고개를 조금 들어올려 천장을 향해 말했다.

"키타타 자보로 장군이 지적한 대로 이 작전은 받아들이기 쉬운 것이 아닙니다. 교활함을 발휘한다면 저는 여러분들이 승리에 도취된 지금 결정을 내리라고 말할 테고, 그로써 많은 동의를 얻어낼 수도 있겠지요. 하지만 제 교활함은 언제나 나가들을 위한 것입니다. 그러니 뜨거운 가슴 대신 차가운 머리로 생각해 보시도록 하룻밤의 시간을 드리겠습니다. 더 이상은 드릴 수 없습니다. 시우쇠 님이 노출된 이상 더 시간을 끌 수 없으며, 따라서 우리는 당장이라도 남쪽으로 출발해야 하기 때문입니다. 오늘 밤 동안 생각해 보길 바랍니다. 돌아올 수 없는 길에 동참하고 싶지 않은 분들은 내일 의사 표시를 하십시오. 도깨비들과 어르신들이 즈믄누리로 안내할 겁니다."

라수는 그 밤이 영원히 계속되기를 바라며 마지막 말을 꺼냈다.

"해산하십시오."

주퀘도는 진지하게 고개를 끄덕였다.

"훌륭하군. 마케로우 장군. 그렇다면 우리가 취해야 할 조처도 제시해 볼 수 있겠나?"

"별다른 방법이 있을 리 없잖습니까? 페로그라쥬, 혹은 악타그라쥬, 최악의 경우라도 시모그라쥬에서 그들을 막아야 합니다. 절대로 하텐그라쥬에 접근시키면 안됩니다. 키보렌이 불신자들에겐 필멸의 땅임을 보여줘야 합니다. 그들이 원하는 대로 해줘야 합니다. 나가의 모든 군단과 모든 수호 장군과 수호자들을 소환해야 합니다. 오히려 좋은 기회라고 할 수 있습니다. 바로 우리의 땅에서 우리의 유일한 골칫거리를 처치할 수 있게 되었으니까요."

"좋다. 마케로우 군단장. 지금 즉시 하텐그라쥬로 떠나라."

"예?"

"못 알아듣겠나? 너를 마호가니 군단의 군단장으로 임명한다. 당장 휘하의 병사들을 이끌고 냉혹의 도시로 떠나라. 그곳에서 마호가니 군단을 재편한 다음 하텐그라쥬 방어 계획을 수립하도록. 그리고 뱀단지를 통해 다음 지시를 내릴 때까지 대기하라."

비아스는 눈을 빛냈다. 주퀘도의 내부에서 듣고 있던 갈로텍이 입을 움직였다.

"잠깐, 주퀘도. 군단장은 수호 장군이어야 합니다."

"그 멍청한 규칙은 더 이상 효용이 없음이 밝혀졌잖나, 갈로텍? 수호 장군들은 물을 마음대로 다룰 수 있고 수호 장군들의 효용 또한 거기까지야. 물을 통제한다는 것은 군단을 지휘하는 것과 아무런 관련이 없어. 오늘 마호가니 군단의 대패에서 이미 증명되지 않았나? 그로스는 자신의 군단을 잡아먹었어."

"하지만 규칙은 규칙입니다. 형평성 문제도 있거니와 수호자들의 사기 저하도 고려해야……."

"그만, 됐어. 더 듣고 싶지 않아. 비아스 마케로우가 마호가니 군단의 차기 군단장이야. 하텐그라쥬 방어는 그녀가 책임진다. 그 사실에 대해 더 불평하겠다면 나는 자네에게 작별 인사하고 저 아래에 처박히겠어."

갈로텍은 입의 지배를 포기했다. 주퀘도는 많은 것을 요구한 적이 없었고, 따라서 갈로텍은 그가 요구하는 것은 반드시 들어주기로 결심하고 있었다. 주퀘도는 입이 자유로워진 것을 느끼곤 웃었다. 그때 주퀘도는 비아스가 뭔가 할 말이 있다는 표정으로 바라보는 것을 느꼈다.

"뭔가? 더 할 말이라도?"

비아스는 고개를 끄덕였다.

"예. 마호가니 군단에는 수호 장군 키베인이 복무하고 있었습니다."

갈로텍이 대경실색했다. 그는 다시 입을 움직였다.

"아뿔싸, 그렇군! 키베인이 여기 있었군. 그는 어떻게 되었지?"

"알지 못합니다."

갈로텍은 비늘을 세게 부딪치며 머리를 감싸쥐려 했다. 하지만 그의 두 팔은 머리로 향하는 대신 주퀘도의 지배에 따라 팔짱을 끼게 되었다. 주퀘도는 느긋한 어조로 말했다.

"키베인이 여기 있었단 말이지. 시우쇠에게 당했다면 어쩔 수 없고, 살아 있다면 아마도 즈믄누리로 옮겨지겠군. 북부군은 키베인이 누구인지 알지 못할 테니. 좋아. 그 구출은 내가 맡는다." "당신이 맡는다고요?" "그래. 가까운 곳에 흑단 군단과 대나무 군단이 있지?" "그렇습니다." "그렇다면 됐어."

혼자서 묻고 대답하는 갈로텍의 모습을 보며 비아스는 비늘 서는 기분을 약간 느꼈다. 주퀘도가 말했다.

"마케로우 군단장. 휘하의 병사들 중 나를 흑단 군단이나 대나무 군단으로 안내할 자를 찾아오도록."

"알겠습니다."

비아스는 몸을 돌려 떠나갔다. 주퀘도는 웃었고, 그것은 당연히 갈로텍에게 발각되었다. 갈로텍은 얼굴을 불안한 표정으로 바꾸며 말했다.

"뭐가 즐거우신 겁니까?"

"마호가니 군단에 가장 많은 수호 장군이 있다는 이유로 거기에 키베인을 배치하자고 주장한 건 너였지? 그리고 나는 거기에 반대했고."

갈로텍은 성난 어조로 말했다.

"'내가 뭐라고 그랬어?'류의 저속한 자랑을 좋아하시는 줄은 몰랐군요. 좋습니다. 그건 실수였어요. 하지만 그들이 가장 상대하기 어려운 군단을 택하리라고 어떻게 상상할 수 있었겠습니까?"

"괄하이드는 똑똑해. 수호 장군들은 현재 보급할 수 없는 병력이지. 가장 많은 수호 장군을 보유한 마호가니 군단을 쓰러뜨림으로써 그는 우리에게 상당한 타격을 준 셈이지."

갈로텍은 침통한 심정으로 동의했다. 여신이 봉인된 이후로 더 이상 새로운 수호자의 탄생은 불가능했다. 그들에게 신명을 부여해야 할 여신이 감금되어 있기 때문이다. 주퀘도는 계곡의 살풍경한 모습을 보며 말했다.

"키베인이 전사했다고 주장해 볼 생각은 없나, 갈로텍? 어차피 종군을 고집한 것은 키베인이었어. 그가 전사했다면 지도그라쥬에서 뭐라고 하겠나?"

"매력적인 제안이긴 합니다만, 안 됩니다. 키베인이 살아 있다면 지도그라쥬의 심장탑에 있는 그의 심장이 뛰고 있을 겁니다."

"아차! 맞아. 그렇군."

주퀘도는 자신의 머리를 두드렸다. 갈로텍은 그다지 품위 있다고 볼 수는 없는 그 동작이 마음에 들지 않았다. 그래서 손을 억지로 내리며 말했다.

"키베인이 살아 있는데도 구출하지 않는다면 지도그라쥬에서 가만히 있지 않을 겁니다. 반드시 구출해야 합니다."

주퀘도는 웃으며 갈로텍에게 동의했다. 그는 키보렌의 대수호자를 구출하는 것이 그렇게 어려운 일일 거라고 생각하지는 않았다.

키보렌의 대수호자는 사지를 마구 팽개친 자세로 드러누워 있었다.

그의 신분에 어울리지 않는 몸가짐이었지만, 그의 주위에 있는 다른 나가들은 크게 개탄하지는 않을 것이다. 무릇 배에 구멍이 난 자라면 그가 세계의 폭압성과 만연한 야수성에 당황하여 울음을 터뜨린다 하더라도 용납받을 수 있을 것이다. 하지만 키보렌의 대수호자는 울지 않았고, 그것만으로도 충분히 그 신분에 어울리는 품위를 보여주고 있다 할 것이다. 그래서 키베인은, 주위에 있는 다른 네 명의 나가와 마찬가지로, 자신의 배에 난 구멍에 대해 신경 쓰면서도 자신의 위엄에 대해서는 조금도 고민하지 않았다.

그러나 키보렌의 대수호자가 원래 위엄에 신경을 쓰는 위인이었냐고 묻는다면 대수호자는 아마도 딴청을 피울 것이다. 키베인은 복잡한 외교적 이전 투구의 결과로 누구도 만지기 싫어하는 벌집이 된 채 여기저기로 떠넘겨지다가 엉겁결에 자신에게 오게 된 키보렌의 대수호자라는 지위에 큰 애착을 가지고 있지는 않았다. 뇌룡공 륜 페이는 용인다운 날카로움으로 정확히 꿰뚫어본 것이다. 키베인은 신명을 봉인당함으로써 키보렌의 대수호자라는 지위까지 잃게 될지도 모른다는 것에 대해 크게 두려워하고 있지는 않았다.

대수호자라는 해괴한 지위는, 근본적으로 하텐그라쥬의 수호자들이 자신의 위업에 지나치게 도취되었다는 사실 때문에 탄생하게 되었다.

하텐그라쥬의 수호자들은 기나긴 시간과 많은 노력을 기울여 여신을 봉인했다. 그 때문에 그들은 자신이 우주를 움직이는 자가 되었다고 생각하게 되었다. 과장된 맛이 없진 않지만, 꼭 무가치한 착각으로 치부해 버릴 수만도 없는 생각이었다. 그것은 정말 대단한 일이었다. 따라서 그들이 자신의 위업에 대해 타인에게 존중과 찬사를 요구했다면 다른 자들은 거리낌 없이 응했을 것이다.

하지만 그들은 그 이상의 것을 원했고, 그 순간 하텐그라쥬의 수호자들은 자신들이 큰 실수를 저질렀다는 것을 알게 되었다. 그들은 여신의 힘을 얻는 것에 급급한 나머지 그 힘이 그들에게만 귀속되는 것은 아니라는 사실을 간과하고 말았다. 뇌룡공 륜 페이가 가장 뚜렷한 예였다. 하텐그라쥬의 수호자들은 자신들이 얻은 힘과 똑같은 힘을 적에게도 주고 말았다. 더군다나 용근을 먹은 뇌룡공은 수호자들이 감히 꿈에서조차 상상하기 힘들 정도의 수준에서 그 힘을 자유자재로 다루었다. 실로 재난이 아닐 수 없었다.

그리고 그 시점에서 다른 도시의 수호자들은 자신들 또한 뇌룡공의 예를 본받을 수 있다는 점을 깨달았다.

내란이라는 니름은 거의 형체를 지닐 뻔했다. 여신의 힘을 휘두르는 수호자들을 전면에 내세운 나가 도시들간의 전쟁. 생각만 해도 비늘 서는 일이 아닐 수 없었다. 하텐그라쥬의 수호자들은 공통의 적인 불신자들 앞에 나가들의 대단결이 이루어질 거라는 막연한 희망을 품었지만, 그것은 동족의 특성을 간과한 지나치게 낙관적인 전망이었다. 나가는 냉정하다. 한계선 이북과 이남 중 어느 곳이 더 정복하기 쉬운 땅인지 고려해 보는 것을 부도덕하다고 거부하지 않을 정도로.

그러나 또한 냉정한 그들이기에 나가들은 서로를 향해 언제든 칼을 뽑아들 수 있는 인간을 답습하지는 않았다. 서로를 향해 겨누어진 사이커는 결국 공멸을 불러올 것임이 분명했다. 그 시점에서 한계선 이남 전체를 대표하는 지도자가 필요하다는 의견이 등장했다. 그 어처구니없는 니름은 놀랍게도 차차 동의를 얻었다.

〈우리는 왜 왕을 가지면 안 되는가? 왕이라는 것이 비록 우리가 가져본 적이 없는 낯선 것이긴 하지만 그렇다고 해서 가져선 안 될 까닭은 없다. 최소한 불신자들과의 전쟁이 기정 사실이 된 현재 나가의 역량을 결집시킬 구심점 역할을 할 자는 필요하다.〉

괜찮은 니름이었다.

그 시점에서 하텐그라쥬의 수호자들은 두 번째 패착을 던지고 말았다. 그들은 세리스마를 내세웠다. 어리석기 짝이 없는 일이다. 가장 먼저 행동을 시작했기에 이미 병권의 대다수는 하텐그라쥬가 쥐고 있었다. 당연히 다른 도시 출신의 수호자를 내세워야 했다. 하텐그라쥬가 모든 것을 가지게 될지도 모른다는 사실은 다른 도시의 수호자들을 불편하게 했다.

결국 강대한 지도그라쥬가 언짢은 심기를 드러내었다. 지도그라쥬는 하텐그라쥬에게 엄숙하게 경고했다. 그 경고는 하텐그라쥬의 수호자들을 얼어붙게 만들었다.

〈우리는 나가들의 정신적 고향인 성지 하텐그라쥬에 모든 경의를 보내지만, 그 경의가 나가들의 여신에 대해 죄를 지은 하텐그라쥬의 수호자들에게도 해당하는 것은 아니다. 또한 그들이 그 죄에 대해 동료들에게 사과하지도 않은 채 더 많은

것을 얻기 바란다면 그것은 참기 어려운 교만이다.〉

여신에 대해 죄를 지은 자들…… 반향은 엄청났다.

하텐그라쥬의 수호자들은 자신이 직면하게 된 상황의 심각성을 깨달을 정도의 냉정함은 가지고 있었다. 세리스마를 추대하는 의견은 이슬이 마르는 것보다 빠르게 사라졌다. 지루하고 복잡한 토론이 오갔고, 그보다 더 많은 시간 동안 추잡한 비난이 오갔다.

그리고 등장하게 된 것이 키베인이었다. 키보렌의 모든 의지가 지원하는 대수호자의 등장이었다. 키베인은 자신이 키보렌의 대수호자로 추대될 만큼 멍청하다는 사실을 쓴웃음으로 받아들였다.

키베인이 일어나 앉자 곁에 있던 수호자가 닐렀다.

〈대수호자님?〉

키베인은 쇠사슬을 무릎 주위까지 끌어당겨 자세의 여유를 확보했다.

〈괜찮습니다. 그냥 누워 있으려니 지루해서 일어나 앉았습니다.〉

〈네.〉

키베인이 결점 없는 인격과 과감한 통치력과 고귀한 신앙심을 가졌기 때문에 대수호자가 되었다고 믿는 사람들이 혹 있을지 몰라도, 키베인 자신은 그런 사람들에 포함되지 않았다. 키베인은 자신이 대수호자가 된 이유를 잘 알고 있었다. '위험하지 않기 때문이지.' 키베인은 자신의 역할이 다른 누군가를 위해 대수호자라는 새 의자에 걸레질을 해두는 것 정도임을 꿰뚫어보고 있었다. 그의 뒤를 이을 자는 더 이상 대수호자라는—역사적 근거도 사회적 동의도 없는 기괴한—지위에 낯설어하지 않게 된 나가들을 지배할 것이다. 아직 누가 그자가 될지는 알 수 없지만, 아마도 하텐그라쥬나 지도그라쥬의 누군가일 것이다.

키베인은 다른 자들이 어떤 멍청이를 공동의 장난감 삼아 재미를 보는 것에 유감은 없었다. 하지만 키베인은 그 멍청이도 재미를 좀 느껴야겠다고 생각했다. 그래서 키보렌의 대수호자는 종군을 천명했다. 효과는 강렬했다. 그의 명목상 지지세력인 지도그라쥬는 크게 당황했다. 병권은 모두 하텐그라쥬 출신의 수호자들이 장악하고 있으므로 키베인이 종군한다는 것은 그 스스로가 하텐그라쥬의 영향력 안으로 들어간다는 의미였다. 그러나 하텐그라쥬 또한 당혹하지 않을 수 없었다. 전쟁 통에 키베인이 혹 화라도 입는다면 지도그라쥬는 당장 하텐그라쥬를 공박할 것이기 때문이다.

그렇게 키베인은 자신을 적당한 타협안으로 취급한 하텐그라쥬와 지도그라쥬 양자 모두를 당황시키는 데 성공했다. 그리고 그 결과로 배에 뚫린 구멍을 붕대로 틀어막은 초라한 모습으로 즈믄누리로 끌려갈 처지에 처해 있었다.

'그러니까 매우 고전적인 사회 이론이 증명된 것이지. 은혜는 보통 반도 돌아오기 힘들지만 앙화는 항상 두 배로 돌아온다는 거지.'

키베인은 웃으며 쇠사슬을 만지작거렸다. 그들 다섯 명은 모두 발목에 족쇄를 매달고 있었고 그 족쇄는 근처의 굵직한 나무에 연결되어 있었다. 불신자들은 영리했다. 어차피 그들이 그 거목을 어떻게 할 수도 없겠지만 혹 그럴 방도가 있다 하더라도 수호자들은 나무를 해치지는 않을 것이다. 키베인은 다른 수호자들이 자신과 마찬가지로 자신의 몸보다 나무가 상하지 않도록 주의하며 조심스럽게 쇠사슬을 다루는 것을 확인할 수 있었다.

'아마도 갈로텍 대장군 또한 이 나무를 보면 고민할지도 모르겠군.'

키베인은 갈로텍 대장군이 그를 구하러 올 것임을 확신하고 있었다. 대수호자가 불신자들에게 포획되었음이 알려진다면 지도그라쥬는 하텐그라쥬를 공박할 두 번째이자 결정적인 빌미를 손에 넣게 되는 것이다. '여신에게 죄를 지었을 뿐만 아니라 대수호자마저 적에게 넘겨준 하텐그라쥬'라는 비늘 서는 고발을 피하기 위해서라면 갈로텍은 반드시 올 것이다. 키베인은 불신자들에게 그들이 치명적인 벌집을 가지고 있다는 사실을 알려주면 어떨까 하는 생각을 해보았다. 그것은 어쩌면 재미있을지도 모른다.

그때 키베인은 누군가가 달려오는 모습을 목격했다.

키베인은 감탄했다.

밤을 달려오는 더운 피 생물의 몸 주위에서 열기가 춤추고 있었다. 인간 여자였다. 그리고 경쾌하기 짝이 없는 달리기였다. 제자리에 멈춰 서서 흐르는 세상이 자신을 침식하는 것을 바라보며 울어야 하는 생물의 비애는 그녀와는 관계가 없어보였다. 춤추는 열기를 몸에 두른 채 냉기와 반목과 의심의 세계를 수치스럽게 만들며, 그녀는 오히려 세상을 추월하여 달리고 있었다. 땅바닥에 주저앉아 한가롭게 재미의 주사위를 던지던 키베인은 비늘이 서는 것을 느꼈다. 그 열인(熱人)이 자신 앞에 멈춰섰을 때 키베인은 두 손을 들고 항복이라도 외쳐버리고 싶어졌다.

다른 수호자들은 모두 경계하며 일어나 앉았다. 그녀는 키베인을 내려다보며 가만히 서 있었다. 그녀가 손으로 귀를 가리켜보였을 때 키베인은 비로소 그녀가 뭔가 말을 하고 있다는 것을 깨달았다.

대수호자는 청력에 주의를 기울였다.

"이제 듣고 있습니다. 말씀하시지요."

"아, 네. 안녕하세요! 북부군 부위 데오늬 달비입니다."

"마호가니 군단의 수호 장군 키베인입니다."

키베인은 말 놓으시라고 말하려다가, 수호 장군으로서 부위에게 약간의 경의를 받는 것도 괜찮겠다고 생각했다. 데오늬는 씩씩하게 말했다.

"저는 여러분들의 형편을 살피고 몇 가지 말씀드리기 위해 왔습니다. 수호 장군님. 몸은 괜찮으신가요?"

키베인은 아무래도 자신이 대표자로 낙점된 모양이라고 생각했다. 다른 자들이 대답할 기색이 없다는 것을 확인한 키베인은 천천히 말했다.

"배에 구멍이 난 사소한 문제 이외엔 별 문제 없습니다."

데오늬는 고개를 갸웃했다.

"죄송합니다만 농담인지 진담인지 이해할 수가 없습니다. 수호 장군님. 나가라서 그 정도는 정말 사소하다고 느끼는 겁니까? 아니면 비꼬는 투로 말씀하신 겁니까?"

데오늬의 질문을 듣자 키베인까지 혼란을 일으키고 말았다. 키베인은 자신이 무슨 의미로 그렇게 말했는지 알 수 없었다. 키베인의 대답이 늦어지자 데오늬는 다시 말했다.

"제가 도움이 되어드릴 수 있도록 상태를 알기 쉽게 말씀해 주시면 감사하겠습니다. 수호 장군님."

"예……, 못이 깔끔하게 움직여서 내장이 쏟아지거나 하지는 않았습니다. 지금은 아물고 있습니다."〈혹 특별히 불편한 분 계십니까?〉"소드락 한 알 먹고 쉬면 괜찮을 것 같습니다만 그건 안 되겠지요?"

"소드락은 안 되겠습니다. 수호 장군님. 저희들의 약도 도움이 안 될 텐데, 뭔가 도움이 되어드릴 방법이 없겠습니까? 혹 따뜻하게 해드리면 되겠습니까, 수호 장군님?"

"그러면 좋겠지만……, 잠깐만요!"

이미 몸을 돌려 달려가던 데오늬는 급히 멈추느라 넘어질 뻔했다. 데오늬가 용케 균형을 잡는 것을 보며 키베인은 안도의 한숨을 내쉬었다. 키베인은 의아한 표정을 지은 채 달려오는 소녀에게 말했다.

"혹 나무를 태울 생각이시라면 사양하겠습니다."

"어떻게 아셨습니까? 용인이십니까, 수호 장군님?"

"불을 피우는 데 나무가 사용된다는 것을 추측하는 데 용인의 감각까지는 필요하지 않을 것 같습니다."

"장작을 가져올 생각이었습니다. 수호 장군님. 장작은 이미 죽은 나무입니다."

"알고 있습니다만 그래도 나무가 타는 것을 보고 있노라면 몸이 더 아플 것 같습니다. 사양하겠습니다."

키베인은 다른 수호 장군들을 바라보았고 그들이 모두 같은 의견임을 확인했다. 데오늬는 달리느라 흐트러진 머리를 쓸어넘기고는 생각에 잠겼다. 그리고 생각의 늪에서 빠져나오지 못한 목소리로 중얼거렸다.

"그러면, 음. 나무를 태우지 않으면 되는 거죠?"

"예? 예. 그렇습니다."

데오늬는 다시 씩씩하게 외쳤다.

"알겠습니다! 수호 장군님!"

그리고 데오늬는 키베인이 말릴 틈도 없이 달려갔다. 불신자들의 밤눈이 그리 밝지 못하다는 것을 알고 있는 키베인은 어두운 밤에 그렇게 앞뒤 없이 달려선 안 될 거라고 경고하려 했다. 그러나 곧 경고를 포기했다. 땅에 넘어진 다음 대수롭지 않다는 듯 다시 일어나 달려가는 데오늬를 목격했기 때문이다. 그의 곁에 있던 수호 장군 하나가 배에 감긴 붕대를 쓰다듬으며 닐렀다.

〈왜 그런지 모르겠습니다만, 저 소녀가 풀을 한 움큼 들고 와서 자랑스럽게 내보인다 해도 크게 놀랄 것 같지는 않군요.〉

키베인은 다른 사람들에게도 데오늬의 인상이 비슷하게 남겨졌음을 알게 되었다. 그리고 얼마 후, 그들 다섯 명은 자신들의 헛된 선입견을 탓하게 되었다. 데오늬는 자신이 해야 할 일이 뭔지 정확히 알고 있었다.

그래서 다섯 수호 장군들은 꽤나 아슬아슬한 묘기를 보게 되었다.

데오늬는 작살검 두 자루를 쥔 채 달려오고 있었다. 그 작살검 끝에는 쇠투구가 꽂혀 있었고 그 쇠투구 안에는 도깨비불이 넘실거리고 있었다. 그런 주제에 데오늬는 '달려오고' 있었다. 키베인은 '조심하세요, 불 쏟겠습니다!'라는 말도 안 되는 경고가 튀어나오려는 것을 느끼곤 당황했다. 실제로 데오늬는 걸음을 헛디뎌 수호 장군들을 질겁하게 했다. 용케 쓰러지지 않은 데오늬는 안도의 한숨을 내쉬었고 다섯 수호 장군들도 한숨을 내쉬었다. 하지만 데오늬는 다시 달리기 시작했고 수호 장군들은 불안감에 비늘을 곤두세웠다.

수호 장군들 앞에 도달한 데오늬는 쇠투구 두 개를 자랑스럽게 내밀며 외쳤다.

"불 가져왔습니다, 수호 장군님!"

"가, 감사합니다. 도깨비가 만들어준 건가요?"

"시우쇠 님이 만들어주셨습니다. 수호 장군님."

두 개의 쇠투구를 가장 적절한 위치에 내려놓기 위해 고심하던 데오늬는 잠시 후에야 만족할 만한 위치에 그것들을 내려놓았다. 그리고 데오늬는 키베인을 바라보고는, 고개를 갸웃했다.

"무슨 하실 말씀이 있으십니까, 수호 장군님?"

키베인은 충격에서 채 헤어나오지 못한 목소리로 말했다.

"정말 시우쇠가 이걸 만들었습니까?"

"그렇습니다. 수호 장군님."

"제가 알기로 당신들도 저 무서운 시우쇠에게 접근하기 어려워한다고 들었습니다. 아닙니까?"

데오늬는 경쾌하게 고개를 가로저었다.

"잘못 아신 겁니다. 수호 장군님. 그분은 자상한 분입니다. 수호 장군님."

키베인은 정말 자신이 잘못 알고 있는 것인지, 그렇잖으면 데오늬가 뭘 잘못 알고 있는 것인지를 놓고 고민하지 않을 수 없었다. 어쨌든 키베인은 자상한 불이라는 표현이 수사적 은유가 아닌 객관적 서술이 될 수 있다고 생각하기 어려웠다.

수호자의 침묵이 길어지자 데오늬는 땅에 내려놓은 투구들을 가리키며 말했다.

"더 가까이 놓아드릴까요, 수호 장군님?"

"네? 아뇨. 됐습니다. 좋습니다. 따스해지니 벌써 낫는 것 같군요."

데오늬는 방긋 웃었다.

"시우쇠 님이 좋아하실 겁니다. 수호 장군님. 더 필요하신 것은 없으십니까?"

"없습니다."

"알겠습니다. 수호 장군님. 그럼 다른 것을 말씀드리겠습니다. 혹 자발적으로 북부군에게 협력하실 생각이 있으신 분 있습니까?"

키베인은 어깨를 으쓱이며 동료들을 돌아보았다. 그리고 그렇게 돌아보는 것이 바로 모욕이라며 거세게 항의하는 동료들에게 사과한 다음 말했다.

"제 동료들은 그걸 거부할 경우 어떻게 되는지 알고 싶어하는군요."

수호 장군들은 키베인의 뻔뻔함에 질렸다는 표정을 지었다. 나가의 표정에 익숙하지 않은 데오늬는 별로 신경 쓰지 않은 채 말했다.

"보통의 경우엔 하텐그라쥬 공작께서 심문하십니다. 수호 장군님. 그분은 어떤 거짓말도 꿰뚫어보시고 침묵을 들으면서도 모든 것을 알아내십니다. 수호 장군님."

조금 전 시우쇠에 대해 내린 데오늬의 인평은 의심했지만, 키베인은 륜 페이에 대한 데오늬의 설명은 의심할 수 없었다. 륜의 날카로움은 이미 그 자신이 경험했었다. '그자라면 내가 한 단어만 이야기해도 내가 열다섯 살 되던 날 아침에 먹은 쥐의 성별까지 알아맞힐 텐데.' 키베인은 긴장하여 데오늬의 말을 들었다.

"하지만 이번에는 그런 일이 없을 겁니다. 수호 장군님. 협조하실 분이 없으시다면 여러분들 모두는 내일 이곳을 떠나게 될 겁니다."

"내일?"

"그렇습니다. 수호 장군님. 그래서 여러분들이 장거리 여행을 감수할 만한 상황인지 알아보기 위해 제가 온 것입니다."

"만약 우리 중 누군가가 그럴 만한 처지가 아니라면 어떻게 됩니까?"

"그건 제가 결정할 일이 아닙니다. 수호 장군님. 그런 분이 있으신지 알아보는 것이 제 임무입니다. 수호 장군님."

"즈믄누리로 가게 되는 겁니까?"

"그 또한 제가 결정하는 일이 아닙니다. 수호 장군님. 하지만 지금까지 다른 곳으로 보내어진 포로는 없었습니다. 그러니 아마도 그곳일 거라고 짐작됩니다. 수호 장군님."

키베인은 동료들과 빠르게 니름을 나눈 다음 말했다.

"걸어가는 일이라면 별 문제가 없을 것 같습니다."

"알겠습니다. 수호 장군님! 그럼 편안한 밤 되시길 바랍니다. 수호 장군님들!"

그리고 데오늬는 다시 달려갔다. 밤의 옷깃 사이로 사라지는 열의 잔영을 보던 키베인은 다른 수호자들을 돌아보았다.

〈즈믄누리로 가게 되었군요.〉

〈시우쇠와 륜 페이가 없는 곳이라면 어디든 좋다는 심정입니다.〉

풀 죽은 투로 니르던 수호 장군은 새삼스럽게 투구에 담긴 불을 돌아보며 비늘을 부딪쳤다.

〈저게 '자상한' 시우쇠가 만들어준 거라고요? 그 소녀가 우리를 놀린 걸까요?〉

〈그런 것 같지는 않더군요. 그 소녀는 진심으로 말하는 것 같더군요.〉

〈불이 자상할 수 있습니까?〉

〈인간을 보살피는 어디에도 없는 신의 힘은 바람이지요. 물의 힘을 다루는 우리에게 난폭한 저 불도 바람에겐 자상할지도 모르지요.〉

두 개의 도깨비불에서 흘러나오는 온기는 배에 구멍이 뚫려 의기소침해 있던 그들에게 잡담을 나눌 정도의 기력을 불어넣었다. 그래서 수호자들은 그날의 패배와 그들을 구출하러 올 군사에 대한 니름을 나눴다. 잠시 후 그들의 논의는 대나무 군단과 흑단 군단 중 어느 군단이 구출을 맡을 것인지에 대한 것으로 흘러갔다. 키베인은 그들의 대화에 적당히 참가하다가 곧 빠져나와서 자신의 생각에 잠겼다.

기묘한 밤이 주위로 흘러가도록 내버려둔 채 키베인은 그들에게 불을 만들어 보내준 자가 바로 그 능력으로 수많은 나가를 학살했다는 사실에 대해 생각해 보았다. 살아 움직이는 육신을 순식간에 가벼운 재 무더기로 바꾸는 불에 희생된 것도 나가였고, 쇠투구에 담긴 깜찍한 불에 위안을 얻는 것도 나가들이다.

어쨌든 살아 있는 쪽이 낫다. 그리고 오늘 죽은 자들의 경우엔 한결 더 불행하다. 그들은 여신께 가지 못하므로. 여신은 하텐그라쥬에 봉인되어 있다.

억압되어 있는 여신을 불러보려던 키베인은 자신의 신명 또한 묶여 있다는 사실을 깨달았다.

재미없는 일이었다.

대장군 괄하이드 규리하는 모닥불에 땔감을 던져넣었다.

불티가 튀어올라 주름진 노장군의 얼굴에 기묘한 그림자를 만들었다. 발소리가 들려왔을 때 노장군은 눈을 들어 바라보았다. 저쪽에서 라수가 걸어오고 있었다. 피로에 지친 얼굴로 걸어온 라수는 괄하이드의 앞쪽에 무너지듯 주저앉았다.

괄하이드는 사촌동생을 바라보았다.

라수 규리하의 얼굴은 초췌했다. 사선을 넘나드는 4년을 보내었건만 그 혀는 여전히 매웠고 모든 것을 깔보는 눈빛 또한 여전했다. 하지만 라수 규리하라는 사내를 구성하는 다른 요소들에서는 농도 짙은 피로와 절망감, 그리고 어쩔 도리가 없는 우울이 가득 배어 있었다. 괄하이드는 사촌동생을 잘 알고 있었다. 라수는 노학자는 될 수 있을지언정 노병은 될 수 없는 사람이었다.

괄하이드는 조용히 입을 열었다.

"사람마다 자신의 별을 가지고 있다는 우스꽝스러운 이야기가 있지."

라수는 고개를 들어 사촌형을 바라보았다.

"전쟁터를 떠돌아본 병사라면 그런 이야기 절대로 믿지 않아. 오늘 엔거 평원에서 2만 명 가까운 나가들이 불타 죽었지. 눈을 들어 하늘을 봐. 라수. 하늘에서 2만 개의 별이 사라졌는지 확인해 봐. 네 시력에 이상이 없다면 하늘이 그대로라는 것을 발견할 수 있겠지. 그렇다면 결론은 두 가지 중 하나야. 나가들에겐 별이 없다거나, 혹은 별과 사람은 아무런 관계가 없다는 것. 나는 후자를 지지한다. 왜냐하면 그동안 북부에서 죽어간 수천만 명의 사람들을 생각하지 않을 수 없으니까."

라수는 짜증스럽게 대답했다.

"이 세계가 개인에게 무관심하다는 것은, 최소한의 지성만 가지고 있다면 얼마든지 간파할 수 있는 사실이라고 보는데."

"그래. 라수. 숱한 전투를 치렀지만, 나는 별은커녕 낙엽 한 장 떨어지는 꼴을 못봤다."

"알아. 알고 있어. 그런데 무슨 말을 하고 싶은 거지?"

"하지만 노병은 칼을 들고, 때가 되면 죽어가지."

모닥불에서 피어오르는 연기가 매웠다. 라수는 눈을 문지르며 뒤로 조금 물러났다. 하지만 그 자신에게서 흘러나오는 피비린내로부터 도망칠 수는 없었다. 라수는 자신이 마지막으로 핏물을 씻어낸 것이 언제인지 떠올릴 수 없었다. 물을 마음대로 다루는 적들과 싸우면서 북부군은 물 속에 마음 편히 몸을 담그기도 어려웠다.

괄하이드는 어둠 속으로 손을 뻗어 술병을 집어들었다. 한 모금을 마신 괄하이드는 술병을 라수에게 건네며 말했다.

"네가 생각해 낼 수 있는 최선의 길이 우리 북부군을 몰살시키는 거라면, 병사들은 그렇게 할 거다. 별이 그들을 위해 슬퍼하며 떨어지지 않더라도."

라수는 받아든 술병을 입가로 가져가는 대신 만지작거렸다.

"더 이상 병력을 늘릴 수 없어. 충원할 수가 없어. 이 병력으로 어떻게든 끝장을 봐야 해. 그리고 이 병력으로 할 수 있는 일은 그것뿐이야. 나가들과 치고 박으며 조금씩 소진되다가 사라지는 것은 아무런 의미가 없어."

"그래. 맞아."

"수십 년 후 그때까지 기적적으로 살아남았던 마지막 북부인이 나가들에게 발각되어 살해당하게 할 수는 없는 거 아냐."

"동감이야."

"그들은 이해하지 못할 거야."

"이해할 거다. 라수."

라수는 술병을 들어올렸다. 그리고 벌컥거리며 마셨다. 입가로 흘러내리는 술이 웃옷을 적셨다. 술병을 내려놓은 라수는 일그러진 얼굴로 불길을 응시했다.

"이해하지 못해. 나도 이해할 수 없어."

"그렇다면 이해라는 말은 관두지. 그들도 너처럼 이해하지는 못해도 느끼기는 할 거다. 내일 아침, 그들은 손질해 둔 작살검을 집어들 테고, 네가 이끄는 대로 죽음을 향해 걸어갈 거다. 왜 그래야 하는지 이해하지 못했더라도 말이야. 왜 그런 줄 알아?"

"어째서 그렇지?"

"개좆 같은 적들이 저기 있기 때문이야."

얼빠진 얼굴로 사촌형을 바라보던 북부군의 두뇌는 잠시 후 숨이 막히도록 웃기 시작했다. 온몸으로 호흡 곤란을 호소하던 라수는 한참 후에야 헐떡이며 동의했다.

"맞아, 정말 그래."

그리고 라수 규리하는, 그가 저술했던 그 어떤 책에서도 사용할 수 없었던 단어들을 사용하여 나가들을 묘사했다. 그런 그에게 콸하이드는 거의 완벽한 협조를 보여주었다. 대부분 폭발적인 웃음으로 점철된 그들의 따사로운 토론은 그 이후로 도 계속 이어졌지만, 그 토론 전체는 대화의 마지막에 눈물이 그렁해진 라수가 비명처럼 외친 한 문장으로 요약될 수 있을 것이다.

"가자고, 제기랄! 가서 저 씹어 먹을 놈의 새끼들 찢어 죽이자고!"

북부의 왕은 눈을 뜨기 전부터 뭔가가 잘못되었다는 것을 느꼈다. 그리고 그것을 대면하기 싫다는, 모호한 불쾌감 속에서 눈을 떴다.

대호왕 사모 페이가 발견한 첫 번째 문제점은 방 안이 지나치게 밝다는 사실이었다.

사모가 늦잠을 잤다는 결론을 내리는 데 있어 어떤 심원한 지혜까지 필요하지는 않았다. 그리고 늦잠을 잔 이유를 파악하는 데는 고개를 한 번 돌리는 것으로 충분했다. 그녀의 몸을 덮고 있어야 할 흑사자 모피는 침대 옆의 의자에 걸려 있었다. 사모는 흑사자 모피를 끌어당겨 차가운 몸을 덮으면서 의아해했다. '누가?' 사모는 옷을 갖춰입고 가면을 집어든 다음 문 쪽으로 걸어갔다.

문 앞에 선 사모는 두 번째 문제를 발견했다. 륜 페이의 니름이 들려오지 않았다.

벽이건 천장이건 닥치는 대로 꿰뚫어보는 그녀의 동생은 언제나 주의력의 일부를 그녀에게 할애해 왔다. 따라서 그녀는 사람들 앞에 모습을 드러내기에 앞서 륜의 조언을 들을 수 있었다. 하지만 사모가 방문 앞에 섰음에도 불구하고 륜의 니름은 들려오지 않았다. 사모는 의아해하며 다시 뒤로 한 발자국 물러났다. 잠시 고민하던 사모는 가면을 착용한 다음 허리에 찬 쉬크톨의 위치를 점검했다. 그리고 조심스럽게 문을 열었다.

계단을 내려온 사모는 1층에서 기다리고 있는 세 번째 문제에 직면했다. 데오늬 달비가 처량한 표정으로 앉아 있었다. 잔뜩 주눅이 든 표정으로 앉아 있던 데오늬 달비는 계단에서 들려오는 소리에 고개를 돌렸다가 칼에 찔린 사람마냥 튕겨져 올랐다.

"대호왕 폐하!"

"달비 부위. 여기서 뭘 하고 있는 건가? 다른 사람들은 어디에 있는 거지?"

가엾은 데오늬 달비에게는 대호왕의 질문이 '다른 사람들을 다 살해하고 여기서 있는 거냐'는 추궁처럼 들렸다. 그녀는 비명을 내질렀다.

"잠시만 기다려주십시오, 폐하!"

그리고 데오늬는 문을 향해 달려갔다. 사모는 혀를 차고, 문 앞에 도달한 데오늬가 몸을 돌려 다시 달려왔을 때는 고개를 가로저었다.

"잠시 물러남을 허락해 주시겠습니까?"

"허락한다."

데오늬는 감사하며 뒤로 달려갔다. 당연한 결과로 뒤통수를 문에 쾅 부딪힌 다음, 데오늬는 그런 일쯤은 숨쉬는 것만큼이나 자연스럽다는 듯한 태도로 밖으로 나갔다.

사모는 소란스러운 아침이 막 끝난 것인지, 그렇잖으면 이제 시작된 것인지를 고민하며 의자에 앉았다.

조금 후 문이 열렸다. 데오늬가 돌아온 것으로 생각한 사모는 문을 바라보았다. 하지만 들어선 것은 희끗희끗한 백발을 머리에 얹은 거무튀튀한 얼굴의 인간 남자였다. 그는 사모의 앞에 도달한 다음 한쪽 무릎을 꿇었다.

"폐하. 교위 바르사 돌입니다."

사모는 그를 물끄러미 바라보다가 한숨처럼 말했다.

"돌 교위. 뭔가 설명 들을 일이 많은 것 같군. 간단명료하게 해주게."

바르사 돌은 그렇게 했다. 그의 설명을 들은 사모는 믿을 수 없다는 듯이 말했다.

"떠났다고?"

"예. 폐하."

"짐을 내버려두고 모두 떠났다는 말인가?"

"저와 200명의 병사, 그리고 스물두 명의 금군은 남아 있습니다. 폐하. 저는 포로를 데리러 온 도깨비들과 합류하여 폐하를 즈믄누리로 모시라는 명령을 받았습니다.”

“하텐그라쥬 공작은!”

“함께 떠나셨습니다. 폐하의 망토를 치운 것은 그분입니다.”

“일어나라, 돌 교위! 새로운 명령을 내린다. 우리는 지금 당장 수호자들을 풀어주고 북부군을 뒤쫓아간다!”

바르사 돌은 일어났다. 하지만 왕의 명령을 따르지는 않았다.

“그 전에 제 말을 들어주시겠습니까?”

“안 돼!”

“부탁드립니다. 사모 페이.”

사모는 깜짝 놀라서 바르사를 바라보았다. 바르사는 어떤 경고도 담기지 않은 평온한 눈으로 그녀를 바라보고 있었다. 사모가 아무런 대답도 하지 않자 바르사는 약간 어렵게 서두를 꺼냈다.

“수탐자들이 첫 번째 화신을 발견하여 우리들에게 보낸 이후로 3년이 지났습니다. 아직 수탐자들에게선 아무런 연락도 없습니다. 더 이상 두 번째 화신의 도래를 기다릴 여력이 없습니다. 시우쇠 님의 행방을 묘연하게 하는 방법으로 나가들의 진군을 막는 것도 한계가 있습니다. 그래서 라수 규리하 상장군님께서는 공격을 결정하신 겁니다. 그것은 결사적인 공격이며, 그렇기에 돌아올 수 없는 공격입니다. 어쩌면 빈사에 빠진 북부가 마지막으로 보이는 발작에 지나지 않는지도 모릅니다. 하지만 희망은 남겨두어야 합니다. 만약 그들이 아무것도 성취하지 못하고 실패할 경우, 폐하께서는 두 번째 북부군을 결성하셔야 합니다. 물론 거의 불가능한 일입니다. 하지만 폐하 이외의 다른 자에겐 시도할 엄두도 낼 수 없는 일입니다. 폐하께선 북부의 왕이시니까요.”

바르사는 스스로의 말에 압도되는 기색을 약간 보였다. 어쨌든 연설은 그의 취향이 아닌 듯했다. 하지만 마지막 말을 꺼내놓는 교위의 표정은 침착했다.

“따라서 폐하께서는 북부의 씨앗이 되셔야 합니다.”

사모는 분노를 억누르며 말했다.

"씨앗이라고? 날개를 펼칠 날이 다가올 때까지 땅속에 숨어 기다리는 용의 종자가 되라는 말인가?"

"그렇습니다."

사모 페이는 바르사를 노려보았다.

"바르사 돌 교위. 내 이름을 어떻게 알고 있지?"

"저는 하인샤 대사원에 있었습니다. 변경백님을 모시고 있었지요."

"괄하이드 규리하의 부하였나?"

"그렇습니다."

"얼마 동안 그를 섬겼지?"

"이번 전쟁이 그분의 지휘 하에 종군한 여섯 번째 전쟁입니다."

사모 페이는 바르사 돌이 어떤 인물인지 알 것 같았다. 괄하이드는 평생을 함께 싸운 전우라고 해도 무방한 부하를 남겨놓고 떠난 것이다.

"그런 자네가 보기에, 라수 규리하의 판단이 옳다고 보는가? 자네가 평생 섬겨온 규리하의 수장을 사지로 끌고 가는 그 결정이?"

바르사 돌은 아랫입술을 깨물었다.

"다른 대안이 없습니다."

"옳은가, 그른가!"

"그 결정에 동의합니다."

사모는 쉬크톨을 움켜쥐었다. 하지만 바르사는 엄숙한 표정으로 왕을 바라볼 뿐 꼼짝도 하지 않았다. 이미 설득할 수 없다는 느낌을 받았지만 사모는 입을 열어 말했다.

"바르사 돌 교위. 북부군의 최고 명령권자가 누구냐?"

이미 그녀를 '사모 페이'라고 불렀던 상대에게 내미는 무기로서는 빈약하기 짝이 없다. 하지만 바르사는 그녀를 창피하게 만들지 않았다.

"폐하. 무슨 말씀이신지 알겠습니다만, 따를 수 없습니다. 반역의 죄를 물어 저를 죽이실 수는 있습니다만 그 전에 제 말을 들어주시기 바랍니다."

"무슨 말이냐?"

"폐하의 말씀대로 우리는 지금 당장 이곳을 떠나야 합니다. 하지만 그 방향은 북쪽이어야 합니다."

"어째서지?"

바르사는 쓸쓸한 만족감을 얼핏 비추며 말했다.

"조금 전 어르신의 보고가 있었습니다. 대나무 군단으로 추정되는 나가 군대가 엔거 평원 남쪽에 출현했습니다. 그들은 곧장 이곳으로 오고 있습니다. 포로들을 데려가기 위해 왔던 도깨비들이 평원 전체에 도깨비불을 풀어놓고 그들을 유혹하고 있습니다만, 오래가지는 못할 겁니다. 그들 중에 있는 한 수호 장군이 닥치는 대로 도깨비불을 파괴하고 있기 때문입니다."

"수호 장군이⋯⋯."

"도깨비들과 어르신들은 그 수호 장군이 갈로텍일 가능성이 대단히 높다고 했습니다."

탄실 구마리는 어르신이었다. 따라서 나가들의 군단 한가운데로 날아드는 그녀를 보면서도 나가들은 그녀가 도깨비불을 휘두를까봐 걱정하지는 않았다. 대신 그들은 성을 내었고, 어떤 자들은 쓸모없는 행동임을 알면서도 그녀에게 사이커를 휘둘렀다. 탄실은 웃으며 사이커를 휘두른 나가에게 입맞춤을 해주었다. 나가는 질겁했다. 물론 입술이 닿는 일은 없었다. 탄실은 소리 높이 웃으며 몸을 뒤집었다.

발바닥을 하늘로 향한 모습으로 날아가던 탄실은 곧 목표했던 지점에 도달했다.

도깨비들을 좌절로 몰아넣고 있는 수호 장군이 거기 있었다. 도깨비들은 딱정벌레에 탄 채 엔거 평원의 하늘을 날아다니며 그들의 상상력이 가득 담긴 환영들을 펼쳐보이고 있었지만, 그 수호 장군은 환영의 취약점을 용케 찾아내어 그곳에 수력을 집중시키는 효율적이면서도 간단한 방법으로 환영을 쳐부수고 있었다. 그리고 알려진 나가들 중에서 그 정도의 수력 통제력을 발휘하는 나가는 하텐그라쥬 공작 륜 페이 이외에 오직 한 사람, 대장군 갈로텍뿐이다.

탄실이 그를 발견했을 때도 갈로텍은 평원에 출현한 머리 셋 달린 용을 쳐부수고 있었다. 갈로텍이 파괴하기 전까지 환상적인 삼중창을 부르고 있던 그 용은 실로 대단한 작품이었고, 그 때문에 탄실은 예술품의 소멸을 보는 듯한 아쉬움마저 느꼈다. 그리고 탄실은 갈로텍의 능력에 새삼 경탄을 느꼈다. 탄실 구마리는 언젠가 하텐그라쥬 공작이 갈로텍에 대해 내놓은 가설을 떠올렸다. 류 페이는 그에 버금가는 수력 통제력을 갖춘 갈로텍이 혹 용인이 아닐까 의심했다. 그러나 류 페이는 곧 그럴 가능성이 없다고 말했다. 갈로텍이 용인이 되려면 용근을 먹었어야 할 텐데, 용화가 피어났다면 용인인 류가 당연히 느꼈어야 했기 때문이다.

그리고 노회한 탄실은 노련하게 말을 다루는 갈로텍의 모습에서 어떤 의심을 느꼈다.

전쟁은 4년째로 접어들고 있었다. 따라서 갈로텍에겐 말이라는 동물에게 익숙해질 수 있는 시간이 4년 정도 있었던 셈이다. 그리고 그것은 도깨비들의 사고방식이 아니다. 물론 도깨비의 어르신이 노회하긴 하지만, 그런 노회함도 도깨비다운 비약을 기반으로 한 채 구현된다. 따라서 뒤집힌 모습으로 날아가던 탄실은 갈로텍의 얼굴 바로 앞쪽에 거꾸로 된 얼굴을 내밀며 크게 외쳤다.

"이봐! 거기 도깨비는 없냐?"

깜짝 놀란 갈로텍은 노기 하수언이 겉으로 뛰쳐나오는 것을 미처 막지 못했다.

"예. 어르신. 노기 하수언이라고 합니다."

"역시 내 예상대로였어! 군령자였구나! 말을 탈 줄 아는 것 보고 짐작했지. 그런데 노기라고? 대장장이 노기 하수언?"

"제가 말을 타고 있어요?"

노기는 기겁하며 곧장 뒤편으로 사라졌다. 갈로텍은 분노하여 허리춤을 움켜쥐려 했지만 손을 담당하고 있던 주퀘도가 그 시도를 거부했다. 그리고 주퀘도는 갈로텍에게 다른 자를 전면에 내세우게끔 했다. 갈로텍의 요청에 의해 레콘 그라쉐가 전면에 나섰다. 그리고 그라쉐는 해묵은 고사(古事)를 재연해 보였다.

"꺼—져—라—!"

그 옛날 수수깨비가 그러했던 것처럼 탄실 구마리는 태풍에 휘말린 낙엽처럼 날아가버렸다. 갈로텍은 기뻐하며 그라쉐와 자리를 바꿔 앞으로 나섰다. 물론 말을 다루는 몸의 움직임은 주퀘도에게 맡겨둔 채. 그러나 극연왕의 부탁을 받아 수수깨비 퇴치에 나섰던 레누카와 갈로텍의 부탁에 의해 나선 그라쉐 사이에는 기나긴 시간 이외에도 어쩔 수 없는 차이가 있었다. 탄실 구마리는 다시 날아들며 말했다.

"이런, 이런. 반사적으로 도망쳐버리고 말았단 말이야. 나가의 목을 통해 나온 계명성이라 별 볼 일 없는 것인데도."

갈로텍은 비늘을 부딪쳤고 주퀘도는 아쉬움을 삼켰다. 탄실은 웃으며―이번에는 옆으로 누운 모습으로 날며―말을 걸었다.

"어르신 놀라게 하는 법도 알고 있군. 꽤 해묵은 군령인가 본데."

갈로텍은 결국 입을 열어 말했다.

"계속 귀찮게 굴면 두 번째 구축법(驅逐法)을 쓰겠다."

탄실은 갈로텍의 허리춤을 보고는 겁을 집어먹은 얼굴이 되었다. 하지만 갈로텍은 탄실이 두려워한다고 생각하기 어려웠다. 탄실은 몸을 없애버리고 머리만 남겨둔 모습으로 그의 주위를 맴돌았다.

"무서워서 몸이 오그라들 지경이네!"

갈로텍은 결국 상대하지 말자는 결론을 내렸다. 탄실은 갈로텍이 그런 결정을 내렸다는 것을 깨달았고, 그리고 그 의도를 무시했다. 여전히 머리만 남겨둔 모습으로 날아다니며 탄실은 말했다.

"도깨비도 있고, 말 타는 법을 아니 킴도 있는 것이고, 게다가 레콘도 있군. 그런 자네가 어떻게 북부인을 다 죽이려고 들 수 있는 건가? 대답을 해봐."

이미 어르신을 물러나게 하는 세 번째 구축법을 쓰기로 결심하고 있던 갈로텍은 아무 대답도 하지 않았다. 탄실은 씩 웃고는 말의 눈으로 날아들었다. 기겁한 말은 껑충 뛰어올랐고 낙마할 뻔한 갈로텍은 화가 머리 끝까지 치밀어서 외쳤다.

"제기랄, 저리 꺼져!"

"대답해 주게. 젊은이. 옳은 일이라고 생각하나? 어째서 자네 속에 있는 군령들은 동족을 죽이는 일이 벌어지는데도 잠잠한 거지?"

"멍청한 도깨비 같으니, 그걸 질문이라고! 노새의 동족은 누구냐!"

탄실은 탄성을 질렀다.

"오호, 너는 영적 잡종인 게로구나!"

갈로텍은 탄실을 매섭게 노려보았다.

"마음대로 떠들 수 있을 정도로 네게 허용된 시간이 길다고 착각하나 본데, 슬슬 도깨비의 육이 그립지 않으냐?"

갈로텍의 지적은 정확했다. 탄실은 장황한 고별사를 남긴 다음 자신의 모습을 불덩이로 바꿨다. 하늘로 치솟듯 사라지는 어르신의 모습을 보던 갈로텍은 복잡해진 심사를 가누기 위해 애썼다. 그러나 지나치게 현실적이어서 무미건조하기까지 한 평원의 풍경을 눈이 휘둥그레질 몽환의 전시장으로 바꾸어놓는 도깨비들의 시도는 계속되었고, 그래서 갈로텍은 분노 속에서 그 예술을 규탄하고 핍박했다.

그가 한꺼번에 다섯 개의 환영을 터뜨려버렸을 때 결국 주퀘도가 말을 걸어왔다.

"이봐. 갈로텍. 힘을 너무 빼는 것 아닌가? 저 환영들은 그냥 지나쳐도 무방한 것들인데."

"불덩이를 어떻게 그냥 지나칩니까!"

"물론 상당히 뜨겁긴 하지만, 가까이 다가가면 도깨비들은 틀림없이 없애버릴 거야. 자기 도깨비불로 누군가를 태워죽일 정도로 배짱 좋은 도깨비는 아무도 없어. 물론 시우쇠는 그럴 수 있지만 그는 화신이니 논외지."

그 자신이 생각해 냈어야 하는 것이었기에 갈로텍은 더 큰 분노를 느꼈다. 가까스로 자신을 가다듬은 갈로텍은 강렬한 니름을 토해 내었다.

〈저 도깨비들은 포기라는 것을 모르는군. 무시하고 진군한다!〉

피부로 느낄 수 있을 정도의 반감이 돌아왔다. 사람을 태워죽일 정도로 배짱 좋은 도깨비가 없는 것과 마찬가지로 눈앞에 있는 불에 몸을 던질 정도로 강단이 있는 사람 또한 드물 것이다. 대나무 군단의 군단장 보라크가 황급히 다가오려는 몸짓을 보였지만 갈로텍은 손을 내저으며 닐렀다.

〈우리에겐 심장이 없다! 하지만 저 얼간이 도깨비들에겐 그것이 있다. 그 심장을 얼어붙게 해주자!〉

갈로텍의 니름을 이해한 나가들은 탐탁잖은 표정으로 행군했다.

주퀘도의 예상대로였다. 엔거의 하늘을 날아다니던 도깨비들은 나가들이 무작정 걸어오자 황급히 도깨비불을 소멸시켰다. 그중 어떤 도깨비는 환영을 유지한 채 온도를 낮추어 나가들을 속여보려는 시도를 했지만, 열을 보는 나가의 눈에는 그 낮은 온도의 도깨비불이 아무런 해를 끼칠 수 없다는 사실이 뚜렷했다. 나가들은 점점 대담하게 도깨비불을 향해 진군했다.

도깨비들은 낭패한 심정으로 서로를 쳐다보며 수화를 나누었다. 잠시 후 평원의 도깨비불이 모두 사라졌고 하늘에서는 딱정벌레들이 물러났다. 나가들은 환호를—물론 소리는 없었다.—올리며 활기차게 진군했다.

그러나 분노의 대상을 잃은 갈로텍은 그다지 즐겁지 못했다.

"잠시 앞으로 나와주십시오. 주퀘도."

주퀘도는 갈로텍의 요구에 응했다. 의식의 뒤로 물러난 갈로텍은 잠시 아래로 가라앉았다.

인식의 날개를 떼어낸 갈로텍은 의식의 무게가 이끄는 대로 정신의 늪 속으로 가라앉았다. 기억이 뒤섞이는 곳. 자의식의 등롱으로 비춰본 경험의 동굴은 욕망의 분출이 남긴 찌꺼기로 뒤덮여 있다. 등롱의 불빛을 받은 찌꺼기들이 시간을 거슬러, 혹은 그저 순서를 왜곡하며 명멸한다. 퇴폐적 반딧불이의 숲. 지나치게 깊이 내려온 것을 깨달은 갈로텍은 인식을 펼쳤다.

나—여기—지금—그게 무엇이든 간에.

갈로텍은 멈췄다.

〈이게 누구야, 갈로텍?〉

맙소사, 이곳까지 내려왔나? 갈로텍은 비늘을 부딪치며 고개를 돌렸다.

화리트가 그에게 등을 보인 모습으로 서 있었다. 갈로텍은 그렇게 느꼈다. 하지만 동시에 갈로텍은 화리트가 자신을 바라보고 있음 또한 깨달았다. 화리트는 전후관계를 뒤죽박죽으로 바꿔놓았다. 그래서 갈로텍은 화리트의 등을 보면서도 그가 빙긋 웃고 있다는 것을 알 수 있었다.

〈공사다망하실 텐데 어인 일로 오셨는지?〉

〈잠시 방해 좀 하려고 온 거야. 그러니 생각하지 말아줘.〉

니름을 끝낸 후에야 갈로텍은 자신의 니름에서 '방해'와 '생각'의 위치가 바뀌어 있음을 깨달았다. 화리트는 어순까지도 혼란스럽게 만들어놓았다. 갈로텍은 화를 냈다.

〈이런 우습지도 않은 짓거리 집어치우지, 그래?〉

〈미안. 고정된 힘과 방향이라는 것이 익숙지 않아서.〉

갈로텍은 화리트가 왜 시간과 공간이라고 니르지 않고 힘과 방향이라고 니르는 건지 알 수 없었다. 화리트는 그를 향해 돌아섰다. 흐릿해지다가 다시 명확해졌다가, 결국 절충적인 모습이 된 화리트는 어깨를 으쓱였다.

〈위쪽 소식은 좀 어때?〉

〈방해하지 말라고 했어.〉

〈방해한 건 그쪽이야. 갈로텍.〉

갈로텍은 눈을 가늘게 떴다. 화리트는 이 지점의 점유권을 주장하고 있었다. 그리고 안타깝게도 갈로텍에겐 그 주장을 무시할 만한 수단이 없었다. 거북한 기분을 감추기 위해 갈로텍은 주위를 둘러보았다. 하지만 그가 둘러보는 곳마다 화리트가 있었다. 화리트는 차갑게 웃었다.

〈그 도깨비의 말이 신경 쓰이나 보군.〉

갈로텍은 움찔했다.

〈이곳에 있으면서 어떻게?〉

〈네가 가르쳐줬어. 아니, 가르쳐줄 거야.〉

갈로텍은 멍한 얼굴로 화리트를 바라보다가 가까스로 화리트가 시간의 순서마저 혼란스럽게 해놓았다는 것을 깨달았다. 갈로텍은 화리트가 도대체 무엇이 되어 있는지 짐작할 수도 없었다. 화리트는 장난스럽게 닐렀다.

〈오, 이런. 나는 미처 생각하지 못했어. 이상하다, 정말 이상해. 화가 나서 노새가 어쩌니 하는 말을 해주긴 했지만, 그건 그냥 해 본 말에 불과해. 왜 내 속에 있는 인간이나 도깨비, 레콘은 자기 동족들이 학살당하고 있는데 아무런 저항도 하지 않는 걸까?〉

〈……답을 아나?〉

〈아주 간단한 문제지만, 네가 아직 죽어본 적이 없다는 또 하나의 간단한 문제가 결합됨으로써 대단히 대답하기 복잡한 문제가 되는군.〉

〈죽은 자에겐 동족이고 뭐고가 없다는 건가?〉

〈지나친 단순화야. 갈로텍. 하지만 친구가 몇이냐는 질문을 받았을 때 죽은 친구까지 계산하지는 않는 것을 니르는 거라면, 그럭저럭 제대로 나아가고 있는 추리야.〉

갈로텍은 화리트의 니름에 대해 생각해 보았다. 무슨 니름인지 알 것 같다는 느낌이 들긴 했지만 갈로텍은 확신할 수 없었다.

〈청춘은 젊은이의 것이고 삶은 산 자의 것이고 역사는 절대로 역사가의 것이 아니라는 니름이 있지. 그렇다면 군령자는 왜 이 짓을 계속하는 거지?〉

〈나에게 묻는 거야? 갈로텍. 나는 군령자가 되려 한 적 없어. 네가 납치했잖아. 주퀘도에게 물어보지, 그래?〉

〈그렇다면 네가 바라는 것은 뭐지?〉

〈여신을 해방시켜. 그리고 모든 나가를 한계선 이남으로 물러나게 해. 그다음 깔끔하게 죽어.〉

〈거절할 것을 알고 있겠지?〉

〈알고 있어. 자, 이제 도깨비가 네게 던진 질문이나 말해 주고 빨리 도망쳐.〉

〈도망치라니?〉

〈그녀가 오고 있거든.〉

갈로텍은 비늘을 곤두세웠다. 그는 무작정 도망치려 했지만 그 순간 자신이 그곳을 벗어날 수 없다는 것을 깨달을 수 있을 뿐이었다. 갈로텍은 도깨비 탄실과의 대화를 화리트에게 들려주지 않고서는 그곳을 벗어날 수 없었다. 화리트가 이미 '들었기' 때문이다. 심각하게 왜곡된 논리에 대해 화를 내는 대신, 갈로텍은 황급하게 화리트에게 탄실과의 대화를 들려주었다.

니름을 끝내고 그곳을 떠날 수 있게 되었을 때 갈로텍은 누군가가 다가오는 것을 느낄 수 있었다.

성난 하늘치 같은 기세로 카린돌 마케로우가 다가오고 있었다.

그녀의 두 눈은 호수 같았다. 크기가 그렇다는 니름이다. 산을 뒤덮는 구름 같은 상반신 뒤로 하반신은 아예 보이지도 않았다. 바야흐로 카린돌은 가장 거대한 하늘치보다 더 거대한 모습으로 돌진해 오고 있었다. 그 갈증으로 대양을 비워버릴 것 같은 초월적인 괴수의 모습으로 날아오는 카린돌을 보며 갈로텍은 질려버리고 말았다. 화리트가 빠르게 닐렀다.

〈그녀를 향해 날아가.〉

〈미쳤나!〉

〈도와주겠어. 그녀를 향해 날아가. 젠장. 네가 어느 방향으로 날아가든 저 팔의 길이를 벗어날 수 있을 것 같아? 그녀에게 날아가!〉

화리트의 니름이 옳았다. 갈로텍은 카린돌의 손가락이 심장탑보다 작다고 니르기 어렵다는 것을 깨달았다. 존재를 태워버릴 것 같은 공포 속에서 갈로텍은 카린돌을 향해 날아갔다. 갈로텍의 모습을 굳이 묘사한다면 하늘치를 향해 돌진하는 파리의 모습과 비슷할 것이다. 갈로텍은 되지도 않는 비명을 내질렀다.

그리고 갈로텍은 자신과 카린돌의 거리가 점점 멀어지는 모습을 보았다.

카린돌은 격노하여 손을 휘저었다. 그 손은 갈로텍을 가루로 만들어버릴 수 있는 방향과 각도로 날아들었지만, 그에게 닿지 않았다. 화리트가 공간을 혼란스럽게 만들고 있음이 분명했지만 갈로텍은 그런 간단한 추리도 하기 힘든 상태였다. 갈로텍은 혼란 속에서 카린돌에게 돌진했다. 카린돌은 울부짖었다.

〈화리트! 그만둬! 죽일 테야! 죽이고 말 테야!〉

갈로텍은 그 절규에 담겨 있는 증오에 비늘을 곤두세웠다. 하지만 화리트는 아랑곳하지 않았다. 그는 쓸쓸하게 갈로텍에게 닐렀다.

〈갈로텍. 너 외엔 그렇게 할 수 있는 사람이 없기 때문에 도와주는 거야. 그녀가 얼마나 커졌는지 봤지? 카린돌은 위로 향하는 길을 찾아낼 수 없기에 자신을 무작정 키우고 있어. 좀 무식한 방법이지만 확실한 방법이기도 하지. 거대한 증오나 거대한 욕망 같은 것은 결국 겉으로 드러날 수밖에 없다는 것을 명심해. 그녀도 조만간 '겉으로' 드러날 수밖에 없을 거야. 그때가 되면 나는 더 이상 그녀를 저지할 수 없어.〉

혼란 속에서도 갈로텍은 충격을 받았다.

〈네가 그녀를 저지하고 있었나?〉

〈그래. 길을 감추고 그녀를 혼란스럽게 만들고 있었어. 그녀가 너에게 향하기 전에 여신을 해방시키고 나가들을 남쪽으로 돌아가게 해. 그것이 옳은 일이라는 사실을 받아들여.〉

〈화리트! 그녀는 언제쯤 겉으로 드러날 것 같나?〉

화리트는 대답했지만 이미 거리가 너무 멀었다. 갈로텍은 화리트의 대답을 듣지 못한 채 수면으로 치솟는 물고기처럼 의식의 전면으로 솟구쳤다. 갈로텍에겐 되돌아갈 용기가 없었다. 그는 헐떡거리며 주퀘도를 불렀다.

"주퀘도!"

주퀘도는 반갑게 대답했다.

"오래간만이군. 도대체 뭘 하고 있었던 거지?"

"오래간만? 무슨 말입니까?"

갈로텍은 당황하며 주위를 둘러보았다. 그곳은 조금 전까지 달리고 있던 평원이 아니었다. 주위로는 산봉우리들이 펼쳐져 있었고 머리 위로는 구름이 낮게 드리워져 있었다. 그의 말은 산등성이에 난 길을 따라 걷고 있었다. 갈로텍이 황당해하자 주퀘도는 미심쩍은 투로 말했다.

"열흘 만에 보는 거라면 오래간만이라고 해도 되잖아?"

"열흘이라고? 10분이 아니고?"

"도대체 무슨 소리를 하는 거야?"

갈로텍은 의식의 세계에서 화리트가 일으킨 혼란이 실제 세계와의 불가사의한 시간차를 만들어내었음을 깨달았다. 설명하기가 난감했기에 갈로텍은 질문을 던졌다.

"좀 혼란스러운 일이 있었습니다. 그런데 여기는 어디입니까?"

주퀘도는 어이없다는 듯이 말했다.

"정말 무슨 일이 있었나 보군? 여기는 시구리아트 산맥이야. 자네가 저 아래에 있는 동안 여기까지 그들을 추적해 왔지. 젠장. 도깨비들이 새로운 방법을 사용했어. 대호왕처럼 보이는 도깨비불을 만들어서 우리를 여기저기로 끌고 다녔어. 그런 곤란한 상황인데, 네가 없으니 부하들 다루기도 쉽지 않아서 문제가 정말 많았어. 저 바보들은 내가 고함을 질러도 명령을 듣지 않아. 어깨를 두드리고 청력에 주의를 기울이라고 가르쳐줘야 겨우 알아들으니, 제기랄!"

주퀘도는 꽤 화가 나 있는 듯했다. 그런데 갈로텍은 분노 이외에 다른 것도 느낄 수 있었다. 그것은 초조함 비슷한 것이었다. 갈로텍은 그것이 무엇인지 추측해 보다가 문득 한 가지 사실을 떠올렸다.

"잠깐. 시구리아트 산맥이라고 했습니까? 그렇다면 여기가 시구리아트 유료 도로입니까?"

"그래. 맞아."

주퀘도는 뭔가 켕기는 듯한 목소리로 대답했다. 그제야 갈로텍은 자신이 느낀 것이 무엇인지 깨달았다.

그것은 죽음을 뛰어넘어 자신을 좌절시켰던 장소에 되돌아온 죽음의 거장이 느끼는 흥분이었다.

사모 페이는 시구리아트 유료 도로당에서 북부를 초토화시키는 무시무시한 전쟁의 흔적을 읽을 수 없었다.

관문 요새는 여전히 위풍당당한 모습으로 산의 정수리를 타고 앉아 있었다. 그리고 징수소장은 몇 년 전 그녀가 이곳을 지나갔을 때와 똑같은 모습으로 앉아 있었다. 심지어 탁자 위에 놓여 있는 아르히 주전자까지 똑같았다. 몇 년 전과 달라진 것은 하나뿐이었는데, 징수소장은 더 이상 여행객의 통행료를 알 수 없어 난처해하지는 않았다. 그는 인간 병사들과 나가 수호 장군들과 마루나래와 두억시니의 통행료를 척척 불렀다. 그가 잠시나마 지체했던 것은 바르사 돌 교위의 얼굴을 보았을 때였다.

"실례합니다만 연세가 어떻게 되십니까?"

"예순둘이오만."

"그렇다면 당신은 면제입니다."

바르사는 너털웃음을 터뜨렸다.

"노인 공경이오?"

"예. 예순이 넘은 인간은 면제됩니다."

징수소장의 설명에 데오늬가 흥미를 느낀 듯했다. 데오늬는 고개를 갸웃했다.

"징수소장님! 그렇다면 도깨비나 레콘의 노인들은 면제되지 않습니까? 왜 그렇지요?"

징수소장은 친절하게 대답했다.

"다른 종족들의 노인들에게도 면제 사유가 있긴 합니다만 나이는 아닙니다. 도깨비는 어르신이 되었을 때, 레콘은 무기를 들 수 없을 때입니다."

데오늬는 그럴듯하다고 생각했다. 그때 대호왕이 질문했다.

"나가는?"

징수소장은 대호왕을 바라보다가 가벼운 어조로 대답했다.

"나가의 면제 사유는 아직 결정되지 않았습니다. 이 도로를 이용한 나가 노인이 없었으니까요."

대호왕은 고개를 끄덕였다.

통행료가 책정되었고, 바르사 돌 교위는 미리 준비해 간 산양 열 마리를 내보였다. 징수소장은 그것으로 충분하다는 결론을 내렸다. 산양은 식량으로서의 가치가 있었지만 유료 도로당은 산양에게도 통과세를 물렸기 때문에 차라리 산양을 내어주는 편이 나았다. 징수소장은 관문을 열었다.

거대한 철문이 열리자 그 안으로 무장한 당원들이 좌우로 서있는 모습이 보였다. 바르사는 당황하며 검을 움켜쥐었지만 징수소장이 먼저 설명했다.

"괜찮습니다. 그대로 지나가신다면 아무 일이 없을 겁니다."

"왜 병사들을 배치한 거요?"

"혹 우리의 관문 요새를 점거하여 전쟁에 이용하려는 시도가 있을지 모르기 때문에 배치한 것뿐입니다."

"무슨 말인지 알겠소. 하지만, 이보시오. 당신들이 우리를 붙잡아서 적에게 넘겨주려는 시도를 하고 있다고 생각할 수도 있는 것 아니오?"

징수소장은 재미있다는 듯이 웃었다.

"적? 유료 도로당의 적은 무임 이용자뿐입니다. 그 경우에도 퇴거의 대상에 지나지 않으므로 적이라 부르기도 어렵습니다. 당신들의 적과 우리는 아무 상관이 없습니다."

"나가들은 북부인을 가리지 않고 죽이는데? 당신들이 유료 도로당이건 뭐건 그전에 인간이잖소. 나가들은 당신들도 공격할 거요. 상관이 없는 것이 아니란 말이오."

"그들은 그렇게 생각할 자유가 있습니다. 하지만 우리에게 그 생각을 존중할 의무는 없습니다."

바르사는 다시 항의하려 했다. 그때 마루나래에 탄 대호왕이 말했다.

"돌 교위. 우리는 이곳을 지나가지 않는다."

"예?"

"여기서 머물도록 하자. 그들은 통행자들이 원하면 침식을 제공해야 하지. 여기서 잠시 쉬도록 하자."

"하지만 폐하. 적들이 뒤통수에 달라붙어 있습니다."

"그러니 이곳에 머물자는 것이다. 이곳을 점거해서 그들을 물리쳐보자."

바르사 돌 교위는 물론이거니와 징수소장도 어이없는 표정을 지었다. 가면에 가려진 대호왕의 표정은 읽을 수 없었기에 징수소장은 미심쩍은 어투로 말했다.

"조금 전 그 말씀 진심이십니까?"

"그래. 다만 창검이 아닌 혀로 점거할 생각이다. 징수소장. 짐은 보좌관에게 회동을 요구한다."

징수소장의 질문에 보좌관은 승낙을 보내어왔다. 그래서 잠시 복잡한 일들이 일어났다.

유료 도로당의 당원들은 무장한 병력 수백 명이 요새에 들어오는 것을 탐탁해할 수 없었다. 그들은 잠시 고민하다가 병력들이 절대로 한 곳에 집결될 수 없도록 여러 군데에 분산시키는 방법을 택했다. 그러자 바르사 돌 교위가 항의했다. 바르사는 왕을 보호해야 하는 병사들이 그렇게 흩어져서는 곤란하다고 응수했다. 결국 그들은 모두 관문 통로에 앉게 되었다. 200명이 넘는 인원에 보통 인간보다 훨씬 체구가 큰 두억시니들과 마루나래까지 있었지만 가까스로 통로 전체에 앉을 수 있었다. 보좌관은 아래로 내려와서 대화하는 것에 동의했다.

대호왕과 보좌관은 중간 지점이라 할 수 있는 계단에서 서로를 마주보며 섰다.

보좌관의 뒤로는 당원들이, 그리고 대호왕의 뒤편으로는 북부군 병사들이 긴장한 표정으로 두 사람을 바라보았다. 보좌관은 사모가 잘 기억하고 있는 냉랭한 목소리로 말했다.

"참관인이 상당히 많군요. 폐하."

"오래간만이군."

"네. 하실 말씀은?"

"이 요새를 빌리려면 얼마나 지불하면 되겠나?"

보좌관은 대호왕을 물끄러미 바라보다가 고개를 가로저었다.

"이 요새는 임대하지 않습니다."

"당신들은 최초의 경우라는 것에 그다지 거부감이 없는 걸로 아는데. 난생처음 보는 여행객이라도 당신들은 차분하게 통행료를 결정한 다음 징수하잖아. 당신 요새를 빌리려는 사람이 처음이겠지만, 그래도 한 번 고려해 봐. 임대료로 얼마나 지불하면 되겠나?"

"폐하. 뭔가 착각하시나 본데, 우리는 길을 준비하는 사람입니다. 우리는 길을 걷는 사람에게 봉사합니다. 폐하께서 이곳에 머물러 누군가와 싸우는 것은 길을 걷는 행위가 아닙니다. 그리고 아시겠지만 우리의 도로에서 전투 행위는 금지되어 있습니다. 빌려드릴 수 없습니다. 그냥 통과하십시오."

"그렇다면 우리를 사."

"예?"

"우리를 사란 말이다. 우리 뒤로는 나가들이 쫓아오고 있다. 그들은 북부의 모든 사람을 죽이고 있고, 너희들이라고 해서 특별 취급하지는 않을 거다. 그들과 싸워야 할 텐데, 그렇다면 우리 병력이 도움이 되지 않겠나?"

보좌관은 기묘한 얼굴로 대호왕을 바라보다가 고개를 가로저었다.

"사양하겠습니다. 지난 4년 동안 이곳이 나가의 공격을 한번도 받지 않았다고 생각하십니까?"

사모는 놀랐다. 관문 요새의 변함없는 모습 때문에 사모는 이곳이 한번도 공격 당하지 않았을 거라 믿었다.

"너희들에게도 그들이 왔었나? 어떻게 싸운 거지? 너희들에겐 수호 장군을 상대할 병력이 없을 텐데."

"우리의 위치가 우리의 병력입니다. 이런 고산 지대에서 나가들의 수호 장군들은 싸울 수 있는 기온을 형성하는 것만으로도 벅찬 모양이더군요. 기껏 작은 폭풍 몇 개를 일으킨 자는 있었습니다만 원래 이 지역엔 폭풍이 많습니다. 따라서 그것은 우리에게 해가 될 수 없었습니다. 수호 장군들의 힘이 없으면 나가들은 그저 귀찮은 적에 불과합니다. 우리는 그들을 물리쳤습니다."

"그랬군. 하지만 이번에는 다를 거다. 그들에겐 갈로텍 대장군이 있다. 판사이를 수장시킨 자 말이다."

"그가 있습니까?"

"그래. 어르신들이 확인했다."

보좌관은 잠시 고민하다가 말했다.

"당주님과 의논해 봐야겠습니다. 함께 가시겠습니까?"

사모의 뒤쪽에 있던 바르사 돌이 불편한 헛기침 소리를 냈다. 하지만 사모는 고개를 끄덕였다.

"좋아. 함께 가지."

그리고 사모는 바르사가 불평할 것을 생각해서 말했다.

"마루나래를 데려가겠다."

하지만 바르사는 만족하지 못했다.

"폐하. 올라가시면 안 됩니다. 그들의 당주에게 내려오라고 하십시오."

보좌관이 고개를 가로저었다.

"저희 당주님께서는 여든 살이 넘으신 이후로 내려오신 적이 없습니다. 20년 전의 일이지요."

"그렇다면 금군이나 병사들을 대동하십시오. 제가 병사들과 함께 폐하를 수행하겠습니다."

"자네는 이 병력을 지휘해야 해. 마루나래. 어서 와."

마루나래는 거대한 몸을 가볍게 일으켰다. 바르사는 한 번 더 반대하려 했지만 그때 보좌관이 말했다.

"당신들에게 열 명의 당원을 맡기겠습니다. 그들의 신병을 구속하십시오. 그러면 되겠습니까?"

인질을 맡기겠다는 제안에 바르사는 더 이상 반대할 수 없었다. 보좌관의 명령에 따라 열 명의 당원들이 무장을 해제하고 북부군 가운데로 걸어들어 갔다.

대호왕은 보좌관에게 감사한 다음 마루나래와 함께 계단을 올라갔다. 마루나래의 거대한 몸을 고려하여 보좌관은 가장 넓은 길을 통해 그들을 인도했다.

잠시 후 그들은 관문 요새의 높은 곳에 위치한 당주의 방 앞에 도달했다.

방 안으로 들어선 대호왕이 처음 느낀 것은 적막이었다. 그것은 나가인 그녀에게 익숙하지 않은 느낌이었다. 그래서 사모는 그 적막감이 단순히 소리의 부재가 아닌 다른 것에 기인할 거라 생각했다. 그녀의 추측을 확인해 주듯 보좌관은 의자를 가리키며 말했다.

"앉으십시오. 당주님은 이곳에 계시지 않습니다."

사모는 고개를 갸웃하며 의자에 앉았다. 보좌관은 탁자 건너편으로 돌아가 사모를 마주보는 자세로 섰다.

"이곳은 당주님의 거처입니다만, 당주님의 건강이 나빠지셔서 보다 조용한 곳으로 옮겼습니다. 폐하를 이곳으로 모신 이유는 조용히 대화를 나누기 위해서입니다. 앉아도 되겠습니까?"

"그렇게 해."

보좌관은 묵례하고는 의자에 앉았다. 사모는 이토록 깨끗한 의자에 앉아본 것이 얼마 만인지 모르겠다는 생각을 해보았다. 하지만 마루나래는 자신의 발에서 흙덩이가 떨어지는 것에 아랑곳하지 않았다.

마루나래가 사모의 뒤편에 앉았을 때 보좌관은 청소할 일이 꽤 심각하겠다는 생각을 금할 수 없었다. 가까스로 대호왕의 가면으로 시선을 옮긴 보좌관은 그 가면을 물끄러미 바라보다가 말했다.

"어떻게 지내시냐고 묻는 것은 좀 우스울 것 같군요."

"동감이야."

"폐하. 잠시 옛이야기를 하겠습니다. 몇 년 전 폐하께서는 이곳을 지나가셨습니다. 그때 폐하께서는 뒤를 쫓는 두억시니들의 통행료를 대납하셨습니다. 그런데 왜 오늘은 이곳을 빌리셔서라도 추적자들과 싸우시려는 겁니까?"

사모는 대답했다.

"그때 나는 북쪽으로 가야 했어. 하지만 이번에는 방향이 달라. 나는 남쪽으로 가야 해. 하지만 저 추적자들이 남쪽으로 가는 길을 막고 있어. 그래서 나는 저들을 이끌며 이곳으로 왔다. 이 요새에서라면 저들을 물리칠 수 있을 거라 믿었기 때문이지."

사모는 '짐'이라는 말 대신 '나'라는 말을 사용했다. 그것이 무슨 의미인지 짐작했지만 보좌관은 아무런 반응을 보이지 않았다.

"일부러 이곳으로 유인해 온 거라는 말씀이군요."

"그래."

보좌관은 생각에 잠긴 표정으로 탁자를 내려다보았다.

"판사이를 수장시킨 자가 쫓아온다고 하셨습니까?"

"그래."

"뇌룡공이라 불리는 그 용인은 어디에 있습니까? 그는 당신을 보호한다고 알고 있었습니다만."

사모는 조금 지체한 후에야 대답할 수 있었다.

"그는 하텐그라쥬를 공략하기 위해 남쪽으로 갔어."

보좌관은 고개를 약간 기울인 채 사모의 설명을 들었다. 사모의 설명이 끝나자 보좌관은 차분하게 고개를 끄덕였다.

"라수 규리하는 가까스로 모아들인 북부군을 모조리 소모하는 공격으로 건곤일척에 나섰다는 것이군요. 그는 역시 학자군요. 학자가 전쟁을 하면 그렇게 되는 법이지요."

"무슨 말이지?"

"별 의미는 없습니다. 그건 그렇고, 폐하께서는 왜 그들을 뒤쫓아가려는 겁니까? 그들의 희망대로 즈믄누리로 가시는 대신?"

"나는 그런 자살 공격에 동의한 적이 없어. 나는 언제나 그들에게 말했어. 지고 돌아오는 것은 백 번이라도 용서하겠지만, 이기고 죽어버리는 것은 용서하지 않겠다고. 그런데 그자들은 이기고 죽어버리려 하고 있어. 그런 것은 절대로 받아들일 수 없어."

"그러신가요. 하지만 굳이 폐하께서 뒤따라가셔야겠습니까? 어르신을 보내어 그들을 소환하면 되잖습니까?"

"그렇게 해서 돌아올 거라면 애당초 나를 내버려두고 몰래 떠나지도 않았겠지. 내가 가서 직접 데려와야 해."

"하긴 그렇군요. 그들을 되돌아오게 한 다음에는 어떻게 하실 겁니까? 다른 대안이 있으십니까?"

"그건 몰라. 하지만 방법은 찾아내면 되는 거야."

"군사를 더 모을 수 있습니까? 즈믄누리가 더 이상의 군량을 감당할 수 있습니까? 근거지 없는 군대라는 것은 어불성설입니다. 혹 군사를 더 모을 수 있다 하더라도 근거지도 없는 북부군이 더 이상 커질 수 있을까요?"

"셋이 하나를 상대해!"

사모는 분노하여 외쳤다. 그리고 보좌관은 분노한 목소리마저 아름답다는 생각을 잠시 해보았다. 사모는 가면을 벗어 탁자 위에 내려놓았다. 맨얼굴로 보좌관을 바라보며 사모는 날카롭게 외쳤다.

"이미 수탐자들은 자신을 죽이는 신의 화신을 찾아내었어. 그들이 다른 두 화신을 찾아낼 때까지 기다리면 돼. 그러면 그들이 여신을 구출해 낼 거야!"

"기약이 있습니까, 페이?"

가면마저 사라지자 보좌관은 마침내 '폐하'가 아닌 '페이'로 사모를 지칭했다. 사모는 비늘을 부딪쳤다. 보좌관은 준엄하게 말했다.

"그들이 다른 두 화신을 언제 찾아낼지 알 수 없습니다. 그렇잖습니까?"

탁자 위에 놓인 사모의 두 주먹이 부르르 떨렸다. 보좌관은 한층 낮은 목소리로 말했다.

"기약 없는 구원이 현존하는 고통의 대가가 될 수 있습니까? 고통을 받는 것은 사람들입니다. 신들이 아닙니다."

"그래서, 너는 내 부하들에게 찬성한다는 거냐?"

"사모 페이. 유료 도로당원은 여행자의 목적을 평가하지 않습니다. 따라서 저는 그들이 잘한다, 혹은 못한다고 말하지 않겠습니다. 하지만 길을 준비하는 자로서,

저는 앉아서 신의 도래를 기다리느니 목적지가 죽음이라도 일단 걸어가는 사람들에게 호의를 느낍니다. 어차피 모든 생의 종착이 죽음이라면 그들이 유달리 특별한 선택을 한 것도 아닙니다."

사모는 위장이 서늘해지는 기분을 느꼈다. 다리에 힘이 빠졌고 앉아 있는 의자를 느끼기도 어려웠다. 보좌관은 담담하게 말을 맺었다.

"즈믄누리로 가십시오. 사모 페이. 그곳에 가서 두 화신을 기다리시면 될 겁니다. 당신에게 우리의 요새를 제공하지는 않겠습니다. 그리고 갈로텍 대장군 또한 우리에게 통행료를 지불하든, 우리와 싸우든 둘 중 하나를 선택해야 할 겁니다. 그건 우리가 알아서 할 일입니다."

긴 침묵 후에, 사모는 나즈막하게 말했다.

"내 동생이 거기 있어."

보좌관은 아무런 말 없이 북부의 왕을 바라보았다. 사모는 탁자 위에 놓인 가면을 바라보았다.

"나는 류이 용근을 먹는 것도 말릴 수 없었고 아스화리탈을 살인 괴수로 키워내는 것도 말릴 수 없었어. 류은 용이 제공할 수 있는 모든 것을 다 이용하여 스스로 나가의 악몽으로 탈바꿈해 갔어. 그 애는 그렇지 않았어. 그런 아이가 아니었어. 그런데, 그런데 나는 그것을 보고만 있었어. 말리지 않았어. 가면을 쓴 이후로 나는 더 이상 내 의지대로 행동할 수 없었어. 왕이라는 것은 이상해. 너무 이상해."

가면을 내려다보고 있던 사모는 갑자기 깨달은 것처럼 말했다.

"그래선 안 돼."

"뭐가 안 된다는 겁니까?"

"죽어야 한다면, 그건 나야. 내가 왕이니까. 류이 아냐. 그래. 알겠어. 류은 스스로를 파괴하고 있어. 예전의 내 동생이었던 류 페이라는 나가는 거의 사라져버렸어. 지금 류의 겉모습 뒤에 남아 있는 것은 나가를 죽이는 괴물, 나가 살육자, 또 한 명의 케이건 드라카야."

베미온에게 물이 접근하는 것을 느낀 류은 감각을 집중시켰다. 그러나 그 물이 한 인간임을 느낀 류은 긴장을 풀면서 고개를 돌렸다.

베미온은 땅바닥에 앉아 흙을 집어먹고 있었다. 그리고 키타타 자보로가 그에게 다가가고 있었다. 자보로 장군은 베미온에게 흙을 먹지 말라고 말리고 있었다. 베미온은 별 불평 없이 순순히 그의 말을 따랐다. 베미온의 손에서 흙을 털어내어 준 키타타는 류의 시선을 느끼고는 그를 돌아보았다. 잠시 어떻게 할까 고민하는 것 같은 얼굴로 서 있던 키타타는 곧 결심을 한 듯 류에게 걸어왔다. 류은 가볍게 고개를 끄덕였다.

"제가 잠시 신경을 못 쓰고 있었군요. 감사합니다."

"물기가 별로 없는 흙이더군요."

"예. 나가를 학살할 겁니다."

키타타는 류을 지그시 바라보다가 턱수염을 만지작거렸다. 류은 키타타가 말하지 않은 것을 들으며 말했다.

"미안합니다."

"아니요. 우월함이 열등함에게 미안함을 느낄 필요는 없습니다. 공작님. 그런데."

거기까지 말한 다음 키타타는 입을 다물었다. 류은 고소를 머금었다.

"끝까지 말씀하십시오. 듣겠습니다."

"그런데, 정말 괜찮으시겠습니까?"

"괜찮습니다."

"규리하 상장군의 계획은 나가에게 참혹한 것입니다."

물론 규리하 상장군이라고 부르는 것이 정확하겠지만 그럴 경우 괄하이드와 혼동되기 때문에 대부분의 북부군은 라수 상장군, 괄하이드 대장군으로 부르고 있었다. 빌파 삼부자 또한 그런 규칙에 따라 불리워지고 있었다. 그러나 키타타 자보로는 규리하 대장군, 규리하 상장군이라는 호칭을 고집했으며 빌파 삼부자의 경우 빌파 교위와 빌파 부위, 빌파 부위라고 불러 사람들을 혼란스럽게 만들곤 했다. 그리고 키타타 자보로가 그런 고집을 부리는 이유를 대충 짐작하는 사람들은 그를 키타타 장군이라 부르지 않도록 조심했다. 예민한 륜은 당연히 그런 실수를 범하지 않았다.

"자보로 장군. 저는 그 계획을 이해하고 있습니다."

"규리하 상장군은 나가 병력의 대회군이 일어나지 않을 경우 심장탑을 파괴해서라도 그들을 유인할 생각이십니다. 하텐그라쥬의 심장탑은 공격할 수 없겠지요. 폐하의 심장이 그곳에 보관되어 있을 테니. 하지만 페로그라쥬와 악타그라쥬, 시모그라쥬의 심장탑은 분명한 공격 목표가 될 가능성이 높습니다. 사실, 유인의 목적이 아니더라도 전술적 견지에서 그보다 더 적절한 공격 목표는 있을 수 없습니다. 일거에 적 거점 내의 모든 전투 가능한 병력을 제거할 수 있는 확실한 방법이니까요. 그리고 그것은 잔인한 방법입니다."

륜은 손을 들어 베미온을 가리켰다.

"판사이의 육형제를 익사시킬 때 그들은 잔인함에 대한 고려를 하지는 않았을 겁니다."

키타타는 륜의 손을 따라 베미온을 돌아보았다. 베미온은 눈을 감고 태양을 향해 입을 벌리고 있었다. 햇빛을 마시는 모습이었다. 륜은 계속 말했다.

"그는 아직 물을 마시지 않습니다. 그래서 저는 베미온의 몸속으로 수분을 이동시켜줍니다. 베미온이 물의 공포를 물리칠 기회를 뺏는 것이 아닌가 싶기도 합니다만 갈증에 목이 타들어가면서도 한사코 물을 거부하는 모습을 보고 있으면 어쩔 수 없이 그렇게 하곤 합니다."

"한 사람만 제외하고 자보로의 모든 씨족을 다 죽였을 때도, 그들은 잔인함에 대해 고려하지는 않았지요. 공작님. 저는 그들의 슬픔에 아무런 동정도 보내지 않을 겁니다. 심장탑이 무너지는 모습을 보며 저는 환희를 느낄 겁니다. 그리고 무너지는 자보로 성벽에 깔려죽은 제 씨족의 비명을 잊을 겁니다. 그들이 소리를 듣지 않는다는 것 때문에 저는 이것을 준비했습니다."

키타타 자보로는 자신의 방패를 들어보였다. 륜은 그곳에 무엇이 있는지 잘 알고 있었다. 하지만 륜은 키타타가 보아주기를 원한다는 것을 느꼈기에 그것을 보았다. '자보로, 복수.' 나무 방패에 구리로 된 글자를 박아넣어 만들어진 그 선언은 나가의 눈에 선명하게 보였다. 키타타는 이마에 구리선을 박아넣어 금속 문신을 만들고 싶어했지만, 그럴 만한 기술이 있는 유일한 자들인 도깨비 대장장이들이 그것을 거부했다. 대장장이들이 설명을 듣는 것만으로도 기절할 것 같은 반응을 보였기에 키타타 자보로는 하는 수 없이 방패로 만족해야 했다.

"그들은 제 저주를 듣지 못할 테니 죽어가는 그들의 면전에 이것을 보여줄 겁니다. 저는 잔인함에 대한 모든 준비가 되어 있습니다. 제가 알고 싶은 것은 당신이 그럴 준비가 되어 있느냐 하는 점입니다."

"되어 있습니다."

"어째서 그렇습니까? 저는 이해할 수 없습니다. 그들은 물론 심장 적출을 하지 않은 당신을 동족 취급도 하지 않을 테고 당신의 혈육으로 하여금 당신을 죽이게 획책했습니다. 하지만 제가 보기에 당신은 그런 이유로 대학살에 나설 분은 아닌 것 같습니다."

"그건 제 이유가 아닙니다."

"그렇다면 이 전쟁을 끝내기 위해서입니까?"

"그것은 한 이유가 될 수 있을 겁니다."

"그렇다면, 다른 이유는?"

"예. 이해합니다."

"예?"

"나가 녀석은 믿을 수 없다고 생각하는 것이 당연합니다."

키타타 자보로의 얼굴이 약간 굳었다. 하지만 그는 용인을 상대로 거짓말을 늘어놓거나 화를 내어 자신의 졸렬함을 강조해 보일 정도로 아둔하지는 않았다.

"그 나가 녀석을 믿을 수 있게 도와주십시오. 공작님."

류은 베미온을 물끄러미 바라보았다. 베미온은 손가락으로 땅에 무엇인가를 그리고 있었다. 그림도 아니고 글자도 아닌, 추상적인 선들이 그의 손가락 아래에서 나타났다 사라졌다.

"누님 때문입니다."

키타타 자보로는 류을 물끄러미 바라보았다. 류은 베미온을 바라보며 말했다.

"누님은 죽어가고 있습니다."

"무슨 말씀입니까? 폐하께서 병에 걸릴 리도 없는데……."

"당신들이 누님을 죽이고 있었습니다. 언젠가 케이건 드라카가 예언한 대로."

키타타는 입을 다물었다. 류의 눈가에서 은빛이 빠르게 명멸했다.

"누님은 더 이상 제가 알던 누님이 아닙니다. 가면을 쓴 이후로, 그분은 제 누님은커녕 나가도 아닌 것처럼 되어버렸습니다. 병사들은 그분의 용모를 보지 못합니다. 하지만 그분의 음성은 듣지요. 그리고 그들은 저의 음성, 기회가 자주 있지는 않지만 다른 나가의 음성도 들어왔습니다. 하지만 그들은 누님의 목소리가 나가와 비슷하다고 생각하지 않습니다. 말도 안 되는 일이지요. 분명히 비슷합니다. 하지만 그들은 그런 생각 자체를 떠올리지 못합니다. 그들의 주관이 객관을 구축한 거죠. 보늬인지 나늬인지 알려면 두 사람이면 충분하지요. 하지만 두 사람이 보늬라고 우기면 나늬도 보늬가 될 수 있을 겁니다."

"병사들이…… 감히 폐하가 나가일 거라는 상상을 하긴 어렵겠지요. 하지만 죽어간다는 것은……."

"누님은 자멸을 원하고 있습니다."

"그게 무슨 말씀입니까?"

"누님은 꿈을 꾸십니다. 병사들 앞에서 누군지 모를 자에 의해 가면이 벗겨지는 꿈이지요."

키타타는 그런 꿈쯤이야 당연하다고 생각했다. 언제나 가면을 쓴 채 사람을 대해야 하는 자라면 그 답답함 때문에 그 가면을 벗어버리는, 특히 타의에 의해 벗겨지는 꿈을 꾸는 것 쯤은 이상하지 않다고 생각했다. 그러나 그가 그런 말을 하려하자마자 류은 고개를 가로저었다.

"아닙니다."

"……그럼 그건 무슨 의미입니까?"

"실제로 그런 일이 일어날 경우를 상상해 보세요."

"실제로?"

"예. 실제로 병사들 앞에서 누님의 가면이 갑자기 벗겨진다고 생각해 보십시오. 병사들은 어떻게 반응할까요? 당신이 4년 동안 함께 싸운 저를 믿을 수 없다고 속으로 생각하는 것은 차라리 존경스러운 자제력입니다. 저는 그런 당신을 존경합니다. 하지만 병사들은 느닷없이 눈앞에 나타난 나가를 어떻게 대할까요?"

키타타는 당황했다. 그런데 류은 갑자기 미소를 지었다.

"마귀의 준동이라고 말할 수도 있겠군요."

"예?"

"예전에 이곳에서 어떤 광인을 만난 적이 있습니다. 제왕병자였던 그는 제 목소리만 듣고는 저를 왕비감으로 삼고 싶어했지요. 결국 저 탑 안으로 들어가 그 안에 있던 저를 목격하게 된 그 광인은 상황을 그렇게 설명하더군요. 어떤 고약한 마귀가 왕비에게 마법을 걸었다고."

류 페이는 그렇게 말하며 베미온이 기대어 앉아 있는 높새바람 탑을 바라보았다.

"하지만 납득할 수 없는 현실을 거부하는 방법이 환상을 조장하는 온건한 것만 있는 것은 아닙니다. 보다 직접적이고 파괴적인 방법도 있지요."

키타타는 그 방법이 무엇이냐고 묻지 않았다. 그럴 필요가 없었기 때문이다. 류은 말했다.

"나가들은 저 같은 나가를 비에나가라고 니릅니다. 병신이라는 말로 바꾸면 의미는 통하겠지만, 그 니름이 담고 있는 독특한 색조까지 전달하긴 어려울 겁니다. 많은 나가들이 비에나가라는 니름은 '도깨비의 나가'라는 니름에서 파생되었다고 믿지요. 병신이라는 말이 사람으로서 많이 모자라다는 의미라면, 비에나가는 나가가 아닌데 나가 모습을 하고 있다는 의미 정도가 될 겁니다. 도깨비불처럼 말입니다. 적들이 물러나고 있습니다."

키타타는 흠칫했다. 류은 조금 전과 똑같은 모습으로 높새바람 탑을 바라보며 말했다.

"흑단 군단이 이제야 결심을 내렸군요. 그들이 보유한 수호 장군은 다섯 명. 시우쇠 님 한 분도 상대하기 힘든 숫자입니다. 게다가 이 메마른 땅에서는 승산이 없습니다."

키타타는 부지불식간에 남쪽을 바라보았다. 그래봐야 평원 저편에 있는 흑단 군단의 모습을 볼 수는 없었지만, 그래도 키타타는 그럴 수밖에 없었다. 류은 그런 키타타에게 아랑곳하지 않은 채 계속 말했다.

"저는 나가가 아니라 비에나가입니다. 저들과 동족이 아닙니다. 하지만 누님은 저들과 같은 나가입니다. 저는 누님이 왕의 가면을 쓴 채 당신들을 위해 죽는 것이 싫습니다. 북부의 왕으로서 죽는 대신, 그분은 키보렌으로 돌아가셔야 합니다. 그들의 증오는 저주받을 용인 류 페이가 받아야 합니다. 저는 그렇게 할 겁니다. 지금 당장."

"당장?"

"흑단 군단이 물러나는 방향이 인상적이군요. 아마도 남쪽 저 멀리에 또 다른 군단이 북진 중인 모양입니다. 그들은 우리를 지나가게 한 다음 그 정체 모를 군단과 함께 전후 포위를 펼칠 작정인 것 같습니다. 뱀단지를 이용하면 작전 범위 50킬로미터 정도에서 그렇게 시간을 맞추는 것도 어려운 일은 아니지요."

키타타는 기막힌 기분을 느꼈다. 나가들이 거의 묘기라 불러야 할 작전을 시도하고 있다는 사실은 분명했다. 50킬로미터 떨어진 두 지점에서 동시에 출발한 군단이 정해진 지점에서 정해진 시간에 만난다는 것은 극히 어려운 일이다. 시간이 조금이라도 빗나간다면 각개격파를 당하게 되므로 두 군단은 반드시 동시에 전장에 도달해야 한다. 그리고 나가들은 그것을 시도하고 있는 것이다.

키타타는 긴장하며 말했다.

"어떻게 하실 생각입니까?"

"흑단 군단의 수호 장군 다섯 명은 제가 감당할 수 있습니다. 제가 그들과 맞서는 동안 아스화리탈이 할 일이 있을 겁니다. 대장군께 전하십시오. 남진 속도를 약간 늦추라고. 그리고 한 가지 부탁이 더 있습니다. 베미온 굴도하가 시우쇠 님 근처에 가지 못하도록 좀 돌봐주십시오."

키타타가 대답하기도 전에 륜은 아스화리탈을 향해 손을 휘저었다. 아스화리탈이 고개를 숙이자 키타타는 뒤로 조금 물러날 수밖에 없었다. 륜은 아스화리탈의 가슴에 있는 뿔들을 붙잡으며 민첩하게 그 목으로 올라갔다. 잠시 후 아스화리탈은 하늘로 뛰어올랐다. 아스화리탈이 날개를 펼침과 동시에 벼락과 돌풍이 뿜어나왔다. 얼굴을 가렸던 키타타가 간신히 팔을 내렸을 때 아스화리탈은 이미 남쪽으로 날아가고 있었다.

익숙해지기 어려운 기적에 한숨을 내쉬며 키타타는 돌풍과 벼락에 겁을 집어먹은 판사이의 마립간이 어디에 숨었을지 고민하기 시작했다. 높새바람 탑 안쪽일 가능성이 가장 높았다.

케이 보좌관은 탁자 위에 놓아둔 두 손을 깍지끼며 말했다.

"동생분이 왜 나가를 그렇게 미워하게 되었다는 말씀입니까?"

"주위에 나가를 증오하는 사람밖에 없으니까."

"동생분이 주위에 휩쓸렸다는 말씀입니까?"

"나는 그 애가 줏대 없는 성격이라고 말하는 것이 아니야! 그 애는 용인이야. 용인이 뭔지는 알지?"

"물처럼 예리해진 사람이지요."

사모는 케이 보좌관을 쳐다보았다. 보좌관은 설명을 덧붙였다.

"물은 어디든지 스며듭니다."

"어디든지…… 그래, 맞아. 그 애는 나가를 증오하는 북부군들과 너무 오랫동안 함께 있었어. 내 동생이 그 예민함으로 무엇을 느꼈을지는 여신만이 알아. 가장 소중한 것들을 나가에게 뺏긴 자들 가운데서 4년을 보냈어. 그중 2년은 용인으로서."

"어디든 스며드는 물은 무엇으로든 변하지요. 피가 섞이면 핏물이 되고 독이 섞이면 독물로 변합니다. 동생분이 증오에 휩싸인 북부군들의 마음속에 스며들어 그 스스로 증오로 바뀌었다고 말씀하시는 겁니까?"

"그래."

보좌관은 천천히 고개를 가로저었다.

"제 생각에는 그럴 것 같지 않군요. 또 한 명의 케이건 드라카가 겨우 4년 만에 만들어질 거라고는 생각되지 않는군요."

"케이건 드라카를 잘 알아?"

"그분을 잘 아는 사람은 세상에 아무도 없습니다."

사모는 보좌관의 말투에 섞여 있는 이상한 음색을 느꼈다. 하지만 그 정체는 알 수 없었다. 그때 보좌관이 말했다.

"어쨌든, 당신과 당신의 동생에 관한 일은 제가 상관할 바가 아닙니다. 우리 당이 당신에게 제공할 수 있는 것은 도로와 숙식입니다. 요새를 전투용으로 제공할 수는 없습니다."

사모는 애타는 표정으로 보좌관을 바라보았다.

"제발 재고해 줄 수 없겠어?"

"재고할 수 없습니다. 당신은 우리가 제공하는 것만을 이용해야 합니다."

사모는 다시 한번 애원하려 했다. 그러나 그때 사모는 보좌관이 또다시 기묘한 표현을 사용했다는 것을 깨달았다. 보좌관은 거절을 말하는 대신 '우리가 제공하는 것만을 이용하라'고 말했다. 사모는 황급히 보좌관의 표정을 살폈고, 그리고 깨달았다.

하늘이 열린 이래 처음으로, 시구리아트 산맥의 고산준령은 더위를 느꼈다.

물은 열을 흡수한다. 하지만 그것이 무엇이든 과도하게 압축되면 열이 발생하게 마련이다. 대지에 떨어지는 햇빛으로부터 욕심껏 열을 훔쳐왔던 물은 과도하게 집중되자 풍성한 열을 내놓았다. 하여, 시구리아트 산맥은 미증유의 더위에 헐떡이게 되었다. 습기는 나무줄기를 따라 흐르는 땀이 되었고 산들이 두르고 있던 안개는 농밀해지다 못해 나가들의 팔다리를 붙잡는 장애물이 되었다. 수영의 경험이 있을 리 없는 나가들은 마치 물 속을 헤엄치는 듯한 그 느낌에 몹시 당혹했다.

그 기상천외한 천재지변은 한 수호 장군의 명령에 의해 일어나고 있었다. 대장군 갈로텍은 보다 낮은 땅에서 닥치는 대로 습기를 끌어모아 산맥 위에 쌓아올렸다. 아쉽게도 나가들에게 쾌적할 정도의 온도는 이룰 수 없었지만, 갈로텍은 일반적인 경우라면 정신을 잃어야 할 곳에서 나가들이 불편함 없이 움직일 수 있게끔 하는데 성공했다.

자신이 이룩한 위업에 기쁨을 느껴도 되련만 안타깝게도 갈로텍에겐 그런 즐거움이 허락되지 않았다. 그는 자신의 요구에 화를 내고 있었다. 군령자에겐 그다지 드문 일도 아니다. 갈로텍은 주퀘도의 요구에 분노를 느낄 지경이었다.

"말도 안 됩니다! 유료 도로당은 통행료만 지불하면 누가 지나가건 신경 쓰지 않는다면서요?"

"물론 그래. 음. 그들은 그렇게 하지."

"그렇다면 우리는 통행료를 지불하고 이곳을 지나갈 겁니다. 왜 전투를 벌이자는 겁니까?"

"이봐, 갈로텍. 어차피 북부를 모두 정벌한 다음엔 이곳 또한 정벌해야 하잖아? 그렇다면 그것을 지금 시도해선 안 될 이유가 뭐지? 오동나무 군단과 야자수 군단의 복수를 해야 하잖아."

주퀘도가 거론한 군단들은 언젠가 시구리아트 관문 요새를 공격했다가 고지대의 혹한에 어쩔 수 없이 물러나야 했던 군단들이다. 하지만 갈로텍은 꿈쩍도 하지 않았다.

"이유가 뭐냐고요? 대수호자 키베인을 구출해야 하기 때문입니다. 괜한 전투를 벌여서 시간을 지체할 필요가 없습니다."

주퀘도는 분노를 억누른 채 사정하듯 말했다.

"갈로텍. 갈로텍. 내가 어떤 기분일지 짐작하겠지? 그래. 나는 두 눈 뜬 채 저 요새를 그냥 지나칠 수 없어. 250년 전과는 달라. 2만 명의 병력, 그것도 거의 불사신이며 17분 동안이라면 레콘 외에는 당해 낼 자가 없는 병사들이 여기 있어. 수력을 자유로이 다루는 수호 장군들도 있고. 이런 병력이 있는데 나더러 저기를 그냥 지나치라고 말하는 것은 너무 가혹한 일이야. 그러면 나는 미쳐버릴지도 몰라. 이해할 수 없어?"

갈로텍은 약간 놀라지 않을 수 없었다. 주퀘도가 사정하는 경우를 겪어본 적이 없기 때문이다. 하지만 갈로텍은 싸늘하게 대꾸했다.

"그렇다면 저 아래에 내려가 잠이나 좀 주무시죠."

보통 사람들은 별로 안타까워하지 않을 일이지만 군령자에겐 때론 아쉬운 사실이 있는데, 자기 자신을 쏘아보는 것이 불가능하다는 사실이 바로 그것이다. 어쨌든 주퀘도는 갈로텍을 노려볼 수 없었다. 하지만 갈로텍은 주퀘도가 그런 기분인 것을 알 수 있었다. 갈로텍은 달래듯이 말했다.

"주퀘도. 당신 말대로 언젠가는 저 요새를 함락시켜야 할 겁니다. 그때 당신에게 모든 권리를 드리겠습니다. 하지만 지금은 안 됩니다. 지금은 대수호자를 구출해야 합니다. 그리고 한시 바삐 키보렌으로 돌아가야 합니다. 그다음엔, 약속하지요. 2만 명이 아니라 20만 명이라도 제공하겠습니다. 지금은 참아주십시오."

"제기랄, 그 약속은 이미 오래전에 했던 것의 반복에 지나지 않아! 네가 빌어먹을 나가들의 빌어먹을 대장이 되도록 도와주는 대신 북부에서는 내 마음대로 싸우게 해주겠다고 말했잖아! 그런데 후일을 기다리라고? 그 말이 또다시 식언이 되어버리지 않을 거라고 어떻게 보장할 거냐!"

주퀘도의 폭발적인 반응에 갈로텍은 황당함마저 느꼈다. 그 모습은 갈로텍이 아는 주퀘도가 아니었다. 갈로텍은 주퀘도를 무시할지, 그렇잖으면 다시 한번 달래볼 것인지를 놓고 고민했다.

그리고 갈로텍은 결정을 내리지 못했다. 보라크 군단장이 그에게 닐렀기 때문이다.

⟨대장군님. 뱀단지로 연락이 왔습니다.⟩

갈로텍은 묻는 눈초리를 보냈다. 보라크는 대답했다.

⟨지도그라쥬의 뱀단지입니다. 대장군님과 대화를 원하는군요.⟩

갈로텍은 한숨을 내쉬었다.

"주퀘도. 좀 있다 이야기합시다. 뱀단지로 연락이 왔습니다."

⟨수호 장군들과 함께 기온을 맡게.⟩

보라크 군단장은 겁 먹은 얼굴이 되었다. 군단장이 다른 수호 장군들에게 니름을 보내는 것을 들으며 갈로텍은 뱀단지 수레로 걸어갔다.

수레의 뒤편 계단을 올라간 갈로텍은 문을 열고 내부로 들어갔다.

수레 내부는 마치 약술사의 연구실을 연상케 하는 모습이었다. 사방의 벽을 두른 선반들과 그 선반에 빽빽하게 놓여 있는 단지들 때문에 그런 인상을 주고 있었다. 그 단지들은 나가들의 도시와 군단들과 연결되는 뱀단지들이었다. 그리고 수레 가운데는 일종의 탁자 비슷한 것이 놓여 있었다. 보통의 탁자와 다른 점은 테두리에 작은 벽이 있어 수레가 이동 중이더라도 탁자 위의 물건이 쏟아지지 않게 고안되어 있다는 점이었다.

현재 그 탁자 위에는 뱀들이 가득했다. 그리고 탁자 옆에는 뱀부리미가 서 있었다. 갈로텍은 탁자 옆에 서서 닐렀다.

⟨대장군 갈로텍이 왔다고 전하게.⟩

정신 억압자인 뱀부리미는 가볍게 묵례한 다음 뱀들에게 의식을 전달했다. 업무 특성상 무수한 비밀을 취급할 수밖에 없는 뱀부리미는 대개 과묵한 편이었다. 정신 억압은 할 수 없지만 사어를 읽을 줄 아는 갈로텍은 지도그라쥬에서 보내오는 회답을 읽었다.

'수호자 오라기입니다. 편안하신지요.'

⟨감사합니다. 오라기.⟩

'열흘 가까이 대화를 나눌 수 없더군요. 어떻게 된 일입니까?'

〈사르마크 상장군이 저 대신 추적전을 지휘했습니다.〉

'대수호자께서 적의 수중에 계신 이 다급한 상황에서 대장군이 임무를 방기하고 있었다는 니름이십니까?'

〈주퀘도 사르마크는 역사 전체를 통틀어도 찾아보기 힘든 명장 중의 한 사람입니다. 임무를 방기하고 있었던 것이 아니라 저보다 훌륭한 자에게 맡겨두었던 것입니다. 그런데 그분의 심장병은 어떻습니까?〉

갈로텍은 조금 전 주퀘도와 나눴던 대화를 떠올리며 자신이 무슨 어처구니없는 니름을 하고 있는 건가 하며 참담한 기분을 느꼈다. 뱀들이 다시 움직였다.

'대수호자님의 심장병에는 별일이 없습니다. 그분은 애타게 구조를 기다리고 계실 겁니다. 현재 대수호자님을 구출하는 계획은 어떻게 되고 있습니까?'

〈순조롭게 진행중입니다.〉

'대답할 니름이 없으신 모양이군요. 뭔가 좋지 않은 일이라도 있는 겁니까?'

갈로텍은 '불신자들과 싸우는 것은 나니까 너는 닥치고 주는 것이나 받아먹어라'고 닐러줄 수 없다는 사실에 슬픔을 느꼈다. 지도그라쥬는 강대했다. 존경심을 위조해야 할 만큼.

〈현재 저와 대나무 군단은 시구리아트 산맥에 있습니다. 이곳은 대단히 높은 곳이며, 그 때문에 기온 조절에 약간 애를 먹고 있는 것은 사실입니다. 하지만 곧 그들을 붙잡을 수 있을 겁니다.〉

'자꾸 재촉하는 것 같습니다만 대수호자의 실종으로 지금 수호자들은 큰 슬픔에 빠져 있습니다. 대수호자님이 우리에게 귀환하기 전까지는 그들의 슬픔과 공포를 달랠 수단이 없습니다.'

〈대수호자님은 반드시 돌아가실 겁니다. 저는 불가능한 일에 도전하지 않습니다.〉

'당신은 불가능을 인정하지 않는 분으로 알려져 있지요. 하지만 저는 되도록 대수호자의 많은 부분이 구출되었으면 합니다. 다른 수호자들도 그러기를 바라고 있

습니다.'

갈로텍은 기어코 폭언을 퍼붓고 말았다.

"그래, 머리가 붙은 채로 데려다주마! 내 누이와 달리!"

마지막 자제력 때문에 갈로텍은 그것을 육성으로 내뱉었고 따라서 그것을 들은 것은 주퀘도뿐이었다. 뱀부리미가 의아한 표정으로 바라보는 것을 느낀 갈로텍은 곤두선 비늘을 눕히며 닐렀다.

〈최선을 다하겠습니다. 믿어주십시오.〉

오라기는 지지부진한 말 몇 마디를 남긴 다음 대화를 끝냈다. 주먹을 움켜쥔 채 뱀부리미가 뱀을 쓸어담는 모습을 바라보던 갈로텍은 뱀부리미에게 닐렀다.

〈하텐그라쥬의 뱀단지를 꺼내어주게.〉

뱀부리미는 하텐그라쥬의 뱀단지를 찾아내었다. 잠시 후 하텐그라쥬의 세리스마가 갈로텍의 소환에 응했다.

'갈로텍.'

〈세리스마. 키베인이 불신자들에게 붙잡힌 것에 대한 사람들의 반응이 궁금합니다. 그 얼빠진 녀석 대신 새로운 대수호자의 선출을 고려해 보는 것이 좋지 않겠습니까? 지도그라쥬의 오라기는 그 얼간이의 행방불명에 세상의 모든 수호자들이 공포에 빠져들었다는 바보 같은 니름을 하던데…….〉

'갈로텍. 뱀부리미를 뒤돌아서게 하게.'

〈네?〉

갈로텍이 어리둥절해하는 사이에 뱀부리미는 등을 돌렸다. 그는 자기 일을 잘 아는 사람이었다. 그래서 세리스마가 보내어오는 사어는 갈로텍만이 읽을 수 있게 되었다.

'갈로텍. 그자의 니름은 과장이 아니야. 오라기가 자네에게 그런 인상을 심어주었다면, 그건 오라기가 자네를 놀린 거야. 자네는 전선에 있어서 알지 못했겠군. 지금 후방에서 키베인은 꽤 이상한 위치에 올라서고 있어.'

대답할 수 없기에 갈로텍은 고개를 갸웃했다. 세리스마의 사어가 계속되었다.

'자네에게 키베인은 지도그라쥬와 맺은 타협의 증거이고 다루기 불편한 수호 장군 한 명에 지나지 않겠지. 하지만 이곳에서는 달라. 여신이 봉인된 지금 키베인은 여신의 빈 자리에 들어갔어. 지도그라쥬가 그런 인상을 만들어내고 있다는 사실은 굳이 확인해 볼 필요가 없겠지.'

갈로텍은 욕설을 내뱉었다. 이번엔 니름이었다. 물론 뒤돌아서 있는 뱀부리미는 그 욕설을 전달하지 않았다. 갈로텍을 화나게 하는 사어는 계속되었다.

'수호자들은 그렇게 여기고 있어. 잊지 말게. 여자들이 모든 것을 쥐고 있는 우리 사회에서 여신은 유일하게 수호자들의 것이었어. 그 여신이 사라진 지금 수호자들은 여신의 대용물이 필요했어. 자네와 다른 수호 장군들은 군사들이라도 다룰 수 있지만, 후방의 수호자들에겐 그런 것도 없어. 그래서 그들은 대수호자를 원하고 있어. 한편 일반인들의 생각은 한층 더 가관이야. 대수호자가 종군했다는 사실이 일반인들에겐 어떻게 받아들여지고 있는지 아나? 일반인들은 키베인을 여신의 구출자로 여기고 있어. 불신자들이 납치해 간 여신을 구출해 낼 구원의 사도인 거지.'

갈로텍은 더 이상 욕설도 니를 수 없었다. 그는 비늘을 사정없이 부딪치며 뱀들을 응시했다.

'자네 기분을 알아. 그래. 직접 군단을 지휘하여 불신자들과 싸우는 것은 자네와 수호 장군들이야. 하지만 이곳의 바보들은 키베인이 그 모든 일을 다 하고 있다고 생각하고 있어. 마귀들에게 붙잡힌 여신을 구출하는 영웅이 된 셈이지. 고전미가 넘친다고 해야 할까. 그런 인상을 좀 바꿔보려고 해도, 내가 직접 군단의 위대함을 니를 수는 없어. 군단은 모두 하텐그라쥬 출신의 수호 장군들이 장악하고 있으니까. 그러니, 갈로텍. 키베인을 꼭 구출해야 해. 무능력한 대수호자가 하텐그라쥬의 위대한 수호 장군들의 손에 구출되었다는 식의 이야기가 되어야 하는 거야. 무슨 니름인지 알겠지?'

〈뒤로 돌아서서 전해라. 알겠습니다.〉

뱀부리미는 갈로텍의 니름을 전했다. 세리스마는 작별을 고한 다음 대화를 끝냈다. 갈로텍은 수레에 들어섰을 때보다 훨씬 험악해진 기분으로 수레를 나섰다.

안타깝게도, 바깥 상황은 기분 전환에 별 도움이 되지 못했다.

기온이 더 떨어져 있었다. 보라크 군단장과 수호 장군들이 애쓰고 있음은 분명했지만 그들에겐 역부족이었다. 갈로텍은 왈칵 화를 내며 기온을 상승시켰다. 쩔쩔매고 있던 보라크는 반가운 얼굴로 갈로텍을 돌아보았다. 하지만 갈로텍의 굳은 얼굴에 곧 고개를 떨구었다. 갈로텍은 그들을 무시하며 걸어갔다.

시구리아트 관문 요새의 철문이 보였다.

갈로텍에겐 낯설지 않았다. 그곳에서 무참하게 날개를 꺾여야 했던 이백오십여 년 전의 거장이 그의 일부였기에 갈로텍은 난생처음 보는 장소임에도 불구하고 묘한 익숙함, 그리고 정체 모를 증오가 끓어오르는 것을 느꼈다. 그의 입이 움직였다.

"내 분노가 느껴지지, 갈로텍?"

갈로텍은 대답하지 않았다. 주퀘도는 초조하게 말했다.

"너는 누이를 포기했었나? 그러지 않았어. 나도 도저히 포기할 수 없었어. 그래서 은편 열 닢을 내고 저곳을 통과할 수밖에 없었어. 나는 그러면 만족할 수 있을 거라고 믿었지. 바보 같은 믿음이었지. 그것은 결국 저들의 요구를 수용한 것에 지나지 않아. 그런 주제에 '나는 패하지 않았다, 통과했다.'는 식의 망상을 한 거야. 빌어먹을! 나는 저놈들을 굴복시켜야 해. 그리고 내 은편 열 닢을 되찾아야 해! 그건 너무 싸게 팔아버린 내 자존심이야!"

"나는 피가 차가운 동물입니다. 주퀘도."

"그렇다면 그걸 데워! 이곳의 날씨를 바꿔버린 것처럼 네 피를 끓게 해!"

"우리는 통행료를 지불하고 저곳을 지날 겁니다."

"갈로텍!"

"내려가서 화리트를 만나보세요."

"뭐라고?"

"화리트를 만나보라고 했습니다. 카린돌 마케로우의 행동이 심상치 않습니다. 화리트를 만나보면 설명을 해 줄 겁니다. 대책을 강구하세요."

주퀘도의 표정을 보거나 하는 것은 영원토록 불가능하겠지만 갈로텍은 그의 충격을 느낄 수 있었다. 주퀘도는 격노에 떨리는 목소리를 냈다.

"네가 나를 버리려는 것이군. 나 없이도 해나갈 수 있다고 믿는 거냐?"

"주퀘도. 내 약속은 아직 유효합니다. 나는 저 요새를 당신에게 줄 겁니다. 그러니……."

문득 갈로텍은 말을 멈췄다. 죽음의 거장은 이미 의식의 바닥으로 가라앉은 후였다. 갈로텍은 씁쓸한 기분을 느끼며 보라크 군단장을 불렀다. 군단의 금고를 개방하라는 명령을 내리며 갈로텍은 대금을 꺼내어들었다. 그의 대금 연주를 좋아하는 주퀘도를 위한 것이다.

그런 것을 가리켜 자신을 달랜다고 해도 무방할 것이다.

대나무 군단이 지불해야 하는 통행료는 엄청났다. 2만의 병력은 물론이거니와 그들의 군량에 대해서 통행료를 지불해야 했기 때문이다. 살아 있는 것만을 먹는 나가의 군량은 모두 산 동물들이었다. 유료 도로당은 염소 한 마리까지 꼼꼼히 계산하여 통행료를 책정했고 그 때문에 대나무 군단의 금고가 거의 바닥날 정도였다. 하지만 갈로텍은 물론이거니와 다른 나가들 모두 통행료의 지불에 대해 아쉬워하지는 않았다. 그들은 북부에서 돈을 지불하고 뭔가를 구입할 필요가 없었다. 그들이 지니고 있던 금붙이나 금편 등은 전투에서 얻은 것이며 하텐그라쥬로 보낼 전리품에 지나지 않았다. 오히려 갈로텍은 유료 도로당이 그 돈을 어디에 쓸 건지 의아하게 여겼다. 그즈음 북부에서는 경제 구조라 할 만한 것이 거의 남아 있지 않은 상태였다. 나가의 준동 이후 북부에서 가장 중요한 활동은 생존 활동이었고, 같은 무게의 식량과 금 중에서 식량에 손이 먼저 가는 것이 당연한 시국이었다. 하지만 유료 도로당은 정중하게 통행료를 받았다.

거의 반나절이 소모된 후에야 대나무 군단의 모든 병력이 관문 요새를 통과할 수 있었다.

대나무 군단의 마지막 병사들이 관문을 통과하고 나서 한 시간 후, 요새 내의 한 방에서 누군가가 걸어나왔다. 그 사람은 곧장 당주의 방으로 걸어갔다. 당주의 방을 지키고 있던 경비병들은 별 제지 없이 그 사람을 통과시켰다. 방 안에서는 보좌관이 엄숙한 표정으로 일지를 기록하고 있었다. 그 사람은 보좌관에게 말했다.

"고마워."

보좌관은 웃음기 없는 냉랭한 얼굴을 들어 상대방의 가면을 바라보았다.

"고마워하실 것은 없습니다. 폐하께서는 도로와 요새의 숙식 시설을 이용하시기 위해 저희들에게 통행료를 지불하셨습니다."

사모 페이는 가면 뒤에서 웃었다.

"그래. 통행료를 지불했기에 그 숙식 시설에 앉아 발밑으로 추적자들이 지나가게 하는 것도 가능하고."

"저희들이 제공하는 용역에 새로운 의미를 덧붙이는 것은 여행자의 자유겠지요."

그때 바깥에서 경비병이 문을 두드리며 말했다.

"북부군 교위 바르사 돌이 왔습니다."

"들여보내게."

바르사는 수염을 꼿꼿이 세운 채 방 안으로 들어왔다. 아직 해소되지 못한 긴장은 수염 외의 다른 모든 곳에서도 나타나 있었다. 대호왕을 본 바르사는 묵례하며 긴 한숨을 내쉬었다.

"끔찍한 반나절이었습니다. 폐하."

"수고 많았어."

바르사는 새삼 감탄한 표정으로 그의 여왕을 바라보았다.

"정말로 혜안이십니다. 저들은 우리를 찾아 헤매겠지요. 도깨비불을 보며 따라갈 겁니다. 하지만 아무리 추적해 봐도 우리를 붙잡지는 못하겠지요. 우리는 저들의 뒤쪽에 있으니까요! 이제 우리는 대나무 군단의 뒤를 따라가다가 적당한 곳에서 즈믄누리로 향하면 되겠군요."

"짐은 그렇게 생각하지 않아. 돌 교위."

"무슨 말씀이십니까, 폐하?"

"짐은 남쪽으로 가서 북부군을 데려올 생각이다."

"폐하!"

"마루나래는 짐을 따라올 것이다. 그리고 금군 또한. 마루나래와 금군은 사모 페이를 따르는 것이지 왕을 따르는 것은 아니니까."

항의하려던 바르사는 문득 대호왕이 단지 마루나래와 금군의 충성 대상을 재확인하는 의미 이상의 의미를 그 말에 담았다는 느낌을 받았다. 불안에 커진 눈으로 교위는 왕을 바라보았다. 왕은 고개를 끄덕였다.

"짐이 성공하지 못한다면 북부군은 이기든 지든 돌아오지 못할 것이다. 그렇다면 네가 북부군의 최고 선임자다. 자의에 따라 왕을 선출하고 왕통을 잇도록."

"폐하!"

사모는 대명사를 바꿔 말했다.

"내가 원래 있어야 할 곳으로 돌아가는 거야. 나는 동생을 찾아 한계선을 넘어 이곳까지 왔어. 상황의 요구에 따라 왕이 되긴 했지만, 그 전에 나는 내 동생의 곁에 있어야 해. 나는 결코 그들이 죽어가게 내버려두지 않을 거야."

"이해합니다만 그러실 수 없습니다. 폐하께서는 즈믄누리로 가셔야……."

"나는 물론이고, 그대들 또한 즈믄누리로 가지 않을 거야."

"예?"

"즈믄누리로 가는 것보다는 이곳에 남는 편이 좋을 거야. 이곳에서 나의 귀환을 기다려라."

"이곳이라니요?"

사모는 대답 대신 보좌관을 향해 미소 지었다. 그녀는 유료 도로당이 제공하는 용역이 그들을 숨겨주는 것에 그치지 않는다는 것을 잘 알고 있었다.

갈로텍이 고통스러운 사실을, 그러니까 대호왕과 키베인이 그들의 앞쪽에 있지 않다는 것을 깨달은 것은 주퀘도의 도움 때문이었다. 도깨비들이 지평선에 만들어 내는 열기를 북부군이라고 철석같이 믿고 있던 갈로텍은 주퀘도의 지적에 비늘이 빠질 것 같은 기분을 맛봐야 했다.

"발자국이 없다고요?"

"두억시니들의 발자국이 있었다. 아주 독특해서 알아보기 쉽지. 하지만 그것이 없어졌어. 너희들은 발자국 같은 것에 좀 더 신경을 쓰는 편이 좋을 거야."

"언제부터 없어졌습니까!"

"시구리아트 관문 요새를 지나온 뒤부터."

갈로텍은 그들이 대수호자와 대호왕의 발 아래를 지나쳐온 것이라는 사실을 당장 깨달았다. 갈로텍은 분노하여 외쳤다.

"그런데 왜 지금 그걸 알려주시는 겁니까!"

"내가 필요 없다고 말한 건 그쪽인데. 대장군."

갈로텍은 주퀘도에게 화를 내느라 시간을 낭비할 수 없었다. 그들이 관문 요새를 지나온 것이 이미 이틀 전의 일이었기 때문이다. 그 즉시 대나무 군단은 회군에 들어갔다. 갈로텍은 대나무 군단에 소드락 복용을 명령했다. 그리고 그 자신도 말에서 내려 소드락을 복용했다. 동물들과 보급부대를 뒤에 남겨둔 채 갈로텍은 정신없이 왔던 길을 되돌아갔다.

탈진할 지경이 되어서 관문 요새로 되돌아온 갈로텍과 대나무 군단을 맞이한 것은 한 인간 사내였다. 사내는 철문 앞쪽에 서서 참 진귀한 꼴도 다 본다는 듯한 눈으로 대나무 군단을 바라보고 있었다. 사실 진귀했다. 이틀 거리를 반나절 만에 주파한 나가들은 모두 험상궂은 몰골을 하고 있었다.

말도 제대로 나오지 않는 피로와 분노 속에서 갈로텍은 사내를 노려보았다. 사내는 우아하게 고개를 숙인 다음 말했다.

"저는 하르체 도빈이라고 합니다. 관문 요새를 통과하실 생각입니까?"

"북부군은 어디에 있냐!"

"그분들이오? 남쪽으로 가셨습니다."

"그렇다면 문을 열어! 이 악당놈들아!"

하르체 도빈은 갈로텍의 폭언에 아랑곳하지 않았다. 그는 팔짱을 낀 채 말했다.

"통과하실 거라는 말씀이군요. 서로 간의 편의를 위해서, 저번 통과 이후로 줄어든 동물들의 숫자를 알려주시기 바랍니다. 저번에 지불하신 통행료에서 그 동물들에 해당하는 금액을 차감하면 징수 작업이 간단할 거라 생각합니다."

"이봐! 그때 우리가 가진 돈을 거의 내줬다는 것은 너도 알잖아!"

"압니다. 하지만 그것은 저와는 상관없는 문제입니다."

"왜 상관이 없어! 나는 또 지불할 돈이 없다는 말이야!"

"그러신가요?"

하르체 도빈은 매우 애석하다는 표정으로 갈로텍을 바라보며 말을 이었다.

"거참 안되셨군요. 유료 도로당은 길을 준비합니다. 그러나 통행료를 내지 않는 여행자에겐 무기를 준비하지요."

갈로텍은 격노를 금할 수 없었다. 하르체가 손짓을 보내자마자 요새에서 쇠뇌가 우박처럼 쏟아져나왔다는 사실 때문만은 아니었다. 그리고 주퀘도가 그런 전투를 원했기에 일부러 늦게 사실을 가르쳐준 거라는 확신 때문만도 아니었다.

갈로텍은 화염의 화신이 하텐그라쥬로 향하는 시점에 나가군의 최고 명령권자와 최고 전략가가 북쪽에 묶여 오도 가도 못하게 되었다는 사실을 받아들이는 것이 결코 쉽지 않았다.

제12장

땅의 울음

네 이웃을 사랑하라.

— 사람들 사이를 끝없이 떠도는 케케묵은 충고들 중
가장 무가치한 충고가 무엇이냐는 토론이 벌어지던 중
의견을 요청받은 우슬라 사르마크 부인이 한 대답

다스도는 마지막 언덕을 올라섰다. 언덕이 가로막고 있던 차가운 바람이 일순 다스도를 덮쳤다. 살을 후벼파는 듯한 삭풍이었다. 엉겁결에 눈을 찌푸린 다스도는, 그러나 곧 눈을 부릅떴다. 그리고 환호성을 내질렀다.

그토록 긴 여정의 끝에서 마침내 다스도는 두 눈으로 그것을 바라보게 되었다.

다스도의 눈앞에는 그가 지난 닷새 동안 보아온 것과 똑같은 황량한 빙원이 펼쳐져 있었다. 그러나 다스도가 서 있는 언덕에서 200미터쯤 떨어진 곳에는 지나치게 오랫동안 수평적인 풍경에 익숙해진 다스도의 눈에 거의 기적으로까지 보이는 구조물이 있었다. 빙원 한가운데 돋아난 뿔처럼 서 있는 두 개의 구조물은 거대한 돌기둥들이었다. 기둥 뿌리는 눈과 얼음에 뒤덮여 확인할 수 없었고 기둥의 본체에는 금강석 같은 얼음 가루가 두껍게 뒤덮여 있었다. 그리고 거대한 기둥 머리에는 얼어붙은 눈덩이가 덕지덕지 붙어 있었다. 상인방도 없고 문짝도 없고 담도 없는 문이었다.

두 개의 돌기둥 뒤로는 다시 아무것도 없는 빙원이 계속되었다.

그리고 느닷없이 나타난 얼음산이 빙원을 집어삼켰다.

얼음산의 크기는 추측할 엄두조차 내기 어려울 지경이었다. 빙원 한가운데 외로이 서 있음에도 불구하고 그 얼음산은 지평선을 거의 감추고 있었다. 그랬기에 다스도는 오래전부터 그 산을 보며 걸어올 수 있었다. 따라서 다스도의 환호는 산의 발견에 의해 촉발된 것이 아니다. 다스도가 보낸 환호의 대상은 산자락 아래 거대한 얼음덩이 사이에 자리잡은 웅장한 건물이었다.

높은 지붕과 거대한 열주들, 그리고 넓은 계단은 모두 희미한 얼룩무늬가 들어가 있는 흰빛이었다. 보다 번잡한 색깔들의 세계에서라면 눈에 들어오지도 않을 그 줄무늬들은 이곳 백색의 세계에서는 호랑이처럼 찬연하게 두드러지고 있었다. 그 얼룩무늬야말로 레콘인 다스도에겐 그 어떤 깃발도 필요 없는 확실한 표식이었다.

다스도는 또다시 환호를 내질렀다. 이번의 환호는 그 자신을 향한 것이었다. 위축되었던 근육이 팽창하며 얼어붙은 깃털들이 일시에 일어났다. 다스도의 몸에서 얼음 가루가 폭발했다. 다스도는 자신이 만든 눈폭풍에서 뛰쳐나왔고, 다음 순간 빙원을 달리고 있었다.

미친 듯이 달리고 있었지만 다스도는 두 개의 돌기둥과 그 뒤의 건물을 잇는 직선의 연장선을 벗어나지 않았다. 두 돌기둥이 문이 될 수 있는 까닭은, 실제로 그 기둥 사이가 아닌 다른 장소로는 이동할 수 없기 때문이다. 육안으로 보면 똑같은 빙원이지만 언덕과 돌기둥, 그리고 건물을 잇는 직선을 벗어나면 그곳은 땅이 아니라 얼음에 뒤덮인 바다다. 물론 혹독한 추위 때문에 얼음은 두꺼웠지만 완벽하게 안전하다고 말하긴 힘들며, 특히나 흥분하여 정신없이 달리는 레콘의 발 아래에서라면 얼음이나 양피지나 큰 차이가 없다. 다스도의 연모의 대상인 건물이 안겨 있는 거대한 얼음산은 산이라기보다는 바다 한가운데 솟아 있는 섬에 가깝다. 그리고 다스도가 올랐던 언덕 역시 일종의 만이라고 해야 할 것이다.

옛날, 레콘들이 얼음 위에서 반미치광이가 된 채 기다시피 걸어가야 했던 시절도 있다고 한다. 극연왕의 4대 경이 중 하나가 이곳에 건설되지 않았다면 다스도 또한 매 순간 물에 빠져죽는 악몽에 시달리며 빙판 위를 기어가야 했을 것이다. 고대에 태어나지 않았다는 사실에 크게 기꺼워하던 다스도는, 건물에서 무엇인가가 움직이는 것을 발견했다.

열주 사이에서 무엇인가가 화살인 양 뛰쳐나왔다.

그것은 다스도를 향해 곧장 달려오고 있었다. 다스도는 깜짝 놀라서 속도를 늦추고는 그것을 똑바로 바라보았다. 그를 향해 달려오는 것은 어떤 레콘이었다. 그리고 그의 등 뒤로는 기다란 쇠창이 들려 있었다. 다스도는 그 쇠창이 꽤 마음에 든다고 생각했다. 그리고 상대방이 왜 정신없이 달려오는지도 알 것 같다고 생각했다. 얼굴 가득히 축하의 표정을 떠올린 채 다스도는 가까이 다가온 상대방에게 말했다.

"안녕하십니까? 그게 당신이 받은 무기인가요?"

그러나 대답을 듣기 전부터 다스도는 뭔가 이상하다고 생각했다. 달려오는 레콘은 다스도보다 나이가 훨씬 많아 보였다. 그리고 그것은 어울리지 않는 일이었다. 다스도는 고개를 갸웃했다.

그리고 다스도는 하늘과 땅이 뒤집히는 것을 목격했다.

거의 10초가 지난 후에야 다스도는 자신이 철창을 들고 있던 레콘의 어깨에 얹힌 채 건물을 향해 돌진하고 있다는 것을 깨달았다. 다스도가 뭔가 반항을 시도해 보려 했을 때는 이미 건물 안에 들어와 있었다. 그리고 상대방은 다스도를 바닥에 내려놓았다. 다스도는 헐떡이며 어이없는 표정으로 상대를 바라보았다. 하지만 레콘은 그를 쳐다보지도 않았다. 대신 어딘가를 향해 사납게 외쳤다.

"빨리 와!"

화를 내기에 앞서 다스도는 레콘과 같은 방향을 쳐다보았다. 그리고 경악했다.

그들이 서 있는 곳은 열주들이 아름답게 늘어서 있는 거대한 홀이었다. 몇 명의 레콘이 기둥 사이로 오가고 있었고 그중 어떤 레콘들은 그들을 바라보고 있었다. 하지만 다스도를 놀라게 한 것은 그들을 향해 달려오고 있는 두 사람이었다.

그것은 이 거인들의 세계에서 턱없이 작아보이는 도깨비와 인간이었다. 그들 모두 이곳에 있을 리가 없는 종족이었다. 다스도는 자신을 낚아채온 레콘에게 도대체 어떻게 된 일이냐고 물으려 했다. 그러나 레콘은 자기 성질을 이기지 못한 모습으로 외쳤다.

"빨리 오라니까!"

다스도는 도깨비와 인간이 불쌍하다고 생각했다. 레콘에게도 꽤 거대한 그 홀은 도깨비와 인간에겐 전력 질주로 달려도 레콘의 조급증을 달래기 어려운 넓이였다. 게다가 그들은 두꺼운 털옷을 입고 있었다. 깃털이 없는 그들이었기에 그런 옷이 없으면 이곳에서 견디기 어려울 것이다. 도깨비와 인간은 기진맥진하여 도착했다. 인간은 무릎을 짚은 채 거친 숨을 몰아쉬었다. 다스도는 그가 무슨 병에 걸린 것이 아닌가 의심했다. 움푹 들어간 뺨은 창백했고 다리도 단지 달려온 것 때문이라고 보기엔 좀 지나치리만큼 떨리고 있었다. 도깨비 역시 꽤 피로한 모습이었지만, 인간보다는 좀 나은 듯 들고 온 물건을 내놓았다.

그것은 고급스러워 보이는 상자였다. 도깨비는 심호흡을 하여 호흡을 평온하게 한 다음 조심스럽게 상자를 열었다. 레콘 역시 더 이상 고함을 지르지 않았다. 그는 부리를 꽉 다문 채 도깨비의 동작을 바라보았다. 그들의 긴장된 모습에 다스도는 감히 항의나 질문을 꺼낼 엄두를 내지 못했다.

참으로 조심스러운 동작으로 상자의 내용물을 꺼낸 도깨비는 그것을 바닥에 내려놓았다. 그것은 조그만 비단 꾸러미였다. 도깨비는 꾸러미의 매듭을 풀었다. 레콘은 이제 숨도 제대로 내쉬지 못했다. 그리고 인간은 빛나는 눈빛으로 꾸러미와 다스도를 번갈아 쳐다보았다. 다스도는 이해하기 어려울 만큼 엄숙하고 중요한 일이 벌어진 곳에 잘못 들어선 불청객 같은 기분을 느껴야 했다.

마침내 꾸러미가 펼쳐졌다. 그리고 그 안에서 한 무더기의 사금파리가 나타났다.

다스도는 자신의 기분을 뭐라고 정의 내려야 할지 알 수 없었다.

그는 먼저 자신의 눈을 비벼보았다. 별로 도움이 안 되는 행동이었다. 그러고 나서 다스도는 자신의 속물 근성을 탓해 보았다. '한 무더기의 사금파리에도 뭔가 귀중한 의미가 있을지 몰라.' 그럴 리가 없다. 그것은 그저 깨진 그릇 조각들일 뿐이었다. 다스도는 그것이 아마도 깨진 접시 조각인 것 같다고 생각했다. 물론 그 발견 역시 그를 만족시키지는 못했다. 차츰 다스도는 분노가 치밀어오르는 것을 느꼈다. 혹 정신나간 자들에게 붙잡혀 온 것 아닐까? 저자들은 이제부터 맛있는 과일 좀 드시라고 말하며 저 사금파리들을 권하려는 것 아닐까?

그런 황당한 제안을 하는 대신, 도깨비는 실망스러운 표정으로 레콘을 바라보았다.

병색을 띤 인간 역시 침울한 얼굴이 되었다. 팽팽한 긴장감이 뭔가 실망감 같은 것으로 바뀐 듯했다. 다스도는 자신이 그들에게 실망을 안겨준 것 같다고 생각했지만, 도대체 무엇 때문에 그런 기분이 드는지조차 알 수 없었다. 그때 레콘이 벼락처럼 외쳤다.

"붙─어─!"

레콘의 고함 소리가 떨어지자마자 사금파리들이 움직였다. 다스도는 다시 긴장하며 사금파리들을 내려다보았다. 그리고 약간의 시간이 지난 다음, 다스도는 의심에 찬 눈으로 레콘과 도깨비, 그리고 인간을 바라보았다. 그 파편들의 움직임은 레콘이 악에 받혀 내뿜은 계명성 때문에 조금 흔들거린 것에 지나지 않았다.

결국 도깨비가 입맛을 다시며 말했다.

"아닌가 본데요?"

레콘은 수염볏을 부르르 떨며 접시 파편들을 내려다보았다. 그리고 고개도 들지 않은 채 말했다.

"가."

사금파리들이 어딘가로 가지 않을까 기대하던 다스도는 조금 후에야 그것이 자신에게 건네어진 말임을 깨달았다. 다스도는 불쾌함에 볏을 뻣뻣하게 세웠다.

"도대체 이게 무슨 행패입니까?"

"가라고."

"이거 보세요. 설명을 해야……."

"나는 티나한이고! 저기 도깨비는 비형 스라블이다! 저 인간은 케이건 드라카야! 알겠어? 티나한! 비형 스라블! 케이건 드라카! 알겠냐고! 그런데, 그런데 말이야, 너는, 너는, 어, 이런 제기랄! 너, 너, 도대체 너 누구냐!"

다스도는 간신히 대답할 수 있었다.

"다스도라고 합니다만."

"그래! 그럴 줄 알았다! 너 다스도지! 다스도일 수밖에 없어! 제기랄, 내가 네 녀석 이름을 알게 뭐야? 다스도? 좋아. 잘 들어. 너는 다스도야. 다스도일 뿐이라고! 왜 다스도인 거냐! 접시가 안 붙잖아! 그러니 부탁하겠어. 제발 그 덜 여문 수염볏 내 눈앞에서 당장 치워. 그러지 않으면 때려죽일 테다! 이 다스도 같은 애송아!"

그보다 덜 폭력적인 존재라 해도 참기 어려운 상황에서 다스도 같은 레콘이 참을 리 없었다. 다스도는 깃털을 잔뜩 곤두세우며 티나한을 노려보았다. 그러나 다스도가 티나한의 부리를 그 머리 속으로 쑤셔넣어주려 마음먹었을 때 두 명의 레콘이 갑자기 다가왔다. 그 두 명의 레콘은 다스도와 티나한 사이에 끼어들 듯이 섰다. 다스도는 그 레콘들이 자신과 비슷한 정도의 연배임을 알아보았다. 그중 한 명이 말했다.

"안녕하십니까. 나는 피고트라고 합니다. 잠시 이야기 좀 나눌 수 있겠습니까?"

"저 작자 손 좀 봐주고 그럽시다!"

피고트는 난처한 표정을 지었다.

"아니, 그 전에 이야기부터 나눠야 합니다. 이리로."

그리고 피고트와 또 다른 젊은 레콘은 다스도의 어깨를 감싸안고 허리를 감았다. 다스도는 그들을 뿌리치려 했지만 두 명이나 되는 레콘의 힘을 당할 수는 없었다. 그들은 정중했지만 완강했다. 또한 다스도는 레콘에게서 볼 수 있을 거라 생각하기 힘든 행동에 당황하지 않을 수 없었다. 싸움을 말리는 레콘이라니? 다스도는 결국 포기한 채 그들에게 끌려갔다. 다스도는 끌려가면서도 티나한을 노려보았지만 티나한은 이미 다스도에 대해 잊은 듯 바닥에 있는 접시 조각만 내려다보고 있었다. 그 표정은 꽤 침통했다. 그리고 비형이라는 도깨비와 케이건이라는 인간도 도저히 행복해 보인다고는 하기 힘든 표정으로 접시 조각을 내려다보았다.

피고트와 젊은 레콘은 몇 개의 기둥을 지나쳐 홀 반대편에 도달한 후에야 다스도의 어깨를 놓아주었다.

"많이 놀랐지요?"

"안 그럴 수 있겠습니까? 도대체 저 정신나간 작자는 뭡니까? 그리고 어떻게 인간과 도깨비가 여기에 있는 겁니까?"

또 다른 젊은 레콘은 빙긋 웃으며 피고트를 바라보았다.

"자네가 설명해 줘. 나는 이만 가보겠어."

"알았어. 고마워, 헤치카."

헤치카라 불린 레콘은 다스도에게 묵례한 다음 떠났다. 그리고 피고트는, 그런 일을 여러 번 겪은 사람처럼 능숙하고 빠르게 말을 꺼냈다.

"다스도라고 했지요? 저 사람들에 대해 설명해 주겠습니다. 저 사람들은 어떤 레콘을 찾아 이곳까지 왔습니다. 그들은 자신들이 찾는 레콘이 누군지 모릅니다만, 만약 그들이 올바른 사람을 찾아내면 저 접시가 도로 하나가 된다는 것은 알고 있습니다."

다스도는 놀랐다.

"지금 농담하는 겁니까?"

"아닙니다. 그들은 이미 한 번 그렇게 했습니다. 저 접시는 즈믄누리의 성주 바우 머리돌이 즈믄누리의 마지막 방에서 가지고 나온 물건입니다. 그들은 즈믄누리에서 저 접시를 깨트렸습니다. 그 파편들 중 하나가 사라졌지요. 그들은 남은 파편을 주워 모은 다음 1년 동안이나 사라진 파편을 찾았습니다. 마침내 사라진 파편을 찾아내었을 때 그들은 그곳에서 어떤 도깨비를 만났습니다."

"도대체 그게 무슨 이야기인지……."

"그 도깨비의 이름은 시우쇠였지요."

다스도는 경악했다. 그는 그 유명한 이름을 알고 있었다.

"시우쇠? 그렇다면 저 사람들이 바로……."

피고트는 고개를 끄덕였다.

"예. 화신의 수탐자들입니다."

다스도는 조금 전과 다른 표정으로 그들을 바라보았다. 피고트는 안쓰럽다는 표정을 지은 채 그와 함께 수탐자들을 보며 말했다.

"시우쇠 님을 찾아내었을 때 깨진 접시는 다시 하나가 되었습니다. 그리고 그들은 두 번째 화신을 찾기 위해 다시 접시를 깨트렸습니다. 2년이 지난 후 그들은 이곳에서 겨우 사라진 파편을 발견했지요. 하지만 이곳은 좀 문제가 있는 지점입니다."

다스도는 왜 문제가 있는지 알 수 있었다. 피고트는 안됐다는 듯이 말했다.

"이곳에는 레콘들밖에 없고, 그것도 세상의 모든 레콘이 한번씩 방문하는 곳이지요. 그들은 이곳에서 두 번째 화신을 찾으려 무진 애를 썼지만 끝내 접시는 하나가 되지 않았습니다. 그래서 최후의 대장간을 찾아오는 레콘들마다 붙잡고 화신인지 확인하려 애쓰고 있는 겁니다. 나도 이곳에 처음 도달했을 때 당신과 똑같은 일을 당했습니다. 그리고 사정을 알게 된 다음 저자를 용서했습니다. 당신은 어쩌겠습니까?"

다스도는 피고트와 똑같은 결정을 내렸다. 그와 피고트는 안타까운 표정으로 수탐자들을 바라보았다.

긴 시간이 지난 후, 비형은 한숨을 내쉬었다.

"다시 주워 담아야지요?"

티나한은 아무 말도 하지 않았다. 케이건은 무릎을 꿇고는 천 가장자리를 조심스럽게 움켜쥐었다. 비형이 상자 뚜껑을 열었고 케이건은 꾸러미를 그 안에 집어넣었다. 상자 뚜껑을 닫은 비형은 다시 한숨을 내쉬었다.

"언젠가는 그분이 오겠지요, 티나한. 방으로 돌아갈까요?"

"으—아—아—아—!"

메아리가 사라진 다음, 비형은 귀 언저리를 몇 번 두드리고 말했다.

"그건 무슨 뜻인지 알기 어렵군요. 동의한다는 뜻으로 해석해도 될까요?"

"언젠가는 올 거라고? 그 언제가 도대체 언제냐! 북부인들이 다 죽은 후에? 즈믄누리와 최후의 대장간마저 파괴된 후에? 세상의 모든 경치 좋은 땅에 심장탑이 건설된 후에?"

"여기 오는 레콘들의 말로는 시우쇠 님이 나가들의 북진을 상당히 저지하는 것 같더군요. 지나치게 비관적인 생각은 피하도록 하지요. 낙관적인 편이 좋잖아요?"

티나한은 깃털을 부풀렸다 눕혔다 하며 바라보는 비형을 꽤 정신 사납게 만들었다. 그리고 티나한은 지난 1년 동안 그들 사이에서 몇백 번이나 거론되었던 주제를 다시 꺼내었다.

"이건 뭔가 잘못된 거다. 우리는 헛수고를 하고 있는 것이 분명해. 1년 전 이곳에 도착했을 때 그 사금파리는 이곳에 있었어. 그렇다면 이곳에 있던 레콘 중 한 명이야. 이곳으로 올 레콘이 아니고! 우리는 그 레콘을 놓친 것이 분명해!"

지겹도록 반복된 이야기에 비형과 케이건은 자신도 모르게 이맛살을 찌푸렸다.

티나한의 지적은 타당했다. 즈믄누리에서 사라진 파편은 시우쇠가 사는 마을에 나타났었다. 그 마을에 있는 도깨비라곤 시우쇠뿐이었기에 수탐자들은 시우쇠가 자신을 죽이는 신의 신체임을 확신할 수 있었다. 그렇다면 같은 논리에 의해 두 번째로 사라진 파편은 그들의 희망대로 모든 이보다 낮은 여신의 신체가 있는 근방에서 나타나야 할 것이다.

하지만 1년 전 최후의 대장간에 도달했을 때, 인간과 도깨비가 최후의 대장간에 나타났다는 사실에 당황하는 레콘들 중에서, 수탐자들은 신체를 찾아내지 못했다. 최후의 대장간에 있는 모든 레콘을 상대로 실험해 보았지만 접시는 하나로 결합하지 않았다. 그때 레콘이라면 누구나 평생에 한 번은 최후의 대장간에 온다는 사실을 떠올린 수탐자들은 자신들이 조금 일찍 도착한 것이 아닐까 하는 가설을 세웠다.

그리고 그 '조금'은 1년으로 늘어나 있었다. 티나한은 그들이 조금 빨리 온 것이 아니라 조금 늦게 온 것이라고 주장하고 있는 것이다.

"우리는 그 사금파리를 찾는 데 2년이나 걸렸다. 그 2년 사이에 이곳에 왔던 신체는 자기 무기를 받아서 이곳을 떠난 거야! 신체가 떠나고 사금파리만 남아 있는 곳에 우리가 도착한 거라고!"

케이건이 실망과 피로감 모두를 지우지 않은 표정으로 무뚝뚝하게 말했다.

"하지만 확인할 방도가 없소. 티나한. 신체를 찾아내려면 접시를 깨는 방법뿐인데, 복구되지 않은 접시는 깰 수가 없는 거 아니오. 그 때문에 우리는 건너뛸 수도 없고."

티나한은 다시 비명인지 포효인지 딱히 구분지어 말하기 어려운 계명성을 내뿜었다. 그들이 무려 1년 동안이나 최후의 대장간에 주저앉아 있어야 했던 것은, 언젠가 모든 이보다 낮은 여신의 신체가 올지도 모른다는 기대감 때문이기도 했지만, 모든 이보다 낮은 여신의 신체에 대한 수탐을 잠시 접어두고 어디에도 없는 신의 신체를 찾아나설 수 없다는 사실 때문이기도 했다. 티나한은 바우 성주가 왜 접시 세 개를 내주지 않은 거냐는 결과론적인 불평을 터뜨렸지만, 어쨌든 그들에게 주어진 접시는 하나뿐이었고 그것이 복구되지 않았기에 '건너뛰는' 것은 불가능했다. 티나한이 즈믄누리로 돌아가서 접시 하나를 새로 받아오자고 강변할 때 누군가가 티나한을 불렀다. 수탐자들은 고개를 돌렸다.

그들 곁에 늙은 레콘이 다가와 있었다. 모습이 퍽이나 특이했다. 물에 젖은 레콘만큼이나 비참하게 보이는 레콘이 있다면 깃털이 빠진 레콘일진데, 수탐자들 곁에 다가와 있는 레콘의 모습이 바로 그러했다. 특히 두 팔뚝은 인간과 비슷할 지경이었다. 그러나 그 볼품없는 모습에 무례한 미소를 짓는 자는 아무도 없었다. 그 팔뚝은 평생 동안 불을 다루고 얻은 관록의 증거이기 때문이다. 그는 다시 티나한을 부르며 말했다.

"티나한. 또 찾아오는 젊은이를 무례하게 대하는 모습을 봤네."

"죄송합니다. 시루."

"자네가 그렇게 뛰쳐나가서 과부 보쌈하듯이 끌고 오지 않아도 그 젊은이들은 어차피 이곳으로 오네. 이곳에 오기 위해 먼 길을 걸어왔으니까. 그러니 내가 자네에게 그냥 여기 앉아서 그들의 도착을 기다리는 인내력과 도착한 그들에게 간단한 실험 좀 해봐도 되냐고 물어볼 만한 예의를 함양하라고 요청하는 것이 부당하다고는 생각되지 않는군."

티나한은 과부 보쌈이 무슨 말인지 알 수 없었지만 의미는 대충 짐작할 수 있었다. 그는 송구스러워 하며 말했다.

"저, 그렇게 화를 내지는 않던데요."

"내가 보기엔 자네가 그들의 기분에 무관심한 것 같은데. 주위에 무관심한 자들이 보통 주위가 자신을 이해한다고 믿지."

티나한과 시루의 대화는 케이건이나 비형이 참여하기엔 꽤 거북할 정도로 높은 곳에서 이루어졌다. 어차피 케이건과 비형에겐 참여할 권한도 없었다. 인간과 도깨비는—물론, 나가도—최후의 대장간에 올 수 없으며, 따라서 그들 두 사람의 체류는 무시되는 방법으로 허용받고 있었다. 시루는 두 사람에게 눈길 한 번 주지 않은 채 말했다.

"자네도 그랬을 거라고 믿지만, 이곳에 도착하는 그 순간은 그들의 인생에서 가장 기억에 남을 순간이야. 어쩌면 죽을 때까지 못 잊을지도 모르지. 그러니 그 젊은이들을 좀 더 존중하고 그들에게 가장 중요한 그 순간을 보다 위엄 있게 맞이할 수 있도록 도와주길 바라네. 알겠나?"

티나한은 어쩔 줄 모르는 모습으로 사과했다. 시루는 다른 두 사람 쪽은 쳐다보지 않은 채 그대로 몸을 돌려 떠났다. 티나한은 시무룩한 얼굴로 동료들을 돌아보며 방에 돌아갈 것을 제의했다.

두어 걸음을 뗀 다음 티나한과 비형은 케이건이 움직이지 않는다는 것을 깨달았다. 비형은 그에게 다가갔다.

케이건은 왼손으로 오른쪽 어깨를 움켜쥔 채 바닥을 내려다보며 조용히 서 있었다. 그곳에서 가장 키가 작은 케이건은 고개를 조금 숙이기만 해도 그의 얼굴을 완전히 감출 수 있었다. 비형이 허리를 숙이려 했을 때 케이건은 약간 쉰 목소리로 말했다.

"먼저들 가시오. 나는 잠시 나갔다 와야겠소."

"밖에 나갔다 오겠다고요?"

"그렇소."

비형과 티나한은 놀라기보다 걱정을 느꼈다. 상식적으로는 놀라는 쪽이 적절할 것이다. 최후의 대장간 바깥은 빙원이며, 동시에 빙원밖에 없다. 어떤 용무를 지닐 만한 장소가 없는 것이다. 하지만 케이건은 이곳에 머문 1년 동안 아무도 나가지 않는 그 빙원에 간혹 나가곤 했다. 때론 며칠 후에야 돌아오기도 했다. 보편적인 레콘으로서 티나한은 발아래가 바다인 그 빙원으로 나가는 것에 큰 우려를 느꼈다. 그리고 티나한과 다른 이유에서 비형 역시 걱정을 느꼈다. 여름은 끝나고 있었고 길고 길었던 백야의 시절 또한 끝난 후였다. 그랬기에 비형은 거절당할 것을 알면서도 질문했다.

"함께 나갈까요?"

"혼자 가겠소."

"곧 밤이 될 겁니다. 요 며칠 날씨가 좋긴 했지만 혹 눈이라도 오면 길을 잃을지도 모릅니다. 이곳에서 길을 잃는다면 대단히 위험하지 않겠습니까?"

케이건은 간단히 대답했다.

"나는 길잡이요."

잠시 후 케이건은 개썰매에 탄 채 최후의 대장간을 빠져나왔다.

케이건은 레콘들을 질리게 만드는 얼음 위로 몰아갔다. 그 아래가 깊이를 알 수 없는 바다라는 사실은 케이건에게 별 장애가 되지 않았다. 그리고 썰매를 끄는 라호친가히들에게는 상상도 하기 힘든 일이었다. 아무리 영민한 라호친가히라 하더라도 발 디디고 있는 얼음바닥 아래의 바다를 상상할 능력은 없다. 따라서 라호친가히들은 아무런 거부 없이 빙판에 접어들었다. 빙판 위에 올라선 다음부터 케이건이 라호친가히들에게 보낸 것은 달리라는 지시뿐이었다. 방향은 어디라도 좋았다. 그런 목적 없는 질주를 이미 몇 번 경험했기에 우두머리 개는 당황하지 않고 다른 개들을 인도했다.

비형의 우려처럼 밤이 빠르게 다가왔다.

케이건은 썰매를 멈췄다. 비참한 석양이 하늘을 엷게 물들이는 짧은 시간 동안,

라호친가히들은 붉은 암흑 속에서 헐떡이는 그림자가 되어 케이건을 응시했다. 케이건은 왼손으로 얼어붙은 고깃덩이를 꺼내어 개들에게 던져주었다. 개들이 난폭하게 고기를 물어뜯는 동안 케이건은 등롱을 꺼내어 불을 붙였다. 왼손 하나만을 사용했기에 그 동작은 좀 불안했다. 케이건은 서두르지 않고 천천히 움직였다. 썰매 앞쪽에 등롱을 매단 케이건은 개들의 식사가 끝나길 기다려 다시 출발을 지시했다. 썰매날이 다시 얼음 위로 미끄러졌다.

밤이 찾아들었다.

혼란, 매혹, 감금, 은닉, 꿈.

그리고 어마어마하게 많은 별들이 불타올랐다.

한없이 펼쳐져 있던 지면이 등롱의 미약한 빛이 닿는 제한적인 영역 안으로 황급히 축소되었다. 그리고 그 너머 암흑 속에서 무수히 많은 별들이 번득였다. 날지 못하는 동물의 영원한 기준점인 지면이라는 준거는 무성의한 거짓말처럼 별들 사이의 암흑으로 후퇴했다. 케이건과 열두 마리의 라호친가히들은 거짓이 된 땅 위를 달리기보다 별이 빛나는 하늘 아래를 달렸다.

일순, 극야의 침정함 가운데로 하늘이 파랗게 불타올랐다.

하늘 한 자락을 찢으며 나타난 푸른 불기운은 별들을 닥치는 대로 집어삼키며 팽창했다. 뒤이어 초록과 노랑, 보랏빛의 불기운들이 나타났다. 소리 없으나 사나운 불기운들은 밤을 무참하게 불살랐고 상처 입은 밤의 가슴에서 뜨거운 피가 흘러내렸다. 뜨겁게 달아올라 녹아내리는 밤. 극광이 사위를 뒤덮었다.

썰매는 고요히 달렸다.

썰매의 진행 방향 왼쪽 하늘에서 하늘치 한 마리가 나타났다.

실로 거대하고 터무니없이 늙은 놈이었다. 수천 개의 눈 중 대다수는 이미 시력을 상실한 듯 생기를 잃고 검게 물들어 있었다. 한때 폭풍을 쳐부수고 벼락을 희롱했을 그 가슴지느러미는 갈가리 찢어져 볼품없이 나부꼈다. 멀어버린 눈으로 꿈을 보며 별의 바다를 가로지르는 거대한 퇴락. 그가 밤이 녹아내리는 곳으로 접어들었다.

눈먼 거수는 갑자기 시간을 거슬러올랐다. 멀어버린 눈에 극광이 닿자 검게 물든 눈이 하나둘씩 깨어났다. 기묘한 성좌를 이루던 눈들이 차츰 불타는 성운으로 변모했고, 어른거리는 극광은 빛의 휘파람이 되어 거대한 몸 위로 미끄러졌다. 극야를 녹여낸 빛으로 몸을 두른 하늘치는 모든 것에 태초의 잔광이 남아 있던 시절 하늘을 치달던 그 강대하고 위엄 있는 생물로 돌아갔다. 그리고 하늘치는 보이지 않는 눈으로 아래를 내려다보았다. 그 순간 케이건의 개썰매와 하늘치는 서로 가로지르고 있었다.

케이건은 고개를 들었다.

그것도 인사일까? 바위나 산 같은 무정물이나 사용할 수 있을 시간 단위를 어쩔 수 없이 사용해야 하는 황량한 시간의 방랑자들끼리 주고 받은 시선은?

'오래간만이군.'

'그렇군.'

케이건은 다시 고개를 숙였고, 라호친가히들이 이끄는 세계로 돌아갔다. 하늘치 역시 장엄한 극광을 벗어났다. 그들은 자신의 궤도를 다시 나아갔다.

3킬로미터를 더 나아갔을 때, 케이건은 썰매를 멈춰 서게 했다.

육리한 극광은 사라졌다. 주위는 완벽한 암흑으로 둘러싸여 있었고 어디에서도 소리는 들려오지 않았다. 그토록 찬란하던 별빛마저 어디론가 사라져버렸고 등롱의 조그만 불빛만이 세계의 마지막 모습을 담아내고 있었다. 직경 5미터 정도의 구체로 축소된 세계. 그 너머로는 가혹한 거짓말들뿐이다. 케이건은 한참 동안 멍하니 앉은 채 무의미한 시간이 흐르도록 내버려두었다.

라호친가히들의 으르렁거림에 케이건은 가까스로 의식을 되찾았다. 라호친가히들은 자신과 주인의 관계를 재설정할 정도로 영특한 몇 안 되는 가축들 중 하나다. 그들은 동사한 주인을 뜯어먹는다. 소란을 부리는 다른 개들과 달리 우두머리 개는 어둠 속에서 케이건을 물끄러미 노려보았다. 그것은 관계 재설정을 시작해도 되겠냐는 점잖은 질문이었고, 케이건은 어떻게든 그 질문에 대답해야 했다.

케이건은 왼손으로 바라기를 뽑아 썰매 옆의 빙판을 찍었다. 그리고 그것을 지팡이 삼아 천천히 일어났다. 라호친가히들은 약간 미심쩍다는 눈으로 케이건을 바라보았다. 케이건은 썰매 옆에 서서 다시 고깃덩이를 집어들었다. 팔이 쇳덩이처럼 무겁게 느껴졌지만 케이건은 고깃덩이를 집어 던져줄 수 있었다. 라호친가히들은 그것으로써 자신의 태도를 정립했다. 게걸스러운 식사가 시작되었고 케이건은 겨우 한숨 돌릴 여유를 얻었다. 케이건은 썰매에 걸터앉은 채 숨을 몰아쉬었다. 바라기를 무릎에 얹어놓은 케이건은 왼손으로 다시 오른쪽 어깨를 움켜쥐었다.

고통스러웠지만, 너무 강하게 움켜쥘 수 없었다. 그렇게 했다간 오른쪽 어깨가 뭉개져버릴 테니까.

항상 징후는 오른쪽 어깨부터 나타났다. 감히 옷을 벗고 확인할 수는 없었지만 케이건은 지금 자신의 오른쪽 어깨가 어떤 모습인지 잘 알고 있었다. 윤기와 탄력을 모두 잃은 살은 희게 변해 있을 것이고 세게 누르기라도 하면 싸락눈처럼 뿌드득거리는 소리와 함께 함몰될 것이다. 그렇게 살이 결정화되는 것과 반대로 뼈는 흐물흐물해진다. 필요한 조처를 취하지 않고 내버려두면, 몸은 모조리 결정화된 다음 더 이상 신체를 지탱할 수 없게 된 뼈와 함께 무너져내릴 것이다.

라호친가히들이 얼어붙은 고기를 깨트리고 뼈를 바숴먹는 소리 때문에 그다음에 일어날 일을 상상하긴 수월했다.

케이건은 거친 숨을 몰아쉬며 왼손을 썰매로 옮겼다. 포장을 묶은 밧줄을 풀어낸 케이건은 등롱의 희미한 빛에 의지한 채 커다란 자루를 찾아내었다. 케이건이 라호친에서 개썰매를 구입한 까닭은, 도보로 감당하기엔 지나치게 가혹한 환경에 대비하기 위해서이기도 하지만, 보다 본질적인 목적은 그 자루를 운반하는 데 있었다. 케이건은 자루의 주둥이를 벌린 다음 그 속으로 손을 집어넣었다. 잠시 후 그의 손에 붙잡힌 큼직한 물체가 끌려나왔다. 왼손 하나만으로는 다루기 힘든 무게였기에 케이건은 그것을 겨우 썰매 위에 내려놓을 수 있을 뿐이었다. 그가 가져왔던 것 중 남은 것은 그것뿐이었다. 손 하나로는 그것을 들어올릴 수 없다는 사실이 케이건을 곤란하게 했다. 케이건은 고개를 돌려 개들을 바라보았다. 사납게 고기를 물어뜯는 개들을 보던 케이건은 상황을 타개할 방법이 있다는 사실을 깨달았다.

"그래, 고마워."

케이건은 허리를 숙였다. 왼손으론 자루에서 꺼낸 나가의 머리를 단단히 누른 채 케이건은 개처럼 그것을 물어뜯었다.

혀가 찢어지고 이가 뽑혀나갈 것 같은 반 시간가량의 악전고투 끝에 케이건은 비늘 두 장과 살점 몇 조각을 얻는 데 성공했다. 케이건은 화내지 않았다. 겨우 얻은 그 노획물들을 입 안에 넣은 채 케이건은 그것이 흐늘흐늘해지길 기다렸다. 얼어붙은 비늘에 할퀸 케이건의 입과 볼엔 상처가 가득했고 그곳에서 배어나온 피는 그대로 얼어붙어 케이건에게 견디기 힘든 고통을 안겨주었다. 케이건은 눈만 내놓은 모습으로 얼굴을 가린 채 입 안에 있는 것들을 계속 혀로 굴리고 잘근잘근 씹었다.

썰매 주위의 땅에는 심하게 부식된 철판에서 떨어진 것 같은 검붉은 가루가 가득했다. 피와 침이 뒤섞여 얼어붙은 가루였다.

입 안에 든 것이 어느 정도 부드러워졌다. 케이건은 목이 찢어지는 고통을 느끼며 그것을 삼켰다. 그리고 온몸을 떨며 다시 허리를 숙였다.

식사를 끝낸 라호친가히들이 그 모습을 조용히 응시하고 있었다.

깊은 밤, 최후의 대장간은 고요했다. 세계에서 몰려온 레콘들이 아무리 많아도 날림으로 무기를 만들지 않는 대장장이들은 일정 시간 이상 작업하지 않는다. 따라서 밤을 불사르는 용광로의 화광이나 망치질 소리는 최후의 대장간에서는 기대하기 어려운 것이다. 무기를 받기 위해 기다리는 젊은 레콘들 또한 성급하게 만든 무기를 받고 싶은 생각은 조금도 없었기에 대장장이들을 재촉하진 않는다. 하지만 밤은 지루했고 레콘을 즐겁게 할 만한 일은 어디에도 없었다. 주점이 없으니 탁자 다리를 이용한 사교 활동에 매진할 수도 없고 맹수가 없으니 동물 애호의 적성을 드러낼 수도 없었으며 세상에서 가장 사악한 적수가 없으니 존재 증명 또한 힘들 지경이었다. 어쨌든 그곳에 레콘이 즐겨 심취할 만한 일거리는 거의 없었다. 그러나 관심을 둘 일은 꼭 필요했다. 빙판에 둘러싸여 있다지만 그들이 있는 곳은 엄연히 섬이었고 유쾌한 기분으로 그 사실을 상기할 수 있는 레콘은 드물었다.

그래서 그들은 방에 모여 두런두런 이야기를 나누었다. 그날 밤의 회동은 수탐자들이 있는 방에서 이루어졌고 이야기꾼의 소임을 맡은 자는 그날 낮에 도착한 다스도였다. 많은 사람들이, 특히 수탐자들이 듣고 싶어하는 이야기는 전쟁에 관한 것이었고 다스도는 아는 대로 자신이 들은 이야기를 들려주었다. 그 이야기는 두 명의 수탐자들의 상당한 관심을 받았다. 비형은 탄복하여 외쳤다.

"용인이 되었다고요? 류 페이가?"

"그래. 그렇다. 그런데 하텐그라쥬 공작을 잘 아나?"

대답하려는 비형에게 눈짓을 준 다음 티나한은 케이건의 부재를 아쉬워하며 조심스럽게 말했다.

"어, 좀 알아. 우리가 그를……."

"아, 참. 그렇군요. 당신들이 그분의 망명을 도왔지요? 이제 기억납니다. 여러분들은 전쟁이 일어나기 직전 그분의 망명을 도왔고, 그리고 왕의 명령에 따라 화신의 수탐이라는 두 번째 임무에 착수하신 것이지요?"

티나한과 비형은 그 말에 동의했다. 그 외엔 할 일도 없었다. 다스도는 수염볏을 좀 과장된 동작으로 쓰다듬었다. 자신을 무기를 쥘 준비가 된 성인으로 봐달라는 시늉이 분명했지만 불행하게도 티나한은 그렇게 예민하지 못했다.

"아스화리탈이 포자를 뿌렸단 말이지. 그런데 그 용근이 발화했어?"

다스도는 수염볏을 쓰다듬는 것을 포기하고 말했다.

"나가들에게 뺏은 소드락을 뿌리며 성장을 촉진했지만 그중 단 하나가 발화했습니다. 하텐그라쥬 공작은 그것을 왕에게 진상했지만 왕은 거절했지요. 그래서 공작이 그것을 먹었답니다."

비형은 4년 전 류과 헤어지던 날을 떠올렸다. 비형은 자신이 기억나는 류과 용인의 관념을 결부시켜보려 했고, 실패했다. 어울리지 않는다는 것이 그 도깨비의 감상이었다. 티나한 또한 목 깃털을 벅벅 긁으며 말했다.

"음. 그, 하텐그라쥬 공작이라고? 그자가 용인이 되었다는 말이지. 사람들을 마음대로 부리는 초인이 되었다고. 전쟁터에선 쓸 만하겠군."

"그렇지 않습니다. 티나한."

"뭐?"

"그렇지 않습니다. 하텐그라쥬 공작은 사람들을 마음대로 다루지 않습니다."

"무슨 소리야? 용인이 되었다면서?"

"글쎄요. 나도 왜 그런지 모르겠습니다만 하텐그라쥬 공작은 그렇게 하지 않는 모양입니다. 그런 능력이 없어도 전쟁터에서 활약을 펼칠 수 있기 때문에 그런지 모르겠습니다. 하텐그라쥬 공작은 나가 수호자들의 물 다루는 기술을 용인의 수준에서 사용합니다. 도깨비의 불 다루는 기술은 상대도 안 될 수준인 것 같습니다."

"허!"

티나한은 그 이상의 감상을 말하기 어려웠다. 비형 또한 눈이 동그래져 다스도를 바라보았다. 이야기를 듣기 위해 방문한 다른 레콘들 또한 긴장하여 수군거렸다. 다스도는 이야기꾼의 쾌감을 만끽하며 말했다.

"그리고 공작에겐 아스화리탈도 있잖습니까? 그 뇌룡은 하늘치를 구워먹습니다."

레콘들은 더 큰 감탄과 관심을 보였지만 티나한과 비형은 그러지 않았다. 풍문의 숙명인 과장이 섞인 이야기가 분명했기 때문이다. 만에 하나 아스화리탈에게 혹 그럴 능력이 생겼다 하더라도, 두 사람은 식물에 속한 용이 동물의 고기를 먹는 모습은 생각하기 어려웠다. 어쨌든 티나한과 비형이 기억하고 있는 아스화리탈에겐 입도 없었다. 하지만 티나한과 비형은 류이 용인이 되었다는 이야기에는 진실성이 있으리라고 생각했다. 그리고 그 사실이 의미하는 바에 깊은 우려를—티나한의 경우엔 분노를—느꼈다. 나가들의 골통을 부수어주는 것에서 생의 의미를 찾겠다고 서원하고 무기를 얻게 되자마자 전쟁터로 달려나가겠다는 청년 다스도는 신이 나서 말했다.

"우리는 이길 겁니다. 모든 것이 기막힐 정도입니다. 나가들이 한계선을 넘으리라고 누가 상상이나 했겠습니까? 하지만 그런 일이 일어났습니다. 그런데 바로 그 순간 우리에게 왕이 돌아왔습니다. 그리고 하텐그라쥬 공작은 이미 사라졌다고 믿은 용과 함께 우리에게 왔습니다. 그뿐만이 아닙니다! 그다음은 바로 이곳에 계신 수탐자들의 차례겠지요."

비형과 티나한은 놀란 표정으로 다스도를 바라보았다. 다스도는 환하게 웃었다.

"이분들은 이미 시우쇠 님을 찾아내어 우리에게 보내주셨습니다. 이미 나가들은 시우쇠 님의 이름에 오줌을 지릴 정도라고 합니다. 그리고 이분들은 곧 다른 두 화신도 찾아내시겠지요. 그러면 우리는 반드시 이길 겁니다!"

두 사람은 약간 당혹스러운 느낌을 받았다. 그들은 자신의 일이 위대한 승리의 열쇠가 된다는 식의 생각을 해보지 못했다. 최후의 대장간에서 보낸 지난 1년은 슬픔보다는 짜증을 유발시키는 것이었다. 그때 무리 중 누군가가 조용히 말했다.

"신은 무보수 만능 하인은 아니지."

단도장(短刀匠) 시루였다. 최후의 대장간에서는 가장 한가한 장인이기도 하다. 기능이 부족해서 그런 것은 아니다. 시루는 의심할 필요 없이 우수한 단도를 만들어내지만, 단지 부리로 쪼는 것으로도 만족할 만한 효과를 얻을 수 있기에 평생의 동반자로 단도를 선택하는 레콘은 별로 없다. 일거리가 별로 없었기에 단도장은 최후의 대장간을 방문하는 젊은이들을 상대하는 일에 쓸 시간이 충분했다. 또한 낮의 피로가 없었기에 밤의 담소에 참가할 여유도 있었다. 단도장 시루는 자신을 바라보는 무리를 못 본 척하며 말했다.

"무보수 용병이라 해도 마찬가지로 어울리지 않을 것 같군."

다스도는 부리를 조금 벌린 채 멍하니 시루를 바라보았다. 그때 이 거인들의 세계에서 꽤나 조그맣게 보이는 비형이 조심스럽게 말했다.

"시우쇠 님은 우리를 위해 싸우시지 않으십니까?"

보다 공적인 자리에서라면 무시했을 테지만 시루 또한 이런 사적인 소모임에서는 비형의 질문에 선선히 대답했다.

"아니. 너희가 아닌 북부군을 위해 싸우지. 재미있지 않나?"

"재미있다니요?"

시루는 비형을 똑바로 바라보았다.

"시우쇠 님은 너희 도깨비들을 위해 싸우는 것이 아니란 거야."

"도깨비도 북부군에 속해 있는데요? 무기를 제작하고 군량을 대고 포로를 수용하고……."

"싸우지는 않지. 도깨비에겐 어울리는 일도 아니야. 하지만 시우쇠 님은 싸우고 있지. 그분을 용병이라고 말한다면 도깨비의 용병이 아닌 북부군의 용병이겠지."

비형은 시루가 무슨 말을 하는지 깨달았다. 시루는 그것을 명확하게 말했다.

"자신을 죽이는 신께서 도깨비들을 가호한다면, 내 생각에 그분의 화신인 시우쇠 님의 행동은 싸움 자체를 중단시키는 것에 집중되어야 할 것 같군. 싸움을 원하지 않는 너희 도깨비들의 성격을 고려한다면 그쪽이 더 어울릴 것 같아. 하지만 그분은 활발하게 싸우고 있지."

비형은 억눌린 목소리로 말했다.

"그렇다면 단도장께서 하시는 말씀은 자신을 죽이는 신께서 도깨비를 가호하지 않으신다는 겁니까?"

"글쎄. 비형. 나는 그렇게, 혹은 그 반대로 말하지는 않겠어. 나는 다만 자네들이 모든 이보다 낮은 여신의 화신을 찾아내었을 때 그분의 모습이 어떠할지 몹시 궁금하군. 우리 레콘들은 싸움으로 해결해. 나는 그것이 옳다거나 그르다고도 말하지 않겠어. 그저 우리가 그런 종족이라고 말하는 거야. 그런데 모든 이보다 낮은 여신의 화신께서도 그러실까? 다스도. 나는 자네가 아직 발견되지 않은 두 분의 화신이 무조건 북부군의 주력 병력이 되어주실 거라고 믿는 것은 그야말로 레콘다운 생각이라고 말해 주고 싶군."

흔들거리던 등롱의 불이 사그라들었다.

케이건은 썰매 위에 쓰러져 있었다. 왼팔과 오른쪽 다리는 썰매 바깥으로 내민 볼품없는 자세였다. 그런 모습으로 케이건은 꽤 오랜 시간 동안 움직이지 않았다.

썰매 앞쪽에 앉아 있던 개들 중 한 마리가 터벅터벅 걸어왔다. 개는 썰매 바깥으로 내밀어진 케이건의 오른쪽 다리를 주둥이로 툭 건드렸다.

아무런 반응이 없었다. 개는 한 번 더 케이건의 다리를 건드렸다. 그 행동은 반드시 우려와 애정에 기인한 것은 아닌 듯했다. 썰매 앞쪽에 앉아 있던 개들 중 몇 마리가 더 합류했다. 몸을 부딪힌 개들은 서로를 향해 으르렁거렸다. 서열 낮은 놈의 목을 깨무는 놈도 있었다. 우두머리는 원래 자리에 가만히 앉아 있었지만 다른 개들은 모두 썰매 주위로 몰려들었다. 개들의 소란이 꽤 요란해졌지만 썰매 위에 쓰러진 케이건은 아무 반응도 보이지 않았다. 개들은 차츰 대담해졌다. 그중 어떤 놈이 마침내 이를 드러낸 채 썰매 위로 훌쩍 뛰어올랐다.

케이건의 가슴에 내려서기 직전, 개는 턱이 돌아갈 뻔한 일격을 선물받았다.

호되게 나가떨어진 개는 등부터 빙판에 떨어졌다. 당황하여 썰매에서 물러난 개들은 어깨를 낮춘 채 케이건의 왼손을 응시했다. 위에서부터 떨어지는 라호친가히의 턱을 후려친 그 왼손은 서서히 원래 자리로 돌아가고 있었다. 그때 앞쪽에 있던 우두머리 개가 벌떡 일어서더니 짧고 날카로운 소리로 짖었다. 개들은 도로 썰매 앞쪽으로 돌아갔다. 맞은 개는 침을 흘리며 약간 비틀거리는 동작으로 돌아갔다.

별들의 기묘한 운행이 한동안 계속되었다.

케이건은 눈을 몇 번 깜빡이다가 똑바로 떴다. 날카로운 별빛이 어둠에 익숙해진 그의 눈을 아프게 했다. 케이건은 왼손을 들어 조심스럽게 오른쪽 어깨를 만졌다. 기대하고 있던 감각이 느껴졌다. 어깨를 만지던 케이건의 손이 배 위로 옮겨졌다. 오른손 또한 그 뒤를 따랐다. 케이건은 두 손으로 배 위에 놓아두었던 물건을 들어올렸다. 그리고 얼굴 가까이로 가져왔다.

살점이 벗겨진 나가의 머리가 그를 내려다보았다.

어둠 속에서, 그 얼굴은 마치 웃고 있는 것 같았다.

케이건은 그 나가의 이름을 알지 못했다. 태어난 곳이 어딘지, 어떤 날씨를 좋아했는지, 어떤 이야기를 즐겼는지도 알지 못했다. 누구를 좋아했고 누구를 싫어했고 어떤 소망을 가졌는지도 알지 못했다. 케이건이 그 나가에 대해 확실하게 말할 수 있는 사실은 세 가지뿐이었다. 그 나가가 여자라는 것, 소드락을 먹었다는 것, 그리고 자신이 극야의 밤 속에서 살점이 다 벗겨진 얼굴로 웃음 아닌 웃음을 보여야 하는 최후를 맞이할 거라고는 절대로 생각하지 않았을 거라는 사실이 그것이었다.

명백한 사실들이었다.

케이건은 머리를 다시 배 위에 올려놓고 하늘을 바라보았다. 극광이 다시 번득였다. 보기 드문 진홍색 극광이 케이건의 시야 가운데서 서서히 피어났다. 그것은 어떤 뚜렷한 의지를 지닌 것처럼 번져나갔다. 케이건은 극광의 움직임을 물끄러미 바라보았다. 거대하게 퍼져나간 극광은 수백 킬로미터짜리 얼굴이 되었다. 아는 얼굴이었기에, 케이건은 조용히 그 이름을 불렀다.

"아젤키버."

살아났구나.

"천년 묵은 시체에겐 어울리지 않는 말씀입니다."

너는 시체가 아니다. 너는 살아 있다. 그리고 살아야 한다.

"제 초상화를 보여드릴까요?"

케이건은 배 위에 놓아두었던 나가의 머리를 집어들어 하늘로 향해 보였다. 살점이 떨어져나간 그 얼굴을 들이대며 케이건은 복화술사처럼 말했다.

"안녕하십니까? 케이건 드라카라고 합니다. 부디 얼간이라고 부르지는 말아 주십시오. 알려주지 않아도 알고 있습니다. 이래봬도 유명인이랍니다. 변변찮습니다만 제 주요한 업적 두어 가지를 말씀드리자면 왕국 아라짓을 멸망시킨 것, 그리고 키탈저 사냥꾼들을 멸망시킨 것 정도가 있습니다."

그런 건 개에게나 던져줘라.

그것은 수사법이 아니었다. 케이건은 들고 있던 머리를 개들에게 던졌다. 개들은 갑자기 날아온 머리에 당황하다가 곧 검사를 시작했다. 케이건은 거칠게 말했다.

"제가 당신들을 멸망시켰습니다."

키탈저 사냥꾼은 멸망하지 않았다. 네가 있으니까. 그리고 네가 있기에 흑사자의 나라도 멸망하지 않았다.

"멸망했습니다."

멸망하지 않았다. 멸망시키지 마라. 멸망했다고 선언하면 복수의 의무에서도 해방되겠지. 하지만 그럴 수는 없다. 복수는 계속되어야 한다.

케이건은 입을 다문 채 일렁거리는 진홍빛 극광을 바라보았다.

너는 네가 저지른 일에 대한 죄의식에서 그렇게 말하는 것이 아니다. 네 문제는 피로다. 너는 지친 것이다. 그래서 너는 나를 만들어내었다. 그러니 말해 주겠다. 너는 살아 있다. 그리고 네가 살아 있기에 복수 또한 계속되어야 한다.

"꺼져라. 기만하는 기억아."

극광은 사라졌다. 애초에 존재하지 않았던 것이다.

케이건은 몸을 일으켰다. 개들은 아직까지도 머리를 검사하고 있었다. 케이건은 거칠게 그들을 불렀다. 개들을 다시 준비시킨 케이건은 썰매를 뒤돌아서게 했다. 그리고 최후의 대장간을 향해 달렸다.

소메로 마케로우는 창밖을 내다보았다. 그녀는 하텐그라쥬의 그런 모습을 본 적이 없었다.

냉혹의 도시라는 이름에 걸맞게 하텐그라쥬는 차가움마저 느껴질 정도로 고요한 도시였다. 하지만 지금 소메로가 바라보는 하텐그라쥬의 도시는 그 구성원들만 제외하고 본다면 불신자들의 도시나 다름없었다. 비록 소메로는 불신자의 도시를 본 적이 없었지만 그녀가 받은 인상은 그다지 틀리지 않았다. 무수히 많은 수레와 군중, 그리고 상인들. 도시는 모욕적일 만큼 활기에 넘쳐 있었다. 도시에 막대한 부가 밀려들고 있음은 눈으로 확인할 수 있었다. 나가의 군대가 북쪽에서 긁어모은 부였다. 그리고 이곳에는 인간들의 군대가 일으키는 부작용도 존재하지 않았다. 무시무시했던 전쟁터의 기억에 머리가 터질 것 같은 꼴이 되어 돌아와서는 술에 진탕 취했다가 숙취와 두려움에 떨며 다시 전쟁터로 돌아가는, 그런 종류의 병사는 존재하지 않는 것이다. 병사들은 호의적이었고 유쾌했다. 그들은 지니고 온 부를 도시에 풀어놓는 바쁜 작업 중에서도 틈틈이 원하는 모든 사람들에게 전쟁터의 아름다운 추억—농가를 파괴하고 농부의 아들딸을 도륙한 것 따위—을 자상하게 들려주거나 인간의 손가락으로 만들어진 소박한 목걸이를 수줍게 내보이곤 했지만, 사고는 저지르지 않았다. 부작용 없는 깨끗한 부. 일찍이 경험하지 못했던 부의 막대한 유입은 하텐그라쥬에게 일종의 정신 착란을 선사하고 있는 것 같았다. 그녀는 감히 소리를 들을 엄두를 내지 못했다. 소메로는 자신과 같은 구식 여자에 겐 지나치게 번잡한 시대라고 생각하면서도 그런 시대에 마냥 즐거워할 수 없는 자신을 책망했다.

소메로는 몸을 돌렸다.

〈아무래도 그 니름은 받아들일 수 없다.〉

남자들은 난감한 표정으로 서로를 바라보았다. 그 또한 소메로에겐 낯선 모습이 었다. 서로를 바라보는 행위는 동조자를 확인하는 것이다. 하지만 남자들이 수백 명씩 동의한다 해서 그것이 어쨌다는 것일까? 소메로는 화를 내고 싶은 것을 억누른 채 자상하게 설명해 주기로 했다.

〈쥬어가 원하는 것과 같은 일은 가주님의 의지가 필요한 일이야. 하지만 현재 가주님께서는 부재 중이시다.〉

〈소메로 마케로우 님께서 가문의 책임자이지 않습니까?〉

〈그렇긴 하나 나는 가주가 아니야. 물론 현재 나는 가문 내부의 일을 결정할 수는 있다. 하지만 외부에 대해 가문을 대표할 수는 없어. 그런데 쥬어가 원하는 것은 마케로우 가문의 의향을 표명해 달라는 것 아니냐? 그런 것은 외부에 대해 가문을 대표할 수 있는 가주님, 혹은 그 대리인의 일이다. 나는 그럴 수 없어. 따라서 너희들의 요청은 받아들일 수 없다.〉

남자들 중 하나가 약간 주저하듯이 닐렀다.

〈소메로 마케로우. 쥬어는 이미 많은 유력한 가문의 내락을 받았습니다.〉

〈그러냐? 그에겐 참 다행스러운 일이구나.〉

진심으로 기뻐해 주기로 마음먹었던 소메로는 남자들의 반응에서 뭔가가 잘못 되었다는 것을 깨달았다. 남자들은 약간 미심쩍은 표정으로 소메로를 바라보았다. 잠시 어리둥절해하던 소메로는 곧 자신이 오해했다는 사실을 알게 되었다. 그녀의 옷 아래에서 비늘이 부딪쳤다.

남자들은 그녀에게 협박을 하고 있었다. 그들은 자신들에게 유력한 동조자가 많다는 것을 내보인 다음 적이 될 것인지 같은 편이 될 것인지를 명확히 하라고 니른 것이었다. 자신이 영리하다고 믿지는 않는 소메로라 하더라도 만약 니른 상대가 여자였다면 별 어려움 없이 그 속뜻을 이해했을 것이다. 하지만 소메로는 남자가 자신에게 협박을 하는 상황을 상상할 수 없었다.

소메로는 분노에 차서 남자들을 쏘아보았다. 감히 여자, 비록 가주가 아니라 하더라도 한 가문을 책임지고 있는 여자에게 협박을 감행할 수 있었던 그 남자들도 여자의 그런 분노에는 겁을 집어먹을 수밖에 없었다. 남자들의 불안해하는 모습에 소메로는 겨우 자신을 추슬렀다.

〈많은 가문이 쥬어의 뜻에 동의한다면 쥬어는 원하는 것을 얻는 것이 그리 어렵지 않겠군. 우리 가문의 사정이 여의치 않아 그를 도와줄 수 없다는 것에 너무 애석해하지 말라고 전해 주길 바란다.〉

남자들은 구태의연한 니름을 몇 마디 중얼거렸다. 소메로는 화를 내기 전에 그들을 쫓아버리려 마음먹었다. 그때 누군가가 문밖에서 닐렀다.

〈소메로 마케로우 님?〉

〈들어오거라. 무슨 일이냐?〉

하인이 안으로 들어섰다. 소메로는 마침 잘되었다고 생각했다. 하인에게 남자들을 배웅하라고 니를 작정을 하던 소메로는 하인의 얼굴이 지나치게 밝다는 것을 깨달았다. 의아해하던 소메로에게 하인은 기쁨에 찬 니름을 보내었다.

〈소메로 마케로우 님. 가주님께서 돌아오셨습니다.〉

〈가주님께서!〉

〈그렇습니다.〉

소메로는 반가움에 당장 달려 나가려 했다. 그러나 남자들이 있다는 것을 깨달은 소메로는 잠시 멈춰섰다.

〈들으신 대로 가주님께서 돌아오셨구나. 어쩌겠느냐? 며칠 내에 다시 방문해 주겠느냐? 가주님께 너희들의 요청을 전해 드리겠다.〉

남자들은 감사를 표했다. 소메로는 하인에게 남자들을 배웅하라고 니른 다음 문을 나섰다.

밖으로 나오자 바쁘게 달려가는 하인들과 사용인들의 모습이 보였다. 그들 또한 반가운 얼굴을 하고 있었고 소메로에게 축하를 보내는 사람도 있었다. 소메로는 그들에게 웃음으로 화답하며 황급히 현관으로 통하는 계단을 달려 내려갔다. 그때 한 여인이 현관으로 들어섰다. 소메로는 반가움에 울음을 터뜨릴 뻔했다. 그러나 그녀가 고개를 들어 소메로를 올려다본 순간 소메로는 계단 중간에 굳어버리고 말았다.

어깨의 먼지를 떨어내며 그녀를 올려다보고 있는 나가는 비아스 마케로우였다.

비아스 마케로우는 소메로의 화난 모습에서 자신의 입장을 정리해야 하는 귀찮은 일이 발생했음을 알게 되었다. 소메로는, 과장 없이, 미친 듯이 화를 내었다. '마케로우 가문의 가주는 두세나 마케로우'라는 선언은 하인들의 악몽이 될 것 같았다. 하인들이 불만스러운 표정으로나마 물러가는 모습을 보며 비아스는 전투에 대비했다. 소메로는 화가 덜 풀렸다는 것을 명확히 보여주는 표정으로 닐렀다.

〈돌아와서 반갑구나. 전쟁터에서 고생한 너를 좀 더 따뜻하게 맞아줬어야 하는데, 어리석은 하인 때문에 못 볼 꼴을 보이게 되어 정말 미안하게 생각해.〉

그때까지 마음을 결정하지 못했던 비아스는 결국 언니에게 기회를 주기로 결정했다. 소메로를 사랑했기 때문은 아니다. 영악한 하인들이 이미 깨닫고 있는 사실을 소메로로 하여금 스스로 인정하게 만드는 것도 즐거울 거라는 생각과, 마케로우 가문에 여인들이 별로 남지 않았다는 사실 때문이다.

〈우스꽝스러운 실수지만, 그래도 덕분에 한 가지 사실은 알게 되었군. 가주님께

서는 아직 돌아오시지 않은 것이군? 나를 가주로 착각하는 걸 보니.〉

소메로는 당장이라도 울 것 같은 얼굴로 닐렀다.

〈그건 내가 묻고 싶은 질문이야. 수호자들은 가주님과 카린돌이 어느 군단에 계신지도 가르쳐주지 않아. 비밀이라고. 하지만 세상에 나가의 니름을 들을 수 있는 불신자가 있어? 난 도무지 이해가 안 돼. 이 전쟁에서 절대로 신경 쓸 필요가 없는 것이 있다면 첩자가 아닌가 싶어. 넌 혹시 가주님이 어디 계신지 알고 있니? 그리고 카린돌은?〉

비아스는 소메로를 외면하며 닐렀다.

〈수호 장군들이 가르쳐주지 않았다면 나도 가르쳐줄 수 없어. 난 여자고 수호자가 아니잖아. 그리고 첩자에 대해서는 어쩌면 그들의 걱정이 맞을지도 몰라. 뇌룡공의 이야기 못 들어봤어?〉

〈그 용인 니름이니?〉

〈그래. 그 녀석은 포로에게서 뭐든 짜내.〉

〈나도 그런 이야기는 들었어. 전쟁터에서 온 사람들이 하는 이야기는 전부 시우쇠와 용인, 그리고 그의 용 이야기니까. 그 사람들은 그 용이 한번 화가 나면 세상의 모습까지도 바꿔버린다는 식으로들 니르더라. 하지만 그렇다고 해서 나에게까지 비밀로 해야 해? 전쟁터에서 이렇게 멀리 떨어진 이곳까지 용인이 나를 잡으러 올 리도 없잖아.〉

〈확신하지 않는 쪽이 좋을걸.〉

소메로는 어리둥절해졌다.

〈무슨 니름이야?〉

〈그건 천천히 이야기하지.〉

비아스는 화제를 바꿨다.

〈그런데 아까 나와 스쳐 지나가면서 나를 흘끔흘끔 쳐다보던 그 남자들은 누구야? 방문자인가?〉

소메로는 다시 화가 치밀어오르는 것을 느꼈다. 가족들만 있는 자리였기에 소메로는 분노를 여과없이 표출했다. 비아스는 언니의 장황한 설명을 들으며 그 남자들이 실로 건방지고 오만하고 무례하며 무서운 것을 모르는 뻔뻔한 자들이라는 것을 알게 되었다. 하지만 그들이 누군지는 여전히 알 수 없었고, 그래서 비아스는 언니의 설명—이라기보다는 성토를 중단시켰다.

〈정말 못된 놈들이군. 그런데 누군데?〉

〈내가 지금껏 설명하……지 않았나? 이런, 미안해. 너무 화가 나서. 그놈들은 쥬어라는 남자의 하수인들이야. 쥬어라는 녀석이 하려는 일에 대해 가문의 양해와 지지를 얻으려고 돌아다니고 있어. 이 집에 온 것도 우리 가문의 동의를 얻으려고 온 거야.〉

〈그 쥬어라는 자가 남자라고?〉

〈그래.〉

〈남자가 하려는 일에 가문의 양해와 지지가 필요하다니, 그게 도대체 무슨 일이기에?〉

〈어처구니없는 일이지.〉

소메로는 격노를 참을 수 없어 벌떡 일어섰다. 그리고 놀라는 동생을 향해 닐렀다.

〈가문을 계승하고 싶다는 거야. 남자 주제에!〉

비아스는 분노보다는 흥미를 느꼈다. 소메로는 그런 동생에 대해 어이없다는 반응을 보였다. 그래서 비아스는 자신이 얼마 전까지 남자인 수호 장군을 모시던 부관이었음을 닐러주며 상황에 대한 설명을 요구했다. 소메로는 폭언을 남용하며 설명했다.

쥬어의 어릴 적 이름은 쥬어 센이었다. 그를 낳은 여인은 저 유명한 센 가문의 최연장자 수이신 센이었다. 스물두 살이 되었을 때 쥬어는 심장을 적출했고, 그다음 하텐그라쥬를 떠났다. 그런데 그 쥬어가 얼마 전 하텐그라쥬로 돌아와서는 센 가문의 계승을 조심스럽게 주장함으로써 하텐그라쥬 사람들을 당황하게 만든 것이다.

그런 어처구니없는 요청이 나올 수 있었던 배경은 첫째, 센 가문의 거의 모든 여인들이 전쟁터에 나가서 전사했다는 것. 둘째, 현재 센 가문에 남아 있는 여인들 중 계승권을 주장할 수 있는 사람은 라디올 센뿐이라는 것.—비아스는 그 부분에서 쓴웃음을 지을 수밖에 없었다.—셋째, 쥬어에게는 아마도 북부에서 가져온 것으로 추정되는 막대한 재산이 있으며 그 재산을 대가문들에게 바치는 선물로 바꾸는 것에 막대한 열정을 소비하고 있다는 점 등이었다. 비아스는 동정심 없이 닐렀다.

〈가엾은 라디올에겐 더없이 황당한 일이겠군.〉

〈쥬어는 교활해. 그 영악한 녀석이 내세우는 것은 센 가문을 다시 부흥시킨다는 명분이야. 사실 지금 센 가문의 꼴은 니름이 아니야. 라디올 센은 센 가문의 재산을 그 황당한 예술에 다 퍼부어댄 끝에 꽤 난처한 재정난에 처해 있거든. 쥬어는 유서 깊은 센 가문을 부흥시키기 위해 단 한 번만 남자의 계승을 허락해 달라고 요청하고 있어.〉

〈출가외인의 신분에서는 가문을 도울 수 없으니까?〉

〈정확해. 지금 상태에서는 가문 근처에도 갈 수 없지. 아무리 많은 재산을 가지고 있다 하더라도 그걸 건네줄 수 없는 거야. 쥬어는 자신이 가문을 맡아 재건한 다음 라디올 센의 딸에게 가문을 넘겨주면 된다고 주장하고 있지. 그러니까 차기 계승자의 후견인이 되겠다는 거야. 하지만 그런 주장에는 두 가지 문제가 있어. 우선, 라디올에겐 아직 딸이 없어. 그리고 또 한 가지 누구나 깨달을 수 있는 문제가 있지.〉

〈바보가 아니라면 알 수 있는 문제군. 전례를 만든다는 거지?〉

〈그래. 실제로 센 가문 같은 유서 깊은 가문이 사라지는 것을 탐탁해하지 않는 여자들도 그런 전례를 만든다는 것에는 난색을 표하고 있어. 남자들이 걸핏하면 후견인이니 뭐니 하면서 가문의 일에 끼어들게 되는 빌미를 만들게 될지도 모르니까. 그래서 쥬어는 북부에서 가져온 귀한 물건들을 닥치는 대로 대가문에 보내고 자기를 따르는 남자들을 풀어 가문을 회유하고 있어. 괘씸하게도 그런 작업에 어

느 정도 성과를 얻긴 했나봐. 감히 협박 비슷한 니름까지 할 정도인 걸 보니.〉

〈정말 재미있는 남자로군. 그런데 수하의 남자들이 많다고?〉

〈주로 남자들이고, 여자도 좀 있어. 대장장이 같은 자들.〉

〈대장장이?〉

〈그래. 아무리 천한 것들이라지만 그렇게 수치를 모르다니, 어이가 없을 지경이야. 페니나 같은 자는 아예 충복이라고 불러야 될 것 같아. 아, 그런데 너 피곤하겠구나.〉

소메로는 쉬어야 할 사람에게 마음 어지러운 이야기를 늘어놓은 것에 대해 사과하며 그녀에게 쉬라고 권했다. 비아스는 소메로에게 나올 때까지 깨우지 말라고 부탁한 다음 자신의 방으로 갔다.

방 안의 묵은 공기는 비아스를 언짢게 했다. 미리 연락을 취했다면 소메로는 방을 깨끗이 치워두었을 것이다. 하지만 비아스는 잠시 뒤돌아볼 여유도 없이 달려와야 했다. 병력이라고 니르기도 민망한 그녀의 군대는 며칠 후에야 도착할 것이다. 그리고 페로그라쥬의 파괴 소식도.

갑옷과 사이커를 벗은 비아스는 침대에 쓰러졌다.

발칵 뒤집힌 하텐그라쥬를 예상하고 왔던 비아스는 평온하기 짝이 없는 도시의 모습과 한가롭게 불평을 늘어놓는 소메로의 모습에서 페로그라쥬의 수호자들이 뱀단지를 통해 연락할 겨를도 없이 당했음을 깨달았다. 그리고 비아스는 슬픈 소식을 전하는 전령의 역할에는 관심이 없었다. 그보다는 사람들이 상황의 심각성을 깨닫고 불안과 혼란에 빠졌을 때 나서고 싶었다. 비아스는 그럼으로써 하텐그라쥬 사람들을 단숨에 휘어잡을 수 있을 거라 생각했다. 하텐그라쥬를 방어하기 위해선 시민들의 적극적인 협력이 필요할 테니…….

비아스는 벌떡 일어났다.

침대에 앉은 채 비아스는 벽을 뚫어지게 바라보았다. 그녀는 스스로에 대해 분노를 느꼈다.

〈내가 왜 수호자들을 위해 머리를 쓰고 있는 거지?〉

비아스는 그런 자신을 견딜 수 없었다. 가능하다면 그런 기억 자체를 지워버리고 싶었다. 수호자는 그녀의 적이었다. 그들은 카린돌을 납치하기 위해서 그녀를 이용했었고 비아스에게 있어 그것은 도저히 용서할 수 없는 짓이었다. 짧은 순간 비아스는 자신이 단지 동생 살해를 위해 필요하다는 이유로 수호자 유벡스를 난도질했다는 사실을 떠올리기는 했지만, 그 사실에 영향을 받기 위해서는 아니었다. 비아스가 유벡스를 떠올린 것은 그것이 갈로텍에게 주어야 하는 교훈의 좋은 모범이라고 생각했기 때문이다.

그다지 윤리적이라고 보긴 힘든 일련의 사고의 결과로서 비아스는 자신의 상황을 재평가해 볼 수 있게 되었다. 그녀는 자신이 수호자의 명령에 의해 하텐그라쥬 방어를 맡는다는 식으로 생각하는 것을 거부했다. 그러자 상황은 전혀 다른 의미로 그녀에게 다가왔다.

〈하텐그라쥬가 내 손에 들어와 있단 니름이지.〉

하텐그라쥬의 수호자들은 군권의 대부분을 움켜쥐고 있다. 그것은 뒤집어 닐러서 하텐그라쥬의 수호자들 대다수가 도시를 떠나 있다는 의미가 된다. 그리고 모든 수호자들의 힘의 원천은 카린돌 마케로우에게 있다. 그 카린돌은 냉동 장치 안에 있으며, 그 냉동 장치는 심장탑에 있다. 그리고 그 심장탑은 하텐그라쥬에 있다.

비아스는 그 사실이 마음에 들었다.

쥬어 센은 공정당당한 사람이었다. 그는 부탁받은 약속은 반드시 지키는 성격의 소유자였다. 나가 군대로부터의 보호를 애원하는 불신자들에게 돈을 받고 그들의 주의가 다른 곳으로 돌아간 틈을 타 그들을 살해한 쥬어의 사업도 그런 그의 성격으로 설명된다.

〈그것이 불신자들과 맺은 약속이라도 저는 반드시 지켰습니다. 이제 아무도 그들을 죽일 수 없게 되었지요.〉

비아스는 미소를 지었다. 그것은 가벼운 농담이었다.

〈그런 식으로 돈을 모으셨군. 그런데 겨우 그 정도로 하텐그라쥬의 선량한 여인

들을 놀라게 할 만한 치부가 가능했다는 건가?〉

〈그건 시작이었지요. 그 돈으로 무기와 장비를 사서 의용군을 조직했습니다.〉

〈의용군이라고?〉

〈저도 이 위대한 전쟁에서 일익을 담당하고 싶었거든요.〉

〈그래서, 실제로 한 일은?〉

〈원래 하던 사업을 대규모로 확장했지요.〉

비아스는 알 것 같았다. 불신자들은 인본주의자로 태어난 것 같은 나가들의 등장에 감동했을 것이다. 무의미한 학살을 막기 위해 당신들과 함께 싸우겠노라고, 정의와 양심을 위해 동족의 가슴에 칼을 겨누겠노라고 강변하는 고매한 나가들에게 자기 고향의 방비를 맡긴 불신자들은, 그들의 성벽과 울타리 안에서 신속하게 살해되었다. 낭만적인 이야기를 지나치게 좋아했던 것이 그들의 문제였다.

〈약속을 지킨 것이군.〉

〈아무도 그들의 마을을 침범할 수 없게 되었지요.〉

〈불신자들은 도대체 무엇으로 생각을 하는지 모르겠군. 절대로 머리로 생각하는 것은 아닌 것 같은데. 그런 멍청한 이야기를 정말 믿는다는 말이야?〉

〈아, 모르십니까? 그들에게 우리의 목소리는 꽤 인상적으로 들립니다.〉

〈무슨 니름인지 알겠군.〉

쥬어는 빙긋 웃었다. 비아스는 주위를 한번 쓱 둘러보았다.

〈그런 사업으로 이 모든 재산을 다 모았나?〉

〈그 외에도 많은 일을 했습니다.〉

비아스는 주위를 한 번 둘러보는 것만으로 쥬어의 재산을 가늠할 수 있었다. 쥬어는 어느 가문을 방문하는 대신 자신의 거처를 만들었다. 물론 그가 하텐그라쥬에 자신의 집을 짓는다면 그것은 참을 수 없는 오만으로 비춰질 것이다. 그렇기에 쥬어는 하텐그라쥬 외곽의 공터에 야영지를 만들었다. 니름이 야영지였지, 바깥 생활의 불편함이라는 것을 찾아볼 수가 없는 수준이었다. 웬만한 집 한 채를 덮을 수 있는 크기의 천막이 쥬어의 거처였고 그 주위로도 무수히 많은 천막이 쥬어의

'의용군'이라는 패거리들을 수용하고 있었다. 그들의 생활은 모두 풍족해 보였다. 하텐그라쥬의 다른 여인들은 아마도 그 모습에서 '남자 주제에 하인을 많이 데리고 있다'는 불쾌감을 느낄 것이다. 하지만 전쟁터에서 몇 년을 보낸 덕분에 비아스는 다른 여인들이 감히 상상할 수 없었던 사실을 간파할 수 있었다. 쥬어는 그 시점에서 하텐그라쥬에서 가장 많은 병력을 보유하고 있는 사람이었다. 그 패거리들은 분명히 실전 경험이 풍부할 것이라는 판단은 비아스에게 많은 상념을 불러일으켰다.

〈어떤 일을 했는데?〉

〈글쎄요. 마케로우. 상당히 많은 일을 했다고만 닐러드리겠습니다.〉

〈재미있는 것을 많이 얻었겠군. 내게 흥미 있을 만한 것도 있을까?〉

쥬어는 고개를 숙이며 웃었다. 쥬어는 소메로 마케로우가 겪어야 했던 갈등 같은 것은 가지고 있지 않았다. 그래서 쥬어는 마케로우 가문의 실제적인 가주를 향해 닐렀다.

〈제 보잘것없는 수집품을 보아주신다면 더없이 영광이겠습니다.〉

쥬어는 몇 사람을 시켜 그의 천막에서 상자를 들고 나오게 했다. 상자는 크고 묵직한 것이었다. 쥬어는 직접 상자를 열었다.

휘황찬란한 광경이 펼쳐졌다. 온갖 진귀한 물건들이 상자 안에 가득했다. 비아스는 특별히 고른 물건들로 내용물을 채웠음을 짐작했다. 모두 가볍게 집어갈 수 있는 물건들이었다. 쥬어는 그녀의 짐작대로 닐렀다.

〈마음에 드시는 것이 있으시면 가지십시오.〉

비아스는 쥬어를 바라보며 미소 지었다.

〈그래도 되나?〉

〈물론입니다.〉

비아스는 다시 미소 지었다. 쥬어는 보물을 하나씩 들어보이며 그것을 어디에서 가져왔다는 등의 이야기를 꺼냈고 비아스는 매우 관심이 동한다는 표정으로 그 설명을 들었다. 선물용으로 준비된 물건들이 이 정도이니 쥬어의 실제 보물은 몇 배로 막대할 것이다. 비아스는 그 사실에 만족했다. 그리고 유창하게 이어지던 쥬어의 설명이 갑자기 중단되었을 때는 더욱 만족스러웠다.

쥬어는 당황하여 야영지 저편을 바라보았다. 완전히 무장한 나가들이 야영지 입구로 들어서고 있었다. 지저분한 의복에 지친 모습들이었지만, 숫자가 많았다. 야영지 곳곳에서 쥬어의 패거리들이 당황하여 일어서거나 무기를 집어들었지만 병사들은 그쪽에 눈길도 주지 않았다. 쥬어는 비아스를 돌아보았다. 그리고 침착하게 앉아 있는 비아스를 보며 뭔가를 깨달았다.

〈저자들은 누굽니까, 마케로우?〉

〈저건 내 군단이다.〉

〈당신의 군단이요?〉

〈음. 널러주지 않았던가? 나는 마호가니 군단의 군단장이다. 쥬어. 하텐그라쥬 방어를 위해 돌아왔지.〉

쥬어는 허를 찔린 표정으로 비아스를 바라보았다. 비아스는 쥬어의 보물 상자에서 단검 하나를 꺼내어 바라보았다. 용의 모습으로 도안된 손잡이에 그 머리의 뿔이 칼날을 이루고 있었다. 닮은 점이 거의 없었지만 그 모습은 비아스에게 아스화리탈을 상기시켰다.

〈재미있게 생긴 물건이군.〉

〈저들은 도대체 무슨 일로…….〉

〈이 전쟁에서 일익을 담당하게 된 자네에게 축하를 보내지. 쥬어. 내가 가지고 싶은 것이 여기 다 있군. 자네 야영지를 징발하고 자네의 의용군을 내 군단에 편입시키겠다. 자네 부하들 중 쓸만한 자들을 추려주게. 그리고 자넨 내 부관으로 삼겠다.〉

〈마케로우. 저는…….〉

〈센 가문에는 분명히 기지와 추진력을 갖춘 가주가 필요하겠지.〉

예상치 못한 일을 맞아 준비된 대응이 없을 땐 보통 그러듯이, 쥬어는 정신을 닫았다. 그리고 생각했다. 그러나 아무리 생각해 보아도 쥬어가 취할 수 있는 대응은 제한적이었다. 쥬어는 비늘을 눕히려 애쓰며 닐렀다.

〈진심으로 감사합니다. 마케로우. 성심을 다해 모시겠습니다.〉

비아스는, 비록 근엄하게 대답하긴 했지만, 쥬어의 충성 선언에는 크게 신경 쓰지 않았다. 하텐그라쥬의 여인들은 건방진 남자를 다루는 비아스의 솜씨에 감명을 받을 것이다. 언젠가 사모 페이를 추방했을 때와 같은 찬사가 돌아올 것을 예상하며 비아스는 흥겨운 기분마저 느꼈다. 비아스는 그런 찬사가 정말 좋았다.

빙원 어디에서도 닭 우는 소리는 없었지만 해는 떠올랐다. 모진 추위에 겁을 잔뜩 집어먹은 것 같은 태양이다. 지평선에서는 몇 개의 폭풍이 자라나고 있었기에 한낮의 날씨는 그렇게 좋지 못할 듯했다.

최후의 대장간에 스며든 햇빛은 꽤 진귀한 손님의 눈꺼풀에 가까스로 이르렀다. 비형은 눈꺼풀이 제발 얼어붙지 않았기를 바라며 눈을 떴다. 채 씻겨지지 않은 밤의 잔재들이 방 안 곳곳에 묻어 있었다. 눈을 비비며 일어난 비형은 방을 둘러보았다. 케이건이 방 가운데 있었다.

"케이건! 좋은 꿈 꾸셨습니까? 언제 돌아왔습니까?"

"새벽쯤에 돌아왔소."

비형은 활기차게 이부자리에서 뛰쳐나온 다음 케이건의 부러움을 불러일으킬 만한 세수를 했다. 도깨비는 손에 불을 일으켜 얼굴을 가볍게 쓸어 만졌다. 레콘들을 위한 건물인 이 건물에는 세면 시설 같은 것은 없었고 설령 있다 하더라도 이곳의 추위에서 세면은 꽤나 위험한 모험이 되어버리지만, 도깨비에겐 문제가 되지 않았다. 비형은 말쑥해진 얼굴로 케이건 앞에 앉았다.

"그럼 아직 자지 않은 겁니까? 피곤하실 텐데요. 괜찮으시겠습니까?"

"괜찮소. 그건 그렇고, 돌아오는 길에 먼 곳의 불빛을 보았소. 오늘도 방문자가 한 명 있을 것 같소. 티나한에겐 알려주지 마시오."

별 소용은 없었다. 지평선을 노려보는 것으로 하루를 보내곤 하는 티나한은 사납게 몰아치는 폭풍 속에서도 접근하는 레콘을 알아차렸다. 그리고 또다시 단도장 시루의 우려를 살 만한 마중을 나가버렸다. 티나한의 마중을 당한 것은 티나한과 비슷한 연배의 여인이었고, 신체가 아님이 밝혀지고 모든 사태를 이해하게 되자 티나한의 따귀를 보기 좋게 올려붙였다. 그녀가 이해심이 부족했기 때문에 그런 것은 아니다. 다음 방문자를 위해 티나한에게 교훈을 남겨줄 작정이었으니 오히려 사려 깊다 해야 할 것이다. 하지만 실망과 분노 때문에 제정신이 아니었던 티나한은 그런 교훈을 수용할 마음의 준비가 되어 있지 않았다. 두 사람이 일으킨 무지스러운 소란은 비형을 혼비백산하여 도망치게 만들고 시루의 근심을 더욱 깊어지게 했다. 결국 수십 명의 젊은 레콘들이 달려들어 두 사람을 떼어놓았지만 두 사람은 몸을 억류당한 채 서로에게 육두문자를 계명성으로 뿜어대었다. '녹은 얼음을 뒤집어쓸 놈아!'라든가 '붕어 저택에 빠져 죽을 년아!' 같은 특정 액체를 우회적으로 거론하는 욕설의 방식들은 숨어서 듣고 있던 비형의 흥미를 제법 자극했다. 결국 더 참을 수 없게 된 시루가 수탐자의 방으로 찾아왔다.

피투성이가 된 티나한—도깨비나 인간 기준으로는 험악하기 이를 데 없는 모습이었지만 레콘 기준으로는 그저 몇 군데 긁힌 것에 불과한—에게 비형이 접근하는 것을 거부했기에 치료는 케이건이 맡아야 했다. 케이건은 앉아 있는 티나한의 거대한 몸 주위를 선 채로 돌아다니며 피를 닦아내고 깃털이 빠진 부위에 붕대를 감았다. 그리고 시루는 티나한의 앞쪽에 앉아 사나운 시선으로 티나한을 주눅들게 했다. 바깥의 폭풍 소리를 듣는 시늉을 하며 딴청을 피우던 티나한은 더 견디지 못하고 항복했다.

"잘못했습니다."

시루는 팔짱을 꼈다.

"나는 지금 자네들의 퇴거를 요청할까 고민 중일세. 티나한."

티나한은 기겁하며 몸을 움직여 케이건의 눈꼬리가 올라가게 했다.

"무슨 말씀입니까! 저희는 신체를 찾아야 합니다. 사금파리는 여기 있었습니다!"

"그건 알아. 그런데 내가 보기에 자네들이 하는 일에 특별히 숙련된 기술이 필요한 것 같지는 않던데."

티나한은 어리둥절했다. 한쪽 발로 티나한의 등을 밟은 채 붕대를 잡아당기던 케이건이 대신 질문했다.

"말씀하시는 대로 신체를 확인하는 것은 접시요. 우리야 접시 조각을 들고 왔다 갔다 하는 것뿐이지. 그런데 그 질문을 하시는 이유가 무엇이오?"

피를 보지 않기 위해 뒤돌아 앉아 있던 비형도 꽤 관심이 동한다는 몸짓을 해보였다. 잠시 고민하던 시루는 조금 어렵게 말을 꺼냈다.

"그렇다면 그 확인을 내가 대신할 수도 있겠군?"

"대신?"

"내가 그 접시 조각들을 보관하고 있다가 방문하는 젊은이들 앞에 내보이면 되지 않을까? 그리고 신체를 찾아내어 자네들에게 연락해 주면……"

"연락이라면, 그동안 떠나 있으라는 말씀이오?"

시루는 말을 돌리지 않았다.

"단도직입적으로 말해서, 그래."

수탐자들은 당황하지 않을 수 없었다. 사방으로 며칠 거리 내에 인가라고는 최후의 대장간뿐이니, 결국 시루는 그들에게 라호친으로 떠나 있으라고 말하는 셈이었다.

"물론 티나한이 손님다운 거동을 보여주지 못한 것은 나도 인정하겠소. 주인은 그런 손님에게 떠나라고 명령할 수도 있겠지. 하지만 빙판과 설원을 넘어 열흘 가까이 달려가야 하는 곳으로 우리를 쫓아내는 대신 우리의 사과와 경거망동하지 않겠다는 약속을 받는 쪽을 택하실 생각은 없으시오?"

"나도 그렇게 냉담한 사람은 아닐세. 자네가 손님의 예의를 말하는데, 나도 주인의 예는 알고 있네. 그렇게 쫓아내는 것은 좀 너무하지. 하지만 우리에게 문제가 좀 있다네."

"어떤 문제요?"

"자네들 요즘 최후의 대장장이님을 뵌 적 있나?"

티나한과 비형은 어리둥절하여 서로를 바라보았다. 케이건은 가만히 생각해 보았다. 최후의 대장간에 도착했을 때 모든 레콘을 조사하는 과정에서 수탐자들은 최후의 대장장이도 만날 수 있었다. 그리고 최후의 대장장이 또한 신체가 아니라는 것이 판명되었기에 그들은 그 이후로는 더 관심을 두지 않았다.

"그러고 보니 최근에는 뵌 적이 없는 것 같소. 용무도 없는 저희들이 바쁘신 그분을 방해할 필요는 없으니까."

시루는 약간 주저하며 말했다.

"그분께서 요즘 좀 편찮으시다네."

"몸이 많이 안 좋으시오?"

"아니, 곧 나으실 거야. 하지만 지금은 좀 거동이 불편하시지. 그래서 대장간에도 나오지 못하고 계셔. 뭐 꼭 탓하고 싶진 않지만, 티나한이 일으키는 소란이 그분께 도움이 되는 것 같지는 않아."

집 안에 환자가 있으니 떠들지 말고 나가달라는 요청이었다. 티나한은 그 붕어 저택에 빠져죽을 년 때문에 쫓겨나게 생겼노라고 투덜거렸고 아무도 그 투덜거림에 신경 쓰지 않았다. 씁쓸해하는 수탐자들을 달래듯 시루는 말을 덧붙였다.

"화신을 찾는 즉시 그분을 라호친으로 보내겠네. 그러면 자네들은 거기서 그분을 만나뵌 다음 곧장 어디에도 없는 신의 화신을 찾아 떠나면 되지 않겠나? 그리고 내 생각에 케이건 자네나 비형에겐 이곳보다는 라호친이 여러모로 더 편리할 것 같아. 거기엔 인간들이 사니까."

케이건은 그런 요청에 대해 거절할 명분을 떠올릴 수 없었다. 다른 자들도 마찬가지였기에 케이건은 폭풍이 그치는 대로 떠나겠노라고, 그리고 최후의 대장장이의 조속한 쾌유를 바라노라고 대답했다. 시루는 고마워하며 떠났다. 시루가 떠나고나자 티나한은 더욱 열성적으로 예의 여인을 헐뜯었다. 듣다 지친 비형이 끼어들었다.

"티나한. 아무리 레콘이라지만, 여자와 그렇게 싸워야 되는 겁니까?"

"성질머리 지랄 같잖아. 그런 성질머리를 가지고 있으니 그 나이 되도록 결혼도 못 하는 거지."

비형은 한숨을 내쉬다가 문득 이상한 것을 느꼈다.

"결혼도 못 하다니, 그 여자분을 아세요?"

"알 게 뭐냐? 오늘 처음 봤는데."

"그런데 어떻게 결혼을 못 한다느니 하는 말을 하는 거지요?"

"무기 받으러 왔잖아? 보나 마나 웃기는 것임이 분명한 무슨 숙원이 있으신 것이겠지. 결혼한 여자에게 무기가 뭐가 필요하냐? 신랑 탐색이라는 것도 있냐? 아, 아니지. 그 여자 아마도 남편을 암살하려고 무기 받으러 온 건지도 몰라. 그래! 분명해! 눈빛이 이상하지 않았어?"

비형은 좀 점잖은 단어를 떠올려보려다가 실패하고는 그냥 티나한이 '삐쳤다'고 판단했다. 치료가 끝난 케이건은 비형에게 돌아앉아도 된다고 알려주고서 말했다.

"폭풍이 더 심해지는 것 같소. 아무래도 이런 폭풍을 뚫고 누가 올 것 같지는 않고, 티나한 당신 또한 몸조리를 좀 하는 편이 좋을 테니 그냥 잠이나 자둡시다. 이곳을 떠나면 꽤 오랫동안 제대로 자긴 어려울 테니."

비형은 동의했다. 티나한 역시 잠자리에 들 준비를 했다. 그러나 잠드는 대신 티나한은 고개를 갸웃거렸다.

"아무래도 이상하단 말이야."

이부자리를 정돈하던 케이건이 한숨을 내쉬었다.

"티나한. 나는 그 여인의 눈빛이 남편 암살할 눈빛이라고는 생각지 않소."

"응? 그거 말고, 시루가 말한 것."

"뭐가 말씀이오?"

"왜 아프다는 걸 인정하는 거지? 아프다는 것이 자랑인가?"

케이건은 티나한이 무슨 말을 하는 것인지 알 수 있었다.

"단도장의 성격이 솔직해서 그런 것 아니겠소? 그렇잖으면 우리를 존중한다는 뜻일 수도 있을 테고."

"존중하다니?"

"그도 레콘이니 약한 소리 하는 것 싫겠지만 우리를 존중해서 사실대로 말한 것일 수도 있다는 거요."

티나한은 그런가 보다고 생각하며 잠자리에 들었다.

폭풍은 다음 날 그쳤고, 수탐자들은 단도장 시루의 배웅을 받으며 최후의 대장간을 떠났다. 티나한은 걸었고 비형은 나늬에 올라탔다. 그리고 케이건은 라호친 가히들이 끄는 썰매에 탔다. 도깨비불로 주위를 감싼 비형이 가장 빠르게 날아갔다. 그는 라호친에 먼저 도착한 다음 중간에 두 번 식량과 연료 등을 수송했다. 티나한은 걷는 것이 지겨워지면 간혹 썰매에 걸터앉았지만 라호친가히들의 원성 때문에 자주 그러지는 않았다.

아흐레가 지났을 때 티나한과 케이건은 별다른 문제 없이 라호친에 도달했다. 먼저 도착했던 비형은 묵을 곳을 잡아둔 채 그들을 기다리고 있었다. 그리고 비형이 준비해 둔 것은 그것만이 아니었다. 그래서 케이건은, 티나한이라면 차라리 팔을 베어줄지언정 절대로 하지 않겠다고 선언하는 행위, 즉 목욕을 할 수 있었다. 몇 번인가 눈(雪)을 집어 얼굴에 문지른 경험을 제외한다면 1년 만의 목욕이었다.

바깥의 차가운 공기 때문에 목욕통에 들어가 있는 것은 빗속을 거니는 것과 비슷했다. 무럭무럭 피어난 김은 차가운 천장에 닿자마자 응결되어 후두둑 떨어졌다. 레콘에게 그 목욕탕은 고문실일 것이다. 그다지 쓸 일이 없어 부드러워진 근육을 쓸어 만지던 케이건은 오른팔을 내려다보았다.

인간의 몸은 바라기 같은 무거운 검을 다룰 수 있도록 되어 있지 않다. 케이건은 아직까지 자신을 인간이라 할 수 있는 건지 의문스러웠지만 그의 오른팔에 일어나는 일에 대해서는 정확히 알고 있었다. 쓰면 쓸수록 단련되는 몸의 신화는, 그야말로 신화일 뿐이다. 어쨌든 말과 같은 허파를 얻는 광부는 없다. 케이건에게 일어나는 일도 그와 같다. 자연이 그의 오른팔에 허용해 둔 것 이상의 충격이 수백만 번이나 되풀이해서 가해진 끝에 그의 오른팔은 파괴되기 직전의 상태였다.

그리고 케이건은 그 사실에 별다른 감정을 느끼지 않았다.

아마도 나는 흩어져 먼지가 될 것이다.
칼을 휘두르며 피를 찾아 걷고 또 걷는 사이
깨지고 부서진 넋, 바람에 맡긴다.
쓰러져 죽는 대신, 걸으며 먼지가 될 것이다.

"아라짓 전사의 노래군."

류 페이는 고개를 돌렸다. 시우쇠가 그를 내려다보고 있었다. 시우쇠를 바라보던 류은 문득 화염의 화신 어깨 너머로 가늘게 피어오르는 연기를 목격했다. 류은 가슴이 서늘해지는 것을 느꼈다. 그 연기는 며칠이 지난 지금까지도 피어오르고 있었다.

시우쇠는 불꽃의 눈동자로 류을 응시했다.

"고목에 기대어 과거의 일들을 생각하던 전사는 마침내 쓰러져 죽기를 거부하고 일어난다. 썩어 들어가는 수족을 흩뿌리며 세상을 방랑하기로 한다. 도무지 나가에게 어울리는 노래라고 할 수 없어. 노래를 부른다는 것부터가 나가다운 일은 아니지만."

"제가 아는 노래라곤 그것뿐입니다."

류은 베미온을 가리켰다. 베미온은 류의 무릎을 벤 채 정신없이 자고 있었다. 시우쇠는 싱긋 웃었다.

"자장가로도 어울리진 않아. 그런데 뭣 때문에 보자고 했지?"

"저와 함께 어디를 좀 가주셨으면 해서입니다. 이 근처에 두억시니의 피라미드가 있습니다."

"그 질질 흐르는 녀석? 그렇군. 태워줘야겠군."

시우쇠는 그렇게 말하며 류이 일어나길 기다렸다. 하지만 류은 꿈쩍도 하지 않은 채 시우쇠를 쏘아보았다. 시우쇠는 귀찮다는 어투로 말했다.

"뭐냐?"

"태우는 것이 아닙니다. 그 유해의 폭포는 당신이 발견되었다는 소식을 들은 이후로 지금까지 기다려왔습니다. 두억시니가 왜 신을 잃었는지에 대한 대답을 듣기 위해. 당신은 직접 말해야 되는 거라고 하면서 지금까지 그를 기다리게 하지 않았습니까."

"내 대답이 바로 저거야."

시우쇠는 엄지손가락으로 어깨 너머를 가리켰다. 시우쇠가 페로그라쥬에서 피어오르고 있는 연기를 가리킨 것임을 깨달은 류은 고개를 홱 돌렸다. 그는 비늘을 곤두세운 채 베미온을 내려다보았다.

그것은 살육 현장을 나타내는 알림판이었고 페로그라쥬가 스스로를 태워 키보렌의 하늘에 써보이는 고발이었다. 공격의 날, 차마 눈을 뜰 수 없었기에 류은 살려달라는 니름이 가장 거세게 들려오는 곳을 겨냥했다. 그리고 죽어가는 모든 나가를 느꼈다. 아이를 끌어안으며 몸을 구부리는 어머니를 느꼈고 물항아리에 뛰어들었다가 그 혹한에 정신을 잃어가는 나가를 느꼈다.

하지만 무엇보다도 류의 마음을 뒤흔든 것은 어떤 늙은 여인이었다. 하늘에 용이 나타나 불을 뿜어대고 있음에도 불구하고 그 여인은 차분하게 화로를 들고 정원으로 나왔다. 정원에 화로를 내려놓은 여인은 류을 올려다보았다. 그녀의 모든 것을 느끼고 있던 류은 여인의 다음 행동에 자신도 모르게 눈을 뜨고 말았다. 여인은 물그릇에 손을 담갔다가 화로에 물방울을 던졌다. 충격 때문에 류이 얼떨떨해하고 있을 때 아스화리탈이 그쪽으로 고개를 돌렸다. 류은 황급히 아스화리탈을 멈추려 했지만 이미 여인은 뿜어져 나간 불의 격류에 휩쓸린 후였다.

그 모든 기억이 류을 뒤흔들었고 류은 정신이 아득해지는 기분을 느꼈다. 갑자기 시우쇠의 목소리가 들려왔다.

"그래서 직접 만나야 된다고 한 거지."

"예?"

"태우려면 직접 만나야 된다고."

류은 한동안 시우쇠의 말을 이해하지 못했다. 가까스로 그것을 이해했을 때 류은 분노했다.

"왜 태워야 한다는 겁니까!"

류의 고함에 베미온은 깜짝 놀랐다. 공포스러운 경외감으로 이 대화를 훔쳐보던 북부군 병사들도 황급히 다른 곳을 바라보았다. 류은 놀라서 눈을 뜬 베미온을 다독이며 시우쇠를 노려보았다. 시우쇠는 어떤 대답을 해야 할지 고민하는 것처럼 보였다. 그리고 그 화신이 무슨 생각을 하는지는 용인의 감각으로도 도저히 짐작할 수 없었다.

마침내 시우쇠의 입에서 흘러나온 대답은 류을 경악시켰다.

"네가 관련된 이유가 좋겠군. 대호왕 때문에."

류은 놀라서 말도 꺼내지 못했다. 시우쇠는 류의 대답을 기다리지 않았다.

"그 변태 두억시니는 대답을 듣고나면 분노할 거다. 나를 어떻게 할 수는 없겠지만, 그 녀석과 연결되어 있는 스물두 명의 두억시니가 있지. 금군 말이야. 그 두억시니들이 대호왕을 공격할 거다. 이제 알겠나, 갇힌 여신의 신랑?"

겨우 류의 말문이 트였다.

"왜 분노한다는 거죠? 두억시니들이 신을 잃은 것이 범죄와 연관되어 있는 겁니까?"

"범죄라. 모호한 표현이로군. 페로그라쥬가 불탄 것은 아스화리탈의 범죄냐? 그렇잖다면 아스화리탈에게 그런 명령을 한 네 범죄냐?"

류은 다시 화로와, 거기 던져진 물방울을 떠올렸다. 볼 수 없는 거리였지만 류에겐 본 것이나 다름없었다. 류은 베미온을 내려다보며 힘겹게 말했다.

"먼저 전쟁을 일으킨 것은 한계선 이남의 나가들입니다. 설마 피가 차가운 제 동족들이 적은 죽고 자신은 죽지 않는 것이 전쟁이라고 생각하지는 않았을 겁니다. 전쟁을 시작했을 때부터 그들은 그런 각오가 되어 있었던 겁니다."

"또 이것 저것 끼워 맞추는군."

"뭐라고요?"

"불은 네 거다. 그리고 네가 그러고 싶어서 태운 거지. '불탈 만한 짓을 했다. 그렇게 되는 것도 당연하다.' 너절해. 집어치우라고. 그냥 속시원하게 '이유 따위 묻지 마라, 불을 가진 것은 나다.'라고 외치며 태워줄 수는 없나? 칼을 가진 사람은 찔러죽이고 불을 가진 사람은 태워죽이는 거다. 갇힌 여신의 신랑. 이빨 달린 놈이 물어뜯고 발톱 달린 놈이 할퀴듯이. 그것뿐이야."

"불은 무엇이든 삼키지요. 하지만 우리는 아닙니다. 맹수들이 물고 할퀴는 것에는 배를 채운다는 이유가 있습니다. 아무런 이유가 필요 없다는 식의 그런 말씀은 인정할 수 없습니다."

"인정하지 않겠다고?"

"예."

"우리가 너희들을 그렇게 만들었는데?"

륜은 소스라치게 놀라 시우쇠를 바라보았다. 그제야 륜은 그가 느끼고 있는 것처럼 그저 대책없이 유쾌하기만 한 도깨비를 상대하고 있는 것이 아니라 신을 상대하고 있음을 깨달았다. 륜은 비늘을 부딪치며 말했다.

"당신들께서……, 우리를 이유 없이 살육하는 생물로 만들었다는 말입니까?"

"그렇지는 않다. 이유는 있지. 하지만 네가 말하는 것 같은 너절한 이유는 아니야."

"그럼 어떤 이유입니까?"

"우리는 너희들을 먹어야 하는 존재로 만들었지."

"먹는다고요?"

"그래. 먹는 것. 그게 너희야. 그게 생명이지. 모든 동물들이, 식물들이, 생명이라는 생명은 모두 먹는다. 먹지 않으면 생명이 아니지. 우리가 만든 것은 그런 것이다. 너희들이 벌이는 모든 짓거리의 경계엔 큰 글씨로 뚜렷하게 적혀 있지. '일단, 먹고 나서'."

류은 거친 숨을 몰아쉬며 시우쇠를 바라보았다. 그와 반대로 시우쇠의 목소리는 점점 차분해졌다.

"산다는 것은 먹는다는 것이지. 일단 먹어야 살아 있는 것이 저지르는 모든 웃기는 일이 가능해지지. 먹지 못하면 소용없어."

"누구나 다 아는 그런 이야기를……."

"누구나 다 아는 이야기가 가장 중요한 이야기야. 류 페이. 먹는다는 것은 자기를 유지하기 위해 자기 외의 것을 파괴한다는 것이지. 그렇기에 바위를 뚫는 낙수는 바위를 먹는 것이 아니야. 바위가 낙수를 유지시켜 주는 것은 아니니까. 나무를 찍는 도끼도 나무를 먹는 것이 아니야. 도끼의 유지에 나무는 아무런 영향도 주지 못하니까. 그것이 먹는 파괴와 보통의 파괴의 차이점이지. 하지만 둘 다 파괴야. 알겠냐? 우리는 너희들을 다른 모든 것들과 마찬가지로 파괴하는 것으로 만들었어. 하지만 생명은 파괴를 일으켜서 자신을 유지하지. 그런 것을 가리켜 '먹는다'고 하는 거야. 무생물은 그렇지 못하지. 낙수가, 파도가, 태풍이 아무리 파괴를 일으켜도 그것은 자신의 유지와는 상관없어. 그것들은 먹는다고 하지 않아. 파괴한다고 할 뿐이지."

"우리를 파괴하는…… 것으로 만들었다고? 그래서 태우고 찌르고 들이받으라는 식으로 말씀하신 겁니까?"

시우쇠는 미소 지었다. 하지만 류의 질문에 대답하지는 않았다.

"범죄 같은 것은 없다. 류. 두억시니가 신을 잃은 것도 범죄와는 관련없어. 하지만 그 질질 흐르는 녀석은 화를 낼 거다. 그게 싫으면 네가 그걸 먹어야 해. 그걸 먹어서 네 누나의 모습을 유지시켜 주라고. 하지만 먹기 싫은 것, 먹으면 안 되는 것은 다른 사람 먹이는 방법도 있지. 그러니 입 다물고 안내나 해라. 그 피라미드엔 네 아스화리탈이 들어갈 수 없을 테니 내가 먹어주지. 네 말처럼 뭐든 삼키는 불인 내가. 가자."

류과 시우쇠는 피라미드로 걸어갔다.

류은 자신이 어떻게 피라미드까지 걸어가고 있는지 알 수 없었다. 바늘로 짠 옷을 입고 가시덤불을 헤치며 걷는 것 같은 날카로운 감각의 시간들을 살아온 류 페이에게 주위를 망각한 경험은 낯설었다. 어렴풋이 기억나는 경험들은 한결같이 황당한 것들이었다. 류은 자신이 진흙탕에서 미끄러질 뻔한 경험이 있다는 것을 분명하게 떠올릴 수 있었다. 그것은 물을 감지할 수 없는, 그리고 용인이 아닌 자라도 밟기 힘들 정도로 뚜렷하게 보이는 진흙탕이었다. 비슷한 경우로 눈 바로 앞에 있는 나뭇가지에 이마를 부딪힌 일도 있었다. 결국 류은 마치 눈을 감고 밀림을 달린 것 같은 초라한 모습이 되어 피라미드의 도시에 도달했다.

퇴락한 유적을 가로지르고 피라미드를 걸어 올라가는 모든 과정이 꿈속의 일처럼 흐릿했다. 도시의 모습에는 변화가 없었고 피라미드 내부의 복잡한 모습도 그대로였다. 그러나 멍한 상태에 있는 류도 느낄 수 있을 만큼 뚜렷한 차이가 있었다. 미로는 더 이상 미로가 아니었다. 지독한 예민함으로 류은 모든 통로의 차이를 구별해 버렸다. 화신의 뜨거운 발자국이 돌 위에 남겨질 때마다 류은 돌의 생김새와 마모된 정도, 그리고 돌들의 배치를 읽었다. 그것은 류에게는 뚜렷하게 표시된 기호나 다름없었다.

피라미드 중간쯤에 이르렀을 때 처음으로 두억시니가 나타났다.

그것은 평범한 두억시니였다. 그러니까, 매우 특이하게 생겼다는 의미다. 통로 가운데 서 있는 두억시니는 세 개의 팔을 가지고 있었고 네 개의 어깨를 가지고 있었다. 두억시니는 모든 어깨에 팔이 있기를 원하는 듯했고 그것이 두억시니의 문제였다. 두억시니의 첫 번째 팔이 두 번째 팔을 뽑아 비어 있는 네 번째 팔의 자리에 붙였다. 그러자 두 번째 팔의 자리가 비게 되었다. 네 번째 팔이 된 두 번째 팔은 세 번째 팔을 뽑아 두 번째 팔의 자리에 붙였다. 그러자 세 번째 팔의 자리가 비게 되었다. 두 번째 팔이 된 세 번째 팔은 첫 번째 팔을 뽑아 세 번째 자리에 붙였다. 그러자 첫 번째 팔의 자리가 비게 되었다. 그래서 세 번째 팔이 된 첫 번째 팔은 네 번째 팔이 된 두 번째 팔을 뽑아 첫 번째 팔의 자리에 붙였다. 그러자 네 번째 팔의 자리가 비게 되었다. 그것이 계속되었다. 류은 홀린 듯이 그 광경을 바라보았다.

그러나 시우쇠는 무심히 두억시니의 곁을 지나쳤다. 두억시니는 팔을 붙였다 뗐다 하느라 바빠서 륜과 시우쇠에겐 눈길도 주지 않았다. 륜은 시우쇠의 뒤를 따라가면서도 자꾸만 두억시니를 돌아보았다.

몇 명의 두억시니가 더 나타났다. 하지만 지난 번 륜이 지나갔을 때보다 현격하게 적은 숫자였다. 륜은 유해의 폭포가 자신들의 접근을 알아차리고 다른 두억시니를 비켜나게 한 것이 아닐까 추측했다.

깊은 수직 통로가 나타났다.

어둠 속에서 뿜어져 나오는 음울한 열에 의지하여 보던 지난 번과는 달랐다. 륜은 유해의 폭포에 함유되어 있는 습기를 민감하게 느끼며 그 전체적인 모습을 보았다. 놀랍도록 슬픈 모습이었지만 륜은 그것이 흥분하고 있음 또한 예민하게 느꼈다.

〈오는 것을 봤다. 륜 페이. 옆에 계신 분이 바로 시우쇠 님이시겠지?〉

륜은 대답할 수 없었다. 그는 시우쇠의 앞을 막아섰다. 화염의 화신은 작열하는 눈으로 내려다봤다.

"정말 태우실 겁니까? 대답을 듣기 위해 천년을 기다려왔는데? 당신에게 그 시간은 별것이 아니겠지만 제겐 그렇지 않습니다."

"대호왕이 위험해져도 괜찮은 건가?"

"그 이유뿐입니까? 다른 이유는 없는 겁니까? 아까 당신은 제게 관련된 이유가 좋겠다고 하셨지요. 그렇다면 저와는 관련이 없는 이유도 있다는 겁니까?"

"그래."

"그건 어떤 이유입니까?"

"너와는 관련이 없어."

"그래도 말씀해 주십시오."

륜에게 다시 유해의 폭포가 니름을 걸어왔다.

〈륜 페이. 방해하는 것이라면 미안한데, 뭐가 중요한 이야기를 나누고 있는 건가? 그렇다면 기다리겠어.〉

〈잠시만 그래주십시오.〉"그 이유가 뭡니까?"

"설명하지 않겠다. 비켜."

"제가 비키면 태울 생각이군요. 그렇지요?"

"그래."

류은 비늘을 세우며 신의 명령을 거부하는 행위에 대해 생각해보았다. 그것은 그로 하여금 신을 감금한 수호자들의 행위를 연상케 했다. '나가는 이런 종족인 것일까?'

"설명해 주십시오. 그러지 않으면 비켜드릴 수 없습니다."

시우쇠는 고개를 약간 기울이며 웃었다. 그가 내뿜는 코웃음은 불길이었다.

"나에게 대적하겠다는 거냐?"

"설득하려고 애쓸 겁니다."

"왜 설득하려는 건지부터 설명해 봐. 페로그라쥬의 파괴자."

시우쇠가 사용하는 호칭들은 언제나 단순하지 않았다. 그리고 '페로그라쥬의 파괴자'라는 호칭이 의미하는 바는 '갇힌 여신의 신랑'보다 훨씬 적대적이었다. 류은 요란하게 부딪히는 비늘을 눕히려 한참 동안 애써야 했다. 시우쇠는 빙긋 웃으며 그런 류을 바라보았다.

류은 시우쇠를, 그리고 통로를 바라보았다. 시우쇠의 몸에서 흘러나오는 열기는 피라미드 내부의 차가운 공기를 격렬히 춤추게 했다. 팔짱을 낀 채 가만히 서 있었지만 류의 눈에 보이는 시우쇠는 끝없이 움직이는 것처럼 보였다.

"저에겐 아버지가 없습니다."

류의 목소리는 나직했다.

"15년 전, 아버지는 제 눈앞에서 돌아가셨습니다. 심장 파괴를 당하신 겁니다. 저는 사람이 쉽게 죽지 않는 세상에서 자라났습니다. 가족이 죽을까봐, 친구가 죽을까봐, 자신이 죽을까봐 매 순간 두려워할 필요가 없는 세상에서 자라난 나가입니다. 그런데 아버지가 돌아가셨습니다. 저는 도저히 심장을 적출할 수 없었습니다. 주위의 모든 사람들에게 심장 적출은 불사를 담보받는 것이었지만 제겐 그 반대였습니다. 제게 심장 적출은 돌이킬 수 없는 죽음을 선택하는 것이었습니다. 그리고 친구가 죽었습니다. 그날 저는 제 세상에서 도망쳤습니다. 비에나가가 되었습니다. 살고 싶었기 때문입니다."

류은 주먹을 움켜쥐었다. 그리고 손가락 끝의 거센 맥박을 느꼈다.

"거룩한 신이여. 당신들이 우리를 '먹는 존재'로 만들었다고 하셨습니까? 그렇군요. 생명은 유지입니다. 지속입니다. 생명의 틀이 깨어지지 않도록 틀 밖의 것을 파괴하는 것이 생명입니다. 그것이 '먹는' 것이군요. 사는 것은 먹는 것이군요. 잘 알겠습니다."

류은 손을 펴 가슴을 만졌다. 그 느린 동작은 많은 의미를 담고 있는 무의미한 동작이었다. 류은 울음을 터뜨렸다.

"왜 이 이야기를 하는 건지 모르겠습니다. 저는 왜 당신을 설득하고 싶은 것인지 설명할 수가 없습니다."

"설명할 수 없나?"

시우쇠는 주의 깊은 태도로 질문했다. 그의 본성에 어울리지 않는 일이었다. 류은 그 목소리가 마치 잘 떠올려보라고 부드럽게 권유하는 것 같다고 생각했다. 하지만 류은 떠올릴 수 없었다. 은루로 얼굴을 적신 채 류은 고개를 가로저었다.

"못 하겠습니다."

시우쇠는 턱을 만지작거렸다. 손가락과 턱 사이에서 불꽃이 튕겼다. 그는 결심한 듯 말했다.

"한 가지 정도 네게 줄 것이 있다. 다른 것을 더 원하지는 마. 내가 저 눈물처럼 흐르는 죽음을 태우는 것은 어떤 자를 구출하기 위해서다. 갇혀 있기에 그 힘을 타인에게 빼앗기고 있는 자를."

류은 기겁하여 시우쇠를 바라보았다.

"도대체…… 여신과 저 유해의 폭포가 무슨 관계가 있는 겁니까?"

"더 원하지 말라고 했다. 류 페이. 용인인 너는 돌아갈 길을 다 알고 있겠지. 돌아가라."

류은 항변하려 했다. 그러나 시우쇠는 신의 음성으로 말했다.

"돌아가라."

거부가 불가능한 명령이었다. 류은 고개를 떨구었다. 시우쇠의 옆을 지나친 류의 발걸음이 서서히 빨라졌다. 마침내 류은 정신없이 달려갔다.

홀로 남겨진 시우쇠는 유해의 폭포를 바라보았다. 그것은 당황하고 있었다. 긴 긴 세월의 기다림 끝에 답을 줄 수 있는 자가 도래했지만, 그의 말을 전해 줄 통역자가 사라졌기 때문이다. 언젠가처럼 그 폭포는 서서히 몸을 일으켰다. 유해의 뱀으로 바뀐 폭포는 시우쇠를 바라보며 안타까움이 담긴 여러 동작들을 취해 보였다. 허리에 손을 얹은 채 그 모습을 바라보던 시우쇠가 갑자기 표현했다. 유해의 뱀은 깜짝 놀랐다.

〈니르실 수 있군요!〉

시우쇠는 표현했다. 유해의 뱀은 온몸을 진동시키며 격렬하게 닐렀다.

〈아니라고요? 아니, 상관없습니다. 의미를 알 수 있으니까. 대답해 주십시오, 대답해 주십시오, 대답해 주십시오! 두억시니가 왜 신을 잃었습니까?〉

〈네? 잃지 않았다니, 그게 무슨 뜻입니까?〉

〈연결을 끊으라고요?〉

유해의 뱀은 대호왕의 곁에 있는 스물두 명의 두억시니들과의 연결을 끊었다. 다음 순간 유해의 뱀은 다시 연결할 수 없다는 것을 알게 되었다. 시우쇠는 표현했다.

〈묶였다고요? 무슨 뜻인지 모르겠습니다. 어쨌든 연결을 끊었으니, 가르쳐주십시오. 잃지 않았다는 것은 무슨 의미입니까?〉

시우쇠는 가르쳐주었다.

티나한이 뛰쳐나가며 열어젖힌 문이 바람에 흔들렸다. 거친 바람은 방 안의 물건들을 닥치는 대로 흔들고 쓰러뜨렸다. 어떻게 할까 고민하던 비형은 일단 문부터 닫기로 했다. 문을 닫고 돌아온 비형은 케이건을 바라보며 말했다.

"글쎄요. 왁! 하고 놀래키는 것과 비슷한 거라고 생각되기는 한데, 그런 취미가 있으십니까?"

"티나한을 불러오시오."

"당신이 몸 닦고 옷을 갖춰입기 전에는 절대로 돌아오지 않을 텐데요?"

케이건은 이미 그 사실을 알고 있었기에 몸을 닦았다. 하지만 마음이 성급했기에 케이건은 제대로 닦지 않은 채 바지에 다리를 끼워넣었다. 당연히 젖은 다리에 바지가 달라붙어 케이건을 쩔쩔매게 했다. 비형은 어이없어하며 말했다.

"당신을 만난 이후로 처음 보는 광경인 것 같군요. 왜 그렇게 침착을 잃으신 겁니까?"

티나한도 마찬가지 의견인 듯했다. 멀리 도망가지 않았는지 바깥에서 고함 소리가 들려왔다.

"동감이다! 도대체 왜 갑자기 목욕탕에서 뛰쳐나오고 난리인 거냐?"

"바깥에 있는 거요, 티나한? 잘됐군. 주인에게 가서 개썰매를 준비해 두라고 하시오. 우리는 최후의 대장간으로 돌아가야 하오. 당장!"

어처구니가 없는 것인지, 혹은 케이건의 말을 따르기 위해 달려가버린 것인지 밖에서는 아무 말도 들려오지 않았다. 비형은 마음을 가라앉히려 애쓰며 말했다.

"뭔가 급한 일이 있는 모양이군요. 하지만 개썰매로 가려면 시간이 많이 걸릴 텐데요. 제가 날아서 가는 편이 빠르지 않겠습니까?"

웃옷에 팔을 끼워넣으려 애쓰던 케이건은 멈칫하며 비형을 바라보았다. 그러나 곧 고개를 가로저었다.

"당신은 안 되오. 티나한이 달려간다면…… 아냐. 역시 우리 셋이 함께 가야겠소."

"왜 제가 가면 안 되지요?"

"어쩌면 피를 볼 일이 있을지도 모르니까."

대답을 끝낸 케이건은 자신이 방 안에 홀로 남겨진 것을 알게 되었다.

바라기와 다른 짐까지 챙겨들고 밖으로 나온 케이건은 기대하던 개썰매 대신 부풀어오른 티나한이 기다리고 있다는 사실에 실망했다. 마당 한가운데서 기다리고 있던 티나한은 조심스럽게 질문했다.

"비형에게 이상한 말을 들었는데, 너 혹시 최후의 대장간을 상대로 전쟁이라도 벌이겠다는 거냐?"

"정신 나가지 않고서야 도대체 누가 그런 짓을 벌이겠소?"

"그렇다면 비형에게 한 말은 도대체 무슨 의미야?"

"그건 말 그대로의 의미요. 하지만 폭력적인 사태는 절대로 없을 거요. 시간이 없소. 티나한. 우리는 신체를 찾았소."

티나한과 비형은 깜짝 놀랐다. 티나한은 말까지 더듬었다.

"시, 신체를? 신체를 찾았다고?"

"그렇소. 조금 전 갑자기 깨달았소. 그 사금파리는 틀리지 않았소. 신체는 최후의 대장간에 있었던 거요. 당신과 싸웠던 그 여인 기억나시오? 그 여자가 왜 거기 왔겠소?"

불쌍한 티나한은 완전히 넋이 나갔다.

"남편 암살할 여자……! 그 여자가?"

이번에는 케이건이 넋이 나가버렸다. 어처구니없다는 표정으로 티나한을 바라보던 케이건은 곧 자신을 돕기로 결정했다. 케이건은 개썰매를 준비하기 위해 달려갔다. 케이건의 뒷모습을 바라보던 티나한과 비형은 허둥지둥 자신의 짐을 챙기기 위해 달려갔다. 불과 몇 분도 지나지 않아 티나한과 케이건은 대단히 전격적인 동작으로 라호친을 떠났다. 그리고 라호친 시내를 뛰어다니며 보급품을 구입한 비형은 조금 늦게야 출발했다.

시구리아트 관문 요새의 은밀한 방에서, 데오늬 달비는 초조하게 왔다 갔다 하고 있었다. 반 시간 가까이 그러느라 방의 폭이 열일곱 걸음에 해당한다는 것을 알게 된 데오늬는 문득 달린다면 몇 걸음일까 궁금해하게 되었다.

예순이 넘은 나이에도 불구하고 바르사 돌 교위는 자신이 뭔가 새로운 것을 익히기엔 너무 나이를 많이 먹었다는 식의 생각을 해본 적이 없었다. 그리고 그런 믿음은 잘못된 것이 아니었다. 아무런 경고가 없었음에도 불구하고 바르사는 데오늬가 달리기를 시작하자마자 벽에 등을 붙였다. 그의 앞을 지나치던 데오늬는 감탄하며 교위를 바라보았다. 바르사는 그만 외면하고 말았다.

잠시 후 바르사는 그녀에게 걸어갔다. 옆을 보고 달리느라 벽을 들이받고 쓰러진 데오늬에게 손을 건네며 바르사는 한숨을 내쉬었다.

"참견하고 싶진 않지만, 되도록 앞을 보며 달리게."

"감사합니다, 교위님!"

"별말을. 그런데 '이번에는' 왜 달린 거지?"

데오늬의 설명을 들은 바르사는 우울한 표정이 되었다. 5분 전, 그러니까 갑자기 달리기를 시작한 데오늬가 바르사의 발을 밟고 지나가는 사건이 벌어졌을 때 설명을 요구받은 그녀는 '방 안의 온도가 높아지지 않을까 하여' 그렇게 했다고 대답했다. 그래서 바르사는 기특한 생각이지만 무리할 필요는 없다고 말해 줄 수 있었다. '하지만 방의 폭이 얼마인지 궁금해졌다는 부하는 어떻게 다뤄야 할까?' 바르사는 알 수 없었고, 그래서 별 지시를 못 내리고는 떨떠름한 표정으로 방 가운데를 바라보았다.

방 가운데는 탁자가 놓여 있었고 그 위에는 다섯 명의 수호 장군들이 누워 있었다. 한 명을 제외하고는 모두 배 위에 천이 덮여 있었다. 그리고 그 천은 탁자 옆으로 늘어져 물독에 담겨 있었다.

간단하면서도 효과적인 장치였다. 천은 물독에서 물을 빨아들여 계속 젖어 있게 된다. 그럼으로써 수호 장군들의 체온을 낮게 유지한다. 이 추운 곳에서는 그런 정도의 조치로도 수호 장군들을 가사 상태에 빠트리는 것이 가능했다. 그것은 그들을 물독에 집어넣어 익사의 위험을 감수하는 것보다 훨씬 안전한 방법이기도 하다.

다른 네 수호자는 그런 식으로 잠들어 있었다. 하지만 한 명의 수호 장군에게서는 천이 제거되어 있었다. 그들은 그 수호 장군이 의식을 회복하기를 기다리고 있었다.

수호 장군이 눈을 떴다. 바르사는 눈짓을 보내었고 대기하고 있던 북부군 병사들이 작살검을 뽑아들었다. 수호 장군은 서서히 정신을 차리고는 주위를 둘러보았다. 바르사는 그가 상황을 이해할 시간을 주었다. 마침내 수호 장군이 입을 열었다.

"깨운 것을 보니 대나무 군단이 지나갔나 보군요. 그런데 왜 나만 깨운 겁니까?"

"그들은 다시 돌아왔소. 키베인. 움직일 수 있다는 것이 이상하지 않소?"

키베인은 가사 상태의 후유증 때문에 약간 혼란스러운 상태였다. 냉기에서 해방된 지 얼마 되지 않은 몸에는 아직 힘이 들어가지 않았고 입을 움직여 목소리를 만드는 것에도 과도한 노력이 필요했다. 키베인은 한참 동안 바르사의 말을 생각해보고 나서야 대답했다.

"그리고 보니 춥긴 하지만 움직일 수 있을 정도의 날씨군요. 갈로텍 대장군이 가까이 있나 보군요?"

"그렇소. 그리고 이 요새와 전투 중이오. 지금은 잠시 물러나 있지만."

"대장군이 다시 돌아왔다면 당신들의 속임수가 탄로났나 보군요."

"그런 것 같소. 당신네들은 우리 생각보다 더 도깨비불에 익숙해졌나 보오."

"알겠습니다. 그런데 왜 나를 깨운 겁니까? 내게 뭘 바라는 겁니까?"

"당신들의 대장군이 벌이고 있는 이상한 일 때문이오. 어르신들의 보고에 의하면 대나무 군단은 지금 나무를 닥치는 대로 잘라서 대형 공성 병기를 만들고 있소. 나는 믿을 수 없었소."

키베인은 놀랐다.

"나무를?"

"음? 아, 그렇소. 나무를 자른다는 것도 놀라운 일이군. 하지만 내가 놀란 것은 당신들에게 그런 것을 제작할 기술이 있다는 사실이었소. 그런데 알고 보니 당신들의 대장군은 군령자더군. 어떻게 나가가 군령자가 될 수 있는 건지는 여전히 모르겠소만. 혹시 알고 있으시오?"

"나가가 군령자가 된 것이 아니라 군령자가 나가를 선택한 겁니다. 어떤 군령자가 한계선을 넘어왔습니다. 나가로 사는 것은 어떨까 하는 생각에. 그리고 만난 것이 갈로텍 대장군입니다. 이로써 당신은 내가 알고 있는 것을 다 알게 되었습니다."

"흐음……, 알겠소. 그들에게 그럴 능력이 있다는 것은 이해했지만, 그 의도는 여전히 짐작이 가지 않소. 당신들은 나무를 베는 것을 그다지 좋아하지 않지요? 그런데 지금 대나무 군단은 그렇게 하고 있소."

"이상한 일이군요."

"나는 이상하다고 생각하지 않소. 설명할 방법이 있거든."

키베인은 미심쩍은 표정으로 바르사를 바라보았다. 바르사는 씩 웃었다.

"나가들이 어떤 희생을 하더라도 구출해야 하는 대단히 중요한 인물이 당신들 다섯 명 중에 있다고."

키베인은 긴장했다. 바르사는 손을 들어 그를 가리켰다.

"그리고 그자는 아마 당신일 거요. 당신들 다섯 명 중 항상 당신이 대표로 이야기하더군."

"물론 내겐 나 자신이 중요하지만, 글쎄요. 당신은 뭔가 착각을 하고 있는 것 같군요."

"시치미 떼봐야 소용없소. 키베인. 나가들이 나무를 찍어 베어내다니, 어처구니없는 소리지."

"그들에겐 뭔가 다른 이유가 있을 겁니다."

"나는 그 이유를 알고 있소. 당신을 구하려는 거지. 그러니 제안 한 가지 하겠소."

키베인은 잠자코 듣기로 했다. 바르사는 창밖을 가리키는 시늉을 하며 말했다.

"우리는 빨리 즈믄누리로 돌아가야 하오. 그런데 밖에 저렇게 나가 군단이 버티고 있으니 이곳을 떠날 수가 없소. 그래서 우리는 당신을 그들에게 돌려주고 대신 길을 얻을 작정이오."

"길을 얻는다고?"

"그렇소. 이곳에서 좀 떨어진 곳에 도로왕의 옛길이라 불리는 곳이 있소. 산맥을 넘는 옛날 길인데, 지금은 상태가 별로 좋지 않아서 대규모 인원이 다가오긴 힘들지. 우리는 오늘 밤 그 길로 해서 산맥을 넘어갈 거요. 그동안 대나무 군단은 요새에서 볼 수 있는 곳에 모여 있어야 하오. 만일 대나무 군단이 사라진다면 유료 도로당의 당원들이 즉각 당신을 처형할 거요. 무슨 말인지 알겠소? 우리가 다 넘어간 다음 당신을 풀어줄 거요. 그러면 그들은 당신을 데리고 천천히 산맥 옆을 돌아서 이곳을 떠날 수 있겠지."

키베인은 어떻게 대답해야 할지 알 수 없었다. 그에겐 다행스럽게도 바르사는 그에게 대답할 시간도 주지 않았다.

"몸을 좀 녹이면서 기다리도록 하시오. 잠시 후 당신을 요새 꼭대기의 창문으로 데려가겠소. 그곳에서 내가 말한 대로 전달하시오. 어르신을 보내어 전해도 되겠지만 당신이 직접 말하는 편이 더 호소력이 있겠지. 알겠소?"

그리고 바르사는 데오늬와 함께 방을 나갔다. 작살검을 든 병사들은 방 안에 남아서 키베인을 감시했다. 자신의 처신에 대해 고민하던 키베인은 머리가 아파오는 것을 느꼈다.

요새의 복도를 걸으며 데오늬는 자꾸만 달려가고 싶은 것을 억누르려 애썼다. 이야기를 하면 좀 나아질 거라고 생각한 데오늬는 바르사에게 말을 걸었다.

"교위님. 질문이 있습니다."

"하게. 데오늬."

"조금 전의 추리에 정말 감탄했습니다. 그런데 키베인 수호 장군님이 어떤 분이기에 나가들에게 그렇게 중요한 것일까요?"

바르사는 데오늬를 바라보다가 갑자기 너털웃음을 터뜨렸다. 그는 고개를 절레절레 흔들었다.

"그 녀석은 다른 수호 장군들과 똑같은 정도로 중요하겠지."

데오늬는 눈을 동그랗게 뜬 채 바르사를 바라보았다.

"무슨 말씀입니까? 그분이 중요하기 때문에 다른 나가들이 나무를 베면서까지

하면서 구출하려고 애쓰고 있는 것 아닙니까?"

"그렇지 않아. 저 녀석들이 이 요새를 통과하려 애쓰는 것은 키베인이나 다른 수호 장군을 구하기 위해서가 아니라 빨리 남쪽으로 돌아가기 위해서다. 북부군이 하텐그라쥬로 향하고 있으니 갈로텍은 빨리 남쪽으로 돌아가 그들을 상대해야겠지. 그래서 공격을 서두르고 있는 거다."

"그러면 교위님께서는 왜 키베인 장군이 중요 인물이라고 하셨습니까?"

바르사는 빙긋 웃었다.

"달비 부위. 조금 전 그들이 남쪽으로 가고 싶어한다고 말했다. 그런 그들에게 이 산맥을 넘는 다른 길이 있다고 알려준다면 어떻게 행동할까? 내 생각이지만 오늘 밤 갈로텍은 군단 전체를 이끌고 도로왕의 옛길에 나타날 거다. 그러고는 키베인을 중요 인물이라고 믿고 있는 우리의 멍청함을 비웃으며 산맥을 넘어가려 하겠지."

데오늬는 미간을 찡그린 채 바르사의 말을 생각하다가 곧 탄성을 질렀다. 바르사는 고개를 끄덕였다.

"시구리아트 유료 도로당의 당원들이 가르쳐줬다. 그 길은 상태가 좀 좋지 않은 정도가 아니라 완전히 끊어져 있어. 레콘들도 당의 유료 도로를 이용할 정도이니, 뻔하잖아? 하지만 갈로텍은 그것을 모르지. 우리는 그들이 요새 앞에서 사라지면 저기로 나가서 그들의 뒤를 따라가다가 끊어진 길에 대나무 군단을 모두 몰아넣은 다음 기습하는 거다. 갈로텍은 날씨 조절하느라 꼼짝도 못할 거다. 우리를 공격하기 위해 날씨 조절을 포기해 버리면 나가들이 얼어붙을 테고. 갈로텍이 남쪽으로 돌아가고 싶어하는 것만큼이나 우리는 그들을 보내줄 수 없어. 갈로텍이 절대로 시구리아트 산맥을 벗어날 수 없도록 해야 해. 알겠나?"

"잘 알겠습니다!"

키베인은 결국 바르사의 요청대로 요새 꼭대기에 올라가야 했다. 바르사는 미리 어르신을 보내어 갈로텍으로 하여금 요새 가까이로 오게 했다.

북부군 병사들에게 포위당한 채 키베인은 창문 앞에 섰다. 잠시 후 먼 곳, 길이

굽이치는 곳에서 갈로텍이 말에 탄 채 나타났다. 키베인은 갈로텍이 가까이 다가 옴에 따라 날씨가 더 따뜻해지는 것 같은 느낌을 받았다. 물론 갈로텍 자신이 열원 이거나 한 것은 아니기에 그것은 키베인의 착각이었다.

갈로텍은 쇠뇌의 사정거리 안쪽까지 들어오는 호기를 보였다. 그가 도로 가운데 멈춰섰을 때 키베인은 그를 향해 닐렀다. 키베인은 되도록 간략히 니르자고 결심 하고 있었다. 인질이 되어 있는 것도 모자라 정체까지 탄로났다는 사실이 창피했 기 때문이다. 바르사는 창문 옆에 서서 키베인과 갈로텍을 번갈아 쳐다보았다.

갈로텍은 잠자코 키베인의 니름을 들었다. 그리고 한참 동안 아무 말이 없었다. 키베인이나 바르사 돌, 그리고 데오늬가 초조함을 이기지 못하고 어쩔 줄 몰라할 때 갈로텍은 대답했다. 그런데, 그것은 육성이었다.

"무슨 속임수를 쓰려는 것이냐? 이 산에 사람이 넘을 수 있는 길은 이 길 외에는 없다."

키베인은 어리둥절하여 바르사를 쳐다보았다. 해명을 요구하는 눈빛이었지만 바르사는 그 요구를 들어주는 대신 놀란 표정으로 갈로텍을 바라보았다. 갈로텍의 말은 계속되었다.

"도로왕의 옛길은 끊어져 있지. 당원이 분명히 가르쳐줬을 거야. 그런데 그런 길 로 넘겠다니? 그렇다면, 흐음. 그렇군. 이중의 속임수군. 우리를 그 끊어진 옛길로 몰아넣으려는 것이군. 누구인지 모르겠지만 머리를 꽤 쓰는 친구가 있는 모양인 데."

바르사는 이를 갈며 속삭였다.

"제기랄! 저 녀석 군령자라더니 당원의 영도 가지고 있는 건가?"

주퀘도가 관문 요새를 향해 외치는 동안 갈로텍은 키베인을 향해 닐렀다.

〈대수호자님. 죄송합니다만 당신이 아무것도 아니라는 식으로 이야기하겠습니 다. 만일 당신이 키보렌의 대수호자라는 것이 밝혀지면 저들에게 큰 화를 입을 수 도 있습니다. 저들도 당신이 대단한 인물이라고 생각하고 있는 것은 아닙니다. 조 금 전 이곳의 지리를 잘 아는 사르마크 상장군과 의논해 본 바 저들은 이중의 속임

수를 쓴 것입니다.〉

그리고 갈로텍은 바르사의 계략을 간략하게 정리해서 들려주었다. 키베인은 감탄의 나름을 보내었다. 그 속 편한 반응에 비늘이 부딪칠 지경이었지만 갈로텍은 꾹 참으며 날렸다.

〈꼭 구출해 드리겠습니다. 하지만 그러기 위해선 저들이 당신에게 크게 신경 쓰지 않는 편이 좋습니다. 아무 걱정 마시고 기다리십시오.〉

주퀘도는 비아냥을 잔뜩 섞은 어투로 바르사의 계략을 떠벌렸다. 바르사는 미간을 찌푸린 채 그것을 들으며 대응을 고심했다. 그런데 주퀘도의 말이 점점 그 대상을 바꿔갔다. 바르사, 혹은 북부군을 겨냥하여 외치던 말은 어느새 유료 도로당을 향해 있었다.

"이 짐승의 굴 같은 요새에 기대어 만인에게 오만을 부리는 짓에도 이제 고별을 해야 할 것이다! 너희들의 수의는 오래전에 결정되어 있었다. 너희들은 산양의 가죽에 싸인 채 계곡에 버려질 것이다!"

요새의 다른 부분들에서 당원들의 거친 욕설과 저주가 터져나왔다. 그것은 북부군과 나가들의 일, 즉 여행자들 간의 일이었고 거기에 참견하는 것은 유료 도로당의 정신에 맞지 않았지만, 주퀘도의 폭언은 용납할 수 없는 것이었다. 하지만 당주의 방에서 창문을 통해 아래를 내려다보던 케이 보좌관은 나가임에 분명한 자가 토해 내는 증오에 미심쩍은 기분을 느꼈다.

요새에서 들려오는 폭언에 주퀘도는 사납게 웃었다.

"개자식들. 250년 전 내게 은편 열 닢을 받아낼 때의 그 거만함은 어떻게 된 거냐?"

당원들과 북부군은 엉뚱한 숫자에 당황했다. 그러나 케이 보좌관은 섬뜩한 기분을 느꼈다. 그는 눈을 비비며 나가를 바라보았다.

"설마?"

그때 주퀘도가 목이 터져라 외쳤다. 나가의 목을 빈 그 목소리는 처절하면서도 아름다웠다.

"이 산적놈들아, 귀를 씻고 잘 들어라! 죽음을 뛰어넘어 내가 돌아왔다! 주퀘도 사르마크가 시구리아트 관문 요새에 돌아온 것이다!"

바르사 돌은 그 이름을 알고 있었다. 그는 창턱을 짚으며 비명처럼 외쳤다.

"죽음의 거장!"

유료 도로당의 당원들도 충격 때문에 침묵했다. 죽음의 거장은 그 침묵에 만족하며 오른손을 높이 들어올렸다. 그러자 하늘 저편에서 돌덩이들이 폭풍처럼 날아왔다. 대수호자를 구출하기 위한 일념으로 나가 병사들이 슬픔을 억누른 채 만든 투석기들이 일제히 발사된 것이다.

머리 위로 수천 개의 돌덩이들이 비명을 지르며 날아갔지만, 주퀘도는 꿈쩍도 하지 않은 채 무한히 차가운 미소를 흘렸다.

최후의 대장간의 계단에서, 시루는 눈을 찌푸린 채 빙원을 노려보고 있었다. 그리고 그의 곁에는 비형 스라블이 어쩔 줄 모르는 모습으로 서 있었다. 비형은 그 자리가 거북했다. 다른 두 사람보다 먼저 도착했지만 아무것도 설명할 말이 없었기 때문이다. 비형은 주저하며 말했다.

"곧 올 것 같은데…… 한 번 더 날아 가볼까요?"

"됐네. 저기 오고 있으니까."

비형은 지평선을 바라보았다. 과연 시루의 말처럼 무엇인가가 언덕을 넘어오고 있었다. 잠시 후 그 무엇인가는 완전히 지쳐버린 레콘과 인간으로 바뀌었다. 꼴이 말이 아니었다. 개썰매는 티나한이 끌고 있었고 그 자리에 있어야 할 라호친가히들은 케이건과 함께 썰매에 실려 있었다. 물어보지 않아도 대충 무슨 일이 있었던 건지 알 수 있는 모습이었다.

최후의 대장간 앞에 도달하자마자 티나한은 쓰러졌다. 그리고 케이건은 부들부들 떨리는 다리로 힘겹게 썰매에서 걸어나왔다. 화를 내어주리라 마음먹고 있던 시루는 그 모습에 차마 언성을 높일 수 없었다.

"정말 오늘 도착할 줄은 몰랐네. 닷새 만에 오다니. 고생 많이 했겠군."

케이건은 얼굴에 붙은 얼음 조각들을 떼어내느라 말을 제대로 못했다. 시루는 어눌하게 말했다.

"정말 미안하지만 대장간에는 들어갈 수 없네."

놀란 티나한은 피로에도 불구하고 벌떡 일어나 앉았다. 하지만 비형은 놀라는 대신 빙원 한쪽을 바라보았다. 그곳에는 큼직한 얼음집이 있었다. 라호친 사람들이 만드는 반구형의 얼음집이었다. 시루 역시 그쪽을 가리키며 말했다.

"내가 밖에 얼음집을 만들어 두었네. 저곳에서 머물도록 하게. 보기에는 을씨년 스럽지만 그래도 꽤 지낼 만하다네. 비형은 이미 지난밤 저곳에서 머물렀네."

비형은 지난밤에 저 안에서 도깨비불 피워놓고 자보았더니 꽤 괜찮더라는 식으로 시루를 거들었다. 묵묵히 듣고 있던 케이건은 간신히 입을 열어 잔뜩 쉰 목소리로 말했다.

"들어갈 거요."

"이해하기 어렵겠지만 그럴 수가 없네."

케이건은 쉰 목소리로 말했다.

"이해하오."

"뭐? 이해하다니, 무슨 말인가?"

"왜 못 들어가는지 이해하오."

시루는 미심쩍은 표정으로 케이건을 바라보았다. 말을 하기가 퍽 힘든 듯 케이건은 몇 번이나 숨을 몰아쉰 다음에야 다시 말을 이었다.

"하지만 그런 금기도 잠시 접어두어야겠소."

"자네 도대체 무슨 말을 하는 건가?"

"그런다고 해서 마귀가 붙거나 하지는 않소. 신체에 마귀가 붙을 리도 없고."

이 대화에 참여할 수 없다는 사실에 매우 애석해하던 티나한과 비형은 시루의 반응에 놀라고 말았다. 시루는 세 배로 부풀어오른 채 케이건을 바라보았다. 시루가 분노하여 케이건을 때려죽이려 마음먹은 것은 아닌가 하며 긴장한 두 사람은 곧 자신들의 생각이 틀렸음을 알 수 있었다. 시루는 경악하고 있었다. 말도 못할 정도로.

"그, 그, 그럼 자네 말은······?"

"그렇소."

티나한은 결국 끼어들고 싶은 마음을 억누르지 못했다.

"케이건. 그럼 진짜 그 남편 암살할 여자가 신체인 거야?"

케이건은 힘이 쭉 빠졌다. 그가 진력이 났다는 것은 분명했지만, 티나한이나 비형은 케이건이 화를 낼 거라고는 생각하지 않았다. 그들의 예상대로 케이건은 친절하게 말했다.

"티나한. 접시가 안 붙었잖소."

"그래. 그랬지. 그러면?"

"그 여인은 결혼 못 한 것이 아니오. 아마 오래전에 결혼했을 거요. 그것도 첫째 부인이겠지."

"결혼한 여자가 뭐하러 무기를 받으러 오냐?"

"받으러 오긴 했지만, 무기는 아니오. 그 여인은 아기를 받으러 왔소."

비형은 해괴한 비명을 지르며 시루를 돌아보았고 티나한은 깃털을 사정없이 부풀렸다. 시루는 수염볏을 떨며 케이건을 보고 있었다. 케이건은 차분하게 말했다.

"진작 말해 주지 않은 것에 대해 화를 낼 수도 있지만 관두겠소. 어차피 태어날 때까지 기다려야 했던 것은 마찬가지일 테니. 사금파리는 이곳에 나타났소. 그렇소, 시루. 우리가 찾던 신체는 요즘 대장간에 못 나오게 되었다는 최후의 대장장이의 태내에 있었던 거요. 지금쯤은 나왔을지도 모르겠군. 어떻게 되었소?"

시루는 어지러운 듯 기둥을 짚었다. 케이건은 무뚝뚝하게 말했다.

"어떻게 되었소?"

"어제······ 태어나셨네."

케이건은 안도했다.

"다행이군. 그러면 숯이나 준비해 주시오. 대장간이니 많이 있겠지."

티나한은 신생아가 있는 집에 부득이하게 외인을 들일 경우 취해야 하는 수단이 그렇게 많다는 사실에 놀랐다.

시루는 케이건의 요구대로 숯을 가져왔다. 티나한은 케이건이 시키는 대로 벼슬에 숯을 문질렀다. 그리고 케이건과 비형은 각자 이마에 문질렀다. 하지만 그들이 그런 행동을 하는 동안 다른 대장장이가 사태를 깨닫고 밖으로 나왔다. 그가 제기한 '소금을 몸에 뿌리지 않고 어떻게 외인이 들어올 수 있느냐'는 주장에 케이건은 묵묵히 소금을 부탁했다. 시루가 황급히 소금을 가지러 달려간 후에 또 다른 대장장이가 나왔다. 무슨 요구를 듣게 될지 두려워하고 있던 비형과 티나한은 곧 질문의 홍수에 빠지고 말았다. '근래에 상가에 들른 적이 있느냐, 동쪽으로 흐르는 물을 건넌 적이 있느냐, 뱀 허물을 만진 적이 있느냐, 기타등등.' 대장장이는 그 질문들이 대단히 중요하다는 태도를 취했고, 그래서 티나한과 비형은 성심껏 대답했다. 하지만 그들은 속으로 도대체 왜 그런 것을 알아야 하는지를 설명해 주면 더 좋겠다고 생각했다. 그러는 와중에 소금이 도착했고 수탐자들은 몸에 소금을 뿌렸다. 그러나 대장간 입장은 허락되지 않았는데, 복숭아 나무로 어깨를 몇 번 두드려야 한다는 의견을 제시한 자가 있었기 때문이다. 시루는 어쩔 줄 몰라하는 표정으로 황급히 목재 창고로 달려갔고 티나한과 비형은 슬슬 약이 오른다고 생각했다. 하지만 케이건은 강철 같은 표정으로 묵묵히 기다렸다. 케이건의 냉엄한 얼굴은 어떤 고집스러운 레콘이 그런 모든 조치를 취하더라도 외인은 출입 금지라고 주장했을 때조차 바뀌지 않았다. 그러나 티나한은 더 참지 못했다.

"제기랄, 정말 같은 레콘으로서 인간 볼 낯이 없군, 그래. 케이건은 하라는 짓 꼬박꼬박 다 했잖소! 그런데 이제 와서 안 된다고? 젠장, 그렇다면 전쟁이다!"

꽤나 험악한 사태가 벌어질 뻔했지만 다행히도 먼저 여러 가지 처방을 제시했던 자들이 그렇게까지 별짓을 다 시킨 다음에 못 들어온다고 말하는 것은 지나치다고 생각했다. 그들이 티나한을 거들고 나서자 고집스러운 레콘도 한 발 물러났다.

그리하여 그들은 간신히 최후의 대장간에 들어섰다.

대장간 내부의 공기는 긴장되어 있었다. 젊은 레콘들은 모두 행동을 조심하고

있었다. 티나한은 저들은 외인이 아니냐고 외칠 뻔했지만 그들이 일정 구역 이상
을 벗어나지 못하는 것을 깨닫고는 항의를 삼켰다. 젊은이들은 모두 숙소 근방에
만 머물러 있었다. 하지만 수탐자들은 보다 내밀한 곳까지 안내되었다. 주위의 엄
숙하기까지 한 분위기에 비형은 목소리를 낮추었다.

"그런데 케이건. 물어볼 것이 있는데요. 왜 시간이 없다고 하신 겁니까?"

"무슨 말이오?"

"급히 이곳으로 오자고 하셨잖습니까. 하지만 그 아기가 어디로 갈 리도 없잖습
니까?"

"바로 그게 문제요."

"예?"

"그 아기는 어디로 갈 수가 없소. 방금 태어난 신생아를 그 어미에게서 떼내어
전쟁터로 데리고 갈 수는 없는 노릇이오. 하필이면 신생아라니, 기박하다고 할밖
에."

듣고 있던 티나한의 안색이 어두워졌다. 비형 또한 걱정스러운 얼굴로 케이건을
바라보았다.

"내가 서두른 것은 그 아기보다 다음 신체 때문이오. 그 아기가 북부군에 아무런
도움이 못 될 가능성이 있는 이상, 빨리 접시를 복구한 다음 어디에도 없는 신의
신체를 찾아나서야 하오. 그리고 그 수탐이 이루어지는 동안 그 아기가 걸을 수나
있게 되기를 바라야겠지. 레콘은 빨리 크니 그나마 다행이라고 해야겠소."

"그렇군요. 그런데 어떻게 최후의 대장장이가 임신 중이라는 것, 그리고 그 아기
가 신체라는 사실을 추리해 내신 겁니까?"

케이건은 잠시 침묵했다가 말했다.

"1년 만에 목욕을 하던 중 인간의 신생아 또한 1년 가까이 모친의 태내에 있다가
나와서 씻겨진다는 사실이 떠올랐소. 그러자 모든 사실을 알게 된 거요."

비형은 탄복하려 했다. 그러나 그때 그들을 안내하던 레콘들이 걸음을 멈췄다.
그들이 안내된 곳은 응접실 같은 곳이었다. 수탐자들은 방 안에 앉았고 레콘들은

떠났다. 잠시 후 시루가 그들에게 왔다. 시루는 사금파리들을 담아둔 상자를 내보였다.

"여기서 기다리게. 최후의 대장장이께서 아기를 데리고 오실 걸세."

"고맙소. 그런데 다른 것 하나를 더 부탁하고 싶소만."

"뭔가?"

케이건은 필요한 것을 말했다. 시루는 의아해하다가 곧 케이건이 요청한 것을 가져다주었다. 그것은 물이 담긴 작은 주전자였다. 시루가 물러간 다음 케이건은 상자와 주전자를 방바닥에 내려놓고는 피로를 떨쳐내기 위해 애썼다. 티나한 또한 어디에도 없는 신의 신체를 찾아나서기는커녕 그대로 쓰러져 이틀쯤 잤으면 좋겠다는 생각을 했다. 상대적으로 덜 피로한 비형만이 조바심을 내며 기다렸다. 그때 몽롱한 표정으로 앉아 있던 티나한이 화들짝 놀라며 말했다.

"그런데 아이 아버지가 누구지?"

케이건은 피로한 눈을 들어 티나한을 바라보았다. 티나한은 수염볏을 비틀며 말했다.

"아기가 생기려면 아버지가 있어야 하잖아. 그런데 최후의 대장장이가 결혼했을 리가 없지. 결혼을 했다면 대장장이 일을 할 리가 없으니."

케이건은 어쩔 수 없이 약간 심드렁한 어조로 말했다.

"티나한. 꼭 결혼해야 아기가 생기는 것은 아니오."

티나한은 큰 충격을 받은 얼굴로 케이건을 바라보았다. 그가 케이건의 부도덕한 말에 대해 준엄한 질책을 하려 마음먹었을 때 문가에서 다른 목소리가 들려왔다.

"나도 그 말에 동의해."

수탐자들은 강보에 싸인 아기를 품에 안은 채 방 안으로 들어서는 레콘 여인을 발견했다. 수탐자들은 일어서려 했지만 최후의 대장장이는 고갯짓으로 앉아 있도록 한 다음 자신 또한 방바닥에 앉았다.

비형은 거의 1년 만에 보는 최후의 대장장이의 모습을 유심히 바라보았다. 산고 때문인지 약간 피로해 보였지만 억센 팔뚝과 강인한 어깨는 여전했다. 다른 모든 대장장이들의 동의를 얻어 최후의 대장장이가 된 그녀의 위대한 경력은 쉬 지워지지 않는 것이다. 하지만 그녀의 얼굴을 가득 채우고 있는 것은 어머니가 된 여인의 충만한 기쁨이었다. 한편 티나한은 의심스러운 눈으로 최후의 대장장이를 바라보았다.

최후의 대장장이는 웃으며 말했다.

"그래. 티나한. 무기를 받으러 왔던 어떤 젊은 레콘이 이 애의 아버지야."

티나한은 수염볏을 뻣뻣하게 세웠다. 최후의 대장장이는 부리를 딱 부딪쳤다.

"나는 아기를 가지고 싶었다."

"아기를 가지고 싶으셨으면 결혼을 하셨으면 될 거 아닙니까."

"하지만 숙원도 소중했지. 최후의 대장장이가 되겠다는 숙원."

티나한은 수염볏을 붉히며 다시 항의하려 했다. 그때 이야기를 늘일 생각이 없었던 케이건이 불쑥 끼어들었다.

"내가 아는 어떤 레콘도 숙원과 결혼을 모두 달성하겠다는 야심을 갖고 있었소."

티나한은 그만 할 말이 없어졌다. 그 레콘이 누군지 짐작한 최후의 대장장이는 다시 웃으며 티나한을 바라보았고 티나한은 헛기침을 하며 외면했다. 케이건은 상자를 가리키며 말했다.

"출산 축하드립니다. 아드님이오, 따님이오?"

"딸이야."

"이야기는 다 들으셨습니까?"

"들었다."

"잘됐군. 그럼 시험해 봐도 되겠소?"

최후의 대장장이의 얼굴에서 기쁨이 사라졌다. 그녀는 불안한 표정으로 강보에 싸인 아기를 내려다보았다. 깃털 대신 솜털로 뒤덮여 있는 그 어린것은 깊이 잠들어 있었다.

"내가 낳은 것이……, 정말 모든 이보다 낮은 여신이라는 거냐?"

"당신이 낳은 것은 레콘이오. 먼젓번 신체였던 자가 죽기 직전 그 신체에 깃들어 있던 모든 이보다 낮은 여신이 따님에게로 전령한 것이오. 물론 이것은 내 추측이 맞다는 전제 하의 이야기지만, 나는 맞을 거라고 생각하오. 하지만 확인해 봅시다."

"먼저 말해 줘. 만약 이 아기가 신체가 맞다면, 너희들은 이 아기를 화신으로 바꿀 거지?"

"아마도 그렇게 될 것 같소."

"나는 평범한 도깨비였던 시우쇠가 너희들을 만난 다음 괴물 같은 자가 되었다고 들었다. 미안해, 도깨비. 하지만 시우쇠에 대해 들려오는 것은 모두 험악한 이야기들이었다."

비형은 수긍한다는 듯이 고개를 끄덕였다. 최후의 대장장이는 케이건을 노려보며 말했다.

"내 아기도 그렇게 변하는 거냐?"

"변하긴 할 거라 생각되지만, 어떻게 변할지는 나도 모르오."

"이 아이가 더 이상 내 아기가 아니게 된다는 것이군?"

케이건은 짙은 피로감을 느꼈다. 그는 신체를 찾을 각오가 되어 있었지만 신체의 어머니를 설득할 각오는 해두지 않았다. 그는 지금 이 순간에도 나가에게 살해당하고 있는 북부인들을 생각해 보라고 말하지는 않았다. 그리고 대의(大義)와 운명에 대해서도 말하지 않았다. 그것은 최후의 대장장이를 지나치게 모욕하는 행위였다.

대신, 케이건은 속삭이듯 말했다.

"미안하오."

케이건은 자신이 세계를, 신을, 운명을 대신할 수 없다는 것을 알고 있었다. 하지만 너무 빨리 자식과 헤어져야 하는 어머니가 원하기에 잠시 그들을 대신했다. 그녀 또한 케이건이 그들을 대신하여 사과할 수 없다는 것을 알고 있었지만 그 대역을 용인했다.

최후의 대장장이는 긴 한숨을 내쉬고 말했다.

"일어나라."

케이건은 상자와 주전자를 들고 일어섰다. 최후의 대장장이는 수탐자들을 데리고 방을 나왔다.

그녀는 대장간의 가장 비밀스러운 장소로 수탐자들을 인도했다. 대장장이들이 그들을 보며 놀라거나 혹은 다가서려는 몸짓을 했지만 최후의 대장장이는 그들의 접근을 허락지 않았다. 얼마 후 그들은 대장간의 중심부에 도달했다. 대장장이가 아닌 자들은 들어올 수 없는 곳이다.

비형과 티나한은 경외감에 사로잡힌 채 주위를 둘러보았다.

그들이 들어선 곳에만 벽이 있었다. 다른 벽들은 모두 수십 미터에 달하는 얼음이었다. 비형은 그것이 얼음산의 일부임을 깨달았다. 천장은 까마득한 데다 투명한 얼음으로 되어 있어 높이를 짐작키 어려웠다. 바닥 또한 매끄러운 얼음이었다.

그 중심부에 별빛로가 있었다.

얼음으로 만들어진 노였다. 상식을 완전히 깨트리는 그 노의 내부에는 불이 피워지지 않는다. 대신 천장과 얼음벽을 통해 미끄러져 들어온 별빛이 모여든다. 그곳에서 최후의 대장장이는 강철을 제련한다. 그리고 그 강철은 대장장이들의 손을 거쳐 천년이라도 버티는 레콘의 무기가 된다. 최후의 대장장이는 수탐자들을 돌아보았다.

"이곳이 어디인지 짐작하겠지. 그래. 이곳에서 철은 별철로 바뀐다."

최후의 대장장이는 한팔로 강보를 받쳐들며 다른 손으로는 별빛로를 쓰다듬었다.

"내 딸이 변하는 모습을 보기엔 가장 좋은 장소라고 생각되는군. 시작해라."

케이건은 상자를 들고 앞으로 나섰다.

"바닥에 앉아주시겠소?"

최후의 대장장이는 그렇게 했다. 케이건은 그녀의 무릎 앞에서 상자를 열고 꾸러미를 펼쳤다. 그러자 사금파리들이 모습을 드러내었다.

사금파리들이 달그락거리며 움직였다.

티나한과 비형은 숨을 죽인 채 그 모습을 바라보았다. 몇 년 전 시우쇠 앞에서 그러했던 것처럼 사금파리들은 서로의 깨진 면을 찾아 움직였다. 하나둘씩 엉겨 큰 조각을 이루던 사금파리는 마침내 접시의 모습을 이루었다. 최후의 대장장이는 슬픈 미소를 지었다.

"맞는 거냐?"

"그 아이는 신체요."

최후의 대장장이는 무겁게 고개를 끄덕였다. 케이건이 말했다.

"잠시만 기다려주시오."

"뭔가가 더 남았느냐?"

케이건은 가져왔던 주전자를 접시 위로 가져갔다. 그리고 하나가 된 접시에 조심스럽게 물을 부었다. 최후의 대장장이는 약간 흠칫하는 모습을 보였고 그래서 케이건은 안심시키듯 말했다.

"시우쇠 앞에서도 이렇게 했소. 그러자 접시에 있던 액체는 다른 액체로 바뀌었소. 도깨비들이 가까이하기 싫어하는 어떤 액체로. 아시겠소?"

최후의 대장장이는 가벼운 탄성을 질렀다. 비형은 그날의 기억을 떠올리며 진저리를 쳤다. 물이 붉은 기를 띠다가 마침내 피로 바뀌었을 때 비형은 질겁하며 도망쳤다. 하지만 그때까지 평범한 도깨비였던 시우쇠는 홀린 표정으로 접시를 내려다볼 뿐 움직이지 않았다. 그리고 케이건의 요구에 따라 그 피를 마시고 화신으로 바뀌었다.

케이건은 주전자를 내려놓고 기다렸다. 하지만 한참 동안 기다려도 물은 그대로였다. 케이건은 고개를 끄덕였다.

"이럴지도 모른다고 생각했소. 시우쇠 앞에서 도깨비가 싫어하는 어떤 액체로 바뀌었으니, 같은 맥락에서 이번에 나타나야 하는 것은 레콘이 싫어하는 액체일 가능성이 있소. 그런데 레콘이 싫어하는 것은 바로 이 액체지."

최후의 대장장이는 자제력을 잃지 않은 채 질문했다.

"그걸 어쩔 생각이냐?"

"따님에게 마시게 할까 합니다만."

"알았다."

티나한은 당황하지 않는 그녀에게 놀랐다. 최후의 대장장이는 티나한에게 웃었다.

"대장장이는 불만 다루는 것이 아니야. 담금질을 하려면 물도 필요하지."

최후의 대장장이는 아기를 조심스럽게 깨웠다. 아기는 칭얼거리다가 눈을 크게 떴다. 최후의 대장장이는 손수 접시를 들어올려 다시 티나한을 놀라게 한 다음 그것을 아기의 부드러운 부리로 가져갔다. 아기는 몇 번 도리질을 쳤지만 최후의 대장장이는 차분하게 아기를 달랬다. 마침내 아기는 접시에 담긴 물을 받아마셨다. 최후의 대장장이는 빈 접시를 내려놓고는 흥분과 불안에 휩싸인 눈으로 아기를 내려다보았다.

부리를 몇 번 부딪치던 아기는 갑자기 울음을 터뜨렸다. 대장장이는 극도로 불안한 표정으로 아기를 내려다보았다. 티나한과 비형은 아기의 울음이 세상에서 가장 진귀한 소리라도 되는 양 주의 깊게 들었다. 아기는 점점 더 크게 울었다. 불안에 떨리던 대장장이의 눈이 어느덧 놀라움으로 바뀌었다. 아기의 울음은 끝을 모르고 커졌다. 그것은 곧 계명성의 수준을 뛰어넘었다. 더 견딜 수 없었던 비형과 케이건은 귀를 틀어막으며 뒤로 물러났다. 조금 후에는 티나한마저 주춤하며 뒤로 물러났다. 아기의 울음은 끝을 모르고 커졌다. 최후의 대장간이 통째로 진동하는 것 같은 거대한 울음이었다.

사모 페이는 천천히 가면을 붙잡았다. 가면 없이 개방된 장소에 섰던 것이 오래간만이었기에 사모는 자신도 모르게 눈을 감았다. 가면을 손에 든 그녀는 자신이 충분히 침착해질 때까지 기다리기로 했다. 그녀의 주위에 있던 두억시니들은 각자 편한 자세로 앉거나 눕거나 접은 채 기다렸다.

사모는 눈을 떴다.

아찔할 정도로 반가운 열기가 그녀의 맨얼굴에 와닿았다. 태양이 뿌리는 찬란한 축복 속에 그녀는 키보렌을 보았다.

눈높이 이상의 공간에는 자신을 체념해 버린 듯한 잎들이 나뭇가지에 가당찮은 부담을 주며 관능적으로 늘어져 있다. 그러나 물기가 잔뜩 오른 그 싱그러움을 보지 않더라도 길 잃은 바람이 실수로 다가올 냥이면 어김없이 몸을 살랑살랑 흔들어대는 모습은 참으로 생기가 넘친다. 말라 바스러진 후에도 땅에 닿지 못한 채 숲의 머리에 널브러진 나뭇잎들은 조그마한 바람에도 호들갑스러워진다. 비가 올 모양이야! 그러나 요괴처럼 빛나며 이글거리는 태양 때문에 오히려 검푸르게 보이는 하늘 어디에도 구름 한 점 찾아볼 수 없다. 하지만 일사병에 걸린 바람이라면 잔뜩 있다. 나뭇잎을 희롱하는 것으로 모자라 바람은 재를 퍼올렸다.

날아든 재가 사모와 마루나래, 그리고 두억시니들을 휘감아돌다가 사라졌다. 사모는 시선을 눈높이 아래로 낮추었다.

잿더미와 그을린 돌, 그리고 가차 없이 녹아내려 원래 무엇이었을지 짐작키도 어려운, 혹은 짐작하고 싶지 않은 물체들이 혼돈스럽게 쌓여 있었다. 그 모든 것들은 아직껏 뜨거웠다.

사모 페이는 죽은 페로그라쥬를 밟고 서 있었다.

돌무더기 사이에서 살을 뚫고 튀어나온 뼈처럼 불쑥 솟은 목재 끝에서는 조그마한 불이 타오르고 있었다. 마치 불의 꽃잎을 피운 한 떨기 꽃처럼 보였다. 일반적으로 횃불과 같이 특별히 처리된 경우가 아니라면 그런 목재가 끝에 불을 달고 있을 수는 없지만, 그 목재는 기괴하고 복잡한 재난의 순간들을 거쳐 자연스러운 횃불로 바뀌어 있었다. 즉 반쯤 탄화된 목재는 돌무더기에 파묻힌 아래쪽으로부터 연료를 그 머리부분에서 타오르는 불에 공급하고 있는 것이다. 들기름을 빨아올려 불을 태우는 등잔의 심지와 같은 원리다. 사모는 돌무더기에 감춰져 있는 연료가 무엇일지 상상하지 않았다.

고개를 돌린 사모의 눈에 무엇인가를 열심히 뜯어먹고 있는 쥐 한 마리가 들어왔다. 불에 타 무너진 사육장에서 뛰쳐나온 것임이 분명한 그 쥐도 페로그라쥬를 덮친 재앙에서 나름의 전상(戰傷)을 얻은 모양이었다. 등의 털이 타버려 분홍빛 살 갗이 드러나 있었다. 상처에서 진물이 배어나오고 있었지만 아랑곳하지 않은 채 쥐가 열심히 뜯어먹고 있는 것은 새카맣게 타버린 쥐였다. 사모는 비늘을 부딪쳤고 쥐는 못마땅하다는 듯 사모를 쏘아보고는 곧 어딘가로 달려갔다. 사모는 고개를 돌렸다.

페로그라쥬의 심장탑이 어디 있었는지는 분명히 알 수 있었다. 하늘을 찌를 듯한 그 높이 때문이 아니다. 무너진 심장탑은 언덕과 같은 돌무더기로 바뀌어 있었다. 다만 돌의 양이 워낙 많기에 무너진 후에도 인상적인 규모를 유지하고 있었다. 그곳에서 풍겨나오는 고기 굽는 냄새는 마루나래를 유혹하고 있었다. 하지만 사모는 마루나래를 엄격하게 제지했다. 그녀는 페로그라쥬 사람들의 심장이 불타버렸던 장소에 다가가고 싶지 않았다. 사모는 도시 외곽에서 보았던 시체들을 떠올렸다. 무슨 일이 일어났던 것인지는 분명했다. 불타는 도시에서 가까스로 빠져나온 사람들도 심장탑이 무너진 순간 온몸에서 피를 흘리며 쓰러졌을 것이다. 그 때문에 사모는 생존자에 대한 기대를 거의 하지 않았다. 적출을 하지 않은 어린 나가라면 심장탑의 붕괴에서도 안전했겠지만 자기 집 밖으로 별로 나와보지 못했을 그런 어린 나가들이 도시를 덮친 미증유의 환란에서 살아남았으리라 생각하기 어려웠다. 그녀의 예상대로 어디에서도 니름은 들려오지 않았다. 소음에 묻혀버리는 비명과 달리 니름을 방해하는 것은 거의 없었음에도 불구하고.

좋은 나무가 많이 나기에 고급 서판을 생산해 내던 페로그라쥬의 마지막 모습 앞에서, 사모는 질문을 던졌다.

〈륜. 이것이 북부인들에게 저지른 나가의 죄에 대해 네가 집행한 징벌이니?〉

사모는 서글픔을 느꼈다. 페로그라쥬의 처참한 마지막 모습 때문에 그런 감정을 느낀 것은 아니었다. 북부에서 보낸 4년 동안 그녀는 나가의 손에 자행된 처참한 살육을 수도 없이 보았다. 낭자한 유혈과 피냄새로 뒤범벅이 된 그런 광경에 비해 소각된 페로그라쥬의 모습에는 불이 가져다주는 묘한 깨끗함이 있었다. 사모가 느낀 서글픔은 그 폐허의 모든 곳에 남겨져 있는 무감각함에서 비롯된 것이다.

〈집행은 네가 했지만 판결을 내린 것은 네가 아니겠지. 륜. 나는 누가 이 참상을 원했는지 알고 있어. 베미온 굴도하, 키타타 자보로, 그리고 귀하츠 신뷰레가 이것을 원한 것이겠지. 너는 그들의 도구야. 하지만, 하지만 너는 생각할 수 있는 도구야. 그런데 이 무감각함은 뭐지? 저주받을 용인의 감각 같으니! 너무도 예민하게 주위를 느끼는 네겐 더 이상 너 자신을 느낄 힘이 남아있지 않아.〉

사모는 마루나래의 갈기를 움켜쥐었다. 마루나래는 떨리는 그녀의 손길에 불안함을 느낀 듯 사모의 얼굴을 들여다보았다.

〈그들을 위해 죽는 것은 왕인 나의 일이야. 네가 아니야! 너는 케이건 드라카가 되어선 안 돼.〉

사모는 가면을 다시 착용했다. 마루나래에 오른 사모는 금군들이 일어나기를 기다렸다.

〈그렇게 놔두지 않겠어.〉

마루나래가 걸음을 뗐다. 두억시니들은 서서히 그 뒤를 따라 움직였다.

페로그라쥬의 잔혹한 폐허는 끝이 없는 것 같았다. 사모는 그 안으로 들어온 것을 후회했다. 뒤로 돌아서 지금이라도 도시를 우회하는 것이 낫지 않을까 하는 생각을 떠올렸을 때 비로소 사모는 페로그라쥬를 벗어났다. 도시에 지나치게 가까웠기에 숲의 청신함은 부족했지만 사모는 최악의 악몽 같은 도시를 빠져나온 것만으로도 살 것 같은 기분을 느꼈다. 그녀는 남쪽을 향해 달렸다.

수호자 세리스마는 침중한 표정을 짓고 있었다. 수호자 보트린은 조심스럽게 닐렀다.

〈갈로텍은 곧 그 관문 요새를 통과할 수 있을 겁니다.〉

세리스마는 침울하게 닐렀다.

〈그렇게 상황이 녹록지 않아. 갈로텍은 그 높은 곳의 날씨를 바꾸는 것에 힘을 다 소모하고 있어. 휘하의 수호 장군들이 일으키는 폭풍은 관문 요새에 아무런 해도 끼치지 못해. 그곳은 원래 날씨가 험악한 곳이니까. 게다가 갈로텍이 그곳의 수력을 거의 다 장악하고 있기 때문에 수호 장군들은 다른 곳에서 폭풍을 만들어 와야 하지. 또한 그 폭풍은 갈로텍의 날씨 조절을 방해할 수도 있어.〉

〈그렇다면 결국 병사 대 병사의 싸움이잖습니까? 그곳에는 주퀘도 사르마크도 있습니다. 그자는 전쟁의 달인이잖습니까.〉

〈그런데 관문 요새는 그 달인을 거꾸러뜨린 유일한 상대지. 아무래도 통행료를 보내주는 방법을 생각해 봐야겠군.〉

보트린은 비늘을 약간 세웠다. 세리스마의 제안은 처음 나온 것이 아니었다. 갈로텍이 시구리아트 유료 도로에 묶여 있다는 이야기가 전해졌을 때 세리스마는 곧 그들에게 통행료로 쓸 대금을 보내줄 방도를 궁리했다.

하지만 그들에게 접근하여 통행료를 건네줄 수 있는 부대들은 모두 남진 중인 북부군을 막기 위해 급히 회군 중이었다. 통행료를 전달하는 데 많은 인원이 필요한 것은 아니다. 하지만 그들이 있는 위치가 몇 명의 수호 장군들이 기온을 조절하지 않는 이상 접근하기도 힘든 추운 지방이라는 점이 문제였다. 그런데 남진하는 북부군을 상대하기 위해 가장 필요한 것이 바로 수호 장군이었다. 시우쉐와 뇌룡공을 저지할 수호 장군이 없다면 병사가 수십 명이든 수십만 명이든 별 차이가 없다. 세리스마가 내놓은 해결책은 하텐그라쥬의 수호자들을 모조리 모아 통행료 수송 부대를 꾸린다는 방법이었다. 하지만 대부분의 수호자들이 수호 장군이 되어 떠났기 때문에 하텐그라쥬에는 수호자들의 숫자가 많지 않았다. 하텐그라쥬를 떠나고 싶은 생각이 조금도 없었던 보트린은 그 의견에 반대했다.

〈얼마 남지 않은 수호자들까지 이곳을 떠난다면 도시는 누가 지킵니까? 지도그라쥬가 이 도시를 보호해 주겠다고 나설지도 모릅니다.〉

세리스마의 심기가 불편해졌다. 하텐그라쥬에 대한 지도그라쥬의 영향력이 커진다면 차기 대수호자의 자리가 누구에게 돌아갈지는 분명했다. 세리스마는 지도그라쥬의 오라기를 떠올리며 비늘을 부딪쳤다. 10년이 넘는 세월을 투자하여 이 모든 일을 준비하고 실행해 온 그는 도저히 그런 결과를 받아들일 수 없었다. 세리스마는 단호하게 닐렀다.

〈수호자들을 보내지는 않아.〉

〈그러면 다른 방도가 없습니다.〉

〈북부에 대해 우리보다 잘 아는 자가 필요해. 우리는 이곳을 떠난 적이 없어. 하지만 지금 이 도시에는 북부에 가 본 나가들이 많이 들어와 있잖아? 그중엔 우리보다 더 나은 생각을 해낼 수 있는 자가 있을 거야.〉

보트린은 안도했다. 할 닐름이 있었기 때문이다.

〈쥬어라는 남자가 있습니다. 센 가문에서 태어난 남자인데, 그 가문의 가주 자리를 원하고 있습니다.〉

〈남자가? 무슨 닐름인가?〉

〈그는 모험가라고 불러야 할 만한 사람입니다.〉

보트린은 쥬어에 대해 알고 있는 사실들을 닐렀다. 세리스마는 의아해했다.

〈그 녀석은 어떻게 북부를 돌아다닌 거지?〉

〈군단을 따라다닌 거죠. 나가들로부터 불신자를 지켜주려는 척했다고 말씀드리지 않았습니까? 즉 나가의 공격이 임박한 장소에서 주로 활동했다는 닐름이지요.〉

〈그렇군. 공격하기 위해 수호 장군들이 기후를 바꿔놓은 곳이군. 하지만 그러려면 재주가 비상해야겠군.〉

〈그렇습니다. 군단과 항상 적당한 거리를 두는 재주가 있어야 하지요. 자칫 잘못하면 차가운 지역에 고립될 수도 있으니까요.〉

〈그 녀석이 좋겠군. 그렇게 비상한 자라면 뭔가 괜찮은 생각을 떠올릴 수 있을지도 모르겠어. 그자를 만나봐. 보트린.〉

〈알겠습니다.〉

보트린은 세리스마에게 인사한 다음 그의 방에서 물러났다.

계단을 내려오던 보트린은 어느 층계참에서 잠시 걸음을 멈췄다. 그곳은 심장탑의 특별한 부분이었다. 내려가는 계단과 옆을 번갈아 보며 고민하던 보트린은 결국 몸을 돌렸다.

문 앞에는 두 명의 수련자들이 자리를 지키고 있었다. 수련자들은 그곳의 책임자를 알아보고 가볍게 인사를 건넸다. 보트린은 간단히 화답한 다음 열쇠를 꺼내었다. 잠긴 문을 연 보트린은 안으로 들어가 빗장을 질렀다.

방 저편에는 거대한 금속 상자가 차갑게 번득이고 있었다. 카린돌 마케로우의 몸을 구속하고 있는 냉동 장치였다. 보트린은 냉동 장치의 한쪽에서 뿜어져 나오는 열기만 보고서도 그 장치가 이상 없이 움직이고 있음을 확인했다. 무수한 시간 동안 이미 익숙해진 동작으로 보트린은 일상적인 점검을 시작했다. 냉동 장치의 냉기가 새는 부분이 없는지 조사하는 것은 나가의 눈에는 간단한 일이었다. 줄어든 약품을 보충하고 모든 것이 정상임을 확인하자 점검은 완료되었다.

하지만 보트린은 점검이 불충분하다는 느낌을 받았다. 고개를 돌려 빗장을 확인한 보트린은 다시 냉동 장치를 바라보았다. 우물거릴 시간은 없었다. 밖에서 지키고 있는 수련자들은 일상적인 점검에 필요한 시간을 잘 알고 있었다. 보트린은 결심을 굳히고는 벽으로 다가갔다. 그곳에 걸려 있는 털옷을 걸친 보트린은 다시 냉동 장치로 돌아가 그 문을 붙잡았다. 그리고 주저 없이 열었다.

냉기가 그를 엄습했다. 보트린은 털옷을 단단히 여미면서 어두운 내부를 들여다보았다. 점차 윤곽과 빛깔이 뚜렷해졌다. 헤아릴 수 없이 많이 경험한 일이었지만 보트린은 언제나처럼 흥분과 긴장을 느꼈다.

보트린은 자신의 신부를 바라보았다.

'왜 그들은 여신을 민감하게 느끼는 내 능력을 단지 쓸모 있는 능력으로밖에 생각하지 못하는 것일까? 그들도 이 분의 신랑들인데!'

보트린은 왜 그런지 알고 있었다. 신랑이니 신부니 하고 니르지만, 그것은 나가의 세계와 무관한 명칭이었다. 그들의 세계에는 남녀의 항구적인 결합이라는 것이 존재하지 않았다. 하지만…….

보트린은 공상에 빠져들었다. 불신자들의 풍습인 결혼이 그 공상의 주된 내용이었다. 결혼. 한 남자와 한 여자의 결합. 보트린은 나가들이 가지고 있지 않은 이국적인 풍습에 자신과 여신을 대입했다. 어처구니없지만, 그렇기에 매혹적인 상상이었다. 그는 여신을 느꼈다. 그랬기에 여신을 동정했다.

그는 여신을 사랑했다.

많은 시간이 흘렀다는 것을 깨달은 보트린은 소스라치게 놀랐다.

냉동 장치 안의 냉기가 희미해져 있었다. 보트린은 황급히 문을 움켜쥐었다. 그러나 그것을 닫는 대신 보트린은 멍한 표정으로 카린돌 마케로우를 바라보았다. 냉기가 사라지자 그 모습은 더욱 뚜렷하게 보였다. 그 눈꺼풀은 금방이라도 열려 보트린을 바라볼 것 같았다.

가까스로 보트린은 문을 닫았다.

뒤로 물러나 털옷을 벗으면서 보트린은 비늘을 곤두세웠다. 채 가시지 않은 흥분과 공상의 즐거움, 그리고 다음번에는 정말 그런 일이 벌어질지도 모른다는 걱정 때문이었다.

하텐그라쥬 외곽의 공터에서, 쥬어의 의용군들은 한자리에 모여앉아 자신들의 어제와 오늘, 그리고 내일에 대해 고민했다.

처음 자신들이 마호가니 군단에 편입되었다는 사실을 알게 되었을 때 그들은 큰 충격을 받지는 않았다. 북부의 경험이 풍부한 그자들은 군단과 그들의 행동에 커다란 차이가 없음을 잘 알고 있었다. 굳이 차이를 둔다면 군단은 불신자들을 죽이고 나서 전리품이 될 만한 것이 있는지 알아보지만 그들은 전리품이 될 만한 것이 있는지 알아본 다음에 죽인다는 점이 다를 뿐이었다. 그들 중 일부는 오히려 군단에 편입된다는 사실을 반기기까지 했다. 그 사실을 반기는 자들은 쥬어가 사업을 그만두고 셴 가문인지 뭔지를 계승하겠다고 나서는 것을 못마땅하게 생각하고 있던 자들로서, 그런 축들은 군단에 들어갔으니 다시 북부로 돌아갈 수 있을 거라고 생각했다.

하지만 비아스는 하텐그라쥬를 떠날 생각이 없는 듯했다. 그들은 이제 동료가 된 군단병들에게 질문을 던졌고 자신들이 하텐그라쥬 방어를 담당하게 되었다는 사실을 알게 되자 어리둥절해졌다. '하텐그라쥬를 방어하다니, 지도그라쥬가 쳐들어오기라도 한다는 건가?' 그런 추리는 그들을 질겁하게 했다. 마음껏 쳐죽일 수 있는 불신자들과 나가는 분명히 다른 상대였다. 군단을 따라다녔기에 그들은 수호 장군들의 능력과 군단의 힘을 충분히 목격할 수 있었다. 그런 자들을 적으로 두게 된다는 것은 도저히 반길 수 없는 일이었다.

당연한 반응으로서 그들은 쥬어에게 찾아갔다. 그리고 서로 가는 길이 달라도 함께 했던 나날의 추억을 되새길 수 있다면 그 어찌 아름다운 일이 아니겠느냐는 취지의 니름을 전달했다. 떠날 테니 북부에서 얻은 보물을 나눠달라고 니른 것이다. 하지만 무섭도록 추운 북쪽에 있다가 따뜻한 남쪽으로 돌아오자 정신이 어떻게 되기라도 한 것인지 쥬어는 그들을 몹시 당혹시키는 대답을 했다. 그들은 탈영하는 자는 사형이라는 니름에 동의했지만 그것이 자신들에게 해당하는 니름이라는 사실은 이해하기 힘들어했다. 결국 그들은 실망하고 의기소침해져서 모였지만, 별다른 뾰족한 수가 떠오르지 않았다.

번잡하고 황당한 니름들이 오가는 있는 곳에서 조금 떨어진 곳에 그들의 니름에 별 관심이 없다는 태도로 누워 있는 두 사람이 있었다. 그들은 의용군에 들어온 지 얼마 되지 않았기에 의용군의 사업에 별 애정이 없었고, 따라서 군단에 편입되는 것에도 별다른 거부감은 없는 듯했다. 의용군들은 그들도 논의에 포함시켜야 되지 않나 생각했지만 두 사람은 지도그라쥬와 싸우든 누구와 싸우든 배만 곯지 않으면 상관없다는 무신경한 태도로 다른 자들의 호의를 거부했다. 그들이 태평하게 잠든 모습을 보자 다른 자들은 호의를 베풀 마음도 없어졌다.

만약 그들 중 청력에 주의를 기울인 자가 있었다면 두 사람이 옆으로 돌아누운 채 육성으로 대화를 나누고 있다는 기묘한 사실을 알게 되었을 것이다. 하지만 그런 자는 없었고, 그래서 두 사람은 아무 방해도 받지 않고 대화를 나누었다.

"카루. 정말 지도그라쥬가 여길 공격하려는 것일까?"

"내 생각에는 그렇지 않아. 스바치. 마호가니 군단에는 가장 많은 수호 장군이 있지. 만약 지도그라쥬가 내습한다면 수호 장군들이 절실하게 필요해. 하지만 저 꼴을 봐. 병사들의 숫자도 부족하지만, 무엇보다도 수호 장군들이 하나도 보이지 않아. 지휘를 맡고 있는 것은 비아스 마케로우였어."

"제기랄, 비아스라니. 우리를 알아보면 어떻게 하지?"

스바치는 비늘이 곤두서는 것을 느꼈다. 입 모양이 보이지 않도록 돌아누워 있었지만 비늘이 움직인다면 다른 자들이 의아해할 것이기 때문에 스바치는 자신을 억누르려 애썼다. 쉽진 않았다. 카루는 우울하게 대답했다.

"그런 일이 일어나기 전에 여신을 해방시켜야지. 이 웃기는 패거리들 덕분에 하텐그라쥬에 돌아오는 데는 성공했어. 이젠 우리가 미루어두었던 그 마지막 단계를 생각해 봐야겠는데, 도대체 어떻게 하지?"

스바치는 자신감 있게 말했다.

"그 점에 대해서는 약간 떠오른 것이 있어. 만약 이곳에 대한 공격이, 그게 어떤 세력에 의한 공격인지 모르겠지만 어쨌든 공격이 일어난다면 심장탑의 방어가 약해질 거야. 수호자들도 모두 방어에 나설지도 모르니까."

"그 틈에 심장탑에 잠입한다?"

"바로 그래."

"그렇다면 여기를 떠나야겠군. 이곳에 계속 있는다면 바로 그 방어에 끌려나가게 될 테니까. 하지만 쥬어가 우리를 떠나게 해줄까? 그 악독한 녀석은 오랫동안 함께 했던 동료들의 요청도 거절한 것 같은데."

"몰래 떠나는, 그러니까 도망치는 것은 어떨까? 밀림에 숨어 있는다면……."

"그러면 전투가 벌어졌을 때 잠입하기 쉽지 않을 거야. 그 시점에 우리는 심장탑 가까이에 있어야 해."

"그렇다면 도시쪽으로 도망쳐서 아무 가문이나 방문한다면? 여기는 하텐그라쥬야. 이렇게 큰 도시에서 우리가 어느 집을 방문 중인지 어떻게 찾아내겠어?"

카루는 한숨을 내쉬었다.

"그것도 쉽지 않아. 하텐그라쥬가 지나치게 소란스러워졌어. 사람들은 집 밖으로 너무 자주 나오더군. 우리는 여자들을 호위하기 위해 계속 밖으로 나와야 할걸. 그러면 발각될 가능성이 높지. 출입을 별로 하지 않는 가문을 알아낼 수 있다면 좋겠지만 지금 상태에서는 알아낼 방법이 없어. 자네 혹시 그런 가문 아나?"

스바치는 특별히 떠오르는 가문이 없다고 대답했다. 카루 역시 마찬가지였기에 그들의 대화는 중단되었다. 잠시 후 카루가 다시 입을 열었다.

"쥬어에게 비밀을 알려주면 어떨까?"

"비아스가 화리트를 죽였다는 것? 물론 쥬어가 그 비밀을 알면 비아스를 조종하는 데 쓸 수 있으니 좋아하겠지. 하지만 증거가 없어. 증인이 될 수 있는 것은 우리뿐이고."

"아니, 내가 말한 것은 그것이 아냐. 수호자들이 여신을 구속하고 있다는 비밀 말이야."

"음? 그걸?"

"그래. 우리가 나서서 니르는 것은 소용이 없겠지. 수호자들은 당장 우리를 눌러 죽일 테니까. 하지만 쥬어는 대가문들에게 호의를 얻으려 애쓰고 있어. 어느 정도 성공한 것 같기도 하고. 잠깐. 생각 좀 해보자. 뭔가 계획이 될 것도 같아."

카루와 스바치는 긴 시간 동안 이야기를 나눴다. 차츰, 그들의 머릿속에 모호하나마 어떤 계획이 떠오르기 시작했다.

티나한은 격분하여 외쳤다.

"이리 줘! 내가 해보겠다!"

"그러시오."

케이건은 선선히 고개를 끄덕이며 접시를 내밀었다. 티나한은 그것을 두 손으로 움켜쥐었다. 최후의 대장간에서 철창을 처음 쥐었을 때 그랬을까 싶은 신중한 동작이었다. 티나한은 허리를 숙여 접시를 바닥에 내려놓았다. 그는 신중하게 접시를 오른쪽으로 약간 돌렸다가, 다시 왼쪽으로 조금 돌렸다. 마침내 만족할 만한 상태가 되었는지 티나한은 똑바로 일어섰다. 그는 제자리에서 잠시 호흡을 골랐다.

그리고 티나한은 아무도 예상치 못한 행동을 했다. 티나한은 위로 뛰어올랐다. 삽시간에 티나한은 수십 미터 높이로 솟구쳤다. 비형이 감탄하며 위를 올려다보았을 때 케이건이 그의 손을 낚아챘다.

"비형. 이리로."

티나한은 정점에서 우레 같은 소리를 내질렀다. 온몸이 세 배로 부풀어올랐고 그 눈은 전의로 불타올랐다. 그리고 티나한은 바닥에 놓인 접시를 향해 똑바로 내려떨어졌다.

충돌의 순간 굉음과 함께 바닥의 석판들이 박살이 났다. 미리 대피했던 케이건과 비형은 최후의 대장장이의 등 뒤에서 천천히 걸어나왔다. 티나한은 박살난 바닥 옆에서 오른쪽 다리를 움켜쥔 채 한쪽 발로 팔짝팔짝 뛰고 있었다. 꽤나 아픈 듯했지만, 두 명의 수탐자들은 무정하게도 티나한 대신 접시가 있던 쪽을 바라보았다. 티나한도 바닥에 주저앉아 발목을 주무르며 그쪽을 바라보았다. 바닥에서 피어난 먼지가 사라진 곳에서는 접시가 빙글빙글 돌고 있었다. 잠시 후 접시는 회전을 멈추었다.

티나한은 비명을 질렀다. 접시는 잔금 하나 없이 깨끗했다.

손에서 놓아도, 집어던져도, 발로 짓밟아도 깨지지 않았던 접시는 분노한 레콘의 혼이 담긴 일격마저 견뎌내었다. 최후의 대장장이는 떨떠름하게 말했다.

"저걸 무기로 써도 되겠군. 대단한 강도인데. 도대체 앞의 두 번은 어떻게 깬 거냐?"

"가슴 높이에 들고 있다가 놓는 방법으로."

"그럼, 이번에는 왜?"

"그렇게 물을 줄 알았소."

최후의 대장장이는 피식거리며 웃었다.

"모르겠다는 말이군."

케이건은 한숨을 내쉬었다. 저편에서는 티나한이 비형에게 접시를 강제로 쥐여주고 있었다. 비형은 영문을 모른 채 티나한이 시키는 대로 접시를 머리 위에 들어올렸다. 그러나 곧 도깨비는 사색이 되었다. 티나한은 수십 걸음 정도 물러난 후 철창을 단단히 움켜쥐었다.

"간다!"

비형은 접시를 내팽개치고 도망쳤다.

그 이후로 온갖 방법이 동원되었다. 한가하다는 이유로 구경을 하던 단도장 시루가 약이 올라 앞으로 나섰다가 자신의 모루를 두 개 깨버리고는, 뒤늦게야 대장장이에게 가장 불길한 일을 한 번도 아닌 두 번이나 저질렀다는 사실에 질겁하여 '대장장이의 모루가 깨졌을 경우 취해야 하는 비방'을 물어보기 위해 동료 대장장이들에게 달려간 다음, 케이건은 그 소동을 중단시켰다.

"소용이 없소. 그만둡시다."

티나한은 헐떡거리며 접시를 노려보았다. 아무도 만지고 싶어하지 않았기에 그것은 여전히 깨진 모루 위에 놓여 있었다.

"도대체 왜 안 깨지는 거지? 전에는 퍼석퍼석 잘만 깨지더니."

"어디에도 없는 신은 어디에도 없어서 그런 것 아닐까요?"

푸념을 내뱉은 비형은 동료 수탐자들이 진지한 표정으로 바라보는 것을 느끼곤 당황했다. 도깨비는 농담이라고 말했고 잠시 생각하던 케이건 역시 고개를 가로질렀다.

"어디에도 없는 신께서는 어디에도 없을지 몰라도, 그 신체는 어딘가에 있긴 있어야 할 거요. 그렇게 생각하는 것이 합리적일 것 같소. 사실 지금 같은 상황에서 뭐가 합리적인지 말하긴 어렵지만."

"저게 깨지지 않는 이상 어디에도 없는 신의 신체를 찾아나설 수 없는데, 어떻게 하면 좋을까요?"

케이건은 잠시 생각에 잠겼다가 별 도리 없다는 듯이 말했다.

"가이너 카쉬냅은 신이 전일 근무 가능한 무보수 만능 하인은 아니라고 했지만, 기왕 근처에 계신 신을 모른 체할 필요도 없을 것 같소. 아기에게 갑시다."

아기에게는 이름이 없었다. 최후의 대장장이가 그 이름을 지어야겠지만 그녀는 여신의 이름을 짓는다는 것에 부담감을 느꼈다. 혹은 사람들이 괴로움 속에 추측하는 것처럼 아기를 자신의 딸로 여기지 않게 된 것인지도 모른다. 하지만 그 누구도 추측을 질문으로 바꾸지는 않았다. 출산할 때 느꼈던 고통의 앙금이 아직껏 몸 곳곳에 엉겨 있을 테지만 최후의 대장장이는 의연하게 행동했다. 아기가 누워 있는 요람을 가리키며 "저 요람을 만들면서 제단을 만들고 있는 거라 생각한 적은 없었는데."라고 말한 것이 그녀의 유일한 감정 표현이었다. 비형의 동정 어린 눈빛을 외면하며 최후의 대장장이는 요람으로 허리를 숙였다.

"모든 이보다 낮은 여신이여, 일어나소서."

아기는 눈을 떴다. 그녀는 눈을 크게 끔뻑거리다가 부리를 좍 벌려 하품했다. 그 모습은 보통의 어린 레콘이었다. 하지만 솜털에 뒤덮인 몸을 꿈틀거리던 아기는 케이건들을 발견하고는 말을 했다.

"수탐자들이 왔구나. 앉혀주겠니?"

비형과 케이건은 머리가 울린다고 생각했다. 아기의 목소리는 보통으로 말할 때조차 지나치게 크고 울리는 목소리였다. 대장장이는 아기를 앉혔다. 땅이 울리는 목소리로 말을 한다는 실로 놀라운 능력을 제외한다면 아기는 보살핌이 필요한 보통의 아기였다. 불덩이의 모습으로 변해 버린 시우쇠를 기억하는 비형과 티나한은 아기에게 가시적인 변화가 없다는 사실이 퍽 이상하게 느껴졌다.

아기는 노란색 솜털뭉치 같은 머리를 여기저기로 돌리다가 누구 한 사람에게 시선을 맞추지 않은 채 벽이 흔들거릴 정도의 목소리로 말했다.

"접시를 깼느냐?"

"깨지지 않았습니다."

아기는 의아해하며 설명을 요구했다. 케이건은 별의별 짓을 다해보았지만 접시가 깨지지 않았음을 설명했다. 설명을 다 들은 아기는 여전히 누구에게도 시선을 맞추지 않는 그 묘한 눈빛으로 말했다.

"그럴 수도 있겠구나."

"그럴 수도 있다니, 어떻게 된 일인지 설명해 주시겠습니까?"

"그는 빠른 것을 좋아하니까. 나와는 반대로. 나는 느린 쪽을 선호하지."

잠시 고민해 본 케이건은 어렵지 않게 '그'가 자신을 죽이는 신을 가리키는 말임을 깨달았다. 접시는 즈믄누리의 마지막 방에서 나왔다. 케이건은 아기가 땅처럼 태평하다면 그것도 큰일이라고 생각했다. 어쨌든 아기가 한 말은 그의 질문에 대한 대답이 아니었다. 케이건이나 다른 수탐자들의 조바심과 상관없이 아기는 단조로운 태도로 흥얼거리듯이 말했다. 지나치게 큰 목소리로.

"몇십만 년쯤 써서 철을 만들어내면 그는 당장 그걸 칼로 바꿔서 녹을 잔뜩 슬게 한 다음 내게 돌려주지. 심할 경우 몇 년 만에 그 지경으로 만들어서 돌려주더군. 왜 그렇게 성격이 급한지. 그러니 어떻게 내 아이들에게 줄 철에 그가 손댈 수 있도록 하겠어."

수탐자들은 어리둥절한 표정으로 서로를 쳐다보았다. 그때 최후의 대장장이가 갑자기 탄성을 질렀다. 그 순간 케이건도 깨달았다.

별빛로에는 불이 없다. 최후의 대장간에서 철은 불이 아닌 별빛으로 제련된다. 별철이 무기로 태어날 때는 불이 사용되지만 최초의 광석이 선철로 바뀌는 과정에는 불이 관련되지 않는다. 문득 케이건은 한 가지 사실을 더 떠올렸다.

"당신은 무기를 주시는 겁니까?"

아기는 잔잔한 미소를 떠올렸다.

"그래."

"그렇다면 발자국 없는 여신은……?"

"짐작하는 것 같은데, 말해 보지?"

"이름입니까?"

"잘 맞혔구나."

"감사합니다. 그럼 저희는 무엇입니까?"

아기는 잠시 침묵한 다음 다시 방을 흔들었다.

"네가 이미 아는 것을 말해 줄 수는 있지만 내가 먼저 가르쳐주긴 어렵구나. 그것은 그의 일이기 때문에."

케이건은 아기의 얼굴을 바라보다가 말했다.

"알겠습니다. 그런데 접시가 깨지지 않는 것은 어떻게 해결해야겠습니까? 그건 저희들이 알지 못합니다."

"시우쇠에게 가자."

"네?"

"그 접시를 만든 시우쇠에게 가자. 최후의 대장장이야."

최후의 대장장이는 주춤거리며 허리를 숙였다. 아기는 그녀에게 시선을 맞추지 않은 채 말했다.

"저 티나한이라는 아이가 등에 멜 수 있는 물건을 하나 만들거라. 저 아이가 나를 업어야겠다. 하지만 저 아이가 팔을 쓸 수 있어야 될 테니 적절한 장치가 필요하겠구나. 만들 수 있겠지?"

티나한은 기겁했다. 그는 그 모습이 자신의 전사적 풍모를 심히 훼손시킬 것임을 분명히 깨달을 수 있었다. 그러나 그가 뭐라 항의하기도 전에 아기는 다시 잠들고 말았다. 아기가 잠든 것을 확인한 최후의 대장장이는 똑바로 서더니 꽤 의미 깊어 보이는 웃음으로 티나한을 바라보았다. 티나한은 그만 울고 싶은 기분을 느꼈다. 비형이 눈을 빛내며 바라보는 것은 그를 더욱 슬프게 만들었다.

티나한의 결사적인 반대 때문에 대장장이들은 안장에 딸랑이를 부착하는 것을 포기했다. 티나한은 안장이라는 이름조차 반대했지만 그보다 더 적당한 이름이 없었기에 그냥 그 이름으로 확정되고 말았다. 제작된 '안장'은 티나한의 어깨에 걸릴 멜빵과 허리에 묶일 허리띠가 달린 질통 비슷한 모양이 되었다. 보통의 질통과 달리 바람이 잘 통하도록 뼈대만으로 구성된 점이 달랐지만. 비형은 착용감이 중요하다고 말하며 한번 메어보라고 열성적으로 권했지만 티나한은 때가 되면 메겠다고 극구 사양했다. 물론 그때가 반드시 오고야 말리라는 것은 분명했다. 그들의 출발을 지체시키고 있는 폭풍이 멈추면 티나한은 안장을 메어야 할 것이다.

그랬기에 비형은 티나한을 자폐 증상으로 몰아가는 것을 그만두고 케이건에게 찾아갔다.

케이건은 두터운 털옷을 입은 채 대장간의 입구에 서서 폭풍의 추이를 관찰하고 있었다. 날이 어두워지고 있었기 때문에 비형은 폭풍이 그치더라도 오늘은 출발하기 어려울 거라 생각했지만 케이건의 의견은 달랐다.

"대장장이들의 말을 들어보니 맑은 기간이 점점 줄어들 거라더군. 그러니 날씨만 좋으면 밤이라도 출발해야 할 것 같소. 티나한이 좋아하겠군. 이곳을 방문하고 있는 젊은이들의 눈을 피할 수 있을 테니."

"대장장이들이 아기를 참 좋아하는 것 같죠?"

"여기선 어린 아기를 볼 일이 없으니까."

"그렇겠군요. 아, 그런데 아기와 나눈 이야기 중에서 이해하기 힘든 말이 있었습니다. 무기를 준다는 것은 무슨 말입니까? 그리고 이름을 준다고도 하셨는데?"

케이건은 잠시 침묵했다. 설명할 말을 찾아내는 것이리라 생각하며 비형은 가만히 기다렸다. 사정없이 질타하는 폭풍이 어두워지는 하늘의 빛깔을 기괴한 빛으로 물들이고 있었다. 밤의 도움으로 쌓인 거성에 적을 두고 있었지만 비형은 밤이 그토록 다채로운 색깔로 자신을 치장할 수 있으리라고는 생각지 못했다.

케이건이 천천히 입을 열었다.

"시우쇠 님의 능력이 보통의 도깨비와 같다는 것을 알았을 때 나는 좀 묘한 생각을 하게 되었소."

"예? 무슨 말씀입니까?"

"도깨비들은 이미 자신을 죽이는 신과 같은 능력을 가지고 있소. 그렇다면 자신을 죽이는 신은 도깨비들에게 불을 준 거라 가정할 수 있을 거요. 한편 나가들의 수호자를 생각해 보면 그들 또한 발자국 없는 여신에게 받는 것이 있소. 여신의 신랑이라는 지위요. 그것은 그들이 받는 이름, 즉 신명에 포함되어 있소. 두 신이 각자 자신이 보살피는 선민 종족에게 불과 이름을 주었다면 다른 신들도 뭔가를 주었을 거라는 가정 또한 가능하오."

비형은 놀란 눈으로 케이건을 바라보았다. 케이건은 손을 움직여 대장간을 가리키듯하며 말했다.

"이곳 최후의 대장간에서 레콘들은 무기를 받소. 나가들은 쉬크톨이라는 위대한 검을 만들어내고 도깨비 대장장이들은 다른 종족들이 감히 상상하는 것조차 두려운 방식으로 철을 다룰 수 있소. 하지만 레콘은 최후의 대장간으로 와서 자신의 무기를 받소."

"그렇다면?"

"무기요. 비형. 모든 이보다 낮은 여신이 그녀의 아이들, 선민 종족 레콘에게 주는 것은 별빛으로 제련된 철로 만들어진 무기였소. 그것은 불로 만들어졌기에 곧 녹스는 도깨비들의 무기와도 다르고 히참마에 의해 부러지는 쉬크톨과도 다르오. 시험해 볼 수는 없지만, 아마 히참마로도 별철은 파괴할 수 없을 거라 생각되오. 그것은 여신이 그녀의 선민 종족에게 주는 것이니까."

케이건은 옆의 기둥에 손을 짚었다. 얼음산에 부딪힌 거센 폭풍이 갈가리 찢어지고 있었다.

"사람들은 모든 이보다 낮은 여신의 사원이 어디에 있는지 모르지. 하지만 나는 이제 알 것 같소. 그분이 자신의 선민 종족에게 무기를 만들어 주시는 곳. 이곳 최후의 대장간이 바로 모든 이보다 낮은 여신의 사원이었소. 그리고 이곳에 있는 대장장이들은, 자신들도 알지 못하지만 여신의 사제들이었던 거요."

비형은 주위를 빙글 둘러보았다. 그리고 경외감에 빠져 외쳤다.

"그렇군요! 그럴듯합니다. 당연합니다! 우리는 여신의 사원에 있는 것이었군요! 이럴 수가. 왜 아무도 깨닫지 못했던 건지 이해할 수가 없군요. 어, 그런데……?"

케이건은 무겁게 고개를 끄덕였다.

"그렇소."

비형은 어떻게 표현해야 좋을지 모르겠다는 표정으로 허둥거렸다. 케이건이 그를 도와주었다.

"그렇소. 그런 사실들을 놓고 본다면, 그것이 궁금해지는 것이 당연하오. 하지만 여신은 내가 알아내어야 한다고 하셨소. 그런데 아무리 생각해 보아도 나는 그것이 무엇일지 짐작이 되지 않소."

비형은 약간 어렵게 고개를 끄덕였다. 그 또한 도무지 짐작할 수 없었다. 도깨비는 깊이 생각했다.

'어디에도 없는 신이 킴들에게 준 것은 도대체 무엇일까?'

티나한의 간절한 희망이 하늘에 닿았는지 폭풍은 새벽쯤에 수그러들었다. 하지만 젊은 레콘들은 위대한 수탐의 길을 떠나는 수탐자들을 전송하는 영광을 포기하지 않았다. 그들의 진지한 태도 때문에 티나한은 차마 '이 잡것들아, 구경났냐! 잠이나 자라!'고 외칠 수는 없었다.

마침내 시루가 엄숙한 동작으로 안장을 들고 왔다. 티나한은 수염볏을 벌겋게 물들인 채 등을 돌렸고 시루는 그 어깨에 안장을 메도록 도와주었다. 젊은 레콘들 사이로 그다지 예의 바르다고는 보기 힘든 미소들이 번졌다. 그 미소들이 소음을 동반하기 시작할 때 강보에 싸인 아기를 안은 최후의 대장장이가 걸어나왔다. 젊은 레콘들은 침묵했다.

최후의 대장장이는 티나한의 안장에 아기를 넣고 고정시켰다. 비형이 앞으로 나서 안장에 도깨비불을 붙였다. 이제 안장은 매서운 추위에서도 아기를 보호할 것이다. 하지만 최후의 대장장이는 안심이 되지 않는 듯 안장을 손으로 쓸어 만졌다.

그때 아기가 말했다.

"고마워요. 어머니."

티나한을 제외한 모든 사람들의 눈이 안장에 집중되었다. 그것은 쾅쾅 울리는 여신의 목소리가 아니었다. 최후의 대장장이는 안장을 꽉 움켜쥔 채 떨리는 눈으로 아기를 내려다보았다. 그녀는 믿는 것도 믿지 않는 것도 모두 두렵다는 표정으로 한참 동안 그렇게 서 있었다.

마침내 그녀의 부리가 열렸다.

"그러실 필요 없습니다. 여신이여."

아기는 빙긋 웃었다.

"대신 말하는 것이 아닙니다. 저는 어머니의 딸이에요. 물론 지금 이렇게 조리 있게 말할 수 있는 것은 여신의 도움 덕분입니다만."

다른 대장장이들과 달리 불이 없는 작업장에서 일하는 최후의 대장장이에겐 풍성한 깃털이 돋아나 있었다. 그 깃털들이 곤두서 최후의 대장장이의 몸이 부풀어 올랐다.

"정말…… 정말 네가 내 딸이냐?"

"그래요. 어머니. 이 모든 일이 끝났을 때 저는 어머니에게 돌아올 거예요."

"돌—아—온—다—고—!"

예상치 못한 계명성에 비형은 뒤로 쓰러질 뻔했다. 아기는 다시 웃었다.

"네. 신이 어디에 있는지 안다면 사람들이 어떻게 행동할까요? 난감한 일들이 많겠지요. 그래서 이 모든 혼란이 종식되면 여신께서는 제 몸에서 벗어나 다른 레콘에게로 전령하실 생각이십니다. 저는 보통의 레콘으로 돌아올 수 있겠지요."

수탐자들은 왜 아기의 모습에 아무런 변화가 없는 것인지 깨달았다. 훗날 그 주인에게 돌려주기 위해서였다. 케이건이 질문했다.

"잠깐, 죄송합니다. 그러면 시우쇠는 어떻게 되는 겁니까? 그의 몸은 불덩이로 변해서……."

질문하던 케이건은 곧 그것이 쓸데없는 질문임을 깨달았다. 시우쇠, 그러니까 도깨비 시우쇠의 육은 불로 변했지만 그 영은 다른 도깨비들과 '화신과 함께했던 추억'들을 신나게 이야기할 수 있을 것이다. 그들은 육의 죽음에 크게 신경 쓰지 않는다. 비형의 얼굴을 본 케이건은 자신의 추측이 맞았음을 알 수 있었다. 홀에 있던 거인들은 반가운 표정으로 최후의 대장장이를 바라보았다. 아기가 말했다.

"그때가 되면, 제게 이름을 주세요. 어머니."

최후의 대장장이는 가슴이 벅차 말을 제대로 꺼내지 못했다.

그녀가 겨우 부리를 열 수 있게 되었을 때는 이미 아기가 잠든 후였다. 최후의 대장장이는 조심스럽게 손을 뻗어 솜털로 덮인 아기의 머리를 쓰다듬었다. 그리고 조심스럽게 강보로 그 머리를 덮었다. 강보를 단단히 여민 최후의 대장장이는 갑자기 번개처럼 몸을 움직였다.

티나한은 갑자기 자신의 얼굴 바로 앞에 나타난 최후의 대장장이를 보고 깜짝 놀랐다. 최후의 대장장이는 희열에 찬 표정으로, 그러나 여차하면 티나한의 수염볏이라도 잡아당길 듯한 기세로 말했다.

"잘 들었냐?"

"예?"

"잘 들었냐? 이 아이는 내 딸이다. 네 목숨을 걸고 보호해라! 상처 하나만 냈단 봐라. '물'에 빠트려 죽이겠다!"

기절에서 깨어난 다음 티나한은 그러겠노라고 약속했다. 모든 사람들이 그 약속의 진실성을 확신할 수 있었다.

밖으로 나온 수탐자들은 각자의 자리에 섰다. 케이건은 개썰매에 올라탔고 비형은 나늬의 등에 앉았다. 하지만 티나한은 떠날 준비를 갖추는 데 많은 시간이 걸렸다. 최후의 대장간에 있던 대장장이들과 젊은 레콘들이 모두 그와 인사를 나누고 싶어했기 때문이다. 물론 육아의 어려움에 대해 몇 마디를 꺼내어 티나한을 통제 불능의 상태로 빠트릴 뻔한 자들도 몇 있었지만 대부분의 레콘들은 그들의 행운을 빌었다. 티나한이 겨우 그들에게서 풀려나자 케이건은 별 말 없이 출발했다. 채찍이 휘둘러지고 라호친가히들이 얼음을 박찼다.

수탐자들은 남쪽을 향해 달려갔다.

제13장

파국으로의 수렴

하나는 셋을 부른다.

— 알려지지 않은 해묵은 금언

강철의 날개를 활짝 편 전투 도끼가 유혈의 파도를 박차고 날아올랐다. 핏방울이 포말처럼 번져나가지만, 도끼의 비상은 가볍다. 도끼는 열기와 피비린내 사이로 유유히 날았다.

즈라더의 오른손에서 도끼가 벗어났을 때 상대방은 그가 도끼를 놓쳤다고 판단했다. 애석한 오해였다. 즈라더는 자유로워진 주먹으로 도끼로 치기에는 지나치게 가까이 다가온 나가의 얼굴을 으깨버렸다. 한편, 그의 머리 위를 날아 넘어간 도끼는 기다리고 있던 왼손과 협력하여 쇄도해 오던 나가의 두개골을 박살냈다. 즈라더는 양손잡이였던 것이다. 그리고 세 번째 나가는 세손잡이를 상대하고 있다는 인상을 받았다. 즈라더의 세 번째 상대는 장닭과 조우한 지렁이의 심정을 완전히 이해했다.

주위의 나가 셋을 단숨에 쓰러뜨리는 즈라더의 묘기를 본 나가들은 비늘을 세우며 주춤 물러났다. 즈라더는 나가들을 비웃으며 기이한 짓을 했다. 그는 왼쪽 손목을 도끼날 아래에 걸었다. 그러고는 손목만으로 도끼를 빙글빙글 돌리며 오른손 검지를 까딱거렸다.

"뜨겁게 덤벼봐!"

나가들은 그 외침을 듣지는 못했지만 그 방자한 동작은 똑똑히 보았다. 비늘을 부딪치는 나가들을 보며 즈라더는 부리를 딱 부딪쳤다.

"염통은 빼냈더라도 혼은 남아 있을 것 아닌가! 혼으로 덤벼!"

나가들은 듣지 못한 요청에 호응했다. 즈라더는 계명성을 내질렀다.

무핀토 장군은 쓰러진 나가의 턱을 짓밟으며 괴성을 내질렀다. 상기된 얼굴에서 문신이 검게 불타올랐다. 작살검이 살을 헤치며 뽑혀나오자 장군은 주저없이 몸을 돌려 그것을 집어던졌다. 회전하며 날아간 작살검 손잡이가 나가의 목을 때렸고 달려들던 나가는 다리를 하늘로 향하며 나가떨어졌다. 튕겨져나온 작살검을 움켜쥔 무핀토 장군은 쓰러진 나가의 오금에 작살검을 꽂아넣고 비틀었다. 익숙한 동작이었다.

비명은 없다.

비명이 있었다면 움찔했을까?

상대의 고통을 실감하며 죄책감이라는 낯선 감정을 느끼게 될까?

무핀토가 확신을 가지고 답할 수 있는 것은, 4년 동안 그 질문에 대답이 제시된 적이 없었다는 사실뿐이다.

상대의 무릎 관절에 미늘이 얽힌 것을 느낀 무핀토는 나가의 턱을 걷어차준 다음 허리를 굽혔다. 돌을 집어든 장군은 숨 돌릴 틈도 없이 날아드는 사이커를 받아 흘렸다. 세 자루의 작살검을 모조리 소모해 버린 북부군의 맹장은 손에 잡히는 대로 쥐어들어 싸우고 있었고, 기능성이 충족되는 한 무엇에도 불평하지 않았지만, 그럼에도 불구하고 돌은 퍽이나 마음에 들지 않는 무기였다. 무핀토는 버럭 화를 내며 돌을 뒤로 잡아당겼다. 비어버린 그의 얼굴을 향해 사이커가 날아오자 기다리고 있던 무핀토는 왼손바닥을 앞으로 내밀었다. 언젠가 어떤 나가가 사용하는 것을 보고 한번쯤 사용해 보리라 마음먹었던 기술이었다.

사이커의 예리한 날은 손바닥을 쉽게 관통했다. 정신이 찢어질 것 같은 고통에 진저리치면서도 무핀토는 끌어당겼던 돌을 휘둘렀다. 사이커가 봉쇄되어 당황하고 있던 나가는 으깨진 얼굴을 감싸쥔 채 쓰러졌다. 장군은 한 번 호흡을 고른 다음 왼손 바닥에 꽂힌 사이커를 잡아당겨 뽑았다. 그의 목에서 피 끓는 비명이 터져 나왔다.

상대방의 가슴을 내찌른 순간 세미쿼 장군은 실수를 저질렀음을 깨달았다. 작살검은 갈비뼈에 걸렸고 상대는 쓰러지지 않는 대신 사이커를 휘둘렀다. 목이 날아가기 직전, 세미쿼는 왼손에 든 가위로 상대방의 사이커를 쳐냈다. 그 어울리지 않는 보조무기에 당황한 상대를 향해 세미쿼는 가위의 양날을 벌렸다. 수없이 반복된 연습에 의해 가윗날은 정확한 간격으로 벌어졌고 세미쿼는 주저없이 가위를 내뻗었다. 양쪽 눈이 파괴된 나가는 비늘을 처절하게 부딪쳤다.

세미쿼 장군의 왼손에 쥐여 있는 가위는 방패이자 비수였으며 안구 파괴기였다. 오른손의 작살검과 왼손의 가위를 놀랄 만큼 효과적으로 사용하며 세미쿼는 다가오는 모든 나가를 전투불능 상태에 빠트렸다. 또 한 명의 불운한 나가를 암흑으로 보낼 때 세미쿼 장군은 갑자기 가슴이 두근거리는 것을 느꼈다.

'가까이 있다.'

세미쿼 장군은 가위를 당겨쥐며 주위를 둘러보았다. 약간 떨어진 곳에서 땅에 쓰러진 북부군 병사를 난도질하고 있는 나가의 모습이 그의 눈에 들어왔다. 두드러지는 어떤 특징도 없었지만 세미쿼는 직감적으로 알 수 있었다. 그자였다. 세미쿼를 죽일 자였다. 그런 결말을 피하는 길은 하나뿐이다.

'내가 먼저 죽인다!'

세미쿼는 작살검과 가위를 단단히 움켜쥔 채 돌진했다. 그의 접근을 알아차린 나가가 시체에서 사이커를 뽑았지만, 너무 늦었다. 날아오는 사이커는 좌절과 실망을 담아 서툰 직선을 그렸고 세미쿼는 여유 있게 가위를 벌려 사이커를 낚아챘다. 그 순간 작살검이 상대방의 목을 파고들었다.

나가는 목을 움켜쥔 채 빙글 돌아 쓰러졌다. 상대의 사이커를 주워든 세미쿼는 쓰러진 상대의 척추를 후려쳤다. 몇 번이고 내려치자 마침내 등이 쩍 갈라지며 척추가 끊어졌다. 세미쿼는 가위를 쥔 손등으로 이마의 땀을 닦았다.

이제 오늘 전투에서 그가 죽을 일은 없다. 세미퀴는 완벽하게 확신했고, 다음 상대를 향해 돌진하면서 아무런 두려움도 느끼지 않았다.

악타그라쥬 공방전에서 나가들이 들고 나온 것은 여섯 개 군단 연환 공격이었다. 악타그라쥬를 지근거리에 둔 시점에서 북부군은 벚나무, 끈끈이주걱, 선인장, 고무나무, 듀리언, 바나나의 여섯 개 군단을 맞닥뜨리게 되었다. 여섯 개 군단에서 동원된 스물두 명의 수호 장군은 시우쇠를 효과적으로 봉쇄했다. 그리고 매일 하나의 군단이 북부군을 공격했다. 여섯 개 군단이 일시에 공격하는 수단은 밀림에서는 사용하기 힘들고 한꺼번에 격퇴당할 위험도 있지만 모든 군단이 닷새씩 휴식하며 공격하는 방법은 충분한 활동성과 함께 최악의 경우에도 전체 병력의 6분의 1밖에 소모되지 않는다는 이점이 있었다. 그리고 경이적인 재생 능력에 의해 나가들은 닷새 만에 상당한 군세를 회복한 채 전선에 돌아올 수 있었다. 하지만 북부군은 닷새는커녕 하루도 쉴 수 없었다. 설령 쉴 틈이 있었다 하더라도 닷새 만에 경미한 부상은 깨끗이 회복해버리는 나가의 흉내를 낼 수는 없었을 것이다.

오래전에 패주하는 것이 당연한 상황에서 북부군이 14일째 버티고 있었던 것은 기적에 가깝다. 그런 기적을 가능하게 하는 요인은 크게 세 가지다. 그 첫 번째 요인은 군단의 중심부에 앉아 수호 장군들이 비를 뿌리지 못하도록 방해하고 있는 류 페이였다. 레콘들이 싸울 수 있도록 류은 비를 용납하지 않았다. 시우쇠를 상대하고 있던 수호 장군들은 그런 류의 방해를 돌파할 수 없었다.

신명의 힘으로 수호 장군을 방해하는 것과 동시에, 류은 용인의 힘으로 라수를 보조했다. 류은 땅바닥에 거칠게 그려진 그림을 가리키며 중얼거렸다.

"예순네 명이 이쪽으로 접근하고 있습니다. 연락선을 끊어버릴 생각인가 봅니다."

라수 규리하는 고개를 한번 끄덕이는 것으로 대답을 대신한 다음 옆에 있는 레콘을 돌아보았다.

"순다리와 그룸 빌파가 왼쪽의 언덕으로 이동, 매복했다가 다가오는 나가 분견

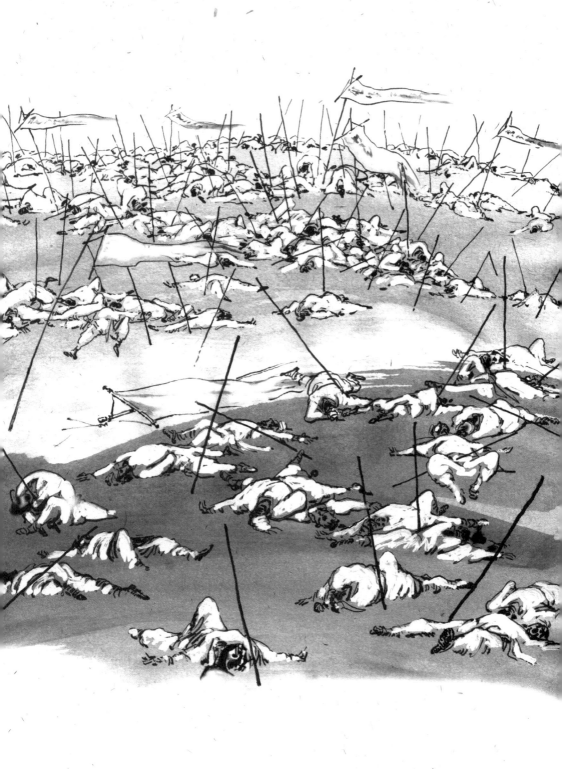

대를 되도록 조용히 처리. 소시아 교위와 나세 교위의 부대는 반 킬로미터쯤 후퇴. 코네도 빌파는 현 위치에서 지시를 기다리며 대기. 지시가 있을 시 곧장 오른쪽으로 이동. 조우하는 첫 번째 나가를 되도록 잔인하게 처리. 혼란을 일으킨다. 즈라더, 그 시점에서 혼란 지점으로 이동해서 합류. 소시아와 나세에게 경고한다. 재정비할 시간을 지난 번처럼 어이없게 소모하면 목숨을 부지하기 어렵다."

다리가 부러진 덕에 사령부에 앉아 있던 레콘은 쩌렁쩌렁 울리는 계명성으로 라수 규리하의 작전을 전달했다. 전황 전체를 정확하고 빠르게 파악할 수 있는 능력은 지휘관의 능력에 따라 수천의 병력에 값한다. 그리고 륜 페이와 라수 규리하는 그것을 수만의 능력으로 증폭시킬 수 있는 조합이었다. 륜의 감각과 라수의 판단, 그리고 나가들은 별로 듣지 않는 계명성의 지휘에 따라 북부군 전체는 하나의 생명체처럼 움직였다. 끊임없이 형태를 바꾸어버리기에 그 파괴력—혹은 약점—이 어디에 있는지 짐작도 하기 힘든 맹수였다. 더군다나 그 야수는 레콘이라는 강력한 이빨과 빌파 삼부자라는 보이지 않는 발톱으로 무장하고 있었다.

륜은 라수가 북부군을 승리시키기 위해, 최소한 궤멸적인 패배를 피하기 위해 모든 노력을 기울이고 있다는 것을 확신했다. 하지만 북부군 전체의 움직임을 꿰뚫어볼 수 있는 그에게 그 움직임은 기묘하게 보였다. 륜은 의아한 듯 말했다.

"이해하기 힘든 움직임이군요."

"이해해 줄 필요는 없소. 뇌룡공. 움직임이나 알려주시오."

퉁명스러운 대답이었지만 륜은 당황하지 않았다. 라수의 입이 열렸을 때 이미 대답을 알고 있었기 때문이다. 륜은 이기기 위한 모든 가능성을 검토하는 라수의 긴장된 정신을 느꼈다. 륜은 라수를 믿고 죽음의 땅에 들어온 북부군에 대해 그가 느끼는 책임감과 부담감을 알았다.

그리고 륜은 나가에 대한 라수의 순결한 증오를 보았다.

"이곳에서 물러나고 있습니다. 157명입니다."

라수는 생각하는 것과 거의 비슷한 속도로 빠르게 말했다. 잠시 후 륜이 지적한 지점으로 매서운 공격이 가해졌다. 라수는 그런 행동으로써 추격에 동원할 만큼 예비대가 충분하다는 인상을 주고 싶었다. 도무지 중요한 지점이라 볼 수 없는 곳에서 북부군이 돌출하는 것을 목격한 나가는 불안과 의심을 느꼈다.

결국 라수는 기적을 하루 더 연장시키는 데 성공했다. 악타그라쥬 공방전 14일째의 전투는 또다시 나가들의 후퇴로 끝났다. 그러나 후퇴하는 끈끈이주걱 군단의 나가들은 자신들이 이기고 있는 도중이라고 생각했다. 그리고 라수에겐 그런 생각을 반박할 만한 수단이 없었다. 이가 갈리는 일이었다.

부상병들의 신음 속에 밤이 찾아들었다.

다음 날의 일출을 보지 못할 것임을 직감하며 떨고 있는 그들 사이로 륜은 고개를 떨군 채 걸음을 뗐다. 피 냄새 흠뻑 밴 바람이 그를 어루만지고 사라졌다. 용인의 감각은 날카롭다. 륜은 부상병들의 신음과 절망을 들을 수 있었다. 그는 어떻게 해서 자신이 죽지 않는지 설명하는 세미쿼 장군의 호호탕탕한 목소리를 들었다.

"적이 수십만 명이 있다 하더라도 그중에 나를 죽일 녀석은 하나뿐이야. 설마 두 녀석이 나를 죽이겠나? 내가 두 번 죽나? 분명히 한 놈이야. 그 한 놈만 찾아서 먼저 처치하면 되는 거야. 그러면 어떤 전쟁터에서도 절대로 죽을 일이 없지. 그리고 나는 그 한 놈을 찾아내는 육감을 가지고 있지. 그래서 나는 죽지 않아."

그 말에 논리는 없었다.

어차피 논리는 사선에 선 전사가 선택할 무기는 아니다.

약간 으슥한 언덕을 넘어선 륜은 그의 등장에 당황하는 병사들을 목격했다. 모닥불 주위에 모여앉아 있던 병사들은 무엇인가를 구워먹고 있는 듯했다. 륜을 발견한 병사들의 얼굴에는 경계와 적대감, 그리고 비참한 간구가 차례로 떠올랐다. 륜은 잠시 그들을 바라보았다. 필요한 것은 다 '보였다'.

륜은 모닥불 위의 그것이 무엇이냐고 묻지 않았다. 그리고 사냥을 할 시간이 있었냐고도 묻지 않았다. 전리품 위에 군림하는 것은 승자의 논리뿐이다.

륜은 말없이 그들을 지나쳐 걸어갔다.

등 뒤에서 간구가 경멸로 바뀌는 것을 보지 않고서도 느낄 수 있었다. 그렇다면 화를 낼까? 동포의 살을 구워먹는 당신들의 피를 끓어오르게 만들까? 몸에 있는 모든 구멍으로 물을 뿜어내고 바싹 마른 미라가 되어 쓰러지게 할까?

그것은 잘 구워진 내 동포들에게 바치는 경의가 될까?

보다 조용한 곳에 도달한 륜은 나무 밑동에 기대어 앉았다. 그리고 전장의 날씨를 냉각시켰다. 키보렌에서는 작열하는 태양이 없는 밤이 기온 조절에 더 유리하다. 륜은 여신의 이름을 불렀다. 그리고 그가 느끼는 광대한 영역 내부의 습기에 접근했다.

키보렌이 습기 짙은 한숨을 토해 내기 시작했다.

풀잎 끝에서, 거미줄의 복잡한 통로들에서, 타버린 나무 우듬지에서 습기가 뿜어져 나왔다. 유혈을 머금은 땅이 습기를 잃어 딱딱해졌다. 키보렌은 열을 상실했다. 물 묻은 살갗에 입김을 부는 것과 비슷하다. 물은 증발하기 위해 열을 삼킨다. 륜은 거리낌없이 물을 증발시켰다. 노호하여 물을 꾸짖고 거부를 허용치 않으며 습기를 추방했다. 키보렌의 축축한 한숨이 하늘을 어지럽혔다.

그것은 지난 보름 동안 북부군이 가까스로 유지해 온 기적의 마지막 요건이다. 시우쇠를 상대하느라 륜의 방해를 돌파할 수 없는 수호 장군들은 키보렌의 기온을 원래대로 돌려놓는 일도 태양에게 맡겨둘 수밖에 없었다. 그리고 밀림의 기온이 회복되는 것은 언제나 늦은 오후였다. 륜이 높은 하늘로 추방해 버린 습기들이 쏟아지는 태양열을 중간에서 가로채기 때문이다. 매몰차게 습기를 추방하며 륜은 다가오는 자의 이름을 불렀다.

"베미온."

주인의 부름을 받은 충견인 양 베미온 굴도하가 빠르게 달려왔다. 베미온은 그의 옆에 주저앉았고 그것으로써 모든 것에 만족했다. 륜은 본능처럼 베미온의 발을 보았다. 그 발이 말라 있음을 확인한 륜은 다시 나무에 등을 기댔다.

"베미온 마립간."

베미온은 대답하지 않았다. 그의 정신은 판사이의 육형제 탑 사이를 뛰놀던 어린 시절로 되돌아가 있었다. 륜은 상관하지 않았다.

"저는 당신을 죽여야 할까요?"

류은 시우쇠를 떠올렸다. 그리고 피라미드의 내벽을 타고 흐르던 유해의 폭포를 생각했다.

"이 전쟁의 끝에서 제가 살아남을 수 있을지 확신할 수 없습니다. 만약 제가 없다면 당신은 죽을 겁니다. 혹 나가들의 손을 피해 어딘가로 달아난다고 해도 물을 마시지 않으니 죽음을 피할 수 없습니다. 저는 나가들에게 도륙당하거나 목이 말라 죽는 것보다는 더 편안한 죽음을 드릴 수 있습니다. 그렇다면 제가 그렇게 해야 할까요?"

베미온은 여전히 아무 말도 하지 않았다. 류은 갑자기 격정에 사로잡혀 베미온의 어깨를 붙잡았다. 베미온의 시커먼 얼굴 가득히 당혹감이 떠올랐다.

"베미온 마립간!"

"왜 그러세요? 놔줘요."

"베미온 굴도하! 제 말을 들어요. 당신은 상고토의 맹주입니다! 판사이의 위대한 마립간이었고 육형제탑의 여섯 열쇠 모두를 소환할 수 있었던 유일한 자입니다! 당신은 제가 말한 것과 같은 사람입니다. 그래야 합니다!"

"놔줘요. 아파요."

"저는 그게 무슨 뜻인지 몰라요. 하지만 당신이 그런 사람이라는 것은 알고 있어요! 지금의 당신은 당신이 아니에요! 누님을 생각하는 것만으로도 저는 머리가 터질 것 같아요. 저는, 제기랄, 당신까지 간수할 수는 없단 말입니다!"

죽여.

"그래야 합니까? 누님을 살리려는 류 페이를 유지하기 위해 저는 당신을 파괴해야 합니까? 당신을 먹어야 합니까!"

그러라고. 먹어.

"그것이 생명이니까……."

그래. 맞아.

류은 손을 놓았다. 그의 몸에서 비늘이 정신없이 부딪혔다. 그는 자신의 손을 질린 듯이 내려다보았다. 고개를 들기 전, 륜은 이미 베미온이 도망쳐버렸다는 것을 알았다. 베미온을 불러들이는 대신 륜은 어둠 속을 향해 사납게 닐렀다.

〈시우쇠!〉

파괴해. 자기를 유지하기 위해 자기 이외의 것을 파괴하는 것은 생명의 본성이야. 베미온도 그것을 원해.

〈저는 싫어요.〉

네가 죽으면 베미온도 어차피 죽어. 잔혹하게 죽도록 내버려두겠다는 것이군.

〈그렇게 니르지 않았어요! 저는 그것을 원하지 않아요!〉

대답이 없었다.

륜은 어둠을 정신없이 바라보았다. 시우쇠의 열기는 보이지 않았다. 그리고 륜은 그를 추적할 수도 없었다. 륜은 허리를 꺾으며 땅에 얼굴을 묻었다. 두 손을 은루로 적신 채 륜은 숨이 막히도록 울었다.

하텐그라쥬의 기록 보관소장 콘수마 발텐의 몸 어디에서도 전상은 찾아볼 수 없었다. 전사가 어루만지며 전투의 추억을 되새겨볼 만한 상처는, 재생 능력을 가진 나가에게는 해당되지 않는 니름이다. 그리고 콘수마의 정신에서도 바뀐 점은 찾아볼 수 없었다. 따라서 비아스 마케로우는 몇 년 전과 완전히 똑같은 모습의 콘수마를 만날 수 있었다.

〈그 저주받을 요새에서 물러날 때는 정말 가슴이 찢어지는 것 같더군요. 하지만 우리는 군단장의 결정을 존중합니다. 군단장께서도 추위에 고통받는 병사들 때문에 그런 힘든 결정을 내리신 것이 분명하니까요.〉

달라진 점이 있기는 했다. 교위로 예편한 콘수마는 장군인 비아스에게 하대를 하라고 강권했다. 비아스는 그렇게 했다.

〈그것은 절대로 야자수 군단의 불명예가 아니야. 발텐 교위. 오동나무 군단 또한 결국 물러나야 했지.〉

〈그렇습니다. 군단장님. 오동나무 군단은 대단한 군단이지요. 저희들은 자보로 공격에서 함께 싸운 적이 있습니다. 마호가니 군단은 그때 슈라도스에 있었지요? 그곳의 전투도 대단했다고 들었습니다만, 군단장님. 자보로의 성벽은 정말 악몽 같은 것이었습니다. 그러니까 전투 사흘째…….〉

콘수마 발텐이 전상 대신 전우와 함께 전선의 추억을 되새기고 싶어한다는 것은 분명했다. 비아스는 무관심하다는 사실을 들키지 않도록 애쓰며 콘수마의 이야기를 경청했다. 그녀는 꽤 많은 시간을 할애해야 했다. 콘수마가 불쾌해하지 않을 것이라는 충분한 확신이 있은 후에야 비아스는 조심스럽게 용건을 꺼내었다.

비아스가 꺼낸 니름은 콘수마를, 그러니까 기록 보관소장이 아닌 늙고 충직한 전사인 콘수마를 경악시켰다.

〈발자국 없는 여신께서 한계선 남쪽에 계시다고요!〉

〈나는 그렇게 생각한다. 발텐 교위.〉

〈마케로우 장군님. 물론 전쟁터는 참혹합니다…….〉

〈그만. 교위. 나는 전쟁의 충격 때문에 정신이 이상해진 사람으로 취급당하기 위해 찾아온 것이 아니다. 생각해 봐. 수호 장군들은 왜 저런 기적과도 같은 능력을 얻게 되었지?〉

〈네? 그거야 불신자들이 여신을 감금했기 때문이지요. 그래서 주인을 잃은 힘이 여신의 신랑들에게 복종하는 것 아닙니까?〉

〈만약 그렇다면, 불신자들은 왜 여신을 풀어주지 않는 걸까?〉

〈네?〉

〈수호 장군들이 여신의 힘을 이용해서 그들의 땅을 짓밟고 있는데 왜 불신자들은 여신을 풀어주지 않는 걸까? 여신을 풀어준다면 수호 장군들이 힘을 잃게 될 것이 뻔하잖아.〉

콘수마는 기절할 것 같았다. 비아스의 설명은 합리적이었다.

〈그, 그, 그렇다면…….〉

〈맞아. 그들이 그렇게 하지 않는 까닭은, 여신을 감금하고 있는 것이 그들이 아니기 때문이야. 나는 하텐그라쥬 방어를 위해 돌아왔다고 닐렀지. 자신들의 땅을 지키기에도 급급한 불신자들이 목숨을 걸고 하텐그라쥬로 오고 있단 니름이야. 그리고 나는 조금 전 불신자들에겐 여신을 풀어줘야 할 절실한 이유가 있다고 닐렀어. 자, 이 두 사실을 놓고 생각해 본다면 뭔가 불쾌한 결론이 떠오르지 않나?〉

콘수마는 대답할 수 없었다. 비아스는 기다리지 않았다.

〈그래. 여신은 하텐그라쥬에 감금되어 있어. 수호자들이 여신을 감금하고 신부의 힘을 강탈하여 사용하고 있는 거야. 그리고 불신자들은, 여신의 힘을 여신에게 돌려주는 것만이 그들이 살아날 방법이기에 목숨을 걸고 하텐그라쥬로 오고 있는 거야!〉

콘수마의 첫 번째 반응은, 이해하려는 마음가짐이었다.

비아스는 당황했다. 니름으로 표현된 것은 아니지만 거의 그에 준하는 정신적 경향으로써, 콘수마는 수호 장군들을 이해하려는 시도를 하고 있었다. 비아스가 분개하여 니르려 할 때 콘수마가 닐렀다.

〈그렇게 된 것이군요.〉

〈자네 반응이 좀 묘하다고 생각되는군. 발텐 교위.〉

〈무슨 니름이신지 알겠습니다. 마케로우 장군님. 수호자들이 그런 짓을 저지른 것이군요. 하지만 장군님. 그 때문에 우리들은 대확장 전쟁을 재개할 수 있게 되었잖습니까? 수호 장군들의 힘이 있었기에 우리는 감히 구경할 수 있을 것이라고 생각도 해본 적이 없던 저 북부의 땅을 밟아볼 수 있었습니다. 그 전쟁의 결과로 하텐그라쥬가 누리는 풍족이 어느 정도인지 아십니까?〉

〈나도 눈이 있어. 발텐 교위. 이곳에 와서 다 보았어. 그 때문에 남자가 가문을 계승하려드는 황당한 일이 일어나고 있다는 것까지 알아.〉

콘수마는 미소 지었다.

〈쥬어 니름이시군요. 별일도 다 있지요. 하지만 저는 그것이 유쾌한 부작용이라고 생각됩니다.〉

〈유쾌한 부작용이라고?〉

〈장군님. 이 전쟁은 부를 낳고 있습니다. 그리고 여자들에게 선택할 길을 하나 더 열어주었습니다. 지금껏 가주를 계승할 수 없었던 여자들은 자신의 자식들에게 이모라는 말을 들으며 살아야 했지요. 그것이 싫다면 정찰 대원이 되어 떠나는 방법이 고작이었습니다. 물론 대장간에 들어가는 방법 같은 것은 거론하지 않겠습니다. 하지만 이 전쟁 이후 여자들의 선택이 하나 더 늘어났습니다. 그리고 그 길은 풍요로 가득한 길이지요. 여자들은 북부에서 무엇이든 얻을 수 있습니다. 물론 레콘을 만난다거나 하는 고약한 일도 생기긴 합니다만, 대부분의 적은 별것 아닌 인간들입니다. 저는 그것이 나쁘다고 생각되지 않습니다.〉

문득 비아스는 콘수마의 의복을 살폈다. 그리고 비아스는 기록 보관소장의 옷이 동사(銅絲)가 삽입된 호사스러운 것임을 깨달았다. 물론 그것을 못 본 것은 아니지만 비아스는 현역 장군의 방문 예고를 받은 예비역 교위가 예의를 갖추기 위해 고급 옷을 입었겠거니 생각했다. 하지만 이제 그 옷의 의미는 전혀 다른 것으로 다가왔다.

몇 년 전, 성전에 종군하기 위해 목숨이라도 내놓겠다고 강변하던 전사는 그곳에 없었다. 북부에서 충분한 피를 마시고 넘치는 부를 얻은 콘수마는 더 이상 비아스가 기대하던 사람이 아니었다. 둘 중 어느 것이 변화의 보다 직접적인 이유일까? 비아스는 그것을 알아내는 것이 중요하다는 것을 깨달았다. 피의 제전이 콘수마를 변화시킨 것이라면 그녀는 여신을 빼앗긴 분노를 피로 씻어낸 것이다. 따라서 분노는 더 이상 존재하지 않는 것이다. 하지만 북부에서 획득한 부가 원인이라면 분노는 여전히 콘수마의 내부에 존재할 것이다. 감춰지고 기만되고 변형된 형태로나마. 비아스는 조심스럽게 닐렀다.

〈자네 니름대로라면 여신은 계속 갇혀 있을수록 좋겠군.〉

비아스는 정신이 어지러워질 만큼 집중하여 콘수마의 정신을 살폈다. 콘수마는 약간 지체한 다음 닐렀다.

〈그렇게 니르지는 않았습니다.〉

〈그런 의미로 들었는데. 여신이 풀려나면 나가들은 다시 옛날로 돌아가게 될 거야. 북부로 가는 길이 막히는 거지. 그렇잖아?〉

〈그렇긴 합니다만······.〉

콘수마는 니름을 잇지 않은 채 정신을 닫았다. 비아스는 자신이 사람을 억압할 수 있는 정신 억압자라면 좋겠다고 생각하며 닐렀다.

〈갇혀 있는 여신은 어쩌면 우리를 포기하게 될지도 몰라. 그런 일이 일어난다면 저 두억시니의 운명이 꼭 남의 일은 아니게 될 텐데.〉

콘수마는 기겁하여 닐렀다.

〈그런 일까지 생길까요?〉

비아스는 속으로 쾌재를 올렸다.

까마득한 바위 표면에서 석양이 미끄러졌다.

바위는 거대했다. 억겁의 세월 동안 바람과 비는 바위를 침식했다. 물론 바위의 자존심을 완전히 무너뜨리려면 바람과 비는 지금껏 투자한 시간의 몇 배에 해당하는 시간을 소모해야 할 것이다. 하지만 비바람은 지금껏 그래왔던 것처럼 앞으로도 억겁의 시간 동안 바위를 긁고 쪼고 깨트릴 것이다. 최후의 승자가 자신일 것을 알기 때문이다.

그러나 그 순간 승자가 누구인지는 불분명하다. 패배가 그 숙명임에도 불구하고 바위의 자존심은 드높아 보였다. 하늘을 떠받치는 그 오만한 이마는, 언제까지라도 비바람에 맞서 자신의 자존심을 지킬 수 있다고 선언하는 듯하다. 물론 그런 일은 없을 것이다. 하지만 바위는 그 순간 고고했다.

바위 앞쪽에는 긴 그림자를 드리우는 세 그림자가 있었다. 그중 한 그림자의 주인이었던 케이건은 고개를 돌려 티나한을 바라보았다. 그 시선의 의미를 알 수 없었던 티나한은 질문했다.

"왜?"

"당신이 아니라 모든 이보다 낮은 여신을 보고 있었소."

"이봐, 케, 케이건, 너, 너, 그러니까 말이야! 내 말은!"

"보모와 관련된 농담을 할 생각은 없었소. 티나한."

케이건이 비형의 악습을 답습하기 시작한 것이 아닌가 우려했던 티나한은 겨우 안도할 수 있었다. 비형은 왜 갑자기 여신을 쳐다보는 거냐고 질문했다. 케이건은 다시 바위를 돌아보았다.

"저 바위가 보이오?"

티나한은 고개를 끄덕였다. 거대한 바위 중간쯤에 음각으로 된 글자들이 정교하게 배열되어 있었다. 억겁의 시간을 존재 포기의 조건으로 삼는 바위와 달리, 바위보다 훨씬 젊은 나이일 것이 분명한 사람의 창조물은 바위보다 훨씬 비참한 모습으로 풍화되어 있었다. 따라서 고인들이 바위에 새겨서라도 전하고 싶었던 뜻이 무엇인지 짐작하는 것은 어려웠다. 비형이 그 글자들을 읽어보려 애쓰는 동안 티나한이 말했다.

"그래. 카시다에도 저런 것이 있다고 하던데. 직접 본 적은 없지만."

케이건은 약간 짓눌린 음성으로 말했다.

"당신은 봤소."

"뭐?"

"당신은 카시다를 봤소. 여기가 카시다니까. 그리고 저건 카시다 암각문이고."

"그럴 리가 있나?"

"동감이오."

"진짜야?"

"저것이 카시다 암각문이라는 것도, 그리고 동감이라는 것도."

티나한과 비형은 놀란 표정으로 바위를 쳐다보았다. 하지만 그들 또한 도착하려면 몇 달은 걸어와야 할 곳에 자신들이 서 있다는 사실을 설명할 방법이 없었다. 그때 케이건이 다시 말했다.

"혹 내가 언제부터 걷고 있었는지 기억하시오?"

"예? 무슨 말씀입니까?"

케이건은 약간 창백해진 얼굴로 말했다.

"최후의 대장간을 출발했을 때 나는 개썰매에 타고 있었소. 그런데 나는 지금 걷고 있소. 개썰매는 어디로 갔는지 보이지도 않고. 도대체 내가 언제부터 걷고 있었던 거요? 어처구니없게 들리겠지만, 나는 기억나지 않소."

비형과 티나한은 질겁했다. 그들은 케이건의 질문에 대답할 수 없었다.

그들은 황급히 서로의 기억을 대조해 보았다. 그런 대조의 결론은 그들을 경악시켰다. 그들은 자신들이 최후의 대장간을 떠난 것이 얼마 전인지 알 수 없었다. 비형은 황급히 나늬를 찾았고 그의 다리 옆에 앉아 있는 나늬의 모습에 안도했다. 하지만 비형은 언제부터 자신이 나늬에서 내려 걸어온 것인지 알 수 없었다. 비형은 수화로 나늬에게 질문했지만 나늬의 대답 또한 신통치 않았다. 그들이 확신할 수 있었던 것은 최후의 대장간을 떠난 것이 최근의 일이라는 모호한 인상뿐이었다. 그들은 당황했다. 그래서 비형이 내놓은 질문은 다른 두 사람에게 꽤 이상하게 느껴졌다.

"여기가 카시다라면, 우리는 즈믄누리로 가는 길에서 한참 멀어진 거잖아요? 즈믄누리로 가야만 북부군이 어디에 있는지 알 수 있을 텐데, 어떻게 해야 하죠?"

케이건과 티나한은 비형의 미래 지향적인 질문에 잠시 혼란스러워하다가 겨우 그런 질문도 일리가 있다는 것을 인정했다. 케이건은 티나한의 등 뒤를 바라보았다.

"현재의 이 기막힌 상황은 여신께서 일으킨 일이라고 믿는 것이 좋을 것 같소. 여신께서 기침하시면 그때 여쭈어보도록 합시다. 혹 일출을 보고 있는 것이 아닌가 하는 의심도 들지만, 아무래도 저건 황혼인 것 같으니, 걸음을 멈추고 여기서 잠자리를 폅시다."

더 나은 의견을 제시할 수 없었기에 수탐자들은 벼랑 앞에 잠자리를 마련했다. 잠자리라고 해봐야 그다지 대단한 것은 없었다. 비형이 도깨비불을 피워놓고 케이건은 방풍복을 꺼내어 몸에 감았다. 그것으로써 하늘을 천장 삼은 훌륭한 침실이 만들어졌다. 그들이 유일하게 신경을 쓴 부분은 강보를 내려놓을 자리였다. 케이건은 나뭇가지를 쌓아놓고 그 위에 풀잎과 이끼를 깔았다. 그리고 티나한은 조심스럽게 강보를 그 위에 내려놓았다. 이로써 사원 또한 완성되었다.

뭔가를 먹어야 한다는 사실을 떠올린 티나한은 배낭을 열어보았고 그 안에 식량이 가득 들어 있음을 발견했다. 티나한은 별로 소비되지 않은 식량을 놓고 볼 때 최후의 대장간을 떠난 것이 그리 오래전이 아님은 확실하다고 말했다. 케이건과 비형은 그 의견에 동의하며 또다시 강보를 바라보았다. 하지만 여신은 깨어나지 않았다. 그때 케이건이 자리에서 일어났다.

"아기가 먹을 것을 구해 와야겠소."

"응? 무슨 말이야?"

"시우쇠 님의 경우엔 불덩이로 바뀌었기에 음식이 필요치 않았지만, 모든 이보다 낮은 여신이 깃든 저 이름 없는 아기는 보통의 레콘 아기잖소. 저 아기가 우리 식량을 먹기는 힘들 것 같소."

다른 수탐자들은 케이건의 말을 이해했다.

"그럼 어디서 구해 올 거야?"

"예전에 이곳에 와 본 적이 있소. 카시다 암각문이 여기 있다면 카시다가 어디쯤 있을지 짐작이 가오. 그곳에 가면 뭔가를 구할 수 있을지도 모르겠소."

"그러면 모두 함께 가지. 가까운 곳에 도시가 있다면 밖에서 잘 필요는 없잖아."

케이건은 반대했다.

"아니오. 이곳에 있으시오. 카시다가 어떤 모습일지 알 수 없소. 기온이 그다지 높지 않은 걸로 보아 이 근처에 나가들이 있을 것 같지는 않소만, 만약 그곳이 전쟁을 경험했다면 당신들에게 위험한 곳이 되어 있을지도 모르오. 그러니 혼자 다녀오겠소."

물바다, 혹은 피바다가 되어 있을지도 모른다는 암시에 두 사람은 겁에 질려 고개를 끄덕였다.

케이건은 그대로 야영지를 떠났다. 그의 확고한 발걸음을 본 수탐자들은 케이건이 근방의 지리를 잘 알고 있다는 것을 깨달았다. 그렇다면 큰 문제는 없을 거라 믿으며, 두 사람은 케이건의 암시를 뇌리에서 지워버리기 위해 애썼다.

카시다 암각문이 있는 바위에서 2킬로미터쯤 걸어온 케이건은 잠시 제자리에
멈춰 서서 주위를 둘러보았다. 곧 케이건은 어렵지 않게 옛 기억 속의 길을 찾아내
었다. 케이건은 길을 따라 카시다로 향했다.

얼마 후 카시다의 모습이 어둠 속에서 불쑥 나타났다.

불빛이 없었기에 그것은 갑자기 나타나는 것처럼 보였다. 케이건은 도시의 불빛
이 없다는 사실이 의미하는 바를 마음속에 새겨두었다. 그랬기에 케이건은 길 한
가운데 쓰러진 인간을 보았을 때 그를 고주망태가 되어 쓰러진 신세 좋은 술꾼이
라고 판단하는 우를 범하지 않았다. 케이건은 별 감흥 없이 드러난 갈비뼈 위로 넘
어갔다.

달이 떠올랐다. 피 내음과 암흑으로 그 불운한 종말을 증거하던 카시다가 오래
간만에 나타난 비(非) 나가 방문자에게 그 참상을 드러내어 보였다.

염세주의자의 낙원이었다.

부패한 시체에서 뿜어져 나오는 독기가 폐허 곳곳에서 흘러나오고 있었다. 케이
건은 말뚝에 매달린 시체 옆을 지나쳐 걸어갔다. 나가들은 약간의 오락을 즐겼던
듯하다. 골목 안쪽에서는 상반신만 남은 시체가 밤하늘을 바라보며 무엇인가를 끊
임없이 중얼거리고 있었다. 죽은 후에도 주장하는 그 숭고한 선언의 정체는 시체
의 입 안에서 꿈틀거리는 구더기들이었다. 달빛을 받아 반짝거리는 구더기들의 모
습은 끊임없이 움직이는 치아처럼 보였다. 케이건은 가죽이 벗겨진 젊은 처녀의
곁을 지나쳤다. 어쩌면 그녀의 자랑거리였을지도 모르는 그 피부는 지금쯤 사이커
칼집 정도로 바뀌어있을 것이다. 그 재활용 정신이 풍부한 나가는 허물벗기와 인
간의 피부를 벗기는 일의 차이를 고찰하며 지적 흥분을 느꼈을지도 모른다.

케이건은 한 소년 앞에서 걸음을 멈췄다.

소년은, 보통은 장점으로 분류되지 않지만 그 시점의 카시다에서는 장점이라 할
수 있는 특징을 가지고 있었다. 그래서 케이건은 소년에게 말을 걸었다.

"살아 있는 건 너뿐이냐?"

열두어 살쯤 되어 보이는 소년이었다. 머리는 굳은 피 때문에 기이한 모습으로 뻗쳐 있었고 옷은 갈기갈기 찢어져 아직껏 몸에 걸쳐져 있는 것이 신기할 지경이었다. 드러난 팔다리는 뼈마디가 툭툭 불거져 있었고 살갗에는 피딱지가 잔뜩 있었다. 주위를 둘러본 케이건은 파헤쳐진 돌무더기를 발견하고는 소년의 상처가 왜 생겼는지 알게 되었다.

아마도 소년의 부모는 땅속의 은신처에 소년을 숨겼을 것이다. 그 직후 건물이 무너져 은신처의 입구를 뒤덮었다. 나가들이 그런 사실을 알았다 해도 돌무더기를 치우는 수고까지는 하고 싶지 않았을 것이다. 긴 시간 동안 은신처에 숨어 있던 소년은 마침내 굶어죽을 지경이 되자 돌무더기를 헤치고 나왔다. 나가들은 들어갈 수 없었지만, 굶주림 때문에 깡마른 소년은 돌무더기의 틈을 헤치고 나올 수 있었다.

케이건은 똑같은 질문을 다시 던졌다. 하지만 소년은 무릎을 끌어안은 채 담벼락에 기대어 앉은 자세를 조금도 바꾸지 않았다. 초점이 맞지 않는 눈 또한 꼼짝도 하지 않았기에 그 눈은 케이건의 무릎을 향해 있었다. 케이건의 말을 들은 기색이 없었다.

케이건은 허리춤에서 단검을 꺼내들었다. 그리고 한쪽 무릎을 구부렸다.

케이건은 소년의 발 앞에 단검을 내려놓았다.

"사냥을 하겠다는 황당한 생각은 소용없다. 사냥감이 너를 죽일 거다. 자고 있는 난민의 음식을 노려라. 물론 레콘을 건드려서는 안 된다. 그리고 혼자 있는 자도 안 된다. 그쪽이 쉬울 것 같지만, 별로 그렇지 않다. 도와줄 자가 아무도 없다는 것을 알기 때문에 그들은 필사적으로 덤빈다. 그보다는 가족을 데리고 있는 남자가 좋다. 그들은 가족을 지키기 위해 너를 쫓아오지 않을 거다. 하지만 어쩔 수 없이 혼자 있는 자를 노려야 할 때도 있을 거다."

케이건은 손을 뻗었다. 손가락이 목에 닿았지만 소년은 여전히 움직이지 않았다.

"여기를 찔러라. 깊이 찔러야 된다. 그리고 도망쳐라. 칼을 도로 뽑으려고 애쓸 필요는 없다. 깊이 찌른 칼은 뽑기 어려우니 그냥 놓고 도망쳐도 된다. 혹 쫓아온다 해도 얼마 못 가 죽을 거다. 여자들은 죽이지 마라.”

케이건은 신사도를 말하고 있는 것이 아니었다.

“너와 만날 때까지 살아 있는 여자들이라면 틀림없이 먹을 것을 가지고 있을 거다. 여자들은 항상 그렇지. 가지고 있는 것을 계산하는 좋은 버릇이 있기 때문이다. 도와주겠다는 식으로 잘 말하면 가진 것을 내놓을 거다. 그것들을 챙긴 다음 밤에 도망치면 된다. 간단한 방법이 있으니 굳이 힘들게 죽일 필요는 없다.”

소년은 여전히 미동도 하지 않았다. 케이건은 무릎을 펴 일어났다.

“그리고, 명심해라. 세상에 완전히 믿어도 되는 사람은 죽은 사람뿐이다.”

케이건은 몸을 돌렸다. 그때 등 뒤에서 쉰 목소리가 들려왔다.

“당신도 살아 있는데?”

케이건은 뒤돌아보지 않았다.

“그렇게 보이나?”

대답은 없었다. 케이건은 다시 걸음을 옮겼다. 집 두어 채를 지날 때쯤 케이건은 더 이상 소년에 대해 생각하지 않았다.

잠시 후 케이건은 적당한 곳간을 가진 집을 발견했다. 물론 곳간은 비어 있었다. 곡물에 별 관심이 없는 나가들이지만 식용으로 데리고 다니는 동물들을 먹이기 위해 가져간 것이다.

하지만 케이건은 빗자루를 찾아내어 곳간 바닥을 쓸었고 얼마 후 몇 됫박은 되는 낱알을 모을 수 있었다. 케이건은 그것을 들고 부엌으로 향했다. 쥐똥과 썩은 것들을 골라낸 케이건은 그것을 깨끗이 씻은 다음 아궁이에 불을 지폈다. 그리고 죽 비슷한 것을 만들기 시작했다.

불을 살피던 케이건은 달빛 가득한 마당에 그림자가 지는 것을 발견했다.

“저리 가라.”

케이건의 말을 따르는 대신 소년은 부엌 입구에 섰다. 소년이 쥔 단검이 달빛에 기묘하게 반짝였다. 소년이 말했다.

"저를 데려가 주세요."

"실습으로는 좋지 않은 시작이다. 우선, 나는 여자가 아니다. 그리고 접근해서 목을 딸 생각이라면 단검은 숨기는 편이 좋다. 무엇보다도, 혼자 있는 상대는 노리지 말라고 했다."

"그런 거 아니에요. 데려가 주세요."

"싫어."

"데려가 주지 않으면 여기서 죽어버릴 거예요."

케이건은 대답하지 않았다. 그는 부젓가락으로 아궁이를 헤집었다. 소년이 앙칼지게 외쳤다.

"죽어버릴 거라고요!"

"들었다."

소년은 침묵했다. 케이건은 일어나 솥 안에 숟가락을 담아 저었다. 한동안 숟가락이 솥에 부딪히는 소리만이 들렸다. 소년이 힘겹게 말했다.

"당신은 평생 죄책감을 느낄 거예요."

"내 생각은 그렇지 않아."

"그럴 거예요."

"그렇지 않아. 네가 특별한 존재라고 생각하지? 전혀 그렇지 않아. 넌 살아서도 별 볼 일 없는 보통 꼬마야. 그리고 죽은 다음에도 특별한 시체 같은 건 될 수 없어. 별 볼 일 없는 보통 시체가 될 뿐이다."

"제가, 제가 조금도 특별하지 않다면 단검은 왜 준 거예요!"

"나가의 작품을 망치기 위해서다. 네가 굶어죽게 되면 그것은 이 도시를 파괴한 나가의 의도를 만족시키는 것이 되겠지. 나는 그런 나가들의 의도에 작은 파괴를 일으킨 것이다. 너와는 아무 상관이 없는 이유다."

만약 그 자리에 다른 수탐자들이 있었다면 케이건이 언제나처럼 '친절하게' 대답하고 있다 생각할 것이다. 물론 그 내용엔 경악했겠지만. 소년은 입을 다물었다.

죽이 끓고 있는 솥을 바라보고 있었지만, 케이건은 소년이 사라졌다는 것을 알 수 있었다.

적당한 그릇을 찾아 죽을 옮겨담은 케이건은 새끼줄로 그릇 뚜껑을 잘 묶은 다음 허리춤에 매달았다.

마당으로 나왔을 때 케이건은 보이지 않는 누군가가 실망하는 것을 깨달았다. 케이건은 빈 공간을 향해 중얼거렸다.

"그래. 두 손으로 솥을 쥐면 손이 자유롭지 않게 되지. 좋은 발상이었다."

대답은 없었다. 케이건은 달빛을 밟으며 그 집을 빠져나왔다.

케이건이 야영지로 돌아왔을 때 여신은 여전히 자고 있었다. 그리고 비형 또한 이미 곯아떨어져 있었다. 불침번을 서던 티나한에게 묵례한 다음 케이건은 아기가 깨어나면 먹이기로 하고 솥을 불 옆에 내려놓았다. 도깨비불 옆에 앉은 케이건은, 티나한이 자신을 훔쳐보고 있음을 깨달았다.

비형이 잠들었기에 홀로 생각에 잠겨 있던 티나한은 케이건에게 물어봐야 확인될 수 있는 질문을 하나 떠올려 놓고 있었다. 그 질문은 케이건에게 관련된 것이었다. 하지만 그 질문은 티나한이라도 꺼내기 쉬운 것이 아니었다. 티나한은 한동안 케이건의 눈치를 살폈다.

실눈을 뜬 채 도깨비불을 바라보던 케이건이 나직이 말했다.

"질문하시오."

"독심술이냐!"

"당신이 풍부한 표정을 가지고 있는 거요."

"그런가? 으음. 여기 앉아 있다 보니 별 생각을 다했어. 그러다가 좀 이상한 사실 하나를 떠올렸어. 어, 기분 나쁘지 않았으면 좋겠는데, 네 아내에 대한 이야기야. 괜찮을까?"

케이건은 고개를 들었다. 티나한은 긴장했지만 케이건의 얼굴은 평온했다.

"아내에 대한 이야기는 그다지 하고 싶지 않소만."

"말을 잘못했다. 그러니까 네 아내에 대한 이야기가 아니라 너에 대한 질문인데."

"해보시오."

"음, 음. 너는 아라짓 전사라고 했지? 그것 때문에 나가들에게 복수하지. 그리고 너는 키탈저 사냥꾼이기도 하다고 했지. 그것도 네 복수의 이유고. 그리고, 어, 음. 네 아내가……."

티나한은 어떻게 말해야 할지 알 수 없어 허둥거렸다. 케이건이 짧게 말했다.

"다 맞소. 그런데?"

"아라짓 전사인 네가 어떻게 아내를 얻은 거지?"

케이건은 고개를 갸웃했다. 티나한은 더듬거리며 말했다.

"아라짓 전사는 왕의 허락 없이 자식을 얻을 수 없다고 했잖아. 젠장, 최후의 대장장이께서는 결혼하지 않고도 자식을 얻었지. 좋아. 그런 경우는 인정하겠어. 그렇지만 그 반대의 경우, 그러니까 자식을 얻지 않으면서 결혼하는 것은? 그건 불가능하겠지."

"결혼하고도 자식을 얻지 못하는 부부도 많소."

"그야 그렇지. 하지만 결혼하기 전부터 그런 일이 있을 거라 예상할 수는 없는 거 아냐. 그렇다면 아라짓 전사는 왕의 허락 없이 자식을 얻을 수 없다는 말은, 다시 말해서 아라짓 전사는 왕의 허락 없이 결혼할 수 없다는 말도 되는 거지. 맞지?"

"맞소."

"그래. 그런데, 대호왕이 즉위한 건 4년 전의 일이야. 그 전에는 왕이 없었지. 그렇다면, 네가 800살이 넘지 않은 바에야 왕의 허락을 받을 수는 없어. 그렇지? 그러면 너는 상처한 다음에 아라짓 전사가 된 거야?"

잠깐 침묵하던 케이건은 어둠 속을 바라보며 말했다.

"상심하지 않았으면 좋겠소. 티나한. 그 질문에는 대답할 수 없소."

"아, 괜찮아. 그냥 앞뒤가 안 맞는 것 같아서 의아해진 거야. 대답하지 않아도 돼. 그런데, 그 질문 하다 보니 떠오른 것이 있어. 아라짓 전사의 전통은 어떻게 이어진 거야?"

"전통?"

"그래. 인간들은 부모가 자식에게 직업이나 재산 같은 것을 물려주곤 하지. 어, 비웃는 것은 아냐. 너희들은 약하니까 혼자서 뭔가를 시작하는 것이 어려울 거야. 그러니까 부모가 만들어놓은 걸 자식이 이어받으면 좀 편하겠지. 너희들이 약하다는 것은 불가항력에 해당하는 거니까 비웃을 필요는 없지. 하지만 아라짓 전사들은 그럴 수 없을 텐데? 800년 동안 왕이 없었으니까 아라짓 전사들은 전사의 지위를 물려줄 자식을 만들 수 없었을 거 아냐. 그런데 너에게까지 전통이 이어졌잖아. 어떻게 해서 그렇게 된 거야? 도제야?"

"역시 대답할 수 없는 질문이오. 티나한."

"그러냐? 이거 오늘은 내가 곤란한 질문만 떠올리는 날인 모양이군."

티나한은 머쓱한 미소를 지어보였다. 타고난 개인주의자라고 한다면 그것은 레콘일 가능성이 높으며, 평범한 레콘인 티나한은 상대방이 말하기 싫어하는 것을 캐묻는 것에 별 관심이 없었다. 그래서 티나한은 케이건이 불침번을 서겠다고 말했을 때 별 반대 없이 잠자리에 들었다.

도깨비불을 바라보며 케이건은 생각에 잠겼다. 여러 가지 생각이 그의 머릿속을 어지럽혔지만, 그중에 이름 모를 소년에 대한 것은 없었다.

케이건에게 그 소년은 조금도 특별하지 않았다.

아기가 깨어난 것은 한밤중이었다. 케이건은 죽을 데웠고 아기는 그것을 바라보지 않았다. 케이건이 끓인 죽을 숟가락으로 떠 후후 불어가며 아기에게 먹일 때도 아기는 숟가락을 바라보지 않았다. 결국 케이건은 마음속에 있던 의심을 질문했다.

"혹 앞이 보이지 않으시는 겁니까? 시선을 맞추시는 것을 본 적이 없군요."

아기는 죽을 삼키고 말했다.

"그렇지 않아. 다 보이니까 시선을 맞출 필요가 없는 거지. 나는 모든 이보다 낮아. 내게는 다 보이지. 너도 네 어깨와 팔과 손가락들을 모두 보면서 그 죽을 뜨지는 않잖아?"

"숟가락과 솥은 봅니다. 당신 부리도 보아야 하고."

"네가 말한 것들은 너보다 낮아질 수 있는 것들이지. 그러면 내려다봐야겠지. 하지만 나는 모든 이보다 낮아. 굳이 애쓰지 않아도 내게는 다 보여."

케이건은 입을 다문 채 그 말에 대해 생각했다. 죽이 바닥났을 때 케이건은 아기의 말을 대충 이해할 수 있을 것 같다고 생각했다. 솥을 치운 케이건은 아기의 요청에 따라 그녀를 앉혔다. 그리고 그 등을 두드리며 궁금해하던 것을 질문했다. 그는 자신들의 여행이 이유를 알 수 없는 방법으로 빨라져 있음을 설명하고 그 현상의 원인이 여신인지를 질문했다.

여신은 간단히 긍정했다. 아기의 등을 조심스럽게 두드리며 케이건은 말했다.

"당신은 느린 쪽을 선호한다고 하셨던 것 같은데요."

"음? 아아, 나는 움직이지 않았어."

케이건은 잠깐 고민했다.

"그렇군요. 최후의 대장간도, 카시다도 모두 땅 위에 있는 것이군요. 움직이지 않으신 것이군요."

"그래."

"덕분에 저희는 놀라운 속도로 움직였습니다. 그런데 제 개썰매는 어떻게 된 것입니까?"

"그 개들은 전 주인에게 돌아갔다."

"알겠습니다. 그러면 앞으로 어떻게 하면 좋겠습니까? 시우쇠 님을 찾아내려면 즈믄누리로 가야 합니다. 북부군의 현재 위치를 아는 것은 도깨비들이니까요."

"그리고 시우쇠가 딛고 있는 땅이 아마 알겠지. 시우쇠가 어디 있는지."

케이건은 졌다는 심정이 되었다. 아기가 트림을 하자 케이건은 아기를 조심스럽게 눕혔다. 강보를 매만진 케이건은 확인했다.

"그러면 저희는 그냥 걸어가면 되겠습니까?"

"그냥 걸어가."

"알겠습니다."

"뭐가 불만인 거지?"

"불만 같은 것은 없습니다. 그저 이제 길잡이가 아니구나 하고 생각했습니다. 그냥 걸어가기만 하는 거라면 길잡이의 일은 없지요."

"그렇게 확신하지 마. 너는 여전히 길잡이야. 그 아이에게 그랬던 것처럼."

"그 아이?"

"카시다에서 아이를 만났지?"

케이건의 반응은 조금 늦었다. 기억을 떠올려야 했기 때문이다.

"예. 그러고 보니 그건 땅 위에서 일어난 일이군요."

"훔치고 속이고 죽이라고 했었지?"

"그렇게 말했습니다."

"만인이 만인을 상대로 훔치고 속이고 죽이기 시작하게 되는 것을 원하니?"

"그 아이에게 그렇게 말해 준 것은 그런 방법들이 먹거리를 구하는 가장 손쉬운 방법이기 때문입니다. 저는 만인에 대해 원하는 것이 없습니다. 제가 원하는 것은 하나뿐입니다. 모두 보신다면, 땅 위에서 일어난 제 모든 과거도 아시겠군요. 제가 무엇을 원하는지도."

"나는 오래전의 너를 안다."

"제 발 아래엔 항상 당신이 있었겠군요."

"그래. 그때 너에겐 만인에 대해 원하는 것이 있었어."

"……그런 기억이 납니다."

"너에겐 신념과 소망이 있었다. 케이건."

"그만하십시오. 당신은 자부심을 소중히 여기는 어떤 전사를 지나치게 괴롭히고 계십니다."

아기는 티나한을 바라보지 않았다. 하지만 케이건은 그렇게 했고, 잠자리에 누워 있는 티나한이 움찔하는 것을 담담하게 바라보았다.

"당신의 목소리는 너무 큽니다. 누군가로 하여금 잠든 척하며 이야기를 엿들을 것인지, 그렇잖으면 깨어났음을 정직하게 고백할 것인지 고민하게 할 정도로."

"젠장, 미안하다, 미안해! 그런 생각 좀 했었다! 하지만 나를 엿듣는 놈으로 몰아붙이려는 거라면! 엉? 만약 그러려는 거라면!"

"안 그러겠소. 주무시오, 티나한."

티나한은 투덜거리며 다시 누웠다. 케이건은 아기를 돌아보았다. 아기는 눈을 감은 채 쓴웃음을 짓고 있었다.

"길잡이인지 아닌지 모르겠습니다만 앞으로의 일은 대충 알아두고 싶습니다. 저희들은 얼마쯤 후에 목적지에 도달하겠습니까?"

"내일이라고 불러야 할 시간쯤에는 너희들이 시구리아트라고 부르는 산맥에 도달할 거다. 그리고 이틀 정도가 지나면 너희들이 엔거라고 부르는 평원에 도달하게 될 거다."

거리를 가늠해 본 케이건은 그 속도에 놀라지 않을 수 없었다. 그야말로 번개 같은 속도였다. 그때 여신이 다시 말했다.

"시구리아트에 너를 찾는 사람이 있구나. 거기서 잠시 머물러야겠다."

"저를 찾는 사람이오?"

대답은 없었다. 아기답게 여신은 다시 잠들었다. 케이건은 강보를 한 번 더 매만진 다음 도깨비불 옆의 자리로 돌아왔다.

카시다의 마지막 시민인 이름 모를 소년은 덤불 아래에 몸을 숨긴 채 바위 아래에 모여 있는 사람들을 바라보았다. 이해하기 힘든 모습의 일행이었다. 도깨비와 인간, 레콘이 있었고 딱정벌레가 있었으며 레콘은, 분명히 남자로 보이는데도 불구하고 등에 레콘 아기를 업고 있었다. 소년은 아마도 레콘의 아내가 죽었기 때문에 아이의 새엄마가 될 여자를 탐색하려는 것이리라 추측했다. 그렇다면 그 레콘에겐 동정심이 있을지도 모른다. 소년은 그렇기를 원했다. 그는 그 일행에 합류하고 싶었다.

하지만 소년은 어젯밤에 만났던 무서운 사내가 마음에 걸렸다. 그래서 소년은 일행이 출발하면 그 뒤를 따라갈 생각이었다. 그렇게 따라다니다가 그들에게 받아들여질 기회를 얻는 것이 소년의 계획이었다. 어쩌면 그 무서운 남자 외에 다른 일행들은 부모 잃은 소년을 불쌍히 여겨 거두어줄지도 모른다. 무서운 남자는 소년이 특별하지 않다고 말했지만, 소년은 모든 가족을 잃고 세상에 홀로 내몰린 남자애만큼 특별한 것이 있는지 의심스러웠다. 동정과 사랑은 그런 자에게 보내어져야 하지 않는가?

일행이 걸음을 뗐다. 소년은 그들의 등을 바라보았다.

곧 소년은 덤불을 박차고 나왔다.

실망과 좌절, 그리고 혼란에 소년은 비명을 질렀다. 그 일행은 분명히 걸어가고 있었다. 하지만 번개 같은 속도로 그렇게 하고 있었다. 소년은 앞으로 달렸다. 하지만 굶주림 때문에 후들거리는 소년의 다리가 소년을 배신했고 소년은 요란하게 쓰러졌다. 눈앞이 새하얗게 바뀌었다. 입술이 터졌는지 혀끝에 짭짤한 피맛이 느껴졌다. 허둥거리던 소년은 간신히 눈을 떠 일행이 사라진 방향을 바라보았다. 이미 일행은 지평선을 넘어서고 있었다.

소년은 어이가 없었다. 누가 버린 쓰레기처럼 팽개쳐진 모습으로 땅 위에 엎드린 소년은, 지독한 장난에 말려든 것 같은 억울함에 울음을 터뜨렸다.

한참을 울던 소년이 다시 땅을 짚고 일어섰을 때, 그 얼굴에는 덤불 속에 숨어 있을 때와는 다른 표정이 떠올라 있었다.

결국 소년은 특별하지 않았다.

일어서는 것마저 힘들었기에 소년은 바위에 등을 기댔다. 소년은 걸어갈 자신이 없었다.

한참 동안 바위에 기대어 있던 소년은 결국 바위를 짚었다. 그의 손바닥에 음각된 글씨의 일부가 만져졌다. 소년에겐 익숙한 글자들이었다. 글자를 배우던 시절 소년은 카시다 암각문을 하나씩 읽어나갈 수 있게 되었을 때 흥분을 느꼈다. 그것은 불과 얼마 전의 일이었다. 그때 소년에게는 이름을 불러주는 부모와 유치한 별명을 불러주는 친구들이 있었다. 지금은 그렇지 않았다.

소년은 단검을 뽑아들었다.

카시다 암각문이 새겨진 바위는 오랜 세월 동안 경험해 보지 못했던 독특한 침식을 경험하게 되었다.

소년의 단검은 결국 끌과 망치에 필적할 수 없었지만, 소년은 손톱 아래에서 피가 배어나오도록 거칠게 단검을 내리찍었다. 겨우 한 단어를 새겨넣는 동안 소년은 몇 번이나 손을 허벅지 사이에 끼운 채 휴식해야 했다.

마침내 목적을 달성한 소년은 비틀거리며 바위를 떠났다. 소년이 떠난 바위에는 새로 새겨진 암각문이 다가올 풍화의 세월을 조용히 기다리고 있었다. 소년이 새겨넣은 단어는 '미움'이었다. 그 단어는 암벽에 있던 글자들과 어울려 완전한 문장을 이루었다.

'사람들의 마음이 역시 미움으로 가득하다는 사실을 확인할 수 있다.'

안개가 티나한을 기분 나쁘게 했다. 어처구니없을 정도로 짙은 안개는 손에 만져질 듯했고, 티나한에게 마치 물 속을 걷고 있는 것 같은 깃털 부푸는 느낌을 선사했다. 티나한은 그곳이 싫었다. 하지만 티나한이 탈 경우 딱정벌레에는 한 사람밖에 탈 수 없었다. 어쩔 수 없이 티나한은 케이건의 뒤를 따라 걸었다.

"도대체 이 황당한 안개는 뭐야?"

"아무래도 나가들이 기온을 높이기 위해 이곳에 뭔가를 지나치게 모아놓은 모양이오."

티나한은 그 '뭔가'가 무엇인지 질문하지 않았다. 그는 원망스러운 눈빛으로 케이건의 뒤통수를 노려보며 그 말을 잊으려 애썼다. 케이건은 티나한의 고충에 신경 쓰지 않은 채 발 앞의 폐허를 가로질렀다.

폐허의 규모는 놀라웠다. 시구리아트 유료 도로 위에는 돌들이 무수히 쌓여 있었다. 비탈진 산의 경사 때문에 굴러내린 거석들은 수백 미터 이상 되는 넓은 범위에 걸쳐 흩어져 있었다. 케이건은 안개 속에서 마치 괴물의 뼈대처럼 보이는 공성 병기들을 바라보았다.

한때 폭풍 같은 기세로 거석들을 날려보냈을 그 공성병기들은 무관심하게 방치되어 있었다. 그중 어떤 것은 단지 튼튼한 지지력을 위해 땅에 뿌리를 박은 나무를 그대로 이용하여 만들어진 초대형의 것도 있었다. 처음부터 가지고 떠날 생각은 없었던 모양이다. 나가들이 사용하고 버린 것임이 분명했지만, 그것은 케이건의 상식에 맞지 않는 일이었다. 티나한조차도 나무를 무분별하게 사용하여 제작된 그 대형 병기들의 모습에 놀랐다.

"나가들이 미친 걸까?"

"모르겠소."

길을 가로막는 거석의 크기가 차츰 거대해졌다. 무게 때문에 아래로 굴러내릴 수 없는 거석들이 길 위에 내팽개쳐져 두 사람의 걸음을 방해했다. 자욱한 안개와 거대한 돌더미 때문에 두 사람은 우윳빛 미로를 헤매는 느낌을 받았다. 케이건은 가까스로 길을 찾아내었다. 그리고 길이 완전히 막혔을 때는 티나한이 괴력을 발휘하여 바위를 밀었다.

악전고투 끝에 그들은 관문 요새에 도달했다. 최소한 관문 요새가 있던 자리에는 도달했다.

두 사람은 말을 잃은 채 눈앞에 펼쳐진 참상을 바라보았다.

자연암을 이용하여 만들어진 관문 요새는 벽돌로 만들어진 건물 등과는 달리 완전히 무너져내리지 않았다. 바위를 관통하는 통로 또한 그대로였다. 하지만 그 때문에 관문 요새는 자신의 참상을 폐허 속에 숨길 수 없었다.

두 사람의 머릿속에서 시구리아트 관문 요새가 겪어야 했던 일이 선명하게 재구성되었다.

투석기에서 날아든 거석들은 암벽을 수백, 수천 번 이상 강타했을 것이다. 그런 무참한 공격에 그토록 단단한 암벽도 더 이상 견딜 수 없었을 것이다. 굵은 금이 간 바위들이 깨진 얼굴처럼 흉측한 모습으로 그들을 내려다보고 있었다. 원래 교묘하게 숨겨져 있었을 투석구들은 흉하게 드러나 있었다. 그중 어떤 투석구에는 인간의 머리와 팔 하나가 삐죽 튀어나와 있었다. 꽉 끼여 있는 그 유해는 그가 경험해야 했던 무서운 사건을 생생하게 증언하고 있었다. 내부로 침입한 적에게서 도망치기 위해 투석수는 도저히 빠져나갈 수 없는, 그리고 설령 빠져나왔다 하더라도 추락사할 그 구멍으로 자신의 몸을 집어넣었다. 하지만 머리와 팔 하나를 꺼내는 것이 고작이었기에 투석수는 그런 무시무시한 높이에서 아래를 내려다보며 굶어죽었다.

통로를 메우고 있는 안개 속에서 누군가가 걸어나왔다.

티나한은 흠칫하며 철창을 꼬나쥐었다. 그러나 케이건은 가만히 선 채 상대를 기다렸다. 나가가 움직일 기온이 아니었다. 케이건의 예상대로 안개 속에서 나타난 것은 나가가 아니었다.

초라하고 더러운 모습으로 나타난 인간은 잠시 두 사람을 바라보았다. 행색이 말이 아니게 초라했기에 두 사람은 눈앞의 상대가 누군지 알 수 없었다. 그때 그 인간이 입을 열었다.

"은편 열다섯 닢 내시오."

티나한은 신음을 흘렸다. 케이건은 여전히 무표정한 얼굴로 보좌관을 물끄러미 바라보았다. 보좌관은 설명을 덧붙였다.

"당신과 그 아기는 면제요. 그러니 레콘의 통행료만 지불하면 되겠습니다. 도깨비도 있었는데, 그는 어떻게 된 겁니까?"

"……안개 속에서 피비린내가 진동하기에 딱정벌레에 태워 산맥 건너편으로 날아가게 했소. 반대편에서 기다리고 있소."

"잘 생각하셨군요."

그리고 보좌관은 손을 내밀었다. 완전히 무감각한 그 동작을 바라보던 케이건은 은편 대신 질문을 꺼냈다.

"당주님은 어떻게 되었소?"

"지불하시오."

케이건은 말없이 은편을 꺼내어 보좌관에게 쥐여주었다. 보좌관은 더러운 옷가지 사이에 그것을 챙겨넣고는 몸을 돌려 걸어갔다. 케이건과 티나한은 그 뒤를 따라 걸었다.

통로 안으로 들어온 보좌관은 걸음을 멈추었다. 케이건과 티나한은 다시 충격을 받았다.

통로 안쪽에는 단 하나의 횃불만이 불타고 있었다. 그리고 횃불걸이의 반대쪽 벽 일부는 무너져 있었다. 그 때문에 벽에 기다란 틈이 나 있었다. 그 틈은 보좌관의 무릎 높이쯤에서 가장 넓게 벌어져 있었는데 수탐자들은 그 뒤쪽에서 노파의 얼굴을 발견했다. 거미줄 같은 가느다란 머리카락 사이로 드러나 있는 얼굴은 시구리아트 유료 도로당의 보늬 당주의 얼굴이었다.

케이 보좌관은 무릎을 꿇었다. 그리고 목이 메어 말했다.

"저 방은 비밀 방이었소. 당주님을 저곳에 숨겨두었는데, 그만 방이 무너지고 말았소. 당주께서는 저 안에 선 채로 파묻혀 계시는 거요. 간신히 이런 틈이 있어 제가 먹을 것을 드리고 있소. 망치로 벽을 깨어볼까 하는 생각도 해봤지만 저 방 안에서 붕괴가 일어날까봐 그렇게 할 수 없었소."

티나한이 깃털을 부풀린 채 앞으로 성큼 걸어갔다. 그는 벽을 쓰다듬고 흠을 어루만졌다. 하지만 그런 방법으로는 내부의 상태가 어떤지 알 수 없었다. 티나한은 다시 케이건을 돌아보았다. 케이건은 무릎을 꿇고 갈라진 부분 안쪽을 바라보았다.

보늬 당주는 기절한 것인지 잠든 것인지 아무 반응이 없었다. 케이건은 그녀의 코 아래에 조심스럽게 손가락을 가져갔다.

당주는 숨을 쉬고 있었다. 티나한은 뒤를 돌아보려 애쓰며 말했다.

"저 방 안의 상태가 어떻습니까? 저희들이 당주를 구출할 방도가 있을까요?"

케이 보좌관은 멍한 표정으로 티나한을 바라보았다. 아기가 부리를 열어 말했을 때, 그 속마음이야 어쨌는지 알 수 없지만 보좌관의 얼굴에는 아무런 변화도 없었다. 아기는 말했다.

"글쎄. 티나한. 내가 말해 줄 수 있는 건 당주가 재채기만 좀 심하게 하더라도 깔려죽고 말 거라는 사실뿐이군."

"이런, 빌어먹을! ……당신에게 한 말은 아닙니다."

아기는 웃으며 노란 머리를 다시 강보에 파묻었다. 케이건은 당주의 얼굴을 가만히 들여다보며 말했다.

"그 오랜 세월 동안 산적과 제왕병자와 각종 악당들의 공격을 버텨온 이 요새가 어떻게 해서 이렇게 된 거요?"

"갈로텍 대장군이 왔소."

"갈로텍이?"

"예. 놀랍게도 그자는 군령자더군요. 오면서 투석기들을 봤을 거요. 나가들이 그런 것을 만들 수는 없소. 하지만 군령자인 그자는 그렇게 하더군. 그자는 그걸로 이 요새를 공격하여 쇠뇌 배출구와 투석구, 기타 이 요새의 공격 수단을 초토화시켰소."

"하지만 250년 전에도 똑같은 일이 있었소. 주퀘도 사르마크가 이곳을 공격했을 때 그 또한 비슷한 방법을 썼소. 그때 당신들은 그 공격을 버텼소."

"그자였소."

"그자라니?"

"죽음의 거장. 군령자 갈로텍의 군령 중에는 주퀘도 사르마크의 영도 있었소."

케이건의 눈썹이 꿈틀거렸다.

그는 의아하게 여겨왔던 것이 정리되는 것을 느꼈다. 케이건은 어떻게 전쟁 경험이 없는 나가들이 그토록 훌륭한 작전 수행 능력을 보여준 것인지 알게 되었다. 그리고 용인이 아닌 갈로텍이 어떻게 륜 페이에게 필적하는 수력 통제력을 발휘한 것인지도 깨달았다. 군령자는 타인의 지식과 기억을 이용하는 것에 익숙하다. 갈로텍은 다른 이보다 훨씬 쉽게 여신의 힘에 적응했을 것이다.

"당신들을 잘 아는 적이 온 것이군. 하지만 그자가 250년 전의 실패에서 어떤 교훈을 얻은 거였소?"

"그자의 공격 자체는 별로 달라진 것이 없었소. 문제는 수호 장군들이 요새 내부의 우물을 마르게 하고 수도관의 위치를 파악해서 오폐수를 역류시키고 금속 도구

에 습기를 몰아넣었다는 점이오. 그들이 주로 힘을 집중시킨 부분은 철문의 돌쩌
귀였소."

"녹슬게 한 것이군."

"그렇소. 우리는 긴 시간을 버텼소. 한순간도 멈추지 않고 요새를 두드리는 돌
때문에 많은 당원들이 귀머거리가 되었소. 그들이 우리에게 날려보낸 돌은 거의
산 하나에 필적할 거요. 어느 날 철문이 더 이상 견디지 못하고 무너졌고, 보병들
이 요새 안쪽으로 난입했소. 그다음은 미친 듯한 살육이었소. 그다음 그들은 나가
포로를 찾아 떠났소."

"포로?"

"즈믄누리로 호송되던 포로들 중 일부가 이곳에 있었소. 그리고 대호왕 또한."

케이건은 고개를 들어 보좌관을 바라보았다. 보좌관은 자신이 알고 있는 것을
설명했고, 그 설명은 티나한과 케이건을 긴장하게 했다. 티나한은 벼슬을 빳빳하
게 세우며 말했다.

"어, 그렇다면 북부군이 우리를 기다리지 않고 하텐그라쥬 공격에 나섰다는 것
이군?"

"그렇소."

"이런 빌어먹을!"

티나한은 주먹을 서로 부딪치며 분해했다. 보좌관은 차분하게 설명을 끝내었다.

"전투가 끝난 후 그들은 포로들과 요새에 남아 있던 북부군을 끌고 남쪽으로 떠
났소. 나는 다른 비밀 장소에 숨어 있다가 나온 것이고."

티나한은 격분하느라 보좌관의 설명을 제대로 듣지 못했다. 케이건은 다시 고개
를 숙여 바위틈에 갇혀 있는 당주를 바라보았다.

"당주님은 언제부터 이런 모습으로?"

"스무이레째요."

"스무이레?"

"그렇소."

케이건은 놀랐다. 건장한 젊은이라도 꼼짝할 수 없는 이런 모습으로 그 긴 시간을 버틸 수는 없다. 하물며 보늬 당주는 백 살이 넘은 노인이었다. 그때 케이건은 보좌관이 뜻있는 눈으로 바라보는 것을 느꼈다. 케이건은 보좌관을 바라보았고 그러자 보좌관은 그의 시선을 외면하며 말했다.

"아마도 당신을 기다리신 것 같소. 어째서 그런지 모르겠지만, 당신이 돌아올 거라 확신하셨던 모양이오."

티나한은 놀란 표정으로 보좌관과 케이건을 번갈아 바라보았다. 케이건은 천천히 고개를 떨구었다. 그리고 땅속에 파묻힌 당주를 바라보았다.

당주의 쪼글쪼글한 얼굴은 그나마 핏기조차 없어 뭉쳐놓은 걸레처럼 보였다. 유료 도로를 가득 메운 안개에서 흘러내린 이슬들이 그녀의 부서지기 쉬운 몸을 서른 날 이상 적셔왔고 그 위에 돌가루와 먼지, 그리고 머리카락들이 뭉쳐져 다시 없이 끔찍한 모습을 하고 있었다. 하지만 케이건은 당주의 다른 모습을 알고 있었다. 그리고 케이건은 다른 모습의 그녀를 부를 때와 같은 목소리로 시구리아트 유료 도로당의 당주를 불렀다.

"보늬."

당주의 몸이 미세하게 움직였다. 케이건은 한 번 더 불렀다.

"보늬."

당주는 눈을 떴다. 티나한은 놀라서 무릎을 굽혔지만 그러자 그의 거대한 몸 때문에 횃불의 빛이 가려지며 틈 앞에 그림자가 졌다. 티나한은 황급히 다시 일어섰다.

눈이 부신 듯 몇 번 눈꺼풀을 떨던 당주는 가까스로 케이건에게 시선을 맞추었다. 그녀의 함몰된 입술이 힘겹게 움직였다.

"어엿븐 소드락이요?"

티나한은 어리둥절하여 다른 사람들을 바라보았다. 하지만 보좌관은 무표정한 얼굴 그대로였다. 게다가 케이건은 그 기묘한 말을 알아듣는 것 같은 얼굴을 하고 있었다. 심지어 그는 대답까지 했다.

"그렇습니다."

"너므 너즈러비 오셨소."

"그렇군요."

당주의 눈에서 눈물이 흘러내렸다. 하염없이 흘러내리는 눈물은 흙먼지로 뒤덮인 볼에 긴 자국을 남겼다. 보좌관이 그것을 닦아주려 했지만 당주는 눈짓으로 그것을 거부했다. 보좌관은 다시 물러났다.

소리 없이 울던 당주는 겨우 숨을 골라 말했다.

"바라믄 롱호미라 호나 모딘 길헤 뻐러디여 그우니난 곳니픈 엇디호리오."

"원하실지 모르겠습니다만, 용서해 달라고 말하지는 않겠습니다."

보좌관의 얼굴이 일그러졌다. 내용을 알 수 없었던 티나한은 당혹하여 모든 사람들을 바라보려 애썼다. 바위틈에 갇혀 있는 당주가 긴 한숨을 내쉬었다.

"원치 아니하오."

케이건은 대답하지 않았다. 말하는 것이 힘든 듯 당주는 한참 동안 침묵했다. 그동안 세 남자와 여신은 조용히 기다렸다. 당주는 가까스로 입을 열어 말했다.

"이 늘근 겨지베 소망은 네와 이졔왜 혼가지요."

케이건은 침묵했다. 당주는 갑자기 또렷하게 말했다.

"어양쓰난 겨지블 어위키 용서하오. 드위힐휘 니르노이다. 다시 태어나 당신을 사랑하겠습니다."

티나한은 갑자기 당주의 말을 알아들을 수 있다는 사실, 그리고 그 내용에 놀랐다.

하지만 뒤이어 일어난 일 때문에 그의 놀람은 묻혀지고 말았다.

당주는 갑자기 머리를 뒤로 힘껏 젖혔다. 보좌관이 비명을 내질렀지만 당주는 다시 한번 그렇게 했다. 순간 틈이 벌어지다가 다시 함몰되었다. 틈 저편에서 무엇인가가 요란한 소리를 내며 무너졌다. 피어오른 흙먼지가 모든 사람의 눈을 가렸다. 보좌관은 미친 듯이 손을 휘저었다.

가까스로 흙먼지가 가라앉았을 때 사람들은 벽의 틈이 흙과 파석으로 완전히 메워졌음을 발견했다.

보좌관은 무릎을 꿇었다. 그는 두 손으로 벽을 짚은 채 믿을 수 없다는 표정으로 틈을 바라보았다. 갑자기 보좌관은 머리를 벽에 부딪쳤다. 머리를 벽에 댄 채 보좌관은 짐승 같은 울음을 터뜨렸다.

하텐그라쥬의 외곽, 마호가니 군단의 군영이 된 곳에서, 쥬어는 의자에 앉은 채 세 가지 사건에 대해 생각하고 있었다. 그 세 사건 중 두 가지는 각자 어젯밤과 조금 전에 일어났다. 그리고 하나는 아직 일어나지 않았다. 각각의 사건들은 서로 관련이 없는 것처럼 쥬어에게 다가왔지만, 그것은 명백한 관련성을 지니고 있었다. 그래서 쥬어는 아직 일어나지 않은 세 번째 사건에 어떻게 대응할 것인가를 결정해 두고 싶었다.

어젯밤 비아스 마케로우가 들려준 이야기는 그를 당혹시켰다. 쥬어는 솔직히 그 점을 인정했다. 그는 정말 놀랐다. 물론 비아스는 충분히 합리적인 설명을 통해 자신의 주장을 입증하려 노력했다. 어쨌든 쥬어 또한 불신자들이 여신을 가두고 있는 거라면 왜 자신들이 그렇게 큰 피해를 입으면서도 여신을 풀어주지 않는 거냐는 질문에 대해 대답할 수 없는 것은 마찬가지였다. 하지만 그 음모의 규모가 지나치게 거대했기에 쥬어는 받아들이는 것에 어려움을 느꼈다. 그래서 쥬어는 비아스의 요구를 들어주겠노라고 닐렀지만 마음속으로는 그 요청을 조금 보류해 둔 상태였다.

그런데 조금 전, 아직 충분히 낯익지 않은 부하 두 명이 쥬어를 찾아왔다. 자신을 스바치와 카루라고 밝힌 두 사람을, 쥬어는 경계심을 가지고 맞이했다. 쥬어는 그 두 명이 보물을 나눠달라는 요청을 하러 온 것이라 지레짐작했다. 하지만 두 사람의 용건이 수호자들이 꾸민 어떤 음모에 대한 것임을 알게 되었을 때 쥬어는 기겁하지 않을 수 없었다.

카루와 스바치는 비아스보다 훨씬 많은 것을 알고 있었다. 비아스가 정확하게

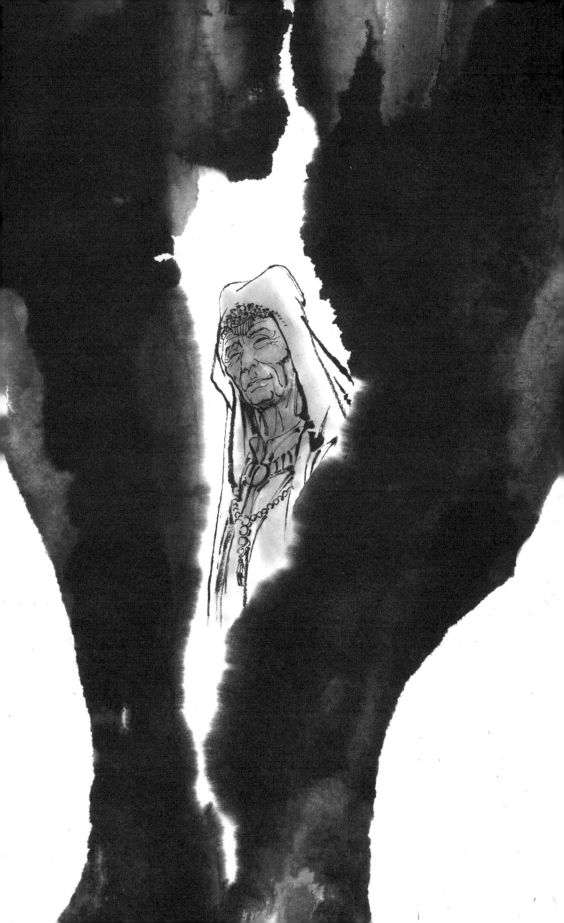

알지 못하는 세부 사항을 두 사람은 모두 설명할 수 있었다. 쥬어는 잠깐 동안 두 사람이 비아스에게 고용되어 자신을 설득하기 위해 온 것이 아닌가 하는 생각마저 떠올렸다. 하지만 스바치와 카루는 비아스에 대한 끔찍한 혐오감을 드러내었다. 그리고 비아스가 수호자 한 명을 살해했다는 니름까지 들려주었다. 쥬어는 비늘이 서는 것을 느끼면서도 그 이야기에 설득력이 있다고 생각했다.

"그렇다면 그 카린돌 마케로우라는 여자가 수호자들에게 억류되어 있기 때문에, 그리고 발자국 없는 여신은 영이 빠져버린 카린돌 마케로우에게 억류되어 있기 때문에 수호자들은 여신의 힘을 마음대로 쓰고 있다는 것이군?"

비밀 유지를 위해 대화는 육성으로 이루어지고 있었다. 스바치는 고개를 끄덕였다.

"그렇습니다. 쥬어. 물론 당신은 수호 장군들 덕분에 북부에서 많은 재산을 모았지요. 하지만 당신이 고마워해야 하는 것은 행운을 찾아내는 당신의 능력입니다. 수호자들에게 고마워해서는 안 됩니다. 그들은 신성한 여신을 냉혹한 감방의 수인으로 전락시켰습니다. 그것은 더할 수 없이 끔찍한 배신입니다."

쥬어는 그 주장에 동감했다. 스바치는 열성적으로 말했다.

"생각해 보세요. 당신이 만약 수호자들의 저 끔찍한 음모를 폭로한다면, 대가문들은 당신에게 고마워할 겁니다. 그것은 당신이 대가문의 가주들에게 줄 수 있는 최상의 선물일 겁니다."

"글쎄. 스바치. 내 생각은 조금 다른데. 대가문들은 북부에서 들어오는 부를 사랑해."

"그 말에는 동감합니다. 하지만 언제까지 그 부가 계속되겠습니까? 그 부는 북부인들이 오랜 시간에 걸쳐 쌓은 것입니다. 우리는 그것을 몇 년 만에 강탈해 왔지요. 이제 북부인들은 그 부를 쌓을 수 없습니다. 우리가 죽여버렸으니까요. 보나 마나 북부에서의 수입은 줄어들 겁니다. 당신도 그것을 짐작했기에 하텐그라쥬로 돌아온 것 아닙니까?"

쥬어는 쓴웃음을 지었다. 스바치의 말대로였다. 살육을 목적으로 삼은 군단들과 달리 쥬어의 의용군은 부의 수집을 목적으로 삼고 있었고, 따라서 수입이 줄어들고 있다는 것을 피부로 느낄 수 있었다.

"보나 마나 가문들과 군대 사이의 알력이 시작될 겁니다. 지금껏 그들의 재산을 불려주었기에 대가문들은 저 끔찍한 무장 집단을 용인했습니다. 하지만 군단들이 더 이상 재화를 벌어들이지 못한다면? 그렇다면 대가문들은 겁을 낼 겁니다. 지금껏 내전이라는 이야기는 몇 번이나 나왔습니다. 그것이 실제화될 겁니다. 다만 도시와 도시가 아닌, 군단과 가문의 내전이지요."

"비늘 서는 말이군. 그래서 자네가 제안하는 것은? 수호자들의 비밀을 폭로하고 그들에 맞서 전쟁을 벌이자는 건가?"

카루가 말했다.

"천만에요. 수호자 집단은 존속되어야 합니다. 다만 그들은 여신의 힘을 휘두르는 초인이 아니라 심장병의 관리자 수준으로 되돌아가야 합니다. 그러기 위해서는 심장탑에 갇혀 있는 카린돌 마케로우를 구출해야 합니다. 그러면 힘은 여신에게 되돌아갈 테고, 수호자들은 힘을 잃을 겁니다."

"수호 장군들이 힘을 잃는다면, 전쟁은?"

"전쟁은 끝내는 겁니다."

"하지만 북부인들은 이 전쟁 때문에 세 가지를 찾아내었어. 시우쇠, 뇌룡공, 그리고 오랫동안 잃어버렸던 그들의 왕. 그 정체 모를 대호왕 말이야. 그 세 가지를 막아내려면 수호자들에게 힘이 있어야 할 텐데."

"아니요. 북부는 우리를 공격할 수 없습니다. 수호자들에게 힘이 없을 때도 그들은 감히 키보렌에 다가서지 못했습니다. 더군다나 지금처럼 약해졌을 때는 절대로 덤빌 수 없습니다. 그들이 비록 당신이 말한 세 가지를 갖추고 있다 하더라도 지금처럼 북부가 황폐해진 상황에서는 자신들의 살길을 찾는 것도 벅찰 겁니다. 우리는 그저 물러나기만 하면 됩니다. 그것이 승리입니다."

쥬어는 북부군이 이미 하텐그라쥬로 진격 중이라고 말하지는 않았다. 상대가 정보를 내놓는다고 해서 자신 또한 그래야 한다는 법은 없다.

"그럴듯한 말이군. 수호자들이 힘을 잃어도 문제 될 것은 수호자 자신들뿐이라는 건가?"

"그렇습니다. 그리고 당신은 대가문들의 호의를 받겠지요."

"그렇다면 너희들은 무엇을 얻는 거지?"

스바치와 카루는 진지한 표정이 되었다. 스바치가 말했다.

"이미 말씀드렸듯이 우리는 수호자가 아닙니다. 하지만 여신을 위해 목숨을 바치기로 맹세한 자들입니다. 비록 악당에게 속아 그의 수족으로 활동했지만, 우리들의 맹세는 여전히 유효합니다. 그분이 풀려나는 것이 우리의 유일한 희망입니다."

쥬어는 감동한 표정으로 두 사람을 바라보았다. 실제로 그의 마음 어디에서도 감동 비슷한 감정은 찾아볼 수 없었지만. 쥬어는 아무런 감동 없이 두 사람의 뜻을 받아들이겠노라고 맹세할 수도 있었고, 실제로 그렇게 했다. 두 사람은 만족하며 떠났다.

그리고 쥬어는 홀로 앉아서 다가올 세 번째 사건을 기다리고 있었다. 그의 고민거리는 비아스의 요청과 카루와 스바치의 요청이 서로 상치된다는 점이었다. 카루와 스바치의 요청은 대가문들에게 수호자들의 음모를 폭로하고 그들과 협력하여 심장탑에 감금된 여신을 구출하자는 것이었다. 비아스의 요청도 두 사람의 요청과 비슷했지만, 작은 차이가 있었다. 그리고 그 작은 차이는 다가올 세 번째 사건에 대한 쥬어의 대응을 완전히 다른 두 가지로 나눠놓았다. 쥬어는 쉽게 결정할 수 없었다.

마침내 그가 결정을 내린 것은 세 번째 사건이 천막 앞까지 다가왔을 때였다. 쥬어는 예의 바르게 방문자를 받아들였고 겸손하게 닐렀다.

〈수호자 보트린. 저같이 천한 자를 친히 찾아주셔서 몸 둘 바를 모르겠습니다. 무슨 일로 저를 찾으셨는지요.〉

전선을 질타하며 병사들을 부려본 경험이 없는, 그리고 냉동 장치 근처를 떠나본 적도 별로 없는 보트린은 수호자들의 위세가 얼마나 높아졌는지 실감할 수 있다고 생각하며 우쭐해졌다. 보트린은 권위 있는 단어를 떠올리려 애쓰며 닐렀다.

〈쥬어. 근래 자네의 이름은 심장탑에 고독하게 앉아 세상과 무관하게 살아가는 나에게까지 들려오더군. 여신에 대한 경애의 마음으로 자네는 몸소 의용군을 조직하여 북부에서 놀라운 활약을 펼쳤다고 하더군. 참으로 고맙고 기쁜 일이야.〉

쥬어는 어쩔 줄 몰라하며 겸손을 떨었다. 보트린은 만족한 표정으로 닐렀다.

〈자네가 이룩한 업적들에 대해서 나와 모든 수호자들은 진심으로 감사하네. 그런데 근래 나에겐 북부에 대해 잘 아는 사람이 필요해졌네. 물론 나는 자네 이상가는 적임자가 없다는 것을 당장 깨달을 수 있었지. 자네는 한 번 더 여신에 대한 사랑과 존경의 마음으로 어려운 일에 나서주겠나?〉

〈그것은 어떤 일입니까? 아니, 잠시만요. 주위에 누가 있는지 좀 봐야겠습니다.〉

보트린은 쥬어가 주의 깊은 성격이라고 생각하며 고개를 끄덕였다. 쥬어는 자리에서 일어나 천막 입구로 향했다. 몸을 내밀어 주위에 아무도 없다는 것을 확인한 쥬어는 천막을 가로질러 반대편으로 걸어갔다. 그러는 도중 쥬어는 보트린의 뒤쪽을 지나가게 되었다.

수호자의 뒤를 지나치는 대신, 쥬어는 비아스에 대해 생각했다. 수호자를 죽일 정도의 여자라면 이런 일을 요청하는 것도 당연하다는 것이 그의 생각이었다. 그 생각이 완료되었을 때 그의 손에 쥐어진 쇠망치는 이미 보트린의 뒤통수에 도달해 있었다.

누군가가 보트린을 불렀다.

〈스보트리넌 레졸디 이세리도.〉

〈내 이름이야. 내 신명은 레졸디. 레졸디는 나의 여신. 나의 신부.〉

〈스보트리넌.〉

〈차가운 그곳에 갇혀계신…… 오오, 신부여. 내가 어떻게 당신을 그곳에 내버려둘 수 있을까. 당신의 신랑인 내가.〉

〈보트린.〉

〈나를 용서하지 말아요. 나는 용서받을 수 없어.〉

〈보트린!〉

완전히 추상적인 세계에서 보트린은 갑자기 구상적인 세계로 떨어졌다──솟아올랐다──나왔다──들어갔다. 보트린은 눈을 떴다. 무서운 통증이 뒤통수에서 전해져왔고 보트린은 비늘을 부딪치며 머리를 감싸쥐려 했다. 하지만 그의 팔은 움직이지 않았다. 당황한 보트린은 아래를 내려다보았다.

그는 조금 전과 같은 장소에 있었다. 하지만 약간 다른 점이 있었는데, 튼튼해 보이는 밧줄이 그의 몸을 의자에 단단히 묶어두고 있었다. 보트린은 경악하여 고개를 들었다. 장군의 옷을 입은 여인이 손에 사이커를 든 채 그를 내려다보고 있었다.

〈좋아. 육성으로 말하겠어.〉 "대답해, 보트린. 육성으로."

〈당신은…… 비아스 마케로우?〉

비아스는 주저 없이 사이커를 내찔렀다. 허벅지를 찔린 보트린은 정신적 비명을 내질렀다. 비아스는 다시 말했다.

"육성으로. 그러지 않으면 뽑지 않겠다."

보트린은 겨우 대답할 수 있었다.

"아, 알겠습니다."

비아스는 사이커를 뽑았다. 보트린은 그것이 대단한 포상이 아님을 알 수 있었다. 상처는 여전히 까무러칠 만큼 아팠다. 하지만 비아스의 냉혹한 목소리는 계속되었다.

"여신의 힘을 사용할 생각은 하지 마라. 약간만 의심스러워도 나는 신호를 보낼테고, 그러면 네 뒤에 있는 자가 쇠망치로 너를 잠재울 거다. 그리고 다시 깨운 다음, 모든 걸 새로 시작하는 거야. 별로 내키지 않지? 나도 그래. 그러니 유벡스를 기억하고 지혜롭게 행동하도록."

허벅지의 통증 때문에 보트린은 비아스의 말을 집중해서 듣기 어려웠다. 그는 계속 허벅지를 내려다보았다. 그러자 비아스는 사이커를 뻗어 보트린의 턱을 받쳐올렸다. 보트린은 비늘을 부딪치며 비아스를 바라보았다.

"자, 보트린. 밤은 짧고 할 이야기는 많아. 그러니 빨리 끝내자구. 누가 신체를 찾아낸 거지?"

"무슨 말입니까?"

"누군가가 내 여동생이 신체라는 것을 깨달았잖아. 우연히 그렇게 되었다고 말하지는 마. 너희들은 최소한 15년 전부터 그걸 알았어."

보트린은 통증을 잊었다. 그는 경악하여 비아스를 바라보았다. 말이 목구멍으로 뛰쳐나오기 전, 보트린은 간신히 그 말을 바꿨다.

"도대체 무슨 말을 하시는 건지 모르겠습니다."

비아스는 격노하며 사이커를 쳐들었다. 보트린은 엉겁결에 비명을 지를 뻔했다. 하지만 비아스는 사이커를 휘두르지 않았다. 무서운 눈초리로 보트린을 쏘아보던 비아스는 천천히 사이커를 내려놓았다. 그리고 가까이 있던 의자 하나를 끌어당겨 그 위에 앉았다. 무릎을 꼰 비아스는 그 위에 사이커를 쥔 팔을 올려놓은 자세로 말했다.

"좋아. 그럼 15년 전에 죽은 요스비라는 이름의 남자에 대한 이야기부터 해볼까."

보트린은 나락으로 떨어지는 것 같은 느낌을 받았다. 비아스는 그런 보트린의 표정을 뚫어지게 바라보며 말했다.

"15년 전, 하텐그라쥬에서 이상한 죽음이 발생했어. 페이 가문을 방문하고 있던 요스비라는 남자가 갑자기 온몸의 피를 뿜으며 죽었지. 당시 가주였던 지커엔 페이는 남자가 정체를 알 수 없는 기이한 병으로 죽었다고 생각했어. 그녀는 그것이 혹 전염병이 아닐까 의심했지. 그런데 다른 가문의 가주들의 생각은 조금 달랐지. 그들은 지커엔 페이 가주가 예의 없는 남자를 제거한 거라 생각했어. 그 남자는 특이하게도 자신이 지커엔 페이의 아들딸의 아버지라고 주장했거든. 미친 놈이라고 할 수 있지. 그런 미친 놈 하나 없어져봐야 아무런 문제될 것은 없었기에 가주들은 지커엔 페이의 니름을 믿는 척하며 그 남자를 불태웠지. 여기까지는, 약간 관심이 있다면 누구나 알 수 있는 이야기지."

보트린은 애써 비늘을 억누르며 비아스의 시선을 피하려 했다. 하지만 비아스는 보트린이 그러도록 내버려두지 않았다. 사이커가 다가와 보트린의 얼굴을 비아스를 향해 고정시켜 놓았다. 보트린은 체념하며 비아스를 바라보았다.

"그런데 내겐 당시 그 자리에 있었던 목격자가 남긴 증언이 있지. 내 여동생, 카린돌 마케로우가 그 자리에 있었어. 그리고 또 한 명, 당시 수련자였던 류 페이가 그곳에 있었어. 요스비는 류 페이의 어머니의 짝이었지. 아버지 말이야. 그리고 순진했던 류 페이는 아버지라는 웃기는 니름을 소중하게 받아들였어. 그런데 그 꼬마의 눈앞에서 아버지가 괴상한 모습으로 죽은 거야. 무슨 일이 일어났는 줄 알아? 류 페이의 정신이 열려버렸지. 마침 그곳에 있던 카린돌은 류 페이의 정신을 들여다볼 수 있었어. 그리고 그것이 심장 파괴라는 것을 알게 되었지."

"저, 정신이 열렸다고?"

"그래. 내 여동생에 대해 특별히 호감은 없고, 지금 그 멍청한 년의 처지에 대해서도 한 점 애석함을 느끼지 못하지만, 나는 카린돌의 용기에 대해선 보증할 수 있어. 카린돌은 심장 파괴라는 것의 존재를 알면서도 몇 년 후에 심장 적출에 응했지. 대단하지?"

보트린은 냉동 장치 안에 갇혀 있는 카린돌을 떠올렸다. 그녀는 보트린의 여신 레즐디였다. 비아스는 계속 말했다.

"자. 이제 요스비의 살해자가 누군지 밝혀졌어. 정체 모를 전염병도 아니고 가문의 좋은 분위기를 유지하려는 가주도 아냐. 요스비를 죽인 것은 너희 수호자들이지. 자, 그런데 왜 너희들이 한 남자를 죽여야 했던 걸까? 그것도 그렇게 이상한 방법으로? 다른 방법도 얼마든지 있어."

냉동 장치 안에 있는 용감한 카린돌을 떠올린 보트린은 스스로도 용기를 끌어모았다.

"물론 당신이라면 많은 방법을 생각해 낼 수 있겠지요."

비아스는 웃음을 터뜨렸다.

"좋아. 기세가 마음에 드는군. 그럼 계속해 볼까. 세월이 흐르고 요스비의 죽음이 잊혀질 무렵이 되었을 때, 그러니까 4년 전, 우리들의 세계는 놀라운 일을 경험하게 되지. 여신이 사라진 거야. 그건 물론 너희들이 신체인 카린돌을 감금했기 때문에 일어난 일이야."

"부정할 필요는 없겠군요. 그런데요?"

"그런데 왜 4년 전이고 왜 카린돌일까?"

"무슨 말입니까?"

"4년 전은 류 페이가 심장을 적출하는 해였지. 물론 류은 그것을 거부했지만. 자, 생각해 봐. 4년 전이라는 시간에서 우리는 류 페이를 떠올릴 수 있어. 그리고 신체는 카린돌이었어. 그런데 류 페이와 카린돌에겐 공통점이 있지. 그들은 하나의 사건을 같은 장소에서 함께 목격한 사람들이라고."

보트린은 입을 벌렸다. 비아스는 그 표정에 기뻐했다.

"마음에 드는 표정이군. 그 표정 되도록 유지해 주면 좋겠어. 자, 그들은 요스비의 죽음을 함께 목격했던 사람들이야. 그들 중 하나가 심장을 적출할 나이가 되었을 때 또 한 명이 너희들에게 감금되었지. 그런데 그 일은 원래 한 명에게 일어나야 하는 일이야. 뜻하지 않은 사건에 의해 두 사람에게 각자 따로따로 일어난 거지. 너희들의 그 냉동 장치에 처넣어져도 살아 있으려면, 그건 심장을 적출한 나가여야 해. 그렇지 않은 나가를 냉동시키면 죽어버리겠지."

보트린의 등 뒤에서 신음이 흘러나왔다. 비아스의 경고대로 누군가가 쇠망치를 든 채 뒤에 대기하고 있는 것이다. 보트린은 그것이 쥬어일 거라 생각했다. 하지만 그는 비아스의 말에 집중했다.

"너희들은 류 페이를 냉동시키고 싶었던 거야. 그래서 류 페이가 적출할 나이가 될 때까지 기다렸지. 그 말은, 너희들이 류 페이가 신체일 거라 생각하고 있었다는 거지. 어떻게 해서 그런 확신을 가지게 된 걸까? 그건, 너희들이 류 페이를 신체로 만들려고 했기 때문이야. 여신을 류 페이에게 전령시키려 했던 거지. 류은 여러 가지로 편리하지. 우선 남자야. 카린돌에게 했던 것처럼 복잡한 납치극 따위 벌이지 않아도 돼. 게다가 수련자였지. 그러니 류은 너희들의 통제 아래에 있는 셈이지. 그래서 너희들은 류을 신체로 만들려고 했어. 어떻게? 신체를 류 앞에서 죽여서 여신이 류에게 깃들게 하려 했던 거야. 여신이 천천히 전령을 준비할 수 없도록 급격하게. 그래서 가장 가까이 있는 사람에게 전령할 수밖에 없도록. 요스비. 그가 바로 먼젓번 신체였던 거지!"

보트린은 어지러움을 느꼈다. 보트린의 상태를 눈치챈 비아스는 빠르게 말했다.

"하지만 문제가 몇 가지 생겼지. 우선, 그 사건에 충격을 받은 류이 수련자를 그만두고 집에 틀어박혔어. 그래서 너희들은 류과 접촉할 수 없었어. 자신들의 계획이 성공했는지 확인할 수 없었지. 하지만 별 의심 없이 기다렸겠지. 그런데 어쩌다 알게 된 거야. 류이 신체가 아니라는 것을. 너희들이 그걸 어떻게 해서 알게 되었는지는 모르겠어. 어쨌든 너희들은 황급히 여신이 누구에게 전령했는지 조사했지. 그 결과 요스비가 죽었던 장소에 류 이외에 다른 자가 있었다는 것을 알게 되었지. 그 사람이 바로 카린돌 마케로우야. 요스비가 죽게 되자 여신은 카린돌에게 깃든 거지."

비아스는 잠시 숨을 고른 다음 말했다.

"할 수만 있다면 너희들은 카린돌을 죽여서 또 만만한 수련자 한 명에게 전령시키고 싶었을 거야. 그러려고 하면 방법은 있지. 우리 가문에는 화리트가 있었으니까. 하지만 남자를 죽이는 것과 여자를 죽이는 것은 다르지. 카린돌이 갑자기 죽게 되면 사건이 걷잡을 수 없게 될 거야. 너희들은 카린돌이 자연사해서 다른 자에게 전령될 때까지 기다릴 수도 없어. 심장 적출을 한 카린돌이 죽으려면 몇십 년이나 기다려야 할 테니까. 그래서 너희들은 어쩔 수 없이 카린돌을 냉동시키기로 결심했어."

비아스는 고개를 돌려 심장탑이 있는 방향을 흘깃 바라보았다. 그녀의 입매에 차가운 미소가 흘렀다. 비아스는 다시 보트린을 똑바로 노려보며 말했다.

"자, 이 모든 가설이 성립되려면 어떤 한 사람의 존재가 필수적이라는 것은 너도 짐작하겠지? 그는 바로 누가 신체인지 알 수 있는 자야. 너희들 중에 그런 사람이 있어. 누가 신체인지 감지할 수 있는 자 말이야. 그런 사람이 없다면 이 계획은 처음부터 성립이 불가능하지. 그러니, 보트린. 이제 말해 보겠어? 누가 그 예민한 녀석이지?"

보트린의 어지러움이 더욱 심해졌다.

보트린의 정신은 과거로 거슬러 올라갔다. 비아스가 이야기하는 15년 전이 아니었다. 보트린은 10년 전의 기억에 도달했다.

그날, 샤나가 달 뒤로 숨는 날, 두려움과 기대, 흥분 등 스물두 살이 된 나가에게 볼 수 있는 보편적인—그리고 도깨비 같은—감정을 주위에 잔뜩 퍼뜨리며 심장탑 안으로 걸어들어오는 젊은 나가들 가운데서, 카린돌의 모습은 까불거리는 대나무숲 가운데 한 그루 물푸레나무 같았다.

물푸레나무는 그 가지를 물에 담그면 물이 푸르게 변하기에 물푸레나무라 한다. 불신자들에게 푸르게 보이는 그 물빛은 나가에겐 물보다 짙은 물빛이라는 묘한 말로밖에 설명할 수 없는 신비한 빛깔이다. 그 고요함, 침착함, 무관심함으로 오인될 법한 차가움. 보트린은 그 첫인상을 결코 잊을 수 없을 것이다. 그리고 보트린은 이제 그날의 카린돌이 어떻게 그렇게 냉정할 수 있었는지 알 수 있었다.

'심장 파괴에 대해 알면서도 찾아왔다고?'

죽으러 온 셈이나 마찬가지다. 그녀가 어떻게 주위의 얼간이들처럼 불사의 생명을 얻는다는 착각에 흥분할 수 있었겠는가.

당시 보트린은 젊은이들의 순서를 정하고 그들을 통제하는 역할을 맡고 있었다. 그는 자신의 행운을 십분 즐길 수 있었다. 카린돌에게 들키지 않으려 애쓰면서 보트린이 그녀를 얼마나 훔쳐보았는지는 그조차도 제대로 알지 못했다. 두려움 속에서 보트린은 그것을 정념이라고 불러야 할지 고민했다. 그리고 보트린은 자신의 불운을 슬퍼했다. 보트린은 여신의 신랑이었다. 살아 있는 여인의 침대에 그의 자리는 없는 것이다. 보트린의 곁에는 심장 적출을 기다리고 있는 무수한 청년들이 있었다. 그리고 그중에는 그가 들 수 없는 침대에 들어갈 청년도 틀림없이 있을 것이다. 수많은 청년을 보며, 보트린은 폭력적인 충동을 느꼈다. 그들을 노려보는 보트린의 시선은 신부 강탈자를 노려보는 신랑의 눈빛이었다.

카린돌은 그의 레졸디였다. 분명히.

그가 혼란에서 헤어나온 것은 카린돌이 적출을 받을 차례가 다가왔을 때였다. 카린돌이 그의 곁을 떠날 시점이 다가옴에 따라 보트린은 초조함에 어쩔 줄을 몰라했다. 보트린은 이제 그의 여신인 처녀를 다시 볼 수 없다는 사실에 좌절했다. 주위에 아무도 없었다면 보트린은 카린돌에게 다가가 니름을 걸고 말았을 것이다. 문득 보트린은 그렇게 해서 안 될 게 뭐냐는 광포한 기분을 느꼈다. 그는 적출을 기다리는 처녀에게 수호자가 건넬 만한 니름을 떠올리려 애썼다.

그의 머리가 차가워지고, 그 때문에 놀랄 만한 사실을 깨달은 것은 바로 그때였다.

보트린은 충격 속에서 카린돌을 바라보았다. 그가 착각한 것이 아니었다. 카린돌은 '정말로' 그의 신부 레졸디였다.

카린돌에게서 느껴지는 느낌은 세페린을 처음 만났을 때의 느낌과 똑같았다. 그리고 보트린은 그 느낌이 무엇인지 알고 있었다. 신체를 감지하는 그의 감각이 자극받은 것이었다. 하지만 보트린은 자신의 감각을 믿을 수 없었다. 카린돌은 신체일 수 없기 때문이다. 신체는 륜 페이여야 했다. 보트린은 거의 공포에 가까운 느낌 속에서 허우적거렸다.

그가 정신을 되찾았을 때 카린돌은 사라진 후였다. 적출을 받기 위해 떠난 것이다. 보트린은 제정신이 아닌 상태에서 남아 있는 젊은이들을 통제했다. 어떤 결론도 조심스러웠기에 보트린은 카린돌이 적출을 마치고 집으로 돌아갈 때 한번 더 확인하리라 결심했다. 그런 확인을 확실하게 하기 위해, 보트린은 가지고 있지 않은 재능까지 끌어모았다. 그는 계략을 꾸몄다. 사실 계략이라 말하기도 뭣한 유치한 수준이었지만, 어쨌든 보트린은 특수 도서관에 가서 책 한 권을 꺼내왔다. 책을 꼭 쥔 보트린은 통로에 숨어 있다가 적출을 마치고 약간 피로한 표정을 한 채 걸어나오는 카린돌에게 다가갔다.

〈실례합니다. 혹 마케로우 님 아니십니까?〉

카린돌은 천천히 고개를 돌려 보트린을 바라보았다.

〈그렇습니다만. 무슨 일이신지요.〉

아마도 정념이 부린 조화겠지만 보트린에게 그 니름은 정신을 후벼파는 회오리처럼 느껴졌다. 제발, 졸도하지 않게 해주세요! 보트린은 어쩔 줄 몰라하다가 성급하게 쥐고 있던 책을 내밀었다. 카린돌은 물끄러미 책을 바라보다가 다시 보트린을 쳐다보았다. 그리고 닐렀다.

〈책.〉

〈네?〉

〈그건 책이라고요. 다음에는 뭘 꺼내실 거죠? 이름을 기억하는지는 물어보셨으니, 오늘이 며칠인지 물으실 건가요? 저는 심장을 뽑았지 두뇌를 뽑지는 않았습니다만.〉

카린돌의 니름에 섞여 있던 약간의 짜증스러움이 보트린에겐 격노에 찬 질책처럼 들렸다는 것은 두말할 필요가 없다. 보트린은 가까스로 준비했던 니름을 꺼냈다.

〈죄송합니다. 저, 수련자 화리트에게 이것을 전해 주시길 바랍니다. 수련자에게 큰 도움이 될 책입니다. 저는 그가 이것을 읽고 내용 요약을 해오길 바랍니다.〉

〈그런가요? 알겠습니다.〉

여담이지만 화리트는 상당한 학식을 쌓은 고위 수호자들이나 읽을 불신자 가이너 카쉬냅의 저 악몽 같은 책을 받아들고 죽을 고생을 했다 한다. 보트린은 급한 마음에 들고 나온 책이 무엇인지 제대로 확인하지도 않았다. 카린돌은 그 책을 받아든 다음 예의바르게 닐렀다.

〈동생에게 베풀어주신 호의에 감사드립니다. 성함이?〉

〈수호자 보트린입니다.〉

〈그렇게 전하겠습니다.〉

카린돌은 떠났다. 그리고 보트린은 확신했다. 그의 느낌은 틀리지 않았다. 그 사실은 그에게 복잡한 감정을 선사했다.

결국 보트린은 그 일을 세리스마에게 보고했다. 그들은 조용히, 끈질기게 조사했고 결국 5년 전의 요스비 살해가 예상치 못했던 결과를 낳았다는 것을 알게 되었다.

계획의 변경은 불가피했다.

보트린의 정신은 다시 이동했다. 이번에는 4년 전의 과거였다. 그는 마케로우 저택에 있었고 카린돌을 납치하기 위한 준비를 갖춘 채 그 사실에 대한 자신의 느낌을 정리하려 애쓰고 있었다. 화리트 마케로우가 죽었을 때 계획은 완전히 수포로 돌아갈 뻔했지만, 엉뚱하게도 류 페이가 화리트 마케로우의 임무를 대신해 주고 있었다. 그것은 그들을 고무시키는 행운이었고 보트린 또한 다른 수호자들과 마찬가지로 즐거워했다. 노기 하수언이 설계하고 페니나 시에도가 제작한 냉동 장치 또한 완벽하게 작동했다. 이제 냉동 장치에 집어넣을 여자만 납치하면 되는 상태였고, 그래서 보트린은 다른 세 명의 수호자들과 함께 비아스의 방으로 간 그로스가 보내올 신호를 기다리고 있었다.

계획의 가장 중요한 일원이었지만 음모에 대한 감각이 부족한 보트린이 카린돌 납치에 나선 것은 그의 강력한 요구 때문이었다. 보트린은 동료들이 그의 신부 레졸디를 거칠게 다루지 않을까 걱정했다. 그래서 보트린은 떼를 쓰다시피 하여 다른 세 명의 수호자들과 함께 그로스를 따라왔다.

약속된 신호가 왔다. 고요한 마케로우 저택 어디선가에서 목소리가 들려왔다. 보트린은 그 목소리가 무엇인지 생각해 보지도 않은 채 잠자리를 뛰쳐나왔다. 그의 신부 레졸디를 정중하게 모실 수 있도록, 보트린은 다른 수호자들보다 먼저 레졸디에게 도달하고 싶었다. 바람대로 보트린은 가장 먼저 비아스의 방 앞에 도달했다. 하지만 비아스의 방 앞에 도달했을 때 보트린은 기절할 만큼 놀랐다.

"내가 얼마나 필사적인지 알고 싶어?"

뒤늦게 도착한 다른 수호자들도 뜻하지 않은 목소리에 놀라 보트린을 바라보았다. 보트린은 조심스럽게 방 안을 훔쳐보았다. 하마터면 보트린은 들고 있던 철퇴를 놓칠 뻔했다. 카린돌이 등을 보인 모습으로 방 안에 서 있었다. 그리고 그 너머에는 그로스가 난처한 표정을 한 채 서 있었다.

"알려주시지 않아도 됩니다. 기름과 불과 칼을 들고 오신 지금의 모습만 보아도 충분합니다. 하지만 당신이 간과하고 있는 것이 있습니다."

그로스의 말은 신호였다. 수호자 하나가 사이커를 움켜쥐며 앞으로 나섰다. 보트린은 무의식 중에 그를 밀쳐냈다. 수호자는 어리둥절하여 보트린을 바라보았다. 보트린은 황급히 자신의 철퇴를 가리켰다. 동료들은 보트린의 뜻이 무엇인지 알았다고 생각했다. 카린돌이 말했다.

"그게 뭔데?"

사이커보다는 철퇴가 기절시키기 좋은 무기라고 생각한 동료들은 보트린에게 길을 내주었다. 물론 보트린의 의도는 동료들의 추측과는 전혀 다른 것이었다. 다른 자들이 내 신부를 공격할 수는 없다고 생각하며 보트린은 철퇴를 움켜쥐었다. 그로스 또한 보트린이 나서는 것을 보며 말했다.

"예를 들자면, 지금 당신의 머리를 겨냥하고 있는 철퇴 같은 것."

보트린은 기겁했다. 그는 그로스가 좀 더 시간을 줄 것이라 생각했다. 카린돌이 뒤를 돌아볼 거라 생각한 보트린은 뭔가 다른 생각을 해 볼 겨를도 없이 철퇴를 휘둘렀다. 동작을 완료한 후에야 보트린은 자신이 저지르는 일에 기겁했다. '안 돼! 내가 무슨 짓을?' 하지만 철구는 끔찍한 소리를 내며 카린돌의 머리에 충돌했고 카린돌은 그대로 허물어졌다. 보트린은 넋이 나간 채 카린돌을 내려다보았다.

"제기랄, 좀 더 빨리 올 수 없었나? 시간 끄느라고 미치는 줄 알았어."

그로스의 투덜거림이 있었지만 보트린은 듣지 못했다. 보트린은 철퇴를 통해 전달된 느낌의 여운에 비늘을 부딪쳤고 자신이 저지른 일에 경악했다. 다른 수호자들 또한 눈앞에서 여자가 그렇게 쓰러지는 모습에 당황했기에 보트린의 경악을 눈치채지 못했다. 그때 그로스가 다가와 보트린의 어깨를 툭 쳤다. 보트린은 움찔하며 그로스를 쳐다보았다. 경악에 사로잡힌 신랑은 사라졌고 그 자리엔 비겁한 보트린이 남았다.

나는 네 편이야. 그로스. 나는 몇 번이라도 더 이렇게 할 수 있어. 나를 의심하지 마…….

"잘했어. 고마워, 보트린."

보트린은 격한 자기혐오에 빠졌다. 하지만 그의 입매는 미소를 지었고 보트린은 자신의 귀에도 기이하게 들리는 말을 꺼냈다.

"이 여자가 도대체 왜 여기에 있는 거지? 이상한 소리가 나기에 따라오긴 했지만, 공격해야 된다고 결정한 이후로 이 여자가 하는 말은 거의 듣지 않았어."

신부를 공격한 신랑은 슬퍼할 수 없었다. 패거리에게 받아들여지는 것이 우선이기 때문이었다.

보트린은 현재로 돌아왔다.

수호자 보트린은 비아스를 바라보았다. 비아스는 조금 전까지의 살기등등한 모습이 아니었다. 그녀는 어이없다는 표정으로 보트린을 바라보고 있었다. 문득 보트린은 자신의 두 볼이 축축하다는 것을 느꼈다.

"울기는 왜 우는 거냐?"

"접니다."

"뭐야?"

"접니다. 당신이 말한 그 예민한 나가는 접니다."

비아스는 환호를 지르며 일어나려 했다. 하지만 보트린의 말은 아직 끝난 것이 아니었다.

"세페린, 요스비, 카린돌. 그들을 알아본 것은 접니다."

비아스는 세페린이 누구인지 알 수 없었다. 하지만 그녀에겐 다른 질문이 있었다.

"그렇다면 왜 요스비를 죽여서라도 류 페이를 신체로 만들려고 한 거지? 그냥 요스비를 곧장 냉동시키면 되는 것 아닌가? 왜 15년 전에 요스비를 냉동시키는 대신 죽인 거지?"

"세페린 때문입니다. 갈로텍이 그것을 원했습니다."

다시 세페린인가. 결국 비아스는 그게 누구냐고 질문했다. 보트린은 흐느끼며 말했다.

"갈로텍의 누이입니다."

태양이 키보렌에 쏟아붓는 충만한 열기는 대나무 군단병들의 몸에도 넘치도록 흘러들어갔다. 지난 한 달 가까이 계속된 지독한 질주 동안에도 그들은 비슷한 온도 속에 있을 수 있었다. 하지만 지금 그들은 키보렌의 열기 속에 있었고 그것은 어떤 수호 장군도 줄 수 없는 고향의 열기였다. 군단병들은 한 달 동안의 피로가 싹 가시는 기분을 느꼈다. 특히 북부군의 포로로 붙잡혀 있던 대수호자 키베인과 다른 네 명의 수호자들이 느끼는 감정은 각별한 것이었다. 시구리아트 관문 요새의 낙성 당시에는 너무나 다급하고 충격적인 사건의 연속이었기에 자유를 되찾았다는 느낌은 그다지 분명하지 않았다. 그리고 그 직후 이어진 숨가쁜 남진은 그들을 두렵게 만들었다. 정신없는 행군 때문에 그들은 자신들이 아직 누군가에게 쫓기고 있다는 느낌을 받지 않을 수 없었다.

하지만 키보렌의 열기는 다른 무엇보다도 확실하게 자유의 감각을 일깨워주었다. 그들은 자신들이 마침내 구출되었다는 사실을 체감했다. 즐거워하는 병사들과 마찬가지로 그들 또한 즐거워하며 농담을 나누었고 한 가지 농담이 끝날 때마다 반드시 폭발적인 정신적 웃음이 터져나왔다.

하지만 니름을 듣지 못하는 바르사 돌 교위와 데오늬 달비 부위는 나가들이 즐거워하고 있다는 것을 알 도리가 없었다. 그래서 그들과 함께 걷고 있던 키베인은 나가들이 즐거워하고 있으니 그렇게 주눅들어 있을 필요는 없다고 세심하게 설명해 주었다. 바르사는 주눅들었다는 말에 왈칵 화를 내었고 데오늬 달비는 나가들이 즐거워하는 것이 사실인지 알아보려 애썼다. 키베인은 머쓱하게 웃었다.

시구리아트 관문 요새의 전투 당시 바르사 돌 교위는 도깨비와 어르신들을 모두 즈믄누리로 보냈다. 전쟁터에 도깨비를 두어서 좋을 것이 없기 때문이다. 그리

고 바르사는 그 도깨비들 편에 포로들을 보내려고 했다. 그러나 마지막 순간 바르사는 그 결정을 번복했다. 포로들이 인질이 될 수 있다고 판단했기 때문이다. 만약 바르사가 결정을 번복하지 않았더라면 지금쯤 키베인과 다른 네 명의 수호 장군들은 도깨비들의 농담을 들어가며 즈믄누리에서 빠져나오려 애쓰고 있을 것이다. 물론 그곳이 그렇게까지 비늘 서는 곳은 아니다. 도무지 믿기 힘든 소문에 따르면 도깨비들은 즈믄누리 안에 포로들을 풀어놓은 다음 마음대로 행동하도록 내버려둔다고 한다. 절대로 빠져나가는 길을 찾지 못하기 때문이다. 하지만 도깨비들이 아무리 친절하다 한들 키베인은 즈믄누리와 키보렌을 바꿀 생각은 조금도 없었다. 그런 번복 때문에, 또한 북부군이 그들에게 보여준 경의와 존중 때문에 키베인은 입장이 바뀌자 그 또한 경의와 존중으로 그들을 대하기로 결심했다. 쇠투구에 도깨비불을 담아서 가져온 테오늬의 행동을 잊을 수 없었던 다른 네 수호 장군들도 대수호자의 의지에 동의했다. 그래서 그들은 대나무 군단이 유료 도로당의 당원들을 학살하고 북부군마저 학살하려 왔을 때 목숨을 걸고 그들을 지켜주었다. 대나무 군단 또한 다른 나가의 군단과 마찬가지로 포로라는 개념을 그다지 알지 못했지만 그들 중에는―갈로텍까지 포함하여―대수호자의 의지를 거스르고 싶은 사람은 없었다. 키베인은 대수호자라고 불리게 된 이후 처음으로 그 지위에 고마워했다.

정신 없는 한 달 동안의 질주 이후 대나무 군단은 더 이상 포로들에게 특별히 적개심을 품지 않았다. 언제나 대수호자와 다른 네 수호 장군들이 포로들 곁에 있었기 때문에 적개심을 표현할래야 할 수도 없는 형편이었다. 게다가 그들은 테오늬 달비에게 감탄했다. 키베인조차도 당황하며 질문했다.

"달비 부위. 도대체 당신은 언제 지칩니까?"

"잘 모르겠습니다, 대수호자님. 그런데 왜 그런 질문을 하십니까, 대수호자님?"

"글쎄요. 물론 당신에겐 무기도 없고 짐도 별로 없지만, 그래도 모두가 지쳐 있는 지금도 당신은 조금도 지쳐보이지 않는군요. 당신은 마치 몸에서 소드락이 샘솟는 나가 같습니다."

데오늬 곁에서 걷고 있던 바르사는 키베인의 말에 어깨를 폈다. 씩씩하게 걸으려 애쓰는 교위의 모습을 보며 키베인은 싱긋 웃었다. 데오늬는 눈이 동그래져서 말했다.

"소드락이 샘솟는 나가도 있습니까? 대수호자님?"

"예? 아, 그건 그냥 비유였습니다."

"그렇습니까? 저는 대수호자라는 이름도 들어보지 못했습니다. 하지만 대수호자님은 분명히 계셨습니다. 그래서 저는 몸에서 소드락이 샘솟는 나가도 있지 않을까 생각했습니다."

키베인은 도대체 그것이 어떻게 성립될 수 있는 논법인지 질문하지 않았다. 질문했다가는 더 혼란스러워진다는 것을 경험으로 알기 때문이다. 그래서 키베인은 그냥 웃으며 말했다.

"저도 이 전쟁 이전에는 대수호자라는 니름을 들어보지 못했습니다. 대수호자라는 지위는 최근에 생긴 겁니다. 보통 주의 깊은 사람들은 최신품을 별로 좋아하지 않지요. 저같이 주의력 없는 사람이나 그런 지위에 오르는 겁니다."

"대수호자는 무엇입니까, 대수호자님?"

"굳이 말하자면 모든 수호자들의 대표입니다."

가볍게 말하던 키베인은 바르사가 눈을 가늘게 뜬 채 자신을 바라보는 것을 느꼈다. 바르사는 혀를 차며 말했다.

"당신 정말 중요한 나가였군?"

"그때는 정말 놀랐습니다. 돌 교위."

데오늬는 반색하며 바르사에게 뭔가를 잘 맞힌 경험이 없었냐고 질문했다. 바르사는 그런 질문들에 대충 대답해서 데오늬로 하여금 경애하는 교위가 사실은 마법사였다고 생각하게 만들어준 다음 다시 키베인에게 말했다.

"그럼, 왕이오? 나가의 왕?"

"글쎄요. 저는 아닙니다. 제 다음 대수호자는 그럴지도 모르겠습니다만."

"다음 대수호자?"

"예. 아마 빨리 정해질 것 같습니다. 신명이 묶인 수호자가 더 이상 대수호자일 수는 없을 테니까요."

키베인은 쾌활하게 말했다. 바르사는 조금 생각한 후에야 키베인이 무슨 말을 하는지 알게 되었고, 그래서 키베인의 쾌활함이 이상하게 느껴졌다. 그러나 바르사는 키베인의 입장에 대해 질문할 틈이 없었다. 키베인은 어느새 앞쪽으로 한참 달려 가버린 데오늬를 따라갔기 때문이다.

"달비 부위, 달비 부위! 제발 천천히 걸어요!"

대나무 군단의 다른 구성원들과 마찬가지로 갈로텍 대장군 또한 키보렌에 돌아온 것에 만족하고 있었다. 그의 경우에는 더 이상 기온을 조절할 필요가 없게 되었기 때문이다. 군단의 지휘를 보라크 군단장에게 맡긴 채 갈로텍은 말 위에서 대금을 불었다.

대나무 군단은 자신들의 군단명과 같은 나무로 만들어진 그 악기에 어떤 행운을 부르는 힘이 있다고 믿었다. 그래서 일반적인 나가들이라면 의아해하거나 심지어 불쾌해할 그 모습에도 괘념치 않았을 뿐만 아니라 오히려 반기기까지 했다. 하지만 그 연주를 듣기까지 하는 나가는 없었다. 그래서 갈로텍의 연주를 듣는 청중은 항상 그랬듯이 한 명뿐이었다.

군령의 지식을 통해 갈로텍은 지음(知音)이라는 말을 알고 있었지만 나가들에게 썩 어울리는 단어라 하긴 어려웠기에 그 상황에 그 단어를 적용하지는 않았다. 사실 갈로텍은 자신의 연주를 들어주는 자를 친구라고 생각하지도 않았다. 결국 갈로텍은 대금을 입에서 뗐다. 그의 입이 다른 자의 의도를 담아 움직였다.

"계속해, 갈로텍."

"몇 시간 동안 했습니다. 이제 그만하렵니다."

"이제 키보렌에 들어왔으니 기온 조절할 필요도 없잖아. 연주해."

"당신에게 할 말이 있습니다."

"연주하면서 말해."

갈로텍은 기가 막혔다.

"당신은 나가가 아니잖습니까! 상대가 나가라면 연주하면서 니를 수 있지만, 주퀘도 당신에게 말하려면 연주는 중단해야 합니다."

그의 입이 한참 후에 움직였다.

"나가가 아니다. 맞아. 나는 나가가 아니야."

갈로텍은 비늘을 거세게 부딪쳤다. 시구리아트 산맥을 떠나온 이후 주퀘도는 갑자기 바보가 된 것처럼 행동했다. 그는 무엇에도 무관심했고 합리적으로 생각하는 것조차 포기해 버린 듯했다. 일체의 사고 활동을 거부하는 주퀘도가 원하는 것은 오직 대금 연주를 듣는 것뿐이었다. 그러나 갈로텍은 그나마도 귀기울여 듣지 않는 것 같다고 생각했다. 갈로텍은 애써 화를 참으며 말했다.

"주퀘도. 뱀단지에 따르면 현재 북부군은 악타그라쥬 앞에서 아군의 여섯 개 군단과 대치 중입니다. 선인장 군단의 세키리 군단장 아시지요? 그가 여섯 개 군단의 수호 장군 전원이 시우쇠를 봉쇄하고 군단들이 매일 번갈아가며 북부군을 공격한다는 계책을 세워 그들의 전진을 묶어놓고 있습니다."

주퀘도는 한숨처럼 말했다.

"뇌룡공은?"

"뇌룡공은 레콘들을 위해 비를 막고 있습니다. 그리고 기온을 나가에게 곤란한 수준으로 떨어뜨리고 있고요."

"그런가. 잘하고 있군. 이제 네가 도착해서 그들을 밀어버리면 되겠군."

"그런데 문제가 있습니다. 그들 가운데 대호왕이 보이지 않습니다."

"그런가."

"그런가가 아닙니다! 세키리 군단장은 대호왕이 보이지 않는다는 사실에 꽤 신경 쓰고 있습니다. 이것은 어쩌면 기만 전술이 아닐까요? 우리가 알지 못하는 군세가 어딘가에 있어서 대호왕이 그 병력을 지휘하고 있는 것 아닐까요? 만약 그것이 기만 전술이라면 대호왕은 북부군이 우리의 주의를 끌어주는 틈을 타서 그 미지의 병력과 함께 하텐그라쥬 근방에 도달했을지도 모릅니다. 그렇다면 우리는 비아스에게 뭔가 지시를 보내줘야 하지 않겠습니까?"

"그렇겠군."

갈로텍은 결국 주퀘도의 무기력한 태도를 참지 못했다.

"주퀘도!"

"응? 왜?"

"도대체 무엇이 당신을 그렇게 녹슬게 하고 있는 겁니까. 당신이 그렇게 원하던 것처럼 유료 도로당을 파괴했잖습니까! 장례식도 치러주지 못하고 나무들을 학살한 것 때문에 병사들의 불만이 이만저만이 아니었습니다. 대수호자를 구출한다는 명분이 있어서 겨우 불만을 무마시킬 수 있었던 겁니다. 그리고 당신은 소망을 이루었습니다! 당신은 누구도 정복할 수 없었던, 심지어 당신 자신도 정복할 수 없었던 것을 정복했습니다! 그런데 왜 그런 얼간이 같은 꼴을 하고 있는 겁니까?"

"내가 그랬지?"

"당신은 시구리아트 관문 요새를 무너뜨렸습니다."

"그게 나인가?"

"무슨 말입니까?"

"그게 난가? 아니면 너인가? 그라쉐인가? 화리트인가? 노기인가? 모르겠어. 그걸 내가 한 거야?"

"당신입니다. 그 긴 세월 동안 그것을 원한 것은 당신입니다."

주퀘도는 침묵했다. 갈로텍은 참을 수 없는 기분을 느꼈다. 그때 주퀘도가 입을 열었다.

"돌아가자."

"예?"

"시구리아트 유료 도로로 돌아가자."

갈로텍은 기가 막혀 고함을 빽 질렀다.

"주퀘도! 돌아가서 뭘 어쩌자는 겁니까!"

"사과해야 해. 그래서는 안 되는 거였어. 그런 짓을 해서는 안 되는 거였어."

"이런 어이가 없는 소릴! 도대체 누구에게 사과한다는 겁니까, 당원들은 다 죽었습니다."

"한 명이라도 남아 있을 거야."

"그런 자가 있을지 모르지만, 설령 그렇다 해도 그 생존자는 이미 그곳을 떠났을 겁니다."

"그렇지 않아. 그놈들은 떠나지 않아. 내 사과를 받아야 하니까. 떠나지 않을 거야. 분명히 나를 기다리고 있을 거야. 갈로텍. 돌아가자."

갈로텍은 넌더리를 내며 입의 권리를 주퀘도에게서 박탈했다. 그 결과는 그다지 바람직한 것이 못 되었다. 주퀘도는 격분하여 그의 몸 여기저기를 움직였다. 그 때문에 갈로텍은 갑자기 얼굴을 향해 날아오는 오른손이라든가 알지 못하는 새 호흡을 중단해버려 숨막히게 만드는 호흡기 등에 의해 난처한 지경을 겪게 되었다. 보라크 군단장과 대나무 군단의 병사들은 넋이 나간 얼굴로 경애하는 대장군을 바라보았다. 갈로텍은 비늘이 뽑힐 만큼 긴장한 채 온몸을 통제했다. 꽤 긴 시간이 지난 다음에 갈로텍은 겨우 노력의 결과를 얻을 수 있었다.

주퀘도를 잠잠하게 만들고 나서, 갈로텍은 난폭해지는 기분을 가누기 위해 한동안 애써야 했다. 보라크 군단장과 병사들이 궁금함을 견딜 수 없다는 듯이 바라보았지만 갈로텍은 험악한 표정으로 그 시선의 방향들을 바꿔놓았다.

갈로텍은 주퀘도를 포기해야 되는 것인가를 놓고 고민했다. 이제 나가들은 주퀘도가 없이도 군대를 만들고 그것을 유지할 수 있는 대부분의 기술을 익혔다. 실상 주퀘도가 가장 큰 도움을 준 부분은 바로 그런 부분들이었다. 전략가로서의 주퀘도를 폄하할 수는 없지만 그즈음 갈로텍은 자신이 언제나 주퀘도를 따라다녀야 한다는 사실에 불편함을 느끼고 있었다. 주퀘도를 어딘가로 파견하려면 갈로텍 또한 그곳으로 가야 했다. 물론 거꾸로 말한다면 주퀘도는 언제라도 그를 보조해 줄 수 있는 참모라 할 수 있지만, 갈로텍은 주퀘도보다 좀 능력이 부족한 자라도 그와 별개로 움직일 수 있는 수하에 대해 생각해 보지 않을 수 없었다. 예를 들어 선인장 군단의 세키리 같은 경우가 그렇다. 세키리에겐 갈로텍도 주퀘도도 없었지만 그 자신의 창의력으로 류 페이와 시우쉬가 함께 있는 북부군을 막아내고 있었다. 그런 부하가 있다면 갈로텍은 그들에게 전쟁의 많은 부분들을 맡겨 놓고 자신의 일을 처리할 시간을 낼 수 있을 것이다. 갈로텍은 짙은 아쉬움 속에서 자신이 아직 착수조차 하지 못한 일에 대해 생각했다.

전쟁이 4년째에 접어들고 있었지만, 갈로텍은 아직도 세페린의 목을 자른 나가 살육자의 희미한 단서조차 찾아내지 못했다.

비아스는 비웃음 섞인 말투로 말했다.

"갈로텍의 누이라면, 나가 살육자에게 목이 잘렸다는? 그런데 그 여자가 왜?"

"세페린은 신체였습니다."

"뭐? 요스비가 아니고?"

"세피린은 요스비의 선대 신체였습니다. 제가 파악하고 있는 신체는 모두 세 명이었습니다. 처음이 갈로텍의 누이 세페린, 그리고 요스비, 그리고 카린돌 마케로우입니다. 마케로우. 당신은 우리의 계획이 15년 전에 시작되었을 거라고 말했지요? 그렇지 않습니다."

"그럼 도대체 언제부터 시작된 거냐?"

보트린은 설명했다.

보트린이 자신의 능력을 정확하게 알게 된 것은 심장탑으로 갈로텍을 만나러온 세페린을 보았을 때였다. 당시 정찰대에 들어가게 된 세페린은 하텐그라쥬를 떠나기 전 인사를 나누기 위해 심장탑으로 갈로텍을 찾아왔다. 심장은 적출했지만 아직 수호자가 되지 못했던 수련자 보트린은 그녀를 갈로텍에게 안내해 주게 되었다. 그때 보트린은 기묘한 느낌을 받게 되었다. 그는 그것이 사악한 정념 같은 것이 아닌가 하고 겁을 집어먹었지만 그것은 그런 것과는 거리가 먼 감정이었다. 세페린이 하텐그라쥬를 떠난 뒤, 며칠 동안 고민하던 보트린은 결국 그의 스승이었던 세리스마를 찾았다. 세리스마는 보트린의 이야기를 진지하게 들었고, 그의 경험과 인상을 세심하게 표현하도록 했다. 그 결과로 보트린은 자신이 신체를 찾아내는 능력을 가지고 있음을 알게 되었다. 비아스는 고개를 갸웃했다.

"그래서 계획이 시작되었나?"

"그렇습니다."

"갈로텍은 반대하지 않았나? 자기 누이를 냉동시켜야 되는 거잖아."

갈로텍은 반대하지 않았다. 오히려 열성적으로 나섰다. 수호자들은 갈로텍이 누이에 대해 비뚤어진 소유욕을 가지고 있음을 알게 되었다. 갈로텍은 세페린의 영을 자신에게 합류시키기를 원했다.

"그래서 요스비가 북쪽으로 떠나게 되었습니다. 스바치와 카루를 기억하십니까?"

보트린의 뒤쪽에 있던 쥬어는 수호자의 말에 흠칫했다. 보트린의 말에 집중하고 있던 비아스는 그런 쥬어의 반응을 깨닫지 못했다.

"요스비는, 말하자면 스바치와 카루의 선배쯤 되는 자입니다. 그는 쾌활한 모험가였고 놀라운 정신 억압자였습니다. 세리스마는 그를 속여 뱀단지를 하인샤 대사원에 전달하는 임무를 맡게 했습니다. 요스비는 그것이 한계선으로 나뉘어진 두 집단 사이에 대화의 장을 만드는 일이라고 믿었지요."

"심장탑의 늙은 뱀이 속인 자가 도대체 몇 명인지 짐작도 안 되는군."

"수도 없습니다. 인간들의 하인샤 대사원 또한 세리스마에게 속았지요. 이야기가 앞서가는군요. 그 이야기는 좀 천천히 하겠습니다. 요스비는 뱀단지를 가지고 용감하게 한계선을 향해 걸어갔습니다. 그런데 도중에 요스비는 세페린을 만나게 되었습니다. 정확하게 말하면 나가 살육자에게 공격당해 죽어가던 세페린을 발견한 것이지요."

"나가 살육자? 그 전설 말이야?"

보트린은 갑자기 비늘을 세웠다.

"그것은 전설이 아닙니다. 나가 살육자는 실제로 존재합니다. 당시 그 나가 살육자는 추위로 느려진 정찰대를 모조리 살해하고 마지막으로 세페린을 죽이고 있었습니다. 요스비가 도착하여 본 것은 그런 광경이었지요. 요스비를 본 나가 살육자는 세페린의 목을 가지고 도망쳤습니다. 요스비는 잠시 고민하다가 뱀단지를 꺼내었지요. 그리고 하텐그라쥬로 연락했습니다. 요스비는 세페린이 갈로텍의 누이라는 것을 알고 있었으니까요."

"그래서 갈로텍은 목이 잘린 누이의 시체를 하텐그라쥬로 가져올 수 있었던 것이군."

"그렇습니다. 갈로텍에게 연락한 다음 요스비는 다시 나가 살육자를 추적했습니다. 한편 우리들은 큰 낭패에 빠졌습니다. 신체가 죽었으니 여신이 누구에게 전령했는지 알 수 없게 되었지요. 우리는 요스비를 돌아오게 할까 했습니다. 하지만 뱀단지를 하인샤 대사원에 놓아두는 것도 나쁘지는 않을 거라는 판단 때문에 요스비를 계속 가게 놔두었습니다. 요스비는 그 일에 성공했습니다. 그리고 그가 하텐그라쥬로 돌아왔을 때, 저는 요스비가 신체임을 알게 되었습니다."

"세페린이 죽었을 때 여신은 그 곁을 지나던 요스비에게 전령하신 것이로군."

"그렇습니다."

"그러면 왜 그대로 요스비를 냉동시키지 않았지?"

"갈로텍이 의심을 제기했습니다. 이미 말했듯이 나가 살육자는 정찰대를 모두 죽였습니다. 그런데 왜 요스비는 죽이지 않았을까요? 물론 요스비는 상당한 수준의 정신 억압자이고 칼 솜씨도 만만찮았습니다. 하지만 정찰대를 전멸시킨 나가 살육자가 왜 요스비 한 명에게 놀라 도망쳐야겠습니까?"

비아스는 그 의심이 타당하다고 생각했다.

"그렇군. 어떻게 된 거지?"

"요스비와 나가 살육자는 서로 아는 사이였기 때문입니다. 그들은 친구였죠."

"뭐라고?"

비아스는 놀란 나머지 입을 벌렸다. 보트린은 침울하게 설명했다.

"요스비는 뱀단지를 가지고 하텐그라쥬를 떠나기 몇 년 전에 나가 살육자를 만난 적이 있습니다. 그건 아마도 세페린이 죽기 3년 전쯤의 일인 것 같습니다. 그들은 3년 만에 다시 만난 친구였고, 그 자리에서 나가 살육자는 친구의 동족을 살해하고 있었습니다. 나가 살육자는 요스비에게 그런 모습을 보인 것에 당황하여 도망쳐버린 겁니다. 하지만 그들은 다시 만났고, 나가 살육자는 요스비가 하인샤 대사원에 도달하도록 도와주었습니다. 그런 도움이 있었기에 요스비는 임무에 성공할 수 있었던 거지요."

"나가 살육자는 도대체 뭐야, 두억시니야?"

"아니요. 인간인 것 같습니다."

"인간?"

"그렇습니다."

"나가와 인간이 친구라. 그 요스비라는 녀석은 확실히 미친 놈인가 보군."

"그건 저도 모르겠습니다. 그런데 계속 말할까요?"

"계속해."

"갈로텍은 그런 요스비를 용서할 수 없었습니다. 여신을 감금하기 위해선 군령자가 꼭 필요했고, 우리에게 군령자는 갈로텍뿐이었습니다. 그런데 갈로텍은 절대로 요스비를 자기 속에 받아들이지 않겠다고 주장했습니다. 갈로텍은 세페린을 죽인 나가 살육자와 그것을 방조한 요스비를 자기 손으로 죽이겠다고 강력하게 주장했습니다. 그래서 우리는 요스비를 죽여 류 페이에게 여신을 전령시킨다는 계획을 세웠습니다. 말씀하신 대로 류 페이는 수련자였기에 우리가 다루기 훨씬 쉽다고 생각했지요. 세페린에게서 요스비에게로 전령된 전례를 보아 가까이에 있는 나가에게 전령될 거라는 확신도 있었습니다. 그래서 우리는 요스비를 죽였습니다. 갈로텍이 직접 요스비의 심장병을 파괴했습니다."

보트린은 피로한 표정으로 긴 설명을 끝마쳤다.

"그다음은, 당신이 말한 대로입니다. 이제 갈로텍에겐 죽여야 할 원수가 한 명 남았지요. 그는 반드시 나가 살육자를 없앨 겁니다. 전쟁 때문에 아직 그 일에 착수하지는 못했지만 언젠가는 반드시 원한을 갚을 겁니다."

밤이 깊었지만 하텐그라쥬의 밤은 나가들을 얼어붙게 하지는 않는다. 따라서 비아스 마케로우는 사고 활동을 유지하는 데 아무런 육체적 어려움이 없었다. 하지만 지나치게 짧은 시간 동안 과도한 정보를 받아들이게 되었기에 비아스에게는 그것을 정리할 시간이 필요했다. 그래서 비아스는 눈앞에 여신의 힘을 자유로이 다루는 위험한 적을 앉혀둔 상황이었음에도 불구하고 생각에 잠겼다.

그 정보들은 흥미롭기는 하지만 비아스의 당면 과제에는 큰 도움이 되지 않는 것들이었다. 비아스가 알아야 하는 것은 신체를 감지할 수 있는 자가 누구인가 하는 것이었고 그것은 이미 드러났다. 그녀의 앞에 묶여 있는 보트린이 바로 그자였다. 하지만 비아스는 4년 전 카린돌의 비망록을 수중에 넣었을 때의 경험을 잊지 않았다. 당시 비아스는 그 비망록이 그녀에게 아무런 도움이 되지 않는다 생각했다. 하지만 그 비망록이 고발하는 사건, 즉 카린돌 마케로우가 륜 페이와 함께 요스비의 기묘한 죽음을 목격했다는 정보는 결국 그녀가 보트린에게 이를 수 있는 길을 찾아내게 해주었다. 4년 동안의 맹렬한 추리의 결과로 얻어낸 그 정보는 분명히 그녀에게 유익한 기회를 부여했다. 그래서 비아스는 보트린에게 들었던 사건들을 시간 순서대로, 그리고 인과 관계대로 정리해 두어야겠다고 마음먹었다.

그것은 꽤 긴 시간이 필요한 일이었다. 비아스의 침묵이 길어지자 쥬어가 투덜거리듯 말했다.

"나도 정의로운 사람이라고 말하긴 어렵겠지만 당신들은 정말 지독하군. 그 긴 시간을 통해 당신들은 사람을 마구 죽이고 여신을 여기서 저기로 옮긴 끝에 끝내 그분을 가두었다는 말이군? 당신들의 무도함에 놀라야 할지 지독한 인내심에 놀라야 할지 결정하기 어렵군."

보트린은 가시 돋친 말투로 말했다.

"쥬어. 당신 말이 틀렸다고는 말하지 않겠지만, 그 말을 내 앞에 있는 이 씩씩한 여자에게도 나눠주지 않겠나? 우리에겐 그래도 희생을 감수할 만한 목적이, 물론 그 희생이 정말 감수할 만한 것인지에 대해서는 논란이 많겠지만, 어쨌든 목적이라는 것이 있었어. 하지만 내 앞의 이 여자는 어떤 줄 아나? 자기에게 아이를 만들어주지 않는다 해서 남동생을 죽이고 그 일에 방해가 된다 해서 수호자를 죽인 여자야. 그 정도면 어디 내놔도 빠지지 않을 이력이잖은가."

쥬어는 놀란 표정으로 비아스를 바라보았다. 비아스는 차가운 미소를 지은 채 보트린을 노려보았다. 보트린은 주눅이 들었지만, 다시 용기를 끌어모아 말했다.

"쥬어 당신에게도 아마 목적이 있겠지? 마케로우가 당신에게 무엇을 약속했지? 뭔가 대단한 것을 약속했으니 수호자를 공격하는 것에 동의한 것이겠지. 하지만 그것이 정말 지불될 거라고 생각하나? 나는 회의적이야. 저 여자에게 말려든 것을 후회하는 날이 올 거야. 쥬어."

비아스는 흥미를 잃은 표정으로 말했다.

"쥬어. 쳐."

쥬어는 쇠망치를 들어올렸다. 보트린이 고함질렀다.

"그러지 마, 쥬어! 뭘 몰랐으니까 실수한 거야. 하지만 끝까지 실수할 필요는 없어! 나를 풀어주고 함께 저 여자를 상대하자고. 하텐그라쥬 방어를 맡아야 할 저 여자가 수호자를 감금하고 고문하는 이유가 뭐겠나? 그 이유가 무엇이든, 그건 무서운 이유야. 내 말 들어, 쥬어!"

쥬어는 움찔했다. 비아스는 냉혹한 표정으로 외쳤다.

"쥬어!"

쥬어는 눈을 질끈 감으며 보트린의 머리를 내려쳤다. 보트린은 의자와 함께 쓰러져 기절했다.

눈을 뜬 쥬어는 쇠망치에 묻은 피와 비늘을 보며 비늘을 세웠다. 그리고는 뭐라 말할 수 없는 표정으로 비아스를 쳐다보았다. 비아스는 고개를 조금 가로저었다.

"좀 늦군, 쥬어."

"……죄송합니다. 그런데 이제 어쩌실 겁니까? 아까도 닐러드렸다시피 보트린이 돌아가지 않으면 심장탑에서는 의아하게 생각할 텐데요."

"보트린은 살아 있어서는 안 돼."

"예?"

"이 녀석은 살아 있어서는 안 돼. 우리는 수호자들에게서 힘을 도로 뺏을 거야.

여신을 풀어주는 거지."

거기까지는 카루와 스바치의 요구와 똑같았다. 하지만 카루와 스바치는 대가문들과 함께 심장탑의 수호자들을 압박하여 그들 스스로 여신을 풀어주게끔 유도하자고 닐렀다. 목적이 비슷했지만, 비아스의 수단은 정반대였다.

"오늘 우리는 심장탑의 수호자들을 체포한다. 4년 전 그놈들이 야밤에 우리에게 했던 것처럼."

"체포한다고요!"

"그래. 그리고 여신을 풀어주는 거야. 하지만 보트린 같은 자가 있다면 수호자들은 언젠가 또다시 여신의 신체를 찾아낼 거야. 바로 이자의 존재 때문에 이 모든 일이 일어났어. 한 번은 괜찮아. 덕분에 우리는 불신자들을 혼내줬고 우리의 재산을 불렸으니까. 하지만 두 번 일어날 필요는 없어. 또다시 수호자들에게 굽신거릴 필요는 없다고."

쥬어는 쓰러진 보트린을 내려다보았다. 비아스의 말이 암시하는 바가 그를 질리게 했다. 비아스는 웃었다.

"음. 미안하지만 그 영광은 내 것이야. 나는 언제나 이 날을 기다려왔어."

그것은 사실이었다. 비아스는 수호자라는 이름을 가진 자를 처리하는 방식의 세부 계획을 짜며 4년을 보냈다.

"이미 한 번 해 본 일이니 연습도 끝낸 셈이야. 보고 싶다면 보고, 그러기 싫으면 천막을 나가."

"보트린을…… 수호자 보트린을 죽일 겁니까?"

"쥬어 센. 밖으로 나가."

'센'이라는 말은 쥬어에게 마법의 언어처럼 들렸다. 쥬어는 거의 의식하지 못하는 새 몸을 움직였다. 쥬어가 비아스의 곁을 지나칠 때 그녀는 말했다.

"밖에서 누가 오는지 망을 봐."

쥬어는 얼떨떨한 얼굴로 고개를 끄덕였다. 그리고 그녀의 곁을 지나쳐 천막 밖으로 나왔다. 천막의 휘장을 내릴 때 쥬어는 비아스가 사이커를 꼬나쥔 채 보트린에게 다가가는 것을 보았다.

자신도 모르게 비늘을 부딪치며, 쥬어는 휘장을 거칠게 잡아당겼다.

시구리아트 관문 요새의 통로를 메우던 통곡이 사라졌다. 힘겹게 몸을 일으킨 보좌관은 케이건과 티나한을 바라보지도 않은 채 걸어갔다. 케이건이 그를 불렀다.

"어쩔 거요, 보좌관?"

보좌관은 걸음을 멈췄다. 천천히 몸을 돌린 보좌관은 뒤엉킨 머리를 쓸어넘겨 붉게 충혈된 눈을 드러냈다. 보좌관은 그 눈으로 케이건을 바라보며 말했다.

"어쩔 거냐니, 무슨 말이오?"

"당은 사라졌소. 이곳에 혼자 남아 있기는 어려울 거요. 원한다면 산맥 아래까지 동행해도 좋소. 산을 내려간다 한들 나가의 공격으로 피폐해진 것은 마찬가지지만, 그래도 이곳보다는 견디기 쉬울 거요."

"나는 남을 거요."

"……그렇소?"

"그래요. 나는 남을 거요. 당은 사라지지 않았소. 아직 내가 살아 있소. 당은 길을 준비하오. 길은 여행자를 따라가지 않소. 나는 남을 거요."

"뭔가 도움이 될 것이 없겠소?"

보좌관은 입을 다문 채 케이건을 쏘아보았다. 티나한은 그것이 경멸이라는 것을 깨닫고는 어리둥절해졌다. 보좌관은 말하기 힘들다는 투로 말했다.

"당주님의 마지막 말을 기억하오?"

"기억하오."

"그 말에 대해 아무런 느낌도 없는 거요?"

케이건은 입을 다물었다. 보좌관은 깡마른 주먹을 힘껏 움켜쥐며 말했다.

"정말 아무런 느낌도 없습니까? 당신에겐 몇 번이나 경험해서 별다른 특별함도 없는 권태로운 경험에 불과했을지 모르지만, 어머님은 그것을 평생 동안 기억했습니다. 저는 차라리 그분이 저를 당신의 모조품으로 대해 주기를 바랐습니다. 흔히들 과부가 유복자에게 그러듯이 말입니다! 그러면 저는 어머님께 그분이 당신에게 받지 못한 것을 드리려 했습니다. 사랑 말입니다! 하지만 누구도 당신의 모조품이 될 수 없었습니다. 이제 그분은 다시 태어나 당신을 찾아가겠노라 말씀하시고 돌아가셨습니다. 결국 저는 당신의 대신이 될 수 없었습니다. 그 말씀에 아무런 느낌이 없는 겁니까, 아버지!"

티나한은 질겁했다. 도무지 어찌할 수 없는 놀라움에 티나한의 깃털이 사정없이 부풀어올랐다. 그 때문에 아기는 깃털에 파묻혀버렸다. 티나한은 그 큰 머리를 획획 움직이며 보좌관과 케이건을 번갈아 바라보았다. 하지만 두 사람은 서로를 바라보며 꼼짝도 하지 않았다. 문득 티나한은 케이건이 늙으면 보좌관과 비슷한 얼굴이 될지도 모른다는 느낌을 받았다. 그리고 그 느낌에 소스라쳤다.

무표정한 얼굴로 보좌관을 바라보던 케이건이 겨우 입을 열어 말했다.

"케이. 그렇게 기억하는데, 그 이름이 맞지?"

보좌관은 아무런 대답도 하지 않았다. 케이건은 무너진 벽을 돌아보았다가 다시 보좌관을 바라보았다.

"네가 그것을 원하는 것 같지만, 나는 사과하지 않겠다."

보좌관의 어깨가 진동했다. 그는 당장이라도 달려들 듯한 무시무시한 표정으로 케이건을 바라보았다. 케이건은 그대로 몸을 돌렸다. 그리고 작별 인사조차 없이 걸어갔다.

홀로 남게 된 티나한은 어쩔 줄 모르며 케이건과 보좌관을 번갈아 쳐다보았다. 보좌관은 갑자기 주저앉았다. 그는 무너진 틈을 바라보며 꼼짝도 하지 않았다. 마침내 티나한은 더 이상 지체할 수 없게 되었다. 티나한은 몇 걸음을 달려서 케이건의 뒤에 따라붙었다. 고개를 돌리자 이미 관문 요새의 모습은 조그마하게 변해 있었다. 티나한은 가까스로 보좌관의 모습을 확인할 수 있었다. 그는 같은 자리에 주저앉은 채 꼼짝도 하지 않았다.

케이건의 뒤를 따라가며 티나한은 질문이 끊임없이 샘솟는 것을 느꼈다. 어떤 질문부터 해야 하는지부터 묻고 싶을 정도로 많은 질문에 티나한은 머리가 어지러울 지경이었다. 하지만 티나한은 겨우 질문을 꺼내는 데 성공했다.

"어엿븐 소드락이가 무슨 뜻이야?"

자신의 질문을 들은 티나한은 도대체 왜 그런 질문을 한 건지 황당해졌다. 케이건은 묵묵히 발만 옮길 뿐 티나한의 질문에 대답하지 않았다. 대신 티나한의 등 뒤에 있던 아기가 부리를 열어 말했다.

"티나한. 그건 아라짓 어란다."

"아라짓 어요?"

"그래. '어엿브다'는 것은 불쌍하다, 가엾다는 뜻이야. 그리고 '소드락이'는 '소드락질' 하는 사람을 말하지. 그리고 '소드락질'이라는 것은 도둑질을 말하지."

"그러면, 어, 가엾은 도둑놈이라는 말입니까?"

"맞아."

케이건은 고개를 돌리지도, 걸음을 멈추지도 않은 채 말했다.

"여신님. 그만해 주십시오."

아기는 부리를 닫았다. 등 뒤에 있는 아기를 돌아볼 수 없었던 티나한은 불만을 느끼며 케이건의 등을 바라보았다.

"이봐, 정말 궁금한데, 도대체 저 늙은 인간이 왜 너를 아버지라고 부르는 거야? 의붓아버지라도 이렇게 나이 차가 나는 경우는 없겠다. 어떻게 된 거야? 네가 정말 저 늙은이의 아버지야?"

케이건은 말없이 발만 놀렸다. 티나한은 하루 반나절을 기다릴 것인지 그냥 대답 듣는 것을 포기해야 할지를 놓고 고민했다. 케이건이 다시 입을 연 것은 티나한이 둘 다 선택하기 싫다는 생각을 떠올렸을 때였다.

"나가에게는 아버지가 없소."

티나한은 긴장했다. 그러나 조금 후 티나한은 그것이 완전히 무의미한 대답이라는 것을 알게 되었다. 그는 불만스러운 신음을 흘리며 케이건의 뒤통수를 내려다보았다. 한참 후에 케이건은 다시 말했다.

"정말 이상한 일 아니오?"

티나한은 그만 화가 치밀어오르는 것을 느꼈다. 도무지 문장들이 어떤 통일된 의미를 이루지 못하고 있었다. 그로서는 정말 약 오르게도 케이건이 세 번째로 꺼낸 말 또한 앞의 두 문장과 전혀 연결되지 않는 말이었다. 하지만 다행히도 그것은 티나한에게 약간 관련된 말이었다.

"저기 비형이 있소."

티나한은 고개를 들었고, 그들이 어느새 산을 넘어왔다는 것을 알게 되었다. 비형은 나늬와 함께 그들을 기다리고 있었다. 비형을 향해 걸어가며 케이건은 나직이 속삭였다.

"티나한. 다 잊어주시오."

"잊으라고?"

"그래주시오. 이 모든 일이 끝나면, 그리고 더 이상 길잡이와 대적자, 요술쟁이가 함께 있을 필요가 없게 되면, 나는 당신들을 영원히 떠나겠소. 아마도 당신들이 살아 있는 동안 다시는 만날 일이 없을 거요. 그러니 그때 말해 주겠소. 지금은 그냥 잊어주시오."

티나한은 그것이 만족스러운 거래인지 확신할 수 없었다. 그러나 비형과의 거리가 계속 가까워지고 있었고 더 이상 도깨비의 귀를 피해 속삭이기도 어려웠다. 티나한은 짧게 말했다.

"좋아."

악타그라쥬 공방전이 또 다른 하루를 맞이했다. 하지만 그날 차례를 맞아 전선에 등장한 벚나무 군단의 군단병들은 당황했다. 전투가 쉬워졌기 때문이다.

그들 앞에 있는 북부군은 비할 바를 찾기 어려운 정교함으로 여섯 개 군단의 연환 공격을 물리치던 어제까지의 북부군이 아니었다. 불신자들은 허둥거렸고 당황했으며 악에 받쳐 발광했다. 그 모습은 벗나무 군단이 북부에서 싸우곤 했던 보통의 불신자들과 비슷했다. 더군다나 그들을 둘러싸고 있는 대기의 기온마저 낯설었다. 아니, 낯익은 것이라고 해야 할까. 키보렌의 기온은 나가들에게 익숙한 원래의 기온으로 되돌아가 있었다. 움직이기 좋은 더운 날씨였다.

도깨비 감투를 쓴 암살자들을 저지하기 위해 빽빽하게 밀집한 호위병들 사이에 서 있던 수호 장군들은 그 사태에 당황했다. 뇌룡공 류 페이가 지난밤 기온을 낮추지 않았음은 분명했다. 또한 북부군의 병사들이 중구난방으로 움직인다는 것은 그들이 용인의 통제를 받고 있지 못하다는 것을 드러내고 있었다. 결국 전황은 류 페이가 '할 일을 하지 않아서' 그들에게 낯선 것이 되고 있었다. 수호 장군들은 전쟁터 한가운데서 발악하며 화산 같은 불길을 끌어올리고 있는 시우쇠에게 국소적 폭풍을 쏟아부으며 짬짬이 니름을 교환했다.

〈류 페이가 어떻게 된 걸까요?〉

〈글쎄요. 하지만 만약 그런 일이 있다면 물러나야 하지 않겠습니까? 왜 전투에 응한 것이지요?〉

〈꺼림칙하군요. 기온에 신경 쓰도록 합시다. 좀 추워지는 느낌이 없는지.〉

그런 일은 일어나지 않았다. 태양이 떠오름과 함께 기온은 자연스럽게 높아질 뿐이었다. 나가들은 오래간만에 뜨거워진 몸으로 기세가 흐트러진 적을 상대로 싸울 수 있었다. 나가들의 기세는 드높아졌다. 전선 곳곳에서 피에 젖은 비명이 터져 나왔다.

숲에서 기병은 무의미한 집단이 되어버린다. 그래서 기병들은 보병들과 마찬가지로 작살검을 휘두르며 나가들과 싸워야 했다. 그들의 선두에서, 괄하이드 규리하는 평생의 기술을 다해 대도를 휘두르고 있었다. 그 기량의 출중함은 북부군과 벗나무 군단을 통틀어 단연 발군이다. 회전하고 돌진하고 파헤치며 쑤신다. 찍어

내고 잘라내고 끊어내며 부러뜨린다. 이미 오래전에 몸에 꽂은 채 싸울 수 있는 작살검과 괄하이드의 대도를 똑같이 취급하면 안 된다는 것을 숙지하게 된 나가들이었지만, 그들의 육신을 탐하는 대도에게서 몸을 빼내긴 어려웠다. 분노에 찬 동작으로 사이커를 마주 대어 보건만 그 단단함 때문에 부러지지는 않을지언정 가벼움 때문에 튕기는 것은 어쩔 수 없다.

다가오는 나가의 머리를 턱 아랫부분까지 쪼개어놓은 괄하이드는 잠시 호흡을 가누기 위해 대도를 당기며 물러났다. 그의 주위에 나가는 더 이상 존재하지 않았고 다가올 수 있는 거리의 나가들은 보다 정상적인 상대를 원하고 있었다. 그래서 괄하이드는 피투성이가 된 손을 옷에 닦을 틈을 얻을 수 있었다.

갑자기 못 견딜 정도의 더위가 노장군을 짜증스럽게 했다. 괄하이드는 투구를 벗어 팽개쳤다. 투구 아래에 있던 머리카락은 피에 젖은 수염과 달리 아직 흰빛을 간직하고 있다. 노장군은 머리카락을 묶었던 끈마저 풀어버렸다. 하지만 땀에 젖은 머리카락은 목과 어깨에 달라붙어 괄하이드를 괴롭혔다.

키보렌은 숨이 막히도록 더웠다.

흉악한 전투 때문에 날짐승들이 모두 도망간 밀림에서는 자연적인 소리라곤 찾아볼 수 없었다. 들려오는 것은 병장기 부딪히는 살벌한 소리와 북부군의 비명뿐이다. 맞부딪치는 병장기들은 섬광과 소음뿐만 아니라 지독한 쇠비린내도 풍겼다. 피냄새와 땀냄새에 쇠비린내까지 합쳐진 그 묘한 냄새는 괄하이드에겐 낯설지 않은 것이다. 하지만 그곳 키보렌에는 괄하이드의 신경을 자극하는 냄새가 하나 더 있었다. 짓눌러버릴 것처럼 다가오는 숲의 향기. 그것이 전투의 향취와 뒤섞이자 형언키 어려울 정도로 불길한 냄새로 바뀌었다.

이마에 달라붙는 백발을 떼어내며 괄하이드는 한숨을 내쉬었다. 대도의 넓은 날 곳곳에는 부서진 비늘들이 묻어 있었다. 그것을 닦아내려던 괄하이드는 손을 대자마자 다시 떼었다. 무수한 사이커와 충돌했던 대도는 손을 댈 수 없을 만큼 뜨거웠다.

주위가 약간 고요해졌다. 전투의 중심이 그에게서 약간 멀어진 듯했다. 다시 그

싸움터로 복귀해야겠지만 괄하이드는 그러지 않았다. 대신 나무에 몸을 기대었다. 그리고 괄하이드는 검게 탄 목과 팔뚝에 흐르는 구슬땀을 계속 훔쳐내었다.

보다 젊고 자신의 삶에 정당성을 부여하려는 욕구도 강했던 시절, 괄하이드는 왕의 변경백이라는 지위가 과연 살인 면허장이 될 수 있는가에 대해 고민했던 적이 있었다. 그 지위의 정당성이 언제나 불완전했기에 고민은 더욱 컸다.

그러나 몸의 터럭이 희게 변하고 혹 청춘으로 되돌아갈 수 있다 해도 그 모든 어리석은 짓을 다시 반복해야 한다는 사실에 질려 정중히 거부해 버릴 나이가 된 지금, 괄하이드는 더 이상 그런 문제가 자신을 괴롭히지 않는 것을 깨달았다.

살인의 허락을 요구하는 자는 살아가는 것의 허락도 요구해야 할 것이다.

'죄는 내가 이고 가지.'

맹금의 날개처럼 대도를 뿌린 다음 격전의 한가운데로 뛰어들며, 괄하이드는 하늘을 흘끔 바라보았다.

하늘은 맑았다. 키보렌은 이글거리는 폭염 속에 흔들리고 있었다.

견디기 힘든 더위였다.

시우쇠가 불길을 거둬들였다. 수호 장군들은 당황했고 그 틈을 타 시우쇠는 뒤로 훌쩍 뛰었다. 몸을 돌린 시우쇠는 마치 도망치는 듯한 모습으로 북부군을 헤치며 달려갔다. 통제되지 못한 모습으로 나가들에게 살육당하던 북부군은 시우쇠의 열기에 다시 고통받았다. 시우쇠의 도주 때문에 북부군의 전열은 크게 흐트러졌다.

수호 장군들 중 누구나 다 아는 사실을 꼭 닐러야만 직성이 풀리는 누군가가 어이없다는 듯이 닐렀다.

〈시우쇠가 물러갑니다.〉

수호 장군들은 어리둥절하여 서로를 바라보았다.

〈도대체 어쩌려는 거지요? 륜 페이가 사라지더니 시우쇠까지?〉

〈어쨌든 잘됐군요. 레콘들을 위해 비를 뿌려볼까요.〉

〈글쎄요. 모처럼 좋은 기온이라 병사들이 힘을 내고 있는데요. 비를 뿌리면 체온이 떨어지지 않겠습니까.〉

수호 장군들은 빠르게 숙의한 다음 시우쉬, 혹은 륜 페이가 돌아올 것을 대비하며 기다리는 것이 낫다는 판단을 내렸다. 그들이 나서지 않아도 전황은 북부군에게 치명적이었다. 간혹 레콘이 용력을 발휘하여 나가들을 밀어붙이는 장면들이 있었지만, 곳곳에서 전투는 소규모 학살로 바뀌고 있었다. 북부군의 수뇌부가 지휘를 포기해 버린 것처럼 보일 지경이었다. 결국 수호 장군들은 세키리를 바라보았다.

〈아무래도 패주할 것처럼 보입니다. 대기하고 있던 다섯 개 군단을 투입하여 섬멸전을 펼치는 것이 좋지 않겠습니까?〉

세키리 군단장은 미심쩍은 표정으로 숲을 바라보았다. 전황은 분명 수호 장군들이 니른 대로였다. 하지만 세키리는 북부군이 궤멸해 버릴 만큼의 타격을 입었다고 생각하기 어려웠다. 세키리는 아직까지 나타나지 않는 륜 페이가 걱정스러웠다. 하지만 찌는 듯이 더운 날씨는 그대로였고 어디서도 륜 페이가 기온을 하강시키고 있다는 증거는 포착되지 않았다. 설령 륜 페이가 갑작스럽게 나타나 기온을 떨어뜨리려 해도 오늘 안에 나가를 불편하게 만들기는 어려울 정도였다.

〈좋습니다. 연락을 취하지요.〉

전장에서 멀리 떨어져 있던 다섯 개 군단은 모두 만약의 사태를 대비하고 있었고 따라서 세키리의 명령이 전달되자 곧 전장에 나타났다. 적의 숫자가 여섯 배로 늘어나자 북부군의 전열은 순식간에 함몰되었다. 홍수에 휘말린 것처럼 물러나는 북부군을 보며 수호 장군들은 북부군의 운명이 오늘로 마감되리라는 것을 의심치 않았다. 그러나 세키리는 긴장을 늦추지 않았다.

〈도대체 왜 저렇게 느린 건가!〉

전선에 도착한 다섯 개 군단이 벚나무 군단과 합류하여 사정없이 북부군을 밀어붙이고 있었지만, 세키리는 북부군의 붕괴가 예상만큼 빠르지 않다고 생각했다. 세키리는 이해할 수 없다는 표정으로 나가 병사들을 살펴보았다. 수호 장군 한 명이 닐렀다.

〈날씨가 오래간만에 더워지니 당황했나 봅니다.〉

다른 수호 장군이 맞장구쳤다.

〈그렇군요. 항상 쌀쌀하다가 갑자기 더워지니 견디기 어려울 정도군요. 병사들도 더워하고 있습니다.〉

수호 장군들은 모두 그 니름에 동의했다. 거의 스무날 가까이 쌀쌀한 기온에서 전투했기에 오늘의 날씨는 견디기 어려울 정도였다. 그때였다. 어디선가 정신을 찌르는 듯한 니름이 들려왔다.

수호 장군들은 놀란 표정으로 세키리를 돌아보았다. 세키리 군단장은 충격과 고통, 그리고 경악의 니름들을 쏟아내며 하늘을 보고 있었다.

〈왜 그러십니까?〉

세키리 군단장은 무서운 것을 보는 얼굴로 닐렀다.

〈해, 해가!〉

〈예? 해가 어쨌다는 겁니까?〉

〈두 개입니다!〉

수호 장군들은 기겁하여 하늘을 쳐다보았다. 머리 위를 덮은 나뭇잎과 가지들 사이로 빈틈을 찾아낸 장군들은 눈을 부릅뜬 채 하늘을 응시했다. 그리고 그들은 세키리의 심정을 완전히 이해했다.

키보렌의 하늘에 뜬 두 개의 태양이 그들을 내려다보고 있었다.

북부군의 뒤편에서, 시우쇠는 허리를 약간 구부리고 두 팔을 앞으로 늘어뜨린 채 서 있었다. 움직임이라곤 하나도 없었지만, 먼 곳에서 화신을 보는 사람들은 모두 그가 끝없이 움직이고 있다는 느낌을 받아야 했다. 시우쇠의 온몸에서 불길이 끝없이 흐르고 있었기 때문이다.

화신의 몸 곳곳에서 흘러나오는 불은 모두 위쪽으로 흘렀다. 시우쇠의 배와 가슴, 그리고 목과 얼굴을 타고 흘러오른 불길은 그 정수리에 도달하여 시우쇠와 분리되었다. 그리고 그 머리 위 하늘에서 하나로 엉기었다. 그 불덩어리가 거대해질수록 시우쇠의 몸은 조금씩 줄어들고 있었다. 시우쇠는 그의 몸 자체를 짜내어 불덩이를 만들어내고 있는 듯했다. 지독한 열기 때문에 다가갈 수 없었던 사람들은 한참 떨어진 곳에서 공포에 질려 그것을 바라보았다.

시우쇠의 머리 위에 형성되던 불덩어리는 점점 커져 마침내 직경 수십 미터에 달하는 구가 되었다. 시우쇠 근처의 나무들은 이미 새카맣게 불타 재가 되어버렸다. 하지만 시우쇠는 멈추지 않았다. 불덩어리가 커짐에 따라 공기가 난폭하게 불탔고 시우쇠를 향해 사방의 모든 바람이 몰려들었다. 웅왕거리던 나뭇가지들이 정신없이 떨리다가 우지끈 소리를 내며 부러졌다. 떠오른 풀잎과 나뭇잎이 시우쇠를 향해 휘몰아쳤다. 숲은 기묘하게 처절한 비명을 내질렀다. 바람은 창백해진 모습으로 떠돌았다. 땅이 덜덜 떨렸고 공기는 그대로 폭발해 버릴 것만 같았다. 마침내 직경이 100미터도 넘을 것 같은 불덩이를 만들어낸 시우쇠는 불의 포효를 뿜어내며 오른손을 처올렸다. 순간 불덩이는 모든 구속에서 해방되어 둥실 떠올랐다. 그리고 그것은 먼저 떠올랐던 형제와 함께 키보렌의 하늘을 불사르는 세 번째 태양이 되었다.

산더미 같은 불 두 개를 하늘에 띄워보낸 시우쇠는 땅바닥에 주저앉았다. 불을 지나치게 뿜어내어 그의 몸이 오그라든 것처럼 보였다. 시우쇠의 코에서는 새파란 불꽃이 빠르게 드나들었다. 시우쇠는 낮게 으르렁거리며 옆을 돌아보았다.

그곳에는 류 페이가 서 있었다. 류 페이는 두 손을 가볍게 맞잡은 모습으로 서 있었다. 하늘을 향하고 있는 그 두 눈은 감겨 있었다. 시우쇠가 불처럼 말했다.

"끝나가나?"

류 페이는 천천히 고개를 숙였다. 눈을 뜬 류은 고개를 끄덕였다. 옆에 두었던 물통을 집어든 류은 그것을 들어올리며 말했다.

"끝났습니다."

전투가 시작된 이래로 저 높은 곳의 하늘에서 태양의 열기를 머금은 습기를 계속해서 강하시키고 있던 류은 마침내 그 강하를 돌이킬 수 없는 것으로 만들었다.

류은 물통을 머리 위부터 뒤집어썼다. 물 또한 미지근하게 바뀌어 있어 추위에 얼어붙는 일은 없었다. 류은 턱을 타고 흐르는 물을 훔쳐내며 말했다.

"앞으로 세 시간 동안 열기는 계속 쏟아지고, 다른 곳으로는 이동하지 않을 겁니다."

바닥을 본 류은 그림자가 기묘한 모습으로 흩어져 있음을 깨달았다. 하늘을 흘끔 본 류은, 주의 깊게 곁눈질한 것임에도 불구하고 고통을 느꼈다. 세 개의 불타는 태양은 하늘의 빛깔을 바꿔버렸다. 마귀 같은 열기가 하늘을 치달아 류이 끌어내린 습기를 광분하게 만들었다. 두억시니 같은 하늘이었다.

"무서운 태양이군요. 열이 지나치게 집중되었습니다. 오늘 낮이나, 적어도 내일은 육지에서 태풍이 발생하는 것을 보게될 것 같군요. 전투가 끝난 후에는 비를 만들어서 열기를 좀 줄여야겠습니다."

"내버려둬."

"내버려두라고요?"

"싹 쓸어버리도록."

멀리서 거대한 계명성이 터져나오는 것을 들으며 류은 고개를 끄덕였다.

"라수에게 가보겠습니다."

라수는 핏발 선 눈으로 외쳤다.

"땀 흘릴 줄 모르는 짐승들, 다 뒈져버려라!"

라수의 곁에 있던 레콘은 그의 말을 몇 배나 부풀려서 외쳤다. 전장 전체에 그 거대한 목소리가 울려퍼졌고 북부군 병사들은 이제야 반격의 기회가 돌아왔음을 깨달았다. 그들은 노호했다.

나가들이 한계선 이북으로 올라올 수 없는 까닭은 변온 동물인 그들에게 한계선 이북의 땅이 지나치게 춥기 때문이다. 하지만 변온 동물은 그 체온을 유지할 수 없는, 혹은 유지하기 힘든 동물이지 피가 차가운 동물은 아니다. 라수는 그 점에 착안하여 발상의 전환에 성공했다. 추위가 나가들을 둔하게 만든다면, 정도 이상의 더위 또한 나가들에게 같은 작용을 일으키는 것이다. 그래서 라수는 세계에서 가장 더운 그 지방을 '더 덥게' 만들기로 결심했다. 인간들이나 레콘들이 일사병을 일으킬지도 모르지만 라수는 그보다는 땀 흘릴 수 없는 나가들이 먼저 쓰러질 거라 믿었다.

작열하는 세 개의 태양 아래에서 북부군 병사들은 나가를 향해 돌격했다.

이글거리는 세 개의 태양은 바라보는 것만으로 나가들을 얼어붙게 만들었다. 거세게 치닫는 열류의 흐름은 나가들을 미치게 만들었다. 라수의 예상과 달리 나가들을 정말 당혹하게 만든 것은 더위가 아닌 시야의 혼란이었다. 세 개의 태양은 키보렌의 그림자를 대폭 줄여버렸고 얼마 남지 않은 음지와 광활한 양지 사이에서는 무서운 속도로 열교환이 이루어졌다. 그 결과로, 집결한 나가의 여섯 개 군단은 시각적 회오리라 할 수 있는 상황에 빠졌다. 만약 심장이 있었다면 그들은 맥박이 무서운 속도로 높아지는 것을 느꼈을 것이다. 나가들의 몸은, 그리고 그 피는 계속 뜨거워졌다. 그리고 열배출은 이루어지지 않았다. 잔혹한 고온과 압도적인 혼란 속에서 10만 명에 가까운 나가들은 단체로 정신착란을 일으켰다. 나가들은 좌절과 공포 속에서 무기력함을 느꼈다. 이성의 샘은 잔혹한 삼 형제 태양 앞에 말라붙었다. 그리하여, 나가들은 옆에 서 있는 것이 아군인지 적군인지도 구분할 수 없었다.

나가들에게 돌격하던 북부군은 서로를 찔러대는 나가들의 모습에 경악했다.

나가의 눈에 주위의 모든 사람이 뜨겁게 보였다. 혼미해진 정신 속에 나가들은 자신이 불신자에게 포위되어 있다는 착각을 일으키고 말았다. 나가들은 정신적 비명을 내지르며 사이커를 휘둘렀다. 예리한 칼날이 비늘을 파고들어 피를 갈취했고 칼날에 묻어나는 피의 뜨거움은 나가에게 확신을 부여했다. '불신자다, 불신자다!' 그들은 서로를 무참하게 베고 찔렀다. 어떤 나가는 자신의 왼팔에 놀라 엉겁결에 그것을 베어내고는 비명을 지르며 쓰러졌다. 그런 나가의 등 위로 무수한 사이커가 쏟아졌다.

전선 뒤편에서, 륜은 다시 물을 뒤집어쓰며 그 참상을 보지 않으려 했다. 불가능한 일이었다. 그의 감각은 지나치게 예민했다. 눈을 감아도 륜은 그것을 볼 수 있었다. 비늘을 부딪치는 륜에게 라수가 외쳤다.

"공작!"

륜은 몸의 물기가 마르는 것을 느끼며 라수를 바라보았다. 라수의 눈은 여전히 붉게 물들어 있었지만 그 두뇌는 놀라운 속도로 움직였다.

"공작! 악타그라쥬로 가시오!"

"악타그라쥬? 전황을 파악하는 것이 아닙니까?"

라수의 얼굴엔 그림자가 줄어들어 있었다. 그리고 얼마 남지 않은 그림자들은 지나치게 어둡게 보였다. 밝은 부분이 평소의 세 배나 되는 빛에 노출되어 있었기 때문이다. 숯으로 그린 괴이한 초상화 같은 모습으로 라수는 고함 질렀다.

"그렇소. 지금 용인의 감각은 필요 없소. 필요한 것은 용의 화염이오. 악타그라쥬로 곧장 날아가시오! 그곳의 시민들 또한 더위 때문에 제정신이 아닐 거요. 제기랄, 추위보다 더위가 훨씬 효과적이군. 그들은 당신을 방해할 수 없을 거요. 그 틈을 타 심장탑을 부숴버리시오!"

"심장탑을…… 왜?"

"그러면 악타그라쥬 시민들뿐만 아니라 저기 있는 악타그라쥬 출신의 병사들도 다 죽을 테니까!"

몽롱한 정신 속에서도 륜은 라수의 사고 속도에 비늘 서는 느낌을 받았다. 륜은 이런 더위 속에서 어떻게 차가운 생각이 가능한 것인지 이해할 수 없었다. 륜은 거의 무의식 중에 아스화리탈을 불러들였다. 아스화리탈이 목을 내밀었지만, 륜은 가만히 선 채 용을 바라보기만 했다. 라수는 직접 달려가 물동이를 들고 왔다. 그리고 륜의 몸에 사정없이 끼얹었다. 물벼락을 맞은 륜은 성난 표정으로 라수를 돌아보았다. 라수는 빈 물동이를 집어던지며 외쳤다.

"가시오, 륜 페이!"

"알겠습니다."

륜은 아스화리탈의 등에 올랐다. 아스화리탈은 힘차게 날아올랐다. 푸르게 녹아 흐르는 듯한 숲의 머리 위로, 세 개의 태양이 작열하는 하늘을 가로질러 용은 벼락을 뿌리며 날아갔다.

세리스마는 당황하여 뱀들을 바라보았다. 사어를 익힌 이후로 세리스마는 그런 모습을 본 적이 없었다.

뱀들은 마치 달군 철판 위에 오른 것처럼 배를 보이며 몸을 비틀었다. 간혹 뱀들의 움직임이 의미를 형성하기도 했지만 세리스마는 그것이 사어인지 고통의 몸부림인지 구분할 수 없었다. 늙은 수호자 세리스마가 깨달을 수 있는 것은 하나뿐이었다. 악타그라쥬에 무언가 심상찮은 일이 벌어지고 있는 것이다. 세리스마는 온 힘을 기울여 강력하게 의지를 전달했다.

'무슨 일인가, 짧게 닐러!'

'덥다. 뜨겁다. 불신자다! 사방에 불신……'

뱀들의 움직임이 멈췄다.

세리스마는 충격에 빠져 뱀들을 바라보았다. 기나긴 고통에서 해방된 뱀들은 기운이 다 빠진 듯 꿈쩍하지 않았다. 세리스마는 그것을 다시 뱀단지에 담을 생각도 하지 못했다. 악타그라쥬의 심장탑에 불신자들이 들어왔단 말인가? 그렇다면 악타그라쥬가 이미 정복되었다는 건가? 세리스마는 황급히 일어나 뱀들을 집어들었다. 축 늘어진 뱀을 주워 쑤셔넣듯이 뱀단지에 담은 세리스마는 선인장 군단과 연결된 뱀단지를 꺼내들었다.

하지만 세리스마의 거듭된 호출에도 선인장 군단은 대답하지 않았다. 세리스마는 뱀을 다시 주워담지도 않은 채 다른 다섯 개 군단의 뱀단지를 모조리 바닥에 쏟았다. 방 전체에 수백 마리의 뱀들이 꿈틀거렸다. 하지만 그중 세리스마의 의지 이외에 다른 의지를 담아 움직이는 뱀은 한 마리도 없었다. 세리스마는 무릎에 힘이 빠지는 것을 느끼며 의자에 주저앉았다. 그러고는 화를 내며 일어났다. 뱀 한 마리가 의자를 타고 올라와 있었다. 세리스마는 그 뱀을 집어 내동댕이치고는 다시 의자에 앉았다.

'여섯 개 군단이 모조리 격퇴되었다는 말인가?'

세리스마는 도저히 그것을 믿을 수 없었다. 고작 한 명의 화신과 한 명의 용인이 불사의 나가로 이루어진 여섯 개 군단을 몰살한다는 것은 상식적으로 납득이 되지 않았다. 혹 시우쉐가 그 옛날 페시론 섬과 아킨스로우 협곡에서 일어난 일을 재현해 보인 것일까? 하지만 그 또한 받아들이기 어려운 추측이었다. 그런 대재난을 일으킬 경우 북부군의 안전 또한 보장할 수 없다.

'그러면 도대체 어떻게!'

공포가 세리스마를 짓눌렀다.

심장탑의 55층, 하텐그라쥬 전체를 내려다보는 그 높은 곳에서, 세리스마는 뱀단지를 통해 하텐그라쥬뿐만 아니라 키보렌 전체, 그리고 한계선 너머 하인샤 대사원까지 손아귀에 든 물건처럼 다루었다. 그 노회한 수호자가 해온 일들은 그가 위치하고 있는 높이와 어우러져 세리스마에게 세계를 통제한다는 느낌을 갖게 하기에 충분했다. 일반적인 사람이라면 생각하기 힘든 수십 년의 시간을 주저없이 '계획'에 투자하며 마침내 목표의 정수리를 밟고 선 그 순간에도, 세리스마는 심장탑 55층에 있었다. 그곳을 떠날 필요가 없었다.

하지만 뱀단지들이 불길한 사어를 마지막으로 더 이상의 응답을 거부하고 있는 그 시점에서 세리스마는 갑자기 세계가 한없이 축소되는 느낌을 받았다. 55층이라는 압도적인 높이는 이제 고소공포증과도 비슷한 아찔한 불안감으로 다가왔고 지나치게 오랜 세월 동안 익숙해진 그의 방은 폐소공포증을 일으키는 협소한 감옥으로 바뀌었다.

세리스마는 일어섰다. 늙은 수호자는 바닥에 깔려 있는 뱀들을 짓밟으며 창문으로 뛰어갔다. 빗물을 받아들이는 저수 장치를 망가뜨릴 뻔하며 세리스마는 가까스로 창문 밖으로 머리를 내밀었다. 그리고 하늘을 바라보며 크게 심호흡했다. 도저히 아래를 내려다볼 엄두가 나지 않았다.

그러나 세리스마의 견고한 정신은 굴복을 쉽사리 용납하지 않았다. 세리스마는 거칠게 부딪치는 비늘을 눕히려 애썼다. 한참 동안 스스로를 꾸짖던 세리스마는 마침내 결심했다.

'결국, 모든 것은 뜻대로 될 것이다. 결과는 그 누구도 번복할 수 없다. 내가 그것을 원하기에!'

세리스마는 아래를 내려다보았다.

실로 비늘 서는 높이였다. 세리스마는 창턱을 꽉 부여잡았다. 언제나 아무런 불안 없이 내다보던 그 높이가, 권력욕을 보채기도 하고 달래기도 하던 그 풍경이 그를 겁나게 했다. 세리스마는 아무런 지지물도 없이 낙하한다는 느낌에 질겁했다. 그러나 결국 세리스마는 침착을 되찾았다. 세리스마는 모든 지붕과 대로를 바라보았다. 자신의 발로 걸어본 것이 십수 년 전이건만 그곳은 그에겐 너무도 익숙한 거리와 지붕들이었다. 세리스마는 안도했다.

그리고 세리스마는 기묘한 모습을 보게 되었다.

일단의 병사들이 심장탑을 향해 다가오고 있었다. 소규모로 나뉘어 여기저기로 흩어진 채 다가오고 있었지만 세리스마의 위치에서는 그 전체적인 움직임을 파악할 수 있었다. 그것은 분명 심장탑을 목표로 몰려드는 병사들이었다.

불안 때문에 세리스마는 어처구니없는 상상을 하고 말았다. 즉 세리스마는 이미 북부군이 하텐그라쥬까지 도달하여 마호가니 군단이 심장탑을 수호하기 위해 달려오는 것이라고 생각해 버렸다. 그러나 곧 세리스마는 그것이 니름도 안 된다는 것을 깨달았다. 가능성이 없는 일이기도 하거니와, 만약 그런 일이 발생했다면 병사들이 저렇게 나뉘어서 올 리가 없는 것이다.

어떤 불쾌한 단어가 세리스마의 뇌리에 떠올랐다. 세리스마는 그 또한 자신의 불안감이 조장해 낸 니름도 안 되는 상상을 나타내는 단어로 치부하려 했다. 하지만 그 단어는 쉽게 잊혀지지 않았다. 문득 세리스마는 보트린이 아직 돌아오지 않았다는 사실을 떠올렸다. 쥬어와 밤을 함께 보내고 돌아오려는 거라고 생각했지만 지금 보트린의 미귀환은 불안하게만 느껴졌다. 거의 대부분의 수호자들이 군단을 지휘하기 위해 떠난 지금, 하텐그라쥬의 심장탑에는 여신의 힘을 다루는 수호자들의 숫자가 턱없이 부족했다. 세리스마는 낙관적으로 생각하려 해보았다.

하지만 아무리 낙관적으로 보려 애써도, 세리스마에게 그 병사들의 모습은 심장탑을 '기습 점거'하기 위해 다가오는 것처럼 보였다.

몸을 돌린 세리스마는 문으로 다가갔다. 문을 연 세리스마는 잠시 낯선 풍경에 당황했다. 그러나 세리스마는 자신의 신명을 니르며 스스로를 다잡았다.

수호자 세리스마는 자신의 방 밖으로 나왔다.

병사들의 모습이 하텐그라쥬 시민들을 당황하게 하지는 않을 거라는 비아스의 생각은 맞아들어 갔다. 하텐그라쥬 시민들은 몇 명씩 무리를 지어 돌아 다니는 병사들의 모습에 익숙했다. 따라서 서너 명, 혹은 예닐곱 명씩 나뉘어진 마호가니 군단과 쥬어의 의용군이 심장탑 근처에 이르는 동안 그들이 누군가의 주의를 끄는 일은 일어나지 않았다. 속으로 안도하며, 쥬어는 어느 방물장수의 좌판을 구경하는 순박한 병사의 모습을 취했다. 그리고 방물장수의 니름에 넋이 나간 듯한 표정을 지으며 심장탑을 훔쳐보았다. 심장탑의 모습에서는 아무런 이상을 찾아볼 수 없었다. 하지만 쥬어는 자신이 저지르려는 일에 약간 질려 있는 상태였다. 그는 감히 하텐그라쥬의 심장탑을 공격하는 무도한 일이 저질러져도 우주가 제대로 유지될지 의문스러웠다.

'카루와 스바치의 니름을 들을 걸 그랬나.'

생각할수록 스바치와 카루의 계획 쪽이 사리에 맞는 것처럼 보였다. 그 계획을 따른다면 수많은 대가문들과 함께 당당하게 수호자들을 찾아가 여신을 풀어주라고 니를 수 있는 것이다. 그 과정에서 쥬어가 감당해야 하는 위험은 거의 존재하지 않았다. 오히려 여신의 감금을 폭로한 그의 공이 대가문들을 흡족하게 할 것이다.

하지만 쥬어는 결국 비아스의 니름을 따르고 말았다. 만약 스바치와 카루의 계획대로 행동한다면 심장탑으로 걸어가 당당하게 여신을 풀어주라고 말하는 역할은 절대로 그에게 허락되지 않을 것이다. 그것은 강대한 가문의 가주들이—그러니까, 그가 아닌—맡을 일이었다. 쥬어는 그들 가주들이 베풀어줄 호의를 무시하지는 않았지만 과대평가하지도 않았다. 가주들은 틀림없이 자신의 공을 추켜세울 것이며 그런 과정에서 점차 근본도 없는 전쟁터의 승냥이를 방해물로 생각하게 될 것이다. 하지만 비아스의 니름을 따른다면 여신 구출의 모든 영광은 오로지 그의 것이 된다. '여신의 감금을 폭로한다'는 것과 '여신을 구출한다'는 것의 의미차는 막대했다. 방물장수의 설명에 완전히 빠져버린 것 같은 표정을 지으며 쥬어는 허리 뒤에 숨겨둔 쇠망치를 어루만졌다. 그리고 비아스의 신호를 기다렸다.

소메로 마케로우는 난처한 표정으로 모든 이의 시선을 피하려 애쓰고 있었다. 실제로 그녀를 바라보는 시선은 하나도 없었다. 평의회장에 모인 각 가문의 대표자들은 모두 소메로의 성격에 대해 알고 있었고 따라서 그 덕 있는 여인이 그들을 모아들였다면 뭔가 진지하게 고려해야 하는 일이 있는 것임이 분명하다고 생각했다. 따라서 회의가 지연되는 것은 분명히 피치 못할 사정이 있는 것이라 생각하며 가주들과 가주 대리인들은 평온한 마음으로 기다리고 있었다. 하지만 평의회 의장은 소메로 마케로우와 마찬가지로 회의 시작이 지연되는 것에 신경이 쓰였다. 의장석에 앉아있던 드리고 이세리도는 걱정스러운 눈빛으로 소메로를 바라보았다. 이세리도 의장은 다른 자들의 주의를 끌지 않는 무개성한 니름으로 소메로를 불렀다.

〈소메로 마케로우. 아직 멀었소?〉

〈정말 죄송합니다. 의장님. 잠시만 더 기다려주시면 비아스가 올 것입니다.〉

당황한 나머지 소메로는 니름을 무개성하게 바꾸는 것도 잊은 채 닐렀다. 그래서 그녀의 니름은 대부분의 의원들에게 들렸다. 의원들은 예의 바르게 짐짓 소메로의 니름을 듣지 못한 척했다.

이세리도 의장이 한 번 더 질문해야 할 것인지 고민하고 있을 때 문이 열렸다. 문을 바라보고 있던 소메로는 하마터면 벌떡 일어설 뻔했다. 안으로 들어온 것이 비아스임을 깨달은 소메로는 반가움과 안도감을 느꼈다. 그러나 이세리도 의장과 다른 의원들은 약간 의아한 기분을 느꼈다. 비아스의 입장 선언이 없었기 때문이다.

하지만 비아스의 뒤편으로 사이커를 뽑아든 병사들이 차례로 들어서자 그들의 의아함은 혼란으로 바뀌었다.

의원들은 어쩔 줄 모르는 표정으로 의장을 바라보았다. 하지만 평의회장의 무력 진입은 나가의 역사에 없었던 일이었기에 의장 또한 당혹에 빠졌다. 그녀들이 어찌할 줄 몰라하고 있을 때 병사들은 일사불란하게 움직여 벽 쪽에 붙어섰다. 그리고 비아스는 평의회장 한가운데를 가로질러 의장석으로 걸어갔다. 도중에 비아스는 소메로를 잠시 돌아보았다. 소메로는 당황 때문에 비늘을 세운 채 그녀를 쏘아보고 있었다. 비아스는 씩 웃어준 다음 다시 의장을 바라보았다. 의장석 앞에 선 비아스는 닐렀다.

〈의장님. 마호가니 군단의 군단장인 마케로우 가문의 비아스 마케로우입니다. 연설을 할 수 있도록 허락해 주십시오.〉

이세리도 의장은 겨우 한 마디를 니를 수 있었다.

〈감히 남자를!〉

비아스는 잠깐 동안 그게 무슨 뜻인지 알 수 없어 어리둥절해졌다. 그러나 벽에 붙어선 병사들 사이에서 사나운 미소에 해당하는 감정들이 흘러나오자 비아스는 이세리도 의장의 니름이 무슨 뜻인지 깨달았다. 비아스가 데려온 병사들 중에는 남자들이 상당수 섞여 있었다. 비아스는 이세리도 의장이 병사들을 데리고 입장한 것을 탓하는 대신 남자를 데려온 것을 탓하는 것이 꽤 재미있다고 생각했다.

〈글쎄요. 의장님. 군단에서 남자들에게 지휘를 받아온 저는 의장님의 니름을 이해하기 어렵군요.〉

〈그들은 수호자들이잖은가! 여신의 신랑들이야!〉

〈여신의 간수지요.〉

〈뭐라고?〉

〈여신의 간수라고 했습니다. 여신의 납치자라는 호칭 또한 가능할 것 같습니다.〉

의원들은 당황의 니름들을 쏟아내었다. 그리고 벽에 붙어 있던 병사들 또한 엄격한 자세를 유지하고 있었지만 비아스의 니름에 놀란 표정까지는 감추지 못했다.

하지만 몇몇 의원들은 놀라는 대신 긴장된 표정으로 비아스를 바라보았다. 비아스는 그들 가운데서 콘수마 발텐의 모습을 발견할 수 있었다. 콘수마는 비아스의 요구대로 몇몇 의원들을 회유하는 것에 성공한 것이다. 의원들의 반응을 확인한 비아스는 웃으며 의장석을 돌아보았다. 이세리도 의장은 비아스를 뚫어지게 바라보았다. 비아스는 닐렀다.

〈제 언니를 통해 의회 개회를 요청한 것은 바로 그런 사실들을 설명드리기 위해서였습니다. 여러분들은 발자국 없는 여신의 실종에 대한 알려지지 않은 사실들을 꼭 알아야 합니다.〉

그리고 비아스는 의장의 허락도 받지 않은 채 연단에 올랐다. 최초의 혼란이 사라진 지금 이세리도 의장은 이미 비아스를 저지하거나 할 수 없다는 것을 깨달았다. 그녀의 병사들이 사이커를 든 채 평의회장을 장악하고 있는 상황에서 '허락을 받고 연설하라.'고 요구하는 것은 웃음거리가 되는 것을 자초하는 일에 지나지 않을 것이다. 다른 의원들 또한 같은 사실을 깨달았다. 또한 비아스가 니른 심상치 않은 니름들 또한 그녀들을 제자리에 앉아 있게끔 만들었다. 그래서 이세리도 의장과 의원들은 비늘을 눕히려 애쓰며 비아스의 니름에 주의를 기울였다.

모든 청중들의 주의가 집중되었지만 비아스는 쉽게 니를 수 없었다. 그녀는 그것이 너무도 좋았다. 모든 사람들이 그녀만을 바라보며 그녀의 니름을 기다리고 있는 상황은 그녀를 무한히 행복하게 했다. 생각 같아서는 그 상황을 끝없이 즐기고 싶었다. 하지만 비아스는 심장탑 근처에서 기다리고 있을 쥬어를 생각하지 않을 수 없었다. 애석한 마음을 억누르며 비아스는 빠르게 닐렀다.

비아스의 설명이 끝나자 의원들은, 그리고 병사들은 모두 합의하기라도 한 것처럼 정신을 닫아버렸다. 이세리도 의장을 비롯하여 모든 의원들은 그 경악할 만한 내용이 던져준 충격에 그런 대응을 보일 수밖에 없었다. 소메로 마케로우만은 비아스에게 계속 눈길을 보내며 니름을 걸려 애썼다. 하지만 그녀의 니름이 뻔한 것이리라 생각한 비아스는 언니의 시선을 무시했다. 의원들과 병사들이 모두 사태를 이해했다고 생각한 비아스는 천천히 닐렀다.

〈우리들이 그토록 찾아헤맸던 여신께서는 바로 우리 곁에 갇혀 계셨던 겁니다. 그분이 우리들의 눈 어두움을 얼마나 탓하셨을까요. 따라서 우리가 취할 행동은 자명합니다. 존경하는 의원 여러분. 저들 간특하고 어리석은 수호자들이 스스로의 분수를 모르고 일으킨 끔찍한 사태를 바로잡아야 합니다.〉

비아스는 열렬한 찬성이 일어나지 않는다는 사실에 실망하지는 않았다. 이미 콘수마 발텐의 반응을 경험했기 때문이다. 가주들과 그녀의 대리인들은 군대가 북부로부터 거둬들이는 부의 감소를 생각하며 걱정스러운 낯빛을 지어보였다. 그런 그들을 향해 비아스는 준비했던 미소를 보내주었다.

〈물론 지금 당장 여신을 풀어드릴 필요는 없습니다.〉

의원들은 넋이 나간 얼굴로 비아스를 바라보았다. 가공할 충격이 평의회장을 휩쓸고 지나갔다. 그 충격의 진원지에서 비아스는 모의자의 미소를 지어보였다.

〈우리는 여신께서 수호자들에게 억류되어 있는 사태를 시정해야 합니다. 하지만 전쟁이 한창인 상황에서 당장 여신의 힘을 포기하는 것은 절대로 현명한 결정이 아닙니다. 더군다나 북부군이 이곳을 향해 진격해 오는 상황에서 우리들의 가장 강력한 무기를 포기하는 것은 어리석기까지 합니다.〉

의원들 가운데서 콘수마 발텐이 조심스럽게 손을 들었다. 기다리고 있던 일이지만 비아스는 마치 기대하지 않았다는 듯한 표정으로 콘수마를 바라보았다.

〈그렇다면, 마케로우. 당신이 니르고자 하는 바는 뭡니까?〉

〈심장탑을 점거해야 합니다.〉

〈여신을 풀어드리지 않을 거라면 심장탑을 왜 점거해야 합니까?〉

〈그곳에는 심장병이 있기 때문입니다. 수호자들의 심장병 또한 보관되어 있지요. 우리는 수호자들에게 보다 나은 통찰력을 받아들일 수 있도록 강제할 수단을 얻어야 합니다.〉

의원들은 어리둥절한 표정으로 서로를 바라보았다. 비아스는 빠르고 단호하게 닐렀다.

〈여러분들은 심장 파괴라는 니름을 들어보셨습니까?〉

비아스의 두 번째 설명은 훨씬 빠르게 끝났다. 그리고 두 번째 설명이 야기한 혼란과 충격은 먼젓번과는 비교도 하기 힘든 것이었다. 의원들은 발자국 없는 여신이 수호자들에게 감금되었다는 사실보다 자신들의 목숨이 수호자들에게 좌지우지될 수 있는 것이라는 사실에 더 큰 충격을 받은 것이다. 병사들 또한 심장을 적출한 것은 마찬가지였기에 의원들과 분노를 공유할 수 있었다. 비아스는 그들이 통제하기 힘들 정도의 혼란을 일으키기 직전에 단호하게 닐렀다.

차츰 의원들은 비아스의 니름을 이해했다. 비아스의 계획은 단순했다. 비아스는, 다른 자들이 그렇게 오해하도록 유도했지만, 결코 여신을 풀어주는 것을 원하지 않았다. 대신 심장탑을 점거함으로써 심장 파괴라는 강력한 무기를 얻기를 원하고 있었다. 그리고 그것이 의미하는 바는 의원들 모두에게 분명했다. 심장병을 손에 넣었음으로써 그들은 수호자들, 여신의 힘을 자유로이 사용하는 수호자들을 통제할 수 있게 되는 것이다. 마침내 그녀들의 얼굴에 만족감이 피어올랐다. 콘수마 발텐은 완전히 매혹된 표정을 지어보이며 닐렀다.

〈그렇다면 어떻게 해야겠습니까, 비아스 마케로우?〉

〈여러분들이 나설 필요는 없습니다. 저는 이미 병사들을 준비해 두었습니다. 저는 여러분들의 동의와 허락을 얻고자 이렇게 찾아온 것입니다.〉

의원들이 당혹과 불쾌감을 느낄 여유는 없었다. 콘수마 발텐이 비아스의 준비성과 겸손함에 대해 아낌없는 찬사를 보내었고 그 찬사는 다른 자들의 동의를 요구하는 종류의 것이었다. 모든 의원들이 콘수마의 예를 본받았다.

다만 소메로 마케로우만은 불안한 표정으로 비아스를 바라보았다. 그녀를 아는 대부분의 사람들에게 덕밖에 가지고 있지 않다는 평을 받는 여인이지만 소메로는 그곳에서 비아스를 가장 잘 아는 사람이기도 했다. 그래서 소메로는 비아스가 무엇을 원하는지 꿰뚫어보았다.

'그러니까, 비아스. 내 동생아.' 연단에 선 비아스는 실로 빛나고 있었다. 소메로는 한없이 어두워지는 기분으로 생각했다.

'심장 파괴는 우리가 가지게 되는 것이 아니지? 네가 가지게 되는 것이지? 그리고 저 여자들이 그것을 방해하지 못하게 하려고 이렇게 찾아와서 그들을 오해하도록 만드는 거지? 네가 자의대로 심장탑을 공격했다면 저 여인들이 가만 있지 않았겠지. 하지만 이제 그녀들은 심장 파괴를 가지게 되었다고, 수호자들을 마음대로 부릴 수 있게 되었다고 착각하며 너에게 칭찬을 보내는구나. 정말 무섭구나.'

자매끼리 통하는 감각 같은 것이었을까. 비아스는 짧은 순간 소메로를 바라보았다. 하지만 그때 소메로는 고개를 떨구고 있었다. 비아스는 그녀의 표정을 보지 못했다. 그리고 언니의 안색을 살필 여유 같은 것은 가지고 있지도 못했다. 비아스는 그녀를 향해 쏟아지는 찬사에 대답하는 것만으로도 정신이 없었다. 소메로는 고개를 떨군 채 카린돌과 죽은 것이 뻔한 어머니 두세나에 대해 생각했다. 참을 수 없는 서러움이 왈칵 일어났다. 그러나 소메로는 자리에서 일어나 비아스를 성토하지 못했다. 카린돌이었다면, 혹 화리트였다면 그렇게 행동했겠지만 소메로는 그럴 수 없었다. 그것이 그녀의 성격이었다.

소메로는 다만 짙은 슬픔 속에서 생각했다.

'예전부터 너는 칭찬을 너무 좋아했지. 그걸 싫어하는 사람이야 없겠지만, 네 경우엔 심했어. 너는 너를 칭찬하지 않거나 반대로 경멸하는 사람은 죽여버릴 만큼 싫어했지. 지금 빛나고 있구나. 동생아. 순진하게 즐거워하고 있구나. 그것을 되도록 즐기길 바라. 나는 우리가, 마케로우가 파국으로 수렴되고 있다는 느낌밖에 받을 수 없으니.'

공회당 쪽에서 달려오는 병사를 보자마자, 쥬어는 그것이 기다리던 신호임을 직감했다. 그래서 쥬어는 병사의 도착을 기다리지 않고 곧장 쇠망치를 뽑아들었다. 그와 흥정을 하며 상대를 거의 녹여버렸다고 자신하던 방물장수는 기겁하며 물건값을 깎아주겠노라고 닐렀다. 물론 쥬어는 그 호의에 대해 아무런 감사 표시도 하지 않았다.

다른 손으로 소드락을 꺼내들며 쥬어는 강력한 니름을 토했다.

사방의 골목길과 대로에서 기다리고 있던 병사들이 일제히 심장탑을 향해 돌진했다.

하텐그라쥬 시민들은 당혹할 겨를도 없었다. 병사들은 소드락을 복용하고 돌격했다. 따라서 극히 짧은 시간이 지났을 때 심장탑은 병사들에 의해 완전히 포위되었다. 쥬어는 특별히 선별해 둔 돌격조와 함께 심장탑의 정문 앞에 도달했다. 쥬어는 신호를 보냈고 그 즉시 돌격조는 심장탑 안으로 뛰어들었다.

심장탑 안에는 아무도 없었다. 쥬어는 약간 당황했지만 주저 없이 계단을 뛰어올랐다. 길고 지긋지긋한 계단임을 알고 있기에 쥬어와 돌격조는 모두 소드락의 효과가 사라지기 전에 수호자들을 모두 체포해 버릴 생각이었다. 10층에 오를 때까지 쥬어는 자신이 여신을 구출해 내는 영웅이라는 가없는 믿음을 견지하고 있었다. 그래서 쥬어는 비아스의 당부를 무시할 계획이었다. 비아스는 그녀 자신이 도착할 때까지 냉동 장치를 함부로 건드리지 말라고 그에게 닐렀다.

'당신이 영웅이 되고 싶은 거지? 홍. 그럴 거라면 왜 평의회 따위에 간 거냐? 여자들끼리 다 해먹겠다는 수작이겠지만, 비아스. 그렇게는 안 될걸.'

쥬어는 가슴 가득히 치밀어오르는 통쾌함에 비늘을 부딪쳤다. 지나치게 홍분한 탓에 쥬어는 탑이 진동하고 있다는 사실을 좀 늦게 깨달았다. 12층에 도달했을 때 쥬어는 마침내 그 진동을 깨달았다. 돌격조의 다른 나가가 그를 붙잡아 세웠기 때문이다.

〈이상합니다. 탑이 진동하고 있습니다.〉

소드락의 효과 지속 시간이 줄어들고 있었지만 쥬어는 어쩔 수 없이 걸음을 멈췄다. 벽에 손을 짚어본 쥬어는 그 니름이 사실이라는 것을 알게 되었다. 심장탑은 기묘한 진동을 일으키고 있었다. 쥬어는 청력에 집중해 보았다.

쥬어의 온몸에서 비늘이 솟구쳤다.

〈내려가! 내려가!〉

쥬어의 니름이 끝나자마자 다른 돌격조원들도 그 소리를 들었다. 심장탑 저 높은 곳에서 무시무시한 소리가 아래로 치달아오고 있었다. 몸을 돌리기 직전, 그들은 자신들을 향해 다가오는 소리의 정체를 목격했다.

실로 교묘한 솜씨였다. 심장병이 보관된 벽감을 강타할 정도로 높지는 않았지만 계단을 걸어올라오는 나가들을 휩쓸어버리기에는 충분한 크기의 파도가 계단을 타고 쇄도해 오고 있었다. 쥬어는 이미 도망치는 것이 불가능함을 깨달았다. 눈으로 보지 못했지만, 쥬어는 심장탑의 저 까마득한 꼭대기에서 무슨 일이 일어나고 있는지 분명히 알 수 있었다. 밖에서 들려오는 아스라한 니름이 그의 추측을 뒷받침했다.

200미터라는 무시무시한 높이에 고독하게 서서, 수호자 세리스마는 광대한 하텐그라쥬를 둘러싼 키보렌과 그 하늘로부터 습기를 가차 없이 끌어모으고 있었다. 구름이 그에게 호응하여 움직였고 광포하게 치달아 하텐그라쥬의 하늘을 시커멓게 뒤덮었다. 살아 꿈틀거리며 몰려드는 구름의 모습에 하텐그라쥬의 시민들은 넋을 잃거나 공포의 니름을 토했다.

세리스마는 그 구름에서 비를 뽑아내어 심장탑에 집중시키고 있었다. 비는 그대로 200미터의 높이를 타고 흘러내리며 격류가 되었다.

제14장

혈루(血淚)

극연왕 6년, 칼리도에 한 어르신이 출현했다. 자신의 이름을 수수께비라 칭한 이 어르신은 칼리도 사람들을 상대로 한 수수께끼를 내었다. 그리고 수수께끼를 맞추는 자에게는 막대한 보상을 하겠다고 약속했다. 수수께끼의 내용은 단순했다. '신을 잃은 종족은 누구인가.' 대답은 분명했다. 사람들은 모두 '두억시니'라고 대답했다. 하지만 수수깨비는 그 대답이 틀렸다고 말했다. 그리고 수수께끼에 응했다가 틀린 사람들을 괴롭혔다. 어르신은 사람들에게 실질적인 피해를 줄 수는 없지만, 한밤중에 잠을 깬 사람이 천장에서 자신을 내려다보고 있는 4미터 크기의 얼굴을 보게 되면 그것도 대단한 피해라고 할 수 있다. 수수깨비는 그렇듯 사람을 기겁하게 만드는 장난으로 칼리도 사람들을 괴롭혔다. 지쳐버린 사람들은 수수깨비에게 인간, 도깨비, 레콘, 나가 등 닥치는 대로 선민 종족의 이름을 주워섬겼다. 하지만 수수깨비는 설명을 요구했고 아무렇게나 대답한 말에 설명을 덧붙일 수 있는 사람은 없었다. 수수깨비의 장난은 점점 심각해졌고 그 대상은 모든 칼리도 사람들에게로 확대되었다. 더 견딜 수 없게 된 칼리도 사람들은 수수깨비를 쫓아낼 방도를 고려했다. 하지만 어떤 접촉도 할 수 없는 어르신을 쫓아내는 방법은 근처의 도깨비를 모두 쫓아버리는 방법뿐인데, 당시 칼리도에는 꽤 많은 수의 도깨비가 살고 있었고 그들 모두를 쫓아낸다는 것은 불가능한 일이었다. 그 시기는 아직 대확장 전쟁의 초기였고 훗날의 모습과는 달리 많은 도깨비들이 세상에 흩어져 살던 시절이었다. 그 무렵, 괴로워하던 칼리도 사람들에게 극연왕이 왕의 특사를 파견했다는 소식이 들려왔다. 칼리도 사람들은 황송해하면서도 당황했다. 그들은 전쟁이나 반역 같은 국가적 재난도 아닌 상황에서 왕의 특사가 온다는 것은 격에 맞지 않는다고 생각되었다. 하지만 경기를 일으키는 아이들의 어머니들과 사흘에 한 번 꼴로 기절해야 했던 처녀들은 왕의 결정을 크게 반겼다. 하지만 막상 도착한 왕의 특사는 칼리도 사람들을 또다시 당황하게 만들었다. 도착한 것은 레콘이었다. 레누카라는 이름의 그 레콘은 극연왕이 훗날 4대 경이라 불리워진 건설을 하던 도중 왕의 친구가 된 자였다. 사람들은 수수께끼를 푸는 일에 왜 레콘이 온 것인지 이해할 수 없었다. 또한 제아무리 레콘의 용맹이 출중하다 하더라도 물질적인 피해를 줄 수 없는 어르신에게 그것이 무슨 소용인지도 알 수 없었다. 하지만 칼리도에 도착한 레누카는 별다른 설명없이 곧장 수수께비를 찾아갔다. 수수께비는 레누카에게도 같은 수수께끼를 내었다. 레누카는 지그시 수수께비를 바라보다가 벽력처럼 외쳤다.

"꺼―져―라―!"

수수깨비는 사라졌고 다시는 돌아오지 않았다. 레누카는 어처구니없어하는 칼리도 사람들을 내버려둔 채 왕에게로 돌아갔다. 레누카가 돌아가고 나서 얼마 후 기이한 풍문이 나타났다. 수수깨비가 사라진 직후 레누카가 혼잣말로 '그래. 두억시니는 아니지.'라고 중얼거린 것을 들은 사람이 있다는 풍문이었다. 하지만 그 소문은 사실로 확인되진 않았다. 그리고 칼리도 사람들에겐 다른 고민거리가 남겨졌다. 아무도 그 정답을 말하지 못했기에 칼리도 사람들은 수수깨비가 어떤 보상을 할 작정이었는지 알 수가 없었다.

— 칼리도 지방의 오래된 민담 中

키준 산맥의 바이소 계곡, 박명조차 요원한 꼭두새벽이었지만 계곡 바닥에선 몇 개의 횃불이 부산하게 움직이고 있었다. 꽤나 바빠 보이는 횃불들은 이리 뛰고 저리 돌고 제자리에 가만히 서 있을 때마저 까딱거려 뭔가 상당히 분주한 일이 일어나고 있음을 웅변적으로 나타내고 있었다.

그들 가운데 커다란 횃불을 움켜쥔 채 정신없이 뛰어 다니는 한 사내가 있다. 인간의 모습을 하고 있지만 정신없이 달리는 꼴은 도깨비요, 사람들에게 뭔가를 을러대는 형상은 영락없이 레콘이다. 그에게 필요한 것은 나가의 침착함일 듯하지만 아쉽게도 그런 미덕은 함양하지 못한 듯하다. 사내는 지금도 머리카락이 곤두설 정도로 흥분하여 한 동료를 다그치고 있었다.

"날이 벌써 밝아오고 있잖아! 도대체 왜 안 나타나는 거냐?"

질문을 받은 사내는 어처구니없다는 듯이 동쪽 하늘을 바라보았다. 별은 새파랗게 빛나고 있었고 그 빛이 묽어지는 징조는 어디서도 보이지 않았다.

"기다려 보쇼, 롭스. 그리고 날이 밝는 문제에 관해서라면, 좀 여유를 가지고 이야기해도 될 것 같은데. 아직 별이 새파랗소."

동쪽 하늘을 돌아본 롭스는 사내의 말에 동의할 수밖에 없었다. 하지만 초조함은 쉽게 사라지지 않았다.

　"제기랄, 그 빌어도 못 먹고 뱉어야 할 도르래가 제때에 도착하지 않으면 만사휴의란 말이다. 다음 하늘치는 몇 개월이나 기다려야 해. 그때도 나가들이 없을 거라고 누가 보장하냐?"

　사내는 '빌어도 못 먹고 뱉어야 할' 물건은 '빌어먹을' 물건보다 얼마나 나쁜 것인지 생각하며 대답했다.

　"때 되면 도착할 거요. 그놈도 바이소 계곡으로 오라고 말하니 정말 좋아했소. 꼭 가지고 올 거요."

　롭스는 끙 하는 소리를 내며 입을 다물었다. 그의 초조함은 특출한 것은 아니다. 그곳에 모인 사내들 모두 내심 초조함과 긴장을 짙게 맛보고 있었다.

　그들은 하늘치 유적 발굴대였다. 하늘로 오르는 그 형태에서부터 땅속으로 파들어가는 보통의 발굴과는 상이한 하늘치 발굴은, 오늘 그 속도에서도 전무후무함을 강조해 보일 예정이었다. 롭스의 계획에 따르면 발굴은 겨우 여섯 시간 만에 완료될 것이다. 계획은 대충 이러하다. 먼저 세상 곳곳에 흩어져 있던 발굴자들이 각자의 장비를 챙겨들고 새벽에 바이소 계곡에 모인다. 그리고 일출 전까지 장비 설치를 마칠 것이다. 롭스는 일출 후 한 시간 후쯤에 하늘치가 나타날 것이라 예견했다. 미리 준비하고 있던 발굴대는 하늘치가 나타나자마자 벼락같이 그 등에 오르는 것이다. 그 속도만 놓고 본다면 발굴이 아닌 도굴의 속도다. 하지만 발굴 대상이 고정된 것이 아닌 움직이는 것이며, 나가의 준동 때문에 북부를 오가는 것이 위험해진 상황에서 롭스는 쓸데없는 시간의 낭비는 완전히 무익하다고 판단했다.

　다행히 유적 발굴자들은 모두 해당 작업의 경험을 충분히 가지고 있는 자들이었기에 작업은 신속했다. 롭스가 짜증을 부리고 안달을 내는 것도 그들에게 별로 지시할 것이 없었기 때문일지도 모른다. 하지만 롭스는 곧 자신의 짜증이 그들을 방해하고 있다는 것을 깨달았다.

　"도르래 도착하면 알려줘. 좀 쉬어야겠다."

"엊저녁에 왔죠? 쉬는 게 아니라 눈 좀 붙이는 편이 좋지 않겠소?"

어젯밤 발굴자들 중 가장 먼저 바이소 계곡에 도달했던, 그리고 그때부터 도착하는 동료들에게 반가움의 인사를 건네다가 시간이 지남에 따라 초조감에 짜증을 부리고 있던 사내는 고개를 가로저었다.

"잠이 오냐? 이런 상황에서?"

상대방은 피식 웃어버렸다.

나가들의 진격은 키준 산맥까지 이르지는 못했다. 하지만 대부분의 발굴자들이 고향의 안위를 걱정하게 되었다. 일반적인 유적들처럼 한자리에 가만히 있는 것이 대상이라면 그것을 꾸준히 파들어갈 수도 있겠지만 하늘치 유적 발굴은 하늘치가 바이소 계곡을 통과하는 짧은 시간 동안만 가능하기에 무턱대고 기다릴 수도 없는 노릇이었다. 롭스는 상황을 인정하고 발굴대의 해산을 명령했다.

군령자인 롭스에게 특별히 돌아가고 싶은 고향 같은 것은 없었다. 충분한 고민 끝에 롭스는 규리하 지방으로 방향을 정했다. 규리하는 차가운 북쪽 땅이고 그 땅의 사람들은 강맹하다. 규리하에 도달한 롭스는 손수 오두막을 지은 다음 사냥과 채집으로 먹거리를 장만했다. 군령자는 당연히 팔방미인일 수밖에 없고 그들 대부분은 아침에 알몸으로 세상에 던져져도 저녁엔 옷가지와 잠자리와 다음 날 아침에 먹을 것을 준비해 둘 수 있는 수완 좋은 자들이다. 롭스는 어려움 없이 규리하에 정착했다. 그리고 자신의 기록을 검토하고 군령들과 노닥거리며 전쟁이 끝나기를 참을성 있게 기다렸다.

보름쯤 전, 나가들이 전선 전체에서 물러나고 있다는 소식을 전해 들었을 때 기뻐하는, 혹은 의문스러워하는 사람들 사이에서 롭스는 두 번 생각하지도 않고 자신의 기록들을 챙겨들었다. 그리고 롭스는 당장 쓸 몇 가지 물건 이외에 나머지 재산을 모조리 알고 지내던 나무꾼에게 넘겨주었다. 잘 만들어진 오두막과 막대한 저장 식량, 그리고 질 좋은 모피들을 얻게 된 나무꾼은 롭스의 작은 부탁을 쾌히 들어주었다. 전 발굴 대원에게 보내는 서한들을 발송하는 일을 나무꾼에게 떠맡긴 롭스는 규리하에 도착했을 때처럼 간편한 차림으로 그곳을 떠났다. 그리고 긴 시간을 걸어 바이소 계곡에 도달했다.

모든 기록을 검토하여 하늘치가 오늘 바이소 계곡을 지나칠 것을 예견하고 발굴 대원들에게 소환 명령을 보낸 사람은 롭스였지만 당장 그에겐 할 일이 없었다. 대원들은 익숙한 과정들을 밟아나가고 있었고 그들에겐 어떤 종류의 참견도 필요 없었다. 다행히 그곳에는 롭스 이외에 당장 할 일이 없었던 사람이 한 명 더 있었다. 롭스는 그 사람에게 다가갔다.

"스님. 춥지 않으십니까?"

화톳불 곁에 앉아 있던 오레놀 대덕이 고개를 들었다. 대덕은 롭스를 보자마자 눈을 비볐는데, 아무래도 졸고 있었던 기색이다. 하지만 오레놀은 곧 정신을 차렸다.

"아직 날이 밝진 않았군요. 일출 후 한 시간쯤에 시작된다고 하셨지요?"

롭스는 그렇다고 대답한 다음 횃불을 땅에 거꾸로 꽂아 불을 껐다. 오레놀의 곁에 앉은 롭스는 초조함을 감추지 못하는 목소리로 말했다.

"큰일입니다. 도르래를 가져와야 할 녀석이 아직 도착하지 않았습니다. 연은 조립을 다 끝냈고 말들도 준비되었는데, 도르래가 없어서 연결을 못 하고 있습니다. 어쩌면 시험 비행을 해 볼 시간이 없을지도 모르겠습니다."

오레놀은 당신들이 언제부터 그렇게 꼼꼼하고 계획성 있었던 사람들이었냐고 말해 주고 싶은 것을 꾹 참았다.

"옛날에 여러 번 연습해 보았으니 괜찮지 않을까요?"

"연에 탈 녀석들이야 여러 번 이 짓을 해봤으니 상관없습니다만, 문제는 연입니다. 조립이 제대로 되었는지 알아보려면 가볍게 날려봐야 합니다. 하늘치 배 아래에서 연이 부서지기라도 하면 저는 실망 때문에 두억시니가 되고 말 겁니다."

오레놀은 빙긋 웃었다.

"사실 저는 놀랐습니다."

"놀라다니요?"

"참관하러 오라는 서한을 받고 오긴 했습니다만, 보나 마나 당신에게 위로나 건

네고 돌아가는 것이 고작일 거라 생각했습니다. 아무도 안 올 거라고 믿었지요. 세상이 이렇게 각박하고 무서운데 하늘치 등 위에 올라가 본다는 목적 때문에 위험한 길을 찾아오실 분이 몇 명이나 있을지 의심스러웠습니다. 그런데 어젯밤부터 지금까지 보고 있으니 제 예상이 완전히 틀렸더군요."

"나가들이 남쪽으로 물러갔잖습니까. 모르십니까?"

"그건 알고 있습니다. 제 말은 그런 뜻이 아닙니다."

오레놀은 생존 자체가 최우선의 목적이 되고 있는 이 험악한 북부 땅에서 꿈을 이루려고 모여드는 사람이 있을 거라고는 생각하지 못했다. 그것이 아무리 반나절 동안의 전격적인 발굴이라 하더라도 이곳에 모여들기 위해 사람들이 소비해야 되는 시간은 결코 짧지 않다. 또한 그들이 포기하거나 잠시 방기해 두었어야 할 일들 또한 작지 않을 것이다. 모든 것을 훌훌 털어버리고 떠날 수 있는 롭스 같은 자가 예외적인 경우일 뿐, 대부분의 사람들에겐 하루를 버티는 것이 힘든 시기일 것이다. 오레놀은 그런 생각을 어떻게 표현할지 잠시 고민했다.

오레놀이 간신히 괜찮은 말을 떠올렸을 때 어둠 저편이 갑작스레 소란스러워졌다.

롭스는 벌떡 일어나 달려갔고 오레놀 또한 몸을 일으켰다. 롭스를 향해 걸어가던 오레놀은 잠시 후 그의 환호를 듣게 되었다. 횃불이 모여든 곳에 도착한 오레놀은 큼직한 달구지를 보게 되었다. 그 옆에는 한 남자가 흥분한 투로 외치고 있었다.

"그 썩을 주인놈이 때려죽여도 달구지 못 주겠다잖아. 저 도르래들을 들고 가라는 말이냐고 물었더니 뭐라고 했는지 알아? 나보고 미쳤대. 정작 미친 놈이 누군데? 나 떠나고 나면 어차피 이 달구지 쓸모도 없단 말씀이야. 그 녀석 달구지가 두 개거든. 4년 동안 일해 준 새경 대신에 이걸 받겠다고 말한 내가 은인인데 도대체 무슨 미친 지랄을 부리는 건지. 결국 내 돈 주고 사왔어."

"새경도 안 주고 거기에 달구지 값을 받았다고? 그자식 완전히 나가 같은 놈일세."

"흥. 그래도 염치는 있는지 반값만 받더라."

"그런데 새경도 안 받았는데 반값이나 줄 돈은 어디서 난 거냐?"

"같이 머슴살이 하던 친구들이 상당히 협조적이었지."

"노름했구나. 그런데 너 떠날 땐 달구지 가지고 있었잖아. 도르래 싣고 떠났으니까. 그건 어떻게 됐는데?"

"말 마라. 그거 사라진 것이 4년 전이다. 주막에 밥값 대신 줘버렸다. 그러고 나니 그냥 그 마을에 죽치고 있는 수밖에 없더라고. 저 도르래들을 어떻게 움직일 수가 있어야지. 그래서 그 짜증나는 주인놈 집에서 4년 동안 머슴살이 해야 했지. 야야, 말하면 가슴 아프니 이거 내리는 거나 도와다오."

사내들은 사납게 웃으며 도르래를 끌어내렸다. 거대한 연을 지탱하기 위한 도르래들인지라 여간 우악스러운 물건이 아니었다. 사내들은 낑낑거리며 그것을 옮겼다. 놓일 자리는 미리 다져져 있었고 사내들은 곧 말뚝을 가져와 그것들을 고정시켰다.

그 과정을 바라보며 오레놀은 조금 전 느꼈던 기분을 다시 느꼈다. 오레놀은 그저 도르래 하나를 간수하기 위해 4년 동안 머슴살이를 하다가 아무것도 얻지 못한 채 돌아와서도 웃을 수 있는 사람이 어떤 사람인지 알 수 없었다. 나이가 적다면 모를까, 마흔은 되어 보이는 사내가 그런다는 것은 오레놀로서는 이해하기 힘들었다.

물론 하늘치의 등 위에서 믿을 수 없는 보물이 나올 수도 있지만, 그저 그 높은 곳의 전경이나 구경한 다음 빈손으로 내려와야 할지도 모른다. 거기 올라가 본 자가 아무도 없기에, 게다가 그것이 무엇인지 아는 사람도 없기에 하늘치 유적에서 그들이 맞닥뜨리게 될 것이 무엇인지는 아무도 짐작할 수 없다. 오레놀은 문득 이들에게 주의를 주어야 한다는 충동을 느꼈다. 이들이 혹 성공하더라도 아무것도 얻지 못한다면 엄청나게 실망할 것이다.

그러나 적당히 말을 건넬 기회를 기다리던 오레놀 대덕은 아무도 보물이나 재화에 대한 이야기를 하지 않는다는 것을 깨달았다. 바이소 계곡에 모여든 사람들은 모두 하늘치 등에 올라간다는 사실에 대해서만 관심이 있는 것처럼 보였다. 오레놀이 뭔가 말을 붙여보기도 전에 어느새 도르래와 연, 말들, 그리고 밧줄들이 연결되었다. 그들은 밧줄이 엉키지 않도록 늘어놓느라 신경이 잔뜩 곤두서 있었고 근처에 다가갔다가는 조언자는커녕 훼방꾼 취급을 당하기 십상인지라 오레놀은 멀찌감치 떨어져 있어야 했다.

마침내 모든 준비가 만족할 만한 수준으로 이루어지자 롭스는 안도의 한숨을 내쉬며 동쪽 하늘을 바라보았다. 오레놀은 그가 하는 말을 들었다.

"어떻게 한 번쯤 시험 비행을 해 볼 수 있을 것 같기도 하다만, 그건 그냥 포기하자. 지금부터 밥 지어먹는 쪽이 낫겠다. 배가 고파서는 큰 일 못하지."

열심히 일하던 사내들은 군말 없이 삭정이를 모으러 떠났다. 몇 명은 음식을 꺼내어 조리할 준비를 갖추었다. 롭스는 이마의 땀을 닦으며 오레놀에게 다가왔다.

"스님. 시장하시죠? 식사 준비가 될 동안 곡차라도 한잔하시겠습니까? 그걸 들고 온 녀석이 있군요."

오레놀은 도저히 질문하지 않을 수 없었다.

"여기에 음식을 가져오기 위해 모든 일을 팽개치고 온 분도 있는 겁니까?"

"예? 어, 그런 셈이지요."

"롭스. 지금 벌어지고 있는 전쟁이 어쩌면 북부의 멸망으로 끝나게 될지도 모르는 거대하고 위험한 것이라는 걸 당신들에게 말해 준 사람이 아무도 없는 겁니까?"

롭스는 히죽 웃었다. 곡차 동이를 찾아내자 그의 얼굴은 더욱 밝아졌다. 사발을 집어들며, 롭스는 지나가는 투로 말했다.

"그러니 북부가 끝장나기 전에 발굴에 성공해야지요."

딱히 대답할 말이 없는 오레놀은 입을 다물었다. 롭스는 곡차를 떠 대덕에게 내밀었고 오레놀은 그것을 받아마셨다.

발굴대의 태도에 대해 비난하고 싶은 생각은 없었지만, 오레놀은 그들처럼 행동할 수는 없었다. 참관하기 위해 이 먼 곳까지 위험한 여행을 떠날 수 있는 사람이 그밖에 없었기에 하인샤 대사원은 대덕을 파견했다. 하지만 이곳에 있어도 오레놀은 하늘치 유적보다는 남쪽에서 벌어지고 있는 전쟁에 대한 생각으로 머리가 가득했다.

물론 사람은 변화하게 마련이다. 한 시간 후, 오레놀은 전쟁에 대해서는 아무 생각도 못 하게 되었다.

차가운 밤하늘을 향해 열기가 치솟아 오르고 있었다.

곁눈으로 보았을 때 사모는 그것을 바위산이라고 생각했다. 조금 후, 사모는 그것이 아마도 화산일 거라 여겼다. 그러나 사모는 그 결론에 만족할 수 없었다. 결국 사모는 그것이 산더미 같은 크기로 치솟아 오르고 있는 뜨거운 공기라는 판단을 내려야 했고, 그 판단에 놀랐다.

환상적인 광경이었다. 밀림에서 하늘을 향해 치뻗은 열기는 차가운 암흑과 뒤섞이며 희미해졌지만 터무니없이 높은 곳에서도 미약하나마 열기를 느낄 수 있었다. 거대하게 꿈틀거리는 열류의 가느다란 가지마저 몇백 미터는 넘을 듯하다.

잠깐 고민하던 사모는 마루나래의 목을 살짝 두드리며 몇 마디 단어를 중얼거렸다. 마루나래는 주위를 둘러보다가 길 비슷한 것을 찾아내었다. 대호는 그곳으로 접어들었고 그 뒤를 따라 스물두 명의 두억시니가 쿵쾅거리며 걸었다.

사모는 숲 속을 흐르는 열기를 보았다. 가까이 다가갈수록 열기는 더욱 짙어졌다. 하지만 사모는 그 열이 불에서 나오는 것으로 생각하기 어려웠다. 어쩌면 시우쇠에게 가까이 온 것일지도 모른다는 생각은 점점 가능성을 잃었다. 하지만 사모는 시우쇠 이외에 무엇이 그토록 놀라운 열기를 발생시키고 있는 것인지 궁금했다.

나가의 시력을 가지지 못한 자라도 피부로 그 열기를 느낄 수 있게 되었을 때 사모는 누군가가 등을 툭 치는 것을 느꼈다. 사모는 뒤를 돌아보았다.

"갈바마리?"

머리 둘 달린 두억시니가 그녀를 바라보고 있었다. 사모는 갈바마리가 왜 등을 쳤는지 깨달았다. 하고 싶은 말이 있었던 갈바마리는 왕에게 청력에 주의를 기울일 것을 촉구하고 있었다. 사모는 그렇게 했다.

"뜨겁다."

"안 좋다."

"잘 모르겠어. 한 번 더 말해 봐."

갈바마리는 잠시 고민하는 듯했다. 그 고민하는 모습은 장관이었다. 양팔의 기다란 뿔이 돋아나와 각자 양쪽의 턱을 긁적거렸다. 갈바마리는 잠시 후 자신 있게 말했다.

"뜨겁다. 안 좋다."

"안 좋다. 좋게 하다."

"미안하지만 이게 내 최선이야. 뜨거우니 접근하지 말자는 거야?"

그녀의 해석은 틀린 듯했다. 갈바마리는 두 팔의 뿔을 모두 꺼내어 진행 방향을 다급하게 가리켜보였다. 사모는 다시 해석했다.

"뜨거운 것은 좋지 않으니 저기로 가서 좋게, 그러니까 뜨겁지 않게 만들자?"

갈바마리는 만족했다. 사모는 마루나래에게 걸음을 재촉하게 하며 왜 뜨거운 것이 좋지 않은지에 대해 고민했다. 그녀의 머릿속에 어떤 해답이 떠오를 무렵, 숲이 사라지며 후끈한 열기가 그들을 엄습했다.

사모가 말하기도 전에 마루나래는 걸음을 멈췄다.

사모가 느낀 첫 번째 인상은 아름답다는 것이었다. 그녀는 지금껏 '뜨거운' 건물을 본 적이 없었다. 온돌이 설치된 북부의 건물들의 경우 방 안에서는 그 열을 볼 수 있었지만 건물 밖에서 열기를 보기는 어렵다. 하지만 그녀의 눈앞에는 불타는 직선과 뜨거운 면들이 건물을 이루고 있었다. 먼 곳에서도 하늘까지 치솟는 열기를 볼 수 있었지만, 정면에 나타난 그 건물은 어둠 속에서 찬란할 정도였다. 건물 전체에서 아지랑이처럼, 혹은 번민처럼 피어오르는 열기는 그것을 마치 알려지지 않은 심해의 괴수처럼 보이게 했다.

꽤 긴 시간이 지난 후에야 사모는 그것의 인상이 눈에 익다는 것을 깨달을 수 있었다. 사모는 다시금 당황했다. 그것은 유해의 폭포가 흐르던 피라미드였다.

〈도대체 무슨〉 "일이 일어난 거지?"

사모는 니르던 것을 도중에 말로 바꿨다. 두억시니들 역시 당황한 듯 규칙 없이 놀라움을 표시했다. 놀라움 속에서 사모는 왜 갈바마리가 '뜨거우니 좋지 않다'고 한 것인지 이해했다. 갈바마리는 이곳이 어디인지 알고 있었고 피라미드가 그토록 뜨겁다는 사실에 걱정을 하고 있었다. 사모는 손을 가볍게 들어올린 다음 피라미드를 향해 조심스럽게 접근했다.

강렬한 첫인상 때문에 깨닫지 못했지만 피라미드까지의 거리는 꽤 멀었다. 거리가 줄어들수록 사모의 불안은 커졌다. 사모는 그 열기가 건물 내부에서부터 전해져 오는 것임을 깨달았다. 거대한 피라미드 전체가 뜨겁게 달구어져 있다면 그 내부의 온도는 상상조차 하기 힘든 수준일 것이다. 사모는 유해의 폭포가 무사할 가능성이 거의 없다고 생각했다.

마침내 사모는 두억시니들과 함께 체념한 심정으로 피라미드 앞에 섰다. 더 이상 다가가기도 어려웠다. 고통을 각오한다면 피라미드 내부까지 들어갈 수도 있겠지만 무의미한 고통일 뿐이었다. 사모는 열을 보지 못하는 두억시니들에게 말했다.

"햇빛이나 외부의 열로 달궈진 것이 아냐. 열은 내부에서 나오고 있어. 두려운 상상이지만, 저 안쪽 가장 깊은 곳에서는 돌이 녹아내리고 있을지도 모르겠어."

갈바마리는 신중한 태도로 사모의 말을 경청했다. 다른 두억시니들은 각자의 방식으로 난처함을 표시하기 위해 각종 부속지들을 기웃거렸다. 사모는 갈바마리를 도와주었다.

"유해의 폭포는 죽었을 거야."

"죽을 수 없다."

"살아 있지 않으니."

갈바마리의 대답에 사모는 고개를 끄덕였다.

"그런가. 하긴 그렇구나. 그런데 너는 슬프지 않은 거야?"

갈바마리는 다시 한참 동안 고민했다.

"슬픈 것인지"

"잘 모르겠다."

"이상하다."

"좋지 않다."

사모 또한 갈바마리의 기분을 어떻게 이해해야 할지 알 수 없었다. 어머니라고 불러야 할까, 그렇지 않으면 본체라고 해야 할까? 그녀가 기억하던 유해의 폭포는 다른 두억시니들을 항상 1인칭으로 지칭했다. 사모는 자신이 유해의 폭포와 여전히 함께 있는 것이 아닌가 하는 생각을 해보았다. 갈바마리는 두 개의 머리로 피라미드를 물끄러미 바라보며 말했다.

"시우쇠 님은"

"가르쳐주었을까?"

"두억시니가 왜"

"신을 잃었는지."

사모는 놀란 표정으로 갈바마리를 바라보았다. 갈바마리는 그녀가 알면서도 생각하고 싶지 않았던 것을 정확하게 지적했다. 피라미드가 통째로 달궈질 정도의 고온은 시우쇠만이 만들어낼 수 있다. 시우쇠는 이곳에, 피라미드에 왔던 것이다.

"그래. 시우쇠 님이 저렇게 하셨겠지. 하지만 왜 그러셨을까? 그리고 저런 일을 하시기 전에 시우쇠 님은 두억시니가 신을 잃은 이유를 가르쳐주셨을까? 아무것도 짐작되지 않는군."

갈바마리는 뿔 달린 두 팔을 높이 들어올렸다. 다른 두억시니들이 모두 돌아보았다. 갈바마리는 크게 외쳤다.

"물어보자."

"물어보자."

두억시니들은 민첩하게 움직였다. 사모는 고개를 갸웃한 채 그들의 모습을 보았다. 두억시니들은 그녀를 중심으로 둔 채 원진을 형성했다. 그리고 서서히 돌기 시작했다. 사모는 그들이 유해의 폭포와 연결할 때의 자세를 취한 것임을 깨달았다. '하지만 그것은 무사하기 힘들 텐데.' 사모는 두억시니들을 말려야 하는 것이 아닌가 하는 생각을 해보았다. 하지만 쉽게 결정을 내릴 수 없었다. 그녀 또한 혹시나 하는 마음을 떨쳐내기 어려웠다. 그래서 사모는 마루나래에게서 내려왔다.

"마루나래. 좀 기다려야겠구나. 배고프지? 사냥하고 와. 그리고 기회가 되면 내 것도 좀 가져다줘."

마루나래는 빙글빙글 돌고 있는 두억시니들을 바라보다가 몸을 훌쩍 날렸다. 단숨에 두억시니들을 뛰어넘은 마루나래는 어두운 밀림 속으로 뛰어 들어갔다.

사모는 쉬크톨을 뽑아들고는 바닥에 앉았다. 그리고 왼팔 위에 쉬크톨을 얹었다.

소임을 다하지 못한 쉬크톨은 여전히 예리했다. 암살자로서, 그리고 왕으로서 사모는 수도 없이 쉬크톨을 휘둘러야 했지만 완전무결한 칼날은 그녀가 처음 그것을 쥐었을 때와 똑같았다. 칼을 잡아당겼을 때 사모는 거의 통증을 느끼지 못했다. 칼날에 피가 묻은 것을 확인한 사모는 그것을 들어 한 방향을 겨냥했다. 곧 손잡이가 따스해졌다.

사모는 칼날 위에 시선을 얹어 손잡이가 따스해진 방향을 바라보았다. 잠시 후 사모는 쉬크톨을 닦아낸 다음 다시 칼집에 꽂아넣었다. 그리고 눈을 감은 채 두억시니의 원무가 끝나기를 기다렸다.

단순한 사고는 때로 매우 복잡하고 엉뚱한 모습으로 발전하는데, 바이소 계곡에서 국 냄비가 쏟아진 사소한 사고 같은 경우가 바로 그러하다. 그 단순한 사고는 한 유적 발굴자로 하여금 약간의 임기응변 능력을 발휘하게 만들었고 결과적으로 장래가 촉망되는 한 대덕을 자포자기 상태로 몰아넣는 매우 특이한 발전 양상을 보였다.

롭스의 제안은 오레놀을 파랗게 질리게 만들었다. 하지만 롭스는 무조건적으로 거부하는 대덕을 끈덕지게 설득했다.

"스님. 스님 이외엔 적임자가 없습니다. 툭 터놓고 말해서, 연에 탈 사람은 좀 멍청해도 된단 말입니다."

"지금 저더러 연에 타라고 설득하는 것 맞습니까?"

"맞습니다. 사실만 말할 거라는 뜻도 되고요. 저 망할 국 냄비가 쏟아지지 않았다면 쉬허츠가 손을 데진 않았을 겁니다. 하지만 쉬허츠는 손을 데었고, 연에 탈 수 없게 되었습니다. 누군가 다른 사람이 연에 타지 않으면 안 됩니다."

"그러면 다른 사람이 타면 되잖습니까. 사람이 없는 것 같지는 않은데요."

"물론 사람들은 있습니다. 그런데 지금 여기에 있는 사람들 중에 연을 타고 저 위에 올라갈 자격이 되는 사람들 대부분은 연에 타는 것보다는 연을 조종해야 하는 사람들입니다. 짐작되시겠지만, 연에 매달려 있는 것보다는 아래쪽에서 말을 달리고 도르래를 조종하는 쪽이 훨씬 중요합니다. 저 위에 올라갈 자격이 되는 사람 중에서 연을 조종하는 것보다 연에 타는 것이 나은 사람은 스님뿐입니다."

"그 자격이라는 것이 도대체 뭡니까? 설마 멍청해야 한다는 것은 아니겠지요?"

롭스는 낄낄 웃었다.

"아니요. 그렇지 않습니다. 그 자격은 첫째, 글을 읽을 줄 알 것. 둘째, 고소공포증이 없을 것입니다."

"두 번째 자격은 이해가 되는데, 첫 번째는 뭡니까?"

"우리는 유적 발굴자입니다. 저 위에 도착한 다음 대문짝만 하게 씌어져 있는 간단한 경고문을 읽을 줄 몰라서 위험에 빠지게 되고 싶지는 않습니다. 물론 저 유적에 우리가 아는 글이 없을 수도 있습니다만, 그래도 모르는 일이지요."

오레놀은 다급하게 연들을 가리켰다

"혹 연 하나가 날아가지 못하더라도 다른 연이 세 개나 있잖습니까?"

오레놀의 지적대로 연은 모두 네 개였다. 하지만 롭스는 고개를 가로저었다.

"세 개뿐이라고 해야 합니다. 최소한 네 사람은 올라가야 합니다. 네 사람이 아니면 소용이 없습니다."

"네? 왜 그렇다는 겁니까? 무슨 미신입니까?"

"천만에요. 미신과는 아무 상관이 없는 문제입니다. 저 위에 도착한 다음 도로 내려오려면 길이가 거의 1킬로미터에 가까운 밧줄을 다룰 수 있어야 합니다. 그렇잖으면 저 위에서 굶어죽는 수밖에 없으니까요. 그런데 저 밧줄이 연줄로 쓰기 위해 만들어진 것이어서 가볍고 질긴 것이긴 하지만 그래도 길이가 1킬로미터라면 그 무게는 엄청납니다. 게다가 하늘치 자체도 움직이고 바람도 방해하기 때문에 세 사람의 힘으로는 다루기 어렵습니다. 티나한 대장이 있다면 그 대책 없는 힘이 있으니 세 명으로 충분했을 테지만, 지금 우리의 경애하는 대장은 이곳에 없습니다. 그러니 네 사람이 올라가야 합니다."

"잠깐만요. 그렇다면 제가 거절하면 시도가 아예 불가능하다는 말인 겁니까?"

"정확하게 요점을 집어내셨습니다. 스님."

오레놀은 난처하다는 얼굴로 롭스의 시선을 피했다. 그리고 소스라치게 놀랐다. 어느새 주위가 제법 밝아졌기에 오레놀은 다른 발굴 대원들을 볼 수 있었다. 그리고 그들 전부는 대덕을 물끄러미 바라보고 있었다. 그 표정이라는 것이 실로 기막힌 것이었는데, 날이 밝아온다는 것이 그들의 초조감을 증대시키고 있음이 분명했다. 말없는 압박감에 대덕은 정신이 혼미해질 지경이었다.

안된 일이지만 대덕에겐 모든 것을 포기하고 오직 하늘치 등에 오르기 위해 달려온 자들을 실망시킬 배짱이 없었다. 주위에서 갑자기 환호가 터져나왔을 때 오레놀은 자신이 무의식 중에 고개를 끄덕이고 만 것을 깨달았다. 기뻐하는 사람들 가운데서 오레놀은 자신이 이렇게 황당하게 죽을 거라는 생각은 한 번도 못 해봤다는 생각만 되풀이했다.

계곡에 모인 사람들 모두가 그를 연에 묶어 죽음의 하늘로 추방하려 안달하고 있는 상황 하에서 오레놀이 '잠깐만'이나 '그러니까', 혹은 '생각해 보니' 등의 말을 할 겨를은 없었다. 오레놀은 전격적으로 옷을 갈아입을 것을 요구받았고 그러자마자 연으로 끌려갔다. 그리고 거기서 롭스로부터 연에 매달릴 때의 주의사항에 대한 쾌속 강의를 들어야 했다. 오레놀은 롭스의 이야기를 거의 이해하지 못했지만 단 한 마디만은 충격적으로 다가왔다.

"엉뚱한 밧줄을 자르면 티나한 대장처럼 추락합니다."

오레놀은 벌벌 떨며 자신이 잘라야 할 밧줄에 표시를 해달라고 애원했다. 롭스는 '칼자국을 내드릴까요.'라고 말해서 오레놀을 폭력적인 충동에 빠져들게 한 다음 낄낄거리며 밧줄 하나에 천조각을 묶어놓았다.

"이 밧줄을 자르십시오."

오레놀은 자신이 기필코 천이 묶이지 않은 밧줄을 자르고야 말 거라는 확신을 느꼈다. '표시를 한다는 것은 보통 중요하다는 의미지. 혼란에 빠진 나는 중요하지 않은 밧줄을 자르려고 할 거야. 그런데 그 밧줄을 자르면 나는 죽는 것이잖아.' 오레놀이 그런 자기 의심에 빠져 있는 동안 사람들은 밧줄과 연, 그리고 말들을 정해진 위치로 끌고 가 버렸다. 그리고 롭스는 오레놀의 연을 지탱하는 사내들과 함께 남아서 말했다.

"스님이 정말 부럽습니다. 전 지휘해야 하기 때문에 올라갈 수가 없지요. 꼭 성공하셔서 저를 끌어 올려주십시오."

입을 열면 승려의 신분에 어울리지 않는 말들이 쏟아져나올 것 같았기에 오레놀은 잠자코 고개만 끄덕였다. 오레놀은 지금껏 굼벵이처럼 흘러가던 시간이 왜 갑자기 빨라진 것인지 이해할 수 없었다. 그가 고개를 돌릴 때마다 동쪽 하늘은 화가 치밀어 오를 만큼 밝아져 있었다. 오레놀은 아직 태양이 보이지 않는다는 사실에 안도하려 했지만 롭스는 그런 희망마저도 날려보냈다.

"여기는 계곡이라서 해가 늦게 뜨지요. 사실 해는 벌써 떴습니다. 곧 하늘치가 나타날 겁니다."

오레놀은 경악했다.

"곧? 곧이라고요? 한 시간 뒤가 아니고?"

"곧 나타납니다."

"다, 당신 일부러 그 사실을—"

"예. 말씀드리지 않았습니다. 쓸데없이 고민할 시간이 길어서 뭣하겠습니까? 아, 옵니다!"

오레놀은 고개를 돌렸고, 4년 전과 마찬가지로 주위에 대한 모든 것을 잊어버리고 말았다.

저편 계곡에서 하늘치의 거대한 모습이 떠오르고 있었다. 하늘치의 출현 아래 장엄함을 뽐내고 있던 키준 산맥은 숨을 죽일 수밖에 없었다. 다가오던 아침은 갑자기 실종되었고 하늘치의 배 아래에서부터 저녁이 되돌아왔다. 그 충격적인 광경을 바라보며, 오레놀은 모든 것을 포기하고서라도 저 위에 올라가려는 사람들이 있는 이유를 알 것 같다고 생각했다.

오레놀은 그런 심정을 표현하기 위해 롭스를 돌아보았다. 하지만 롭스는 조금 전의 자리에 있지 않았다. 당황하여 주위를 둘러본 오레놀은 롭스가 저만치 떨어져 있음을 발견했다. 롭스는 두 손을 입 앞에 모아 외쳤다.

"티나한 대장은 스님을 정말 부러워할 겁니다! 준비하십시오!"

'준비? 준비라니, 뭘? 무엇을? 잠깐. 이거 아무래도 내가 잘못 결정한 것 같아. 내게 이런 일을 시킬 수는 없어.'

갑자기 다가왔던 이해의 감정은 갑자기 떠나갔다. 오레놀은 뭔가 큰 실수가 벌어지고 있다고 생각했다. 오레놀은 그의 연을 지탱하고 있던 사내들을 다급하게 바라보았지만 사내들은 모두 롭스만을 바라보고 있었다. 입을 제대로 움직이지 못하던 오레놀이 가까스로 비명을 내지를 수 있게 되었을 때 롭스는 무자비하게 신호를 보냈다.

"달려!"

"에—하!" 말들이 출발했다. 갑자기 몸이 당겨진 오레놀은 숨이 턱 막히는 느낌에 비명을 도로 삼켰다. 연을 지탱하던 사내들은 무서운 속도로 달렸지만 말의 속도를 따라잡을 수는 없었다. 곧 연은 그들의 손을 벗어났고 사내들은 우당탕 쓰러졌다. 연이 머리를 치고 지나가는 것을 피하기 위한 동작이기도 하다. 그 순간 오레놀은 땅이 발아래로 쑥 내려가는 것을 보았다.

몸이 떠오르고 있었다.

'가지 마!' 땅을 향해 외친, 오레놀의 소리 없는 비명이었다. 헛되이 꿈틀거리는 두 발은 허공을 찰 뿐이었고 땅은 가차 없이 낮아졌다. 오레놀이 고정 장치를 풀고 연에서 뛰어내리려고 마음먹었을 때 이미 연은 뛰어내렸다간 뼈가 박살이 날 속도로 치솟았다. 얼굴을 때리는 바람에 볼이 아파왔고 꽉 깨문 어금니에서는 열이 치솟았다. 사람들이, 계곡이, 마침내 산이 그의 발아래로 내려갔다. 오레놀은 더 이상 당혹할 수도 없게 되었다.

그때 저 아래에서 다급한 신호가 왔다. 룝스가 두 팔을 휘젓고 있었다. 밧줄을 끊으라는 신호가 분명했다. 오레놀은 바람의 압력에 힘겹게 저항하며 단검을 뽑았다. 그리고 대덕은 무서운 고민을 직시하게 되었다.

'어느 밧줄이더라?'

그의 연에서부터 시작되어 저 아래로 까마득하게 사라지는 밧줄은 두 개였고 그중 하나에는 천조각이 묶여 있었다. 정신없이 펄럭거리는 천을 보며 오레놀은 멀미가 일어날 것 같았다.

'이걸 자르라는 표시인가? 아니면, 이걸 자르지 말라는 표시인가? 어느 거였더라? 이런! 천에 글을 적어두는 건데! 어디에도 없는 신이여, 제발! 분명히 말해 줬는데. 들었는데. 칼자국? 칼자국이 무슨 말이더라? 그게 어쨌다는 거지? 아, 그래. 칼자국을 내면 어떻겠냐고 했지. 망할 자식! 아, 이런. 내 죄가 크구나. 용서하십시오. 룝스. 그런데, 젠장! 어느 걸 잘라야 하지? 어느 거야! 어, 너무 늦으면 안 돼! 내가 도대체 뭣 때문에 이러고 있는 거야? 자르자! 빨리 잘라야 해! 잠깐. 그런데, 이게 도르래와 연결된 밧줄이라면?'

오레놀은 밧줄 하나에 단검을 가져갔다. 팽팽하게 당겨지고 있는 밧줄이었지만 질긴 것이라 단번에 잘려지지는 않았다. 조금씩 밧줄을 썰어내며 오레놀은 자신의 목을 조심스럽게 베어내는 기분을 느껴야 했다. 그러나 어느 순간, 밧줄에 가해지는 장력이 한계를 넘었고 단검 아랫부분의 밧줄이 갑자기 사라졌다. 무시무시한 속도로 당겨졌기 때문에 그렇게 보인 것이다. 그리고 남은 부분은 거세게 튕겨져 오레놀의 뺨을 때렸다. 이 어처구니없는 모욕에 오레놀은 갑자기 정신을 차렸다.

"네가 정확한 밧줄이라면, 뺨 때린 것은 용서해 주겠다. 천조각 묶여 있는 밧줄! 그걸 자르는 것이 맞는 거지?"

그것이 맞는 밧줄이었다.

연이 갑자기 뒤로 불쑥 치솟았다. 갑자기 치솟아오른 오레놀은 눈앞이 캄캄해지는 것을 느꼈다. 연은 격심하게 요동쳤고 영원히 솟아오를 것 같았다. 오레놀은 자신이 땅에 떨어지기도 전에 죽으리라 생각했다. 하지만 연은 곧 자세를 회복했다.

겁에 잔뜩 질린 채 눈을 뜬 오레놀은 환희에 찬 외침을 터뜨렸다.

연을 잡아당기던 말 대신 이제 도르래가 연을 떠맡고 있었다. 계곡 아래에 있는 사람들이 개미만 하게 보였지만 오레놀은 그들이 박수를 보내어오는 모습을 본 것 같다고 생각했다. 도르래에 매달린 사내들은 주의 깊게 밧줄을 늦췄다 풀었다 하며 연이 안정적으로 상승하도록 유도하고 있었다. 오레놀은 가슴이 벅찼다.

"날고 있다!"

펄럭거리는 옷이 살갗을 아프게 했다. 귀는 얼얼해지고 눈꺼풀이 무거웠다. 하지만 오레놀은 바람에 의지하여 날고 있었다. 풍경은 기가 막혔다. 키준 산맥 전체가 그의 눈에 들어왔고 아스라한 지평선이 내려앉은 자리로 하늘이 새파랗게 불타올랐다. 때는 아침인지라 태양은 옆에서 비춰오고 있었고 그것마저 오레놀을 행복하게 했다. 어쩌면 그는 조금 더 그 광경을 즐길 권리가 있을지도 모른다. 연에 타고 줄 하나에 의지한 채 산마루 위로 치솟아 오르는 것을 승낙했으니. 하지만 함께 날고 있을 동료들을 돌아보기 위해 시선을 옮긴 오레놀은 하늘치와 눈이 마주치고 말았다.

수사적인 표현일 뿐이다. 하늘치의 눈은 수천 개였고 오레놀을 직시하는 것은 그중 몇 개에 지나지 않았다. 하지만 오레놀이 전무후무한 사건의 피해자로 전락하고 있는 자신을 깨닫기엔 충분했다. '하늘치와 정면 충돌해서 죽은 승려에 대한 이야기는 행자들에게 어떻게 받아들여질까?' 사회학적으로, 심리학적으로, 서사

학적으로, 어쨌든 대단히 흥미로운 질문이었지만, 오레놀은 그 질문에 대한 대답을 고구해 볼 시간이 없었다. 시야의 모든 부분을 가려버리며 박력 있게 다가오는 하늘치는 지나치게 위협적이었다. 산이 갑자기 기지개를 켜고 일어나 발 앞의 도시로 산책을 시작한다면 그 시민들은 지금 오레놀이 느끼는 기분과 비슷한 기분을 느낄 수 있을 것이다. 오레놀은 고함쳤다.

"어떻게 좀 해 줘요!"

오레놀의 외침이 들리지는 않았지만 승려를 하늘치와 충돌시킬 생각이 조금도 없었던 룹스는 주의 깊게 바람을 살폈다. 물론 바람을 볼 수야 없으니 룹스가 본 것은 밧줄과 연의 움직임이었다. 마침내 적당한 순간이 왔다. 룹스는 찢어지는 목소리로 외쳤다. 그러자 도르래에 붙어 있던 사내들이 한꺼번에 손을 놓았다. 도르래들은 불꽃을 튀기며 회전했다. 도르래와 줄다리기를 하던 바람은 갑작스러운 승리에 당황한 것이 틀림없다. 줄이 풀려나며 연이 맹렬하게 치솟았다.

오레놀은 연이 떠오르는 것을 느꼈다. 아래에 있는 자들이 자신을 하늘치의 위쪽으로 올라가게 하려는 의도임을 알 수 있었지만, 오레놀은 그 결심이 늦은 것이 아닌가 하는 의심을 더럭 느꼈다. 분명 빠른 속도로 상승하고 있었지만 하늘치는 너무도 거대했다. 한참을 상승했음에도 불구하고 오레놀은 여전히 하늘치와의 충돌 궤도 안에 있었다. 오레놀이 모든 것을 포기해 버렸을 때였다.

갑자기 하늘이 나타났다.

오레놀은 비로소 거리가 충분히 남아 있었음을 깨달았다. 그는 하늘치보다 더 높은 하늘에 있었고 하늘치의 등 너머로 보이는 하늘은 눈이 시릴 만큼 푸르렀다. 그리고 오레놀은 그 누구도 볼 수 없었던 각도에서 하늘치 유적을 보았다. 거리는 멀었지만 그것은 마치 지평선에 있는 고대의 유적 같았다. 물론 그 지평선은 지상 1,000미터 이상에 있는 좀 특별한 지평선이긴 하지만.

광활한 하늘치의 등을 내려다보던 오레놀은 차츰 착륙에 대해 걱정하기 시작했다. 그는 하늘치의 등에 내려서는 방법에 대해 들었던 것인지 듣지 않았던 것인지조차 알 수 없었고, 특별히 떠오르는 계획도 없었다. 어쨌든 그는 지상 1,000미터 위치에 외롭게 매달려 버둥거리고 있을 뿐이었다.

'설마 고정 장치를 풀고 아래로 뛰어내려야 하나?'

다행히도 롭스는 그보다 나은 계획을 가지고 있었다. 그래서 롭스는, 그리고 그의 지상 동료들은 아무 짓도 하지 않았다. 밧줄을 정확한 순간에 풀었기 때문이다. 그리하여 키준 산맥의 상공에서는 매우 거대하고 극적인 곡예가 펼쳐졌다.

풀려나고 있던 밧줄에 하늘치의 거대한 지느러미가 걸렸다. 그 순간 상승하던 연들은 갑자기 방향을 바꿨다. 급격한 충격에 오레놀은 토할 뻔했다. 간신히 정신을 차린 오레놀은 하늘치의 등이 서서히 가까워지고 있음을 깨달았다. 연줄이 하늘치에게 걸리는 바람에 연은 하늘치의 등을 향해 곤두박질쳤다. 그 속도가 살인적이지 않은 까닭은 아래쪽에서 도르래를 놔버렸기 때문이다. 그래서 연은 계속 풀려나면서 서서히 하늘치의 등으로 다가갔다. 하지만 오레놀은 발 앞으로 미지의 땅이 다가오는 것을 볼 배짱이 없었다. 그는 눈을 감았다.

그리고 연은, 마침내 하늘치의 등 위에 내려앉았다.

깃털처럼 내려앉았다고는 말하기 어려운 착륙이었다.

충격 때문에 오레놀은 잠시 숨을 쉬지 못했다. 거대한 연에 깔린 채 낑낑거리는 것이 고작일 뿐, 오레놀은 아무 행동도 취하지 못했다. 그러나 어떤 조치를 취해야 한다는 것은 분명했다. 계속 밧줄에 매달려 있다면 그는 다시 하늘치의 등에서 끌어내려져 무시무시한 속도로 추락할 것이 뻔하기 때문이다. 오레놀은 일어나기 위해 무진 애를 썼다. 고정 장치를 풀어내려다가 손가락을 부러뜨릴 뻔했지만 오레놀은 간신히 그것을 풀어내고 연 아래에서 기어나왔다.

오레놀은 다른 세 사람이 달려오는 것을 보았다.

세 사람은 연을 내버려둔 채 뛰어오고 있었다. 그들은 달려오면서 고함을 질렀지만 오레놀은 그것이 무슨 의미인지 알 수 없었다. 오레놀은 멍하니 그들의 뒤쪽을 바라보았다. 세 사람의 연은 서서히 미끄러지고 있었다. 밧줄이 아래에 연결되어 있기 때문이다. 오레놀은 문득 밧줄이 없으면 아래로 내려갈 수 없다는 사실을 깨달았다. 자신의 연을 돌아보았을 때 오레놀은 겨우 사내들의 외침을 이해했다.

"그걸 잡아요! 제기랄!"

연은 이미 오레놀의 발 근처까지 미끄러지고 있었다. 어떻게 그렇게 할 수 있었는지 모르겠지만 오레놀은 몸을 던졌다. 연 위에 엎드린 오레놀은 그것을 꽉 붙잡았다. 하지만 미끄러지는 속도가 느려졌을 뿐 연은 오레놀을 태운 채 끌려갔다. 함께 끌려가면 죽는다는 생각이 들었지만 오레놀은 연을 놓을 수 없었다. 그때 세 사람이 간신히 당도했다.

그들 중 한 사람이 오레놀처럼 연 위에 올라탔다. 그리고 다른 두 사람은 밧줄을 움켜쥐었다. 각자 밧줄을 손목에 감은 두 사람은 있는 힘을 다해 그것을 끌어당겼다. 하지만 밧줄은 연과 네 사람을 한꺼번에 끌어당겼다. 복부가 쓸리는 고통 속에서 오레놀은 도대체 이들에게 무슨 계획이 있기나 한 것인지 의문스러워졌다.

그때 앞쪽에 있던 두 남자가 갑자기 우당탕 쓰러졌다.

오레놀은 끌려가던 것이 멈춰진 것을 깨달았다. 영문을 알 수 없었던 오레놀을 내버려둔 채 연 위에 올라탔던 남자가 앞으로 달려갔다. 그는 앞쪽에 있던 두 사람과 함께 밧줄을 움켜쥐었다. 그리고 그것을 힘껏 끌어당기며 외쳤다.

"스님! 정신 차렸으면 와서 좀 도와주쇼! 밧줄을 감아올려야 하니까!"

"밧줄을 감아올려요? 도르래가……."

"젠장, 당연히 끊었지! 롭스가 제때 끊었을 거요. 이걸 놓치면 우리는 끝장이란 말이요! 와서 도와요!"

조금 전 도끼로 밧줄을 후려쳤던 롭스는 도르래에 도끼를 가져다댄 자세 그대로 하늘을 바라보았다.

줄이 끊어지지 않은 다른 세 개의 연은 하늘치의 등에서 미끄러졌다. 소임을 다한 연들은 불우한 모습으로 추락했다. 하지만 발굴대는 하늘치만을 바라보았다. 롭스가 끊은 줄은 하늘치의 등에서 길게 늘어진 채 끌려가고 있었다. 그 엄청난 무게를 지탱하고 있는 것은 고작 네 사람의 힘이다. 롭스는 눈을 부릅뜬 채 밧줄이 짧아지는 징후를 찾았다.

마침내 밧줄이 서서히 움직였다.

하늘치가 계곡 끝에 도달했을 때 밧줄 끝은 이미 숲의 머리 위로 올라가 있었다. 하지만 롭스는 안심하지 않았다. 최소한 밧줄의 절반 이상이 하늘치의 등 위에 올라가지 않는다면 밧줄은 언제고 아래로 풀려내릴 수 있다. 롭스는 도끼를 어떻게 하지도 못한 채 그 모습을 뚫어지게 바라보았다.

잠시 후 롭스는, 그리고 다른 사람들은 환호를 올렸다.

밧줄의 절반 이상이 하늘치의 등 위로 올라간 것이다. 이제 네 사람이 밧줄을 놓는다 하더라도 이미 끌어올려진 무게가 밧줄이 풀리는 것을 저지할 것이다. 롭스는 고함을 질렀다.

"성공이다!"

다른 자들도 모두 비슷한 말들을 외쳤다. 서로 얼싸안고 팔짝팔짝 뛰는 자들도 있었고 한바탕 춤을 추는 자들도 있었다. 롭스 또한 기쁨에 목이 메어 말도 되지 않는 소리를 고래고래 외치며 그들 가운데 끼어들었다. 눈앞이 부옇게 흐려지는 것을 느꼈지만 롭스는 눈을 닦지 않았다.

밧줄의 절반을 끌어올린 시점에서 세 남자는 오레놀에게 쉬라고 권했다. 흥분과 충격, 그리고 격심한 노동의 후유증 때문에 오레놀은 그 권유를 무시할 수 없었다. 오레놀은 거친 숨을 몰아쉬며 연 위에 걸터앉았다. 다른 세 사람은 그런 오레놀을 보곤 빙긋 웃으며 일을 나누었다. 두 사람이 밧줄을 끌어당겼고 한 사람은 끌어올려진 밧줄을 둥글게 사렸다. 사려진 밧줄 무더기의 크기는 대단했다. 밧줄이 아래로 끌려내려 갈 일은 절대로 없어 보였다. 내려갈 방도가 마련되었다는 사실에 안도한 오레놀은 체면 불고하고 드러누웠다. 너무나도 가깝게 느껴지는 하늘이 그의 눈을 부시게 했다.

그리고 오레놀은 펄쩍 뛰듯이 일어나 섰다.

그는 감격에 겨운 눈으로 주위를 둘러보았다. 그곳은 피곤하다고 그냥 드러누워 씩씩거려도 되는 장소가 아니었다. 오레놀은 떨리는 목소리로 외쳤다.

"하늘치 등이야!"

오레놀의 외침에 고개를 돌린 세 남자는 다시 씩 웃었다. 오레놀은 벅찬 감동을 어쩌지 못해 또다시 외쳤다.

"그렇죠? 예? 우리는 하늘치 등에 올라왔습니다!"

"그렇습니다. 스님. 마침내 올라왔습니다."

사내들의 목소리도 떨리고 있었다. 그중 특히 마음이 여려보이는 남자는 밧줄 사리 위에 주저앉아 한숨을 내쉬다가 기어코 울음을 터뜨렸다. 오레놀은 떨리는 손을 손목으로 가져가 염주를 꺼내어 들었다.

오레놀은 하늘치의 등 위에 무릎을 꿇고 염주를 헤아렸다. 손이 떨려 자꾸만 염주알이 미끄러졌지만 대덕은 아랑곳하지 않았다. 그의 입에서 끊임없이 감사의 말들이 흘러나왔다.

비약에 가까운 단순화를 적용시킨다면 하늘치의 등에 오르는 것과 말 등에 오르는 것은 비슷한 일이다. 어쨌든 둘 다 살아 있는 동물의 등에 오르는 것이니까. 그리고 그런 단순화는 오레놀과 다른 세 사람에게 아무런 도움도 되지 않았다.

그들은 눈앞에 펼쳐진 전인미답의 풍경을 바라보며 넋을 잃었다.

언덕과 구릉. 매우 평범하고 편안한 단어들이지만, 그들 근처에 있는 언덕과 구릉은 모두 살아 있는 생명체의 일부였다. 그래서 그 평범한 단어의 느낌은 매우 기묘한 것으로 바뀌었다. 네 사람 모두 시선을 돌려 아래쪽에 있는 진짜 언덕과 산을 보는 것이 좋은 생각일 거라 여겼지만 그들 중 누구도 가장자리 쪽으로는 다가가지 않았다. 점점 가팔라지는 하늘치의 허리에서 갑자기 미끄러지는 일이 발생할 것이 두려웠기 때문이다. 그래서 별천지라고 해야 할 그 풍경 속에서 그들에게 익숙한 것은 그들 자신들뿐이었다. 결과적으로 오레놀은 갑자기 동료들에 대한 관심이 증대되는 것을 느꼈다. 그리고 오레놀은 그들의 이름을 아직 모른다는 사실도 깨달았다. 오레놀의 질문에 사내들은 고개를 끄덕였다.

"그러고 보니 급하게 설치느라 통성명도 못 했군요. 스님. 저는 킬소 펜이라고 합니다."

"막타드 신뷰레입니다. 슈라도스 출신입니다."

"주키 네미입니다. 발케네에서 왔지요. 그리고 제 고향 풍습에 따라 하늘치 유적의 유물을 훔쳐볼 작정입니다."

오레놀은 당황하여 주키 네미를 바라보았고 주키는 웃음을 터뜨렸다. 그제야 오레놀은 상대가 농담을 한 것임을 알 수 있었다. 통성명을 마친 네 남자는 다시 주위를 둘러보았다. 별로 나아진 것은 없었다. 풍경은 여전히 압도적으로 이국적이었다. 결국 킬소 펜이 힘겹게 입을 열었다.

"올라오기 전에, 저는 일단 이곳에 발을 디디면 하늘치에게 말이라도 한 번 걸어보려고 작심하고 있었습니다. 하지만 이래 가지고서야……, 땅에 대고 말을 거는 기분일 것 같은데요. 스님. 움직이는 느낌이 있습니까?"

다른 세 사람은 고개를 가로저었다. 분명 하늘치는 느리게 움직이고 있을 테지만 그들은 그런 느낌을 받을 수 없었다. 킬소는 어깨를 으쓱였다.

"유적 쪽으로 가봐야겠지요?"

"그럽시다. 그런데 어느 쪽이지요?"

그들은 지느러미에 가까운 등쪽에 있었고 그곳의 전망은 그렇게 좋은 것이 되지 못했다. 또한 하늘치의 등 위는 완전한 평면이 아니었다. 생명체이니 당연한 일이겠지만, 하늘치의 등에는 구릉이라고 부르는 것이 적합할 듯한 요철들이 많았다. 그래서 그들은 유적을 볼 수 없었다. 살아 있는 생명체의 등 위에서 길을 찾아 헤맨다는 사실에 그들은 다시 충격을 받았다. 막타드 신뷰레가 머리를 긁적거리며 말했다.

"흐음. 특별한 경우는 아닙니다. 벼룩은 아마 개털 속에서 어느 쪽이 머리가 있는 쪽인지 가끔 헷갈리겠지요. 제 기억이 맞다면 저쪽입니다. 저쪽에 지느러미가 있으니. 하지만 저 언덕, 아니, 육봉이라고 해야 하나? 어쨌든 저 위로 올라가 보면 시야가 좀 더 확보될 것 같습니다."

방향이 정해지자 세 사람은 오레놀의 연을 신속하게 해체했다. 오레놀이 보고 있는 가운데 세 사람은 연살을 구성하고 있는 막대기들을 뽑아 밧줄 사리에 끼웠다. 주키와 막타드가 그것을 어깨에 목도처럼 매었다. 그리고 킬소는 연을 구성하고 있던 천을 차곡차곡 접어 봇짐처럼 만들어 어깨에 메었다. 꽤나 조직적으로 움직이는 그들을 보며 오레놀은 그들이 많은 시간을 준비했음을 알 수 있었다. 킬소는 남아 있는 자질구레한 물건들을 운반하기 좋게 묶어 오레놀에게 건넨 다음 일행을 출발시켰다.

하늘치의 몸 위를 걸어가며 오레놀은 계속 머리를 떠나지 않는 질문을 건네었다.

"그런데, 내려갈 때는 정말 밧줄 하나에 매달려 내려가는 겁니까?"

킬소는 어이없다는 듯이 말했다.

"스님. 방금 올라왔는데 벌써 내려갈 생각을 하십니까? 내려가는 것은 좀 천천히 해도 될 겁니다. 일단 아래쪽에서 몇 사람이 보급품을 가지고 올라올 겁니다. 우리가 끌어올려야 하지요. 처음에는 한 사람이 또 다른 밧줄을 가지고 올라올 겁니다. 그리고 차차 다음 단계로 넘어갈 겁니다."

오레놀은 그제야 롭스가 끌어올려 달라고 말했던 것을 떠올렸다.

"하늘치는 계속 움직이는데요?"

"롭스는 이 하늘치가 어떻게 움직일지 잘 알고 있습니다. 지금 지상의 동료들은 열심히 짐 챙겨서 다음 접선 지점으로 움직일 겁니다. 우리는 준비를 많이 했습니다. 음. 이런 건 생각 못 해 보셨겠지요? 후발대가 가지고 올라올 것 중엔 분뇨 자루도 있습니다. 우리는, 험, 하늘치 등 위에 변을 남겨두는 문제에 대해 좀 고민했지요. 그러고는 역시 그래서는 안 된다는 결론을 내렸지요. 저라도 누가 제 등에 변을 무더기로 싸놓고 가면 기분이 좋을 것 같지는 않거든요."

오레놀은 당연히 그래서는 안 된다고 생각하며 떨떠름하게 고개를 끄덕였다. 발굴대가 많은 준비를 한 것이 분명하기에 오레놀은 더 이상 질문하지 않기로 했다. 그리고 그런 추측은 잠시 후 주키가 꺼낸 말에 의해 확인되었다. 주키는 발아래를 보며 말했다.

"역시 이 녀석은 간지럼을 안 타. 그렇지?"

킬소와 막타드는 씩 웃었다. 무슨 이야기인지 알 수 없었던 오레놀은 질문했고 막타드가 대답했다.

"아, 우리는 이 녀석이 우리 때문에 간지럼을 타서 몸을 뒤척이게 될지도 모른다고 생각했지요."

생각하는 것만으로 오레놀은 소름이 돋았다. 막타드는 그를 안심시켰다.

"물론 이렇게 거대한 녀석이 간지럼을 탈 리도 없거니와 만약 그렇게 예민하다면 새나 구름 따위와 부딪혀도 견디기 어려웠을 겁니다."

오레놀은 발굴대가 별의별 시시콜콜한 것까지 다 고려했음을 확신하며 안도했다. 그러는 동안 일행은 목표했던 육봉의 꼭대기에 도달했다. 네 사람은 그곳에서 주위를 둘러보았다.

오레놀은 자신이 등뼈쯤에 해당하는 부위에 도달했다고 생각했지만 시야에 들어오는 풍경은 그의 추측이 완전히 잘못된 것임을 가르쳐주고 있었다. 하늘치의 등은 상상하기 힘들 정도로 광활했고 주위에는 그들이 올라선 것과 비슷한 언덕이 잔뜩 있었다. 약간의 당황 속에서 오레놀은 자신들이 하늘치의 여드름에 해당하는 부위에 올라선 것이 아닌가 하는 생각을 해보았다. 물론 그것은 지나친 과장이다. 그들은 곧 유적을 발견했다. 일행은 그쪽으로 방향을 잡아 걸어갔다. 킬소는 걸어가며 계속 설명했다.

"밧줄은 유적에 묶어야 합니다. 이 친구의 등 위에는 밧줄을 묶을 장소가 없으니까요. 그렇다고 해서 이 친구의 몸에 못을 박을 수도 없는 노릇이고요. 하지만 저 유적은 수천 년 동안 이 위에서 비바람을 맞으며 버틴 것이니만큼 충분히 견고할 겁니다."

"저 유적에 묶고도 밧줄이 아래까지 닿을까요? 저는 한참 동안 걸어온 것 같은 기분이 듭니다."

"충분히 닿습니다. 롭스는 넉넉하게 잘랐습니다. 그리고 그 때문에 사람이 네 명 필요한 겁니다."

다시 질문하려던 오레놀은 자신이 뒤처져 있다는 것을 발견했다. 세 사람은 어느새 빠른 속도로 걸어가고 있었다. 오레놀이 그들에게 보조를 맞추었을 때 그들은 빠른 걸음과 느린 달리기의 중간쯤 되는 속도로 이동하고 있었다. 오레놀은 그들의 흥분을 이해했다. 그리고 대덕 또한 조금씩 흥분되는 것을 어쩔 수 없었다. 수천 년 동안 그들을 기다려온 유적이 이제 몇 걸음 앞인 것이다.

그리고 갑자기 그것이 나타났다.

일행은 급격하게 멈춰섰다. 눈앞에는 언덕이 있었지만 유적의 높은 부분들은 언덕 너머까지 보였다. 일행은 서로를 돌아보았지만 아무도 입을 열지는 않았다. 킬소는 손짓만으로 일행을 다시 전진하게 했다. 네 사람은 두려움마저 느끼며 언덕을 올랐다.

일행이 언덕 위에 올라섰을 때, 유적은 모든 모습을 드러내었다.

아름다웠다.

그것은 폐허였다. 하지만 그 짝을 찾아볼 수 없을 만큼 아름다운 폐허였다. 그것은 반 정도만 남아 있는 지붕들, 이가 빠지듯 군데군데 부러진 열주들, 기묘한 모습으로 무너진 벽과 담장들로 이루어진 예술이었다. 일행은 감격에 말문이 막혔다. 오레놀은 폐허가 그토록 아름답다는 사실에 기이함을 느꼈다.

그리고 잠시 후, 오레놀은 그것이 정말 기이한 폐허임을 깨달았다.

오레놀은 다른 사람들을 돌아보았다. 다른 사람들도 당혹한 표정으로 서로를 쳐다보았다. 그들은 이해할 수 없는 형태의 폐허를 마주하고 있었다. 예를 들어, 오레놀은 왼쪽에 있는 반쯤 무너진 박공 지붕이 참으로 아름답다고 생각했다. 사실 그것은 오레놀이 예전에 한 번도 보지 못한 형식이었고 따라서 박공 지붕이라는 말은 그저 인상이 그러하다는 의미일 뿐이다. 그런데 그 박공 지붕은 겨우 세 개의 기둥에 의해 받쳐지고 있었다. 그리고 그 기둥들은 일반적인 경우라면 도저히 지붕의 무게를 지탱할 수 없는 형태로 배열되어 있었다. 더욱 놀라운 것은 그 기둥 중 하나가 가운데 부분이 없는 상태라는 점이다. 그 세 번째 기둥의 윗부분은 천장에 붙어 있었고 아랫부분은 땅을, 아니, 하늘치의 등을 단단히 디디고 있었지만 중간 부분은 부러지기라도 한 것처럼 사라져 있었다. 그런데 오레놀이 보기에 그 기둥이 세 기둥 중 가장 많은 무게를 받는 기둥이었다.

그 뒤편에 있는 탑 또한 매한가지였다. 아름답다는 점에서도, 당혹스러운 형태라는 점에서도. 그 탑은 진작에 무너졌어야 마땅한 탑이었다. 기단에 해당하는 부분이 9할 이상 파괴되었다면 그렇게 되는 것이 당연하다. 하지만 그 탑은 약간의 기울어짐조차 없이 꼿꼿하게 서 있었다. 여기저기를 둘러본 네 사람은 곧 그 아름다운 풍경 속에서 이치에 맞지 않는 장면들을 꽤 많이 찾아낼 수 있었다. 주키는 그 장면을 꽤 재치 있게 표현해 내었다.

"무너진 폐허가 아니라 군데군데 지워져…… 뒷배경이 보이는 풍경화를 보는 것 같은데. 물론 진짜 풍경화는 지워진다고 해서 뒷배경이 보이지는 않지만."

세 사람은 주키의 말에 동감했다. 그런 모습들을 설명할 수 있는 이론은 두 가지뿐이었다. 건물들이 상상하기도 어려울 만큼 강인한 재료로 만들어져 있다거나, 혹은 무게가 거의 없는 소재로 이루어졌다는 것. 두 가지 이론 모두 상식을 상당히 괴롭히는 이론이었다. 고심하던 킬소가 말했다.

"저기 광장에 늘어서 있는 기둥들, 저게 상당히 튼튼해 보이는군요. 저기에 밧줄을 묶으면 될 테니 짐은 모두 저곳에 내려놓고 좀 가볍게 돌아다녀보지요."

킬소는 기둥이라고 했지만 그것은 기둥이 아니었다. 열주처럼 늘어서 있지만 그것은 원래 건물의 일부를 받치거나 하는 목적으로 만들어진 것이 아니었기 때문이다. 그것은 광장 가운데를 가로질러 나란히 배열되어 있었다. 발굴대는 왜 건물을 받치지도 않는 기둥들을 야외에 죽 늘어세웠는가에 대해 의아해했지만 오레놀은 그것이 무엇인지 짐작할 수 있었다. 그것은 기념비였다.

"고대풍이군요. 저 기둥들에는 중요한 역사적 사실들이, 아마 그림이나 글로 새겨져 있을 겁니다. 판사이의 육형제 탑과 비슷한 겁니다. 물론 그 탑들은 건물 안쪽 벽면에 부조가 있고 저건 바깥쪽에 있다는 점이 다릅니다만."

"그런가요. 안쪽에 있는 것이 비바람 따위에 안전하지 않겠습니까?"

"그렇긴 합니다만 그 대신 많은 사람들이 볼 수 없지요. 그래서 그런 형태일 경우에는 좀 비밀스러운 내용들이 선택되지요. 판사이의 육형제 탑에 있는 내용은 아무나 볼 수 없었잖습니까. 지금은 아무도 볼 수 없게 되었지만. 어쨌든 저 기둥들은 공개되어 있는 것이니, 이 유적의 건설자들에 대한 정보를 가지고 있을지도 모르겠습니다."

오레놀은 가슴이 뛰는 것을 느꼈다. 이 유적을 누가 만들었는지, 왜 만들었는지, 어떻게 만들었는지를 알 수 있게 될지도 모른다. 대덕은 기둥에 그림이 아닌 글이 있으면 좋겠다고 생각했다. 기둥에 새긴 그림이 아름답기는 하지만, 글 쪽이 더 많은 정보를 전달해 주기 때문이다. 그래서 오레놀은 기둥에 뭔가 글자처럼 보이는 것이 새겨져 있다는 것을 알게 되었을 때 기쁨을 느꼈다.

그러나 잠시 후 오레놀은 큰 실망을 느꼈다. 롭스가 자격 요건을 말해 주었기 때문에 오레놀은 다른 세 사람도 실망하리라는 것을 알 수 있었다. 20미터는 족히 넘을 것 같은 기둥들에는 정교한 솜씨로 글자들이 새겨져 있었다. 하지만 그것은 그들이 읽을 수 없는 글자였다.

네 사람은 막막한 심정으로 기둥들을 바라보았다. 오레놀은 이제 차라리 그림이었다면 좋았겠다고 생각했다. 그림이라면 최소한 이해할 수는 있으며, 따라서 이토록 막대한 정보를 눈앞에 둔 채 그것을 받아들이지 못하는 환장할 꼴은 겪지 않아도 되니까. 주키는 마치 계속 노려보면 글자들 속에서 문법의 신비가 떠오르기라도 할 것처럼 기둥들을 노려보았고 킬소는 머리를 계속 움직이며 입 안으로 뭔가를 웅얼거리는 모습이 글자 수를 세는 것 같았다. 모두들 읽을 수 없는 글 앞에서 당혹한 것이다. 하지만 막타드는 빨리 체념한 듯 들고 온 사리에서 밧줄 끝을 찾아내어 풀어내고 있었다. 오레놀은 그에게 다가갔고 킬소 또한 포기한 듯 걸어왔다. 밧줄 끝을 붙잡고 기둥쪽으로 다가갔을 때 그들은 주키가 기둥에 얼굴이 닿을 듯한 모습으로 글자들을 뚫어지게 바라보고 있는 모습을 발견했다.

킬소가 말했다.

"가까이서 보면 모르던 것 알게 되냐?"

주키는 천천히 고개를 돌려 세 사람을 돌아보았다. 그 표정이 묘했다. 세 사람이 들고 오는 밧줄을 본 주키는 웃음, 혹은 울음을 터뜨릴 것 같은 얼굴로 말했다.

"그 밧줄 여기에 묶으려고?"

"그래."

"정말 그럴 거야?"

"당연하잖아. 도대체 무슨 소리를 하는 거야?"

"내 생각에는, 그럴 필요가 없는 것 같은데."

세 사람은 의심스러운 눈빛으로 주키를 바라보았다. 주키가 혹 어떻게 된 것이 아닌가 생각한 오레놀이 말했다.

"왜 그럴 필요가 없다는 것인지 설명해 주겠습니까?"

주키는 오레놀의 요구를 따랐다.

뒤이어 터져나온 오레놀의 비명은 하늘치의 머리 끝에서 꼬리 끝까지 울려퍼졌다.

수레는 요동치고 있었다. 뱀부리미는 뱀단지들이 쏟아지지 않도록 선반에 줄을 묶는 작업에 여념이 없었다. 수레가 흔들릴 때마다 갈로텍의 몸 또한 흔들렸다. 탁자 곁에 서 있던 갈로텍은 탁자에 매달리다시피 해야 했다.

태풍 한가운데 있는 그들의 처지도 그다지 곱다고 말하긴 어려웠지만 뱀들이 전해 오는 소식 또한 끔찍한 것이었다. 갈로텍의 몸에서 비늘이 부딪치는 소리가 우레 같았다. 갈로텍은 무한한 독기를 품은 눈으로 탁자 위의 뱀들을 노려보았다.

'비아스 마케로우, 비아스 마케로우! 이 은혜도 모르는 년!'

뱀부리미가 바빴기에 갈로텍의 의사는 상대편으로 전달되지 못했다. 어차피 내용이 내용인지라 갈로텍은 뱀부리미에게 그것을 보여줄 생각도 없었다. 수레의 진동 때문에 계속 움직이면서도 뱀들은 간신히 읽을 수 있는 사어를 형성했다.

'빨리 하텐그라쥬로 돌아와 주게. 비아스는 대가문들과 완전히 결탁했어. 심장병을 가지게 되면 우리를 마음대로 다룰 수 있게 된다는 거지. 그녀들에게 상당히 많은 수의 심장병의 이름들이 먹으로 지워졌다는 것을 닐러줘서 지금은 잠시 소강 상태야. 하지만 그녀들은 그것이 거짓니름이라고 생각하는 것 같아.'

"심장병 하나를 깨버려요! 이름이 지워지지 않은 것 중 하나를 골라서 파괴하라고요! 본보기를 보여주십시오! 그러면 아무도 비아스를 따르지 않게 될 겁니다!"

아무도 듣지 않는 말이 수레 안에 울려퍼졌다. 뱀들의 움직임은 계속되었다.

'그 도깨비 같은 비아스가 설마 가장 중요한 비밀을 닐러버릴 정도로 생각 없는 여자일 줄은 정말 몰랐어. 젠장! 도대체 지성이라는 것이 있는 걸까? 도대체 뭘 생각하는 걸까? 그녀의 계획이 성공하면 뭐가 남는 건 줄 모르는 걸까? 이제 아무도 심장을 적출하지 않으려들 거야. 모든 나가들이 이성적일 수는 없단 말이야. 갈로텍. 이젠 북부 정복이 문제가 아니야. 갈로텍. 우리는 하텐그라쥬를 공격해야 돼!'

강렬한 충격에 갈로텍은 무릎이 풀리는 기분을 느꼈다. 사어의 준엄함은 공포스러웠다.

'알겠나? 다시 반복하겠어. 우리는 하텐그라쥬를 정복해야 돼. 그래서 다른 나가들의 도시까지 심장 파괴의 비밀이 전해지는 것을 막아야 돼. 그러지 못하면 나가는 끝장이야! 1,500년 전으로 돌아가게 되는 거라고! 최대한 빨리 하텐그라쥬로 돌아와. 그리고 알겠나? 하텐그라쥬의 나가들을 제압해.'

그 명령이 암시하는 바는 명확했다. 세리스마는 친절하게도 그 암시까지 설명했다.

'북부군과 협력하게.'

"오, 제기랄."

갈로텍은 한 번 더 말했다.

"제기랄!"

'여신을 풀어주겠다고 약속하고 북부군과 손을 잡아. 거짓니름이 아냐. 류 페이는 용인이니까 거짓니름을 알아볼 거야. 우리는 진심으로 그렇게 해야 돼. 여신의 힘을 포기해서라도 심장 적출만은 지켜야 해. 만약 자네와 북부군이 실패한다면, 나는 이 심장탑의 모든 심장병을 깨버리고 죽겠어. 미안하지만 자네 심장병을 보

호하겠다는 약속은 못 하겠군.'

필사적인 조사에도 불구하고 이름이 지워지지 않은 심장병 중에는 갈로텍의 심장병이 없었다. 그의 심장병은 어느 것인지 알 수 없게 된 상태였다. 탁자 위의 뱀들은 불길함을 표현했다.

'더 이상 니르지 못하겠군. 또 공격이 시작되었어. 이만 가봐야겠어. 갈로텍. 나는 그런 일이 일어나기를 바라지 않아. 그러니, 제발 성공하게! 북부군과 손을 잡고 이 도시를 점령해!'

뱀의 움직임이 멎었다. 하지만 갈로텍은 탁자를 움켜쥔 채 꼼짝도 하지 않았다.

태풍은 수그러들 기미가 보이지 않았다.

4년 전, 손에 넣은 힘의 가공함에 전율한 이래로 갈로텍은 그것의 이용에 대해 어떤 감정적 어려움도 느껴보지 못했다. 하지만 지금 근시안적인 얼간이가 저지른 추악한 실수 때문에 갈로텍은 다른 도시도 아닌 냉혹의 도시를 상대로 그 힘을 사용해야 하는 처지에 빠져 있었다. 판사이를 수장시킨 그조차도 그런 일을 무감각하게 받아들일 수는 없었다.

나가들에게 심장 적출을 필요 불가결한 것으로 인식시킬 방법이 없을까? 심장 파괴를 절대로 사용하지 않겠다는 엄숙한 맹세를 한다면? 회의적이었다. 갈로텍은 나가들의 이성을 믿었지만, 바로 그렇기에 제2의 비아스나 제3의 비아스가 등장하리라는 것도 충분히 짐작할 수 있었다. 여신의 힘은 신명을 가진 수호자들만이 사용할 수 있는 힘이다. 하지만 심장 파괴는 병을 깰 수 있는 힘만 있으면 사용할 수 있는 힘이다. 모든 자들이 심장병의 통제권을 원하게 될 것이며, 바로 그렇기에 모든 자들은 심장 적출을 거부할 것이다. 갈로텍은 그런 모순을 해결할 방법을 떠올릴 수 없었다.

뱀단지들을 고정시켜둔 뱀부리미가 그의 눈치를 살피다가 탁자 위의 뱀에 손을 뻗었다. 갈로텍은 뱀부리미가 일을 할 수 있도록 탁자에서 물러났다. 그때 수레가 또다시 진동했다. 폭언이 튀어나오는 것을 억누르며 갈로텍은 수레 밖으로 걸어나왔다.

대장군이 수레 밖으로 나오는 것을 보자 보라크 군단장과 수호 장군들이 반가워하며 달려왔다. 그러나 갈로텍은 강렬하게 닐렀다.

〈니름 걸지 마! 도대체 아직까지 이 태풍 하나 어쩌지 못하나!〉

보라크 군단장과 수호 장군들은 억울하다는 표정으로 대장군을 바라보았다. 육상에서 발생한 이 황당한 태풍은 나가들에겐 익숙하지 않은 것이다. 만약 기적적으로 살아난 선인장 군단의 세키리 군단장이 그들에게 합류하지 않았다면 그들은 어디에도 없는 신의 화신이 출현한 것이 아닌가 하는 결론을 내렸을 것이다. 하지만 세키리 군단장은 여섯 개 군단 몰살과 악타그라쥬 파괴의 비보 이외에도 이 태풍이 류 페이와 시우쇠가 집중시킨 열의 잔재에 불과하다는 사실도 가르쳐주었다. 두 개의 인공 태양이 뿜어낸 열과 류 페이가 강제로 끌어내린 뜨거운 수증기는 태풍을 발생시키기에 충분했다.

보라크는 자존심의 반란을 억누르며 닐렀다.

〈대장군님. 저희들의 힘으로는 이 태풍을 어떻게 할 수 없습니다.〉

〈그러면 내버려둬! 4년 동안 물을 다뤄왔으면서도 물에 대해 모르나? 열을 보관하는 것은 물이다. 바다가 아닌 이곳에서는 태풍에게 열을 공급해 줄 수 있는 거대한 물이 없어. 여기 나타났다는 그 가짜 태양도 없어진 마당이니 태풍은 곧 사그라들 거다!〉

수호 장군들은 군령자가 뿜어대는 지식의 급류에 힘겨워했다. 보라크는 고심 끝에 다시 닐렀다.

〈하지만 군단병들은 몹시 불안해하고 있습니다. 대수호자님과 마호가니 군단의 수호 장군들이 도와줄 수 있으면 좋겠지만 그분들은 현재 신명이 묶여서…….〉

〈잠깐! 자네 지금 뭐라고 닐렀나?〉

〈예? 아닙니다. 저는 대수호자님의 위엄을 깎아내리려는 것이 아니라 사실을 니른 겁니다.〉

그리고 보라크는 한참 동안 횡설수설했다. 그의 니름에 따른다면 보라크는 대수호자 없는 세상은 상상조차 할 수 없으며 만약 그런 세상에 내팽개쳐졌다가는 죽어버리고 말 대수호자의 첫째가는 추종자임에 틀림없었다. 하지만 갈로텍은 보라크의 니름을 듣지 않았다.

갈로텍은 자신이 처해 있는 끔찍한 상황을 타파할 수단을 찾아내었음을 직감했다.

그리고 그 끔찍한 상황이란 당연히 태풍 따위를 니르는 것은 아니다.

만약 키보렌의 대수호자에게 모든 심장병의 통제권을 넘기겠다고 니른다면?

타협과 야합, 그리고 견제의 산물이긴 하지만 어쨌든 중첩된 우연의 결과로 대수호자 키베인은 현재 키보렌의 그 누구보다 높은 권위를 가진 자가 되어 있다. 실제로 키베인에겐 단순한 돌출 행동만으로 하텐그라쥬와 지도그라쥬의 두 도시를 긴장하게 만든 전력이 있다. 만약, 그 키베인의 권위라는 것이 감히 여신의 신랑을 사도구화하려는 발칙한 생각을 할 수 있는 대가문의 가주들의 권위마저 넘어서는 것이라면, 그렇다면 대가문의 가주들은 감히 키보렌의 대수호자를 상대로 심장병의 통제권을 주장할 수 없을 것이다. 그리고 그 대수호자는 현재 신명이 묶여 무력하기 짝이 없는 상태다. 갈로텍은 점점 빨라지는 사고의 속도에 현기증을 느꼈다.

'그런데 내가 어떻게 이런 생각들을 할 수 있게 된 거지?'

갈로텍은 문득 자신이 생각하고 있는 것인지 다른 누군가가—예를 들어, 정치 감각을 가지고 있는 어떤 군령이—생각하고 있는 것인지 알 수 없다는 기분을 느꼈다. 그 느낌은 기묘했다. 자신에게 존재하지 않는 재능이 발휘되는 것을 바로 곁에서, 아니, 그 내부에서 바라보는 느낌. 갈로텍은 혼란스러웠다. 그가 혼란스러워 하자마자 곧 사고가 흐트러졌다. 그래서 갈로텍은 다시 사고의 흐름에 집중했다. 주의력을 여러 군데로 분산시켜도 무방한 상황이 아니었다.

지금껏 그는 자신의 힘이 아닌 힘을 자유롭게 써왔다. 다른 군령의 재능을 이용하는 것 또한 마찬가지라 상상하며 갈로텍은 키베인에게 집중했다. 가장 강대한 자이며, 동시에 가장 무력한 자, 그리고 그의 손 안에 들어와 있는 키보렌의 대수호자. 갈로텍은 머릿속에 계획이 정리되는 것을 느끼며 그 느낌에 푹 빠져들었다.

막타드 신뷰레는 어이없다는 듯이 말했다.

"스님. 정말 대단한 목청이십니다. 하늘치가 놀라면 어쩌려고 그러십니까?"

오레놀은 뻣뻣하게 굳은 모습으로 발아래를 바라보았다. 킬소가 대덕을 안심시키기 위해 말했다.

"그럴 리는 없습니다. 스님. 그러면 천둥이 칠 때마다 하늘치가 놀라는 모습이 목격되었을 테니까요. 막타드는 농담을 한 것입니다."

오레놀은 원망이 담긴 눈으로 막타드를 바라보았고 막타드는 웃으며 사과했다. 오레놀은 다시 주키에게 시선을 옮겼다. 그러고는 아직까지 두근거리는 가슴을 손으로 누른 채 말했다.

"저는 당신 팔이 잘린 줄 알았습니다. 어떻게 알아차렸습니까?"

"글자를 만져보려고 하다가 알게 되었습니다."

주키는 오레놀을 돌아보지 않은 채 대답했다. 그리고 주키는 조금 전 오레놀을 기겁하게 한 행동을 다시 취했다. 손을 앞으로 쑥 내민 것이다. 오레놀은 홀린 표정으로 그 모습을 바라보았다.

마치 물 속에 담그는 것처럼 주키의 팔은 기둥 속으로 사라졌다. 주키는 팔을 이리저리 흔들었지만 그 팔은 어디에도 걸리지 않았다. 하지만 기둥의 모습은 여전했다.

팔을 도로 뺀 주키는 손바닥을 내려다보았다. 낯선 것을 바라보는 눈으로 손바닥을 들여다보던 주키가 투덜거렸다.

"이 유적의 이상한 점들이 설명되는 것 같은데. 아까 그 탑 같은 것이 왜 안 무너진 건지 알겠군. 하지만 작은 의문이 큰 의문으로 바뀐 것뿐이야. 도대체 이게 뭐지? 뜨겁지 않으니 도깨비불은 아닌 것 같은데. 물론 온도를 최대로 낮춘 도깨비불이라면 가능할지도 모르겠지만."

"도깨비불은 아니야. 나는 이렇게 정교한 가짜를 만들어낼 수 있는 도깨비가 있다는 말을 들어본 적이 없어."

"정말 이상하군. 우리 네 사람이 동시에 환상을 볼 리도 없거니와, 환상에는 보통 그림자가 없어야 하는 것 아니야? 하지만 이 기둥에는 그림자가 있는데."

주키의 말대로 기둥들은 훌륭한 그림자를 드리우고 있었다. 그때 막타드가 앞으로 걸어갔다. 주키는 그림자를 보라는 듯 손으로 가리켜보였지만 막타드는 그쪽을 보지 않았다. 대신 막타드는 태양의 방향을 확인했다. 태양은 어느새 꽤 높아져 있었지만 아직 하늘 중앙에서는 먼 곳에 있었다. 태양의 위치를 파악한 막타드는 오른손을 쫙 펴서 기둥 근처로 가져가 흔들었다. 다른 세 사람은 침묵한 채 막타드의 동작을 바라보았다.

막타드의 손이 기둥에 닿는 태양빛을 몇 번이나 가렸지만 기둥에는 막타드의 손 그림자가 생기지 않았다. 막타드는 손을 흔들던 것을 멈추고는 기둥의 그림자를 가리켰다.

"저 그림자도 가짜야. 이 기둥처럼."

주키는 맥풀린 웃음을 지어보였다.

"그렇게 힘들게 찾아온 것이 허상이란 말이군. 수천 년 동안 사람들을 속여온 허상이라? 흐음."

미소는 거기까지였다.

주키는 갑자기 기둥을 향해 주먹을 휘둘렀다. 그 주먹은 어디에도 부딪히지 않았다. 주키는 근처의 유적들에게 닥치는 대로 주먹을 휘두르고 발길질을 했다. 금방이라도 주키의 뼈가 부서지고 살이 으깨질 것 같은 기분에 오레놀은 깜짝깜짝 놀랐다. 하지만 주키의 손발은 벽과 계단, 기둥을 통과할 뿐이었다.

"젠장! 딱딱한 건 하나도 없는 거난 말이다! 이게 도대체 뭐야!"

그리고 주키는 괴성을 지르며 몸을 날렸다. 꽤나 멋진 동작으로 날아올라 벽을 걷어찬, 아니, 차려 했던 주키는 그대로 벽 저편으로 사라졌다. 그리고 잠시 후 주키는 벽을 통해서 당황한 동료들에게 돌아왔다. 킬소 펜이 한숨을 내쉬었다.

"티나한 대장은 좋아할 것 같군. 환상 폐허라니. 사람들 몰려오는 발소리가 들리는 것 같지 않아?"

주키는 킬소처럼 체념할 수 없었던 모양이다. 그는 증오에 찬 눈으로 유적을 둘러보았다.

"나는 이게 뭔지 알고 싶었어. 만져보고 느껴보고 싶었다고. 그런데 이 꼴이라니. 에라이!"

주키는 또다시 주먹을 휘둘렀다.

그리고 주키는 자지러지는 비명을 지르며 주저앉았다.

허탈한 심정으로 주키를 바라보던 세 사람은 깜짝 놀라 그에게로 달려갔다. 주키는 주먹을 움켜쥔 채 눈물이 그렁해진 눈으로 벽을 바라보았다. 상당한 통증을 느끼는 듯했지만 그의 표정은 고통보다는 놀라움을 드러내고 있었다.

"뭐, 뭐가 있었어! 내 주먹이 부딪쳤어."

주키는 벌떡 일어났다. 그리고 세 사람도 주키가 후려친 벽 앞에 모여섰다. 막타드가 먼저 조심스럽게 손을 내밀었다.

실망스럽게도 막타드의 손은 벽을 통과했다. 막타드는 어이없는 표정으로 주키를 돌아보았다. 주키 또한 당황함이 역력한 얼굴로 손을 내뻗었다. 그런데 그의 손은 벽에 닿아 더 이상 움직이지 않았다. 킬소는 화를 버럭 내었다.

"그게 재미있나!"

"장난 치는 것 아냐! 젠장. 내 손등을 밀어봐."

킬소는 그렇게 했다. 그러고는 당황한 얼굴로 막타드와 오레놀 대덕을 돌아보았다.

"어, 진짜 안 움직이는데?"

오레놀과 막타드도 번갈아 그렇게 해보았다. 그들은 있는 힘껏 주키의 손을 밀었지만 그 손은 '진짜' 벽에 붙어 있는 것처럼 꿈쩍도 하지 않았다. 하지만 다른 사람들의 손은 여전히 벽을 그냥 지나쳤다. 혹시나 하는 마음에 그들은 주키의 손이 닿았던 자리를 시험해 보았지만 아무런 소득도 얻을 수 없었다. 벽은 무던하게도 다른 자들의 손을 통과시켰다. 세 사람은 이제 주키를 묘한 눈으로 바라보았다. 주키 또한 자신이 의심스럽다는 표정을 짓고 있었기에 그를 변호해 줄 자는 아무도 없었다.

주키는 도저히 못 믿겠다는 듯이 벽 여기저기를 더듬었다. 놀랍게도 그런 현상은 벽 전체에서 일어나고 있었다. 조금 전 뛰어서 통과할 수 있던 그 벽이 이제는 주키의 몸을 완전히 거부하고 있었다. 주키가 다른 특별한 대책이 떠오르지 않아서 무턱대고 고함이나 한 번 질러보면 기분이 좀 좋아지지 않을까 하는 생각을 떠올렸을 때였다.

갑자기 오레놀이 주키의 곁으로 다가갔다. 입술을 깨문 대덕의 표정은 진지했다. 가벼운 흥분 상태임이 분명했다. 벽 앞에 선 오레놀은 목소리를 가다듬고는 또렷하게 말했다.

"나는 만지고 싶다. 느껴보고 싶다."

킬소와 막타드, 주키의 눈이 커졌다. 오레놀은 차분하게 손을 뻗었다.

그의 손은 더 이상 벽을 통과하지 않았다.

네 남자는 번갈아가며 오레놀과 같은 시도를 해보았다. 벽은 그들의 소망대로 변했다. 오레놀과 같은 방식으로 벽을 만지는데 성공한 막타드는 주저하며 말했다.

"나는 만지고 싶지 않다."

막타드는 다시 벽을 통과할 수 있게 되었다. 그 결과에 놀라는 사람들 가운데서 킬소가 조심스럽게 말했다.

"나는 이 벽을 보고 싶지 않다."

그리고 킬소는 깜짝 놀랐다. 다른 세 사람은 킬소의 놀라움에 참여할 수 없었는데, 그들의 눈에는 여전히 벽이 보였기 때문이다. 하지만 킬소는 벽이 보이지 않는다고 맹세했다. 킬소를 따라해 본 세 사람은 그의 말이 사실임을 알게 되었다. 그들은 더 이상 벽을 볼 수 없었다. 그들은 황급히 "나는 벽을 보고 싶다!"고 외쳤다. 유적을 파손한다는 느낌이 들었기 때문이다.

다시 벽을 보게 된 네 남자는 두려움 속에 뒤로 물러났다. 그리고 서로에게 입을 열어보라는 눈짓을 보내었다. 결국 킬소가 입을 열었다.

"일단 한 가지 확실히 해두고 싶은 것이 있습니다. 확실치 않은 상태에서 아무거나 소망하지 말도록 합시다. 저 벽이 사라졌을 때 저는 정말 놀랐습니다. 수천 년 동안 이곳에 있었던 것을 제가 없애버렸다고 생각하자 눈앞이 캄캄해지더군요."

"하지만 그때 제 눈에는 여전히 벽이 보였습니다."

오레놀의 지적에 킬소는 동의했다.

"그렇군요. 똑같은 벽이 어떤 사람은 통과시키고 어떤 사람은 통과시키지 않기도 했지요. 아무래도 소망한 당사자에게만 결과가 나타나는 것 같습니다."

킬소의 설명에 오레놀은 충격을 느꼈다.

"그렇……군요. 정말 조심해야겠군요."

오레놀의 표정은 심각했다. 킬소는 미심쩍은 표정으로 대덕을 바라보았다.

"무슨 말씀입니까?"

"벽이 바뀐 것이 아니라 어떤 사람은 통과하고 어떤 사람은 통과하지 못하게 된 것이라면, 그렇다면 소망의 말이 변화시키는 것은 유적이 아니라 소망한 사람 자신인 것 같습니다. 어쩌면, 어, 농담으로라도 자기가 어떻게 되었으면 좋겠다고 말하면 그대로 될지도 모르겠군요."

세 사람은 등골이 오싹해지는 기분을 느꼈다. 그러나 오레놀은 다시 말했다.

"아니, 아닙니다. 어쩌면 바뀌는 것은 이 유적과 우리의 관계라고 말하는 것이 더 정확할 것 같군요. 하지만 만약 우리 자신이 바뀌는 것이라면…… 확인해 봐야겠는데요."

"어떻게 확인합니까?"

오레놀은 갑자기 고개를 숙여 발 아래를 바라보았다.

"내 발 앞에 곡차 한 동이가 나타나기를 원한다."

킬소와 주키, 막타드는 숨도 제대로 쉬지 못하며 오레놀의 발 앞을 바라보았다. 그들의 눈에는 아무것도 보이지 않았다. 주키가 조심스럽게 말했다.

"스님. 나타났습니까?"

오레놀은 고개를 들었다. 그리고 멋쩍은 듯이 말했다.

"변하는 것은 이 유적과 우리의 관계입니다. 나타나지 않았습니다."

세 남자는 안도의 한숨을 내쉬었다. 좀 웃을 수 있게 된 막타드는 밝은 표정으로 말했다.

"그런데, 스님. 겨우 곡차 한 동이가 뭡니까. 저라면 금편 백 상자라고 말했을 겁니다."

오레놀은 멋쩍게 웃으려다가 주키와 킬소가 몹시 괴로워하는 것을 보고는 폭소를 터뜨렸다. 킬소는 분통이 터진다는 듯이 말했다.

"이런, 젠장! 차라리 변하는 것이 우리였으면 좋겠군. 금편 백 상자라고?"

주키 또한 비슷한 표정이었다. 그때 주키가 갑자기 오레놀에게 달려왔다.

"어, 잠깐. 스님. 이 유적과 우리의 관계가 변한다고요? 만지고 싶다, 만지고 싶지 않다? 보고 싶지 않다. 보고 싶다? 그러니까 이 유적을 대상으로 하는 소망은 된다는 거지요?"

"예? 음. 그런 것 같습니다만."

"나는 이 벽이 황금으로 이루어진 것이면 좋겠다!"

주키의 고함에 세 사람은 정신이 번쩍 들었다. 그들은 황급히 벽을 바라보았다. 그 벽은 조금 전과 똑같은 모습이었다. 하지만 주키는 완전히 얼빠진 발케네 사내의 표정을 짓고 있었다. 다른 자들이 조바심을 참지 못하게 되었을 때 주키는 비로소 환호를 내질렀다.

"금! 금이다! 황금벽이다!"

"진짜야? 금이라고?"

"그래! 금이라고! 오, 맙소사!"

킬소와 막타드는 황급히 똑같은 소망을 외쳤다. 그리고 그들은 황금으로 만들어진 벽을 보게 되었다. 눈이 부셔 똑바로 바라보기도 힘든 막대한 황금이었다. 햇빛을 가리는 것이 별로 없는 하늘치의 등 위에서 그 황금벽의 광채는 엄청났다. 환호를 내지르던 막타드는 오레놀이 빙그레 웃고 있는 것을 보았다.

"스님! 스님도 한번 해보시죠?"

"아뇨. 저는 됐습니다. 그런데 혹 그 금을 어떻게 하실 생각입니까?"

주키가 기세좋게 외쳤다.

"물론 가져가야지요! 유물은 유적 발굴자의 것 아닙니까."

"기념품은 되겠군요."

"예? 기념품이라니오? 스님. 저는 황금을 기념품 삼을 만큼 대범한 사람이 아닙니다."

오레놀은 다시 웃으며 고개를 가로저었다.

"주키. 뭔가 착각하고 있는 것 같군요. 아마도 부자가 되셨다고 좋아하시는 것 같은데, 정말 죄송합니다만 그렇지 않습니다. 당신이 그걸 떼어갈 수 있을지도 모르지요. 하지만 그건 당신에게만 황금입니다. 다른 사람에겐 그냥 벽돌로 보일 겁니다."

충격이 이해로, 그리고 이해가 실망으로 바뀌었다. 주키는 그만 울 것 같은 얼굴이 되었고 킬소와 막타드 역시 정도는 다르지만 실망감을 감추지 못했다. 주키는 포기하기 힘들다는 듯이 '그러면 다른 사람들도 이것이 황금이기를 소망하면 되는 것 아니냐?'고 반론을 펼쳤지만 오레놀은 '누구 하나라도 그것이 벽돌이기를 바란다면 그것은 그 사람에겐 벽돌이 될 텐데, 그런 물건은 보물로서 가치가 없다. 또한 하늘치의 등 위를 벗어나서도 똑같은 일이 일어날 거라는 보장은 어디에도 없다.'는 논리로써 주키의 반론을 간단히 격파했다. 주키는 눈앞에 있는 수천 톤의 금덩어리가 똥덩어리로 바뀐 것을 본 사람의 표정을 지었는데, 사실 그에게 일어난 일이 바로 그런 일이었다. 주키는 최후의 수단으로 "이 벽이 모든 자에게 황금인 황금벽이 되길 원한다!"고 외친 다음 기대감에 차서 킬소와 막타드를 바라보았다. 하지만 킬소와 막타드는 고개를 가로저을 수밖에 없었다. 오레놀은 다시 웃었다.

"재미있군요. 물론 사람들은 다른 사람에게 소망을 품을 수야 있지만, 그 소망이 모두 이루어지는 것은 아니지요. 상대방도 같은 소망을 품어야만 가능하지요. 정말 재미있는데요."

"스님. 속물이라 하셔도 할 말 없습니다만, 저는 하나도 재미없습니다."

주키는 볼멘 목소리로 말했다. 킬소는 미소를 지었고 막타드는 어깨를 으쓱였다.

"뭐, 그래도 이 정도면 그 고생을 감수하고 올라와 볼 만하군. 정말 놀라운 유적 아니야? 자기가 원하는 대로 바뀌는 유적이라니. 아쉽게도 그 변화를 다른 사람과는 공유할 수 없다는 것이 문제이지만, 나는 만족감이 드는데."

주키 또한 곧 밝은 표정을 되찾았다. 그 역시 이곳에 올라와 유적을 느껴보는 것이 소망이었던 유적 발굴자로 빠르게 되돌아왔다.

"네 말 맞다. 막타드. 정말 올라와 볼 만한 곳이야. 흐음. 이거 아무래도 계속 티나한 대장 좋은 일만 되는 것 같지 않아? 티나한 대장의 사업은 잘될 것 같군. 하지만 만족감에 대해서는, 나는 아직 그렇지가 못해. 도대체 어떻게 해서 이런 일이 일어나는 건지를 아직 모르거든."

"그거라면 내가 도와줄 수 있을 것 같은데."

오레놀과 주키, 그리고 막타드는 킬소를 돌아보았다. 킬소는 뭔가 비밀을 간직한 표정으로 세 사람을 차례로 돌아보고는 손을 들어 말없이 그들에게 따라오라는 손짓을 했다. 그리고 킬소는 걸어갔다.

킬소가 도착한 곳은 광장 가운데의 기둥들이었다. 킬소는 기둥을 한 번 올려다보고는, 씩 웃으며 오레놀을 돌아보았다. 오레놀 또한 킬소가 무슨 일을 할 작정인지 깨닫고는 탄성을 질렀다.

"이 기둥에는 스님 말씀대로 중요한 역사적 사실들이 적혀 있겠지요. 물론 자기 자랑에 불과한 별 볼 일 없는 내용일지도 모르지만, 그래도 이렇게 광장 한가운데서 있는 물건에 새빨간 거짓말을 새겨넣지는 않았겠지요. 따라서 우리는 이 기둥에 있는 내용을 읽어볼 필요가 있습니다."

오레놀은 기대감 속에 말했다.

"그렇게 될까요?"

"시험해 봐야지요."

그리고 킬소는 기둥을 향해 말했다.

"나는 이 기둥의 글을 읽기를 원한다."

오레놀과 주키, 막타드의 눈에 기둥은 아무런 변화도 보이지 않았다. 하지만 킬소는 탄성을 지르며 기둥을 정신없이 바라보았다. 지금까지의 경험을 떠올린 다른 세 사람은 앞다투어 같은 소망을 말했다. 그러자 다른 세 사람도 그 글을 읽을 수 있게 되었다.

그들은 정신없이 기둥의 글을 읽었다.

대수호자 키베인이 자기 자신을 정의하기 위해 사용하는 단어들 중에는 호의적인 것이 별로 없다. 멍청하기 때문에 대수호자가 되었다고 간단히 인정해 버리는 키베인의 성격은, 그러나 자기혐오나 패배주의 같은 것과는 상관이 없다. 자칫 그런 경향으로 넘어가버릴 수 있지만 그러지 않는 것은 그가 재미를 좋아하는 사람이기 때문이다. 재미를 아는 자는 패배주의자가 될 수 없다.

그래서 키베인은 갈로텍으로부터 그가 위대하고 현명하고 어쨌든 가로 세로 재어보기도 힘들 만큼 잘났다는 평가를 받게 되자 그런 평가에 도취되는 대신 흥미를 느꼈다. 키베인은 왜 갈로텍이 형용사를 낭비해 가며 스스로도 믿지 않는 사실을 날조해 내려 애쓰는 것인지 정말 궁금했다. 그리고 마침내 갈로텍이 그에게 모든 나가들의 생사여탈권을 주겠다고 닐렀을 때조차 키베인은 그것을 어떻게 쓰겠다는 생각이 아닌, 그것을 왜 주는 것인지에 대한 생각을 했다.

대답은 그다지 어렵지 않았다. 갈로텍에게는 대수호자라는 지위에 나가들의 생사여탈권이라는 막강한 권능까지 가진 초월적인 지도자가 필요해진 것이다. 그리고 그런 초월적인 지도자는 막강한 적이 있기 때문에 필요한 것이다. 그 막강한 적은, 초월적인 지도자가 하텐그라쥬 출신이 아니라 지도그라쥬 출신이라는 것이 아무런 문제가 되지 않을 만큼 위험한 적이다. 키베인은 거기까지 추리할 수 있었다. 하지만 그 시점에서 키베인은 갈로텍에게 도대체 어떤 적이 생긴 거냐고 묻는 대신 생각 좀 해보겠다고 널렀다. 그것이 더 재미있을 것 같았기 때문이다. 갈로텍은 집요하게 달려들었고 그래서 키베인은 신명을 잃은 수호자의 슬픔을 연기해 보여야 했다. 갈로텍은 대수호자가 상실감 때문에 자포자기 상태에 빠져 무엇 하나도 제대로 결정하기 힘든 상태라고 판단하고는 일단 물러나기로 했다.

갈로텍이 떠나고 나서 키베인은 제자리에 앉아서 생각에 잠겼다. 키베인은 심장병의 통제권이라는 것에는 아무런 흥미를 느끼지 않았다. 재미를 아는 자는 힘의 노예가 되지 않기 때문이다. 그래서 키베인이 주로 생각한 것은 갈로텍에게 어떤 적이 생긴 것인지, 그리고 왜 갈로텍이 전대 대수호자의 장례식을 주관하고 차기 대수호자의 자리에 오르지 않는 것인지에 대한 생각이었다. 하지만 둘 다 쉽게 해답이 나오지 않는 질문들이었다. 주의력을 잃은 키베인은 멍한 기분 속에서 갈로텍에게 모든 심장병의 통제권을 넘기는 일이 재미있을 것인가에 대해 생각했다.

그의 시야 한구석에서 뜨거운 것이 움직였다.

키베인은 그곳을 바라보았다. 그 뜨거운 것은 빠른 속도로 움직이고 있었다. 키베인은 별 생각 없이 말해 보았다.

"달비 부위?"

뜨거운 것이 방향을 바꿨다. 키베인은 자신의 추측이 맞은 것에 즐거워 했다. 잠시 후 그의 눈앞에 데오늬 달비가 나타났다.

"부르셨습니까, 대수호자님?"

"예. 왜 그렇게 뛰어다니고 있는 거죠?"

"삭정이를 모으고 있었습니다. 대수호자님. 저희들은 요리를 해야만 먹을 수 있습니다. 대수호자님."

"아아, 그렇지요. 그런데 삭정이를 모으기 위해 그렇게 뛰어다녀야 합니까?"

"태풍 때문에 나무들이 젖어 있습니다. 대수호자님."

데오늬는 그 정도면 훌륭한 설명이라 생각했다. 그리고 키베인은 아무것도 이해할 수 없었다. 조금 생각한 후에야 키베인은 '나무들이 젖어 있다. 젖어 있지 않은 나무를 찾으려면 많이 돌아다녀야 한다. 많이 돌아다니면서도 식사 준비가 늦지 않으려면 달려야 한다.'라는 일련의 논리를 떠올릴 수 있었다.

"아, 저는 당신이 병사들의 눈을 피하기 위해 뛰어 다니는 줄 알았습니다."

"눈을 피한다고 하셨습니까, 대수호자님?"

"어, 당신들이 나무를 태우는 것에 대해 병사들이 싫은 눈치를 주지 않던가요?"

"눈치를 준다고요, 대수호자님?"

키베인은 슬슬 그만하는 것이 좋겠다고 생각했다. 뛰어다니느라 눈치 볼 새도 없나 보다고 생각한 키베인은 손을 내저었다.

"아뇨, 됐습니다. 가보십시오. 방해가 되었군요. 아, 참. 그런데 말입니다."

"예. 대수호자님."

키베인은 싱긋 웃었다.

"데오늬 달비. 만약 당신에게 모든 인간들의 목숨을 좌우할 수 있는 능력이 생기면 어떻게 하겠습니까?"

"모든 인간의 목숨을 좌우할 능력이요? 그것이 무엇입니까, 대수호자님?"

"그런 능력이 있다고 치고 그게 손에 들어온다면 어찌시겠냐는 질문입니다."

데오늬는 고개를 왼쪽으로 조금 기울였다. 잠시 후 데오늬는 고개를 똑바로 들었다. 대답을 기다리던 키보렌의 대수호자는, 데오늬의 고개가 오른쪽으로 기우는 것을 보며 한숨을 내쉬었다. 데오늬는 한참 후에야 입을 열어 말했다.

"그건 죽은 자를 살아나게도 할 수 있는 능력입니까, 대수호자님?"

"아니요. 제가 말을 잘못했군요. 정확하게 말하자면 모든 자를 간단히 죽일 수 있는 능력이라고 해야겠군요."

"그렇다면 아무 쓸모가 없는 능력이군요, 대수호자님?"

"제 생각에도 그렇습니다만, 음. 달비 부위. 그런 능력이 있다면 당신을 해치려는 자를 먼저 제거할 수도 있잖습니까?"

데오늬는 자신 없는 태도로 고개를 끄덕였다. 키베인은 약간의 조바심을 느꼈다.

"그렇지 않습니까, 달비 부위?"

"모르겠습니다. 대수호자님. 누가 저를 해친다면, 제가 죽습니다. 그래서 그를 먼저 해친다면, 그가 죽습니다. 어느 경우에도 한 사람은 죽습니다. 하지만 그 사람에게 그러지 말라고 설득하면, 그러면 아무도 죽지 않습니다."

데오늬는 자신이 말한 내용에 감동했음이 분명했다. 그리고 키베인은 어떻게 병사가 설득이라는 미덕에 대해 이야기할 수 있는 것인지 짐작도 되지 않았다.

"글쎄요. 달비 부위. 그러면 좋겠지만, 지금 저와 당신이 참가하고 있는 이 전쟁처럼 사람들의 대립에는 화해나 양보가 불가능한 경우가 있습니다. 사람이 다른 사람에게 소망을 품는 거야 얼마든지 가능합니다만 그 소망은 이루어지는 경우만큼이나 이루어지지 못하는 경우도 많습니다."

데오늬는 또다시 자신 없게 고개를 끄덕였다. 문득 키베인은 자신이 무의미한 짓을 하고 있음을 깨달았다. 그의 고민을 같은 나가도 아닌 인간과 나눌 수는 없는 노릇이다. 키베인은 물러가 보라고 말했다. 데오늬는 인사하고 달려갔다.

홀로 남은 키베인은 다시 생각에 잠겼다. 조금 전과 달라진 것이 있기는 했다. 키베인은 이제 누구의 도움도 없이 홀로 그 문제에 대해 생각해 보기로 결심하고 있었다.

꾸벅꾸벅 졸고 있던 사모를 깨운 것은 니름이었다. 그랬기에 사모는 정신을 차리자마자 쉬크톨을 움켜쥐었다. 그녀에게 또다시 니름이 들려왔다.

〈대호왕 사모 페이.〉

사모는 긴장했다. 대호왕이 곧 사모 페이라는 것을 알고 있는 자들은 북부군의 수뇌들뿐이었고 그중에서 니를 줄 아는 자는 륜 페이뿐이다. 하지만 그 니름은 륜의 것이 아니었다. 쉬크톨을 든 채 일어났을 때 사모는 가까스로 그 조건에 해당되는 자를 하나 더 떠올렸다.

〈유해의 폭포?〉

사모는 주위를 둘러보았다. 두억시니들의 회전은 계속되고 있었다. 그리고 사모는 그들에게서 전해져 오는 정신을 느낄 수 있었다.

〈옛날에는 그런 존재였지.〉

〈그렇다면 지금은 아니라는 건가?〉

〈지금은 아니야. 자신을 죽이는 신의 화신께서 나를 바꿔놓았지.〉

사모는 뜨거운 피라미드를 바라보았다.

〈시우쇠 님이…… 너를 불태운 건가?〉

〈그래.〉

돌아오는 대답에는 슬픔이나 분노 같은 것이 섞여 있지 않았다. 사모는 쉬크톨을 다시 꽂아넣으며 질문했다.

〈그런데, 그 사실에 대해 화내고 있는 것 같지는 않군. 괜찮은 거야?〉

〈나는 괜찮아. 시우쇠 님은 내게 대답해 주셨어.〉

〈대답? 두억시니가 왜 신을 잃었는지 설명해 주셨다는 건가?〉

〈응. 하지만 그걸 네게 닐러줄 수는 없어. 시우쇠 님이 그걸 원하지 않으니까. 수수깨비도 그것을 무척 말하고 싶었을 거야. 그러니 그런 괴팍한 장난을 친 것이겠지. 결국 모든 이보다 낮은 여신께서 그 어르신을 닥치게 해야 했지.〉

사모는 유해의 폭포가 니르는 이야기를 알아들을 수 없었다.

〈미안하지만 네 니름 중에 내가 모르는 단어들이 섞여 있는데. 수수깨비가 뭐지?〉

〈수수깨비는 옛날 북부에 살았던 어르신이야. 미안하군. 이제 다시는 대화를 할 수 없다는 사실 때문에 아무 이야기나 하게 되었어.〉

〈다시는 대화할 수 없다고?〉

〈그래. 시우쇠 님이 내게 남겨준 것은 단 한 번의 대화야. 그래서 나는 너를 기다렸어. 그분이 내가 훔쳐쓰고 있던 것을 모두 가져가셨기 때문에 네가 도착할 때까지 기다릴 수밖에 없었어. 그런데 무척 빨리 왔군. 나는 오랫동안 기다려야 될 거라고 생각했어. 너는 북부군과 시우쇠 님을 뒤쫓아온 건가?〉

유해의 폭포가 보내어오는 니름은 여전히 알아듣기 어려웠다. 하지만 그중 일부분은 사모를 놀라게 했다. 그래서 사모는 유해의 폭포의 질문에 대답하기 전에 먼저 질문했다.

〈단 한 번의 대화라니, 그게 무슨 니름이지?〉

〈니름 그대로야. 이 대화가 끝나면 나는 사라질 거야.〉

〈사라진다고?〉

〈정확하게 니르면 사라지는 것은 없어. 지금껏 그래 왔던 것처럼 두억시니는 여전히 남아 있을 거야. 하지만 이 어두운 암흑 속에서 흘러내리며 너와 대화를 나누던 나는 사라질 거야.〉

사모는 놀랐다.

〈그렇다면 죽는 거잖아?〉

〈하긴 그렇군. 사람이 죽어도 사라지는 것은 아니지. 시체가 남으니까.〉

유해의 폭포는 그것이 재미있다는 듯이 웃었다. 사모는 그렇게 즐거워할 수는 없었다.

〈솔직히 잘 모르겠군. 만족하는 것처럼 보이는데, 그러면서 죽는 거라면 그 죽음에 대해 슬퍼할 필요는 없겠지. 너는 만족하는 거야?〉

되돌아온 대답은 사모를 놀라게 할 정도로 강렬했다.

〈오오, 사모 페이. 나는 만족해. 더 이상 만족할 수 없을 만큼 만족해!〉

그리고 유해의 폭포는 한 마디를 덧붙였다.

〈그리고, 지금 나는 불쌍한 너희들에 대해 미칠 것 같은 동정심을 느껴.〉

사모는 잠시 아무 니름도 할 수 없었다.

사모 페이는 불쌍하다는 니름을 다른 자들도 아닌 두억시니에게서 듣는다는 사실에 놀라움밖에 느낄 수 없었다. 그녀가 아는 두억시니는 삶의 모든 기쁨을 박탈당한 자, 생을 아름답게 하는 어떤 규칙조차 구성할 수 없는 자, 신을 잃은 자들이다. 그런 자에게 동정을 받는다는 것은 사모에겐 불쾌함보다 더 큰 놀라움을 선사했다.

꽤 긴 시간의 침묵 다음에 사모는 간신히 닐렀다.

〈내 처지를 니르는 거야? 동생과 나를 얽어매고 있는 이 끔찍한 운명? 하지만, 네가 니르는 너희라는 단어는 아무래도 우리 남매를 가리키는 것 같지는 않은데.〉

〈물론 너와 네 동생에 대해서도 나는 동정심을 느껴. 네 동생과 네가 제발 행복해지기를 바라. 그리고 너희 남매를 동정하는 것은 세상에 오직 나뿐이지. 아니, 그 대호와 용도 있군. 하지만 그들은 너희들을 동정하지 않아. 그렇다고 해서 그들을 원망해서는 안 돼. 사모 페이. 아, 나는 더 이상 니를 수가 없어. 하지만 모든 사실이 사실로 존재할 수 있게 될 때, 오랫동안 무시되었던 권리가 자신을 주장할 수 있게 되었을 때, 셋이 하나를 상대하게 될 때, 사모. 너는 모든 것을 알게 될 거야. 내가 니른 너희가 누구인지도.〉

갑자기 유해의 폭포가 보내오는 니름에 묘한 느낌이 덧붙여졌다. 육성을 사용하는 자들의 표현을 따른다면 숨죽여 속삭이는 것과 비슷한 방식으로 유해의 폭포는 닐렀다.

〈그리고 사모 페이. 그들이 미처 예견하지 못했지만, 그때 너에겐 할 수 있는 일이 있을 거야.〉

〈할 수 있는 일?〉

〈그래. 나는 그것을 닐러주기 위해 기다렸어. 내가 감히 이런 엄청난 일을 저지를 수 있는 것은 도저히 어떻게 해볼 수 없는 동정심 때문이야. 사모 페이. 언젠가 때가 올 거야. 그때가 오면 너는 알 수 있을 테니 그때가 언제인지는 니르지 않겠어. 다만 그때가 오면 너는 자신이 누구인지 알아야 해.〉

사모는 그 니름을 되풀이할 수밖에 없었다.

〈내가 누구인지 알아야 한다고?〉

〈그래. 그걸 알아야 해. 그들은 나를 징벌할까? 그렇지 않을 거야. 나는 사라질 테니. 하지만 이 이상 그들의 일에 참견하는 것도 부당한 일이겠지. 사모 페이. 그 두억시니들은 끝까지 너를 따를 거야. 그리고 너를 보호할 거야. 그 두억시니들은 너희 가엾은 남매에게 주는 내 유산이 될 거야.〉

사모는 유해의 폭포가 '그 두억시니들'이라고 니른 것에 또다시 충격을 받았다.

유해의 폭포는 그렇게 표현하지 않았다. '나들'이라는 괴상하면서도 묘하게 사실을 정확히 표현하는 단어를 사용했다. 하지만 이제 유해의 폭포는 스물두 명의 두억시니들과 관련이 없다는듯 객관적 거리감을 두는 표현을 사용했다. 유해의 폭포는 다시 닐렀다.

〈이제 사라져야겠어.〉

〈사라진다고? 잠깐. 나는 네 니름을 하나도 이해하지 못했어.〉

〈이해할 필요는 없어. 나는 오히려 네가 이해할까봐, 멍청한 이성으로 이해할까봐 무서워.〉

사모는 더 이상 니를 수 없었다. 참으로 거대한 니름이 그녀를 향해 노도처럼 쏟아져왔다.

〈살아가, 제발. 살아가!〉

거기에 애정이 있었다. 사모는 받아본 적 없는 거대한 애정에 놀랐다. 니름이 담아낼 수 있을 것 같지 않은 애정과 관심이, 그리고 수단이 아닌 목적인 호의가 있었다. 웃음, 즐거움, 사라지는 것에 대한 완전한 기쁨. 사모는 이해할 수 없었다. 멍청한 이성으로는 이해할 수 없었다. 그러나 그녀에게 다가와 그녀를 온통 적셔버리는 환희는 사모마저도 즐거움에 넘치게끔 만들었다. 유해의 폭포는 영원히 사라지지만 그것은 절대로 슬픈 일이 아니었다. 정신적 홍소, 폭소라도 터뜨리고 싶은 기분 좋은 소멸. 유해의 폭포는 마지막으로 농담처럼 닐렀다.

〈제발, 자기 완성을 위해 살아간다는 자를 조심해……. 하하하!〉

사모는 커다란 미소를 지었다. 그것은 지복에 찬 소멸이었다.

마루나래가 가볍게 울었다.

사모는 눈을 떠 주위를 둘러보았다. 두억시니들은 빙글빙글 도는 것을 멈춘 채 한쪽 방향을 바라보고 있었다. 그리고 마루나래 또한 그쪽을 바라보며 긴장한 듯 어깨를 경직시키고 있었다. 사모는 그쪽을 바라보았다.

어둠 저편에서 뜨거움이 다가오고 있었다. 두드러지는 뜨거움은 세 개였고 그 크기는 모두 달랐다. 그런데 사모에게 그 세 개의 서로 다른 뜨거움은 익숙했다. 사모는 아직 채 가시지 않은 기쁨 속에서 또 다른 기쁨이 부풀어오르는 것을 느꼈다. 마침내 그들이 그녀 앞에 도달했고 마루나래는 긴장을 풀었다.

"폐하?"

"케이건!"

숲 속에서 걸어나온 케이건은 의아하다는 얼굴로 사모를 바라보았다. 그리고 그 뒤편으로 비형과 나늬, 티나한의 모습이 보였다. 티나한과 비형 또한 놀라움이 가득한 표정으로 사모를 바라보았다. 케이건은 가볍게 주위를 둘러보고는 말했다.

"폐하의 종복 케이건 드라카가 문후를 여쭙습니다. 그런데 폐하, 이곳은 키보렌입니까?"

사모는 그 질문이 이상하다는 것을 느꼈지만 당장은 그것에 대해 대답하지 못했다. 그녀를 채우고 있는 기쁨의 여운은 짙었고, 그래서 사모는 앞으로 걸어갔다. 케이건은 조용히 그녀를 바라보았다. 사모가 두 손을 내밀었을 때 케이건의 무표정이 약간 흔들렸지만 그 흔들림은 곧 사라졌다. 사모는 말했다.

"다시 만나서 반가워."

케이건은 약간 지체하다가 차분하게 손을 내밀어 사모의 손을 마주 쥐었다. 사모는 티나한과 비형과도 차례로 손을 마주잡았다. 비형은 웃으며 말했다.

"폐하. 즐거워 보이시네요? 뭔가 좋은 일이 있으셨습니까?"

자신의 대답이 그들을 당황시킬 것을 짐작했지만, 사모는 대답할 수밖에 없었다.

"그래. 조금 전에 친구 한 명이 죽었어."

그녀의 예상대로 되었다.

그들이 나눌 이야기는 대단히 많았다. 그리고 그곳은 그들이 겪어야 했던 기묘한 이야기들을 나누기에 더할 나위 없이 적합한 장소이기도 했다.

별들이 흩뿌려진 열대의 청명한 밤은 불과 얼마 전까지 살을 에는 추위의 세계를 떠나온 수탐자들에게 낯선 기분을 선사했다. 숲은, 밀림은 조용한 꿈속에 숨 쉬고 있었다. 도깨비는 일어나 커다란 도깨비불 하나를 만들어 하늘에 던졌다. 그러자 고대의 건물들이 빛 속에 되살아났다. 그곳에서 그림자들이 피어나 까불거렸다. 그 모습은 마치 고대의 건물을 구성하는 돌들이 놀란 것처럼 보였다. 그들로서는 상상하기도 힘들 만큼 빠른 시간의 단위를 사용하는, 거의 명멸하는 것처럼 보이는 사람들의 모습에 놀란 돌들이 빛과 그림자로 자신의 놀라움을 표현하는 것 같았다. 목향에 젖은 바람은 부드러웠고 사위는 고요했다.

북부의 왕 사모 페이는 모든 이보다 낮은 여신에게 배례했다.

"거룩한 여신이여. 저희들의 부덕함으로 여신을 귀찮게 해드린 것을 진심으로 사과드립니다."

아기는 웃었다.

"나가의 여인이여. 그대가 걸어야 했던 길은 지나치게 험난했고 그대 어깨에 지워진 짐 또한 너무 무겁다. 불평하지 않는 여인이여. 그대는 누구를 대신하여 사과할 필요가 없다. 이 모든 일에 대해 사과할 자는 아무도 없을 것이다."

"저희 동포들이 발자국 없는 여신을 능멸했습니다."

"너희들은 그러기 어려울 거다."

사모는 옛 기억을 떠올렸다.

"시우쇠 님과 같은 말씀을 하시는군요. 그분은 보다 거칠게 말씀하셨습니다만."

"아아, 알고 있어. 세쿼라도라고 불리는 곳에서였지?"

"땅 위에서 일어나는 모든 일을 아시는 겁니까? 그렇다면, 여신이여. 한 가지 여쭈어도 될까요? 제 동생이 살아 있는지 알려주실 수 있습니까?"

아기는 부드러운 표정으로 대호왕을 바라보았다.

"그 아이는 용인의 감각과 여신의 힘, 그리고 고대에도 비슷한 예를 찾기 힘든 강력한 용이라는 보호자와 함께 있지 않느냐."

"그리고 심장도 가지고 있습니다."

"그렇구나. 네 동생은 살아 있다."

사모의 얼굴이 환해졌다. 아기는 다시 말했다.

"그리고 우리는 그들에게 갈 것이다. 시우쇠가 그곳에 있으니. 티나한?"

티나한은 다시 아기를 업었다. 멜빵을 고치던 티나한은 북부의 왕이 그를 물끄러미 바라보고 있는 것을 깨닫고는 그만 흥분해 버렸다.

"왕! 왕! 너, 너 그러니까!"

"뭐?"

"그러니까, 제기랄! 야, 케이건! 나 대신 말 좀 해!"

케이건은 친절하게 티나한의 요구를 따랐다.

"보모나 유모에 관련된 농담은 티나한을 화나게 할 겁니다. 폐하."

사모는 빙긋 웃으며 고개를 가로저었다.

"그렇지 않아. 티나한. 나 자신에 대해 생각하고 있었으니까. 내 고향에서 나는 아기를 가질 생각이 없는 여자로 알려져 있었지. 그런데 나는 지금 내 아기는 아니지만 아기를 데리고 그곳으로 돌아가는군. 그리고 그 아기는 레콘이며, 모든 이보다 낮은 여신의 화신이시지. 참 기묘하다고 생각했어."

티나한은 부리를 조금 벌린 채 고개를 끄덕였다. 사모는 부드럽게 말했다.

"내 아기는 아니지만, 티나한. 왕의 용감한 전사여. 그 아기를 잘 보살펴."

티나한은 밝게 웃으며 그러겠노라 말하려 했다. 하지만 그때 티나한은 비형이 소리 죽여 웃는 것을 보게 되었다. 문득 긴장하게 된 티나한은 곧 사모가 조금 전 보모 노릇을 잘 하라고 말한 것임을 알게 되었다. 그가 자기 조절이 불가능한 상태에 빠지기 직전, 사모는 쾌활한 동작으로 마루나래에 뛰어올랐다.

"가자!"

소메로 마케로우는 자신의 방에 앉아 자신을 괴롭히는 파국의 느낌을 분석해 보려 애쓰고 있었다. 그리고 체념하는 기분 속에서 비아스의 대담함이나 카린돌의 명석함이 자신에게 있었으면 좋겠다고 생각했다. 사람들이 그녀를 어떻게 부르는지 알고 있었고 그 평가에 고마워하는 그녀였지만, 그 순간 소메로는 덕 이외에 다른 것도 좀 가졌더라면 좋았을 거라고 생각했다.

공회당이 건설된 이래로 가장 화려한 방법으로 입장한 비아스가 그 무례함에 대해 어떤 처벌도 받지 않고 오히려 찬사를 받았을 때, 마케로우 가문의 일원이고 비아스의 언니인 소메로는 당연히 동생의 성공에 기뻐해야 된다고 생각했다. 하지만 그 순간 그녀를 엄습한 것은 파국의 예감이었다. 소메로는 자신이 어떤 몹쓸 질투심에서 그런 무도한 감정을 품게 된 것이 아닌가 의심해 보았지만 그렇게 여기기엔 파국의 예감이 지나치게 강했다. 그랬기에 소메로는, 거의 성과를 기대하지 않으면서도 다시 한번 제반 상황들에 대해 검토해 보았다.

그녀가 또다시 다 포기하고 싶은 기분을 느꼈을 때 남자들이 찾아왔다는 전갈이 왔다. 소메로는 '방문자라면 방을 내주고 쉬도록 해주라.'고 명령했지만 그 남자들은 소메로를 만나기 위해 찾아온 쥬어의 의용병이라는 설명을 듣게 되었다. 소메로는 의아했다. 하지만 또다시 사고 활동에 얽매이는 것이 두려웠기에 소메로는 일어나 응접실로 갔다.

응접실에서는 두 남자가 그녀를 기다리고 있었다. 일어나려는 남자들에게 손짓을 하여 도로 앉게 한 소메로는 그들의 맞은편에 앉았다. 그리고 한동안 니름없이 남자들을 바라보았다. 남자들은 그녀와 얼굴을 마주치고 싶지 않다는, 하지만 동시에 얼굴을 마주치고 싶다는 듯한 이상한 기색을 띠고 있었다. 소메로는 차분하게 닐렀다.

〈이상한 일이군. 쥬어가 왜 나에게 따로 사람들을 보낸 거지? 나는 이미 쥬어에게 마케로우 가문의 가주가 없다는 사실을 설명했어. 혹 마케로우 가문에 대해 다른 것을 원한다면, 왜 비아스에게 니르지 않고 나를 찾아온 거지?〉

두 남자는 서로를 잠시 쳐다보았다. 그중 한 명이 닐렀다.

〈마케로우. 저희들이 쥬어의 의용군에 속해 있긴 합니다만, 쥬어의 명령 때문에 온 것은 아닙니다. 저희들은 자의로 마케로우님을 찾아온 것입니다.〉

〈자의로? 설명해 보거라.〉

〈먼저 옛 기억을 더듬어보시길 부탁드립니다. 물론 이 저택을 스쳐지나간 모든 남자들을 기억하실 수는 없으실 겁니다. 하지만 4년 전, 화리트가 죽고 카린돌 마

케로우께서 실종되셨을 때 이 집에 있었던 두 남자를 기억하실 수 있으시겠습니까?〉

소메로는 눈을 찌푸렸다. 그러나 곧 그녀의 눈이 크게 벌어졌다.

〈기억나! 너희들, 그때 우리 집에 있었어! 이름이?〉

〈저는 카루입니다. 그리고 여기 제 동료는 스바치라고 합니다.〉

소메로는 두 남자를 뚫어지게 바라보았다. 옛 기억들이 되살아나며 그녀는 괴로웠던 과거를 바라보게 되었다. 모든 것은 그날 일어났다.

전선에 나가지 않은 소메로에게 전쟁의 공포는 피상적인 것이었다. 하지만 소메로에게 피부로 다가오는 고통은 충분했다. 가주가 실종되었고 두 명의 동생들이 사라졌다. 그리고 남은 한 명의 동생은 전선으로 떠났다. 갑자기 가문을 떠맡게 된 소메로는, 모든 이들이 그것을 원했지만 가주처럼 행동할 수는 없었다. 그 때문에 그녀는 가주의 책임감을 두 배로 느껴야 했다. 가주가 아니라고 생각했기 때문이다. 그리고 지금, 실종되었던 동생 중 한 명은 지척에 있는 심장탑에 냉동되어 있음이 밝혀졌고 전선으로 떠났던 동생은 그녀가 사랑하는 사회를 뒤집어버리려 하고 있었다. 그들 중 누구도 '마케로우 가문'이라는 소박한 것에 대해서는 신경 쓸 수도, 신경 쓰지도 않았기에 그 가문은 일종의 퇴물, 쓰레기, 구차한 짐 같은 것이 되어 소메로에게 맡겨졌다. 그럼에도 불구하고 소메로는 여전히 그것의 주인이 아니었다.

〈너희들이 이 가문에 온 이후로 그 모든 일이 일어났지. 그래, 왜 돌아온 거지?〉

〈죄송합니다만 육성으로 말해도 되겠습니까?〉

소메로는 약간 불쾌함을 느꼈지만 선선히 대답했다.

"그렇게 해."

"감사합니다. 저희들은 나가 사회를 덮쳐오고 있는 파국에 대해 의논하고 싶어서 찾아왔습니다."

소메로의 몸에서 비늘이 섰다. 청력에 집중하고 있던 두 남자는 그 소리를 들었다. 소메로는 그것을 눕히려 애쓰며 말했다.

"무서운 말을 하는군. 어떤 파국이지? 나가들은 지금 그 어느 때보다 더 큰 승리를 거두고 있고 전 세계의 불신자들은 나가라는 이름에 벌벌 떨고 있어."

"수호자 계급과 대가문들이 대립을 넘어서 본격적인 격돌을 시작했고 모든 나가들의 목숨을 좌우할 수 있는 무서운 권한은 주인을 잃은 채 절대로 그 권한을 제대로 사용할 리가 없는 자들의 사냥감이 되어 쫓기고 있습니다."

"……설명해 봐."

카루는 쫓겨나지 않은 것에 안도하며 말했다.

"먼저, 비아스 마케로우가 최근에 저지른 실수에 대해 말하겠습니다. 그녀는 심장 파괴에 대해 고발했습니다. 다시 없는 어리석은 짓입니다. 지금 대가문들은 비아스와 마찬가지로 그 힘을 이용하여 수호자들을 마음대로 다룰 수 있다고 생각하고 있습니다. 그것은 전일 근무 가능한 무보수 만능 하인인 신의 신화가 약간 변형되어 도래한 것에 불과합니다. 생각 부족한 자들은 신은 만능이며 또한 우리를 사랑하니까 우리가 원하는 것은 무엇이든 들어준다고 생각합니다. 가주들은 수호자들이 만능이며 또한 그 심장을 틀어쥐면 그녀들이 원하는 것은 무엇이든 들어줄 거라고 생각하는 겁니다. 하지만 심장 적출은 스물두 살 이상의 모든 나가들이 받는 것입니다. 그 절대적인 규칙을 깬 사람은 제가 아는 한에는 한 명밖에 없습니다."

"류 페이."

"예. 그렇습니다. 그 외의 다른 나가들은 모두 심장을 적출했습니다. 심장병의 통제권을 얻는 자는 수호자들뿐만이 아니라 모든 나가들을 위협할 수 있습니다. 누가 그것을 가지게 될지 알 수 없지만 그것을 쥔 자는 키보렌에서 짝을 찾아볼 수 없는 강력한 힘을 가지게 됩니다. 지금 비아스에게 협력하고 있는 가주들도 내심 모두 심장병의 통제권을 자신이 가지길 원하고 있을 겁니다."

"그렇겠지. 그런데?"

"만일 그것이 성공한다면, 이후부터 누가 심장을 적출하겠습니까? 아무도 그러려 하지 않을 겁니다."

"그렇겠지. 하지만 강제로 그렇게 하게 할 수 있을 텐데. 네가 말한 대로 심장병의 통제권을 얻은 자는 무소불위의 힘을 가지니까 그 힘으로 어린 나가들을 강제로 적출하게 할 수 있어. '저 아이를 데려와서 심장을 적출하라. 그러지 않으면 네 심장을 파괴하겠다.'는 식이라면 가능하지."

카루는 격하게 고개를 가로저었다.

"그런데, 그것이 마음대로 다룰 수 있는 아이가 아닙니다. 류 페이를 생각해 보십시오. 그는 이미 성공했습니다."

"그건 특별한 예외……."

"그런 것이 아닙니다!"

카루는 버럭 고함을 내질렀다. 소메로는 이 어처구니없는 무례에 격분했지만 끝까지 들어보기로 결심했다. 그렇게 고함을 지를 정도라면 뭔가 생각하고 있는 바가 있을 것이라 여겼기 때문이다. 카루는 말했다.

"우리들 사회는 엄연한 사실을 지나치게 무시하고 있습니다! 남자와 심장 적출을 받지 않은 아이들은 아무런 권한도 가지고 있지 못하며 그래서 당신들은 그들을 은근히 사람 축에도 들지 못하는, 마음대로 다룰 수 있는 장난감이나 되는 것처럼 생각합니다. 하지만 그렇지 않습니다. 쥬어를 생각해 보십시오! 류 페이를 생각해 보십시오! 남자인 쥬어는 감히 당신들에게 남자의 가주 계승을 요구할 수 있게 되었습니다. 그리고 심장 적출을 받지 않은 어린애인 류 페이는 나가 군단의 최대의 적이 되어 있습니다. 하지만 당신들은 그런 자들에 대해 신경 쓰는 것 자체가 위엄을 잃는 일이라고 생각하기에 거론하지 않습니다. 엄연한 사실에 정면으로 대응하는 대신 무시하는 겁니다! 남자와 어린애도 원한다면 얼마든지 당신들을 위협할 수 있습니다! 비에나가 같은 경우엔 심장을 적출한 당신들 고귀한 여자들과 같은 약점도 없습니다!"

화가 치밀어오르는 것을 억누르며, 소메로는 이해심을 계속 불러일으켰다. 카루의 말에는 분명히 새겨들을 구석이 있었다. 카루는 격한 호흡을 가눈 다음 다시 말했다.

"마케로우. 그렇게 되지는 않을 겁니다. 숲으로 도망치면 아무도 나가를 잡을 수 없습니다. 우리들은 숲에서도 얼마든지 살 수 있으니까요. 점점 더 심장 적출을 받지 않은 비에나가가 늘어날 겁니다. 그리고 언젠가 모든 자들이 그렇게 되겠지요. 사회 구조는 붕괴되고 도시들은 텅텅 비게 될 겁니다. 모든 나가들이 야만의 시대로 돌아갈 겁니다. 그러면? 그때 대확장 전쟁이 다시 벌어질 겁니다. 하지만 그때는 나가들이 아닌 불신자들에 의한 대확장 전쟁이겠지요. 곡물을 먹는 불신자들은 야만인이 되어 있는, 그리고 더 이상 불사의 몸을 가지고 있지도 않은 나가들을 마음껏 유린할 겁니다. 우리들은 영웅왕 시대까지 후퇴해 버릴 겁니다. 그것이 나가의 파국입니다."

소메로는 한참 동안 침묵했다. 카루와 스바치는 조바심을 참기 어려웠다. 하지만 이미 범한 무례가 카루를 걱정시키고 있었기에 카루는 더 이상 무례하게 굴 수 없었다. 소메로가 보여주는 인내심은 놀라운 것이었다.

겨우 소메로의 입이 열렸다.

"무서운 예언이군. 하지만 가능성이 완전히 없는 말은 아니군."

"이해해 주셔서 감사합니다. 마케로우."

"그래. 그런 이야기를 내게 한 것은 대책 또한 가지고 있기 때문일 거라 생각되는군. 내 생각이 맞나? 그렇다면 그 대책에 대해 설명해 주겠나?"

카루는 안도의 한숨을 내쉬었다. 소메로에 대한 평을 믿었기에 찾아왔지만 그는 솔직히 첫 번째 고비를 넘을 수 있을지 알기 어려웠다. 하지만 이제 그 고비는 넘어갔다. 카루는 열성적으로 말했다.

"먼저, 여신이 풀려나야 합니다."

"여신이?"

"예. 수호자들이 뺏어간 그녀의 힘이 다시 그녀에게 되돌아가야 합니다. 그렇게 되면 수호자들은 대가문의 가주들이 탐낼 만한 무기가 아니게 됩니다. 그러면 그들은 다시 여신을 모시고 심장병을 관리하는 원래의 역할로 돌아갈 수 있을 것입니다."

"잠깐, 카루. 내가 제대로 이해를 했다면, 그들은 그럼에도 불구하고 여전히 심장 병의 통제권을 얻고 싶어할 것 같은데. 그걸 가지면 모든 나가들을 좌지우지할 수 있으니까. 최소한 수호자들에게 그런 힘을 넘겨줄 수 없다는 이유만으로도 그것을 획득하기를 원할 것 같군. 그렇잖아?"

"맞습니다. 하지만 돌이켜 생각해 보십시오. 수호자들은 심장 파괴를 함부로 사용하지 않았습니다. 그들은 그것이 얼마나 위험한 것인지 알고 있었기 때문입니다. 여신의 힘도 없는 상태에서 수호자들이 함부로 심장 파괴를 휘두를 수는 없습니다."

"그렇다면 두 번째 이유는 철회하겠어. 하지만 그 통제권을 가지면 다른 가주들을 마음대로 다룰 수 있다는 가능성에 대해서는? 다른 가주가 그것을 가지게 될까 봐 두려워서 자기가 가지려 나서게 되는 모든 가주들을, 어떻게 말릴 생각이지?"

카루는 갑자기 빙긋 웃었다. 그리고 스바치 또한 비슷한 표정을 지었다.

"거기에 대해서는 대책이 있습니다. 저는 진작 그런 방법이 사용되었어야 한다고 생각합니다."

"어떤 대책인지 말해 봐."

"마케로우. 지금 심장탑에서는 세리스마가 농성 중입니다. 그런데 세리스마는 왜 비아스 마케로우를 처벌하지 않을까요?"

"처벌이라고?"

"세리스마는 언제든지 비아스 마케로우의 심장병을 파괴할 수 있습니다. 그러면 고약한 선동자를 제거하고 가주들을 두렵게 할 수 있습니다."

소메로는 탄성을 내질렀다. 카루의 말대로였다. 소메로는 놀랍다는 듯이 말했다.

"수호자들이 그토록이나 심장 파괴를 사용하는 것을 꺼리는 것이냐?"

"그렇지 않을 겁니다. 세리스마가 비아스 마케로우를 처벌하지 않는 것은, 그럴 수 없어서일 겁니다."

"그럴 수 없다니, 왜 그렇지?"

"그녀의 심장병에는, 아마 먹칠이 되어 있을 겁니다."

소메로는 입을 벌린 채 두 사람을 멍하니 바라보았다. 카루는 쾌활하게 말했다.

"예. 언젠가 저희들은 저 탑에 억류되었다가 탈출한 적이 있습니다. 하지만 저희들은 탈출한 다음에도 심장 파괴를 당할까봐 두려웠습니다. 그래서 저희들은 탈출하기 직전 닥치는 대로 심장병의 이름을 지웠습니다. 마케로우. 저희들은 장차 심장 적출이 실시될 때 그런 절차가 덧붙여지기를 원합니다. 아니, 아예 처음부터 심장병에 이름을 적지 않으면 되겠군요. 그러면 누구도 심장 파괴를 사용할 수 없습니다. 그렇게 되면 심장 적출은 유지되면서 모든 자들이 원하는 위험한 힘은 사라지는 겁니다."

소메로 마케로우가 행하는 사고의 중심에는 언제나 마케로우 가문이 있었다. 그녀가 가장 관심 있어 하는 것들은 가문의 복지, 평화, 안정이다. 그리고 사실 나가 여인들은 그보다 더 큰 규모의 일에 대해 생각할 필요가 거의 없었다. 그들의 정치 단위는 도시이며 그 도시에서조차 가주들의 회의—회의이지 일방적 집행이 아니라는 점에 주의해야 한다.—에 의해 간단히 처리될 수 있는 것 이상의 문제는 일어나지 않는다. 쇼자인테쉬크톨이라는 무서운 해결책이 있는 상황하에서 가문들이 정도 이상의 대립을 일으키는 일은 없으며, 대립을 일으킬 사안조차 별로 존재하지 않는다. 가문들이 필요로 하는 외부의 것이 있다면 남자들이지만, 거리로 나가서 남자들을 끌어들인 카린돌에게 쏟아진 악평과 사모 페이에 대한 직접적인 공격이 없었다는 점에서 알 수 있듯이 남자들이 어느 가문을 방문할 것인지에 대한 문제는 가문이 어떻게 할 수 있는 문제가 아니다. 그들의 사회는 갈등의 요소가 배제된 사회였다.

하지만 지금 소메로는 전 세계의 모든 나가들이 관련된 거대한 문제에 대해 참여할 것을 요구받고 있었다. 예전의 그녀였다면 오래전에 물러나 버렸을 테지만, 공교롭게도 파국의 예감에 대해 고민하고 있었던 소메로는 그것에서 물러나는 대신 조심스럽게 접근했다. 하지만 카루와 스바치를 만족시킬 만한 접근 속도는 아니었다.

"재미있는 방법이군. 누구의 심장병인지 아무도 모른다면, 아무도 심장 파괴를 사용할 수 없겠군. 너희 말대로 진작 그런 방법이 사용되는 것이 마땅해. 왜 지금까지 그러지 않았을까."

"사용하지 않으려 조심하고 있었지만, 그래도 수호자들은 심장 파괴의 수단을 완전히 없애버리고 싶지는 않았던 거지요."

"그렇군. 그렇다면 너희들의 그 계획에 나는 어떤 식으로 포함되어 있는 거지?"

스바치가 처음으로 입을 열었다.

"마케로우. 당신은 마케로우 가문의 가주가 되셔야 합니다."

거의 분노를 일으키기 직전 소메로는 간신히 자신을 참아내었다. 그녀는 싸늘하게 스바치를 바라보았다.

"참 묘한 일이군. 남자에게서 가문의 일에 대한 참견을 이렇게 정면으로 당하고도 내가 아직 너의 입을 찢어버리지 않는다는 것이."

스바치는 약간 슬픈 표정으로 그녀를 바라보았지만, 공포를 떠올리지는 않았다. 만약 그랬다면 소메로는 참기 어려웠을 것이다. 소메로는 말했다.

"계속해 봐."

"감사합니다. 현재 마케로우 가문에는 가주가 없습니다. 하지만 당신은 이 가문의 최연장자입니다. 당신이 가주가 되는 것에는 아무 문제가 없습니다. 그러면 비아스 마케로우는 당신의 명령을 따를 수밖에 없습니다. 아무리 수호 장군들이 우리 세계를 좌지우지하게 되었다 하더라도 오랜 전통이 4년 만에 무너지지는 않습니다. 당신이 가주가 되신다면, 당신은 비아스에게 정찰 대원이 되라고 명령하실 수도 있습니다. 사이커 한 자루 들고 밀림으로 떠나라고 할 수 있으신 거지요."

"그래서?"

"그러면 잠시 동안 심장탑에 대한 공격이 중단되겠지요. 그때 저희 두 사람이 심장탑에 들어가서 여신을 구출하는 겁니다."

"흐음. 그리고?"

"먼저 심장탑의 세리스마가 당신에게 고마워하겠지요. 대가문과 수호자들의 알력을 선동한 비아스 마케로우를 쫓아내신 거니. 그리고 나가들에게 닥쳐온 위험을 일깨운 당신에게 가주들도 고마워할 겁니다. 그리고 이미 여신이 구출된 이상 아무 힘도 가지지 못하게 된 수호 장군들이 돌아오겠지요."

스바치는 말을 잠시 끊었다가 다시 말했다.

"그들에게 심장병의 관리를 맡기면 됩니다. 물론 앞으로는 심장병에 이름을 표시할 수 없게 해야겠지요."

소메로는 스바치를 물끄러미 바라보다가 말했다.

"네가 하지 않은 말이 뭐지?"

"네?"

"'수호 장군들이 돌아오겠지요.'라고 말한 다음 네가 하지 않은 말이 있는 것 같군. 그게 뭐지?"

스바치는 갑자기 고개를 조금 돌렸다. 벽을 바라보던, 정확히 말하자면 어느 곳도 바라보지 않던 스바치는 그렇게 소메로를 외면한 채 말했다.

"갈로텍이 돌아오면, 카린돌 마케로우의 영을 다시 카린돌 마케로우의 육에게 돌려줄 수 있을지도 모른다고 생각했습니다. 하지만 군령자에게서 한 명의 영만을 다시 빠져나오게 하는 것이 가능한 일인지는 잘 모르겠습니다."

"여신을 구출하면서 동시에 내 동생도 살려낼 수 있을 거라는 말이군."

"불가능할지도 모릅니다. 그래서 말하지 않았습니다."

소메로는 과거의 기억을 더듬었다.

"그러고 보니 4년 전, 너는 주로 카린돌과 함께 있었지. 그렇지?"

"……그렇습니다."

소메로는 스바치를 바라보았다. 그 시선은 마치 동생을 바라보는 것 같은 시선이었다. 카루는 두 사람을 번갈아 쳐다보다가 고개를 숙였다. 소메로가 다시 말했다.

"나는 마케로우 가문의 가주가 될 수 없다."

카루는 고개를 들었고 스바치는 고개를 돌렸다. 소메로는 그 모습이 우습다고 생각했다.

"마케로우 가문의 가주는 두세나 마케로우 님이야. 그분의 죽음이 확실하지 않은 이상 내가 감히 그분의 자리에 오를 수는 없어."

카루는 다급하게 말했다.

"죄송합니다. 하지만 두세나 마케로우 님이 무사하실 가능성은…… 거의 없다고 생각됩니다."

"나도 그렇게 생각해."

"예?"

"그렇게 생각한다고. 수호자들은 아마도 가주님을 해쳤을 거야. 그것은, 틀림없이, 비아스의 요구에 의한 것이겠지."

소메로의 덕성스러운 얼굴에서 무서운 분노가 피어올랐다. 카루와 스바치는 긴장했다. 하지만 소메로는 곧 차분하게 말했다.

"하지만 그것은 추측일 뿐이야. 사실로 확인되지 않은 이상 두세나 마케로우 님은 실종된 것이지 돌아가신 것이 아니야."

스바치는 불안한 얼굴로 말했다.

"마케로우. 하지만 수호자들이나 비아스 마케로우가 인정하지 않는다면 그것은 사실이 될 수 없는데, 그들이 그것을 인정하겠습니까?"

"인정하는지 알아봐야지."

"무슨 말씀입니까?"

"수호자에게 물어봐야겠어."

스바치와 카루는 황당하다는 얼굴이 되었다. 소메로는 어떻게 그렇게 순진한 생각을 할 수 있는지 모르겠다는 말이 들려오는 것 같다고 생각했다. 하지만 카루와 스바치는 소메로 마케로우를 과소평가하고 있었다. 그녀 또한 나가의 여인이었다.

"일어나. 두 사람. 나를 따라와."

두 사람은 엉거주춤 일어났다. 소메로는 그들을 쳐다보지도 않은 채 걸어갔다. 카루와 스바치는 황급히 그 뒤를 따랐다.

2층으로 올라간 소메로는 잠시 멈추지도 않은 채 걸어갔다. 그리고 어느 방문 앞에 도달했을 때에야 걸음을 멈추고 두 사람을 돌아보았다. 옛 기억을 떠올린 스바치는 그곳이 어디인지 알 수 있었다. 그의 가슴 한구석이 저릿해졌다. 소메로는 스바치의 표정을 한번 확인한 다음 나직하게 말했다.

"이곳은 카린돌의 방이야. 지금은 비아스가 쓰고 있지."

스바치는 격분을 숨기려 했지만 실패했다. 카루는 소메로의 주의를 자신에게 돌리기 위해 황급히 말했다.

"왜지요? 자신의 방에 모든 연구 시설이 있는 걸로 압니다만."

"그래. 비아스는 이곳에서 자지는 않아. 다른 용도로 사용하고 있지."

소메로는 품에서 열쇠 꾸러미를 꺼내었다. 가주가 아니었지만 그녀는 4년 동안 이 저택의 주인 역할을 했었고 그래서 열쇠를 지니고 있었다. 그녀는 거침없이 문을 열고 안으로 들어섰다.

소메로를 따라 들어가려던 두 사람은 갑자기 확 풍겨오는 피비린내에 흠칫했다.

도저히 참기 어려운 탁한 공기가 복도로 흘러나왔다. 험한 일에 어지간히 익숙해져 있는 두 사람조차도 그 안에서 풍겨나오는 공기에는 비늘이 서는 것을 느꼈다. 정신이 혼미해질 것 같은 냄새에 두 사람이 주춤거리자 먼저 들어갔던 소메로가 말했다.

"빨리 들어와. 이 냄새를 온 저택에 퍼지게 하고 싶지는 않군."

부드러운 부탁이었지만 어쨌든 여자의 명령이었고 두 사람은 황급히 방 안으로 들어섰다. 소메로의 명령에 따라 카루는 안으로 들어서자마자 몸을 돌려 문을 닫았다. 그때 카루는 스바치의 무시무시한 비명을 들었다.

카루는 재빨리 몸을 돌렸다. 스바치의 모습이 보이지 않았다. 당황하여 주먹을 움켜쥐었을 때 카루는 스바치가 무릎을 꿇은 것을 깨달았다.

"왜 그래, 스바치?"

스바치는 말하지도, 니르지도 못한 채 팔을 들었다. 그가 비늘이 뻣뻣하게 선 팔로 가리키는 방향을 본 카루는 숨이 멎는 것 같은 충격을 느꼈다.

그것을 무엇이라고 불러야 할까?

얼핏 보기에 그것은 의자에 꽁꽁 묶여 있는 나가 남자였다. 하지만 그 참혹한 꼴은 살아 있는 해부도를 연상시켰다. 갈라진 배에서 쏟아져나온 내장은 무릎 위에서 썩고 있었고 그 내장 무더기에서는 구더기가 기어다니고 있었다. 내장 무더기 아래의 두 다리는 각자 독특한 처지가 되어 있었다. 왼쪽 다리는 살을 발라내어 뼈만 남아 있었고 그 뼈는 의자 다리에 묶여 있었다. 그리고 오른쪽 다리는 모루 위에 올려져 있었고 망치로 수없이 내려친 듯 잘 다져져 있었다. 온몸에 있는 별의별 상처들을 다 거론하자면 끝이 없을 정도였다. 하지만 그들을 정말 전율하게 한 것은 두 눈이었다. 그자의 두 눈에는 안구가 없었다. 대신 꼭 맞는 굵기의 말뚝이 꽂혀 있었다. 그곳에서는 진득한 피눈물이 흘러내리고 있었다.

카루는 벽에 몸을 기댄 채 비늘을 부딪쳤다. 소메로는 꽉 잠긴 목소리로 말했다.

"내 동생은 학자지. 그 애는 어떻게 하면 가장 큰 고통을 주는지 시험하고 있어. 언젠가 수호자들에게 베풀어줄 신속하고 효과적인 처벌을 찾아내기 위해서. 재생력이 좋은 나가가 시험 대상이니 재료로는 그만이지. 어떤 짓을 하더라도 재생하니까. 나가의 몸은 썩지 않는다고 알고 있지? 여기 그 애가 올린 개가를 봐. 그 고명한 약술사가 거둔 부분적인 성공을. 내장이 썩고 있지. 오, 여신이여. 내가 왜 이런 꼴이 이 집안에서 벌어지는 것을 좌시하고 있었습니까. 이토록 무서운 일을!"

카루는 마치 물 속으로 빠지는 사람 같았다. 계속해서 손으로 벽을 밀어대며 카루는 간신히 말했다.

"그, 그자는 누굽니까."

"직접 물어봐."

"살아 있는 겁니까?"

"그러니까 실험을 하는 거지."

카루는 도저히 그럴 수 없었다. 그 대신 무릎을 꿇고 있던 스바치가 힘겹게 닐렀다.

〈당신은 누구입니까?〉

놀랍게도 차분한 니름이 돌아왔다.

〈수호자 보트린입니다.〉

카루는 깜짝 놀라서 소메로를 바라보았다. 하지만 소메로는 그 꼴을 더 볼 수 없다는 듯이 몸을 돌려 벽을 향해 서 있었다. 스바치가 다시 닐렀다.

〈우리는 스바치와 카루입니다. 우리를 기억합니까?〉

〈아아, 물론 잘 기억합니다. 우리에게 속았던 분들이지요?〉

〈그렇습니다. 도대체 어쩌다가 이런 일을 당하신 건지……, 아니, 잠시만요. 일단 당신을 풀어드리겠습니다.〉

〈그러지 마십시오.〉

일어서서 걸어가려던 스바치는 멈춰섰다. 살아 있는 해부도가 다시 닐렀다.

〈그러지 마십시오. 이건 제 벌입니다.〉

〈벌이라니오?〉

〈신부를 보호하지 않은 신랑이 받아야 할 벌입니다. 비아스는 처벌자로서는 최고지요. 풍부한 상상력과 좋은 기술, 그리고 과감성을 가지고 있습니다. 운이 좋다고 생각합니다.〉

〈니름도 안 됩니다! 이런 꼴을 당해서는 안 됩니다. 풀어드리겠습니다. 재생하도록 도와드리겠습니다!〉

〈그러지 마십시오!〉

강력한 니름에 머리가 아파올 정도였다. 스바치는 자신도 모르게 물러났다. 보트린의 니름이 다시 부드러워졌다.

〈당신들도 내게 이러고 싶지 않습니까? 나를 증오하지 않습니까?〉

스바치는 할 니름이 없었다. 그는 냉동 장치 안에 갇혀 있는 카린돌을 생각했다. 카루가 닐렀다.

〈여신을 가둔 당신들을 증오합니다. 하지만 이런 것을 원하지는 않습니다. 우리는 여신을 풀어드리고 당신들이 그분께 사과하기를 바랍니다.〉

〈글쎄요. 사람들의 마음은 미움으로 가득합니다.〉

〈그렇지 않습니다, 보트린.〉

보트린은 웃음에 가까운 니름을 보내어왔다. 카루는 주위를 둘러보며 닐렀다.

〈왜 여신의 힘으로 저항하지 않는 겁니까? 당신은 신명을 가지고 있을 텐데요.〉

〈눈이 보이지 않아서 불가능합니다. 그리고 이미 닐렀다시피 이건 제 벌입니다.〉

〈당신이 벌을 받아야 한다면 그 벌을 주실 수 있는 것은 여신입니다! 저 미친 비아스가 아닙니다!〉

〈저는 그분께 벌을 받을 자격도 없습니다. 하지만 이왕 오셨으니 부탁 하나 해야겠습니다.〉

보트린의 내장이 꿈틀거리며 비어져나왔다. 카루는 토하고 싶은 기분을 느꼈다. 보트린이 긴장하고 있음이 분명했다.

〈카린돌을 구출해 주십시오.〉

〈그렇게 할 겁니다. 먼저 당신을 구하고 나서.〉

〈저에 대해서는 신경 쓰지 마십시오. 문제는 카린돌입니다.〉

카루와 스바치는 왜 여신이라고 하지 않고 카린돌이라고 니르는 건지 알 수 없었다. 보트린은 설명했다.

〈카린돌은 임신했습니다.〉

스바치의 몸에서 비늘이 사납게 부딪쳤다.

〈저는 냉동 장치를 돌보는 일을 하고 있었습니다. 그러던 중 카린돌의 발 아래에서 비늘을 발견했습니다. 카린돌은 임신한 채 납치된 겁니다. 냉동 장치의 영향 때문인지 알의 성장 속도는 매우 느립니다.〉

설명하던 보트린은 아예 자신의 기억을 모두 보냈다. 그래서 두 사람은 보트린이 보고 느낀 것을 모두 전달받았다.

〈여신께서 카린돌의 육에 갇혀 계신 까닭은 그 육이 살아 있으면서도 영이 없기 때문입니다. 육 없는 영은 존재할 수 있지만 영 없는 육은 존재할 수 없습니다. 그런데 임신이라는 것은 기묘한 문제입니다. 알껍질이 형성되기 전까지 알과 모체는 하나의 몸이라고 볼 수도 있고 두 개의 몸이라고 볼 수도 있습니다. 하지만 영은 분명히 두 개입니다. 만약 그것이 하나의 육이라면, 임신 상태에서 여인은 하나의 육에 두 개의 영이 있는 셈입니다. 그 상황에서 카린돌의 영이 빠져나가더라도 영 하나가 남게 됩니다.〉

〈아기의 영!〉

〈그렇습니다. 그렇다면 여신은 그 육에서 다시 빠져나오실 수 있습니다. 힘은 그 분께 돌아갈 겁니다. 하지만 아직 그런 일은 일어나지 않았습니다. 설명할 수 있는 방법은 두 가지입니다. 첫째, 모체와 알은 별도의 육이라고 생각하는 것. 둘째, 아직 그 아기의 영이 충분히 발달하지 못했다는 것. 전자라면 여신이 풀려날 방법은 카린돌을 꺼낸 다음 죽이는 방법뿐입니다. 만약 후자라면, 아기의 영이 충분히 발달하면 여신은 풀려납니다. 그런데 그 경우 카린돌의 몸에는 아기의 영만이 남게 됩니다. 어쩌면 사산이 일어날지도 모르겠습니다. 저는 카린돌을 구해 달라고 닐렀지만, 정확하게 니르자면 그 아기를 구해 달라는 니름입니다.〉

흘깃 스바치를 돌아본 카루는 그가 지독한 흥분 상태임을 확인했다. 카루는 재빨리 닐렀다.

〈가장 좋은 방법은…….〉

〈예. 갈로텍에게서 카린돌의 영이 빠져나와 그녀의 육으로 돌아가는 방법입니다. 가능할지 모르겠습니다만.〉

〈무슨 니름인지 알겠습니다.〉

〈감사합니다. 이제 저는 제 벌을 편히 받을 수 있겠군요.〉

〈안 됩니다. 이런 일은 용납할 수 없습니다.〉

보트린은 정신을 닫았다. 카루가 아무리 닐러도 그의 니름은 보트린에게 전달되지 않았다. 보트린의 얼굴은 웃고 있었다. 그의 눈에서 끝없이 흘러나오는 혈루를 제외한다면, 그는 행복해 보이기까지 했다.

제15장

셋은 부족하다

바라기의 실종이 정확히 언제 일어난 사건인지는 알기 어렵다.

오랫동안 쓰지 않던 물건을 찾으려 했을 때 그것이 보이지 않는다는 사실을 깨닫게 되는 흔한 경험을 해 본 적이 있는 사람이라면, 바라기의 실종에 관련된 상황을 거의 정확하게 아는 셈이다. 바라기의 실종이 공식적으로 언급된 것은 추풍왕 2년의 일이다. 하지만 역사학자들이나 문헌학자들은 그 이전 시기의 사료들에서 이미 '거대한 슬픔'이나 '돌이킬 수 없는 손실', '우리 모두가 아는 저 끔찍한 손해' 등의 은유적인 표현들을 찾아낼 수 있었다. 따라서 추풍왕 2년의 저 유명한 고발은 고발이 아니라 이미 공공연한 사실을 공식적으로 인정한 것으로 받아들여야 한다. 그 이전 시기의 왕들에게, 바라기는 그렇게 필요한 물건이 아니었다. 도로왕이라는 별칭으로 불려지는 경우가 더 많은 극연왕은 역대 최장 기간의 집권 기간을 통해 열성적으로 도로를 건설했으며, 아라짓 전사들은 어쨌든 훌륭한 건축가는 아니다. 따라서 극연왕의 기나긴 집권 기간 동안 아라짓 전사들을 통솔하기 위해 바라기가 등장해야 하는 일은 없었다. 또한 그 뒤를 이은 독서왕의 경우 극연왕이 건설한 도로를 고서적 수집에 이용할 수 있게 된 자신의 행운에 즐거워하며 집권 기간의 대부분을 소비했다. 그리고 슬픔과 분노를 느끼지 않고서는 거론하기 힘든 저 탐미왕의 경우도 전쟁 영웅과는 거리가 멀다 할 것이다. 극연왕이 전쟁을 장악한 상태에서 자신의 사업을 벌였던 것에 반해 독서왕과 탐미왕은 자신의 사업에 바빠 전쟁을 무시해 버렸다는 차이가 있긴 하지만, 어쨌든 대확장 전쟁의 모든 시기를 통틀어 추풍왕 이전의 백오십여 년만큼 전쟁과 무관했던 시절도 드물다. 바라기는 바로 그런 시기에 사라진 것이다.

독서왕과 탐미왕이 방치해 둔 나가 문제에 정면으로 대응해야 하는 어려운 숙제를 안고 있던 추풍왕에게 그것은 실로 커다란 재난이었다.

— 라수의 『왕국의 몰락』

자욱한 안개가 숲의 발치를 더듬는다. 번지고 흩어지지만 엷어지지 않는 흰 얼룩.

기이하리만큼 짙은 안개에 즈라더는 벼슬을 뻣뻣하게 세웠다. 차가운 양날 도끼에 묻어나는 이슬은 즈라더를 더욱 기분 나쁘게 했다. 즈라더는 배낭에서 노획물인 옷을 꺼내어 도끼를 닦았다. 그리고 다 쓴 옷가지는 그냥 버렸다.

어떤 병사는 근사한 단추를 잔뜩 모았다. 옷에 모조리 바느질해서 붙여놓아 그 꼴이 광대 같다. 그렇지만 그것들을 소중하게 여기는 것은 아니다. 단추가 떨어진 동료가 있으면 별 생각 없이 뜯어서 건네주곤 했으니까. 또 어떤 병사는 륜이 서판이라고 말해 주기 전까지는 무엇인지도 몰랐던 나무판을 모으기도 했다. 그자는 그것을 도마로 쓰거나 겹쳐쌓아 베개로 쓰거나 땔감으로 사용하기도 했지만, 보통은 그저 그 나뭇결을 들여다보는 것을 좋아했다. 다른 북부군 병사들과 마찬가지로 즈라더 또한 나가들의 도시에서 뭔가를 모아들였고, 그가 주로 모아들인 것은 수건이나 걸레 용도로 사용할 수 있는 옷가지들이었다. 즈라더 역시 그것을 도끼 닦는 데 사용하긴 했지만, 그런 용도로 모은 것이라면 질긴 것 대신 예쁘게 보이는 것을 모아들인 것을 설명하기는 어렵다.

번쩍거리는 도낏날에 자신의 근사한 수염볏이 잘 비치는지 관찰하던 즈라더는 어디선가 들려오는 짤깍거리는 소리를 들었다.

그 소리는 즈라더의 신경을 거슬리게 했다. 즈라더는 고개를 돌려 세미쿼 장군을 바라보았다. 세미쿼 장군은 무표정한 얼굴로 안개를 직시하고 있었다. 하지만 그의 왼손에 쥐어진 가위는 마치 불규칙한 맥박처럼 짤깍거렸다. 날을 얼마나 세웠는지 가윗날이 부딪힐 때마다 서컹서컹하며 가슴을 에는 소리가 난다. 누군가의 손가락쯤은 어렵잖게 잘라낼 듯하다. 즈라더가 그 짓 좀 그만두라고 말하기 전, 누군가가 그를 대신하여 말했다.

"가위질은 포목점에서나 해라."

세미쿼는 무핀토를 돌아보지도 않은 채 말했다.

"너무 조용해서 그런다. 지독하게 조용한데."

무핀토는 불쾌한 신음을 흘리며 안개 너머를 바라보았다. 유혹하는 듯도 하고 배격하는 듯도 한 기이한 안개다. 무핀토 장군은 몸을 떨었다. 세미쿼 장군이 다시 말했다.

"그 녀석도 이 고요를 견디기 어려웠던 걸 거야."

세미쿼가 말하는 '그 녀석'이 누군지 아는 무핀토는 욕지거리를 늘어놓았다. 험한 말을 늘어놓던 무핀토는 문득 생각난 것처럼 고개를 돌렸다. 그의 시선 닿는 곳에 키타타 자보로 장군이 차분한 모습으로 서 있었다.

자보로 장군은 방패를 팔에 끼운 채 동상마냥 꼿꼿하게 서 있었다. 안개를 바라보는 북부군들의 모습은 다양했지만 자보로 장군만큼 특이한 자는 없었다. 거의 모든 북부군은 안개의 모습에서 불길함과, 그리고 인정하지는 않을 두려움을 느끼고 있었다. 하지만 부동 자세로 서서 안개를 뚫어지게 바라보는 키타타 자보로에게선 그런 감정의 흔적을 읽을 수 없다. 도도한 분노와 정숙한 증오. 혈족의 마지막 생존자의 모습은 안개 속에 서 있는 바위 기둥 같다. 그 당당한 모습 앞에선 젖빛 안개 너머로 보이는 시모그라쥬의 장려한 석조 건물들조차 왜곡되기 쉬운 환상처럼 보인다.

침묵의 도시로 향하는 길의 마지막에 버티어 선 시모그라쥬는 키보렌의 모든 힘으로 북부군을 저지할 태세였다. 모여든 군단은 다섯. 하지만 수호 장군의 숫자는 상상을 초월한다. 북부군의 원수부에서, 라수는 그 숫자에 대한 보고를 받고 우울증에 빠지려는 자신을 느꼈다.

"쉰네 명?"

륜은 고개를 끄덕였다.

"수호 장군으로 추정되는 사람은 그 정도입니다."

"수준이 어떻습니까? 시우쇠 님과 공작님을 완전히 무력화시킬 수 있는 숫자입니까, 그건?"

"이 안개만 봐도 그럴 수 있다는 것을 알 수 있습니다. 이자들은 습기를 닥치는 대로 모아왔습니다. 이 습기를 실제로 운용하기 시작한다면 그 힘은 엄청날 겁니다. 왜 도시 안에 틀어박혀 있는지 모르겠습니다."

"우리가 페로그라쥬와 악타그라쥬의 심장탑을 파괴했기 때문일 겁니다. 그래서 심장탑을 최우선 방어 거점으로 정한 것이겠지요. 그렇다면 저쪽도 우리를 두려워하고 있는 것은 마찬가지라는 말인데……."

라수는 말끝을 흐리며 생각에 잠겼다. 곁에 있던 괄하이드 규리하가 나직하게 말했다.

"나라면 최우선 방어 거점을 하텐그라쥬로 정했을 거다. 발자국 없는 여신이 계신 곳이 그곳이니까. 발자국 없는 여신이 풀려나면 수호 장군들은 아무런 힘도 없는 무력한 존재가 되는 거잖아. 시모그라쥬를 우회하자."

라수는 내키지 않는 투로 말했다.

"뒤에서 공격당할 수 있어. 뱀단지 때문에 저 녀석들의 작전 수행에는 시간차가 없지."

"그렇다면 뱀부리미를 잡는 것은 어떠냐? 군단병들은 모두 수호 장군들을 보호하고 있을 거다. 빌파 삼부자를 침입시켜 뱀부리미들을 잡는다면 적들의 의사 교환을 방해할 수 있을 거다."

"다섯 개 군단이면 최소한 뱀부리미가 다섯은 있을 테지. 쉽지 않아. 그런데 내가 정말 신경 쓰이는 부분은 따로 있어."

"그게 뭐지?"

"저 친구들은 왜 아무 짓도 하지 않는 거지? 수호 장군들이 쉰네 명이라면 비를 오게 하는 것 정도는 방어력의 손실 없이 시도할 수 있을 거야. 그 정도만 시도해도 아군의 레콘들을 의기소침하게 만들 수는 있어. 아무리 겁을 먹고 있다 해도 저렇게 꼼짝도 하지 않는다는 것은 이상해."

"심장탑 근처를 떠나기가 싫은 건지도 모릅니다. 당신이 그렇게 말했잖습니까?"

류의 지적에 라수는 퉁명스럽게 대답했다.

"제가 뭘 말했는지는 알고 있습니다. 공작님."

류은 입을 다물었다. 라수는 부유하는 안개를 노려보며 다시 생각에 잠겼다. 괄하이드가 헛기침을 하고 말했다.

"그 녀석은 어떻게 하면 좋을까, 라수."

라수는 고개도 돌리지 않은 채 말했다.

"마음대로 해. 형이 대장군이잖아."

괄하이드는 그대로 몸을 돌리며 류에게 눈길을 한 번 보냈다. 묻지 않아도 알 수 있는 의미였기에 류은 걸어가는 괄하이드의 뒤를 따라갔다.

안개를 가로지르며 괄하이드는 아무 말도 하지 않았다. 잠시 후 류은 걷는 사람이 셋임을 깨달았다. 어느새 베미온이 그의 곁에 따라붙어 함께 걷고 있었다. 베미온은 안개 때문에 기절할 것 같은 상태였다. 류은 약간의 힘을 가해 그들의 주위에서 안개가 물러나도록 했다. 괄하이드는 뒤를 한번 돌아보고는, 고개를 끄덕였다. 그리고 다시 걸어가며 말했다.

"나보다 훨씬 예민하실 테니 라수의 심리에 대해서는 잘 아시겠지요."

의지가 목소리로 바뀌기 전부터 알고 있었기에 류은 당황하지 않고 괄하이드의 말에 대답했다.

"나가를 사람으로 인정하기 싫은 겁니다."

괄하이드 규리하는 턱수염을 만지작거렸다. 설명을 요구하는 말을 할 필요는 없었다. 대장군이 설명을 원한다는 것을 아는 류은 그의 등을 향해 말했다.

"열을 보지도 못하고 니르지도 못하지만, 이기기 위해 상장군은 나가처럼 생각하고 나가처럼 행동하려 애씁니다. 그러나 나가를 이해하는 것은 거절하고 있습니다. 상대를 잘 알게 되면 증오하기 어려워지니까요. 그래서 나가인 저와 동료 이상으로 가까워지는 것을 신경질적으로 거절하고 있습니다. 하지만 나가를 알려면 역시 저를 관찰해야 하지요. 그것이 상장군의 갈등입니다."

베미온은 류의 목소리에 귀를 기울였다. 하지만 류의 말을 이해하는 것은 아니다. 베미온은 그저 그 음색을 좋아했다. 괄하이드가 말했다.

"나는 공작만큼 예민하진 못하지만 라수와는 한 가족인지라 그의 과거를 잘 아오. 라수는 모든 사람에게 그렇게 행동해 왔소. 동료 이상으로 다가오는 것을 싫어하지. 다가갈 마음이 없다는 것을 보여줘야만 부드러워진다오. 가족 중에 나를 그나마 가까이하는 것도 그 때문이오."

괄하이드의 말을 듣던 류은 무의식 중에 말했다.

"먹힐까봐 두려운가 보죠."

말을 끝낸 류은 곧 괄하이드의 당황을 느꼈다. 이해할 수 없다는 표정으로 뒤돌아보는 괄하이드를 향해 류은 가볍게 고개를 저었다.

"별말 아닙니다."

"알겠소. 언짢으신 건 아니겠지요?"

"그렇지 않습니다. 상대를 잘 알면 증오하기 어렵다고 말씀드렸습니다."

용인은 물론 누구보다도 상대를 잘 안다. 괄하이드는 탄복한 듯이 고개를 끄덕거렸다.

"기우였군. 나보다 훨씬 라수를 잘 이해하시겠군."

"아니오. 예민함과 이해력은, 물론 상호보완적인 것들입니다만 별개의 문제입니다. 예를 들어, 저는 당신을 압니다만 당신을 이해할 수는 없습니다."

괄하이드는 겸연쩍은 표정을 지었다.

"나 말이오? 북부군에서 나처럼 단순한 자를 찾아보기도 힘들 텐데."

〈그 단순함이 저를 때론 놀라게 합니다.〉 "저는 당신이 대호왕의 영광과 그분의 백성들을 위해 목숨을 즐겁게 포기하는 것을 이해하기 어렵습니다. 왜냐하면 당신은 생명이 귀중한 거라고 믿기 때문입니다."

"맞소. 생명은 귀중하오."

"그 믿음이 어떻게 기쁜 살인과 즐거운 자살의 이유가 되는지 모르겠습니다."

괄하이드는 화를 내지 않았다. 대신 부드러운 미소로 륜을 바라보았다. 그 시선이 륜을 불편하게 했다. 괄하이드는 시선을 옮겨 자신의 손에 들린 대도를 바라보았다.

"케이건 드라카가 내 대도를 가리켜 과부와 고아를 생산해 내는 것에 탁월하다고 했던 것이 기억나오. 내게서 내 지위와 내 처지를 제거하고 단순히 내가 죽인 사람들의 숫자만 센다면, 나는 상종할 수 없는 살인마일 거요. 하지만, 공작. 살인이 기뻤던 적은 없소."

"죄송합니다." 〈하지만 그것 때문에 죄책감을 느끼는 것도 아니잖습니까?〉

세 사람 사이로 잠시 침묵이 흘렀다. 그 침묵이 마음에 들지 않았던 베미온이 끙끙거리는 소리를 냈다. 다시 괄하이드가 말했다.

"내가 생각이 부족했군. 당신은 죄책감을 느끼는 거요?"

"죽어가는 자 한 사람, 한 사람을 모두 느낍니다."

륜의 목소리에 배어든 스산함은 그 아름다운 목소리를 소름끼칠 만큼 관능적인 것으로 바꿨다. 산에게 부동심을 가르칠 수 있다는 노장군도 잠깐 동안 덥수룩한 수염이 올올이 곤두서는 기분을 느껴야 했다.

"그렇겠군. 생각했어야 하는 문제인데. 공작. 죽어가는 자의 슬픔과 분노와 고통을 모두 느끼는 것이 어떤 것인지 나는 짐작할 수 없구려."

문득 괄하이드는 륜 페이가 아직 소년임을 떠올렸다. 륜은 청년이 되어볼 기회가 없었다. 그럴 기회가 오자마자 륜은 키보렌을 떠났고, 완전히 낯선 땅 북부에서 그는 다시 소년으로 돌아가야 했을 것이다. 그리고 북부에서 시작된 륜의 두 번째 성장기는 유혈로 얼룩진 것이다. 그러나 그런 잔학한 경험들이 사람들을 상처 입히면서 동시에 선물하곤 하는 단단한 껍질을, 륜은 받지 못했다. 용인이기 때문이다. 상처 입기 쉬운 여린 살을 노출시키고 있는 어린 소년. 그리고 그 소년은 북부군 최고의 병기이며, 동족들을 학살하며 고향으로 돌아가고 있다.

괄하이드는 새삼 놀라지 않을 수 없었다. 그러나 노장군이 자신의 놀람을 표현하기 전, 륜이 앞서 말했다.

"예상치 못했다고 말하지는 않겠습니다. 저는 그것을 받으려 결심하고 온 것이니까요."

"그것?"

"나가들이 대호왕 대신 뇌룡공을 증오하도록 하고 싶습니다. 그들의 단말마가 클수록, 저는 누님에게 돌아갈 것이 줄어든다고 생각합니다. 하지만 그렇다 해서 제 손으로 받아야 하는 것이 가벼워지지는 않습니다. 그것은 여전히 너무 무겁습니다. 그래서 저는 대장군의 평정심을 놀란 눈으로 바라보게 됩니다. 그리고 잠시 후에 할 일에 대해 조금도 두려워하지 않는 당신을 이해할 수 없습니다."

"내가 어떻게 할지 아는구려?"

"압니다. 제가 왜 필요한지도."

괄하이드는 더 말하지 않았다.

그들은 숲 속의 공터에 도달했다. 공터 저편의 나무에는 한 남자가 밧줄에 묶여 있었고 세 명의 병사들이 앉아서 그 옆을 지키고 있었다. 병사들은 괄하이드를 보고는 자리에서 일어났다.

남자의 모습은 특이했다. 지저분한 옷이야 북부군들 거의 대부분의 모습과 마찬가지였지만 귀골로 태어난 잘생긴 얼굴은 덥수룩한 머리카락 가운데서도 묘하게 창백한 빛을 띠고 있었다. 남자는 대장군을 한 번 바라보고는, 다시 고개를 떨구었다.

괄하이드는 병사들의 이름을 물었다. 병사들이 이름을 대자 괄하이드는 대도를 뽑아들며 말했다.

"그대들이 입회인이다."

병사들의 얼굴에 긴장감이 흘렀다. 괄하이드는 그들에게 복장을 단정하게 하도록 명령한 다음 남자에게 걸어갔다.

"칼리도의 성주, 북부군 상장군 지코마 펠독스. 고개를 들어라."

지코마 상장군은 고개를 들지 않았다. 괄하이드는 잠깐 기다렸다가 내버려둔 채 말했다.

"자네의 범죄에 대해 처벌을 내리기 전, 자신의 행위를 설명할 기회를 주겠다. 할 말 있으면 해보게. 하텐그라쥬 공작께서 자네의 진의를 보증하고 허위를 가려낼 걸세."

륜은 그럴 생각이 없었다. 괄하이드가 그것을 별로 원하지 않기 때문이다. 하지만 세 명의 병사들은 더없이 공정한 판결이 내려질 거라 확신하는 얼굴이 되었다. 그리고 그들은 다른 자들에게도 그렇게 말할 것이다.

지코마는 고개를 숙인 채 탁한 목소리로 말했다.

"그 녀석은 명령 불복종을 저질렀습니다."

"상장군. 정확하게 말하게. 그 녀석이 누구지?"

"그 하전사…… 이름이 뭔지 기억나지 않습니다."

"하전사 고월텐 유크라우다."

"그 하전사 고월텐 유크라우는 내 명령을 이행하지 않았습니다."

"자네가 또다시 안개를 향해 노래를 부르라고 강요했을 때 고월텐 유크라우는 이미 네 시간 동안 노래를 부른 후였다. 상식을 무시하는 명령 아닌가? 게다가 그 명령 불복종이라는 것에 대해 자네가 내린 처벌은 도대체 뭐란 말인가. 자네는 목이 잠겨서 더 이상 노래를 부를 수 없다고 애원하는 고월텐에게 목이 트이게 해주겠다고 말하고는 그의 목을 단검으로 찔렀다. 그리고 자네를 말리려는 부하들도 가차 없이 벴다. 그것은 도저히 상식을 가진 명령권자의 행동으로 볼 수 없다."

지코마는 한동안 대답하지 않았다. 괄하이드는 참을성 있게 기다렸다. 한참 후, 지코마의 입이 힘겹게 열렸다.

"명령 불복종입니다."

"명령 불복종은 우선 명령이 명령답다는 전제가 있은 연후에나 따져볼 수 있는 문제다. 지코마 펠독스. 자네의 명령은 도저히 명령이라 볼 수 없다. 더 이상 할 말이 없다면, 나는 자네의 행위를 범죄로 규정하겠다. 그리고 그 처벌로 사형을 언도한다."

지코마가 고개를 번쩍 들어올렸다.

괄하이드는 자신의 대도를 끌어올려 그 덮개를 풀었다. 륜은 병사들의 얼굴에 분명한 동요의 표정이 떠오르는 것을 보았다. 괄하이드는 그들을 향해 말했다.

"상장군을 풀어 저기 있는 나무 등걸에 엎드리게 하라."

병사들은 잠시 서로를 쳐다보다가 역할을 나누었다. 한 사람이 작살검을 뽑아 지코마 상장군을 겨누고 있는 동안 다른 두 사람이 그의 결박을 풀었다. 오랫동안 묶여 있던 상장군은 제대로 걷지 못했다. 병사들은 상장군의 두 팔을 허리 뒤로 묶은 다음 제대로 걷지 못하는 그를 들어올리다시피 하여 나무 등걸로 데려갔다. 지코마는 곧 나무 등걸에 턱을 댄 채 엎드리게 되었다.

두 명의 병사들이 그의 등을 눌렀다. 뭔가 짧은 의견 교환이 이루어지고 병사 한 명이 괄하이드를 돌아보았다. 괄하이드는 필요한 지시를 내렸다. 그러자 남아 있던 한 명의 병사가 팔뚝에 감아둔 끈을 풀어내었다. 그는 지코마의 긴 머리를 쓸어 모아 끈으로 묶었다. 동작이 익숙한 자는 아무도 없었다. 륜은 사형의 경험이 있는 자는 괄하이드뿐임을 알 수 있었다. 노장군은 대도를 늘어뜨린 채 병사들의 일하는 모습을 조용히 바라보았다.

지코마가 갑작스럽게 말했다.

"살려주십시오."

'주십시오' 부분은 심하게 갈라져 알아듣기 어려웠다. 괄하이드는 꿈쩍도 하지 않았다. 대답을 기다리던 지코마는 실망하며 말했다.

"제발 살려주십시오. 저는 제정신이 아니었습니다. 키보렌에 들어온 이후 계속 그랬습니다. 이 저주받은 밀림은 북부인이 들어와서는 안 되는 곳입니다."

머리카락을 묶은 병사가 괄하이드를 바라보았다. 괄하이드는 억압적인 눈짓을 보내었다. 병사는 지코마의 머리카락을 잡아당겨 단검으로 나무 등걸에 고정시켰다. 지코마의 목이 드러나며 머리를 움직일 수 없게 되었다. 잠시 주위를 둘러본 병사는 돌멩이 하나를 집어들어 단검의 칼자루를 내려쳤다. 쾅쾅 하는 소리가 울릴 때마다 지코마의 몸이 분명한 울림을 보였다. 지코마가 다시 찢어지는 목소리로 외쳤다.

"미친 자는 벌하지 않습니다!"

칼리도의 강대한 지배자였던 남자가 스스로에게 금치산 판정을 내리고 있었다. 괄하이드가 입을 열었다.

"자네는 미치지 않았네. 지코마. 만일 그렇다면 하텐그라쥬 공작께서 말해 주셨을 걸세."

지코마는 머리카락이 우두둑 빠져나가는 것을 감수하며 고개를 돌렸다. 등을 누르던 병사들이 황급히 힘을 가했다. 지코마는 숨 막히는 소리를 내고는 괄하이드를 향해 외쳤다.

"어차피 우리는 하텐그라쥬에서 다 죽지 않습니까? 그곳에서 죽게 해주십시오!"

괄하이드의 흰 눈썹이 찌푸려졌다. 지코마는 절규했다.

"제 처벌을 그때까지 연기해 주십시오! 죽은 상장군보다는 산 상장군이 더 쓸모 있지 않습니까? 나가 한 놈이라도 잡을 수 있을 겁니다! 어차피 죽여야 된다면, 그곳에서 폐하를 위해 싸우다 죽게 해주십시오!"

단검을 고정시킨 병사가 뒤로 물러났다. 괄하이드는 대도를 움켜쥐고 위로 서서히 들어올렸다. 지코마의 등을 누르고 있던 병사들은 고개를 옆으로 돌렸다. 륜이 자신도 모르게 통제력을 잃은 덕분에 안개가 다시 넘실거리며 몰려왔다.

그때 지코마가 륜을 바라보며 외쳤다.

"뇌룡공! 거기서 그렇게 보고 있을 거요? 나는 당신들 때문에 여기에 왔소!"

륜의 몸에서 비늘이 곤두섰다. 그때 륜은 괄하이드가 대도를 내려칠 것을 깨달았다. 륜이 자신도 모르게 베미온의 눈을 가린 순간 괄하이드가 대도를 휘둘렀다.

병사들의 뺨에 선혈이 흩뿌려졌다.

괄하이드가 나무 등걸까지 파고든 대도를 잡아당기자 지코마의 머리가 목에서 분리되었다. 조금 전까지 고함을 지르고 애원하던 머리는, 이제 돌멩이만큼도 그럴 능력이 없는 무정물이 되어 데굴 굴렀다. 머리카락이 고정되어 있어 지코마의 머리는 한두 번 흔들리다가 나무 등걸 허리에 기이한 모습으로 멈췄다. 머리카락을 묶었던 병사가 뺨에 튄 피를 닦아내며 질문했다.

"매장할까요?"

"적전 대치 상태다. 그럴 여유가 없군. 돌과 나뭇가지로 대충 덮도록 해라. 햇빛과 이슬, 바람에 그를 맡긴다."

병사들은 묵묵히 지코마의 머리를 옮겨 그 몸에 맞추어놓았다. 그리고 작살검을 뽑아 나뭇잎이 무성한 가지들을 후려쳤다. 륜은 베미온을 돌아서게 한 다음 그 자신도 몸을 돌렸다. 괄하이드는 대도에 묻은 피를 닦아낸 다음 그것을 나무에 기대어 놓고는 지코마의 사체를 내려다보았다. 작살검이 나뭇가지를 때리는 소리가 음산했다.

륜은 대장군이 중얼거리듯 말하는 소리를 들었다.

"나는 추도사 같은 것에 소질이 없다. 그리고 지코마 펠독스라는 남자의 가장 친한 친구도 아니다."

병사들은 하던 일을 잠시 멈추고 괄하이드를 바라보았다. 괄하이드는 엄숙하게 말했다.

"내가 아는 것이라고는 그가 칼리도의 위대한 성주였으며 그 지혜로움으로 많은 이들의 귀감이 될 수 있었던 사람이라는 사실뿐이다. 그리고 그 사실들은 지코마 펠독스라는 남자의 가장 작은 일부분일지도 모른다. 하지만 그와 함께 보낸 4년의 세월의 무게 때문에, 그리고 내 손으로 그의 목숨을 끊었기에, 나는 이 자리에서 감히 그의 마지막 가는 길을 전송한다."

스멀거리는 안개 때문인지 의외로 피비린내는 적었다. 륜은 베미온을 잠시 돌아보았다. 베미온은 륜이 돌려세워 둔 채로 얌전히 서 있었다.

"지코마 펠독스는 전우들 곁에서 위대한 스승이자 지혜로운 조언자였으며, 적 앞에서는 토염(吐炎)하는 용과도 같았다. 그가 내게 준 것의 일부분도 돌려주지 못한 내 무관심과 사려 없음으로 인하여, 지코마는 가혹한 긴장 속에 홀로 버려졌다. 그런 긴장은 가장 강대한 영웅조차 무릎 꿇게 하는 바, 결국 그는 혼란에 빠졌다."

괄하이드는 잠시 멈췄다가 말했다.

"그것은 그의 잘못이 아니다."

병사들이 고개를 떨구었다.

"나는 후회한다. 내 모든 것으로 후회한다. 애초에 그를 돕지 못했기에 그의 목을 잘라야 했던 것을 후회한다. 무서운 적과 끝없는 전투는 내 무관심의 핑계가 될 수 없다. 그는 그런 무관심 속에 버려져도 무방한 자가 아니었다."

그 순간, 베미온이 갑작스럽게 말했다.

"그러나 전투와 전투의 사이에서, 승리와 승리의 갈피에서, 나는 그를 잃고 말았다."

류은 깜짝 놀라 베미온을 돌아보았다. 베미온은 여전히 지코마에게 등을 돌린 채 서 있었다. 괄하이드가 주춤하는 사이, 베미온의 말이 계속 이어졌다.

"나는 육친의 마음보다 적의 마음을 더 알고 싶어했고 친우에게 줄 것보다 적에게 줄 것을 고민했다. 내 주위의 사람들이 내 행동에 대해 보여주는 반응보다 적들이 내 공격에 대해 보여줄 반응이 더 궁금했다. 사람들이 나를 가리켜 위대한 전사라 말할 때, 그들은 내가 적을 더 사랑한다고 말한 것이다. 사람들이 나에게 구원자라는 찬란한 이름을 선물할 때, 나는 복수심에 찬 약자들의 노예로 전락하고 말았다. 그래서 나는 그를 상실했다. 나 또한 약자였기 때문이다."

괄하이드와 병사들이 놀란 눈으로 베미온의 등을 바라보았다. 그 옆에 서 있던 류은 베미온의 얼굴을 볼 수 있었다. 그 얼굴은 묘했다. 먼 과거를 바라보는 눈길이었고 즐거웠던 날을 회상하는 표정이었다.

"그러나, 이제 나는 더 이상 약자로 남지 않겠다. 내가 가진 순간들에 스스로 의미를 부여하는 강자가 되리라. 나는 잃지 않아야 했던 것을 찾을 것이다. 내 잃어버린 극을 되찾을 것이다. 이 넓은 세상 어디에 그가 있을지 알 수 없으니 나는 세상의 모든 곳을 잇겠다. 그가 나에게 돌아올 수 있도록. 내가 그를 찾아 달려갈 수 있도록. 이곳, 판사이의 탑, 왕의 방에 남겨두는 이 말은 내 과거에 대한 유언장이다. 이것은 어리석음 때문에 오라비를 잃어야 했던 누이동생의 마지막 말이다."

고대에 북부를 지배했던 왕들에 대해서는 거의 알지 못하는 륜 페이였지만 그 놀라운 예민함 때문에 륜은 괄하이드의, 그리고 세 병사들의 정신에서 흘러나오는 극연왕이라는 이름을 깨달았다. 말을 끝낸 베미온은 환한 얼굴로 륜을 바라보았다.

"제 말이 맞죠? 외울 수 있다고 했잖아요."

륜은 무슨 말을 해야 하는지 알고 있었다. 원한다면 륜은 상대방이 원하는 대답을 가장 정확하게 들려줄 수 있다.

그래서 륜은 잠시 베미온의 어린 시절 스승이 되었다.

"그건 분명히 아라짓 어로 적혀 있을 텐데. 네가 그걸 어떻게 읽었느냐?"

"그 탑에 요즘 글로 된 해석본도 있다는 것은 모르셨죠?"

"그러냐? 하지만 그건 왕들의 비밀 기록이다. 마립간도 아닌 네가 감히 그 탑에 들어간 것, 그리고 왕들의 비밀 기록을 내게 들려준 것으로 벌을 받아야겠구나."

베미온은 웃으며 도망쳤다. 안개가 그를 휘감아 감추는 것을 보며 륜은 짧은 순간 상실감 같은 것을 느꼈다. 추도사를 마무리한 괄하이드가 그의 곁으로 다가왔다.

"공작. 그것은 뭐였소?"

"대장군의 추도사에 의해 유발된 퇴행이었습니다. 조금 전의 그것은 어린 시절의 베미온 굴도하였습니다. 마립간이었던 큰아버지의 열쇠를 훔쳐낸 베미온은 여섯 탑 중 하나에 들어가 볼 수 있었습니다. 왕들의 망령을 볼 수 있을 거라 생각했던 모양입니다만 그런 것은 발견하지 못했고, 다만 읽을 수 있는 글이 있는 곳을 찾아내었습니다. 그곳이 왕의 방이었습니다. 왕들의 기록을 현대어로 바꿔 적은 이는……, 확실치는 않지만 아마도 권능왕이었던 것 같습니다. 자신이 읽을 수 없다는 것에 화가 치밀어서 그렇게 한 듯합니다."

괄하이드는 질리는 기분을 느꼈다.

"공작의 능력은 도무지 익숙해질 수 없을 정도로 무량하군. 베미온의 말을 듣자마자 그걸 다 '느낀' 거요?"

"그리고 대화하면서 알게 되었습니다. 그런데 그 오라비를 잃은 누이가 극연왕입니까?"

"그렇소. 내 개인적인 감상을 말한다면 케나린 규리하의 좋은 전범이 되었을 여인이오. 그런데 그분께서 잃어버린 오라비를 찾기 위해 그 많은 도로를 놓았다는 것은…… 글쎄. 아무래도 공공의 복리와 개인적 이유를 합친 것으로 생각해야 할 듯하오."

"그 오라버니는 왜 사라진 겁니까? 예. 기회가 되면 라수 상장군에게 물어보겠습니다."

류이 자신의 대답을 듣지 않고 들었다는 것을 괄하이드가 이해했을 때, 류은 이미 몸을 움직이고 있었다. 괄하이드를 돌아보던 류의 눈길이 잠깐 흔들렸다. 괄하이드는 그가 지코마의 시체를 덮고 있는 나뭇가지 더미를 보고 있음을 깨달았다.

괄하이드는 용인이 아니었다. 하지만 류 페이가 시체를 덮고 있는 잘린 나뭇가지에서 인간과 다른 감정을 느낄 거라는 사실 정도는 이해할 수 있었다. 인간이라면 소름끼치는 시체의 모습이 감춰졌다고 말할 것이다. 하지만 나무를 사랑하는 나가라면 어떻게 말할 것인가. 류은 말했다.

"베미온 마립간을 데려오겠습니다. 아직까지 퇴행 중인 것 같습니다."

"알겠소."

류은 안개 속으로 떠나갔다. 괄하이드는 입회한 병사들에게 수고했다고 말한 다음 라수에게 돌아갔다.

시모그라쥬에서 일어난 소동은, 절대로 북부군의 지략가를 의심으로 몰아넣기 위한 것은 아니었다. 하지만 그 소동은 결과적으로 라수 규리하를 의심에 빠지게 만들었다. 소동의 한가운데 있어야 했던 수호 장군들이 그 사실을 알았다면 작은 기쁨을 느꼈을 것이다. 그들에게는 그런 것이 필요했다.

피나무 군단의 군단장이자 시모그라쥬 방어 작전의 입안자 및 그 주관자라는 거창한 이름을 가지고 있는 수호 장군 인실롭은, 자신의 거창한 이름들이 무가치한 것으로 판명되는 상황 앞에서 분노를 느꼈다. 그러나 상대방은 인실롭의 분노에 아랑곳하지 않았다. 시모그라쥬 평의회 의장 칸비야 고소리는 딱딱하게 닐렀다.

〈퇴거를 더 종용해야 하겠습니까? 내 니름은 농담이 아닙니다. 인실롭 군단장.〉

〈정말 이러실 겁니까? 시모그라쥬가 발을 빼면 그다음은 하텐그라쥬입니다! 북부군이 성지에 발을 들여놓게 하고 싶은 겁니까?〉

〈당신은 나에게 시모그라쥬를 저들로부터 충분히 보호할 수 있다고 자신 있게 닐렀습니다. 그렇다면 똑같은 일을 하텐그라쥬에서는 할 수 없다는 겁니까?〉

〈상황이 다릅니다. 더 이상 물러날 곳이 없는 급박한 상황이라면 기선은 저쪽에 있습니다. 적들의 가장 큰 무기는 다름 아닌 혼란과 기만입니다. 그러므로 우리에게 필요한 것은 냉정함입니다.〉

〈나는 시모그라쥬가 희생할 수 있는 발판으로 여겨지는 사실이 달갑지 않군요.〉

〈그런 니름이 아니잖습니까!〉

〈아니, 그런 니름입니다. 물러날 곳이 있다는 생각을 하면 반드시 물러나게 됩니다. 상황이 곤란해지면 당신들은 적들에게 최대의 피해를 강요한 다음 하텐그라쥬로 물러가겠지요. 그리고 하텐그라쥬에서 쇠약해진 적을 분쇄하려 하겠지요. 하지만 그때는 이미 시모그라쥬의 모든 시민들이 죽은 후겠지요.〉

인실롭은 비늘을 난폭하게 부딪쳤다. 쉰네 명이나 되는 수호 장군을 모아왔건만 칸비야 의장은 환호를 보내는 대신 어떤 종류의 전투 행위도 거절함으로써 그를 당황시켰다. 그러고는 마침내 시모그라쥬를 떠나라고 명령하고 있었다.

인실롭은 분노를 억누르며 그와 칸비야 의장 모두가 잘 아는 사실을 무시해 보기로 했다.

〈저희들이 물러나면 북부군이 시모그라쥬를 얌전히 지나칠 거라 생각하십니

까?〉

〈그러기를 바랍니다.〉

인실롭은 그 자신도 그렇게 생각한다는 사실을 고백하지는 않았다. 대신 준비한 니름을 풀어놓았다.

〈아마도 의장님께서는 북부군이 하텐그라쥬 공격에 사용할 병력을 보존하기 위해 시모그라쥬를 무시할 거라 믿는 것이겠지요. 하지만 괄하이드는 등 뒤에 적을 남겨둘 사람이 아닙니다. 배후에서 기습당하는 일을 피하기 위해서 시모그라쥬를 파괴할 겁니다. 저희가 물러나면 시모그라쥬는 더욱 파괴하기 쉬운 상대가 될 터인데, 왜 그자가 그런 이점을 무시하겠습니까?〉

〈그에겐 용인이 있습니다. 그 용인은 이곳에 숨은 병력이 있는지 없는지를 알 수 있습니다.〉

〈심장을 적출한 나가는 모두 병력입니다!〉

〈그 옛날의 전쟁이라면 모르겠지만 이 전쟁에서는 그렇지 않아요. 인실롭 군단장. 이 전쟁에서는 수호자가 병력입니다. 그렇기 때문에 당신 또한 그 많은 수호 장군들을 데려온 것 아닙니까?〉

〈시모그라쥬에도 수호자는 있잖습니까?〉

〈물론입니다. 그들도 데리고 떠나십시오. 당신에게 도움이 되겠지요.〉

인실롭은 꽤 긴 시간 동안 충격에서 헤어나오지 못한 채 칸비야 의장을 노려보았다. 칸비야 의장은 경멸 섞인 미소를 지은 채 닐렀다.

〈당신이 짐작할 거라고 생각했기에 니르지 않았습니다. 하지만 당신이 계속 자명한 사실을 무시하는 해괴한 니름을 계속하니 어쩔 수 없군요. 시모그라쥬의 모든 수호자와 함께 이곳을 떠나십시오.〉

〈당신들은 수호자 없이…… 살겠다는 겁니까? 그게 나가의 삶입니까?〉

〈이긴 다음에 돌려보내 주시면 됩니다. 당신은 이길 테지요?〉

인실롭은 차가운 격노 속에서 닐렀다.

〈모든 것을 자기 위주로 끼워맞추시는군요. 여신의 적 앞에서 전투를 포기하고

물러난 당신들을 다른 나가들이 용서할 것 같습니까? 눈앞의 위험을 피하기 위해 동족을 적으로 돌릴 생각입니까?〉

이번에는 칸비야 의장이 화를 낼 차례였다. 그녀는 인실롭을 똑바로 노려보며 닐렀다.

〈인실롭 군단장! 아무래도 당신은 불신자들과 너무 많이 싸웠나 봅니다. 마치 불신자 같은 논리를 사용하는군요. 도와주지 않으면 적이라는 니름입니까? 우리는 전쟁터를 제공하지 않겠다는 겁니다. 우리의 수호자를 당신들에게 내어주면서 우리는 무방비를 선택했습니다. 그 때문에 불신자에게 짓밟히게 될 가능성을 감수하면서! 만약, 물론 나도 그렇게 되길 바라지만, 당신이 하텐그라쥬에서 불신자들을 물리친다면 그 후에 전쟁터를 제공하지 않았던 나에게 원망을 니를 수는 있을 겁니다. 하지만 이곳을 당신들의 살육장으로 제공하지 않았다는 이유로 우리를 살육할 겁니까?〉

인실롭은 잠시 주춤했다.

〈이 전쟁에 중립은 없습니다. 고소리 의장님.〉

〈아직은 없었지요. 하지만 앞으로도 없을지는 두고봐야겠습니다. 나는 궁금하군요.〉

인실롭은 자신도 그것이 궁금하다고 생각했다. 전향적으로 고려하게 되었다고 표현할 사람도 있을 테고 꼬리를 말았다고 표현할 사람도 있을 테지만, 어쨌든 인실롭은 갈로텍 대장군도 그것에 대해 궁금해할지 알아봐야겠다고 결심했다.

칸비야 의장으로서는 행운이라 할 수 있었다. 인실롭 군단장이 칸비야 의장의 뜻을 전달했을 때 갈로텍은 악타그라쥬의 폐허를 벗어난 지 이틀밖에 되지 않은 시점이었다. 시구리아트 산맥에서부터 계속된 무리한 강행군의 여파로 대나무 군단의 남진 속도는 꽤 떨어져 있었다.

페로그라쥬와 악타그라쥬의 끔찍한 잔존물들에 대한 기억이 아직 선명한 상황에서, 갈로텍은 두 도시의 전철을 밟고 싶지 않은 칸비야 의장의 뜻에 공감을 느낄 수 있었다. 하지만 전투를 거절하는 것에 대한 분노는 별개였다.

갈로텍은 자신의 선택 폭이 그토록 제한적이라는 사실에 실망하며 주퀘도를 불렀다.

주퀘도는 나타나지 않았다. 갈로텍은 누군가 다른 영을 앞에 내세워놓고 찾으러 내려갈까 고민했다. 하지만 저 아래에서 도사리고 있을 카린돌을 떠올린 갈로텍은 쉽게 그런 결정을 내릴 수 없었다. 그는 주퀘도를 거듭 불렀다. 오랜 시간 동안 계속된 집요한 소환에 결국 주퀘도가 대답했다.

"뭐지?"

"갈로텍입니다. 나가 남자지요. 그리고 대장군입니다."

"용건이 뭐지?"

"의논 좀 하고 싶습니다만, 주퀘도. 계속 그렇게 딱딱하게 말할 거라면 먼저 그 말투부터 어떻게 해야겠군요."

"귀찮으면 무례하게 쫓아내고 필요하면 예의를 지키라고 말하는군. 개자식."

"주퀘도!"

"고함지르지 마라, 꼬마야. 아파지는 것은 네 귀니까."

"예의를 말하고 싶다면, 좋습니다! 누가 목숨을 바쳐 무가치한 관문 요새를 공격했습니까?"

"무가치하다고? 대수호자를 구출하기 위한 것 아니었냐?"

"이유가 어쨌건 당신의 구원을 풀어준 것은 우리잖습니까? 당신은 그 사실에 대해 감사의 말 한 마디 말한 적이 없습니다."

주퀘도는 잠시 침묵했다가 말했다.

"미안하지만 감사할 수가 없다. 그건 잘못된 일이었으니까. 유료 도로당을 공격해서는 안 되는 거였다."

"바로 그것이 문제입니다. 당신이 기뻐하는 모습이라도 보여줬다면 이렇게 화나지는 않을 겁니다. 도대체 왜 그래서는 안 된다는 겁니까? 나가들의 도움을 받아 동족을 죽였기 때문입니까?"

"갈로텍. 군령자의 동족은 없다. 다른 군령자조차도 군령자의 동족은 아니야. 그리고 동족이 어쩌니 하는 감상적인 말과 나를 결부시키는 것도 곤란해."

"그렇다면 뭐가 문제인 겁니까? 200년 전에는 모든 것을 바쳐 그러고 싶어했으면서, 마침내 그것에 성공한 지금에 와서는 그래서는 안 된다니, 어린아이 투정입니까?"

주퀘도는 또다시 침묵했다. 갈로텍은 들끓는 분노를 억누르려 애쓰며 기다렸다. 그의 입이 갑자기 움직여지며 한숨이 흘러나왔다.

"나는 스스로를 망쳐버렸다. 갈로텍."

"아니요. 당신은 누구도 넘보기 힘든 집념으로 자신을 완성했습니다. 주퀘도. 당신은 이제 시구리아트의 정복자입니다."

"그건 완성이 아냐. 빌어먹을 가필이지."

"가필이라고요?"

"염병할 붓질은 한 번에 끝내야 한다. 일필휘지야, 갈로텍. 나는 괜찮은 삶을 살았다. 주퀘도 사르마크의 삶은 찬란했다. 그래. 나는 죽음의 거장이었다. 내 최고의 순간이 언제인지 아나? 그것은 내 존재의 모든 시간이었다. 나는 항상 최고였다. 내 마지막 실패는, 그것이 내 실패이기에 이미 소중한 것, 최고의 것이었다. 그것은 완전무결함에 난 흠집 같은 것이 아니었어. 그것까지도 포함해서 완전무결한 것이었다. 그런데 나는 그 소중한 실패를 망쳐버렸다. 스스로 구축한 작품을 망쳐버렸지."

"주퀘도."

"갈로텍, 갈로텍."

주퀘도는 회한에 찬 목소리로 말했다. 갈로텍은 자신의 목소리에서 느껴지는 이질감에 동요했다.

"고집이라면 너도 나만큼 부릴 줄 아는 녀석이지. 마음껏 고집을 부려라. 집념을 발휘해라. 도덕을 요구하는 나약한 것들의 천박한 투정 따위는 무시해. 그것들은 도구인 도덕을 삶의 목적으로 만들어버려. 그리고 목적인 삶을 도덕의 도구로 바꾸지. 그런 것들은 무시해. 생사를 무시하고 누이를 괴물로 만들었다고 힐난하는 것들은 아가리 닥치라고 말해 줘. 신을 감히 감금했다고 파랗게 질린 것들의 얼굴에 오줌을 갈겨줘. 죽음의 거장은 그런 너를 축복하겠다. 하지만 제발 죽을 때까지만 그렇게 해라. 이제 나는 언젠가 네가 천명했던 소망을 간절함 속에서 기다리겠다. 전령하지 말고 죽어라. 부탁이다. 이후로 내가 스스로의 말을 번복하더라도, 너는 그 말을 따르지 마라. 지금의 내 말을 기억해."

그리고 주퀘도는 침묵했다. 갈로텍은 긴 시간 동안 주퀘도의 말을 생각했다. 그런 고요를 방해하지 않으면서, 주퀘도는 완전히 지나가는 투로 말했다.

"이제, 용건을 말해라."

갈로텍은 시모그라쥬에서 일어난 일을 띄엄띄엄 말했다. 그 말투에는 해석이 거의 동반되지 않았다. 갈로텍은 주퀘도의 해석을 듣고 싶었다. 주퀘도는 대답했다.

"중립 선언이군. 마음대로 하라고 해."

"그래도 되겠습니까?"

"이 전쟁은 침묵의 도시에서 시작되었고, 당연히 그곳에서 끝나야 한다. 그리고 대수호자를 키보렌의 왕으로 만들기 위해서도, 비아스 마케로우 및 그 여자의 선동에 부화뇌동하고 있는 가주들을 저지하기 위해서도 너는 하텐그라쥬로 가야 한다. 그리고 군대도. 두 가지는 동시에 하텐그라쥬에 도착해야 하지. 인실롭 군단장에게 전해라. 당장 하텐그라쥬로 이동하라고."

"시모그라쥬가 괜찮을까요?"

"그건 시모그라쥬가 선택한 길이다. 네가 그것까지 신경 쓸 필요는 없어. 하지만 아마도 북부군은 시모그라쥬를 우회할 거다."

전쟁 시작 후 처음으로, 라수는 정말 놀랐다. 시우쇠의 등장과 륜이 용인으로 각성한 사건도 북부군의 두뇌를 이토록 놀라게 하지는 못했다. 그리고 그의 경악은 그렇게 두드러진 것이 되지 못했다. 주위의 모든 장수들이 제정신이 아닐 정도로 흥분하고 있었기 때문이다.

세미쿼 장군과 무핀토 장군은 당장이라도 앞으로 돌진하고 싶은 마음을 억눌렀다. 그들의 존경받을 만한 자제력 때문은 아니다. 키타타 자보로 장군을 예의주시하느라 바빴기 때문이다. 열을 볼 수 있는 나가들의 능력 같은 것을 가지지 못한 그들이었지만, 두 사람은 키타타 자보로에게서 풍겨나오는 열기를 보는 것 같은 착각을 일으켰다. 한편 발케네에서 온 그룸 빌파는 선실행 후평가의 고매한 법칙을 시험해 보면 어떻겠냐고 동생에게 의사를 타진했다. 도깨비 감투를 쓰고 찾아온 손님을 쥐도 새도 모르게 해치우자는 형의 제안에 대해 토카리 빌파는 야유를 보내었다. 뇌룡공의 능력으로 간단히 들통날 거라는 것이 토카리의 설명이었다. 그리고 토카리는 찔끔한 얼굴의 아버지를 의아한 표정으로 바라보았다.

극도로 혼란스러워하고 있는 장수들 가운데서 다행히도 괄하이드 규리하만은 세평에 어울리는 처신을 보여주었다. 그는 점잖게 말했다.

"그렇다면, 시모그라쥬는 중립을 선언하는 겁니까. 고소리 의장님?"

"그렇습니다. 우리의 모든 수호자들을 그들과 함께 보내겠습니다. 늦어도 모레까지는 완료될 겁니다."

북부군의 장수들은 륜의 목소리에 익숙한 자신들을 까맣게 망각한 채 그 나가의 목소리에 대해 수군거렸다. 괄하이드는 탁자 한편에 있는 라수를 슬쩍 돌아보았다. 하지만 그의 시선은 라수 곁에 있는 륜에게로 향해 있었다. 그 때문에 륜은 약간은 흥미로운 상황에 처하게 되었다. 괄하이드가 그에게 시선을 보낸 순간 칸비야 의장도 그에게 니름을 보냈다.

〈저 인간이 나를 믿어도 되는지 알고 싶어하는 거지? 너는 용인이니 내 진심을 알 것이다.〉

륜은 살짝 고개를 끄덕였다. 두 사람을 위한 하나의 동작이었다. 괄하이드는 칸비야 의장을 바라보며 말했다.

"당신들의 도시를 구원하는 위험한 방법이군요. 내가 참견할 바는 아니겠지만, 당신들이 다른 나가들에게 백안시당할 거라 생각되오."

"백안시?"

"음. 미안하오. 우리는 흰자위, 당신들도 이걸 흰자위라고 부르는지는 모르겠지만, 어쨌든 흰자위를 보이며 바라보는 것을 백안시라고 하오. 눈을 뒤집은 채 바라보는, 그러니까 무례하게 바라본다는 뜻이오."

칸비야는 미소를 지었다.

"재미있군요. 대장군님. 나는 이곳으로 오면서 온갖 것을 각오했지만, 양 종족의 문화적 차이에 관한 학구적인 대화를 나눌 수 있을 거라고는 생각하지 못했는데. 세평과 달리, 자상한 분이시군요."

괄하이드는 이런 칭찬은 생각도 해본 적이 없다고 생각하며 말했다.

"나도 나가의 여인에게 경어를 들을 수 있을 거라고는 생각지 못했소."

"상호 존중이 필요하다고 생각되니까. 어쨌든 당신이 우려하는 바는 알겠습니다. 하지만 그것은 우리가 감당할 문제입니다. 시모그라쥬는 다른 나가들의, 옛날에도 별로 받은 기억이 없는 호의 대신 우리의 심장탑을 보호하기로 결심했습니다."

"그렇습니까. 하지만 수호 장군들을 보내는 것은 우리의 적을 이롭게 하는 겁니다만."

"그러면 어떻게 해야겠습니까? 나는 당신들의 배후에 수호 장군을 두는 것이 더 당신들을 곤란하게 할 거라 생각합니다만."

"그 말씀이 옳군요. 의장님. 의장님의 뜻을 잘 알겠습니다."

괄하이드는 다시 라수를 바라보았다. 하지만 라수는 아무 말도 하지 않았다. 짧게 고민하던 괄하이드는 그 침묵을 동의로 판단하고는 말했다.

"기쁜 마음으로 귀하의 선언을 수용하겠습니다. 말씀하신 조건들, 그러니까 시모그라쥬 내의 모든 수호자들의 퇴거와 나가 군대에 대한 원조를 하지 않겠다는 조건들이 어김없이 실행된다면, 우리는 시모그라쥬에 대한 어떤 적대적 행위도 하지 않을 것임을 약속하겠습니다. 문서로 남기기를 바라십니까?"

"의미 없습니다. 약속이면 충분합니다."

화통한 여자라 생각하며 괄하이드는 미소 지었다.

적대적인 공기를 충분히 느낄 수 있었지만 칸비야 의장은 북부군의 진중에 며칠 체류하겠다고 말했다. 그것은 시모그라쥬 수비군의 퇴각과 수호자들의 퇴거를 보증하기 위해 스스로 볼모가 되겠다는 세련된 배려였지만, 북부군의 병사들에게 또 다시 혼란과 유혹을 선사하는 배려이기도 했다. 괄하이드는 거의 고민하지 않은 채 륜 페이에게 칸비야 고소리 의장을 보호하도록 명령했다. 더 이상의 선택은 있을 수 없었다. 그래서 칸비야 고소리 의장은 아스화리탈의 발치에 앉은 채 그 거체를 안전하게 올려다볼 수 있는 드문 행운을 얻게 되었다.

그녀는 감탄하며 닐렀다.

〈대단하구나. 이 용이 하늘치를 잡아먹는다는 이야기를 믿고 싶어지는데.〉

〈퀴도부리타처럼 사랑한다면 모를까, 잡아먹는 것은 불가능합니다. 의장님. 의장님께서는 하늘치를 목격하신 적이 없군요.〉

〈그래. 없었다.〉

륜은 자신이 보았던 하늘치의 모습들에 대한 기억들을 의장에게 보냈다. 칸비야는 또다시 감탄했다.

〈그렇게 커?〉

〈하실 니름이 있으시면 듣겠습니다. 본격적인 대화로 곧장 들어가도 상관없습니다.〉

함께 긴 시간을 보낸 북부군의 장수들조차 익숙해지지 못한 륜의 예민함은 칸비야를 당황시켰다. 륜은 시선을 약간 떨군 채 그녀가 이해할 때까지 기다렸다. 칸비야는 겨우 이해했다.

〈그러니까, 내가 조금 거론하기 어려운 이야기에 들어가기 앞서 다른 잡담들을 꺼내고 있다는 것을 느낀다는 것이구나?〉

〈그렇습니다.〉

〈정말 놀랍구나.〉

륜이 놀란 표정으로 고개를 들어올려다.

〈정말 그렇게 생각하십니까?〉

〈뭐? 놀랍다는 것…….〉

〈아니요. 제가 당신의 니름을 오해할 일은 일어나지 않을 거라고 안심하시고 계시는군요. 정말 그렇게 생각하시는군요.〉

칸비야는 고개를 끄덕였다.

〈그런 것 아니냐?〉

〈맞습니다. 제가 의장님의 니름을 오해할 가능성은 거의 없습니다. 의장님 스스로가 자신을 오해하지 않는 이상은. 하지만 사람들은 제 능력의 본질에 대해 깨닫게 되면 보통은 입을 닫습니다. 우리 식으로 표현한다면 정신을 닫는다고 해야겠군요. 의장님께서는 특이하시군요.〉

〈이 나이가 되도록 의장질을 하며 쓸데없는 니름들을 쏟아내며 얻게 된 것이라곤, 두 사람 이상이 완전히 동의할 수 있는 니름 같은 것은 세상에 없다는 짜증스러운 결론이란다. 하지만 나는 오늘 처음으로 내 니름을 오해하지 않을, 그리고 오해한 척하지도 않을 사람을 만난 것 같은데. 그래서 단어의 의미 하나하나에 고심하며 니르려 애쓰지 않아도 되는 것 아닌가. 내—〉

〈—생각이 맞습니다.〉

칸비야는 정신적 웃음을 터뜨렸다. 륜은 노부인에 대해 나가들이 가지게 되는 일반적인 경외감보다 약간 더 짙은 경이감으로 시모그라쥬의 평의회 의장을 바라보았다.

칸비야는 웃음을 거두고 진지하게 닐렀다.

〈단도직입적으로 묻지. 여신은 어디에 계신 거냐?〉

〈의장님의 추측이 맞습니다.〉

짙은 실망감—단속되고 억제되었지만—이 칸비야로부터 흘러나왔다. 칸비야는 우울하게 닐렀다.

〈반대의 대답을 몹시 원했다는 것을 니르지 않아도 아는 거지?〉

〈압니다.〉

칸비야는 다시 아스화리탈을 올려다보았다.

〈상식적으로 그런 대답밖에 있을 수 없었지. 우리들만큼이나 북부군도 여신의 해방을 원할 것은 분명한 일이야. 여신의 힘을 다루는 무서운 신랑들 때문에. 그런 북부군이 곧장 하텐그라쥬로 향하고 있다면, 여신의 배신자가 누구인지 또한 분명해지지. 하지만 정말 그랬던 것이라니. 내게 증거를 보여줄 수 있니?〉

류은 잠깐 생각한 끝에 하인샤 대사원에서 일어났던 일의 기억을 칸비야에게 보내었다. 칸비야는 주의 깊게 그 기억들을 받아들였다. 그 기억에는 칸비야가 알지 못하는 장소와 사람들, 그리고 감정들이 많이 포함되어 있었고 그래서 류은 몇 가지 간단한 해석을 덧붙였다. 칸비야는 알게 된 사실들에 대해 고려했다.

〈하텐그라쥬에서 수호자들이 신체를 붙잡은 것이군. 그건 누구지?〉

〈그건 저도 알지 못합니다. 심장탑에 있을 거라는 사실 외에는.〉

〈그렇군. 알았어. 여신의 구출자는 사실 북부군이었던 것이군. 우리의 구원자 역시.〉

〈북부군은 스스로를 구원하기 위해 그러는 겁니다.〉

〈길에서 돈을 주우려면 최소한 발 아래는 살펴야 한다지. 북부군이 돈을 줍기 위해 그런 거라도, 덕분에 쓰러져 있던 나가를 밟지 않았다면 고마운 일이지.〉

칸비야가 보여주는 이상한 활용에 류은 미소를 머금었다. 칸비야 의장은 계속 말했다.

〈내가 중립을 결정한 이유 중에는 수호자가 의심스럽다는 생각도 포함되어 있어. 아, 너는 이미 알겠구나.〉

〈압니다. 그리고 사람들은 스스로 니르거나 말하며 자기 생각을 정리할, 혹은 스스로에게 찬성을 보낼 필요가 있다는 것도 압니다. 제가 이미 아는 사실을 닐러 저를 귀찮게 하는 거라는 우려는 하지 않으셔도 됩니다. 니르십시오.〉

〈정말 고맙군. 그렇다면 마음놓고 니르지. 시모그라쥬의 의원들은 페로그라쥬와 악타그라쥬가 끝내 버티지 못하고 무너진 것 때문에 내 중립 결정에 찬성을 보냈지. 물론 내가 그렇게 유도했어. 하지만 내 본심은 조금 달랐지. 이미 닐렀듯이 나는 수호자들이 의심스러웠다. 배신자와 구원자의 역할이 사실은 알려진 것과 다르지 않을까 의심했던 거지. 그래서 양자 모두에 대해 무관해지기로 했어. 내게 중요한 것은 시모그라쥬니까. 그리고 이미 그런 결정을 내린 이상, 나는 북부군을 도와줄 수도 없다.〉

〈그 니름을 하시는 이유를 압니다. 한계선 이남에서 중립 집단을 발견한 것만으로도 이미 북부군의 불신자들은 놀라고 있습니다. 그러니 그들에게 자신의 여신을 구하기 위해 발벗고 나서는 모습을 보여주지 못한다는 것에 대해 마음 쓰실 필요는 없습니다.〉

〈하지만 보다 냉정해진 후 그들은 우리를 욕하겠지. 왜 자신들을 도와주지 않느냐고. 나가들의 여신을 구출해 주기 위해 온 자들을 도와주지 않는 거냐고.〉

〈북부군은 인실롭과 다릅니다.〉

칸비야는 충격을 억누르기 위해 애썼다. 륜은 부드럽게 닐렀다.

〈그 이름이 느껴지는군요. 그는 누구…… 아, 네. 이제 알겠습니다. 그런 니름을 했던가요. 북부군 또한 도와주지 않으면 적이라는 사고 방식에서 완전히 자유롭다고 니르기는 어려울 겁니다. 하지만 북부군은 지금 의장님께서 걱정하시는 일은 저지르지 않을 겁니다. 북부군이 발벗고 도와주지 않는 시모그라쥬의 태도에 실망을 느낀 나머지 공격을 감행하지 않을까 하는 우려는 하실 필요가 없습니다.〉

그 자신이 니르는 것보다 더 정확하게 그녀의 걱정을 닐러주는 륜을 보며 칸비야는 감탄했다.

〈믿어도 되겠니? 지금 괄하이드 대장군은 시모그라쥬의 중립에 고마워하는 것 같더군. 하지만 앞으로도 그럴까?〉

〈그들은 한계선 이남에서 지지 세력을 얻는다는 생각은 하지도 못한 채 왔습니다. 중립 선언에도 놀라는 그들을 보셨잖습니까.〉

〈그건 나가도 마찬가지야. 인실롭이 얼마나 놀라고 화를 냈는지는, 알지?〉

〈네. 그러니 지지 세력이 될 수 있으면서도 그러지 않는 시모그라쥬에 대해 화를 내는 북부군의 모습은, 걱정하실 필요 없습니다.〉

칸비야는 고요한 눈으로 륜을 바라보았다.

〈정말 고맙구나. 내 질문, 내 걱정 모두를 어떤 부채감도 느낄 필요 없이 해결해주는 네 능력은 필시 용인의 능력이겠지. 하지만 도구는 도구일 뿐이지. 한 자루의 사이커가 어떤 때는 누군가를 죽이는 칼이 되고 어떤 때는 누군가를 살리는 칼이 될 수 있는 것처럼. 그러니 나는 용인의 능력에 대해서가 아니라 그 능력을 사용하는 류 페이 너에게 고마워하겠다. 고맙구나.〉

류 또한 칸비야를 마주보았다. 그녀의 진심을 오해할 수 없는 류은, 그렇기에 진심의 무서움 또한 예민하게 느꼈다. 가장 명백한 사실 앞에서도 의심하고 주저할 수 있는 능력은 진실에의 접근을 막지만 동시에 진실의 가혹함에서 사람을 보호한다. 류에게는 그런 보호의 수단이 결여되어 있었다.

류은 왈칵 눈물이 쏟아질 것 같다고 생각했다.

류이 고개를 떨구는 것을 보며 칸비야는 고개를 갸웃했다. 그때 누군가가 그녀를 향해 말했다.

"네가 칸비야라는 그 여자냐?"

칸비야는 주의를 기울이지도 않았는데 어떻게 목소리를 들을 수 있었던 것인지 의아해하며 소리가 들려온 방향을 돌아보았다. 그리고 그런 사소한 문제를 완전히 망각했다.

시우쇠가 그녀를 바라보고 있었다.

처음 보는 것이고 자기 소개를 받지도 않았지만 칸비야는 그것이 시우쇠임을 알 수 있었다. 다른 것일 수가 없었다. 작열하는 화염을 뿜어내며 시우쇠는 다시 말했다.

"질문했는데."

칸비야는 떨림을 억누르려는 시도를 포기하고 말했다.

"그렇습니다. 질문하시는 분은, 틀림없이 시우쇠 님이시겠군요."

열기를 느낀 류이 고개를 들었다. 시우쇠를 확인한 류은 곧 칸비야와 시우쇠, 그리고 곁에 있던 아스화리탈까지도 놀라게 했다. 류은 황급히 몸을 움직여 칸비야의 앞을 가로막았다.

어이없다는 표정으로 바라보던 시우쉬가 말했다.

"그 여자 죽일 일은 없다. 류 페이."

"그렇습니까?"

"그래."

"저는 당신이 유해의 폭포를 죽인 이유도 아직 모릅니다."

시우쉬는 불꽃으로 웃을 뿐 대답하지 않았다. 대신 화신은 손짓으로 류에게 비키라는 신호를 보냈다. 단순하고 어찌 보면 불량스럽기까지 한 동작이었지만, 그것은 신의 의지를 담고 있었다. 류은 비늘을 세우며 옆으로 물러났다. 칸비야는 조심스럽게 말했다.

"직접 뵈니 듣던 것보다 더 놀랍군요."

"너는 아직 나를 못 봤다. 앞으로도 그럴 테고."

정확한 의미를 알지 못했지만 칸비야는 시우쉬의 말을 이해했다. 그것은 특이한 말이었다. 시우쉬는 그녀가 그 특이함에 대해 생각해 볼 여유를 주지 않은 채 말했다.

"너희 도시는 중립을 선언했다던데."

"그렇습니다."

"좋아. 부탁 하나 하지."

"무슨 부탁입니까?"

시우쉬는 대답하지 않았다. 그는 불꽃으로 그르렁거렸고 칸비야는 그것이 위협이 아닌가 겁이 났다. 그녀의 두려움을 느낀 류이 〈생각을 정리하시는 겁니다.〉라고 닐러주어 칸비야는 겨우 안도했다.

"짐작이 안 가는군. 어떤 모습일지. 어쨌든 아마도 레콘일 테지. 이봐. 언젠가 너희 도시로 어떤 레콘이 찾아올 거다."

"레콘이라고요?"

"그래. 어떤 레콘일 거다. 화신이지."

류이 놀라서 외쳤다.

"모든 이보다 낮은 여신!"

"맞아. 슬슬 도착할 거야."

시우쇠는 고개를 끄덕였다. 그 턱에서 불티가 튀어올랐다. 륜은 다급하게 말했다.

"수탐자들이 성공한 겁니까? 어떻게 아십니까?"

"그렇게 될 거라는 것을 아니까."

륜은 얼굴을 일그러뜨린 채 도통 알 수 없다는 표정을 지었다. 도무지 무슨 이야기인지 짐작할 수 없던 것은 칸비야 또한 마찬가지였지만 그녀는 한 가지 사실에 대해서는 두려움을 느꼈다.

"또 다른 화신이 저희 도시에 오시는 겁니까?"

"그래. 올 거야. 그 레콘이 오면, 내 말을 전해 줘. 빛이 탄로났다."

"예?"

"그렇게 전하면 돼. 빛이 탄로났다. 너무 길어서 외울 수 없는 건 아니겠지?"

농담처럼 말하는 것임에도 불구하고 시우쇠의 압박감은 사람을 질식시킬 지경이었다. 칸비야는 황급히 고개를 가로저었다.

"그렇게 전하겠습니다."

시우쇠는 만족하며 몸을 돌렸다. 그리고 거침없는 태도로 걸어갔다.

확 다가온 열기가 사라진 것은 시우쇠가 사라지고도 한참 뒤의 일이었다. 칸비야는 중단했던 호흡을 겨우 내쉬며 비늘이 일어선 팔을 쓰다듬었다.

〈듣던 것 이상이구나. 륜 페이. 여신은 틀림없이 구출되실 것 같군.〉

〈예? 예. 예. 그럴 겁니다.〉

륜을 만난 이후로 칸비야는 처음으로 륜의 예민하지 못한 모습을 보았다. 그리고 그러는 것도 당연하다고 생각했다. 칸비야의 양해 속에서 륜은 방해받지 않고 한참 동안 시우쇠가 사라진 방향만을 정신없이 바라볼 수 있었다. 하지만 용인의 어떤 능력으로도 륜은 시우쇠의 말이 무슨 뜻인지 알 수 없었다.

칸비야가 북부군에 체류한 지 사흘이 지났을 때, 륜은 시모그라쥬에 주둔하고 있던 다섯 개 군단과 수호 장군이 모두 하텐그라쥬 방향으로 떠난 것을 확인할 수 있었다. 라수 규리하는 시모그라쥬를 무혈 통과하게 된 것에 대해 즐거워하기로 결심했다. 하지만 상대해야 할 수호자들이 더 늘어난 것에 대해서는 우울한 낯빛을 띠었다.

그리고 북부군의 이동이 시작되었다.

불필요한 충돌을 피하기 위해 북부군은 시모그라쥬의 외곽을 통해 도시를 우회했다. 나가의 도시에는 교외의 농장 지대 같은 것이 없기에 그리 먼 길을 돌지는 않았고 우회는 반나절만에 종료되었다. 시모그라쥬 남쪽 20킬로미터 지점에 도달했을 때 괄하이드 규리하는 북부군에게 야영 준비를 명령했다. 그리고 그때까지 북부군과 동행한 칸비야 고소리 의장에게 다가갔다.

"의장님. 덕분에 서로에게 유익한 결과를 얻었다고 생각합니다. 의장님이 내린 어려운 용단에 대해 진심으로 감사하겠습니다."

칸비야 의장은 고개를 살짝 끄덕였다.

"무운을 바란다고 말하는 것은 아무래도 우습겠지요. 다만, 다음에는 보다 유쾌한 상황에서 만날 수 있기를 바랍니다."

괄하이드는 또 만날 기회가 올지에 대해 회의적이었다. 하지만 별 내색 없이 감사를 표했다. 그때 륜이 그들에게 다가왔다.

"대장군님. 제가 고소리 의장님을 시모그라쥬의 저택까지 모셔드리고 와도 되겠습니까."

라수가 불 맞은 고양이 같은 기세로 고개를 홱 돌렸다. 괄하이드는 난처한 표정으로 칸비야와 륜을 번갈아 바라보았고 칸비야 또한 당혹했다. 륜이 설명했다.

"의장님처럼 지체 높으신 여인이 아무런 호위자도 없이 도시로 들어가는 것은 그 품위에 도움이 되는 일이라고 할 수 없습니다. 남자가 호위를 해야 합니다. 그러니 제가 호위해 드리고 오겠습니다."

"위험하지 않겠소? 저 도시에 이제 수호자는 없지만, 당신은 심장을 가지고 있소."

"저는 예민합니다. 그리고 시모그라쥬의 시민들이 저를 해하여 지척에 있는 북부군을 불러들일 정도로 무지하지는 않을 겁니다. 위험은 없습니다."

라수가 조심스럽게 말했다.

"하지만, 당신이 없어지면 떠나갔던 수호자들이 혹 되돌아올 경우 그것을 감지할 수 없습니다."

"그들은 열심히 남쪽으로 가고 있습니다. 그리고 머지않아 밤이 될 텐데, 밤에 돌아오지는 않을 겁니다. 그리고 이곳에는 시우쇠 님과 아스화리탈이 남게 될 겁니다."

"아스화리탈을 놔두고 갈 거요?"

"예. 도시에 데리고 가기엔 덩치가 너무 크니까요. 도저히 예의도 아니고."

괄하이드는 또다시 칸비야 의장과 륜을 번갈아 바라보았다. 그러고는 단호하게 말했다.

"좋소. 나는 나가의 예법에 대해서는 무지하오. 그러니 당신에게 얼마의 시간이 필요한지는 모르겠소. 우리는 내일 아침 일출에 맞춰 출발할 거요. 그때까지 돌아오길 바라오."

괄하이드는 그때까지 돌아오지 않으면 출발 방향은 반대쪽이 될 거라는 말을 하지는 않았다. 륜은 말하지 않아도 들을 수 있으며, 칸비야 의장에게 불쾌함을 줄 필요는 없기 때문이다. 륜은 괄하이드와 라수, 그리고 당황을 채 감추지 못하고 있는 장수들에게도 인사를 보낸 다음 칸비야 의장과 함께 왔던 방향으로 출발했다.

그들의 모습이 사라지자마자 빌파 삼부자가 괄하이드에게 달려왔다. 대장군 앞에 도달하자 코네도는 외치다시피 말했다.

"저희들이 공작님을 호위하겠습니다!"

"그대들이?"

"예. 공작님은 저희를 느낄 수 있으시겠지만 다른 나가들은 저희를 못 볼 겁니다. 저희들이 그분을 따라다니며 호위하겠습니다."

괄하이드는 그것이 괜찮은 생각인지 고민했다. 그러나 라수가 먼저 말했다.

"그럴 필요 없다."

"네?"

"그런 것이 필요했다면 공작께서 먼저 요청하셨을 거다. 혹 들통이라도 나는 경우 오히려 공작님의 처신이 곤란해진다. 첩자를 데려온 거라는 누명을 쓸 수 있을지도 모르니. 그리고 어차피 저 도시에서는 전부 니름으로 이야기를 주고받을 텐데 누군가가 공작에게 죽이겠다고 외친다 하더라도 그대들이 알아들을 수는 없잖나."

"누군가가 불손한 마음을 먹고 다가오는 것 정도는 알 수 있습니다."

"공작님은 그런 자의 접근을 그대들보다 훨씬 더 잘 알 수 있다. 그러니 그냥 이곳에 있도록."

빌파 삼부자는 실망과 불안을 지우지 못한 얼굴로 밀림을 바라보았다. 다른 장수들도 몇 마디 거들었지만 라수는 그 모든 의견을 물리쳤다. 괄하이드는 그 모습을 물끄러미 바라보다가 두 사람만이 남게 되었을 때 입을 열었다.

"코네도의 제안도 괜찮은 것 같은데. 라수."

라수는 야영 준비를 하는 병사들을 물끄러미 바라볼 뿐 아무 반응도 보이지 않았다. 괄하이드는 라수가 듣지 못한 것인지, 그렇지 않으면 대답하기 싫은 건지 알 수 없었다. 괄하이드가 한 번 더 말하려 했을 때 라수가 말했다.

"코네도 빌파가 따라가면, 류 페이는 물론 그의 존재를 깨달을 거야. 그리고 돌아와야 한다는 사실을 계속 일깨우게 되겠지. 나는 이것이 하나의 시험이 되도록 하고 싶군."

"시험이라니?"

"류은 그곳에 남을 수 있어. 동족들 곁에. 만약 더 이상 우리와 싸우는 것이 싫다면 말이지."

라수의 옆얼굴을 지그시 바라보던 괄하이드가 말했다.

"잔인하군. 라수."

라수는 고개를 돌려 사촌형을 바라보았다.

"잔인하다?"

"라수. 물론 네가 나보다 훨씬 똑똑해. 네가 하면 무엇이든 쉬워보이는 것에 대해 나는 항상 감탄했어. 하지만 전쟁에 대해서라면 내가 좀 더 많이 경험했을 거다. 노병의 말을 한번 들어봐. 너는 적과, 적이 될지도 모르는 자에 대해서만 생각하는 것 같아. 얼마 전 나는 극연왕이 남긴 말을 들을 기회가 있었어. 베미온 마립간이 육형제 탑에서 읽었던 내용을 중얼거렸거든. 극연왕은 자기가 적에 대해서만 생각한 끝에 오라비를 잃었다고 말하셨더군. 나는 그런 증상을 안다. 전쟁터에서는 살기 위해 적을 죽이는 것이 아니라 적을 죽이기 위해 살게 되는 병사들을 많이 발견할 수 있어. 그들은 자신이 그렇다고 생각하지 않아. 하지만 살아남을 방법을 지나치게 골몰한 끝에 그렇게 되어버리지. 그러나 전투도 결국 사는 방식의 하나야. 먹고 자는 것처럼 살기 위해 하는 다른 일들과 똑같아. 하지만 그걸 용맹이라고 부르면서, 병사들은 전투 그 자체를 목적으로 바꿔버리지. 실제로 지휘관들은 그걸 충동질하기도 해. 나도 그렇지. 엔거에서 내가 말했지. 적이 여기 있으니 그들은 너를 따라올 거라고. 봐. 라수. 그들은 그렇게 했어."

라수는 가시 돋친 말투로 말했다.

"형도 마찬가지 아냐? 형도 이 거창한 장례 행진의 일원이 되어 죽으러 가고 있는 것은 마찬가지인데."

"나는 달라. 나는 이것만이 유일한 방법이라는 것을 믿기 때문에 이 길로 온 거야. 적을 죽이기 위해 죽는 것과 내가 살기 위해 죽는 것은 겉모양만 같을 뿐 전혀 다른 일이야. 이 길의 끝에 죽음이 있겠지만, 그건 내가 사는 방식이야. 왕의 변경백으로서 사는 방식이지. 그 때문에 나는 전쟁에 얽매여 있어도 전쟁에서 자유롭다."

"전쟁에 얽매여 있어도 전쟁에서 자유롭다고?"

"그래. 나는 자유롭기 때문에 옷에 단추를 주렁주렁 매달지도 않고 부하의 목을 단검으로 찢어버리지도 않아. 그리고 적이 될지 모른다는 의심의 눈으로 동료를 바라보지도 않고."

라수는 고개를 숙인 채 한참 동안 침묵했다.

칸비야와 륜은 둔덕길을 따라 시모그라쥬로 향했다. 둔덕 옆으로 아름다운 습지가 펼쳐져 있었다. 잎사귀 넓은 수상 식물들 때문에 물은 상당 부분 가려져 있었지만 드러나 있는 수면은 비스듬히 드리우는 햇빛을 받아 흩뿌려진 금편처럼 빛났다. 황혼의 하늘 아래 도요새가 습지 위를 한가롭게 날아다녔다. 고마리와 여뀌를 떨게 만드는 가느다란 바람은 둔덕길 가운데를 따라 걸어가던 두 사람에게 습지의 풍부한 향취를 퍼다날랐다. 칸비야가 습지를 바라보며 닐렀다.

〈륜 페이. 내가 호위자도 없이 처량하게 도시로 돌아가는 것에 대해 기분 나빠했었니? 그랬던 기억은 없는데. 혹시 나도 모르게 그렇게 생각한 건가?〉

〈그런 적은 없으십니다. 그저 제 마음이 편하고자 하는 겁니다. 용단으로써 도시를 지킨 당신이 호위자도 없이 도시에 돌아가신다고 생각하니 마음이 편치 않았습니다.〉

〈괴로울 것 같은데. 나가들은 너를 '백안시'할지도 몰라. 내 표현이 맞는 건가?〉

〈맞습니다. 그리고 그것은 상관없습니다. 저는 제가 한 일을 압니다.〉

〈분명히 너는 내가 아는 나가들 중에 가장 많은 나가를 죽인 사람이지. 하지만 그것은 여신을 구하기 위한 일이었지.〉

륜은 대답하지 않았다. 습지 가운데에서 젖은 통나무가 반짝거렸다. 그 위에 똬리를 튼 뱀이 저물어 가는 태양을 물끄러미 바라보고 있었다.

〈가서 너 자신을 변호하겠니? 내가 도와줄까?〉

〈아니요. 그럴 생각은 없습니다.〉

〈그래도 괜찮아?〉

〈괜찮습니다.〉

〈내 마음이 편하지 않구나. 여신의 구원자인 네가 나가 살육자 취급을 당해야 하다니. 그건 옳은 일이 아니야.〉

〈나가 살육자는 만나본 적이 있지요.〉

〈정말이야?〉

〈예. 무서운 사람이었습니다.〉

〈사람이라고?〉

〈예. 어떤 인간입니다. 나가에 대해 누구보다 더 큰 증오를 가진.〉

둔덕길이 끝나는 지점이 눈앞으로 다가왔다. 그곳에 시모그라쥬가 석양을 받으며 서 있었다. 넓은 습지와 흩어진 수풀들 사이로 심장탑은 가느다란 바늘처럼 보였다. 륜은 칸비야 의장을 쳐다보았다.

〈그럴 리가 있냐니, 왜 그렇게 생각하십니까?〉

〈내가 그렇게 생각했니? 음. 그래. 이상한 일이야. 나가 살육자의 이야기는 아주 오래전부터 전해 내려온 이야기야. 내가 할머니께 그 이야기를 들었던 것처럼, 내 할머니께서도 당신의 할머니에게 그 이야기를 들었던 그런 이야기지. 하지만 인간이 그렇게 오래 살 수가 있나.〉

륜은 약간 놀랐다. 칸비야의 지적은 그에게는 새로운 것이었다. 륜은 나가 살육자의 이야기가 오래된 것이라는 사실만 알고 있을 뿐 그것이 '얼마나' 오래된 것인지는 명확하게 알지 못했다. 그것이 칸비야의 말대로 몇 세대 전부터 계속되어온 이야기라면 케이건 드라카는 나가 살육자일 수 없다. 칸비야는 닐렀다.

〈키탈저 사냥꾼처럼 대를 이어서 나가 살육자라는 이름을 받는 건가?〉

〈글쎄요. 그런지도 모르겠습니다.〉

그때 시모그라쥬의 모습은 이미 풍경의 일부에서 생활의 공간으로 바뀌고 있었다. 도시를 바라본 칸비야는 그 사실을 깨닫고는 비늘을 약간 세웠다.

〈벌써 다 왔군. 륜. 지금이라도 힘들 것 같다면 그냥 여기서 돌아가렴.〉

〈저는 도시 내에서 필요가 되어드리기 위해 왔습니다. 들어가시죠.〉

갈로텍이 말에서 떨어졌을 때 그것을 가장 먼저 깨달은 사람은 놀랍게도 포로인 데오늬 달비였다.

대나무 군단의 군단병들은 데오늬 달비가 갑자기 달리기 시작해도 제지하지 않게 된 지 오래였다. 그래서 군단의 뒤편에 있어야 할 포로 데오늬가 군단의 중간, 혹은 전위에서 발견되는 상황이 왕왕 발생해도 병사들이 다급한 조치를 취하는 일은 없었다. 내버려두면 당황한 키베인이 그녀를 데리러 달려오거나, 혹은 그녀 스스로 왔던 방향으로 다시 달려가—다가 넘어지—기 때문이다.

그때 데오늬는 군단의 앞쪽에서 달리다가 숨이 턱에 닿아 쫓아온 키베인에게 "습지입니다! 대수호자님!"이라는 대답을 하여 대수호자를 상당한 지적 모험에 밀어넣고 있던 도중이었다.

"습지에서의 구보 속도가 궁금해진 겁니까?"

"누가 말에서 떨어졌습니다. 대수호자님."

"습지니까 누가 말에서 떨어져……, 예?"

데오늬는 더 이상 말하지 않고 달려갔다. 키베인은 또다시 그녀의 뒤를 따라갈 수밖에 없었다. 데오늬가 뒤쪽이 아니라 앞쪽으로 달려가는, 지금까지와는 다른 상황에 군단병들은 놀랐다. 그리고 데오늬가 달려가는 방향을 보곤 기겁하며 사이커를 뽑아들었다.

데오늬는 무릎을 꿇은 채 땅바닥에 엎드린 대장군을 내려다보았다. 뒤이어 도착한 대수호자는 놀란 표정으로 갈로텍과 데오늬를 번갈아 바라보았다. 그때 사이커를 뽑아든 수호 장군들과 군단병들이 대수호자의 옆을 지나쳐 달려갔다. 대수호자는 기겁하며 닐렀다.

〈그만! 그만둬요!〉

수호 장군들과 군단병들은 다행히도 대수호자를 대장군만큼 존중했다. 그래서 데오늬를 향해 겨누어지려던 사이커는 허공에서 멈췄다. 데오늬는 그런 사실을 까맣게 모른 채 걱정스러운 표정으로 갈로텍을 내려다보고 있었다. 대수호자는 설명을 요구하는 병사들의 시선을 무시하며 그들 사이를 헤치고 데오늬와 갈로텍에게 다가갔다. 그가 몸을 구부리자 데오늬가 말했다.

"이분이 갑자기 낙마하셨습니다. 대수호자님."

"소리를 들은 것이군요. 알겠습니다. 제가 닐러보겠습니다. 기다리십시오. 달비 부위."

〈대장군? 대장군. 어떻게 된 겁니까? 왜 떨어지셨지요?〉

대답 대신 괴로운 신음이 돌아왔다. 키베인은 갈로텍이 낙마 때문에 괴로워하고 있는 것이 아님을 알 수 있었다. 극도로 긴장하여 바라보는 시선들에 거북함을 느끼며 키베인은 조심스럽게 갈로텍을 똑바로 눕혔다. 그리고 키베인은 비늘을 세웠다.

〈이런, 허물벗기로군!〉

그에게 집중되던 시선들의 성격이 바뀌었다. 보라크 군단장이 정신을 점잖게 유지하려 애쓰며 닐렀다.

〈그렇군요. 비늘이 일어나고 있군요.〉

좋은 상황 설명이라 하기도 어렵고 대안 제시는 절대로 아닌, 별 볼 일 없는 니름이었다. 대수호자는 고민하다가 문득 데오늬가 아직까지 걱정스러운 얼굴로 주위의 나가들을 둘러보고 있음을 깨달았다. 바로 그때 키베인은 데오늬가 여자임을 떠올렸다. 그리고 자신이 그런 사실을 떠올릴 수 있다는 것에 대해 황당함 비슷한 감정까지 떠올렸다.

그러나 그의 입은 벌써 움직이고 있었다.

"달비 부위. 지금 대장군은 허물벗기를 하려 하고 있습니다."

"살갗이 벗겨지는 겁니까, 대수호자님?"

"그렇습니다. 당신이 좀 도와주면 좋겠는데요."

"제가 요리를 잘한다는 것을 어떻게 아셨습니까, 대수호자님?"

완전히 멍해진 대수호자는 힘겹게 데오늬에게 질문했고, 가까스로 데오늬가 매우 독창적인 상상을 하고 있음을 알게 되었다. 데오늬의 머릿속에서 대수호자의 요청은 대략 다음과 같은 변화를 일으켰다. '나가가 허물을 벗는다.—도와달라고 했으니 누군가 그 허물을 벗는 것을 도와주는 것이다.—그 나가는 아마도 박피 전문가 등으로 불리는 사람일 것이다.—대나무 군단에는 그 박피 전문가가 없는 것이다.—그런데, 대신 인간 포로가 있다.—인간은 요리를 해서 먹으니 동물의 껍질을 다루는 것에 익숙할 것이다.—따라서 인간은 박피 전문가를 대신할 수 있다.—요리를 잘하는 데오늬 달비여, 도와주오.'

키베인은 어지러운 머리를 감싸쥐고 싶은 것을 참으며 말했다.

"놀라운 상상이지만, 아, 정말 놀랍군요. 그런데 우리에게는 그 박피 전문가라는 것이 없습니다. 허물은 자기가 알아서 벗습니다."

"그러면 제가 무엇을 도와드리면 됩니까, 대수호자님?"

"갈로텍에게 말을 걸어주세요."

데오늬는 멍한 표정으로 키베인을 바라보았다. 차츰 그녀의 얼굴에 뚜렷한 결심이 떠올랐다. 데오늬는 갈로텍을 내려다보았다. 그리고 당당하게 말했다.

"안녕! 잘생긴 오빠. 저랑 놀아볼래요?"

"……달비 부위. 그게 아닙니다."

"아닙니까, 대수호자님?"

"그거 아마 유혹인 것 같은데, 그게 아닙니다. 그가 기대고 의지할 수 있는 여인이 되어주십시오."

"아, 네! 알겠습니다. 대수호자님."

데오늬는 밝은 표정으로 힘차게 고개를 끄덕였다. 그리고 갈로텍에게 말했다.

"이제야 밝히지만, 사실은 내가 네 어머니란다."

갈로텍이 혹 그런 반생물학적인 고백을 믿어주지 않을까 공상해 보던 키베인은, 자신이 데오늬에게 꽤 물들었음을 깨닫고는 두려움에 빠졌다.

다행히도, 혹은 불행히도 키베인은 자신의 발상을—최소한, 그것이 합리적인 경우—쉽게 포기하는 성격은 아니었다. 대나무 군단 내의 여자 병사들 중 누구라도 데오늬의 대신이 될 수 있다. 동족이고 니를 수 있으니 그 점에서는 데오늬보다 오히려 낫다. 하지만 키베인은 장점이 지나치게 크다는 사실을 경계했다. 키베인은 갈로텍의 적이 누구인지 아직 몰랐다. 하지만 상식적으로 그 적이 같은 수호자의 일원이거나 대가문의 일원인 어떤 여자일 수는 있어도 데오늬 달비일 가능성은 극히 적었다. 게다가 데오늬는 대나무 군단의 나가들이 가지고 있지 않은 장점을 가지고 있을 가능성이 있었다. 키베인은 그것을 질문했고 긍정적인 대답을 얻게 되었다. 데오늬는 말을 탈 줄 알았다.

그래서 키베인은 데오늬를 말에 태운 다음 갈로텍을 그 앞쪽에 앉혔다. 수호 장군들은 당황하여 대수호자의 행동을 바라보았지만 그들 중 말을 탈 줄 아는 이는 없었기에 모두 잠자코 도와주었다. 간신히 갈로텍을 말에 태운 키베인은 데오늬에게 계속 말을 걸라고 부탁했다. 쾌히 부탁을 받아들인 데오늬는 갈로텍에게 끊임없이 '모든 일이 잘 될 거다, 기운내라, 그 대금 소리 괜찮았다, 노을이 하늘 가운데서부터 진다면 그 모습이 어떨지 상상이 되냐.' 등의 말을 쏟아내었다. 키베인은 청력에서 주의를 배제한 후 보라크 군단장에게 질문했다.

〈점잖게 일을 치르려면 가까운 도시로 가는 것이 좋겠습니다. 시모그라쥬가 이 근방이지요?〉

〈우리 앞쪽에 있습니다. 시모그라쥬의 중립 선언 덕분에 다행히 북부군은 없을 겁니다.〉

〈뱀부리미를 통해 시모그라쥬로 연락을 보내세요. 북부군이 완전히 지나갔는지 물어보고, 그리고 대장군이 급히 몸을 쉴 저택도 하나 수배하라고 전하세요.〉

보라크 군단장은 다시 행군할 것을 명령한 다음 수레를 향해 달려갔다. 대수호자는 말의 고삐를 쥐었다. 그리고 말의 고삐를 쥐는 일이 천하다거나 하는 관념이 없는 수호 장군들은 대수호자가 대장군을 잘 보살피는 것으로만 해석했다.

데오늬가 도대체 무슨 말을 저렇게 끊임없이 쏟아내고 있는 것인지 궁금해진 키베인이 청력에 다시 주의를 기울였다가, 그녀가 대폭 생략해 대는 중간 과정을 더듬던 끝에 현기증이 나서 급히 그 주의를 배제했을 때, 보라크 군단장이 그들에게 돌아왔다.

〈좀 웃기는 일이 발생했습니다. 연락을 받은 시모그라쥬의 수호자는 자신이 시모그라쥬에서 한참 떨어진 곳에 있으며 지금 하텐그라쥬로 이동하는 중이라고 대답했습니다. 시모그라쥬의 고소리 의장은 완전한 중립 선언을 위해 도시 내의 수호자들도 모두 인실롭 군단장과 함께 보낸 모양입니다. 어쨌든 저쪽의 수호자는 북부군이 그곳을 지나갔을 거라고 대답하더군요.〉

〈그렇다면 몇 명의 걸음 빠른 병사들에게 소드락을 복용하고 시모그라쥬로 달려가라고 하세요. 그들이 저택을 수배하도록.〉

〈알겠습니다.〉

보라크 군단장은 다시 일을 처리하기 위해 떠나갔다. 대수호자는 다시 다른 병사에게 데오늬가 돌아오지 않는다는 사실에 당황하고 있을 북부군 포로들에게 사실을 설명해 주라는 명령을 내린 다음, 고요 속에서 생각에 잠겼다.

키베인은 어쩌면 그들이 문전박대를 당하게 될지도 모른다고 생각했다. 고소리 의장의 중립 선언이 수호자들마저 도시 밖으로 내보내는 것이라면, 분명히 대나무 군단과 그 수호 장군들의 도시 진입을 달가워하지 않을 수도 있었다. 어쩌면 수호자 갈로텍을 도시 내에 수용하는 것마저 거부할지 모른다. 그 가정에 대한 대처 방안을 고민해 보던 키베인은 결국 대장군이 아니라 허물벗기를 하러 찾아온 남자를 받아들이는 것으로 해석해 달라고 조르기로 결정했다.

마침내 야트막한 야산에 선 그들이 산 아래로 시모그라쥬의 모습을 보게 되었을 때 먼저 출발했던 병사들이 그들에게 돌아왔다. 그들은 키베인이 우려하던 대답을 가지고 돌아왔다. 시모그라쥬는 중립 선언을 엄정히 준수하기 위해 어떤 나가 병력도 받아들일 수 없다는 대답을 보내어 왔다. 보라크 군단장을 비롯한 수호 장군들이 거센 분노를 보였지만 키베인은 씁쓸하게 고개를 끄덕였다.

〈보라크 군단장. 군단과 함께 이곳에서 대기하십시오.〉

〈어쩌실 생각이십니까, 대수호자님?〉

〈제가 달비 부위와 함께 대장군을 모시고 가겠습니다. 저는 신명을 사용할 수 없습니다. 그리고 갈로텍 대장군 또한 짝을 찾아볼 수 없는 영웅이지만 지금은 병력이라 할 수 없습니다. 그리고 달비 부위 또한 나가의 병력이 아닙니다. 따라서 우리 세 사람은 시모그라쥬가 받아들여서는 안 되는 나가의 병력이라 할 수 없습니다. 우리 세 사람이 여행자의 자격으로 시모그라쥬에 들어가겠습니다. 시모그라쥬

는 그것까지 거부하지는 않을 겁니다. 칸비야 고소리 의장은 합리적인 인물이라고 들었습니다.〉

〈어떻게 세 분만 보낼 수 있습니까.〉

〈별 일 없을 겁니다. 북부군은 이미 저곳을 지나갔으니까요. 그리고 저는 키보렌의 대수호자잖습니까. 갈로텍 대장군이 허물벗기를 끝내는 대로 돌아오겠습니다.〉

보라크는 키베인의 끈덕진 설득에 결국 그 요청에 동의했다. 그는 군단에게 야영 명령을 내리면서 동시에 언제든 돌격할 준비도 갖추라고 명령했다. 키베인은 그들에게 잠깐 동안의 작별을 고한 다음 말을 끌고 산 아래로 내려갔다. 짧은 일몰이 소녀와 대수호자, 그리고 대장군을 비추다가 사라졌다.

시모그라쥬에 들어섰을 때 칸비야 고소리 의장은 통행자가 별로 없다는 사실에 안도했다. 그녀는 파괴적인 방법으로만 나가의 도시를 대할 수 있었던 륜이 좀 더 편하게 도시를 볼 수 있도록 해주고 싶었다. 륜의 눈치를 살피던 칸비야는 결국 닐렀다.

〈내가 눈치를 보고 있다는 것 알지?〉

륜은 빙긋 웃었다. 칸비야는 계속 닐렀다.

〈그리고, 무엇 때문에 눈치를 보고 있다는 것도?〉

〈파괴할 필요가 없는 고향을 제가 어떻게 생각하는지 알고 싶으신 거죠. 하지만 제 고향은 하텐그라쥬입니다.〉

〈이곳도 나가의 도시잖아.〉

〈하긴 니름대로군요. 기분이 묘하다는 것을 인정하겠습니다. 하지만 제가 '예전에는 이곳 또한 사람들이 꿈을 키워가며 살아가는 도시라는 것을 몰랐다, 그래서 그토록 파괴할 수 있었다. 내 잘못을 뉘우친다.'는 식의 고백을 할 거라고는 생각하지 마세요. 저는 그걸 알고 있었습니다.〉

〈그렇겠군. 그러고 보니 페로그라쥬와 악타그라쥬를 이미 '알고' 있었던 것이

군?〉

〈예. 파괴 대상으로만 보기 때문에 그 도시들의 아름다움이나 소중함, 그 시민들의 애정 따위는 무시하는…… 그런 능력은 제게 없습니다. 저는 전부 압니다.〉

〈너를 동정해. 륜 페이.〉

〈괜찮습니다. 저는…….〉

륜 페이의 니름이 더 이상 이어지지 않았다. 칸비야는 어리둥절하여 주위를 둘러보았다. 낮의 열기를 아직 잃지 않은 건물들이 어둠 속에서 아름답게 떠오르고 있었지만 위험스러운 장면은 보이지 않았고 그들을 예의주시하는 통행자도 없었다. 칸비야는 륜을 돌아보았다.

〈륜?〉

〈어떤 여행자들이 이 도시에 들어섰습니다.〉

〈그래? 그런데?〉

〈나가가 두 명입니다. 그리고 인간과 말이 포함되어 있군요.〉

칸비야는 깜짝 놀랐다.

〈말이라니? 그리고, 인간이라고?〉

〈예. 그런데 나가 중 한 명은 전에 한 번 만났던 수호자군요. 분명히 누님과 함께 있어야 할 텐데……!〉

다음 순간 륜은 빠르게 걸어갔다. 칸비야는 당황하며 그 뒤를 따랐다.

데오늬 달비는 주변의 건물들을 감탄 속에서 바라보았다. 나가들의 도시는 화려하고 아름다웠다. 다만 조명이 거의 없기에 데오늬는 많은 부분을 볼 수 없는 것에 애석해했다. 반면, 그녀 자신은 말과 함께 나가들에게 뚜렷하게 보였다. 데오늬는 듣지 못했지만 무수한 니름이 그들에게 다가왔고 키베인은 그 모두에 정신없이 대답했다.

그때 갑자기 갈로텍이 고개를 들어올렸다. 데오늬는 기뻤다. 그녀는 갈로텍이 드디어 자신의 말에 대답할 거라 믿었다. 하지만 갈로텍은 그녀의 소망을 무시하며 전방을 응시했다.

〈저게 뭐지?〉

말고삐를 쥐고 걸어가던 키베인이 깜짝 놀라 뒤를 돌아보았다.

〈대장군! 괜찮은 겁니까? 우리는 당신이 허물벗기를 할 수 있도록 시모그라쥬에 들어온 겁니다. 인간과 말에 대해 꽤 놀라긴 했습니다만 그들은 결국 당신이 허물벗기를 하는 동안 체류를 허락했습니다. 지금 괜찮아 보이는 저택을 찾고 있는 중입니다. 사람들이 처다보는 것도, 질문들에 대해 해명하는 것도 이제 힘들어지려는 판국이군요.〉

〈저건……, 저건…….〉

키베인은 그제야 앞쪽을 바라보았다. 그리고 놀랐다. 그들의 앞쪽에는 심장을 가진 나가가 서 있었다. 키베인은 그 심장을 뚜렷하게 볼 수 있었다. 갈로텍은 비늘을 부딪치며 전방을 응시했다.

〈나는 저자를 알아.〉

키베인도 알고 있었다. 그리고 데오늬 또한 마찬가지였다. 데오늬는 반갑게 외쳤다.

"공작님! 공작님이시군요!"

아직 뜨거운 석조 건물들 사이에서, 륜 페이는 뜨거운 심장을 불태우며 그들을 조용히 바라보고 있었다.

륜은 사람들이 움직이는 것을 느꼈다.

어둠 속에서 시모그라쥬의 시민들이 움직였다. 그들은 어떤 뚜렷한 목적을 가지고 있지는 않았으며, 그들을 조직화하는 사람도 느껴지지 않았다. 하지만 륜은 몰려나온 군중들에게서 위험한 감정의 흐름을 읽을 수 있었다. 당연한 일이지만 칸비야 고소리의 중립 선언은 그 도시의 모든 시민을 행복하게 하지는 못했다. 적지 않은 숫자의 나가들이 그녀에게 찬성했지만, 결코 무시할 수 없는 숫자의 사람들은 비참함을 맛보고 있었다. 그들은 겁쟁이 의장 때문에 자신들이 나가의 위대한 전진에서 탈락한 낙오자가 되었다고 느끼고 있었다. 그리고 그 불길한 밤, 그들의 도시 한가운데서 목격하게 된 불길한 대치를 보며 시모그라쥬의 많은 시민들은 복잡한 기분을 느꼈다.

그러나 그들 중 한 사람만은 자신이 지나치게 한적한 길에서 우연히 반가운 사람을 만나게 되었다고 여기고 있었다. 열을 볼 능력도 없고 조명 상태도 열악한 그곳에서, 데오늬 달비는 몰려드는 나가를 전혀 깨닫지 못한 채 외쳤다.

"공작님! 접니다! 북부군 부위 대나무 군단 포로 데오늬 달비입니다!"

"예. 반갑습니다. 달비 부위. 직함이 길어지셨군요."

다행히도 데오늬의 육성이 나가들을 자극하지는 않았다. 륜은 다시 말했다.

"당신과 그 수호자는 대호왕 폐하와 함께 있어야 하는데, 잠깐만요. 아니, 말하지 말아주시겠습니까? 그냥 옛날 생각을 해주십시오."

데오늬는 쾌히 그렇게 했다. 데오늬의 심상은 깨끗했고 륜은 어렵잖게 북부군에서 일어난 일을 알 수 있었다. 륜은 사모가 키보렌에 들어왔다는 사실에 충격을 받았다. 거의 자제력을 잃을 것 같은 기분 속에서 그녀가 아직 안전하다는 사실을 통해 간신히 자신을 억누른 륜은, 데오늬가 아직도 충실하게 옛이야기들을 생각하고 있다는 것을 깨닫고는 잠시 내버려두기로 했다. 륜은 키베인을 향해 닐렀다.

〈당신이 키보렌의 대수호자였습니까.〉

〈그래. 륜 페이.〉

대답하던 키베인은 문득 륜이 그저 확인하기 위해 그런 니름을 한 것이 아니라는 것을 깨달았다. 륜은 몰려드는 군중들이 들을 수 있도록 명징하게 닐렀다. 그럼으로써 그 군중들이 돌발 행동을 일으키지 않도록 단속한 것이다. 키베인은 감탄했다. 륜은 말 위의 나가를 바라보았다.

〈그리고, 대장군 갈로텍.〉

갈로텍은 쇠약해진 몸을 무시하며 닐렀다.

〈용인 륜 페이.〉

보이지 않는 어둠 속의 군중들은 더욱 긴장했다. 칸비야는 갈로텍이 륜을 배신자로 지목하여 군중들을 선동하려는 것인지, 그렇지 않으면 상대방은 용인이니 조심하라고 경계시키는 것인지 판단하기 어려웠다. 륜은 담담하게 닐렀다.

〈허물벗기군요. 많이 편찮으신 듯하군요.〉

〈즐거운 상황이라고는 할 수 없군.〉

륜은 칸비야를 슬쩍 돌아보았다. 돌아보지 않아도 볼 수 있으므로, 그것은 순전히 의장을 위한 동작이며 니름으로 바꿔본다면 '안심하세요.' 정도가 될 것이다. 그리고 륜은 갈로텍을 향해 닐렀다.

〈먼저, 이 도시는 중립 지대임을 확실히 하고 싶습니다.〉

〈나도 알아. 인실롭이 내게 확인 요청을 했으니까.〉

칸비야는 안도했다. 하지만 갈로텍은 날카롭게 닐렀다.

〈우리 서로는 그런 관계가 아니지.〉

〈그런가요.〉

대답하던 륜은 문득 그의 눈앞의 수증기들이 기묘하게 움직인다는 것을 깨달았다. 그는 그 사실에 감탄했다. 갈로텍은 대기 중의 습기를 움직여 글을 쓰고 있었다. 그것은 륜 같은 용인만이 읽어낼 수 있는 미약한 움직임이고, 고도의 집중력이 엿보이는 훌륭한 기술이었다. '몰려든 자들에게 여신의 감금자 따위의 니름을 한다면 등 뒤의 여자를 죽이겠다.' 기술에 대한 순수한 감탄을 표시한 다음, 륜은 닐렀다.

〈그냥 생각만 하셔도 됩니다. 힘드시겠군요.〉

이번에는 갈로텍이 감탄할 차례였다. 여신의 두 신랑은 서로에 대한 순수한 놀라움을 느꼈다. 그들 모두 같은 힘을 다루고 있었지만 그 방식은 달랐다. 한 명은 예민함에 의해, 한 명은 자기화에 의해 그들은 발자국 없는 여신의 힘을 누구보다도 강력하게 구현해내고 있었다.

갈로텍이 공격을 시작했다.

갈로텍은 륜의 심장을 노렸다. 단순하면서 직접적인 수단이었다. 그는 륜의 심장으로 통하는 혈관을 끓어오르게 하려 했다. 그러나 륜은 예민했다. 갈로텍이 채 시도도 하기 전에 류은 그 의도를 읽었다. 류은 용인의 방식으로 반격에 나섰다.

류과 달리, 예민함을 가지지 못한 갈로텍은 다가오는 류의 정신을 느끼지 못했다. 그의 장기는 외부에 대한 민감함이 아니었다. 그러나 군령자의 방어는 류을 놀라게 했다. 류은 갈로텍의 신명을 포착하여 묶으려 했다. 하지만 그것을 예견하고 있던 갈로텍의 뒤에서 그라쉐가 야수적 본능으로 위험을 깨달았다. 갈로텍은 류의 심장을 공격하려던 것을 재빨리 포기하고 대신 자신의 내부에 있던 군령들을 무차별적으로 끌어내어 전면을 빠르게 지나가게 했다. 호흡 한 번 하기도 힘든 짧은 시간 동안, 류은 눈앞의 상대에게서 수십 명의 인격을 느꼈다. 용인은 그중에서 군령자의 신명을 읽어낼 수 없었다.

용인의 물 같은 날카로움은 무엇이든 꿰뚫는다. 하지만, '무엇인지' 알 수 없는 것은 꿰뚫을 수 없다.

무서운 공방이었지만, 그들 두 사람을 제외한 다른 이들에게 그것은 한순간의 시선의 엇갈림으로밖에 보이지 않았다. 사실 류 이외엔 아무도 정확하게 무슨 일이 일어났는지 알지 못했다. 순간적으로 여럿이 되어버렸던 갈로텍 또한 그 전체 상황을 보지 못했기 때문이다.

그래서 갈로텍은 류의 니름을 빨리 이해하지 못했다.

〈화리트? 당신, 화리트를 데리고 있군요!〉

내가 화리트의 영도 내보냈었나? 그럴 리가 없는데.

〈그를 아는 영이 잠시 지나갔습니다. 어떻게 그를 데리고 있는 겁니까?〉

무의식 중에 화리트에 대해 생각하려던 갈로텍은 순간 그라쉐의 감각을 통해 위험을 직감했다. 갈로텍은 그것이 어떤 위험인지 생각했고, 곧 뇌리에서 모든 생각을 지웠다. 류은 갈로텍에게서 화리트에 대한 것을 더 이상 읽어낼 수 없었다.

대신 류은 다른 것을 읽었다.

〈많이 아프시군요.〉

〈동정할 필요 없어.〉

류은 갈등을 느꼈다. 그것은 다시 없는 기회였다. 그곳에서 갈로텍의 신명을 묶을 수 있다면 북부군은 하텐그라쥬 공격에 절반 이상 성공했다고 니를 수 있을 것이다. 그러나 륜은 볼 수 있었다. 그곳에는 두 명의 갈로텍이 있었다. 오기에 가까운 의지로 륜에게 맞서오는 갈로텍과 무서운 고통을 호소하는 갈로텍이 있었다. 갈로텍 자신마저도 그중 전자밖에 알지 못했지만 륜은 둘 다 볼 수 있었다.

다 보인다는 것은 너무 괴로워. 지그림 자보로. 이런 걸 얻지 못한 당신은 행운아야.

〈화리트에 대해 닐러주십시오. 강제로 하고 싶지 않습니다.〉

갈로텍은 잠깐 고민했다. 그에겐 잠깐 동안 자신을 쉬게 할 필요가 있었다. 하지만 화리트의 이야기를 꺼내는 것은 군중들 때문에 불가능했다. 영의 납치자라는 악평은 두렵지 않았지만, 갈로텍은 악평이 가져다줄 손실이 두려웠다.

〈강제로 해봐. 기대가 되는데.〉

〈당신은 더 아파할 겁니다.〉

〈그건 내가 신경 쓸 문제인 것 같군. 네 문제가 아니야.〉

그런데 내 문제이기도 해. 보이니까.

두 사람 사이에서 오가는 일을 정확하게 알지는 못했지만, 그 니름들을 들은 키베인은 그가 알 수 없는 수준에서 두 초인이 뭔가 첨예한 대립을 벌이고 있음을 짐작했다. 키베인은 닐렀다.

〈륜 페이. 지금 대장군은 불편한 상태야. 아량을 베풀어줄 수 없나?〉

〈똑같은 니름을, 판사이를 수장시키기 직전의 갈로텍에게 닐렀다면 그가 뭐라고 대답했을지 궁금하군요.〉

〈나는 갈로텍 대장군이 아니라 륜 페이에게 물었어.〉

〈제게요?〉

〈그래.〉

〈제게…… 갈로텍은 제 적입니다.〉

〈이곳은 중립 지대야. 그렇잖나?〉

〈그렇게 니른 것은 접니다. 하지만 대장군이 받아들이지 않으시는군요.〉

키베인은 공격을 시작한 것이 누구인지 짐작했다. 그는 갈로텍의 비늘이 일어난 얼굴을 바라보았다.

〈대장군. 관두십시오.〉

〈대수호자. 륜 페이가 없다면 북부군은 오합지졸입니다.〉

〈당신은 그럴 수 없습니다. 지금 허물이 벗겨지고 있는 것은 륜이 아니라 당신입니다. 포기하세요. 륜! 대장군이 포기한다면, 칸비야 의장의 중립 선언을 존중하겠다면 당신도 그렇게 할 텐가?〉

잠깐 망설이던 륜은 갈로텍을 주시하며 닐렀다.

〈화리트에 대한 이야기를 닐러준다면, 그렇게 하겠습니다. 화리트를 앞으로 내보내십시오.〉

키베인은 다시 갈로텍을 바라보았다. 고통에 까무러치고 싶은 기분 속에서 갈로텍은 힘들게 닐렀다.

〈저 아래에 틀어박혀서 나오려고 하지 않아.〉

〈설득하시는 것이 좋겠습니다.〉

〈내려가서? 미안하지만 그것도 어렵군. 내 속에는 괴물이 하나 있거든.〉

〈괴물?〉

갈로텍은 필사적으로 카린돌에 대한 생각을 쫓아내며 무미건조하게 닐렀다.

〈나를 잡아먹으려드는 괴물이야. 그래서 아래로 내려갈 수가 없어.〉

〈그러면 다른 영을 내려보내십시오.〉

갈로텍의 몸에서 비늘이 부딪혔다. 키베인은 걱정스러운 낯빛으로 대장군을 바라보았다.

갈로텍은 한참 후에야 말했다.

"주퀘도. 내려가서 화리트를 좀 데려다주시겠습니까?"

주퀘도는 대답 없이 아래로 내려갔다. 갈로텍이 무슨 일을 하는 건지 알았던 륜은 질문하지 않았다. 자신을 진정시키기 위해 애쓰며 륜은 조심스럽게 닐렀다.

〈고소리 의장님은 우리에게 좋은 본보기를 보여주셨습니다. 누구와도 싸우지 않으면, 누구에게도 공격당하지 않습니다. 이 전쟁을 끝내는 문제에 대해 토의해

보고 싶습니다.〉

〈너희들이 발자국 없는 여신을 방면하기 전까지는 그런 문제에 대해 생각할 수 없다.〉

류은 고소를 머금었다. 그리고 류은 정의감 때문에 사실을 니르려 하는 칸비야에게 조용히 손을 들어올렸다. 칸비야는 정신을 닫으며 왜 그러느냐는 표정으로 류은 바라보았다. 군중들 때문에 니름을 이용할 수 없었던 류은, 그래서 간단한 방법을 이용했다. 류은 칸비야의 귀에 입을 가져갔다. 의미가 분명했기에 칸비야는 청력에 주의를 기울였다. 류은 속삭였다.

"사실을 니르면 데오늬 달비가 죽을 겁니다. 갈로텍의 등 뒤에 있는 여자입니다. 그리고 어차피 다른 자들은 믿지도 않을 겁니다."

칸비야는 비늘을 부딪쳤다. 류은 그녀에게 고개를 한 번 끄덕이고는 다시 갈로텍을 향해 닐렀다.

〈북부인들은 여신을 감금하지 않았습니다. 누가 그랬는지는 그들도 모릅니다.〉

〈거짓니름하지 마라.〉

〈믿든 믿지 않든 상관없습니다. 북부인들은 누가 그랬는지 모릅니다. 북부인들은 스스로를 지켜야 했습니다. 끝까지 북부인들을 핍박한다면, 북부군은 스스로를 지키기 위해 하텐그라쥬를 공격할 겁니다. 그러니 전쟁을 그만두고 여신을 감금한 범인을 찾아보는 것이 어떻겠습니까?〉

〈파멸을 벗어나기 위해 안간힘을 쓰는 것은 이해하지만, 거짓으로 모든 사실을 덮어버리려 해봐야 도움이 되지 않는다.〉

〈하텐그라쥬는 파괴될 겁니다. 갈로텍.〉

〈너희들이 파멸할 것이다! 감히 이 땅에 발을 들여놓고 살아남기를 바라느냐? 페로그라쥬와 악타그라쥬의 보복은 반드시 이루어질 것이다!〉

류은 넘을 수 없는 평행선 같은 것을 보았다. 언젠가 그들 자신들에게서 발견한 만연한 허위를, 류은 상대방에게서도 느꼈다. 그것은 류은 슬프게 했다. 그리고 그곳에는 용인의 슬픔을 이해할 수 있는 또 다른 용인 같은 자는 존재하지 않았다.

그때 주퀘도가 되돌아왔다.

"갈로텍. 문제가 있군."

"문제?"

"화리트는 어떤 괴물을 막고 있어서 나올 수 없다고 하더군. 그가 지금 있는 자리를 비우면 괴물이 위로 올라올 거라고 하더군."

눈치 있게 말을 얼버무리는 주퀘도에게 갈로텍은 고마움을 느꼈다. 그는 다시 류에게 닐렀다.

〈들었나?〉

〈듣지는 않았지만, 알았습니다.〉

류의 공포스럽기까지 한 능력에 갈로텍은 비늘을 세웠다. 그 때문에 허물이 살갗에서 떨어지며 온몸에 끔찍한 고통이 찾아들었다. 갈로텍은 정신을 잃지 않으려 애쓰며 류을 노려보았다.

류은 우울한 시선으로 그를 바라보고 있었다. 용인은 아니지만 갈로텍은 그 시선에서 고통을 읽어낼 수 있었다. 그 자신이 고통을 느끼고 있기 때문이다.

류은 부드러운 한숨을 내쉬었다.

〈모든 것은 결국 하텐그라쥬에서 해결되겠군요.〉

〈그리고 나는 그것이 어떻게 해결될지 알아.〉

〈저도 압니다.〉

갈로텍은 차게 웃었다. 류은 그 웃음에 호응하듯 미소 지으며 닐렀다.

〈화리트에게 전해 주십시오.〉

다음 순간 갈로텍은 정신이 타버릴 것 같은 충격을 느꼈다. 류은 갈로텍의 정신을 파고들어 그 본능에 각인시켜둘 듯이 닐렀다.

〈나를 위해 죄책감을 묶어준 것은 고마운 일이 아니었다. 그 때문에 나는 상실감까지 함께 느껴야 했다. 그러나 나는 아직도 너를 사랑한다.〉

그 가차 없는 난입을 저지하기 위해 헛된 시도를 하면서, 갈로텍은 무서운 사실을 알게 되었다. 화리트가 류의 죄책감을 묶어놓은 것처럼 류은 갈로텍에게 자신의 전언을 묶어놓았다. 갈로텍은 이제 죽을 때까지 륜의 니름을 잊을 수 없게 되었다. 모욕감과 패배감 속에서 두 눈을 불태우며 갈로텍은 륜을 노려보았다. 륜은 차가운 표정으로 그를 외면했다.

〈고소리 의장님. 사정이 여의치 못해 댁까지 바래다드릴 수 없게 되었습니다. 대신 키보렌의 대수호자와 대장군 갈로텍이 저를 대신하여 의장님을 모실 겁니다.〉

칸비야 고소리가 뭐라 대답할 틈은 없었다. 륜은 곧장 눈을 돌려 데오늬 달비를 바라보았다.

"달비 부위. 아직도 옛 생각을 하고 있도록 내버려두었군요. 미안합니다. 이제 그 생각은 하지 않으셔도 됩니다. 지금은 당신을 구출할 수 없지만, 언젠가는 꼭 그렇게 하겠습니다."

"예! 윷놀이도 윷가락 셋으로는 할 수 없습니다, 공작님."

키베인은 자신도 모르게 신음을 흘렸다. 그녀의 말을 전혀 이해할 수 없었기 때문이다. 하지만 륜은 이해할 수 있었다. 데오늬는 모든 준비가 갖춰지지 않았는데 억지로 시도하면, 즉 윷가락 세 개로 윷놀이를 시작하면 재미도 없고 놀이도 되지 않는다고 말한 것이었다. 륜은 빙긋 웃으며 그녀가 충분히 이해할 수 있는 대답을 했다.

"예. 셋으로는 부족하지요."

데오늬는 밝게 웃으며 고개를 힘차게 끄덕였다. 그 광경을 본 모든 사람들은 세상 없어도 그녀가 구출될 거라고 믿게 되었다. 륜은 키베인을 돌아보았다.

〈그리고, 대수호자님. 제가 묶었던 것을 풀어드리고 싶습니다만 시모그라쥬와 북부군의 약속에 따른다면 이곳에는 수호자가 있어서는 안 됩니다. 갈로텍을 위해 좀 더 참아주십시오.〉

갈로텍이 독 오른 뱀 같은 기세로 닐렀다.

〈그 따위 동정을 닐러서 나를 더 비참하게 만드는 짓은, 너 자신을 위해 그만두는 것이 좋을 거다. 하텐그라쥬에서 네가 돌려받아야 할 것만 불어날 뿐이니까!〉

륜은 부드럽게 웃으며 닐렀다.

〈예. 다음에 만날 때는 분명히 하텐그라쥬겠군요.〉

류은 잠시 멈췄다가 다시 닐렀다.

〈그다음에는, 아마도 더 이상 서로를 볼 일이 없을 겁니다.〉

〈동의한다.〉

〈하텐그라쥬에서.〉

〈하텐그라쥬에서.〉

류은 몸을 돌렸다. 그리고 어둠 속에서 그를 바라보는 군중들의 시선을 무시하며 시모그라쥬를 떠났다.

류이 떠난 다음, 칸비야는 대수호자와 대장군, 그리고 데오늬를 자신의 집으로 데려갔다. 자신의 쥐 사육사에게 손님에 대한 몇 가지 주의를 한 다음—데오늬 달비는 특별 요리가 아니라 방문자라고 설명해 주는—칸비야는 못 들을 니름을 들은 것 같은 표정을 짓는 사육사를 내버려둔 채 응접실로 돌아왔다. 응접실에서 그녀를 기다리고 있는 것은 키베인과 데오늬뿐이었다. 그들에게 이야기를 건네기 전 칸비야는 사용인들의 부주의를 저주하며 불을 가져오라고 닐러야 했다. 응접실은 데오늬에게 도저히 적절한 밝기가 아니었다. 사용인들이 당황하며 밤에 책을 읽을 때 사용하곤 하는 불을 가져오자 칸비야는 그들을 모두 쫓아낸 다음 응접실에 앉았다.

〈대수호자님. 누옥을 방문해 주신 것에 진심으로 감사드립니다.〉

〈고소리. 저는 대수호자의 자격으로 온 것이 아닙니다. 지금은 허물벗기를 해야 하는 어떤 남자의 동료 자격으로 시모그라쥬를 방문 중입니다. 이곳에는 수호자가 있어서는 안 되지요?〉

〈예. 그렇긴 합니다. 이해해 주셔서 감사합니다.〉

키베인은 빙그레 웃었다.

〈예. 그리고 한 가지 어려운 부탁을 하나 더 드리자면, 제 또 다른 동료를 위해 육성으로 대화했으면 하는군요. 그녀가 대화에서 배제되고 있다는 인상을 받게 되는

것을 원하지 않거든요.〉

칸비야는 고개를 끄덕이며 데오늬를 바라보았다. 데오늬는 나가 저택 안의 모습에 감탄을 금하지 못한 채 정신없이 주위를 둘러보고 있었다.

"데오늬 달비라고 했습니까?"

"그렇습니다. 북부군 부위 대나무 군단 포로 데오늬 달비입니다."

그리고 데오늬는 잠시 당황하는 모습을 보였다. 키베인은 눈치 빠르게 말했다.

"의장님입니다."

"아, 예! 의장님!"

칸비야는 재미있다는 표정으로 두 사람을 바라보았다. 비록 육성 대화의 요구라든가 데오늬의 말을 거든다거나 하는 대수호자의 태도를 이해하기 어려웠지만, 칸비야는 대수호자를 위해 경의를 가지고 데오늬를 대하기로 결정했다.

"아니, 내 집 안이니 가주라고 부르면 됩니다. 속박당하고 있는 몸이니 상심이 크겠군요."

데오늬는 환하게 웃으며 고개를 가로저었다.

"그렇지 않습니다. 가주님. 공작님께서 구해 주신다고 하셨습니다. 가주님."

하마터면 꼭 소망이 이루어지길 바란다고 말할 뻔했던 칸비야는 아무리 중립 도시의 평의회 의장이라도 그렇게 말하는 건 좀 이상하다는 것을 떠올렸다. 그래서 칸비야는 말을 바꿔 얼버무렸다.

"희망을 가지는 것은 좋은 일이지요. 그런데 데오늬. 미안하지만 잠시 우리끼리 니름으로 이야기를 나눠도 될까요? 말은 좀 어려워서 그럽니다."

"그러십시오, 가주님! 그런데 그동안 이 방을 구경해 봐도 될까요?"

"예. 얼마든지."

데오늬는 자리에서 일어나 창문으로 달려갔다. 조마조마한 마음으로 바라보던 키베인은 데오늬가 넘어지지 않고 안전하게 도착한 것을 확인하고는 칸비야를 바라보았다.

〈무슨 긴한 니름이라도 있으십니까, 고소리?〉

〈대수호자님. 이 도시의 중립 선언에 대한 이야기를 나누면서, 저는 그 류 페이에게 이상한 이야기를 들었습니다.〉

약간 놀라던 키베인은 곧 체념하는 얼굴로 닐렀다.

〈여신이 어디에 감금되어 있는가에 대한 이야기겠군요.〉

〈예. 그것이 사실입니까?〉

〈제가 그것이 사실이라고 고백하면 무슨 일이 일어나는 겁니까?〉

〈어려운 질문이시군요. 일반론을 니른다면, 모든 나가들을 상대로 그 사실을 공표하고 사건 관계자 전부가 처벌받아야 합니다. 하지만 제 생각에 그 사건 관계자가 거의 모든 수호자들인 것 같군요. 이 사기극의 거대함에 할 니름을 잃게 되는군요.〉

〈계속 가정에 입각해 니르겠습니다. 만일 그것이 기왕의 사실인 경우, 모르는 척넘어가는 것에 대해서는 어떻게 생각하십니까? 수호자들도 영원히 여신을 가둬둘수는 없을 겁니다. 그 때문에 새로운 수호자가 나타나지 않는다는 간단한 문제부터 보다 복잡한 문제까지, 그 감금에 의해 발생하는 문제는 산재해 있습니다.〉

〈그래서 모르는 척하고 계신 겁니까?〉

〈어떤 수호자들은 수중에 들어온 힘의 강대함에 매료되기도 할 테고 어떤 수호자들은 심장탑 밖에서, 한계선 너머에서 만나게 된 모험에 만족하기도 할 겁니다. 그리고 어떤 수호자들은 언젠가는 여신이 다시 풀려날 것이라는 사실에 위안을 얻기도 할 겁니다.〉

〈북부군이 성공한다면 그 시기는 앞당겨지는 겁니까?〉

〈그렇겠지요. 하지만 그럴 경우 힘과 모험을 잃게 된 수호자들은 화를 내겠지요.〉

〈대수호자님. 그런 것에 만족이라는 것이 있을까요? 제 경험상 애초에 가질 수없는 것이라면 모르되 이미 손에 들어온 것을 다시 포기하는 것은 니름처럼 간단한 일이 아닙니다. 니르시는 그 힘과 모험을 동경하는 수호자들은 모든 북부인들을 궤멸시킨 후에도 그 힘을 포기할 것 같지 않습니다.〉

〈포기하지 않으면 그것을 어디에 쓰겠습니까?〉

〈물론 동족들을 상대로 쓰겠지요. 당신이 대수호자가 되기 전에 발생했던 일이 바로 그것이었잖습니까.〉

키베인은 침울하게 긍정했다. 칸비야는 닐렀다.

〈이미 중립을 선언한 시모그라쥬는 키보렌 전체에 대해 설득력 있는 주장을 개진하기 어렵습니다. 하지만 당신은 그렇지 않습니다. 당신은 키보렌의 대수호자입니다. 수호자들이 저지른 일을 고백하고 모든 것을 원래대로 돌려놓을 수 있는 사람은 당신뿐입니다.〉

〈괴로운 지적이군요. 차라리 그렇게 할 수 있는 사람에게 대수호자의 자리를 물려주는 역할을 맡고 싶습니다만.〉

키베인의 소극적인 모습을 보던 칸비야는 조심스럽게 닐렀다.

〈한 가지 여쭙고 싶은 것이 있습니다.〉

〈예.〉

〈도대체 이 전쟁의 목적이 무엇입니까? 수호자 이외의 사람들에게 그 목적은 분명했습니다. 여신의 구출이지요. 하지만 여신을 감금한 것은 사실은 수호자였습니다. 그러면 수호자들은 왜 전쟁을 일으킨 겁니까? 우리에겐 북부의 땅이 필요하지 않습니다.〉

〈당신들에겐 필요하지 않았겠지요. 하지만 수호자들에겐 필요했습니다.〉

〈무슨 니름입니까? 수호자들이 무엇 때문에 땅이 필요합니까?〉

키베인은 창가 쪽을 돌아보았다. 데오늬는 그곳에 없었다. 그녀를 찾던 키베인은 데오늬가 방 한쪽에 있는 화로와 춤채들을 흥미진진하다는 듯이 바라보고 있음을 발견했다.

〈가설 속에서, 그 질문에 대해 대답할 수 있는 것은 하텐그라쥬의 수호자들일 겁니다. 그들이 모든 일을 시작했을 테니까요.〉

〈모두 가설로 받아들이겠습니다. 그러니 그 가정형은 제외하셔도 됩니다.〉

〈알겠습니다. 이 모든 일을 시작한 하텐그라쥬의 수호자들만이 의장님의 질문에 대답할 수 있을 겁니다. 하지만 짐작해 본다면, 그들이 그렇게 한 가장 큰 이유는 그들이 그럴 수 있기 때문일 겁니다. 다른 이유는 없습니다.〉

칸비야는 비늘을 부딪쳤다.

〈다른 이유가 없다고요! 그토록 많은 나가와 불신자들이 죽었는데!〉

〈능숙한 춤꾼이 춤채를 휘두르는 것에 이유가 있습니까? 그런 이유는 없습니다. 춤꾼이 오른팔이나 왼팔을 들어올리는 것, 혹은 도약하거나 회전하는 것에 이유는 없습니다. 그럴 수 있기 때문에 그렇게 합니다. 물론 춤꾼에게 물어본다면 자신의 감정을 표현하기 위해서, 혹은 예술적 고취감을 표현하기 위해서 등으로 대답할지도 모르겠습니다. 그런 식의 대답이라면 저도 해드릴 수 있습니다.〉

키베인은 옷자락을 어루만졌다.

〈여자들을 위한 세상에 태어나 실질적, 물질적, 현실적 권력은 가지지 못한 채 가식적인 존경만을 받은 끝에 모든 나가들을 증오하게 된 수호자들은, 그러나 차마 나가 전체를 공격할 수 없어 그 증오를 돌릴 상대가 필요해졌습니다. 그것이 불신자들입니다. 그들을 증오할 이유는 사실 없습니다. 서로 얼굴 볼 일도 없는 자들을 증오한다는 것은 어렵습니다. 수호자들이 찾아낼 수 있는 이유는 까마득한 옛날의 대확장 전쟁뿐입니다. 하지만 그것은 불신자 공격에 대한 역사적 당위성이 될 수 있습니다. 그래서 그들은 여자를 공격하는 대신 불신자들을 공격했습니다. 또한 그들은 그런 공격을 통해 자신의 공격성을 해소하는 것뿐만 아니라 여자들에게 자신의 가치를 증명해 보이기를 원했습니다. 이런 설명이 더 그럴듯합니까?〉

칸비야는 생각에 잠긴 표정으로 대답을 대신했다. 키베인은 희미한 미소를 지었다.

〈아니요. 아닙니다. 그들은 그렇게 할 수 있어서 그렇게 한 겁니다. 사람이 어떤 일을 하는 것을 막는 것은 도덕이나 윤리가 아닙니다. 할 수 없다는 불가능성입니다. 오직 할 수 없는 일만 무시됩니다. 왜 아무도 하늘치에 올라가지 않으려 하는지 아십니까? 아무도 하늘치에 오를 수 없기 때문입니다. 할 수 있는 일은 결국 시도됩니다. 그것은 누구도 막을 수 없습니다. 어떤 춤꾼은 날렸지요. 춤꾼이 춤을 추

는 까닭은 그곳에 춤채가 있기 때문이라고. 살아 있다는 것은 그런 겁니다.〉

〈할 수 있는 것은 한다는 겁니까?〉

〈예. 먹을 수 있는 것은 먹고요.〉

무슨 니름인지 몰라 당황하던 칸비야는 곧 정신적 웃음을 터뜨렸다. 그리고 하인들에게 먹을 만한 것을 가져오라고 닐렀다. 꽤나 시장했던 대수호자는 칸비야의 배려에 감사했다. 칸비야는 다시 질문했다.

〈할 수 있는 것을 하고 만다면, 수호자들의 죄상을 고발할 수 있는 당신은 그렇게 해야하지 않습니까?〉

〈아니요. 저는 그럴 수 없습니다. 저는 재미를 좋아하는 사람이거든요. 하지만, 모르겠습니다. 저는 일단 하텐그라쥬에 대한 북부군의 공격의 결과를 보고 싶습니다. 그리고 그 이후에 생각해보겠습니다. 그때쯤 되면 실제로 일어난 일이 무엇인지 짐작하는 사람도 더 많아지리라 생각됩니다. 의장님이 니르시는 것과 같은 일을 하는 데 있어 호응을 얻기도 쉽겠지요.〉

칸비야는 그 대답에 대해서 생각했다.

〈그렇군요. 저도 일단 대수호자님의 모범을 따르겠습니다. 중립 선언을 지켜야 하니까요. 하지만 북부군의 공격이 실패한다면, 저는 알고 있는 모든 사실을 니르겠습니다.〉

〈그건 의장님이 할 수 있는 일이고 의장님의 뜻대로입니다.〉

〈알겠습니다.〉

그리고 키베인은 오래간만에 만찬을 즐길 수 있게 되었다. 하지만 키베인은 데오늬를 잊지 않았다. 그래서 칸비야는 하인들에게 약술사의 도구들을 얻어오라는, 그들을 꽤 당황시키는 명령을 해야 했다. 다행히도 데오늬는 약술사의 도구들이 요리 도구로 쓰일 수 있음을 곧 깨달았고, 그래서 칸비야에게 감사한 다음 그 도구들로 요리를 했다. 자신이 우수한 요리사임을 증명하고 싶어하는 데오늬의 요청을 거부하지 못한 키베인은 그 요리를 먹고 말았다. 그리고 밤새도록 배탈에 시달려야 했다. 칸비야는 그것이 그녀가 겪어야 했던 온갖 놀라운 일의 웃기는 결말이라고 생각했다.

그녀의 생각은 옳지 않았다.

"나가의 도시에 들―어―간―다―고―요―!"

티나한은 절규하듯 외쳤다. 두억시니들은 긴장하여 티나한을 바라보았고 마루
나래도 어깨털을 빳빳하게 세웠다. 사모 페이는 마루나래의 다리를 쓰다듬어주며
곤혹스러운 표정으로 아기를 바라보았다. 아기의, 역시 만만치 않게 커다란 목소
리가 대답했다.

"그래. 티나한. 우리는 저 도시에 들어간다."

"왜 그래야 합니까! 저기에 어디에도 없는 신의 신체가 있습니까?"

티나한의 상상에 동요하는 사람은 비형뿐이었다. 케이건은 우울한 눈으로 아기
를 바라보았다. 아기는 말했다.

"아니. 나를 기다리는 사람이 있다."

"하지만 저 도시에 들어가면 시체가 되어 나올 텐데요?"

"걱정 마. 저 도시는 중립을 선언했다."

케이건은 흠칫했다. 그리고 다른 사람들도 놀란 표정으로 아기를 바라보았고 그
냥 분위기를 맞춰보려는 것에 불과했지만 갈바마리도 놀란 표정을 지었다. 아기는
웃었다.

"시모그라쥬는 이 전쟁에서 중립을 선언했다. 그래서 시모그라쥬를 지키던 나가
의 군대는 모두 하텐그라쥬로 이동했어. 그리고 북부군 또한 저곳을 우회하여 남
진했다. 그러니 우리는 저기에 들어가도 돼."

모두가 충격을 받은 얼굴로 서로를 관찰하는 가운데 케이건이 억양 없는 목소리
로 말했다.

"저는 나가를 믿지 않습니다. 여신이여."

"너는 그렇지. 하지만 이번에는 믿어봐."

"아니요. 그들이 약한 척, 아픈 척, 죽은 척한다고 해서 칼을 칼집에 꽂아넣는 것은 미련한 짓입니다. 저는 그런 속임수에 너무 많이 당했습니다."

사모는 팔짱을 낀 채 케이건을 바라보았다. 그 시선을 분명히 알아차렸지만 케이건은 반응을 보이지 않았다. 사모는 결국 입을 열어 말했다.

"케이건 드라카. 네 왕도 나가인데."

"폐하. 저는 당신에게 충성합니다만, 신뢰하지는 않습니다."

"이상한 말이군."

"나가들이 저를 이상하게 만듭니다."

케이건은 퉁명스럽게 대답했다. 사모는 다시 대꾸하려 했다. 하지만 아기가 끼어들 듯이 말했다.

"그만. 둘 다 그만해. 그래서 케이건. 어쩔 테야? 들어가지 않을 건가? 미안하지만 나는 저기에 들어가야 해."

케이건은 한참 동안 말없이 아기를 바라보다가 말했다.

"왜 그런지 설명해 주십시오."

"조금 전 북부군이 저곳을 통과했다고 말했지. 그들이 저곳을 통과할 때, 시우쇠는 내게 남기는 말을 나가 중 하나에게 전했어. 나는 그 나가를 만나서 시우쇠의 말을 들어야 해."

티나한과 비형, 사모는 이해했다는 얼굴이 되었다. 하지만 케이건은 고개를 가로저었다.

"이해할 수 없습니다. 전하실 말씀이 있다면, 시우쇠 님은 그냥 그 자리에서 고개를 숙이고 땅에 대고 말씀하셔도 될 겁니다. 그러면 당신에게 말씀하시는 것이 될 테니까요. 그런데 왜 나가를 통해 말씀을 전한다는 겁니까?"

케이건의 지적에 다른 세 사람은 또다시 당황하여 아기를 바라보았다. 마루나래와 두억시니들만은 더 이상 긴장하지 않은 채 한가로운 대호나 두억시니들이 할 법한 일을 하고 있었다. 아기는 고개를 숙이고 땅을 향해 외치는 화신의 모습을 떠올렸는지 빙긋 웃었다.

"케이건. 미안하지만 그런 식으로는 할 수 없어. 생각해 봐. 너희들은 나를 찾아서 긴 시간 동안 수탐을 했어. 왜 그래야 했을까? 너희들도 그냥 고개를 숙이고 나를 불렀어도 될 텐데. 아니, 그러지 않았더라도 나는 너희들이 나를 찾는다는 것을 알고 있었어. 그러면 왜 내가 너희들을 찾아오지 않았을까?"

케이건의 눈썹이 꿈틀거렸다.

"당신은 최후의 대장장이의 태내에 있었으니까…… 아니, 그렇지 않군요. 우리가 수탐을 시작한 것은 4년 전이니까. 그때는 다른 레콘의 안에 계셨겠군요."

"정확해."

"그렇다면 왜 저희들이 수탐하도록 내버려두신 겁니까?"

"그렇게밖에 할 수 없기 때문이야. 그리고 시우쇠 또한 그런 방법밖에 없기 때문에 어떤 나가를 통해 나에게 말을 전하는 것이고. 자, 이제 내게 신들의 모든 일을 고백하라고 강요할 거니? 그렇잖으면 내 말대로 저곳으로 들어가겠어?"

케이건은 고집스러운 표정으로 아기를 바라보았다. 티나한과 비형은 걱정스러운 듯이 아기와 케이건을 번갈아 쳐다보았다. 결국 케이건은 등에 멘 바라기를 꺼내었다. 그것을 손에 쥔 케이건은 지친 목소리로 말했다.

"들어가겠습니다."

"그 칼은 무슨 의미지?"

"무슨 말씀을 하셔도 저는 나가를 믿지 않습니다. 제 판단에 의해 위험하다고 생각되면 영웅왕의 검은 휘둘러질 겁니다."

아기는 고개를 흔들었다.

"들고 다니면 무거울 텐데. 좋을 대로."

아기가 허락한 것은 그것뿐이었다. 케이건은 비형에게 수백 개의 도깨비불을 만들라고 요구했지만 아기는 그것을 허락하지 않았다. 케이건은 신음을 흘린 다음 티나한에게 아기가 시우쇠의 말을 전달받을 동안 심장탑을 점거해 볼 생각이 없느냐고 제안했지만 아기는 그것도 거부했다. 케이건은 굽히지 않고 새로운 제안들을 꺼내어놓았고, 그동안 티나한은 비형과 케이건이 바뀐 것 같다는 착각에 계속 시달려야 했다. 결국 모든 제안을 거부당한 케이건은 얼음장 같은 얼굴로 주위 사람들을 거북하게 만들며 말없이 걸어갔다.

물론 다른 사람들도 평온한 심정은 아니었다. 열대의 태양이 습지를 비추는 오후를 걸어가며, 그들의 심정은 점점 시각적으로 드러났다. 시모그라쥬가 가까워질수록 티나한은 점점 부풀어올라 아기를 거북하게 만들었고 비형의 등 뒤에는 무의식적으로 만들어낸 도깨비불 비형들이 행진을 하고 있었다. 사모 페이 또한 긴장을 완전히 억누르지는 못했다. 나가의 도시로 돌아가는 보통의 나가가 느낄 수 있는 감정들은 사모 페이에게는 허락되어 있지 않았다. 그녀는 북부의 왕이었다.

시모그라쥬의 지척에 도달했을 때 그들은 정신적인 피로감에 탈진해 버렸고, 그들의 모습에 당황한 나가들이 왔던 길로 되돌아 뛰어가는 것을 보면서도 될대로 되라는 식의 무덤덤한 반응만 보였다. 다만 케이건은 도망치는 나가들을 뒤쫓아갈 듯 험악하게 바라기를 들어올렸다. 하지만 아기가 제때에 그를 제지했다.

"케이건. 그만둬. 그럴 일은 없지만, 만약 필요하다면 나는 너희들과 함께 이 도시를 순식간에 떠날 수 있어. 이제 안심할 수 있겠나?"

케이건은 여신에게 사과했다. 누구에게도 그건 진심 어린 사과로 보이지 않았지만 아기는 화를 내지 않았다. 케이건은 주위를 응시하며 말했다.

"이제 어디로 가야 합니까?"

"그냥 걸어가자."

케이건은 울부짖듯이 반문했다.

"그냥 걸어갑니까?"

"응."

케이건은 그렇게 했다. 그러니까 건물들에서 나가들이 몰려나올 때까지만 그렇게 했다. 나가들의 모습을 본 순간 케이건은 발작적으로 바라기를 들어올렸다.

하지만 건물 밖으로 나온 나가들은 바라보기만 할 뿐 그들에게 다가오지 않았다. 시모그라쥬의 시민들이 그 도시가 생긴 이래 가장 놀라운 방문자들의 모습에 경악한 것은 분명했다. 자꾸만 서로를 쳐다보고 눈을 비비고 비늘을 부딪치는 그 모습은 다른 감정으로 해석될 수 없었다. 하지만 그것뿐, 모두들 제자리에 선 채 아무도 감히 다가오려 하지 않았다. 그들에게 공격 의사가 없다는 것을 깨달은 비형은 반갑게 외쳤다.

"안녕하세요, 여러분. 좋은 꿈들 꾸셨습니까?"

도깨비의 호의 어린 인사는 아무런 반응도 얻지 못했다. 다만 사모가 꿈에서 깨어난 것 같은 목소리로 말했다.

"공격하지 말라는 니름들이 들리는군."

수탐자들은 왕을 돌아보았다. 사모는 고개를 갸웃하며 주위를 둘러보았다.

"너희들에겐 고요한 군중으로 보이겠지만, 나가에게 이곳은 엄청난 소란의 한가운데야."

수탐자들은 왕의 설명과 도저히 연결되지 않는 풍경에 난처해 했다. 그들에게 그 풍경은 산사에 온 것이 아닌가 하는 착각이 가능할 정도였다. 하지만 사모는 정신이 없다는 듯이 말했다.

"정말 소란스럽군. 니름을 알아듣기 힘들 정도야. 하지만 몇 마디는 알아들을 수 있어. 공격하지 마. 중립이야. 누가 올 거야. 기다려. 대충 그런 니름들이야. 여신의 말씀처럼, 누군가가 그분께 들려줄 말을 가지고 기다리고 있는 것 같은데……, 잠깐. 의장이 올 거라는 니름이 들리는군."

주위의 모든 나가들을 향해 거리낌 없이 공격 의사를 표현하고 있던 케이건이 사모를 휙 돌아보았다.

"병사도 옵니까, 폐하?"

"아냐. 그런 니름은 없어. 니름을 걸어보고 싶은데, 이자들은 그걸 원하지 않는 것 같군. 일단 기다려보자."

그들은 제법 긴 시간을 기다려야 했다. 그동안 비형은 나가들과 친해지려 애썼다. 무슨 일이 있어도 그들에게서 환호를 받고야 말겠다는 별 가치 없는 소망을 품게 된 비형은, 도깨비불로 온갖 형체를 만들어 그들의 하늘 위를 날게 했다. 하지만 사모는 곧 다급하게 비형을 제지했다. 그들을 화나게 하고 있음을 전해들은 비형은 의기소침하여 나가들에게 묵례했다.

그때 케이건은 기다리던 자가 오고 있음을 발견했다.

대로 반대편에서 한 명의 늙은 나가가 달려왔다. 그녀의 뒤편으로 몇몇 젊은 나가들이 사이커를 든 채 달려오는 것을 발견한 케이건은 이를 부드득 갈며 바라기를 높이 들어올렸다. 아기와 사모가 동시에 외쳤다.

"의장의 호위자야!"

케이건은 아기를, 그리고 사모를 쳐다본 다음, 서서히 바라기를 내렸다. 하지만 그의 근육들은 잔뜩 긴장하여 옷 아래에서 꿈틀거렸다. 여전히 잔뜩 부풀어 있던 티나한 역시 철창을 쥔 손아귀에 힘을 주었다.

보통 육성으로 대화를 나누는 사람들에겐 대화하기 적당치 않다고 판단될 먼 거리에서 걸음을 멈춘 늙은 나가는 일행을 정신없이 바라보았다. 인간과 도깨비, 그리고 스물두 명의 두억시니와 대호를 본 그녀는 비늘을 마구 부딪쳤다. 대호의 등 위에서 익숙한 나가의 모습을 발견했을 때 그녀는 가까스로 평상심을 되찾은 듯이 닐렀다.

〈그 대호를 보니 당신은 정신 억압자군요. 그런데 이 이상한 일행은…… 아니, 관두지요. 아무 설명도 듣지 않겠습니다.〉

자신이 대호왕이라는 것을 밝힐 필요가 없게 된 사모는 안도했다. 여인은 입을 열어 육성으로 말했다.

"시모그라쥬 평의회 의장 칸비야 고소리입니다. 여러분들은 제게 자신을 소개할 필요가 없습니다. 기다리고 있기는 했습니다만, 이제 저는 이 일이 빨리 끝나기만을 소망하게 되었으니까요."

그리고 칸비야는 티나한을 향해 말했다.

"시우쇠 님의 전갈을 전해 드리겠습니다."

티나한은 당황하며 손바닥을 내밀었다. 칸비야는 거의 기절할 뻔했고 그녀를 호위하던 나가들은 사이커를 움켜쥐었다. 그러자 케이건 또한 야수 같은 함성을 지르며 바라기를 어깨 위로 들어올렸다. 티나한은 황급하게 말했다.

"잠깐, 잠깐! 모두들 잠깐만 참아. 이봐, 의장. 전할 말이 있다고?"

"그, 그, 그렇습니다."

"전할 대상을 착각한 것 같다. 잠깐만."

그리고 티나한은 몸을 돌려 칸비야에게 등을 보였다. 칸비야는 티나한의 등에 있는 안장과 그 속에 있는 털뭉치 같은 머리에 놀랐다. 아기가 부리를 열었다.

"내게 전할 말이 있겠지?"

〈아기라고!〉

칸비야는 실수를 저지르게 한 시우쇠를 원망하고 싶었다. 시우쇠가 어떤 모습일지 알 수 없다고 말한 사실을 떠올린 칸비야는 간신히 부끄러움에서 벗어났다. 칸비야는 자신의 당황과 공포를 이해할 수 없었다. 비록 눈앞에 있는 일행들의 모습이 형언키 어려우리만큼 괴이하긴 했지만, 그녀는 불과 얼마 전 북부군의 진지에 단신으로 찾아갔던 자신을 떠올리지 않을 수 없었다. 불가해한 공포에 두리번거리던 그녀는 문득 케이건의 눈을 똑바로 들여다보게 되었다.

그 순간 그녀는 꽤나 비이성적인 결론을 내렸다.

케이건은 칸비야의 시선에 험악한 표정을 지었다. 칸비야는 비늘을 세우며 황급히 아기를 돌아보았다.

"모든 이보다 낮은 여신이십니까?"

"그렇다."

"알겠습니다. 시우쇠 님의 말씀을 전하겠습니다. 빛이 탄로났다."

아기가 이해했다는 듯이 고개를 끄덕이는 것을 본 칸비야는, 다른 사람들이 도통 이해하지 못하겠다는 표정을 지어보였음에도 불구하고 짓눌릴 것 같은 압박감에서 벗어났다. 그녀는 두려워하며 말했다.

"제가 올바로 한 것입니까?"

"그렇다. 칸비야. 수고에 감사한다."

"제 무례를 용서하시길 바랍니다. 그 말씀도 감사합니다만, 이곳에서 떠나주셔서 저희들을 두려움에서 해방시켜 주시면 더 감사하겠습니다."

'제발 저 남자를 데리고'라는 의사는 말로도, 니름으로도 표현되지 않았다. 비형을 제외한 사람들 모두가 그 말에 찬성했다. 비형은 끝내 환호를 받지 못했다는 사실만 제외하고 모든 핑계를 댔다. 그리고 그 핑계들은 무시되었다. 아기는 웃으며 칸비야에게 작별을 고했다. 그리고 그들은 왔던 길을 통해 조심스럽게 시모그라쥬를 빠져나갔다.

그들의 모습이 완전히 사라진 후에야, 다른 시민들이 그렇게 한 것처럼 칸비야 의장도 긴 한숨을 내쉬었다. 살기등등한 북부군들에 둘러싸여 있을 때도, 그리고 화염의 화신과 직면했을 때도 그녀는 자신의 침착을 유지할 수 있었다. 하지만 조금 전 그녀는 긴 시간 동안 갈고 닦은 모든 침착을 잃고 본능적 두려움 속에서 허우적거렸다. 그녀는 조금 전 얻었던 비이성적인 결론을 다시 반추하며 혼란을 느꼈다.

〈맙소사. 한 인간의 눈이 나를 어쩔 줄 모르게 만들다니. 이해할 수 없어.〉

설명을 요구하는 무수한 시선 속에서, 그녀는 그렇게 계속해서 그 눈에 대해 생각했다.

제16장

춤추는 자

춤꾼이 춤을 출 때,
어디까지가 춤이고 어디까지가 춤꾼인지 구분하는 것은 쉽지 않다.
사실 불가능하다. 춤과 춤꾼은 분리되지 않는다. 그 둘은 하나다.

— 어느 나가 춤꾼

정수리 위에서 타오르는 정오의 태양이 하텐그라쥬의 그늘을 삼켜버렸다. 높이 솟은 하텐그라쥬의 심장탑은 새싹의 자신만만함과 고목의 장엄함을 갖춘 기이한 나무였다. 그 태고의 나무 아래, 도시를 둘러싼 아름드리 나무들은 마치 왜소한 덤불처럼 보인다.

태어났을 때 소린실로페 메티솔이라는 이름을 얻었지만, 스물두 살 이후로는 인실롭이라고만 불려온 나가군의 수호 장군은 냉혹의 도시를 목도하며 자신의 감정을 정리해 보고자 시도했다.

상당수의 수호 장군들과 거의 모든 군단장들이 냉혹의 도시 출신인 나가의 군대 안에서, 비스그라쥬 출신의 인실롭이 냉혹의 도시에 대해 느껴야 했던 감정은 특별한 것이었다. 때때로 인실롭은 키보렌에 도시라고는 하텐그라쥬밖에 없는 것이 아닌가 하는 인상을 받을 때가 있었다. 동료 수호 장군들이나 군단장이 '도시'라고 니를 때, 그것은 예외 없이 하텐그라쥬였다. 그런 무관심함, 그러니까 그들이 '비스그라쥬'라고 니를 때 담아보이곤 하는 충실한 경의와는 비교도 할 수 없는 무신경함이 오히려 인실롭의 경외감을 자극한 것은 분명한 사실이다. 그들은 그곳이

오물과 헛소문을 자랑스러운 생산품으로 삼는 너무도 평범한 생활 공간인 것처럼 닐렀다. 그리고 인실롭은 바로 그런 무신경함에 질투를 느꼈다. 그는 그렇게 니를 수 없었다. 다른 자들이 비스그라쥬를 그렇게 니를 수 없는 것과 그가 하텐그라쥬를 그렇게 니를 수 없다는 것은 질이 다른 문제였다.

그리고 마침내 두 눈으로 하텐그라쥬를 보게 된 지금, 인실롭은 자신이 심경의 동요 없이 그 도시를 바라볼 수 있는 날이 올 거라고 착각하지 않기로 했다. 그것은 불가능했다. 그는 영원히 경외감 속에서 하텐그라쥬를 볼 수밖에 없었다. 동료 수호 장군 한 명이 닐렀다.

〈정오입니다. 인실롭 군단장.〉

그것은 하루가 지났다는 의미다. 어제 정오에 내건 시한이 만 하루였기에. 인실롭은 짧게 한숨을 내쉬었다. 자신의 고충을 이해해 달라는 동작이었고, 그 동작은 니름 없는 동의를 얻었다. 인실롭은 전령을 불렀다. 전령이 달려왔다.

〈가서 전해라. 이것은 최후통첩이다. 일몰까지 어제 정오에 내건 요구 조건들이 수락되지 않으면 우리는 개전에 들어가겠다.〉

전령은 약간 놀라는 기색이었지만 곧 몸을 돌려 달려갔다. 인실롭은 전령이 놀란 이유, 그리고 주위의 수호 장군들이 수심 깃든 정신을 내비치는 이유를 알고 있었다. 어제 정오에는 협박이 없었다. 그저 요구 조건의 전달이 있었을 뿐이다. 하루가 속절없이 지나고 시한을 넘겨버린 지금, 또다시 시한을 반나절 연장하면서 인실롭이 아무 짓도 하지 않을 수는 없었다.

그러나 또다시 반나절이 지난다면 더 이상 시한을 연장시킬 방법은 없을 것이다. 인실롭은 제발 그녀들이 자신의 처지를 이해해주길 바랐다.

인실롭은 물론 합리적인 나가다. 하지만 그는 하텐그라쥬를 공격한 첫 번째 나가로 기록되는 것이 달가울 것 같지는 않았다.

하텐그라쥬 공회당, 평의회 의장실의 분위기는 무거웠다.

비록 평의회라는 이름이 고결한 평등의 기치를 내걸고 있지만 그런 평등은 언제나 실제와 무관하다. 어떤 사회에도 자신이 필요할 때만 평등을 말할 수 있는 사람들이 존재하는 법이다. 그리고 하텐그라쥬 내에서 그런 자들의 목록을 구성해 보고 싶다면 의장실에 담소라도 나누는 것처럼 모여 앉아있는 가주들을 바라보는 것으로 충분할 것이다.

각자 대가문의 가주들인 그녀들은, 그러나 한자리에 모여 자신들의 지위에 대한 즐거움을 공유하고 있었던 것은 아니다. 더 많은 것을 움직이는 자는 더 많은 움직임에 노출되어 있는 셈이다. 그녀들은 자신의 지위를 만끽하기보다는 자신들의 지위가 불러오는 위험에 대처하기 위해 모였다. 현재 그녀들의 위험은 도시 바깥에 도달해 있는 다섯 개 군단과 수십 명의 수호 장군이라는 매우 실제적인 모습을 띠고 있었다.

의원들은 인실롭의 처지를 이해했다. 피나무 군단의 군단장이 반나절을 더 연장시켜준 이유를 이해한 것이 아니라, 반나절 후에는 반드시 공격할 거라는 식으로. 인실롭은 적이 다가오고 있는 상황에서 감정적 이유 때문에 후방의 불안을 남겨둘 사람은 아니다. 그래서 의원들은 모든 이들에게 분노와 절망이 깃든 시선을 보내고 있었다. 그리고 그 분노와 절망에는 자기 자신도 포함되는 것 같았다.

모든 이들이 하고 싶지 않은 니름을 꺼내는 특별한 재주가 있는 누군가가 닐렀다.

〈이제 우리는 더 이상 장난을 치고 있을 수 없습니다.〉

〈장난이라고요? 이게 장난이었습니까?〉

〈예. 장난입니다.〉

반박하려던 자는 문득 상대방의 니름이 무슨 뜻인지 깨달았다. 그녀는 장난이었다고 니르는 것이 아니라 장난이어야 한다고 니르는 것이었다. 힘을 가진 자는 수호자들이며 그들이 도시의 현관에 발을 들여놓다시피 하고 있는 지금 그들에 대한 적대 행위는 있을 수 없다. 만약 그것이 존재했다면, 그것은 장난으로 치부되어야 한다. 물론 심장탑에 대한 포위 공격이라는 전대미문의 사건을 단순한 장난으로 격하시키는 마법은 존재하지 않는다. 하지만 관련된 모든 이들이—항상 그렇듯이 희생되어야 하는 어떤 자들은 제외된다.—동시에 만족할 수 있는 사태의 해결책은 그것을 우발적 소동으로 치부하는 방법뿐이다.

〈적극적인 대처를 필요로 하는 보다 중요한 일이 다가오고 있는 이상, 이 모든 사건은 장난거리일 수밖에 없습니다. 인실롭 군단장이 왜 시모그라쥬가 아닌 하텐그라쥬를 최후의 방어선으로 선택했는지는 모르겠습니다만 어쨌든 전쟁 전문가는 그 사람이지요. 북부군이 오고 있고, 우리는 그들을 저지해야 합니다. 도깨비 장난은 그만둬야지요.〉

물론 그녀가 하고 싶었던 니름은 그것이 아니었을 것이다. 홀로 심장탑을 지키며 다가오는 모든 도전을 물리쳐 이미 전설이 될 만한 위업을 이룩한 세리스마는 그 전설을 진행형으로 유지하는 데 무리가 없는 듯했다. 나가라는 종족은 그들 자신이 느끼기에도 지겹도록 오랫동안 먹지 않고 버틸 수 있다. 세리스마 한 명도 처리하지 못한 상황에서 도시의 지척에 정예 군단 다섯 개와 수십 명의 수호 장군들을 두게 된 지금 그녀들이 선택할 길은 그다지 많지 않았다. 드리고 이세리도 의장은 턱을 만지작거리며 닐렀다.

〈인실롭이 우리처럼 생각할까요? 그는 지금 이곳에서 정확하게 무슨 일이 일어난 것인지 알지 못합니다만, 무슨 일이 일어난 건지 알게 된 이후에도 그걸 그냥 가볍게 받아들일 수 있을까요?〉

정확한 정보를 얻지 못한 인실롭은 수호자 세리스마와 가주들이 모종의 마찰을 일으켜서 대치 중이라는 것만을 알고 있었다. 그 사실만으로도 인실롭이 충격을 받기에 충분했지만, 만약 세리스마와 가주들이 일으키고 있는 마찰의 정확한 성격을 알게 된다면 지금처럼 도시 외곽에 머문 채 전령을 파견하는 식의 점잖은 대응에 만족하지는 않을 것이다. 가장 먼저 말했던 의원이 질문했다.

〈그의 요구 조건이 정확하게 어떤 것이었지요?〉

〈우선 하텐그라쥬 방어를 위해 이 도시의 수비를 책임지고 있는 마호가니 군단의 비아스 마케로우를 보내라는 것입니다. 이것만 봐도 그가 정보의 부족을 겪고 있다는 것은 분명합니다. 그리고 수호자 세리스마와의 마찰을 무조건적으로 중단하라고 하는군요.〉

〈이 도시에도 지도그라쥬를 위해 일하는 남자들이 분명히 있을 텐데요.〉

〈인실롭은 비스그라쥬 출신입니다. 여기서 일어나는 일에 대해 대단히 궁금하겠지만, 지도그라쥬의 정보원들을 이용할 수는 없을 겁니다. 어쨌든 용의 아가리에 들어가 있는 것은 우리와 마찬가지입니다. 불이 얼마나 뜨거울지 토론하는 것은 도움이 되지 않을 겁니다.〉

〈그렇다면, 사태를 모두 파악한 후에도 공격을 시도하지는 않을 거라는 니름입니까?〉

〈북부군에 맞서 싸우기 위해 그에겐 배후 근거지가 필요합니다. 그가 협박에 가까운 요구 조건을 계속 보내는 것도 빨리 전투 준비를 갖추고 싶어서일 겁니다. 그리고 비아스 마케로우가 우리에게 알려준 것처럼 이 도시에는 그들의 힘의 근원이 있습니다. 그는 하텐그라쥬를 보호해야 할 겁니다. 그는……, 아마도 이것이 무의미한 소동이라는 사실에 동의할 겁니다. 물론 이것이 장난에 불과하더라도 누군가가 책임감을 가지고 뒤처리를 할 필요는 있겠지요.〉

의원들 대부분의 시선이 마케로우 가문의 대표자에게로 향했다. 그녀들은 자명한 사실에 예의를 차릴 생각이 없었다. 그 시선을 느꼈지만 소메로 마케로우는 아무런 내색 없이 탁자를 내려다보고 있었다.

드리고 이세리도 의장은 수심이 깃든 표정으로 소메로를 바라보았다.

이 여자들은 비아스를 원해. 소메로.

하지만 이세리도 의장은 소메로를 다그칠 수 없었다. 소메로가 만일 남자의 협박 때문에 여자를 내준다는 식으로 그들을 비난할 경우 그보다 체면 깎이는 일도 없을 것이다. 이세리도는 그 마케로우 가문의 일원이라는 것이 믿어지지 않는 여인이 그들 모두를 구원해 주길 바라며 닐렀다.

〈소메로 마케로우. 어떻게 생각하시오?〉

이보다 더 낮게 니를 수도 있을 텐데. 이세리도는 비늘이 근질거리는 것을 느끼며 소메로를 응시했다. 소메로는 천천히 고개를 들어 의장을 바라보았다. 그녀의 시선은 곧 다른 의원들에게로 옮겨졌다. 그녀가 닐렀다.

〈잠시 다른 이야기를 좀 하겠습니다.〉

어떻게든 결판이 나야 할 것이다. 의장과 의원들은 관심 있다는 표정으로 소메로의 니름을 경청했다.

〈우리 세계는 현명한 가주님의 지휘 아래에 단결하는 여성들에 의해 구성됩니다. 물론 종족의 계승을 위해 남자들 또한 필요합니다만, 우리는 그들에게 명예직에 불과한 호위를 맡길 뿐 어떤 의무도 부과하지 않습니다. 그리고 저 불신자의 남자들이 그들의 여자에게 그러하듯 보호로써 그들을 나태하게 만들지도 않았습니다. 우리는 남자를 집에 가둬두지 않지요. 대신 그들에게 자유를 주었습니다. 제가 완고한 보수주의자인지 모르겠습니다만, 제가 아는 나가의 사회는 그런 모양입니다. 때론 자신의 자유를 주체하지 못해 쩔쩔매고 심지어 타인에게 폐를 끼치기까지 하는 남자들을 목격하면 그들에게 너무 많은 자유를 주는 것이 아닌가 의심되기도 합니다만 대부분의 경우 저는 역시 그것이 옳은 방법이라는 결론을 내리게 됩니다.〉

의원들의 얼굴에 경계심이 드러났고 이세리도는 반격할 논리를 짜내기 시작했다. 소메로는 차분하게 닐렀다.

〈수호 장군들이 북부에서 보내오는 위대한 승전보에도 불구하고, 저는 그런 과거를 회상하게 됩니다. 그때는 아무런 문제가 없었습니다.〉

이세리도는 소메로의 니름에 감탄하지 않을 수 없었다. 소메로는 남자들이 거둔 것이라고는 무분별한 소동뿐이라는 결론을 이끌어낼 수 있도록 니르고 있었다. 그것으로써 소메로는 의원들이 비아스에 맞서 남자들을 변호할 시도를 원천적으로 봉쇄하고 있었다. 역시 당신 또한 마케로우의 일원이군. 조용한 패배 같은 것에는 관심도 없군. 의원들의 불편한 심경을 정확하게 포착하며 이세리도는 소메로를 지그시 바라보았다. 소메로는 닐렀다.

〈저는 두세나 가주님의 지혜로운 지휘 하에 어떤 문제도 일어나지 않고 일어난 문제 또한 사건으로 비화되지 않았던 그 시절이 그립습니다. 하지만 불운하게도 마케로우 가문에는 오랜 기간 동안 가주가 없었습니다. 더 이상 그런 상황을 좌시

하기 어렵습니다.〉

이세리도 의장과 의원들은 충격을 간신히 감출 수 있었다. 그녀들의 두뇌가 분주하게 움직였다.

〈그래서 부족하나마 제가 마케로우 가문을 이끄는 힘겨운 의무를 맡아볼까 합니다. 그리하여 우리 가문이 해결해야 했음에도 방치해 두어야 했던 문제를 보살피고 앞으로 다가올 문제들에 대해 대처할까 합니다.〉

'당신은 가문을 선택했군!'

이세리도 의장은 그제야 소메로의 니름을 이해할 수 있었다. 소메로는 비아스를 보호하려는 것이 아니었다. 모든 자들이 그것을 원한다 해도, 수호자들에게 목을 바치라고 비아스 마케로우에게 직접 니를 수 있는 자는 마케로우 가문의 가주뿐이다. 소메로는 자신이 그런 역할을 맡겠다고 자원한 셈이다. 그리고 그녀는 비아스를 내주는 대신 마케로우 가문에까지 화가 미치지 않도록 해달라고 부탁하고 있었다. 그녀들은 이해했다. 이세리도가 고개를 끄덕이며 점잖게 닐렀다.

〈실로 옳은 결정이라고 생각합니다. 소메로 마케로우. 그토록 긴 시간 동안 마케로우 가문을 방치했다는 사실에서 우리는 수치를 느낍니다. 우리는 진작 당신에게, 다른 누구보다도 확고한 자격을 갖춘 당신에게 마케로우 가문을 부탁했어야 했지요. 우리의 게으름과 사려 없음을 용서하길 바랍니다.〉

다른 의원들 또한 비슷한 의미의 니름들을 보내왔다. 소메로는 그런 사과를 물리치며 자신의 부족함을 다시 한번 닐렀다. 그녀들 중 누군가가 언제 가주 계승을 하겠느냐고 니르자 소메로는 기다렸다는 듯이 대답했다.

〈불신자들의 군대가 목전에 이른 마당에 모범을 보여야 할 자로서 번잡한 의례에 시간과 정력을 낭비하는 모습을 보이고 싶지는 않습니다. 존경하는 분들을 모시고 제가 당연히 받아야 할 조언과 지도를 청하고 싶은 마음은 한량이 없지만, 번잡한 계승 의례는 생략하겠습니다.〉

의원들은 그 니름을 이해했다. 비아스 마케로우가 반대하고 나서는 것을 미연에 차단하기 위해 가주 계승을 전격적으로 해치우겠다는 니름이었다. 그녀들은 소메로의 사려 깊음을 다시 한번 칭찬했다. 그리고 소메로 또한 그녀들이 빨리 가주 계승을 해치우고 비아스를 잡으러 나서라고 권하고 있음을 이해했다. 미소 띤 얼굴로 의원들을 바라보며 소메로는 깊은 상실감을 느꼈다.

'비아스. 이토록 품위 있는 도살을 상상할 수 있겠니? 너는 이런 도살을 당한다는 것에 만족할 수 있을지도 모르겠구나.'

갈로텍은 눈을 감은 채 닐렀다. 〈제기랄, 세리스마가〉 "지랄을" 〈하고 있겠군.〉

시모그라쥬의 고소리 저택에 누워 있었지만 갈로텍은 세리스마의 심경을 충분히 꿰뚫어볼 수 있었다. 세리스마는 몹시 당황하고 있을 것이다. 심장탑을 지키고 있는 그 늙은 수호자는 하텐그라쥬에 도달한 다섯 개 군단의 움직임을 이해할 수 없을 것이다. 마지막으로 대화를 나누었을 때 세리스마가 원했던 것은 무슨 수를 써서라도, 그러니까 북부군과 손을 잡고서라도 하텐그라쥬를 장악하는 것이었다. 세리스마는 그럼으로써 심장 파괴의 비밀이 지켜지기를 원했다.

하지만 갈로텍은 세리스마의 계획을 잠시 유보해 두고 독자적인 계획을 세웠다. 그의 계획은 이왕 일어난 일을 인정하는 것이었다. 즉 심장 파괴에 대해 나가들에게 사실대로 고백한 다음 그것을 가주가 아닌 대수호자에게 넘겨주는 것이었다. 대수호자는 아직 그 계획에 대해 찬성이나 반대를 니르지 않았지만 갈로텍은 그것만이 모든 것을 해결하는 방법이라고 생각했다. 그렇게 된다면 서로 반목하는 가주들과 수호자들은 대수호자의 지휘 아래에 통합되며 심장병의 통제권을 가주에게 뺏기는 일도, 북부군과 손을 잡는 황당한 일도, 그리고 여신의 힘을 이토록 이른 시기에 포기하는 치명적인 일도 피할 수 있었다. 갈로텍은 이 전쟁이 4년째에 치닫고 있으며 이미 북부의 대부분이 초토화되었다는 사실에 대해서는 생각하지 않았다. 나가 살육자에 대한 희미한 단서 하나도 포착하지 못한 지금 갈로텍에게 이 시기는 '이토록 이른 시기'일 뿐이었다.

그래서 갈로텍은 인실롭 군단장에게 하텐그라쥬를 점령하라거나 하텐그라쥬 평의회를 장악하라는 등의 지시를 내리지 않았다. 갈로텍이 그런 지시를 내리지 않았기에 인실롭은 자신의 의무를 하텐그라쥬 보호 및 북부군 퇴치라는 단순 명쾌한 것으로 알고 있었다. 인실롭이 하텐그라쥬 공격에 나서지 않는 모습을 본 세리스마는 당황할 것이다. 그리고 인실롭은, 어쩌면 심장탑 공격이라는 초유의 사태에 대해서 알게 되었는지는 모르지만 그 사태 때문에 하텐그라쥬를 점령해야 한다는 결론을 내지는 못했을 것이다. 그 모든 사태를 해결할 수 있는 사람은 갈로텍이 아는 범위 내에 한 사람뿐이다. 그런데 그자는 허물벗기라는 상당히 난처한 곤경에 빠져 중립을 선포한 나가의 도시에 드러누워 꼼짝도 할 수 없는 상황인 것이다.

갈로텍은 세리스마에게 상황을 전달할 방법이 없을까 고민했다. 하지만 육체의 통증 때문에 생각의 가닥을 붙잡기 힘들었다. 조금 전 그의 니름은 숨 가쁜 상황 속에서 물러나 있어야 하는 자신의 무력함을 드러내고 있었다.

그때 갈로텍은 누군가가 자신을 바라본다는 느낌을 받았다. 갈로텍은 눈을 떴고, 잠깐 동안 통증마저 잊어버릴 만큼 놀랐다. 데오늬 달비가 그의 침대 옆에 서서 그를 내려다보고 있었다. 본능적인 수치심에 당황한 갈로텍은 조금 후에야 데오늬가 입을 움직이고 있다는 사실을 깨달았다. 그는 청력에 주의를 기울였다.

"나쁜 말 하시는군요, 대장군님?"

〈당신 여기서, 제기랄!〉 "당신 여기서 뭐하는 거요?"

"소리를 듣지 못하셔서 그렇게 했습니다. 대장군님."

갈로텍은 필사적으로 생각해 보았지만 도저히 데오늬 달비의 말을 이해할 수 없다는 사실만을 확인할 수 있을 뿐이었다. 그는 질문했고, 짧지 않은 시간이 지난 후에야 데오늬가 자신은 니를 줄 모르고 갈로텍은 소리를 들을 줄 모른다는 사실 때문에 허락 없이 들어올 수밖에 없었던 것을 해명하려 했다는 것을 알게 되었다. 갈로텍은 비늘을 부딪치며 말했다.

"왜 허락 없이 이 방에 들어온 거냐고 질문한 것이 아니라, 왜 이 방에 들어온 거냐고 물은 겁니다."

"대수호자님께서 당신을 돌보라고 하셨습니다. 대장군님."

갈로텍은 잠시 아무 말도, 그리고 니름도 하지 못한 채 데오늬를 바라보았다. 그래서 데오늬 또한 꼼짝하지 않은 채 갈로텍을 내려다보았다. 갈로텍은 겨우 말을 꺼냈다.

"왜?"

"대수호자님께서는 대장군께서 무력한 상황에 홀로 남겨지는 것이 좋지 않다고 말씀하셨습니다. 대장군님."

"왜 홀로 있으면 안 되는 거요?"

"대수호자님께서는 대장군에게 적이 있을지도 모른다고 말씀하셨습니다. 그리고……."

데오늬는 기억을 떠올리기 위해 잠시 미간을 찡그렸다가 곧 자랑스럽게 말했다.

"그 적은 심장병의 통제권을 가진 절대 지배자를 만들어서라도 견제해야 하는 적이므로 대장군이 이토록 무력한 상황에 놓여 있는 이때 대장군을 노릴지도 모른다고 하셨습니다. 대장군님."

갈로텍은 상황을 이해하면서 동시에 불가해한 기분 속에 빠져들었다. 갈로텍은 자신의 제안이 키베인으로 하여금 추리력을 발휘하게 했다는 사실을 깨달았다. 그리고 키베인이 허물벗기 도중인 갈로텍에게 어떤 보호자가 있어야 한다고 결정했다는 사실도, 그래서 데오늬에게 자신이 추리한 사실을 알려주고서 보호자의 역할을 부탁했다는 것도 깨달았다. 하지만 갈로텍은 왜 데오늬여야 하는지 알 수 없었다.

"당신은 포로잖소?"

"그렇습니다, 대장군님!"

데오늬는 자신의 지위가 명확해지는 것을 즐거워하는 듯했다. 갈로텍은 다시 비늘을 부딪쳤다.

"그런 당신이 나를 보호한다고?"

"예. 대장군님!"

"적극적으로 제안하는 것은 아니지만, 지금 당장 내 목을 따버리면 북부군에게 상당히 도움이 될 거라는 생각을 할 수 없는 거요?"

데오늬는 눈을 깜빡거리며 갈로텍을 내려다보았다. 문득 갈로텍은 니름이나 말을 주의하지 않아서 자신이 겪어야 했던 모든 곤경을 떠올리며 두려움에 빠졌다. 설마 내가 아라짓 전사에게 칼 던져준 나가 꼴이 된 건가? 그때 데오늬가 크게 웃었다.

"아아, 알겠습니다. 아프셔서 그렇군요. 대장군님."

갈로텍은 데오늬의 말이 아픈 사람은 공격하지 않겠다는 의미일 거라 생각했다. 하지만 그런 의미를 담기에는 단어들의 활용이 좀 이상했다. 갈로텍은 조심스럽게 질문했다.

"아파서 뭐가 그렇다는 거죠?"

"아프셔서 기억하지 못하시는군요. 대장군님."

"내가 기억하지 못하는 것이 뭐죠?"

"대장군님이 보고받았다는 사실을 기억하지 못하시는군요. 대장군님."

"내가 보고받은 것이 뭐죠?"

"이 도시가 중립을 선포했다는 것을 보고받으셨습니다. 대장군님."

"그건 기억하는데."

"그러면 왜 자신의 목을 딸 것을 적극적이지 않게 제안하시는 겁니까, 대장군님?"

갈로텍은 대답하지 않았다. 결국 갈로텍은 데오늬의 모든 말을 이해할 수 있었다. 하지만 갈로텍은 키베인이 왜 데오늬에게 모든 것을 솔직하게 들려준 것인지는 짐작할 수 없었다. 그러나 갈로텍은 그 질문을 꺼내는 것이 두려웠고, 그래서 그냥 화제를 바꿨다.

"내 몸은 내가 지킬 수 있습니다. 나가십시오."

데오늬는 방긋 웃으며 자신의 얼굴을 가리켜보였다. 다행히도 이번에는 그 손짓을 이해할 수 있었다. '이미 당신이 모르는 새 당신의 곁에 접근할 수 있는 사람이 있었잖습니까.' 갈로텍은 그 손짓에 반박할 몸짓을 떠올려보려다가, 자신이 뭔가에 말려들고 있다는 불쾌한 자각을 느꼈다. 어쩔 줄 모르게 된 그가 침묵하는 동안 데오늬는 방에 있는 의자를 붙잡으며 주위를 둘러보았다. 그 방에는 출입구 하나와 창문 하나가 있었다. 데오늬는 출입구와 창문과 침대를 모두 볼 수 있는 위치에 의자를 가져다놓고 그 위에 앉았다. 몸짓이 아니라 그냥 말로 '나가라'고 해도 된다는 것을 깨달은 갈로텍이 입을 열었을 때 데오늬는 뭔가를 꺼내어 자신의 무릎 위에 놓았다. 갈로텍은 기절할 만큼 놀랐다.

"그거 뭡니까!"

"역시 아프셔서 그러신 겁니다. 대장군님. 곧 기억이 떠오르실 겁니다. 이 물건은 나가의 전통적인……."

"젠장! 나를 기억 상실증 환자로 취급하는 것은 그만둬요. 나는 그게 사이커라는 것을 몰라서 그렇게 질문한 것이 아니라 당신이 왜 사이커를 가지고 있냐고 질문한 겁니다."

"대수호자님께서 한 자루 빌려주셨습니다. 대장군님."

"왜?"

"맨손으로 대장군님을 지킬 수는 없으니까 그렇습니다. 대장군님."

데오늬는 모든 것이 그토록 명확할 수 없다는 식으로 말했다. 실제로 그녀의 말을 듣는 동안 갈로텍은 계속해서 자신이 당연한 사실을 질문하는 얼간이처럼 행동한다는 느낌을 받아야 했다. 그런 느낌은 통증 속에서 언제라도 데오늬의 물을 끓일 준비를 갖추며 더 심해졌다. 갈로텍은 자신을 지켜주려는 사람에 대해 공격을 준비하는 것이 다시 없는 얼간이 짓으로 여겨졌다. 데오늬의 태도에는 그런 특이한 점이 있었다. 마음이 불편해진 갈로텍은 데오늬를 쫓아낼 빌미를 찾아보았다.

"그 칼 쓸 줄은 압니까?"

"약속은 중요한 것입니다. 대장군님."

멍한 표정으로 데오늬를 바라보던 갈로텍은 질문하는 것을 포기했다. 그래서 데오늬가 '사이커는 쓸 줄 모른다.—하지만 최선을 다할 것이다.—최선을 다하는 이유는 대수호자에게 대장군을 지키겠다고 약속했기 때문이다.—약속은 중요한 것이다.'라고 말한 것이라는 사실은 데오늬 자신만이 아는 사실이 되어버렸다. 그리고 갈로텍은 5분 후 의자에서 일어난 데오늬가 방 끝에서 반대쪽 끝까지 달리기 시작했을 때도 그 이유를 묻지는 않았다. 대신 경고를 보냈다.

"달리든 기어다니든 상관없지만, 내 침대 옆으로 접근하지는 마시오. 내가 당신을 참아주는 것은 당신이 대수호자의 배려의 증거이며, 내가 그를 존경하기 때문입니다. 하지만 나는 지금 뗏목에 타게 된 레콘만큼이나 긴장해 있고 따라서 당신이 가까이 다가오면 반사적으로 당신을 죽일 겁니다. 나는 당신 몸속의 물을 모조리 끓어오르게 할 수 있어요. 그럴 것까지도 없이 그냥 뇌 속의 물만 끓여도 충분하지. 당신은 눈 깜빡할 새에 죽게 될 겁니다."

데오늬는 반색했다.

"목욕물도 끓일 수 있으십니까, 대장군님?"

"……예?"

"저는 이 저택에서 몸을 씻을 수 있지 않을까 하는 생각을 해보았습니다. 저는 땀을 많이 흘리는 편입니다. 대장군님."

갈로텍은 왜 땀이 많은지 알 수 있다고 생각했다.

"하지만 물을 끓이려면 나무를 태워야 하는데, 그건 당신들이 가장 싫어하는 일 중에 하나라고 알고 있습니다. 대장군님. 이렇게 더운 곳이니 그냥 찬물로 씻어도 무방하겠지만……."

"이 저택에는 목욕통이 없을 겁니다. 지금 보는 것처럼 우리는 허물을 벗지 몸을 물에 담그지는 않습니다."

갈로텍은 자신의 무시무시한 경고가 그를 무섭고 위험한 사내로 만들어주는 대신 풍부한 연료 대용품으로 만들어버렸다는 것이 그다지 화나지는 않는다는 사실에 놀랐다. 데오늬는 그런가 하는 표정을 지으며 의자에 도로 앉았다.

그리고 5분 후, 데오늬는 창문으로 쏟아져 들어오는 햇빛에 쭉 뻗은 두 다리를 맡긴 채 곯아떨어졌다. 열대의 햇살이 북부인에게 야기할 만한 평범한 반응이었다. 갈로텍은 이 모든 상황에 대해 어떤 감정을 느껴야 되는지 알 수 없다는 사실에 대해 오랫동안 생각했다.

자기재귀적인 우주의 특징 때문이 아닌 사소한 우연에 의해, 하텐그라쥬에 있던 비아스 마케로우는 시모그라쥬에 있는 갈로텍과 똑같은 평가를 내리고 있었다.

〈망할 늙은이, 지랄을 하고 있군.〉

또 다른 하루가 이미 절반쯤 타버린 후였다. 그리고 시간의 흐름과 세리스마의 전설성은 정비례가 아닌 기하급수의 관계를 가지고 있는 것 같았다. 비아스 마케로우는 그것이 하루 단위에서 시간 단위로 바뀌고 있는 것 같은 기분을 느꼈다. 단신으로 하텐그라쥬의 심장탑을 지키고 있는 남자. 세리스마는 매 시간 위대해지고 있었다.

조금 전 맑은 하늘을 보고 돌격했던 쥬어와 그의 돌격대는 심장탑 내의 무더운 공기에 기절해 버렸다. 교활한 세리스마는 돌격자들의 발목을 잡아채는 급류를 흘려보내는 것보다 훨씬 효율적인 방법을 찾아내었다. 계단을 채우는 물보다 훨씬 적은 양의 습기로도 심장탑의 아랫부분을 꽉 채울 정도의 수증기를 만들어내는 것은 가능하다. 그리고 열대에 위치한 하텐그라쥬에 쏟아지는 태양의 열기는 엄청나다. 세리스마는 그 두 가지를 이용하여 심장탑 아랫부분을 뜨겁고 습한 공기로 가득 채웠다. 체온 조절 능력이 없는 나가들은 그 무더운 공기를 견딜 수 없었다. 갈로텍이 있었다면 그것이 라호친 사람들의 한증막과 비슷한 원리라는 것을 깨달았을 것이다. 비아스에게 그런 지식은 없었지만 그녀는 그것이 곤란한 재주라는 사실만으로도 충분히 화를 낼 수 있었다.

5층 계단참에서 졸도했다가 부하에 의해 질질 끌려온 쥬어는 정신을 차리고는 하텐그라쥬가 시원하다는 사실에 충격을 받았다. 비아스는 그가 깨어난 것을 확인하자마자 비늘을 부딪치며 닐렀다.

〈정신 차렸으면 다시 돌격해! 물통을 들고 돌격해라!〉

쥬어는 비아스를 물끄러미 올려다보다가 고개를 내저었다.

〈마케로우. 세리스마는 200미터 위에 있습니다. 그곳까지 물통으로 몸을 적시면서 올라가는 것은 니름도 안 됩니다.〉

〈그러면 일렬로 서서 물통을 계속 전달하면 될 거 아니냐!〉

〈그런 식으로 어느 정도 올라갈 수 있을지는 모릅니다. 하지만 그러면 세리스마는 다시 급류를 흘려보낼 겁니다. 계단에 일렬로 늘어선 상태에서 그런 꼴을 당하면 끔찍한 재난이 될 겁니다.〉

비아스는 육성으로 살벌한 단어들을 토했다. 쥬어는 정신 건강에 도움이 될 리가 없는 그 단어들에 특별한 호기심을 느끼지는 않았다.

〈세리스마와 협상하실 생각은 없으십니까?〉

〈협상이라고!〉

쥬어는 어제부터 니르고 싶었던 것을 육성으로 말했다.

"어제 군단들이 도달했습니다."

비아스 또한 육성을 이용했다.

"내가 그걸 모를 거라고 생각하나? 그러니까 한시라도 빨리 심장탑을 점거해야 할 것 아니냐! 군단의 지휘자들은 대부분 하텐그라쥬 출신이다. 우리는 그들의 심장병을 손에 넣어야 해! 그것이 몸빠진살로 용을 잡는 유일한 방법이다."

"세리스마 또한 저 높은 곳에 있으니 군단의 도착을 알 겁니다. 이제 조금만 더 버티면 되는데 왜 그가 포기하겠습니까? 도무지 방법이 없습니다. 도깨비들처럼 딱정벌레를 타고 난입하지 않는 이상 저 높이는 그대로 그의 무기입니다. 그와 협상해야 합니다."

옷 아래에서 계속 부딪치는 비늘 때문에 비아스의 모습은 괴이하게 보였다. 비아스는 타오르는 눈으로 쥬어를 바라보며 말했다.

"무엇으로 협상하라는 거냐, 엉? 똑똑한 쥬어여, 한번 말해 봐. 세리스마가 내 무엇을 원하겠나? 협상은 서로에게 원하는 것이 있어야 성립이 가능하다."

쥬어는 당신이 소중한 비밀을 낭비해 버렸기 때문에 아무것도 내줄 것이 없는 것 아니냐고 되묻고 싶었다. 만약 여신의 감금을 공개하지 않았다면 비아스는 그것으로 세리스마와 협상할 수 있었을 것이다. 심장 파괴의 비밀을 평의회장에서 당당하게 외치지 않았다면 역시 그것으로 협상할 수 있었을 것이다. 하지만 비아스는 그 모든 것을 닐러버렸다. 공개된 비밀은 아무 가치가 없다. 쥬어는 비아스에게 다른 여자들이 모르는 사실을 말하는 쾌감과 싸구려 환호에 자기 목숨을 팔아버린 것 아니냐고 말해 주고 싶었다.

머리가 너무 뜨거웠다. 쥬어는 손바닥으로 이마를 만져보았다. 그 이마는 생각했던 것처럼 뜨겁지는 않았다. 역시 그가 느끼는 뜨거움은 심리적인 것이었다. 쥬어는 주의 깊게 구축해 온 자신의 그럭저럭 성공적이었던 생애가 그 최고의 순간에서 머리 나쁜 여자에 의해 좌우되게 되었다는 것, 그리고 그 상황에서 빠져나오기엔 이미 지나치게 많은 걸음을 걸었다는 것을 인정하고 싶지 않았다.

쥬어는 말했다.

"평의회를 손에 넣으십시오."

"네 방자함은 잘 알지. 계속해 봐."

"마케로우 가문의 가주 자리는 당신이 언제든 손에 넣을 수 있으므로 잠시 팽개쳐둬도 되는 그런 자리가 아닙니다. 가주가 될 수 있는 자와 가주인 자 사이에는 심연이 몇 개쯤 놓여 있습니다. 풍비박산이 나다시피 한 센 가문을 제가 그토록 원하는 것을 상기하십시오. 가주가 되신 다음, 당신에게 환호를 보냈던 기억을 아직 선명하게 가지고 있는 의원들을 공략하십시오. 평의회를 장악하는 겁니다. 당신 스스로 고백했듯 지금 당신에게는 세리스마에게 내줄 것이 없습니다. 하지만 하텐그라쥬 평의회를 손에 넣으면 당신은 똑같은 공격을 몇 번이고 더 감행할 수 있는 능력을 가지게 됩니다. 세리스마는 그런 공격이 계속되지 않는다는 것만으로도 고마워할 겁니다. 심장병에 대한 통제권은 포기하십시오. 최소한 유보하십시오. 여기서 무익한 도전을 계속할 이유가 없습니다. 품위 있는 후퇴가 필요합니다."

비아스는 쥬어의 말에 합리적인 면이 있음을 인정하고 싶은 자신과 사이커를 뽑아 그 무례한 혀를 잘라버리고 싶은 자신을 동시에 느끼며 괴로워했다. 결국 비아스는 그 둘 모두를 포용하기로 했다. 지금은 이용하고, 필요 없어진 다음에 혀를 뽑아주면 되겠군. 비아스는 자신의 결정에 씁쓸한 만족감을 느끼며 말했다.

"좋아. 그렇다면 지금 당장 그걸 시도해야겠군. 일어나!"

쥬어는 신음을 흘리며 몸을 일으켰다. 그때 그의 눈에 대로 저편에서 걸어오는 자들의 모습이 들어왔다. 쥬어는 비아스에게 눈짓을 보내었고 비아스는 뒤를 돌아 보았다.

비아스는 몸을 긴장시켰다. 그들을 향해 다가오고 있는 것은 몇 명의 가주들과 그녀들의 호위자들이었다. 그중에는 이세리도 의장과 소메로 마케로우의 모습도 포함되어 있었다. 그들에게 자신의 참담한 실패를 보여준다는 것이 마음에 들지 않았던 비아스는 턱을 들어올리며 자신만만한 태도를 취했다. 쥬어는 그런 비아스를 속으로 비웃었다.

다가온 여인들은 적당한 거리에 멈춰섰다. 비아스는 사이커에 손을 얹은 채 그들이 먼저 니를 때까지 기다렸다. 이세리도 의장이 닐렀다.

〈비아스 마케로우. 공격은 어떻게 되고 있습니까?〉

〈수호자 세리스마는 한계에 도달했습니다. 자신만만하게 파도를 만들어내던 그는 이제 힘겹게 습기를 주물럭거리고 있습니다.〉

비아스는 조금 전 쥬어와 그의 돌격대에게 일어났던 일에 대해 설명했다. 비아스는 그것이 세리스마의 노화함을 나타내는 상황이 아닌 그의 무력함을 나타내는 증거로 해석되기를 바란다는 내심을 너무 많이 드러내었다. 그녀의 희망은 성취되지 않았다. 가주들은 모두 세리스마가 훨씬 간단한 방법으로 비아스를 약 올리는 기술을 터득했음을 눈치챘다. 이세리도 의장은 빙긋 웃으며 닐렀다.

〈늙은 세리스마는 나이를 헛먹지 않았다는 것을 증명해 보이고 있군요.〉

〈인정합니다. 의장님. 저 높은 곳에 고독하게 앉아 한계선 북부에까지 닿는 거미줄을 짜낸 저 늙은 거미는 영리합니다.〉

〈그렇습니다. 이제 그가 어떤 일을 할 수 있는지 확인했으니, 장난은 이 정도에서 마치는 것이 어떻겠습니까?〉

비아스는 쓴웃음을 머금었다. 그러나 대답의 니름을 꺼내기 전 비아스는 의장의 니름이 좀 이상하다는 것을 깨달았다. 그녀는 의장을 미심쩍은 시선으로 바라보며 닐렀다.

〈예. 이제 장난은 그만둘 때가 되었지요. 내일까지 기다려주신다면 그를 붙잡아

다 여러분 앞에 무릎 꿇리겠습니다.〉

쥬어는 조금 전 그가 무료로 제공한 조언들을 망각해 버리는 비아스에 대해 신음을 흘리고 싶었다. 지체 높은 여인들이 그렇게 많은 곳에서 어울리는 행동이 아니었기에 쥬어는 간신히 그런 욕망을 참았다. 그때 쥬어는 이세리도 의장이 측은하다는 눈빛으로 비아스를 바라보고 있음을 알게 되었다. 그 순간 쥬어는 모든 사태를 깨달았다. 이세리도가 닐렀다.

〈내 니름은 그런 뜻이 아닙니다. 비아스.〉

〈예?〉

〈이 모든 소동은, 아마도 여러분의 가문에 지나치게 오랜 기간 동안 가주가 없었기 때문에 일어난 일일 겁니다. 남들이 감히 질 엄두도 내지 못하는 무거운 책임을 어깨에 진 채 가문을 이끌어가는 가주의 존재가 없다면 우리 나가도 북부의 불신자들이나 다름없는 야만에 빠져들 수 있는 것이지요.〉

가주라는 단어에 비아스는 정신이 번쩍 드는 것을 느꼈다. 조금 전 쥬어의 권고를 떠올린 비아스는 그 기회가 이토록 빨리 찾아왔다는 사실에 감탄했다. 하지만 비아스는 쥬어의 평가처럼 대책없이 어리석은 여자는 아니었고, 의장이 '소동'이라는 표현을 사용했음을 지나치지도 않았다. 그녀는 의장의 니름에서 맥락을 찾아보려 했다. 그러나 그것은 쉽게 보이지 않았고, 비아스는 일단 기다렸다. 의장은 그녀를 오랫동안 기다리게 하지 않았다.

〈마케로우 가문을 그토록 오랜 기간 동안 가주 없는 상태로 방치해 둔 우리의 무관심을 용서하길 바라오. 비아스 마케로우. 이건 당신의 잘못만은 아닙니다. 우리의 책임 또한 크겠지요.〉

비아스는 호흡이 빨라지는 것을 느꼈다. 이세리도 의장이 원하는 것이 분명해졌다. 의장은 비아스가 한 모든 일에서 가치를 박탈한 다음 그것을 가주 없는 가문의 일원이 올바른 통제를 받지 못한 채 저지른 장난, 소동으로 치부하려 하고 있었다. 비아스는 그녀가 어떻게 감히 그렇게 할 수 있는지 상상도 할 수 없었다. 비록 패잔병이라고 하지만 그녀에겐 마호가니 군단의 잔존병들이 있었으며 또한 쥬어의 의용군이 있었다. 의장은 눈앞에 있는 자가 하텐그라쥬 최고의 무장 세력을 소유한 자라는 것을 모르는 것일까? 그때 의장이 의미가 분명한 곁눈질을 했다. 그녀의 시선이 소메로에게 머물렀음을 깨달은 비아스는 비늘이 서는 것을 느꼈다. 의장은 닐렀다.

〈하지만 이제 나무랄 데 없는 자격을 가진 자가 당신의 존경받을 가문을 책임지게 되었으니, 그것은 당신만의 기쁨이 아니라 우리들 모두의 기쁨이라 할 거요. 우리는 당신과 기쁨을 나누고자 가주님과 함께 찾아왔소.〉

가주님! 비아스는 그 단어에 충격을 받았다. 그녀는 의장에 말에 답례를 할 여유도 없는 상태에서 소메로를 돌아보았다. 소메로가 차분하게 닐렀다.

〈비아스.〉

〈소메로?〉

〈그건 올바른 호칭이 아니다. 비아스.〉

〈이해할 수 없어. 계승의 의식은?〉

〈이런 전쟁통에 번잡한 의례를 고집하는 것은 형식 지상주의자의 발상이겠지. 융통성이 필요하다는 것은 당연하고, 나는 그것을 발휘했어. 반 시간 전, 나는 마케로우 가문의 가주가 되었어.〉

〈어떻게! 두세나 가주님의 생사가 아직 불명확한데! 가주님은 후계자를 지정하지 않으셨어. 그런 상황에서 가주가 되려면 다른 가족들의 동의가…….〉

비아스는 니름을 중단했다. 그리고 의혹에 찬 눈으로 소메로를 바라보았다. 소메로는 차분하게 고개를 끄덕였다.

〈그래. 이모님들께서 찬성하셨다.〉

두 명의 이모!

비아스는 자신이 이모들을 배제하는 우를 저질렀음을 깨달았다. 두세나의 여형제들인 그녀들은, 바로 그렇기에 가주 계승에 참가할 가능성이 희박하다. 인간이라면 상속을 받을 자식이 지나치게 어릴 경우 형제가 상속을 받을 수도 있지만 불사에 가까운 나가들은 자매 계승을 할 일이 별로 없다. 모든 나가들이 그것을 잘 알기에 자매들 중 한 사람이 가주가 되면 다른 자매들은 가주 계승을 깨끗이 단념한 채 가문에 더 많은 자손을 낳아주는 일에만 전념한다. 그리고 그런 자매들의 자식은 모두 가주의 자식으로 취급된다. 비아스나 소메로는 카린돌이나 화리트와 달리 두세나 가주의 친자는 아니었지만 두세나를 어머니로 여긴다. 그리고 두 명의 이모는, 이모라고 불리지만 각자 소메로와 비아스를 낳은 여인들이다.

비아스가 그 이모들이 경쟁자가 아니라고 믿었던 것은 나가의 관점에서 당연한 일이다. 하지만 그녀들 또한 마케로우 가문의 일원이며 가주가 적절한 지시를 내릴 수 없는 지금과 같은 상황에서 가족의 일원으로 차기 가주의 지명에 참가할 수 있다. 소메로는 비아스에게 그녀들의 의사를 알려주었다.

〈반대한다면, 너는 유일한 반대자가 될 거야.〉

〈두 사람 다 언니를?〉

〈그래.〉

비아스는 갑자기 웃음이 터질 것 같은 기분을 느꼈다. 카린돌이라면 경계했을 것이다. 화리트였다면 분노했을 것이다. 하지만 소메로가 적이라고? 자신이 모든 집중력과 대처 능력을 필요로 하는 중대한 문제에 봉착했음을 느끼고 있었지만, 비아스는 그 어울리지 않는 조합에 희극적인 기분밖에 느낄 수 없었다.

〈쥬어. 네 생각은 어떻지? 우리 언니, 저 덕 있는 여인 소메로가 마케로우 가문의 가주가 되셨다는군.〉

소메로는 화를 내지 않았다. 대신 측은하다는 표정으로 닐렀다.

〈누구를 부르는 거지?〉

비아스는 뒤를 돌아보았다. 그리고 짐승 같은 신음을 흘렸다.

쥬어의 모습이 보이지 않았다. 그리고 쥬어의 의용군들이었던 돌격 대원들 역시 대다수가 사라져 있었다. 남아 있는 몇 사람을 본 비아스는 남아 있다는 사실에서 그들이 가장 쓸모없는 자들임을 직감할 수 있었다. 비아스는 다시 고개를 돌려 소메로를 쏘아보았다.

소메로는 니름 없이 동생의 시선을 받아들였다. 일몰이라는 시한을 가지고 있는 이세리도는 자매들의 침묵을 방해했다.

〈비아스 마케로우. 나는 소메로 가주님으로부터 가주님이 당신에 대한 계획을 가지고 있다는 니름을 들었습니다. 가주님은 당신을…….〉

〈끼어들지 마.〉

〈뭐라고?〉

〈끼어들지 말라고 했다.〉

이세리도는 왈칵 화를 내었다. 하지만 비아스는 그녀를 쳐다보지도 않았다. 앞으로 나서려던 이세리도는 비아스의 손이 사이커의 칼자루를 움켜쥐고 있음을 깨달았다. 이세리도는 흠칫했다. 하지만 비아스는 소메로만을 쏘아보며 닐렀다.

〈그래. 가주님이 되셨다고 생각하고 있군.〉

〈내 생각에 찬성해 주면 좋겠군.〉

〈그리고…… 나를 수호 장군들에게 넘겨주는 것이군? 그들과 손을 잡겠다는 것이군? 그리고 그들에게 심장을 맡겨둔 채 도깨비 같은 옹졸한 삶에 매달리겠다는 것이군?〉

〈내 삶의 가치를 평가해 달라고 부탁한 적은 없군. 비아스. 그것보다는 마케로우 가문의 가주에게 무례를 저지르고 있는 자기 자신에 대해 평가해 보는 것이 어때.〉

〈마케로우 가문의 가주라고!〉

〈네 반대는 소용이 없어. 비아스. 네가 부리던 사람보다 더 모자라는 모습을 보일 거니?〉

소메로를 쏘아보는 비아스의 눈에 광기가 서리기 시작했다. 비아스는 냉정하게 닐렀다.

〈한 사람 더 있어.〉

〈한 사람?〉

〈마케로우 가문의 가주 계승 문제에 대해 발언권을 가진 사람이 하나 더 있어. 아주 가까운 곳에.〉

소메로는 비늘을 부딪치며 비아스를 바라보았다. 그 순간 비아스가 사이커를 뽑아들었다. 가주가 정해지면 순순히 단념하는 자매의 문화에 익숙해 있던 가주들은 비아스의 그런 반동적인 행동에 놀라고 당황했다. 호위자들의 뒤로 숨는 그녀들을 보며 비아스는 차갑게 웃었다.

〈그 사람의 의견도 들어봐야 하지 않겠어, 소메로?〉

〈비아스. 네가 알려준 바대로라면 저곳에 있는 것은 카린돌의 육이다. 그 영이 아냐. 설령 영이라 하더라도, 카린돌이 너를 편들 거라고 생각한다면 나는 네 정신 상태를 의심할 수밖에 없군.〉

〈마음대로 의심해. 하지만 나는 들어봐야겠어!〉

비아스는 몸을 획 돌렸다. 그리고 돌격 대원들을 밀쳐내고 심장탑을 향해 돌진했다. 뒤늦게 가주들이 그녀를 붙잡으라고 다그쳤지만 비아스는 이미 심장탑 안으로 사라진 후였다. 호위자들은 주춤하며 서로를, 그리고 가주들을 바라보았다. 범죄자라 하더라도 심장탑 안에서는 보호되는 법이다. 사정을 깨달은 가주들은 분한 니름을 교환했다. 그녀들 가운데서, 소메로는 심장탑을 올려다보며 한없이 슬픈 기분을 느꼈다. 비아스는 완전히 돌았다. 그리고 소메로는 그 사실을 절대로 즐거워할 수 없었다.

인실롭은 우울한 심정으로 하늘을 바라보았다. 하텐그라쥬의 하늘을 반나절 동안 불태우던 태양은 남은 열을 모아들이며 서녘으로 기울어가고 있었다. 그림자들은 짙어지고 흐려졌으며 밀림 전체가 거대한 암흑 덩어리로 바뀌기 직전의 짧은 시간 동안만 드러날 뿐 그 나머지 시간들 동안 완고하게 숨어 있는 색채와 모양이 숲 전체에서 피어올랐다.

일몰이 다가오고 있었다. 그리고 하텐그라쥬에서는 아무런 연락이 없었다. 인실롭은 자신의 난처한 처지에 보낼 적당한 저주를 떠올릴 수 없었다. 그가 마침내 진격 준비를 니르려 할 때였다.

황혼이라기보다는 아직 오후에 가까운 빛 속에서 누군가가 달려왔다.

인실롭과 수호 장군들은 긴장하며 도시 쪽을 바라보았다. 지휘부가 설치된 곳은 높았으며 그래서 그들은 어떤 나가가 도시 외곽을 향해 맹렬하게 달려오고 있는 모습을 쉽게 관찰할 수 있었다. 그 방향은 분명히 군단을 향하고 있었다. '이런, 정말 아슬아슬하게 구는군!' 인실롭과 수호 장군들은 달려오는 자의 목적이 무엇인지 짐작할 수 있었다. 그때 누군가가 닐렀다.

〈누가 다가오고 있습니다.〉

인실롭은 웃음을 터뜨릴 뻔했다.

〈나도 보고 있습니다.〉

〈아니요. 뒤쪽입니다.〉

인실롭은 당황하여 몸을 돌렸다. 그에게 니른 수호 장군은 걱정 섞인 표정으로 반대 방향을 바라보고 있었다.

숲 저편, 군단들 뒤편에서 정신적 웅성거림이 전해져 왔다. 잠시 후 인실롭은 뒤편에서도 누군가가 달려오고 있다는 것을 깨달았다. 인실롭은 앞뒤를 번갈아 쳐다보았다. 두 사람 중 누가 먼저 도달할 것인가 하는 문제는, 사실 그렇게 중요한 문제일 수 없다. 인실롭은 그들의 목적을 모두 알지 못하기 때문이다. 하지만 뒤쪽에서 오는 자가 먼저 도달할 것이라는 판단을 내리게 되었을 때 인실롭은 알 수 없는 불안을 느꼈다. 그리고 그 불안은 다가오는 자가 정찰 임무를 맡은 병사라는 것이 밝혀졌을 때 더욱 크게 증폭되었다. 인실롭은 비늘을 부딪치며 병사를 바라보았다.

병사의 모습은 누구에게도 평안과 희망을 주기 어려울 듯한 모습이었다. 숨막힐 듯한 얼굴, 조급한 정신을 따라가지 못해 비틀거리는 팔다리. 그러나 무엇보다도 인실롭을 굳어버리게 만든 것은 그 눈이었다. 인실롭은 그런 눈을 알고 있었다.

병사는 인실롭 앞에 도달하여 멈춰섰다. 숨이 막히거나 심지어 물 속에 있다 하더라도 나가는 니를 수 있다. 그래서 달려온 병사는 어울리지 않을 만큼 정확하게 닐렀다.

〈북부군이 접근하고 있습니다!〉

북부군은 요구 조건의 전달이나 전투 선언에 시간을 낭비하지 않았다. 그들은 걸어온 모습 그대로 전투를 개시했다. 그리고 그 전투의 시작은 꽤나 상징적이면서 동시에 실용적인 것이었다. 바람이 하텐그라쥬쪽으로 불고 있다는 것을 발견한 북부군 상장군 라수 규리하는 주저하지 않고 하텐그라쥬가 일찍이 받아본 적이 없던 험악한 도전장을 제출했다.

북부군은 밀림에 불을 놓기 시작했다.

오랜 시간 동안 세리스마가 그 수증기를 갈취하여 심장탑이라는 극소 지점에 집중시켰기 때문에 하텐그라쥬 근교 수십 킬로미터 지대는 대지에서 각질층이 일어날 정도로 메말라 있었다. 무기물처럼 건조해진 나무의 뿌리들은 무심코 부딪힌 발길에도 껍질을 폭발시키며 부서져내렸고 기운 없이 늘어진 나뭇잎들은 가지 끝에서부터 거멓게 타들어가고 있었다. 시우쇠는 그런 건조한 숲에 거친 화염의 야수들을 풀어놓았다. 이 맹포한 공격에 숲은 딱딱한 비명을 내질렀고 불은 밀림을 탐식하며 순식간에 부풀어올랐다. 불티와 나뭇잎들이 열기를 타고 치솟았고 가지들은 불의 꽃을 풍성하게 피워올렸다가 잿더미로 바뀌어 무너져내렸다. 다가오는 석양 아래, 그것은 황혼이 대지를 불사르는 광경처럼 보였다.

화관(火冠)을 쓴 수관(樹冠)들의 모습은 놀랍도록 아름다웠다. 피어오르는 재는 흰 꽃잎이고 불티는 이 놀라운 나무들의 꽃가루였다. 잔인무도한 꽃가루들은 거침없는 가루받이를 통해 어미의 몸을 부수는 자손들을 무차별적으로 재생산했다.

비는 하늘이 땅에게 건네는 대화다. 그리고 불은 땅이 하늘을 향해 발하는 외침이다.

인실롭과 수호 장군들은 절규하며 비를 끌어모았다. 하텐그라쥬를 향한 화공을 저지한다는 현실적인 이유도 있었지만 모든 나가들의 애정이 모여드는 장엄한 도시에 가해진 무도한 모욕에 대한 분노 또한 거기에 있었다. 세리스마가 많은 습기를 수탈했기 때문에 그들은 수십 킬로미터 저편에서 습기를 모아들였다. 분노한 수호 장군들의 소환에 먹구름이 사방에서 몰려들었다.

그러나 하텐그라쥬를 향해 모여들던 먹구름은 너무도 일찍 비를 뿌렸다. 화재가 일어난 곳에 닿으려면 수 킬로미터를 남겨둔 위치에서 구름은 비가 되어서 무너져내렸다. 인실롭은 경악하여 수호 장군들을 바라보았다. 누군가가 절망하여 닐렀다.

〈용인이 우리를 돕고 있습니다!〉

정확하게 니른다면 그건 도움이 아니었다. 정면으로 저항하는 대신 힘을 더해 버리는 재치 있는 방해였다.

북부군의 진지 가운데서 륜은 아스화리탈의 두 앞발 사이에 꼿꼿이 서 있었다. 그의 눈은 가볍게 감겨져 있었고 오른손은 축 늘어뜨려져 있었다. 허리에 얹힌 왼손만이 간혹 가볍게 손가락을 까딱거렸다. 주위에 있는 북부군에게 륜의 모습은 산책 도중에 잠시 멈춰서 생각에라도 잠긴 사람처럼 보였다. 하지만 그런 편안한 자세로 서서 륜은 수호 장군들의 힘에 자신의 힘을 보태고 있었다.

물, 습기, 수증기. 나무들이 토해 낸. 길고 긴 키보렌의 하루가 땅에서 수확한 보이지 않는 자산. 허공을 부유하는 물들. 태양이 뿜어내는 열기에 미쳐 낮은 곳으로 찾아드는 본성을 잠시 잊은 광기에 젖은 물들. 그리고 일몰의 하늘에서 차갑게 식어 자신의 순수한 정수를 드러낼 준비를 갖추는, 이슬이 되어야 할 물. 그러나 모아들인다. 이 바람은 좋지 않다. 내버려둔다. 다가오는 저 바람에 몸을 실어, 더한다. 보탠다. 결합시킨다. 차갑고 어두운 구름이 저 앞이다. 이슬은 모레쯤의 꿈으로 미루어두자. 자, 겁내지 말고. 저 구름의 어두움을 두려워 마라. 그것은 또 다른 너다. 그래. 그렇게. 구름이 되어라. 대지를 흠모하는 비가 되어라. 낮은 곳을 찾아내는 너의 귀하디귀한 본성을 떠올려라.

수호 장군들이 불러들인 구름은 용인이 얹어준 과도한 화물에 힘겨워하다가 목적지에 도달하지 못하고 무너져 내렸다. 머나먼 저편의 하늘에 드리워진 빗줄기의 휘장 때문에 그 너머의 세계는 완전히 가려졌지만 휘장 이편에서는 여전히 맹포한 화마가 억수 같은 비를 조롱하며 춤을 췄다.

수호 장군들은 당혹에 찬 니름을 교환했다.

〈저놈들과 수도 없이 싸웠지만, 이런 재주는 본 적도 없습니다!〉

〈저 용인은 끝없이 발전하고 있군요. 아직까지 사람인지 의심스럽습니다.〉

〈하텐그라쥬 근방에는 습기라곤 찾아볼 수가 없습니다. 다른 곳에서 가져와야 합니다. 하지만 계속 저런 식으로 방해하면…….〉

인실롭은 혼란을 억누르려 애썼다.

〈그만! 제발 그만들 하시오! 당신들 스스로를 보시오. 지금 당신들은 공포에 질려 자신이 무슨 니름을 하는지도 깨닫지 못하고 있습니다!〉

수호 장군들은 의혹에 찬 표정으로 인실롭을 바라보았다. 인실롭은 단호하게 닐렀다.

〈물을 끌어들입시다! 제기랄, 비가 되어 쏟아진다고 해서 저 물이 어디로 간답니까! 강을 만드는 겁니다. 저쪽에 쏟아진 비를 하텐그라쥬로 끌어옵시다!〉

수호 장군들은 정신적 탄성을 질렀다. 곧 그들의 주의력이 땅에 쏟아진 비에 집중되었다. 건조한 땅으로 스며들려던 비는 뜻밖의 방해에 움찔했다. 나무와 풀잎들 사이에서 물이 차가운 환상처럼 일어났다. 가지에 매달린 물방울들이 마치 누군가가 나무를 걷어찬 것처럼 억지로 떨어져내렸다. 메마른 숲을 적시던 물은 수호 장군들의 명령에 따라 새로운 작업에 착수했다.

숲에서 소리 없이 파도가 형성되었다.

륜은 눈을 뜸과 동시에 말을 쏟아내었다.

"수호 장군들이 저편의 물을 여기로 끌어오고 있습니다. 저기에는 꽤 많은 물이 쏟아졌고, 자칫하면 덮쳐오는 파도를 목격하게 될지도 모르겠습니다."

륜의 목소리가 들리는 위치에 서 있던 라수는 이맛살을 찌푸렸다. 육지에서 파도를 만나는 것쯤은 이제 그를 놀라게 하지 않았다.

라수는 차분하게 질문했다.

"저지할 수 있겠소?"

"이건 힘을 더하는 방법으론 안 되겠군요. 정면으로 저지하는 방법뿐인데, 그러기엔 저들의 수가 너무 많습니다. 시도는 해보겠습니다만 적절한 대비를 생각해 두는 편이 좋겠습니다. 병사들에게 나무를 붙잡도록 명령하십시오."

류은 다시 눈을 감았다. 그리고 북부군을 향해 밀려오는 노도에 주의력을 쏟아 부었다.

땅에 단단히 뿌리를 박은 나무들의 저항 때문에 파도의 위력은 그렇게 커지지 않았다. 북부군을 향해 몰려오는 물은 나가나 인간의 발목을 적실 정도의 높이에 머물렀다. 하지만 그것은 수십 평방킬로미터의 범위에서 일어나는 움직임이었고 따라서 그 물의 양과 내재된 위력은 가공할 정도였다. 류은 몇 그루의 약한 나무들이 급류에 휩쓸려 기우는 것을 느꼈다. 류은 가지고 있는 모든 능력을 동원하여 어떻게든 그 흐름의 방향을 바꿔보려 애썼다. 하지만 수십 명의 수호 장군들이 만들어내는 그 움직임을 변화시키는 것은 쉽지 않았다.

멀리서 물 흐르는 소리가 들려오기 시작했다. 나무에 물이 부딪치는 그 소리는 기묘하게 음악적이었다. 음악을 모르는 나가들이 그들의 여신의 힘과 그들이 가장 사랑하는 나무로 만들어낸 그 소리에 라수는 뭐라 표현하기 힘든 기묘한 감정을 느꼈다. 거대한 숲 전체가 내뱉는 신음 같은 그 소리를 주의 깊게 듣던 라수가 병사들에게 나무에 매달리도록 명령했을 때 물이 마침내 북부군의 발아래에 도달했다.

병사들은 발목을 잠기게 하는 것이 고작인 그 물을 얕보았다. 그리고 그런 착각은 꽤 많은 수의 병사들이 요란한 소리를 내며 나자빠지는 결과로 나타났다. 교위와 부위들의 쌍소리가 터져나왔고 그제야 병사들은 허겁지겁 나무에 매달렸다. 자세를 확보한 병사들은 나무를 꽉 붙잡은 채 발을 적시며 흘러가는 물을 홀린 듯이 내려다보았다. 물이 흘러가는 광경쯤이야 생애 동안 지겹도록 보았지만 키보렌의 밀림 아래를 흘러가는 그 흐름은 완전히 생경한 것이었다. 물은 살아 있는 생물체처럼 높이를 무시하며 흘러갔다. 언덕을 흘러올라가고 나무를 휘감아도는 그 물은 병사들을 겁먹게 만들었다. 뚜렷한 방향성을 보이며 흘러간 물이 불타는 숲과 부딪친 것은 잠시 후의 일이었다.

수증기가 거세게 폭발했다.

땅이 갑자기 입을 열어 구름을 토해 내는 것 같은 광경이었다. 산더미 같은 수증기들이 나무를 고문하며 피어올라 숲의 머리 위로 치솟았다. 사람들의 시야에서 하늘이 순식간에 사라졌다. 하지만 그들의 머리 위에 있던 하늘은 맑았고 그래서 수증기는 놀라운 변화를 보였다. 위에서 쏟아지는 황혼의 주홍빛을 받아 수증기는 붉게 물들었다.

눈을 뜬 륜은 그 모습에 탄성을 내질렀다.

꿈의 가장 깊은 지점에서 방금 현실로 뛰쳐나온 듯한 몽환적인 안개가 숲의 모든 지점에서 피어오르고 있었다. 륜의 눈에 보이는 것은 다른 자들의 눈에 보이는 주홍빛이 아니었다. 거기에는 무수한 열류의 교환이 있었고 명멸하는 열의 번득임이 있었다. 땅을 흐르던 차가운 물이 타오르던 불에 충돌할 때마다 삽시간에 뜨거운 증기로 바뀌어 부풀어올랐다. 그런 열의 연쇄 폭발을 배경으로 나무들은 더욱 기묘한 모습으로 바뀌었다. 물은 아래로 흐르고 있었지만 나무의 윗부분에는 아직까지 불이 타오르고 있었고, 그래서 숲의 모습은 마치 호수 가운데 돋아난 불타는 나무 같았다.

저편에서 시우쇠가 걸어왔다.

시우쇠는 물을 저벅저벅 밟으며 걸어왔다. 그의 발이 내딛어질 때마다 찰박거리는 소리 대신 달군 쇳덩이에 물을 뿌린 듯한 거칠고 급한 마찰음이 들려왔다. 발을 적신 채 나무를 붙잡고 있던 륜은 시우쇠의 발을 유심히 바라보며 말했다.

"괜찮으십니까?"

시우쇠는 피식 웃었다.

"녀석들이 물을 솟구치게 하지 않는 이상 이 불을 당장 꺼버리기는 어렵겠군."

"수증기가 치솟고 있으니 불도 곧 잡힐 겁니다."

"그렇겠군. 그건 그렇고, 나무들이 기묘한 꼴을 당하고 있군. 밑동은 흐르는 물에 젖으며 윗동은 불타고 있으니."

"당신 모습도 참 기묘합니다. 흐르는 물 가운데 두 다리를 딛고 서 있는 불덩이니까."

"그렇겠군. 라수!"

라수는 피로한 눈을 들어 시우쇠를 바라보았다. 시우쇠는 말했다.

"어쩔 건가. 오늘 내에 결판을 보려는 계획인가?"

"이 정도면 하텐그라쥬에 대한 인사는 충분한 것 같군요. 오늘 밤 동안 수호 장군들에게 수증기로 불을 잡는 노고를 선물하는 것으로 만족할까 합니다…… 노고 맞지요?"

마지막의 질문은 륜을 향한 것이었다. 륜은 고개를 끄덕였다. 시우쇠는 높은 지대를 찾아 두리번거렸다. 잠시 후 적당한 위치를 발견한 화염의 화신은 다시 치익거리는 요란한 소리를 내며 걸어갔다. 라수는 병사들에게 먹을 것을 찾아보러 화재 지점에 들어가라는 명령을 내렸다. 병사들은 잠시 당황했지만 라수의 명령이 그렇게 황당한 것은 아니라는 것을 곧 알게 되었다. 불타는 숲 아래에는 물이 흐르고 있었기에 타죽을 일은 거의 없었고 불 때문에 주위 또한 환했다. 그들은 물 속에서 타버린 동물들을 건져내며 그것이 익사인지 분사인지 토론하는 시간을 보낼 수 있었다.

륜이 예상한 것처럼 하텐그라쥬에 진을 치고 있던 일흔한 명의 수호 장군들은 꽤 힘든 밤을 보내야 했다. 기체인 수증기와 액체인 물 중에서 다루기 어려운 것은 당연히 후자다. 수십 평방킬로미터의 범위에서 물을 끌어온 수호 장군들은 격심한 피로를 느꼈다. 흥분과 분노, 그리고 공포의 감정들은 그런 수호 장군들을 더욱 괴롭혔다. 인실롭은 눈이 가물거리는 것을 느끼며 하텐그라쥬 평의회에서 보내온 사절의 니름을 들었다.

그러나 사절은 몇 마디의 니름으로 인실롭의 눈이 번쩍 뜨여지게 만들었다.

〈여신이 하텐그라쥬에 있다고요?〉

〈예. 그렇습니다.〉

사절은, 그리고 사절을 보낸 의원들은 진실이 가장 완벽한 무기가 될 수 있음을 알고 있는 자들이었다. 그래서 사절은 가감 없는 진실을 들려주었다. 인실롭은 비늘이 서는 기분을 맛보았다. 불행하게도 북부군의 공격에 맞서느라 오랜 시간 동안 긴장 상태에 빠져 있었던 인실롭은 그런 상황에 대처할 심적 여유를 가질 수 없었다. 그는 여신의 소재지가 탄로났다는 사실에 대한 충격을 감추는 것조차 힘들었다. 사절은 차분하게 닐렀다.

〈그 사실에 대한 귀하의 의견이 궁금합니다.〉

〈터무니없는 니름입니다. 여신은 불신자들에 의해…….〉

〈그만. 서로에게 지성이 있다는 것을 인정하지 않는 상태에서의 대화는 환영할 수 없습니다. 여신께서는 하텐그라쥬의 심장탑에 감금되어 계시는 겁니다. 그렇잖습니까?〉

인실롭은 기능 저하를 호소하는 두뇌를 채근하며 필사적으로 생각했다.

〈제가 그것을 인정하는 경우 어떤 일이 일어나는 겁니까?〉

〈당신들이 우리에게 전쟁의 이유로 제시했던 것을 그대로 돌려드리겠습니다. 여신은 해방되어야 합니다.〉

〈지금 당장 니름입니까?〉

〈당장은 곤란하겠지요. 북부군이 저 앞에 와 있으니.〉

〈그렇다면…… 저들을 물리친 다음에?〉

〈저들을 물리친 다음에도 그 힘이 필요합니까? 우리를 공격하는 데 쓸 겁니까?〉

〈그 힘이 없으면 한계선을 넘을 수 없습니다.〉

〈왜 넘어가야 합니까? 한계선 위쪽에는 아무것도 없습니다. 그나마 있는 것은 거의 다 가졌습니다. 우리가 한계선을 넘어가야 하는 이유를 닐러보시죠.〉

인실롭은 힘겹게 이유를 떠올렸다.

〈제2의 북부군이 생길지도 모릅니다. 불신자들은 수백 년 동안 왕을 찾지 못했습니다. 하지만 전쟁이 발발하자마자 어디선가 적당한 인물을 찾아내어 가면을 씌운 다음 대호왕이라는 이름을 붙여주었습니다. 그리고 대호왕의 기치 아래에 우리와 싸울 준비를 갖추었습니다. 그들은 위험한 족속들입니다.〉

〈수백 년 동안 자신의 위험성을 드러내어 보이지 않다가 우리가 한계선을 넘어가자 그렇게 했지요. 그렇잖습니까? 그건 우리가 한계선을 넘어갔기에 생긴 일이 잖습니까? 왜 원인과 결과를 뒤바꾸죠?〉

인실롭은 더 할 니름이 없었다. 그를 끝까지 밀어붙인 사절은 그쯤에서 인실롭에게 숨을 돌릴 여유를 부여하기로 했다.

〈일단 북부군을 물리친 다음에 그 힘의 소유에 대해 생각해 보도록 하지요. 하지만 나라면 행동을 조심하겠습니다. 비아스 마케로우가 우리에게 준 선물은 하나가 아닙니다.〉

〈그러면 또 다른 것이 있다는 니름이십니까?〉

사절은 빙그레 웃었다.

〈우리는 심장 파괴를 남용하지 않은 당신들의 자제력을 높이 삽니다.〉

결정타였다. 인실롭은 항복을 외치고 싶어졌다. 인실롭의 얼굴에 떠오른 좌절을 본 사절은, 그 자리에 세리스마가 있었다면 환호를 보냈을 제안을 꺼냈다.

〈당신들의 비밀을 존중하는 뜻에서 우리는 그것을 하텐그라쥬 평의회 최고의 기밀로 남겨둘 의향이 있습니다. 당신들이 이 전투 후에 여신의 힘을 포기한다면 말입니다. 갈로텍 대장군에게 전하십시오.〉

사절은 '그러지 않으면'이라는 니름을 꺼내지 않았다. 심장 파괴를 비밀로 지켜야 할 이유를 누구보다 잘 아는 자들에게 그럴 필요가 없기 때문이다. 인실롭은 이미 사절의 모든 조건을 받아들일 마음의 준비를 마쳤다.

"케이건. 뭘 하고 있는 거지?"

케이건은 아래를 바라보았다. 사모 페이가 마루나래와 함께 나무 아래에 서서 그를 올려다보고 있었다.

케이건은 거대한 나무 위의 가지들 사이에 드러누워 있었다. 수령이 얼마인지 짐작도 되지 않는 거대한 나무 위쪽에는 웬만한 집 두어 채라도 얹어놓을 수 있을 것 같은 공간이 있었다. 케이건은 사모에게 말했다.

"올라오시겠습니까, 폐하? 제가 내려갈까요?"

"올라가지."

사모가 나무 위로 오르는 방법은 독특했다. 사모는 마루나래의 등에 올랐고 그러자 마루나래가 훌쩍 뛰어 나무 위에 올랐다. 육중한 무게에 나무는 잠깐 신음을 토했지만 나무는 마루나래의 무게를 어렵지 않게 견뎌내었다. 마루나래는 꼬리를 나뭇가지에 감고는 몸을 길게 눕혔다. 사모는 나뭇가지에 걸리지 않도록 주의하며 대호의 등에서 미끄러졌다. 가지를 디딘 사모는 마루나래의 목에 몸을 기대며 앉았다.

"마루나래가 올라오니 이 위도 비좁군. 뭘 하고 있었지?"

"별을 보고 있었습니다. 별 모양이 낯설군요. 제게는 드문 일입니다."

"드물다니?"

케이건은 잠깐 침묵한 채 자신의 생각을 어떻게 표현할지 생각했다.

"저는 북부의 땅 대부분을 돌아다녔고 북부의 모든 밤하늘에 익숙합니다. 그래서 밤하늘이 낯설게 보이는 것은 꽤 오래간만에 경험하는 일입니다."

사모는 옆으로 손을 뻗어 마루나래의 거대한 턱 아래에 팔을 파묻듯이 한 채 그 턱을 쓰다듬었다.

"그러고 보니 남쪽은 처음이겠군."

"이렇게 남쪽으로 멀리 온 것은 처음입니다. 공작님을 데리러 왔을 때도 이렇게 멀리까지 오지는 않았습니다."

사모는 침묵한 채 나뭇가지를 바라보았다.

"우리는 곧 륜을 다시 만날 거야. 부탁하고 싶은 것이 있는데."

"말씀하십시오."

"언젠가 륜에게 해줬던 일을 다시 해줄 수 있을까."

"공작님을 한계선 북부로 데려가라는 말씀입니까?"

"그래. 그리고……."

"그리고?"

"그리고, 요스비에게 해줬던 일을 해줘."

케이건은 말없이 사모를 바라보았다. 사모는 고개를 약간 들어올려 케이건의 이마 위를 바라보며 말했다.

"친구가 되어주라고."

"왜 제게 부탁하시는 건지 여쭤봐도 되겠습니까."

"너보다 더 적격인 자가 없으니까."

"저는 나가를 잡아먹습니다."

"알아."

"카라보라에는 제 오두막이 있습니다. 조리장이 꽤 큰 편입니다. 다루는 재료가 토끼 같은 것보다는 훨씬 큰 것이다 보니 그렇습니다. 커다란 세 개의 무쇠솥이 있고, 가끔은 그 셋을 한꺼번에 사용할 때도 있습니다. 그 속에 폐하의 동족을 집어넣고 삶습니다. 나가를 삶을 때 어떤 냄새가 나는지 아십니까? 나가는 육식 동물입니다. 냄새가 고약합니다."

사모는 가까스로 자제력을 잃지 않았다. 하지만 비늘이 부딪치는 것까지 억누를 수는 없었다. 그녀는 힘들게 말했다.

"요스비도 그걸 알고 있었나?"

케이건은 침묵했다. 사모는 눈을 감았다가 떴다.

"알고 있었군."

"예. 그래서 자신의 왼팔을 제게 잘라먹였습니다."

"왜 그렇게 했지?"

"제가 죽어가고 있었으니까요."

"죽어간다? 죽어가는데 왜 왼팔을 먹여야 하지?"

소드락을 복용하는 나가의 체내에는 소드락이 축적된다. 그리고 그런 나가를 먹는 케이건의 몸에는 더 많은 소드락이 축적된다. 그 축적이 한계에 도달했을 때, 유사 이래 단 한 명에게만 일어난 신비한 일이 발생했다. 육체의 영원한 재활성화. 그의 몸은 노화를 거부했다. 식물과 나가에게만 작용하는 소드락이 어떻게 해서 인간에게 작용하는가 하는 질문은, 이 경우 적절한 질문이 아니다. 시간을 뛰어넘어 함께 하고팠던 사람들에게 나가 고기를 먹여보는 실험 끝에 케이건은 그것이 오직 자신에게만 일어나는 일이라는 사실을 확인할 수 있었다. 따라서 그 질문은 '왜 케이건에게 작용하는가?'로 바뀌어야 한다. 그러나 케이건은 답을 알 수 없었다. 케이건은 그것이 작용한다는 것, 그리고 나가를 먹는 짓을 그만두면 작용이 멈춘다는 사실만 알고 있었다. 요스비를 알게 된 이후 케이건은 짧은 기간에 걸쳐 그 습관을 포기했던 적이 있다. 그때 케이건은 자신의 몸이 무너져내리는 것을 확인했다. 사태를 파악한 요스비는 소드락을 잔뜩 먹은 다음 왼팔을 잘라 거절하는 케이건에게 강제로 먹였다. 요스비의 이유는 단순명쾌했다. '너는 말이야, 살아 있는 편이 더 재미있을 것 같다고.' 케이건은 그것을 먹었다. 그럼으로써 천년이 넘는 세월을 살아오면서 처음 맞이했던 죽음의 위기를 벗어났다.

케이건은 말할 수 없었다. 사모는 알았다는 표정으로 말했다.

"아, 그렇군. 인간들은 빨리 굶어죽지. 굶어 죽어가고 있었던 것이군."

"비슷합니다."

"도대체 왜 그렇게 우리를 미워하는 거지? 설명해 주겠어?"

"제 소망을 짓밟고 제게 가장 소중했던 것들을 모조리 파괴했기 때문입니다."

"바라기의 칼자루는 하나야."

케이건은 사모의 얼굴을 물끄러미 바라보다가 자신의 목 뒤를 잠시 더듬었다. 바라기의 칼자루가 만져졌다. 사모는 고개를 끄덕였다.

"서로를 겨냥하는 두 개의 칼날도, 불구대천의 원수처럼 서로의 피를 탐내는 칼날도 하나로 합쳐질 수 있지 않을까."

"재미있는 해석이군요. 하지만 영웅왕이 이 검을 하나로 합친 것은 증오의 종말과 새로운 화합의 시작을 표현하기 위해서가 아니라 나가에게 팔 하나가 잘렸기 때문입니다. 저라면 이 검을 도저히 포기할 수 없는 증오의 표상으로 해석하겠습니다. 영웅왕은 팔이 없어져도 증오의 절반을 포기하지 않았습니다. 남은 하나의 팔로도 그의 모든 증오를 감당했습니다."

"너와 요스비는 우정이라는 하나의 칼자루 위에 모일 수 있었던 것 같은데."

"그는 나가가 아니었습니다."

케이건의 단정적인 말에 사모는 입을 다물었다. 그 말투는 기묘했다. 언성을 높인 것도 아니고 비꼬는 것도 아니었다. 마치 사실을 알려주는 듯한 말투였다. 하지만 그 내용은 은유나 비유에 해당하는 것이었다. 사모의 혼란스러움을 느낀 것처럼 마루나래가 귀를 쫑긋거리며 옆을 돌아보았지만 사모는 그 볼을 밀쳐내며 케이건을 주시했다. 케이건은 여전히 가르치는 듯한 그 묘한 어투로 말했다.

"그는 아젤키버였습니다. 가장 능숙한 사냥꾼은 사냥감의 모습을 훔칩니다. 아젤키버는 사냥감의 모습을 훔친 겁니다."

"아젤키버가 누구지?"

"예? 그토록 유명한 키탈저 사냥꾼을 모르신다는 말입니까? 모든 자들이 그의 이름을……."

자신이 과거와 현재를 뒤섞어버렸다는 것을 깨달은 케이건은 느닷없이 입을 다물었다. 혼란에 빠진 채 케이건은 사모를 바라보았고 가까스로 자신의 앞에 있는 자가 속한 시대를 떠올렸다. 그것은 '현재'였고, 그래서 케이건은 현재로 수렴했다. 사모가 말했다.

"그 사람, 키탈저 사냥꾼이었나? 하지만 요스비는 요스비야. 아젤키버가 아니야."

같은 시대에 속하지 않은 사람들을 알고 있는 하나의 사람. 통시적인 시점은 자신의 시대에 매인 시점과 공유되기 어렵다. 케이건은 자신의 해묵은 문젯거리를 재발견했고, 그것을 뭉개버렸다.

"제게는 그렇게 느껴집니다."

"그렇다면, 그 아젤키버라는 이름이 네 애정을 받을 수 있는 증거라면, 륜에게서 그를 발견해 줄 수는 없어?"

케이건은 지친 목소리로 말했다.

"명령하십시오. 폐하. 그것이 훨씬 간단합니다."

"명령하지는 않겠어. 명령은 너무도 간단하게 사람을 분리시켜. 내가 명령한다면, 너는 자신을 나가를 증오하는 너와 내 명령을 따르는 너로 나누겠지. 그리고 너는 낮에는 나가를 보호하고 밤에는 나가를 잡아먹겠지. 그러면서 내 명령을 떠올릴 거야. 그렇게 할 수는 없어. 륜은 용인이 되었어. 그 애는 물처럼 예리해졌어. 나가를 증오하는 북부군과 보낸 세월이 그를 어떻게 만들었는지 나는 곁에서 목격했어. 아마도 세상의 그 누구보다도 더 나가를 증오하는 사람일 것이 뻔한 너에게 그 애를 부탁하면서, 나는 네 증오를 남겨두고 싶지 않아. 케이건. 나는 네 증오를 사겠어."

"사시겠다고요?"

"그래. 뭘 주면 될까? 내가 뭘 지불하면 되지?"

"구매는 불가능합니다."

"나가가 불신자들의 왕이 되는 세상이야. 쉽게 단정하지 마."

케이건은 건조한 어조로 말했다.

"제 증오를 사시려면 폐하께서는 먼저 제 증오를 아셔야 합니다. 그런데 그것은 불가능합니다. 사람은 제 증오를 알 수 없습니다."

"네가 사람이 아니라고 말하는 거니?"

"질문하시는 겁니까? 하지만 폐하께서는 제 대답을 받아들이지 않으실 겁니다. 그러니 대답하지 않겠습니다."

"어떤 사과로도, 어떤 보상으로도 그 증오는 살 수 없는 거야?"

"단 한 사람은 그것이 가능했습니다."

사모는 무릎을 세워 그 위에 팔을 얹었다. 케이건이 말하는 그 사람이 누구인지 거의 짐작할 수 있었다. 그리고 케이건 또한 사모가 짐작한다는 것을 알면서 말했다.

"요스비는 제 증오를 거의 다 가져갔습니다. 하지만 그가 제 곁을 떠난 후 저는 다시 증오가 저를 붙잡았음을 알게 되었습니다. 그리고 요스비가 나가들에 의해 심장 파괴를 당했다는 것을 알게 된 지금, 저 자신도 제 증오의 크기를 알 수 없게 되었습니다. 저는 나가를 증오합니다. 제가 지금 말한 문장의 주어는 '증오'입니다. 제가 없어져도 제 증오는 남을 겁니다."

사모는 팔을 쓸어 만졌다. 곤두선 비늘들이 그녀의 손바닥에 쓸리며 희미한 소리를 냈다.

"그렇게까지 너 자신에게 가혹할 필요가 있는 거야? 증오하기 위해 사는 것은 슬퍼."

말을 마친 사모는 깜짝 놀랐다. 케이건이 그녀를 똑바로 바라보고 있었다. 그 눈은 경악과 분노, 그리고 희미한 공포에 물들어 있었다. 사모가 주춤거리는 것을 본 케이건은 잠에서 깨어나는 사람처럼 눈을 몇 번 깜빡였다. 다시 입을 열었을 때 그의 목소리는 평상시처럼 평온했다.

"그건 언젠가 제가 제 누이에게 했던 말과 똑같군요."

"누이가 있어?"

"있었습니다."

"아, 미안해."

"괜찮습니다. 제 누이의 죽음은 슬픈 것이 아닙니다."

사모는 이상하다고 생각했다. 케이건의 누이가 죽었다면 그녀는 젊은 나이에 죽었을 것이다. 사모는 요절이 슬프지 않을 까닭을 짐작하기 어려웠다. 하지만 그녀에겐 더 궁금한 것이 있었다.

"네 누이가 누군가를 증오했던 모양이군. 그래서 너는 증오하기 위해 사는 것은 슬프다고 말해 줬고. 그런데 너는 왜 지금 그렇게 사는 거지?"

"그때 저는 나가에 대해 몰랐습니다."

사모는 거의 모멸감에 가까운 감정을 느꼈다. 그녀의 분노는 마루나래에게도 전해졌고 마루나래는 큼직한 머리를 들어올려 두 사람을 번갈아 바라보았다. 그렇게 케이건을 쏘아보던 사모는 한숨을 내쉬며 말했다.

"내 두 번째 부탁은 포기하겠어. 하지만 첫 번째 부탁은 들어줄 수 있겠지?"

"륜을 한계선 너머로 데려가는 것이라면, 그렇게 하겠습니다."

"그래. 알았어. 이만 내려가겠어."

사모는 마루나래의 등에 엎드려 그 털을 움켜잡았다. 마루나래는 나무 아래로 뛰어내렸다. 둔하고 낮은 소리가 울려퍼지며 마루나래는 부드럽게 착지했다. 마루나래와 사모가 저편으로 걸어가는 것을 내려다보던 케이건은 다시 나무 위에 드러누웠다. 이국적인 성좌가 떨어뜨리는 빛을 받으며 케이건은 자신을 과거의 시간 속에 방황하게끔 했다.

거대하고 무거운 생명체가 걸어오는 발소리를 들은 것은 조금 후였다. 케이건은 머리를 돌려 나무 아래를 바라보았다. 어둠 속에서 마루나래가 가까이 다가왔다. 그리고 그 위에는 사모 페이가 앉아 있었다. 마루나래를 멈추게 한 사모는 나무 위를 올려다보았다. 케이건은 아무 말 없이 그녀를 내려다보았다.

사모가 말했다.

"케이건! 나는 네가 꼭 두 번째 요스비를 만나기를 기원하겠어!"

사모는 케이건의 대답을 기다리지 않았다. 그녀는 마루나래를 돌아서게 한 다음 다시 걸어갔다. 케이건은 그 뒷모습을 뚫어지게 바라보았다.

비아스 마케로우는 눈을 떴다. 그녀의 시계는 퍽이나 이상했고, 잠시 동안 비아스는 자신이 어디에 있는 건지 알 수 없었다. 벽과 천장이라 짐작되는 것들은 도무지 벽과 천장으로 보이지 않았다. 짧지 않은 시간이 흐른 다음에야 비아스는 자신이 계단 중간쯤에 머리를 아래로 향한 모습으로 쓰러져 있음을 깨달았다. 그녀가 묘하게 생긴 벽이라 생각했던 것이 사실 천장이었고 벽이라 여겼던 것은 계단이었다. 아래로 주르륵 미끄러지는 것을 방지하기 위해 비아스는 조심스럽게 몸을 움직였다. 조금 후 비아스는 계단에 앉아 보다 정상적인 자세를 취할 수 있었다.

비아스는 다시 한번 주위를 둘러보았다. 몽환의 산물 같은 풍경은 곧 그녀를 납득시키는 풍경으로 바뀌었다. 그녀는 심장탑 안에 있었고 시간은 밤이었다. 저편에 그녀의 사이커가 떨어져 있는 것을 발견한 비아스는 그것을 다시 집어들었다.

머릿속은 혼란스러웠고 무차별적으로 떠오르는 기억들 중 어떤 것도 현재 상태를 이해하는 것에 도움이 되지 않았다. 비아스는 참을성 있게 생각을 되풀이했다. 기이한 자세로 쓰러져 있었던 탓인지 몸 곳곳에서 통증이 느껴졌다. 비아스는 무거운 몸을 힘겹게 움직여 계단벽에 몸을 기댔다. 그리고 두 다리는 계단 위에 쭉 뻗었다. 그것만으로도 통증이 상당히 가셨다. 그리고 비아스는 다시 생각했다.

다 포기하고 어디론가로 걸어가고 싶은 충동을 느꼈을 때 비아스는 간신히 자신의 상황을 이해했다. 그녀는 심장탑으로 돌진했었고, 뜨거운 수증기 속에서 억지로 계단을 뛰어오르다가 기절했었다. 비아스는 자신이 몇 층에서 기절했는지 궁금했지만 밤의 심장탑 안쪽에서 자신의 높이를 짐작할 방법은 없었다. 비아스는 주위를 둘러보았다. 몇 계단 위쪽에 창문으로 보이는 것이 있었다. 비아스는 벽을 짚으며 힘겹게 일어난 다음 계단을 올라갔다.

창문을 통해 밖을 내다본 비아스는 실망감을 느끼며 창문 아래에 주저앉았다. 밖으로 보이는 건물들의 지붕들은 손 닿을 듯한 높이에 있었다. 아무리 높게 잡아도 3층 이상이 되지 않을 것 같았다. 비아스는 그 사실에 대해 이해하기 힘들 정도의 분노를 느꼈다.

분노는 비아스의 자양분이었다. 한 손으로는 사이커를 움켜쥐고 다른 손으로는 입을 움켜쥔 채 비아스는 자신을 다그치며 생각했다.

'평의회는 나를 배신했어. 가주 자리는 소메로 마케로우에게 뺏겼고. 내겐 평의회도, 마케로우 가문의 가주 자리도 남아 있지 않아. 마호가니 군단의 군단병들은…… 소용없어. 지금쯤이면 이미 하텐그라쥬 수비군에게 포함되어 있을 테지. 망할 쥬어 녀석은 벌써 지도그라쥬쯤으로 도망쳤을 테고! 그렇다면 내게 남겨진 것은 한 자루 사이커와 내 현재 위치뿐이군.'

자신도 모르게 '현재의 위치'라는 단어를 떠올린 비아스는 곧 그것에 집중했다. 그리고 자신이 쓸모 있는 개념을 찾아내었음을 깨닫고는 기뻐했다. 세리스마의 적극적인 방해 때문에 비아스는 일종의 요새라고 할 수 있는 심장탑에 의해 보호되고 있었다. 그녀의 적이 몇 명이나 될지 짐작하기도 어려웠지만, 지금 당장은 그들 중 누구도 그녀를 잡으러 올 수 없는 것이다. 그 시간이 길지는 않을 테지만 분명히 없는 것보다는 월등히 낫다. 비아스는 그 행운에 즐거워하며 기운을 되찾았다.

그러자 오래된 기억이 그녀에게 찾아들었다. 비아스는 고개를 한번 갸웃했다가, 다시 똑바로 세웠다. 그녀의 입매에 희미한 미소가 떠올랐다. 비아스는 조심스럽게 몸을 일으켰다. 예상보다는 통증이 크지 않았다. 비아스는 그제야 자신이 느꼈던 것이 육체적인 통증이라기보다 심리적인 것임을 알게 되었다. 비아스는 벽을 짚지 않고도 몸을 똑바로 세울 수 있었다.

비아스는 잠시 계단의 위와 아래를 번갈아 쳐다보았다. 결정을 도와줄 표지는 어디에도 없었고, 그래서 비아스는 우연에 맡긴 채 위쪽을 향해 걸어올라갔다. 얼마 있지 않아 비아스는 계단에서 빠져나왔고 심장탑 3층에 서게 되었다. 그녀가 바라던 곳이었다. 비아스는 다시 한번 쾌감을 느끼며 발걸음을 옮겼다.

비아스는 커다란 문 앞에 도달했다.

그녀는 문을 밀었다. 수호자들이 모두 전선으로 떠나는 바람에 관리가 제대로 이루어지지 않은 것인지 문은 그녀의 손길에 약간 저항했다. 비아스는 팔에 힘을 주어 문을 밀어붙였다. 소름끼치는 소리가 길게 울리며 문이 열렸다. 비아스는 그 안으로 들어섰다.

해묵은 먼지와 양피지 냄새가 코를 자극했다. 비아스는 밤 속에 잠긴 특수 도서실을 죽 둘러보았다.

왜 이곳으로 온 것인지는 비아스 자신도 뚜렷하게 알 수 없었다. 그리고 비아스는 그 이유에 대해 고민하는 것을 그만뒀다. 비아스는 바닥을 내려다보며 어떤 가상의 흔적 같은 것을 찾아보려 했다. 그런 흔적이 남아 있을 리는 없지만, 비아스는 차가운 바닥 한쪽이 이상하게 시선을 끈다는 느낌을 받았다. 일종의 자기 최면에 불과한 망상일 것이다.

비아스는 그 차가운 바닥에 누워 있지 않은 자를 향해 닐렀다.

〈그때도 내겐 사이커 한 자루뿐이었다. 화리트. 하지만 나는 유벡스를 조각내고

네 명줄을 끊었지.〉

비아스의 머릿속에서 갑자기 하나의 문장이 형성되며 떠올랐다. 추억 어린 사냥터로 돌아온 사냥꾼. 비아스는 웃음을 터뜨렸다. 그 문장은 그녀의 취향에 맞았다. 곰곰이 생각해 본 비아스는 그것이 바로 자신의 이유였다고 판단했다. 최악의 상황이 어깨를 짓누르는 답답한 상황에서 비아스는 자신의 통쾌한 첫 번째 사냥이 이루어졌던 자리로 돌아온 것이다. 그 사냥을 되새기며 비아스는 활기를 되찾았다. 비아스는 가까운 책상으로 걸어가 그 위에 아무렇게나 걸터앉았다.

'좋아. 계획을 세워보자.'

비아스는 심장탑 안에 있는 유용한 것들의 목록을 재빨리 구성했다. 가장 먼저 떠오른 것은 카린돌이었다. 그녀 자신이 소메로에게 외쳐준 니름이었다. 하지만 비아스는 그것이 현실성이 없는 발상임을 곧 인정했다. 카린돌을 찾아내어 풀어준다 해도 그녀의 육에는 이미 영이 남아 있지 않다. 그리고 소메로가 닐렀던 것처럼 영이 남아 있다 해도 카린돌이 소메로에 대항하여 비아스에게 협조하리라고는 생각할 수 없었다. 비아스는 일단 카린돌을 풀어주면 수호자들이 힘을 잃게 된다는 사실을 기억해 둔 다음 더 이상 카린돌에 대해 생각하지 않았다. 그러자 다음으로 그녀의 머릿속에 떠오른 것은 심장병이었다. 그 생각에 비아스는 어쩔 줄 모를 정도의 기쁨을 느꼈다.

'이세리도! 아니, 소메로의 것을 먼저 깨트릴까?'

그녀는 하텐그라쥬의 모든 나가, 아니, 심장을 적출한 나가들의 생명을 좌지우지할 수 있었다. 비아스는 그 행운을 믿기 어려웠다. 그녀가 가진 유일한 두 가지로 지목되었던 사이커와 그녀의 위치 중 후자는 이루 측량하기 어려울 정도의 가치를 지닌 것이었다.

희열에 들떠 흥분하던 비아스는 문득 소메로가 자신을 저지하지 않았다는 것을 떠올렸다. 심장탑을 향해 도주했을 때 비아스는 소메로를 한 번 돌아보았다. 소메로는 슬픈 표정으로 그녀를 바라볼 뿐 아무런 제지도 하지 않았다.

'그 어리석은 년은 내가 자기 심장병을 향해 달려가고 있다는 생각도 할 수 없

었나?'

비아스는 소메로를 비웃어주었다. 하지만 내심 비아스는 그런 행동이 주의력 없는 행동이라고 생각했다. 어쨌든 소메로는 비아스가 완전히 방심하고 있을 때 가장 효과적인 공격을 감행하여 그녀를 몰락시켰다. 그것은 예사로운 재주가 아니었고, 비아스가 안다고 믿었던 소메로의 모습에도 어울리지 않는 일이었다. 비아스는 찜찜한 기분 속에서 소메로가 왜 자신을 저지하지 않았는지에 대해 생각해보았다. 답은 떠오르지 않았고, 그래서 비아스는 책상에서 내려섰다. 다시 한번 바닥을 흘겨본 비아스는 두 번 다시 돌아보지 않은 채 특수 도서실을 나섰다. 소메로의 심장병이나 기타 유력자의 심장병이 어디에 있는지 비아스는 알지 못했다. 필요한 심장병의 위치를 파악하려면 지금부터 꽤 긴 시간의 탐색을 해야 할 것이다. 복도로 나선 비아스는 문득 소메로가 염두에 둔 것이 그것이 아니었을까 의심했다.

'무수히 많은 심장병 중에 하나의 심장병을 못 찾아낼 거라고?'

비아스는 그것이 소메로의 생각일 거라 믿었고, 그래서 다시 난폭한 미소를 지었다. 그녀는 언젠가 어떤 수련자와 나누었던 대화를 떠올렸다. 병이 수십억 개쯤 있을 줄 알았다는 그녀의 니름에 대해 수련자는 죽은 자의 심장병은 파기한다고 대답했다. 그녀의 기억대로라면 32층에 있던 갈로텍의 방에 도달할 무렵 이미 벽감에는 더 이상 심장병이 남아 있지 않았다.

'전쟁 때문에 많은 나가들이 죽었지. 그렇다면 찾아보아야 할 심장병의 숫자는 더욱 줄어들겠군.'

그렇다고 해도 그것은 길고 지루한 탐색이 될 것이다. 게다가 밤의 어둠 속에서 글을 읽는 것은 쉽지 않았다. 비아스는 잠깐 고민한 다음 다시 특수 도서실 안으로 들어갔다. 도서실 안을 뒤진 비아스는 조금 후 등롱 하나와 점화통을 찾아내었다. 등롱에 불을 붙인 비아스는 유쾌함까지 느끼며 도서실을 나섰다. 벽감이 있는 곳에 도달하여 등롱을 높이 들어올릴 때까지 그녀의 유쾌함은 계속되었다.

그리고 그 유쾌함은 끔찍한 경악과 분노로 바뀌었다.

그녀가 본 첫 번째 심장병에는 먹칠이 되어 있었다. 비아스는 그것이 손에 먹을 묻힌 다음 다급하게 문지른 것 같은 흔적임을 깨달았다. 그것은 여러 가지 상상을 가능하게 하는 흥미로운 모습이었지만 비아스는 어떤 흥미도 느끼지 못했다. 비아스는 다급하게 다른 심장병들을 바라보았다. 몇 개의 심장병에는 이름이 반쯤 지워져 있었고 어떤 것은 완전한 이름이 남아 있었다. 하지만 대다수의 심장병은 먹칠에 의해 이름이 지워져 있었다. 비아스는 그 사실이 의미하는 바를 절감하며 비늘을 부딪쳤다.

심장 파괴를 이용하여 누군가를 죽일 수는 있다. 하지만 그자가 누구인지는 알 수 없으며, 확률이 낮기는 하지만 그 사람이 바로 자신이 될 수도 있다. 이곳 어딘가에서 그녀의 이름이 온전히 남아 있는 심장병을 찾아내지 못하는 한, 비아스는 먹칠이 되어 있는 심장병 중 어느 것도 깨트릴 수 없다.

등롱을 내팽개치고 싶은 것을 억지로 참느라 비아스의 팔에서 비늘이 사납게 부딪쳤다. 혹시나 하는 마음에서 비아스는 이름이 남아 있는 심장병들을 관찰했다. 하지만 온통 그녀가 알지 못하는 이름들뿐이었다. 단 한 번 비아스는 아는 이름을 발견했다. 그것은 저명한 대장장이 페니나 시에도의 심장병이었다. 화풀이 삼아 페니나를 죽일 수야 있겠지만 아무런 도움도 되지 않을 것이다.

비아스는 자신이 발견한 무서운 사실 앞에 더 이상 버티기 힘들다는 것을 느끼며 벽감 앞에 주저앉았다. 먹칠이 된 심장병을 노려보며 비아스는 격노했다.

'도대체 어떤 미친 녀석이 여기에 먹칠을 한 거지?'

비아스는 이 넓은 심장탑 전체를 뒤져 단 하나의 심장병을 찾아내는 것이 생각보다 훨씬 쉬운 일이 되었으며 동시에 쓸모없는 일이 되었음을 직감했다. 이름이 남아 있는 심장병만 조사하면 되므로 탐색해야 할 숫자 자체는 대폭 줄어들었다. 하지만 그중에서 자신의 심장병을 찾아내지 못할 경우 비아스의 모든 탐색은 수포로 돌아가게 된다. 비아스는 탐색을 할 것인지, 그렇지 않으면 탐색을 포기하고 그 시간을 보다 가능성 높은 일에 투자할 것인지를 고민했다. 곧 그녀의 뇌리에 분명한 사실이 떠올랐다.

'이 탑 어딘가에 카린돌의 몸이 있을 것이다. 그리고 탑의 꼭대기에는 세리스마가 있다.'

적어도 그 두 가지는 절대로 변할 리 없는 사실이었다. 비아스는 그 두 가지 중 하나를 목표로 삼아 어떤 계획을 짜낼 수 있지 않을까 고심했다. 그녀의 생각은 곧 후자로 집중되었다. 카린돌의 육체에 대해 할 수 있는 일이라고는 그것을 꺼내는 일뿐이다. 하지만 그럴 경우 수호자들은 힘을 잃을 테고 하텐그라쥬를 보호할 수 없게 된다. 비아스는 세리스마를 목표로 정했을 경우 어떤 계획이 가능한지에 대해 생각해 보았다. 하지만 역시 떠오르는 생각이 없었다.

비아스는 결국 자신의 행동을 약간 모호한 상태로 남겨두었다. 그녀는 심장탑 위쪽으로 올라가며 자신의 이름이 적힌 심장병이 있는지 찾아보며 그렇게 올라가는 동안 세리스마를 이용할 적당한 방법에 대해 고심해 보기로 했다. 결정을 내린 비아스는 다시 몸을 일으켰다.

세리스마의 방은 그냥 올라갈 경우에도 길고 힘든 목적지다. 거기에 탐색이 더해지니 니르기도 어려울 정도로 길고 고된 작업이 될 것이다. 자신감이 흐트러지는 것을 느낀 비아스는 재빨리 자신 속에서 분노를 일깨웠다. 분노가 그녀의 자양분이기 때문이다. 그리고 그것은 매우 쉬웠다. 비아스에겐 분노할 대상이 너무 많았다.

화재와 홍수로 만신창이가 된 키보렌에 아침 햇살이 떨어졌다.

륜은 착잡한 기분 속에서 키보렌을 바라보았다. 다른 나가의 도시와 달리 이곳은 그가 태어난 곳이었다. 물론 집 안에서 대부분의 시간을 보낸 그에게 하텐그라쥬의 숲에서 느낄 수 있는 특별한 친숙함은 없었다. 그 숲은 다른 모든 숲과 마찬가지였다. 하지만 단 하나, 그가 기억할 수 있는 추억이 있었다. 그 비늘 서는 탈출의 날, 륜은 이 근처 어딘가에서 가슴에 댔던 젖은 책을 팽개쳤다. 정확한 위치는 알 수 없었다. 주위를 자세히 둘러볼 여유가 없었기 때문이다. 하지만 그날 밤 도시에서 걸어온 거리를 떠올린 륜은 그 지점이 이 근방에서 그리 멀지 않은 지점이라는 것을 확신할 수 있었다. 그 추억을 되새기는 것은 화리트의 죽음을 떠올리게 했고 륜은 또다시 죄책감을 떠올리는 것에 실패했다. 륜은 속상하는 기분에서 멀어지기 위해 주위를 둘러보았다. 그의 자세 자체는 변하지 않았지만 륜은 고개를 돌리지 않고도 북부군 전체를 둘러볼 수 있었다.

다른 병사들은 아침 식사를 마치고 각자의 무기를 점검하거나 하며 소일하고 있었다. 그들에겐 더 이상 양식이 남아 있지 않았고 당장 전투를 중단하고 대규모 사냥이라도 벌이지 않는 한 내일은 굶주린 채 싸워야 할 것이다. 하지만 그 사실에 대해 고민하는 병사들은 찾아볼 수 없었다. 그들은 이 전투 다음에는 아무것도 없다는 것을 알고 있었고 그것을 받아들인 지도 오래였다. 륜은 그들이 그 사실에 대해 아무런 유감이 없으며 심지어 자랑스러움까지 느끼고 있다는 사실에 대해 서글픔을 느꼈다.

그때 그의 감각에 평범하지 않은 것이 포착되었다. 륜은 그 느낌에 집중했다.

륜은 경악했다.

륜은 믿기 어려운 느낌에 다시 한번 탐색했다. 하지만 그가 포착한 느낌은 틀리지 않았다.

륜은 몸을 홱 돌렸다. 그리고 당황하여 쳐다보는 병사들 사이를 정신없이 달려갔다. 병사들은 잠시 후 더 당황했는데, 아스화리탈이 륜의 뒤를 따라 달렸기 때문이다. 병사들은 더 이상 륜에 대해 고민하지 않은 채 당면한 압사의 문제에 대해 집중했다. 그들이 실로 진지한 태도로 몸을 날렸기에 아스화리탈은 누군가의 발을 밟거나 하는 난처한 문제를 일으키지 않고 륜을 따라갈 수 있었다.

아스화리탈이 쿵쾅거리는 소리는 라수 규리하를 기겁하게 했다. 라수는 고개를 돌렸고 그와 이야기를 나누던 팔하이드 역시 어리둥절하여 같은 방향을 쳐다보았다. 그리고 두 명의 규리하 사내들은 륜이 드디어 아스화리탈의 신뢰를 잃고 쫓겨다니는 것이 아닌가 하는 무서운 추측을 떠올렸다. 하지만 아스화리탈이 륜을 짓밟지 않도록 주의 깊게 속도를 조절하며 쫓아가는 것을 본 그들은 그런 추측을 벗어버릴 수 있었다.

몇 번이나 쓰러질 뻔하며 정신없이 달려간 류은 갑자기 걸음을 멈추었다. 용인의 능력을 얻은 이후 처음으로 류은 자신의 감각이 틀렸기를 애타게 원했다. 숲 저편, 인간의 시각은커녕 나가의 시각으로도 볼 수 없는 곳에서 다가오는 자들을 보며, 류은 자신이 '본' 것이 잘못된 환상이기를 소원했다. 그러나 용인의 감각은 그의 소망을 배신했다.

숲 아래에서 일군의 무리가 걸어나왔다.

인간과 레콘, 도깨비, 그리고 딱정벌레가 걸어왔다.

모두 그가 아는 얼굴들이었지만 류은 반가움을 표시할 겨를도 없이 처절한 심정으로 그 뒤를 바라보았다. 그 뒤편에는 스물두 명의 두억시니가 걸어오고 있었다. 그리고 그들 가운데서 대호에 탄 나가가 걸어오고 있었다. 나가는 그에게 익숙한 가면을 쓰고 있었다.

극심한 좌절을 견딜 수 없었던 류은 무릎을 꿇었다. 앞쪽에서 걸어오던 자들은 류의 반응에 놀라고 의아해하다가 문득 생각났다는 듯이 뒤쪽을 바라보았다. 뒤쪽에 있던 나가는 대호에서 내려섰다. 그녀는 차분한 걸음으로 다가왔고 그동안 류은 계속해서 현실을 부정했다. 마침내 류의 앞에 도달한 대호왕은 한쪽 무릎을 꿇으며 류의 어깨에 손을 얹었다.

〈류. 오래간만이구나.〉

〈어떻게…… 도대체 왜 오신 겁니까?〉

사모는 대답할 필요가 없다고 생각했다. 류은 그녀 자신이 니르는 것보다 더 정확한 대답을 알 수 있었다. 그리고 류은 알았다.

〈케이건 드라카의 헛니름을 믿으시는 것이군요. 이건 쇼자인테쉬크톨이 아닙니다. 누님이 죽는다 해서 제가 살아나는, 그런 것이 아닙니다.〉

〈헛니름이라기보다는 헛소리라고 해야겠지. 그리고 나는 북부의 왕이다. 내가 어디에 있어야겠어?〉

〈북부지요. 누님. 제발 돌아가세요! 대호왕은 이곳에 있어서는 안 됩니다. 하텐그라쥬를 공격한 자들 가운데 대호왕은 없어야 합니다. 그래야만 누님은 이 전쟁

이 끝난 이후에 이곳으로 다시 돌아올 수 있습니다.〉

〈륜. 우리는 이미 돌아와 있어.〉

륜은 주먹으로 입을 틀어막은 채 사모를 바라보았다. 사모는 무릎을 펴 일어났다. 그리고 주위를 둘러보며 닐렀다.

〈우리가 추방되듯 떠나와야 했던 낙원에 이렇게 돌아왔구나. 뼈를 얼리고 살갗을 딱딱하게 만드는 추위 대신 찬란한 햇빛이 종일토록 쏟아지고, 비탄을 불러일으키는 불모의 황야 대신 아름다운 나무들이 가득한 땅. 그림자 속에서도 춤추는 열기를 발견할 수 있고 밤은 침전하는 목향에 물드는 곳. 이곳이야말로 나가의 낙원이겠지.〉

사모는 고개를 가로저었다.

〈아냐. 그렇지 않아. 키보렌은 낙원이 아니야. 하지만 나는 낙원에 돌아와 있어.〉

〈갈라졌던 두 개의 칼날이 하나로 합쳐져……, 도대체 그게 무슨 니름입니까? 바라기요?〉

〈나를 읽은 모양이구나. 그렇다면 나도 그게 무슨 니름인지 모른다는 것도 알겠지. 하지만 대충은 알 것 같구나. 나는 너와 만난 것이 즐거워. 무엇보다도 즐거워. 네가 키보렌을 떠났을 때 나는 너를 쫓아 키보렌을 떠났어. 그리고 네가 북부를 떠났을 때 나는 다시 그곳을 떠나왔어. 세상의 어느 곳이 낙원이지? 낙원은 어디에 있지? 륜. 내가 낙원에 있다면 그건 네가 이곳에 있기 때문이야.〉

〈누님.〉

〈일어나, 륜. 일어나! 그렇게 무릎을 꿇고 나를 올려다보지 마. 내가 안을 수 있게 일어나.〉

륜은 일어났다.

사모는 천천히 그를 포옹했다.

그 포옹은 힘겨운 포옹이었으며 환희의 포옹이었다. 륜의 맥박은, 그 고동치는 심장의 느낌은 사모에게 낯선 것이다. 하지만 꼭 끌어안고 있을 때 서로의 맥박은 구분되지 않는다. 사모는 그것을 자신에게 없는 심장의 맥박으로 느꼈다. 온몸으로, 모든 정신으로. 사모는 느닷없이 오래된 추억으로 되돌아갔다. 적출을 받기 전의 그녀에겐 맥박이 있었다. 잠자리에 홀로 누웠을 때 귓가에서, 목에서, 아니, 어디인지도 알 수 없는, 안인지 밖인지조차 알 수 없는 곳에서 다가오던—멀어지던 심장의 고동. 맥박은 소리가 아니다. 사모는 다시 어려지는 것을 느꼈고 그것은 두려운 추락감이었다. 그래서 사모는 더욱 세게 륜을 끌어안았다. 그럴수록 륜의 맥박은 더욱 분명하게 느껴졌다.

옆이나 뒤를 볼 수 없는 사람들의 포옹은 슬프다. 가장 가까이 있지만, 그 순간부터 서로의 얼굴을 볼 수 없다. 가장 가까운 이별이다.

사모는 륜을 놓아주었다. 륜의 얼굴을 보기 위해서는 멀어져야 했다. 그 밀어냄이 사모의 근육에 일어나기 전부터 그것이 일어나리라는 것을 알고 있었지만 륜은 자신도 모르게 그 밀어냄에 잠깐 저항했다. 용인이 아니면 느낄 수 없는 짧은 저항이었다. 그리고 륜은 사모를 마주보았다.

〈누님.〉

〈자, 륜! 일단 다른 사람들과도 이야기를 해보자. 어쩌면 모든 사람들이 즐거워할 수 있는 내일을 찾아낼 방법이 있을지도 모르잖아?〉

륜은 어떤 반응도 떠올릴 수 없어 그저 미소를 지었다. 그 미소는 사모를 만족시키지는 않았지만 그녀를 안심하게 했다. 사모는 다시 한번 충동적으로 륜을 끌어안은 다음 재빨리 그를 놓아주었다. 륜은 그제야 수탐자들을 바라보았다.

티나한을 본 순간 륜은 웃음을 터뜨릴 뻔했다. 티나한은 가장 순박한 레콘의 욕망, 즉 무시무시하고 상대하기 어렵고 항상 경계해야 하는 존재로 보여지길 바라는 유치하지만 탓하기는 어려운 욕망을 그 어느 때보다 강하게 느끼고 있었다. 그리고 그런 욕망을 느끼는 것은 그 등에 업고 있는 아기 때문이었다. 륜은 물어보지 않고서도 그 아기가 모든 이보다 낮은 여신의 화신임을 알 수 있었다. 그리고 신생아가 태어날 때까지 기다려야 했기에 수탐이 길어졌다는 사실도 깨달았다. 신체가 아기일 거라 짐작하지 못한 것은 륜 또한 마찬가지였기에 륜은 수탐자들이 느꼈던 것과 같은 놀라움을 느꼈다. 그리고 륜은 티나한의 마음속 깊은 곳에서 흥미로운 경향을 발견했다. 거친 사내로 보여지고 싶다는 욕망과 등 뒤에 있는 화신의 존재가 결합되어 티나한의 마음속에서는 독창적인 욕망이 자라나고 있었다. 티나한 자신은 깨닫지 못하고 있었지만, 그는 자신이 살아 움직이는 제단으로 취급되길 바라고 있었다. 어쨌든 제단은 존경받는 것이니까. 륜은 언젠가 티나한의 기분이 우울할 때 사용하기 위해 그것을 기억해 두기로 했다. 그리고 유모나 보모에 관련한 농담은 절대로 꺼내서는 안 된다는 것도 즐거움 속에서 기억해 두었다.

륜은 티나한의 등 뒤에 있는 아기에 대해서는 그다지 주의를 기울이지 않았다. 그 아기는 시우쇠와 마찬가지로 륜이 읽을 수 없는 상대였다. 그 조그마한 모습에 담겨 있는 것은 모든 이보다 낮은 여신이었다. 그래서 륜은 비형에게로 시선을 옮겼다.

비형은 즐거워하고 있었다. 그리고 륜은 비형의 즐거움에 약간의 어색함을 느꼈다. 비형은 사모와 륜이 다시 만났다는 사실에 무조건적으로 기뻐하고 있었다. 그 기쁨은 남매의 재회 뒷면에 감춰진 무수한 이유들과 무수한 뒷이야기, 그리고 무수한 상황들을 단숨에 날려버리는 순수하고 거대한 기쁨이었다. 그의 기쁨 앞에서 륜이나 사모가 경험하고 느끼고 고려해야 하는 많은 상황들은 티끌처럼 가벼운 것이 되어 둥실 사라져버렸다. 그리고 그런 즐거움은 륜에게 완전히 반가운 것은 아니었다. 그런 고민들, 재회를 순수하게 기뻐할 수 없게 만드는 고민들도 모두 륜 자신의 일부였기 때문이다. 따라서 비형의 즐거움은 륜의 일부에 대한 부정이기도 했다.

하지만 륜은 고마워하기로 했다. 그리고 륜은 케이건을 돌아보았다.

륜은 눈이 멀어버릴 것 같은 충격을 느꼈다.

'어떻게……!'

륜은 케이건을 안다고 생각했다. 하지만 용인의 능력을 얻은 이후에 다시 만난 케이건은 그가 전혀 모르는, 그리고 앞으로도 알기 힘든 사람이었다. 케이건의 팔이 그리는 단순한 선은 수백 개의 사건의 총합이었다. 그리고 그 하나하나의 사건들은 한 사람의 생에 한두 번밖에 있기 어려운 사건들이었다. 케이건의 어깨가 뻗어가는 선은 감정의 단층선이었다. 그곳에는 지독한 시간의 무게에 짓눌려 원래 살아 움직였던 것들의 모호한 부호밖에 될 수 없는 것들이 드러나 있었다. 산 자의 어깨에 있을 수 없는 화석들이 그곳에 있었다. 케이건의 눈에 대해서 륜은 할 니름도 말도 없었다. 그는 그 눈을 오랫동안 보기도 어려웠다.

한 사람이 한 권의 책이라면, 케이건 드라카는 거대한 도서관이었다.

아스화리탈의 용근을 먹은 이후로 륜이 누군가를 읽을 수 없었던 것은 이것이 세 번째였다. 첫 번째는 시우쇠였고 두 번째는 아기였다. 그들은 화신이었고 사람의 눈으로 읽어낼 수 없는 존재였다. 그리고 륜은 케이건에게서 세 번째로 난독성을 발견했다. 하지만 그것은 시우쇠나 아기와는 다른 경우였다. 시우쇠와 아기가 읽을 수 없는 문자로 씌어진 책이라면, 케이건은 도서관이었다. 서가에서 책을 뽑아 읽듯 륜은 케이건의 무엇이라도 읽을 수 있었다. 하지만 그 전체를 알려면 한없이 긴 시간이 필요할 것이다. 그런데 케이건은 일부가 아닌 전체의 존재였다. 따라서, 무엇이든 읽을 수 있음에도 불구하고 륜은 여전히 케이건을 알 수 없었다. 사람들 사이에 두드러짐 없이 서 있지만 사람이라고 보기 힘든 난독성 존재. 륜이 케이건에 대해 내릴 수 있는 정의는 그것뿐이었다.

그 모든 관찰과 이해는 수탐자들을 죽 둘러보는 찰나의 시간에 이루어졌다. 륜이 관찰을 끝냈을 때 수탐자들은 뒤늦게 다가와 반가움을 표현했다. 그리고 그때쯤 아스화리탈의 뒤를 따라온 괄하이드 규리하와 라수 규리하, 북부군의 다른 장수들도 도착했다. 그들은 사모 페이가 왔다는 사실에 놀라고 당황했다. 라수는 원망마저 내비치는 표정으로 말했다.

"폐하. 어찌하여 이곳에 오신 겁니까."

사모는 가면 아래에서 웃었다. 그 웃음은 물론 라수에게는 보이지 않았다.

"짐이 아직 너희들의 왕이더냐? 너희들은 왕을 내팽개치는 것을 취미로 삼는 자들이더냐?"

"어떤 말로도 용서를 구할 수 없을 겁니다. 그리고 용서를 구하지도 않겠습니다.

폐하는 저희들의 뜻을 모르실 분이 아니십니다."

"그래. 너희들이 제멋대로 떠나서 제멋대로 죽어버리면 두 번째 너희들을 만들어내라는 것이지. 그건 어쩐지 너희들이 여자들에게 항상 요구하는 일 같구나."

라수는 못 말리겠다는 표정으로 대호왕을 바라보았다. 나가인 사모가 불신자의 태도를 비꼴 수 있다는 것은 그녀의 현명함을 드러낸다. 그리고 동시에 그들을 향한 그녀의 애정 또한 나타낸다. 관심이 없으면 알 수 없는 법이니까. 라수는 고개를 떨구었다. 류 페이에 대해 경계심을 품었던 그도 사모 페이에 대해서는 그런 것을 느낄 수 없었다. 기묘한 일이었다.

"무엇이 기다릴지 알 수 없는 목적지 대신 출발점에 희망을 남겨둔 제 소심함을 그렇게 표현하시면 저로선 변명할 말이 없습니다."

"짐이 네 희망이라면 너는 희망과 함께 목적지에 도달했다. 그리고 네 다른 희망도 너에게 도달했다. 두 번째 화신께서 너희들에게 오셨다."

라수는 반가움에 고개를 번쩍 치켜들었다. 그리고 다른 장수들도 수탐자들의 면면을 살폈다. 관찰을 끝낸 라수는 아무런 놀라움도 표현하지 않은 채 티나한의 등 뒤에 있는 아기를 가리켰다.

"논리적으로 본다면 저분이 모든 이보다 낮은 여신의 신체겠군요."

라수는 논리로 경악을 구축할 수 있었지만 다른 이들은 그렇지 못했다. 세미쿼 장군과 무핀토 장군은 기가 막힌 얼굴로 서로를 쳐다보았고 키타타 자보로 장군은 입을 벌린 채 뺨을 쓰다듬었다. 케이건은 고개를 끄덕인 다음 티나한에게 눈짓을 보냈다.

티나한은 아기를 등에서 내렸다. 아기를 품에 안으려던 티나한은 곧 생각을 바꿔 비형에게 건네었다. 비형은 히죽 웃고는 아기를 안아들었다. 케이건이 말했다.

"모든 이보다 낮은 여신의 신체였으며, 이름은 없습니다. 그리고 이제는 모든 이보다 낮은 여신의 화신이십니다."

라수는 여전히 놀라움 없는 얼굴로 무릎을 꿇었다. 뒤이어 괄하이드와 다른 장수들이 황급히 무릎을 꿇었다. 비형의 품에 안긴 채 그들을 죽 둘러보던 아기가 부리를 열었다.

"빛나는 아이들이 여기 모여 있구나. 로페산 삵쾡이 무핀토여. 사람들이 너를 얕은 자라 말하는 것에 지나치게 신경 쓰지 마라. 물론 너는 깊이가 있는 사내는 아니다. 하지만 깊이가 있는 사내는 깊이가 있는 사람을 좋아하는 사람들을 즐겁게 해준다는 것 외엔 이렇다 할 장점이 없다. 그런 자들을 천시할 필요가 없는 것과 비슷한 정도로 부러워할 필요도 없다. 키타타 자보로, 사라진 씨족의 말예여. 네 복수에 씨족들이 찬성해 줄 것인가를 걱정하지는 마라. 어떤 자들은 군자연하며 너에게 씨족들은 네가 살아남아서 다시 씨족을 번성시키기를 원할 거라고 말하겠지. 헛소리다. 죽은 자는 죽은 자다. 그런 말에는 늙은 자와 죽은 자를 우상으로 만들지 않으면 살 수 없을 정도로 삶을 무서워하는 나약한 것들의 소리 없는 절규가 배어 있다. 네 하고 싶은 것을 마음껏 하거라. 초저녁 방랑자 세미쿼여. 임신했다는 이유로 네가 가장 싫어하는 사람이 된 네 부인은 여섯 달 전 순산했다. 네 아내는 그 아기에게 네가 남겨준 이름을 붙여주지는 않았다."

세미쿼의 얼굴이 환해졌다. 그리고 오직 무핀토만이 그 이상한 반응을 이해했다. 세미쿼는 고의적으로 괴상한 이름을 남겨주었다. 그런 괴상한 이름을 붙이는 것을 피하려면 다른 사람이 이름을 붙여야 하는데, 그의 부족에서 그럴 자격이 있는 사람은 아내의 오빠뿐이었다. 그는 훌륭한 남자고 부족의 전통에 따라 자신이 이름을 붙여준 아이를 친자식과 똑같이 키울 것이다. 세미쿼는 그 사실에 만족했다. 하지만 세미쿼는 아기가 부족들만이 아는 별칭으로 자신을 불렀다는 사실에 놀랐다. 물론 그가 가장 놀란 것은 아기의 커다란 목소리였지만. 아기의 말이 계속되었다.

"규리하의 변경백 괄하이드여. 왕의 적과 싸울 수 있게 된 그대를 축하한다. 하지만 그렇다고 하여 과거의 전쟁들을 부끄러워할 필요는 없다. 네가 싸우는 데 있어 필요한 것은 대도 한 자루면 족하다. 그 대도가 누구의 것인지는 중요하지 않다. 라수 규리하여. 전우를 의심하지 않는다는 괄하이드의 말에 지나치게 신경 쓰지 마라. 그것은 전사인 네 형의 방식이다. 네 방식은 네 것이어야 한다."

504

라수는 고개를 들어 복잡한 시선으로 여신의 화신을 바라보았다. 그때 저편에서 불타는 목소리가 들려왔다.

"거기서 뭣들 하냐?"

사람들은 주춤거리며 고개를 돌렸다. 시우쇠가 그들을 향해 걸어오고 있었다. 시우쇠는 비형과 무릎을 꿇은 사람들을 번갈아 쳐다보더니 고개를 갸웃했다.

"저 도깨비를 왕으로 추대하는 거냐?"

사람들은 시우쇠의 엉뚱한 말에 당황했다. 라수가 똑바로 서서 설명했다.

"저희들은 모든 이보다 낮은 여신의 화신을 뵙고 경배를 드리는 중입니다."

"응? 모든 이보다 낮은 여신이 왔나? 어디에 있는데?"

"비형이, 여기 있는 도깨비가 안고 계신 분입니다."

시우쇠는 비형을 한 번 쳐다보고는 고개를 끄덕였다.

"그런가 보군. 뭘 안고 있는 것 같은 모습이군. 그런데 안겨 있다니, 아기인가 보지."

사람들은 시우쇠의 말이 의미하는 바에 당황했다. 그때 비형에게 안겨 있던 아기가 그들을 다시 놀라게 했다.

"라수. 누구를 향해 설명하는 거지? 시우쇠가 오기라도 했나?"

사람들은 경악한 표정으로 서로를 바라보았다. 케이건이 시우쇠를 향해 조심스럽게 말했다.

"시우쇠 님. 오래간만입니다. 저는 케이건입니다. 그런데 모든 이보다 낮은 여신을 보실 수 없으신 겁니까?"

"못 봐."

케이건은 고개를 홱 돌려 아기를 쳐다보았다. 아기는 씩 웃었다.

"시우쇠가 대답했니?"

케이건은 눈꺼풀을 꿈틀거렸다.

"그러면 듣지도 못하시는 겁니까?"

"그래. 못 들어."

그들은 그것을 믿을 수 없었다. 그들의 눈은 시우쇠와 아기 모두를 정확하게 포착할 수 있었다. 하지만 시우쇠와 아기는 서로를 보지도, 듣지도 못하며 마치 존재하지 않는 자에 대한 이야기를 하듯이 말하고 있었다.

그때 케이건이 문득 시모그라쥬에서 있었던 일을 떠올렸다. 그는 아기에게 질문했다.

"그래서 시우쇠 님은 고소리 의장을 통해 말을 전달하신 겁니까?"

"맞아. 나는 너를 보고 이야기를 나눌 수 있어. 그리고 시우쇠도 너와 똑같이 할 수 있고. 하지만 나와 시우쇠는 서로 그럴 수 없어. 저기쯤 있는 모양이군. 풀이 타고 있어."

타인을 통해서만 서로의 존재를 인지할 수 있는 두 신 사이에서, 사람들은 심한 당혹감을 느꼈다.

비아스는 몽롱한 기분 속에 자신의 발을 내려다보았다. 그녀의 눈에 들어오는 두 발은 몇 킬로미터 밖의 풍경처럼 느껴졌다. 그것은 너무 멀리 있었다. 그녀는 자신의 두 발에 의지를 전달할 방법이 없다는 느낌에 난처함을 느꼈다. 물론 분노 또한.

〈움직여, 이 도깨비 같은 발아! 움직이라고!〉

그녀의 니름에도 불구하고 두 발은 계단을 디딘 채 꼼짝도 하지 않았다. 묘하게도 그 발은 지루한 것처럼 보였다. 비아스의 정신 속 한 부분에서 누군가가 무턱대고 니르기 시작했다. 그녀의 정신 속에서 뛰쳐나온 그 참견꾼은 주의 깊은 세리스마가 또다시 심장탑 아래 쪽을 무더운 공기로 가득 채우고 있다는 것, 그 뜨거운 공기에 노출된 비아스 마케로우가 제대로 사고할 수도 없는 상태에 빠졌다는 것, 그리고 그것은 착각에 불과할 뿐 실제로 그녀의 신경과 근육은 정상적으로 반응하고 있으며, 그녀는 언제라도 자신의 두 발을 움직일 수 있다는 사실 등을 요란하게 닐렀다. 비아스는 경외감마저 느끼며 그 니름들을 경청했다. 그 니름들은 그럴듯하게 들렸다. 특히 그녀의 마음에 들었던 것은 그 마지막 주장이었다. 비아스는 그 주장을 따르고자 마음먹었다. 하지만 다시 내려다본 그녀의 두 발은 어처구니없을 정도로 멀게만 느껴졌다. 눈으로 보이는 사실을 직면한 비아스는 그 주장을 의심했다. '내가 어떻게 저 발을 움직일 수 있다는 거지? 저렇게 멀리 있는 것을!' 비아스는 그것이 니름도 안 된다고 생각했다.

허리가 아파왔다. 비아스는 어렴풋하게 자신에게 허리라는 것이 있음을 떠올렸다. 하지만 그 부분이 왜 아픈 것인지 알 수 없었다. 비아스는 자신의 통증을 먼 지방의 모호한 풍문처럼 인식했다. 수다스러운 참견꾼이 다시 닐렀다. 그 참견꾼은 오랫동안 꼼짝도 하지 않고 서 있어서 허리가 아픈 것이며 따라서 그녀에게 필요한 것은 바닥에 앉아 몸을 편하게 하는 것이라고 조언했다. 비아스는 이제 그 참견꾼을 도저히 믿을 수 없다고 생각했다. '조금 전에는 걸으라고 하더니 이번에는 앉으라고 하는군.' 비아스는 현 상황이 세리스마가 일으킨 일이라는 것도 믿을 수 없게 되었다.

'이 모든 일은 틀림없이 화리트가 꾸민 일일 거야. 아니, 카린돌인가? 그렇잖으면 냉동 장치에 들어가 있는 소메로인가? 그럴 가능성이 높군. 화리트는 유벡스가 산산조각냈으니까. 그리고 카린돌일 리도 없어. 카린돌은 가주가 되었잖아. 그렇다면 냉동 장치에 들어가 있는 소메로야.'

비아스는 자신의 추리에 매료되었다. 그녀는 정말 탁월한 추리가였다.

열이 계속해서 그녀의 몸속으로 침투했다. 비아스는 뜨거워진 내장이 피부 아래로 비쳐보이지 않을까 생각했다. 끔찍하게 더운 날씨였다. 칭찬을 받고 싶었던 비아스는 그 뜨거운 날씨에 대해 추리했다.

'여러분. 날씨가 이렇게 더운 이유는 분명합니다. 그것은 수호자들이 여신의 이름을 훔쳤기 때문입니다. 모두들 잘 아시다시피 바람은 아래로 떨어지는 물로 대지와 대화하고 땅은 위로 치솟는 불로 바람과 대화합니다. 물은 아래로, 불은 위로. 그것은 더할 나위 없이 분명한 사실입니다. 그런데 수호자들이 여신의 이름을 훔쳤기 때문에 바람은 대화하는 법을 잊었습니다. 우주적 대화가 중단된 겁니다. 대화는 계속되어야 하고 땅은 계속해서 불을 토합니다. 날씨가 이렇게 더워진 이유

는 바로 그것입니다. 감사합니다.'

모든 것은 수호자의 잘못이었다. 비아스는 골치 아픈 상황을 간단하게 해명한 자신에게 스스로 찬사를 보냈다. 모조리, 몽땅, 전부 다 수호자의 잘못이었다.

'그것들을 모두 찢어 죽여야 해.'

그러기 위해선 움직여야 한다. 비아스는 자신의 두 발을 내려다보며 다시 한번 움직이라고 닐러보았다. 그러나 두 발은 꼼짝도 하지 않았다. 더위는 지독했다. 계단과 복도를 가득 메운 무겁고 뜨겁고 끈끈한 공기는 오래된 저주 같았다. 비아스는 자신의 발에 대해 명령하는 것을 그만뒀다.

오른발이 움직였다.

비아스는 놀라는 것과 비슷한 감정을 느끼며 그 발을 바라보았다. 그녀의 오른발은 한 계단을 올라가 윗계단을 딛고 있었다. 비아스는 어떻게 해서 그런 일이 일어났는지 생각했다. 움직이라고 명령하는 것을 그만두자 그런 일이 일어났다는 것을 떠올린 비아스는 한 번 더 같은 일을 시도해 보았다.

유감스럽게도, 오른발이 또다시 움직였다.

왼발이 움직여야 할 차례에 오른발이 움직이는 바람에 비아스는 균형을 잃었다. 오른발이 다음 계단을 디딘 순간 그녀의 몸이 서서히 오른쪽으로 기울다가 벽에 부딪쳤다.

비아스는 벽에 몸의 오른쪽 부분을 댄 채 왼발을 내려다보았다. 왼발을 움직이는 방법이 무엇인지 알 수 없었다. 게다가 지금처럼 벽에 몸을 기댄 채 왼발을 움직이려 하면 아래로 굴러떨어질 위험까지 있었다. 비아스는 먼저 벽에 기대고 있는 상반신을 똑바로 세우려 했다.

왼발이 움직였다.

가까스로 미끄러지는 대신—비늘의 마찰력이 도움이 되었다.—비아스는 몸을 벽에 기댄 채 왼발을 다음 계단으로 옮겨놓을 수 있었다. 이제 오른발은 두 계단, 왼발은 한 계단을 올라간 채 비아스는 벽에 기대어 서 있었다. 비아스는 뭔가 진전이 일어났다고 생각하기로 했다. 이제 벽을 기대고 있는 몸을 똑바로 세울 방법만 찾아내면 될 것이다.

뜨거운 공기에 돌벽이 서서히 달궈지고 있었다. 비늘이 설 만큼 뜨거운 날씨에 비아스는 졸음을 느꼈다. 도대체 어떻게 하면 상반신을 움직일 수 있을까. 그 사실에 대해 고민하던 비아스는 어느새 잠에 빠져들었다.

북부군 병사들은 바쁜 일이 있는 척하며 걸어가면서, 혹은 아예 뻔뻔하게 나무들 사이에 서서 공터를 바라보았다. 하지만 대단한 풍경을 보지는 못했다. 공터 주위에는 스물두 명의 금군이 서 있었고 병사들이 보고 싶었던 것은 그 두억시니들의 안쪽에 있었기 때문이다. 하지만 병사들은 미련을 버리지 못한 채 계속 시선의 각도를 바꿨다. 그들 중에는 베미온 굴도하도 포함되어 있었다. 베미온은 계속 공터로 나가고 싶어했지만 키타타 자보로가 그를 계속 달래며 안으로 들어가지 못하도록 하고 있었다.

베미온이 다가가고 싶어하는 곳, 두억시니들의 안쪽에는 모두 아홉의 존재들이 앉아 있었다. 시우쇠, 아기, 페이 남매, 수탐자들, 그리고 규리하 사촌형제들이었다. 아기를 제외한 다른 모든 자들의 시선은 케이건의 배낭에 집중되어 있었다. 비형에게 안겨 있는 아기는 어디에도 시선을 맞추지 않았지만 케이건은 그녀가 바라보는 것이나 다름없다고 생각하며 배낭을 열었다. 그리고 그 안에서 접시를 꺼냈다.

접시를 본 티나한은 화가 치미는 것을 느끼며 몸을 부풀렸다. 케이건은 풀밭에 접시를 내려놓으며 말했다.

"여신께서 이곳으로 오자고 하셨습니다. 아무래도 아기의 몸이다 보니 누군가가 저분을 이곳까지 데려오기는 해야 했습니다. 그렇지만 그보다 저희들은 이 접시에 대해 질문하기 위해 찾아왔습니다. 이제 두 분의 화신을 찾아내었습니다만, 세 번째 화신을 찾기 위해서는 이 접시가 깨져야 합니다. 그런데 깨지지가 않습니다."

케이건의 말을 듣던 시우쇠는 턱을 긁적거리며 말했다.

"안 깨진다고?"

"예. 온갖 방법으로 깨어보려 애썼습니다만 깨지지가 않았습니다. 어떻게 된 일입니까?"

"몰라."

케이건은 눈을 크게 뜬 채 시우쇠를 바라보았다. 다른 자들도 경악한 얼굴로 시우쇠를 바라보았다. 하지만 시우쇠는 한가로운 태도로 반복했다.

"모른다고. 하지만 뭐 상관없겠지."

"상관없다니요. 요스비는 셋만이 하나를 상대한다고 했습니다. 그런데……."

"너희들 도착하기를 기다리다 지쳐버린 라수가 지금 가진 것만으로 발자국 없는 여신을 구출하기로 결정한 지 오래니까."

케이건은 라수를 돌아보았다. 라수는 조심스럽게 말했다.

"틀린 말씀은 아닙니다. 예. 저는 더 견디기 어려웠고 그래서 수탐자들을 기다리는 대신 이곳까지 진격해 왔습니다. 행운이 겹쳤는지 그렇지 않으면 아직 불운이 찾아오지 않은 것에 불과한 것인지 모르겠습니다만 어쨌든 저희들은 이곳 하텐그라쥬 근방까지 오는 데 성공했습니다. 하지만 저곳에는 일흔한 명의 수호 장군들이 있습니다. 그들을 상대하는 것이 쉽지는 않을 겁니다. 세 번째 화신이 얼마나 가까이 있을지는 알 수 없지만, 혹 북부군에 포함되어 있을지도 모르는 일이니, 이왕이면 세 번째 화신을 찾아내면 좋겠군요."

시우쇠는 무슨 소리냐는 표정으로 라수를 바라보았다.

"목표가 그자들은 아니잖아."

"예?"

"북부군의 목표는 수호 장군들을 다 때려잡는 것이 아니잖아. 발자국 없는 여신을 구출하는 것 아냐?"

"어, 물론 그렇습니다만 그러려면 하텐그라쥬를 점령해야 합니다."

"나는 그렇게 생각 안 해."

"다른 방법이 있습니까?"

"아기에게 물어봐."

시우쇠도 아기라는 호칭을 사용했다. 라수는 미심쩍은 표정으로 비형의 무릎을 바라보았다. 그러나 라수가 질문을 꺼내기 전에 케이건이 약한 탄성을 질렀다.

"그렇군요. 여신께서는…… 그런 것입니까?"

케이건의 질문에 시우쇠는 어깨를 으쓱였다. 케이건은 비형의 무릎으로 얼굴을 돌렸다. 시우쇠의 말을 듣지 못하는 아기는 잠자코 케이건을 마주보며 그의 말을 기다렸다. 두 신의 서로에 대한 기이한 불가지성에 대해 또다시 놀라움을 느끼며 케이건은 말했다.

"여신님. 시우쇠 님은 왜 접시가 깨지지 않는 것인지 모르겠다고 하셨습니다. 하지만 그분은 저희들의 목표가 나가들과 싸우는 것이 아니라 발자국 없는 여신을 구출하는 것에 있다고 지적하셨습니다. 그리고 당신에게 그 방법에 대해 물어보라고 하셨습니다. 그런데 저희들이 최후의 대장간에서 이곳 하텐그라쥬까지 상상할 수 없을 만큼 빠른 속도로 이동해 온 사실을 생각해 본다면, 같은 일이 이곳에서 심장탑까지도 이루어질 수 있을 것이라고 추측됩니다."

"맞아. 그렇게 할 수 있어."

이번에는 비형과 티나한이 탄성을 질렀다. 그리고 그들을 읽은 륜 또한 상황을 이해했다. 괄하이드는 영문을 모르겠다는 표정을 지은 채 말했다.

"뭔가 좋은 일이 있는 모양이군. 상상도 할 수 없이 빠른 속도로 이동한다니, 그게 무슨 말이오?"

케이건은 대답했다.

"우리 목표는 결국 심장탑 안의 어딘가에 감금되어 있는 발자국 없는 여신의 신체를 해방하는 것입니다. 그렇게 하려면 누군가가 심장탑으로 들어가야 하지요. 그런데 여신께서 함께 계시면 우리는 무지무지한 속도로 움직일 수 있습니다. 그 속도는 너무 빨라서 다른 사람들이 제대로 볼 수도 없을 정도입니다. 간단히 말해서, 우리는 그냥 심장탑으로 다가가서 여신을 구출하면 됩니다. 나가들은 우리를 방해할 수 없습니다."

라수가 비명 같은 환호를 내질렀다. 괄하이드 또한 믿을 수 없다는 표정으로 아기와 시우쇠를 번갈아 쳐다보다가 아기에게 질문했다.

"그렇다면, 그렇다면 저기 있는 자들과는 안 싸워도 되는 겁니까?"

"그럴 필요 없어. 필요한 인원은 얼마 안 돼. 일단 나와 시우쇠가 가야 해. 그리고 나를 업을 자가 필요하겠군. 나와 시우쇠의 의사 소통을 도와줄 사람도 있어야겠고. 역시 수탐자 일행이 좋겠어. 그들이 동의해 준다면, 나와 시우쇠, 그리고 세 명의 수탐자들이 심장탑으로 돌진해서 여신을 구출하겠어. 그러면 끝이야."

괄하이드는 이런 행운에 대해 예감한 적조차 없었다. 그는 웃음을 터뜨렸다.

"허무할 정도로 간단하군요. 그렇다면……."

괄하이드는 말을 끊었다. 그리고 불안감을 느끼며 라수를 바라보았다. 그리고 괄하이드는 자신의 불안이 적중했음을 알게 되었다. 조금 전에 그가 들었던 것은 환호가 아니었다. 그것은 끔찍한 절규였다.

라수는 부들부들 떨며 땅을 내려다보고 있었다. 아기는 조금 전 키보렌 침입이 불필요한 행동이었다고 가르쳐준 것이다. 만약 그 사실을 보다 빨리 알았더라면 라수는 그저 두 번째 화신의 도착을 기다렸다가 수탐자들과 함께 키보렌으로 파견했을 것이다. 무수한 자들을 사지로 이끌고 들어올 필요도, 그리고 페로그라쥬와 악타그라쥬를 파괴할 필요도 없었다. 그저 기다리기만 해도 되었을 것을.

륜은 라수가 느끼는 모든 좌절감과 자기혐오를 완벽하게 읽을 수 있는 유일한 사람이었다. 하지만 다른 자들 또한 정도의 차이는 있지만 모두들 라수의 비참한 심정을 느꼈다. 라수는 입술을 떨며 말했다.

"저는 제왕병자들과 같은 짓을 저질렀군요."

"라수."

괄하이드의 조심스러운 말은 라수의 고개를 들어올리지 못했다. 라수는 여전히 고개를 떨군 채 말했다.

"왕의 귀환을 기다릴 수 없어서 스스로 왕이 되어버린 그 얼간이들의 짓을, 바로 제가 저지른 것이군요. 여신을 구출할 자들의 도착을 기다리면 되었을 것을. 스스로 여신의 구출자가 되어버리려 결심하다니. 이 엄청난 오만은 결국 끔찍한 피를 부른 헛소동을 일으켰군요."

여신이 말했다.

"라수. 그만둬라."

라수는 고개를 들어 아기를 바라보았다. 아기는 그에게 시선을 맞추지 않은 채 말했다.

"영웅왕은 결국 망해 버릴 나라를 세운 거냐? 극연왕은 결국 사토 속에 묻혀버리릴 길을 건설한 거냐? 너는 세상을 비웃으며 입매가 매서운 학자로 살았다. 그것은 세상 속으로 나가기 두려웠던 네가 선택한 타협안이고 다른 누구의 것도 아닌 네 방식이니 누가 너를 탓하겠느냐. 결국 끝까지 그 타협안을 지킬 수 없어 세상에 나왔지만 얻는 건 실패와 좌절뿐이니 실망할 수도 있겠지. 그래서 몸에 기름칠하고 죽어버리려고까지 했지. 그만둬라. 실패도 네 실패고 좌절도 네 좌절이라는 것을 인정해라."

"그 때문에 너무 많은 자들이 죽었습니다."

"그건 그자들의 것이다."

"하지만 그자들은 저를 믿었습니다!"

"그 희망은 그들의 것이지. 그 희망을 배신했다면 모르겠지만 너는 네가 할 수 있는 것들을 최선을 다해 수행했다. 그것이 결국 헛소동이라 하더라도 부족한 정보에서 비롯된 헛소동인데 누가 너를 탓하겠느냐?"

"페로그라쥬와 악타그라쥬의 사람들은 어떻게 해야 합니까? 그들은 죽을 필요가 없었습니다."

시우쇠가 라수의 질문에 대답했다.

"흥! 죽을 필요가 있어서 죽는 사람도 있느냐? 삶을 인정한다는 것은 삶의 기쁨이니 행복이니 하는 것들만 취사 선택하여 인정한다는 것이 아니다. 급작스러운 사고와 황당한 죽음도 모두 인정한다는 것이다. 윷가락 네 개는 한꺼번에 던져져야 한다. 그중에서 배를 보이는 것, 혹은 등을 보이는 것만을 인정하겠다는 것은 윷놀이를 할 줄 모르는 자의 말이다. 페로그라쥬 사람들과 악타그라쥬 사람들이 분노한다면, 그놈들은 놀 줄 모르는 자들이다. 그런 얼간이들에겐 신경 쓰지 않아도 된다."

라수는 시우쇠를 돌아보았다. 그의 두 눈이 갑작스러운 적개심으로 불탔다.

"당신은 알고 있었지요?"

"뭘 말이냐?"

"제가 여신의 도착을 기다리기만 하면 된다는 것을, 공연히 북부군을 이끌고 죽음의 길로 들어서지 않아도 된다는 것을! 하지만 그 모든 사실을 알면서도 당신은 잔인하게도 나를……."

시우쇠는 노호했다.

"이 빌어먹을 자식아! 그러면 내가 모든 선택의 기로에 선 사람들 앞에 나타나서 이 길로 가라, 혹은 저 길로 가라고 가르쳐줘야 된다는 거냐? 나는 그러지 않아! 너 정말 끝까지 살 줄 모르는 놈처럼 굴 테냐!"

라수는 입을 다물었다. 하지만 그의 얼굴은 여전히 의혹과 분노로 가득했다. 비형과 티나한도 라수의 심정에 어느 정도 동의했기에 침중한 표정을 지어보였다. 비형의 무릎에 있던 아기가 나직하게 말했다.

"라수. 시우쇠가 무슨 대답을 했는지 모르겠지만 그 성격이 있으니 좋은 말을 하지 않았을 수 있겠지. 그러니 네가 이미 들었던 말일 수도 있는 말을 해주겠다. 시우쇠는 내가 언제 도착할지 알 수 없었다. 너희들도 이제 알게 되었듯이 우리는 서로를 느낄 수 없으니까. 시우쇠는 너에게 언제가 될지 모르겠지만 좋은 방법이 있으니 영원히 기다리라고 말할 수는 없었겠지. 그건 죽으면 평안을 얻을 테니 빨리 죽으라고 하는 말과 별로 다를 것이 없다. 그렇게 말하는 대신 시우쇠는 네가 네 방식으로 살도록 내버려뒀다. 신에게 살도록 내버려뒀다고 화내지 마라."

아기의 말은 라수를 진정시켰다. 분노가 완전히 사라지지는 않은 상태에서 라수는 거칠게 말했다.

"그러면 빨리 이 희극을 끝내기를 부탁하는 것은 상관없겠습니까? 최소한, 이제

이 짓이 희극이 된 것만은 분명한 것 같으니까요."

"그래. 알겠다. 수탐자들의 대답을 듣고 싶구나. 케이건. 나와 함께 가겠느냐?"

케이건은 말 없이 고개를 끄덕였다. 비형 또한 찬성을 보냈고 티나한은 자신의 철창을 들어보였다. 시우쇠는 자리에서 벌떡 일어났다.

"가자!"

수탐자들과 페이 남매, 그리고 규리하 형제들은 당황했다. 그들은 이렇게 빨리 시작될 줄은 몰랐다. 하지만 필요한 인원들이 모두 갖춰진 마당에 더 이상 시간을 끌 필요가 없는 것은 분명했다. 티나한은 아기를 다시 등에 업었다. 아기는 티나한의 등에서 말했다.

"라수. 네가 저지른 일들이 모두 할 필요가 없는 무의미한 짓들이었다고 느끼지 말기를 부탁했다. 그리고 앞으로 할 일도."

"제가 무슨 일을 해야 합니까?"

"시우쇠와 내가 출발하면 너는 이곳을 떠나거라. 북부로 돌아가거라."

"이곳까지 와서…… 하텐그라쥬까지 와서 그냥 되돌아가는 것이군요."

"산 정상에 선 자들이 항상 하는 일이다. 그들은 도로 내려가지."

라수는 힘없이 웃었다. 아기는 부드럽게 말했다.

"돌아가는 일이 쉽지는 않을 것이다. 우리가 성공하면 수호 장군들이 힘을 잃을 테니 나가들 또한 전력을 상실할 것이다. 하지만 너에게는 시우쇠가 없다. 륜 또한 용인의 예민함은 여전히 가지겠지만 여신의 힘은 잃게 된다. 그러니 돌아가는 일이 쉽지는 않을 것이다. 어느 때보다도 북부군은 너를 필요로 한다. 우리가 떠나자마자 조속히 회군하거라. 우리는 너희들이 이곳을 떠나는 것을 돕기 위해 곧장 심장탑으로 가는 대신 저곳에 있는 자들에게 몇 가지 조치를 취하겠다. 지금부터 얼마 동안 하텐그라쥬에 주둔하고 있는 나가 군단들과 수호 장군들은 꽤 정신 없는 시간을 보내게 될 것이다. 그 틈을 타서 출발하여라."

사모가 질문했다.

"저희들은 여러분을 다시 볼 수 없는 겁니까?"

"아마도 다시 볼 수 있겠지만 그때는 다른 자들일 것이다. 일이 끝나면 우리는 전령할 것이고, 그러면 다시 만나게 될 때 너희들은 시우쇠라는 이름의 도깨비와 아직 이름이 없는 레콘의 아기를 볼 것이다."

"수탐자들은 어떻게 됩니까?"

"물론 수탐자도 더 이상 수탐자가 아니게 되겠지. 벌써 그렇지 않느냐? 그들은 이제 구출대다."

그 오래된 이름에 티나한은 웃음을 터뜨렸다. 비형 또한 즐거워하며 나늬를 불러들였다. 준비가 갖춰지자 이제 구출대가 된 수탐자들은 왕에게 인사를 보냈다. 그리고 아기는 출발을 명령했다.

구출대와 두 명의 화신은 눈깜빡할 사이에 사라졌다.

사모 페이와 괄하이드 규리하, 그리고 라수 규리하는 놀란 표정으로 주위를 둘러보았다. 어디에도 그들은 보이지 않았다. 그들의 시선이 륜에게 돌아갔을 때 륜은 놀란 표정으로 말했다.

"놀랍군요. 수탐자들의 물은……, 도무지 따라갈 수 없을 정도로 빠르게 움직입니다. 그들은 벌써 나가 진지 근처에 도달했습니다. 지금 잠시 멈췄는데…… 아마도 뭔가 상의 중인 듯합니다."

사모는 고개를 끄덕였다.

"그렇다면 우리도 서둘러야겠군. 대장군! 상장군! 회군 준비를 서두르시오."

괄하이드와 라수는 황급히 떠났다. 잠시 두억시니들 가운데 서서 사모는 생각에 잠긴 표정으로 땅을 바라보다가 륜에게 닐렀다.

〈나는 케이건 드라카에게 너를 북부까지 안전하게 데려가 달라고 부탁했어. 내가 너와 함께 가게 될 줄은 몰랐어. 그런데 이렇게 되었구나. 정말 기쁘군. 그런데 니름이야,〉

〈이곳에 남는 것 니름이십니까?〉

사모는 미소 지었다.

〈북부군은 고향으로 돌아가야겠지. 하지만 우리들의 고향은 여기잖아. 나는 전

쟁이 모두 끝난 후에 네가 이곳으로 돌아오길 바랐어.〉

〈저는 누님이 돌아오길 원했습니다.〉

〈그럼, 두 사람의 소망이 모두 이루어진 셈이군?〉

〈예…… 하지만 지금 당장은 북부군과 함께 돌아가는 편이 나을 것 같습니다. 나가들에게는 자신이 일으킨 일을 돌이켜보고 자신을 정리할 시간이 필요합니다.〉

〈우리가 그것을 도와줄 수 있을지도 모르지.〉

〈그렇다 해도 저는 떠나야 합니다. 저는 페로그라쥬와 악타그라쥬의 파괴자입니다. 누님은 그 가면을 벗으시면 더 이상 대호왕이 아니지만, 제 경우에는 그럴 수가 없습니다. 저는 누님 곁에 있을 수 없습니다. 니른 대로 그들이 좀 더 침착해질 수 있게 되면, 그때 돌아오겠습니다.〉

사모는 거절했다.

〈아니. 그렇다면 나도 가겠어.〉

〈누님은 그러실 필요가 없습니다. 그 가면만 벗으면…….〉

〈싫어. 너를 북부로 보내고 이곳에 남아 있고 싶지는 않아. 함께 가자. 그리고 돌아올 때도 함께. 네 적출식, 쇼자인테쉬크톨, 그리고 전쟁. 그 모든 것들에서 우리는 항상 이별을 준비해야 했어. 이제 정말이지 이별을 준비하는 일은 싫어.〉

〈누님. 누님은 제가…….〉

〈응? 아, 그래. 나를 읽었군. 그래. 홀로 북부에 남아 있는 너는 나가들과 혈투를 벌였던 자들에게 둘러싸여 있게 될 테지. 그러면 안 돼. 네 곁에는 나가가 한 명 있어야 해.〉

류은 자신의 감정을 어떻게 표현해야 할지 알 수 없었다. 문득 류은 두억시니들 저편에서 다가오고 싶어하는 베미온 굴도하를 느꼈다. 지금까지 그를 보살피던 키타타 자보로도 회군 준비를 하느라 떠난 후였고 그래서 그는 홀로 있었다. 류은 미소 지으며 베미온에게 손짓했다. 달려오는 베미온을 보며 류은 침착하게 니른다.

〈혼자는 외롭지요.〉

〈그래.〉

〈감사합니다. 누님.〉

〈고맙다는 말은 필요 없어.〉

류은 사모의 얼굴을 똑바로 바라보기가 어색하다고 생각했다. 그래서 그는 베미온을 바라보았다. 그런데 베미온은 달려오지 않았다. 베미온은 공터 중간쯤에 선 채 멍한 표정으로 하늘을 바라보고 있었다. 류은 의아해하며 하늘을 탐색했다. 그리고 곧 고개를 휙 돌려 두 눈으로 하늘을 쳐다보았다. 류의 행동에 놀란 사모 또한 고개를 들어 하늘을 쳐다보았다.

거대한 하늘치가 그들의 머리 위로 다가오고 있었다.

남매는 놀란 표정으로 그것을 바라보았다. 모든 하늘치는 바라보는 것만으로 가장 냉철한 관찰자조차 경악시킬 수 있다. 하지만 지금 그들의 머리 위로 다가오는 하늘치의 모습은 경악 이상의 것이었다. 그것은 믿을 수 없을 정도로 낮게 날아오고 있었다. 아니, 높은 하늘에서 서서히 경사를 그리며 낮게 내려오고 있었다. 하늘치가 지금의 움직임을 계속 유지할 경우 그것은 정확히 그들의 머리 위에 내려서게 될 것이다. 사모는 언젠가 파름 평원에서 보았던 참상을 떠올리며 비늘을 세웠다. 그리고 류은 사모의 기억을 느끼며 그 광경을 공유했다. 파름 평원의 생존자들인 스물두 명의 두억시니들은 혼란에 빠져 괴성을 내질렀다. 숲 저편에서는 북부군이 내지르는 것이 분명한 비명들도 들려왔다. 류은 니름과 말로 동시에 외쳤다.

"〈아스화리탈!〉"

아스화리탈이 공터 저편의 숲에서 머리를 내밀었다. 류은 지체 없이 그쪽으로 달려가려 했다. 그러나 그때 사모가 그를 제지했다.

〈잠깐. 류. 내려올 생각이 아닌 것 같은데.〉

류은 다시 하늘을 쳐다보았다. 하늘치가 그리던 강하의 궤도가 완만해지고 있었다. 그 비늘 서는 크기 때문에 여전히 두려울 정도로 위압적이었지만 류은 용인의 모든 감각을 통해 하늘치가 곧 그들의 상공 200미터 지점에서 지상과 수평을 그리게 될 것이라는 것을 깨달았다. 류은 그 움직임을 이해할 수 없었다. 그때 누군가가 그의 손을 붙잡았다. 륜은 아래를 내려다보았다.

베미온 굴도하가 그의 손을 꼭 붙잡고 있었다. 륜은 그가 떨고 있다는 것을 깨닫고는 억지로 미소를 지었다. 베미온을 위한 미소였지만 륜은 자신의 공포도 가시는 것을 느꼈다. 륜은 한 번 더 미소를 지었다. 그러고는 다른 손을 뻗었다. 사모는 륜이 자신의 손을 쥐는 것을 느끼고는 그를 돌아보았다. 륜의 미소를 본 사모는 의아한 얼굴이 되었다.

륜은 다시 하늘을 바라보았다.

하늘치는 이제 수평 궤도에 접어들었다. 그리고 갑자기 그것의 움직임이 완만해졌다. 그것은 정확하게 그들의 머리 위에서 멈췄다.

서로 손을 맞잡은 세 사람은 아직 완전히 가시지는 않은 두려움 속에서 하늘치를 응시했다.

그리고 세 사람은 갑자기 서로를 쳐다보았다. 사모가 먼저 닐렀다.

〈너도 본 것이군?〉

〈누님도 보셨습니까?〉

질문을 통해 서로의 관찰을 확인한 그들은, 그러나 여전히 믿을 수 없다는 심정으로 하늘을 바라보았다. 그런 광경은 쉽게 받아들일 수 있는 것이 아니었다. 하늘치의 등에서부터 누군가가 걸어내려온다는 것은, 그것도 마치 그곳에 눈에 보이지 않는 계단이 있는 것처럼 터벅터벅 걸어 내려온다는 것은 도무지 상식적이지가 못했다. 아니, 터벅터벅이라는 표현은 정확하지 않았다. 그 사람은 계단을 내려오는 가장 빠른 동작으로 내려오고 있었다. 하지만 높이가 거의 200미터였기에 그 동작은 꽤 오랫동안 계속되어야 했다.

갑자기 륜은 그들을 향해 걸어 내려오는 자가 눈에 익은 자임을 깨달았다. 거의 비슷한 시기에 사모 또한 그자의 정체를 깨달았다. 그래서 남매는 동시에 같은 이름을 닐렀다.

〈오레놀 대덕?〉

오레놀 대덕의 움직임을 관찰한 두 사람은 그가 달리다시피 걸어 내려오는 그

가상의 계단이 그들에게서 조금 떨어진 숲에서 땅에 닿게 된다는 것을 깨달았다. 두 사람은 서로를 쳐다보고는 베미온과 함께 곧 그쪽을 향해 달려갔다.

나가 병사들을 바라보던 케이건은 갑자기 고개를 돌려 아기를 쳐다보았다. 그는 눈을 부릅뜬 채 말했다.

"어떻게 된 겁니까?"

비형과 티나한은 황급히 병사들을 바라보았다. 그들은 케이건이 병사들의 모습에서 어떤 의문의 소지를 발견했는지 알 수 없었기에 그것을 찾아보기 위해 주의를 기울였다.

두 화신과 수탐자들, 그리고 나늬는 언덕 위에 엎드린 채 나가들을 내려다보고 있었다. 그들이 있는 언덕은 노출된 땅이었고 비형은 케이건의 지시를 따라 주위를 뜨거운 도깨비불로 감싸 그들의 모습 전부를 언덕 위에 있는 뜨거운 바위 정도로 보이게 했다. 근방의 지리에 익숙한 자가 알아볼 가능성은 별로 없었다. 그들모두가 엎드려 있었기 때문에 비형이 만들어낸 가짜 바위의 모습도 그렇게 크지않았다. 그리고 시우쇠가 일으킨 불과 수호 장군들이 끌어들인 홍수에 의해 지형이 꽤 바뀌어 있었기 때문에 언덕 위에 갑자기 드러난 바위는 주의 깊은 사람이 아니면 깨닫기 어려운 것이었다. 그래서 티나한은 도깨비불의 뜨거움을 감수할 만한 것으로 여기며 눈을 부릅 뜬 채 도깨비불 너머로 하텐그라쥬를 내려다보았다.

나가 군단의 모습은 분주했다. 그들은 시우쇠가 일으킨 불에 의해 타버린 나무들을 이용하여 목책과 방벽을 건설하고 있었다. 기병의 돌격을 저지하기 위한 것임이 분명했다. 수비전을 계획하는 것이라면 그것은 일견 합리적이다. 북부군은 장기전을 수행할 능력이 없기 때문이다. 하지만 자연력이 '자연스럽게' 일어나 정면으로 격돌하는 이런 전쟁에서 그런 노력은 쓸모없는 짓으로 보이기도 했다. 티나한과 비형은 케이건이 나가들의 그런 태도를 이상하게 여긴 것이라고 생각했다. 하지만 케이건의 질문은 나가에 대한 것이 아니었다.

"우리가 어떻게 이곳에 온 겁니까?"

비형이 당황하여 말했다.

"케이건. 무슨 말이에요? 우리는 여신님의 능력으로 바람같이 이곳에 온 것 아닙니까?"

"나는 수단이 아니라 목적을 말하는 거요. 아무래도 내가 길잡이 맞나 보군. 나는 어떻게 우리가 시우쇠 님에게 온 것이냐고 질문했소."

비형은 어리둥절하여 티나한을 바라보았고 티나한은 그 시선을 어깨 너머로 돌려보냈다. 티나한의 등 뒤에 있었기 때문에 아기 또한 엎드린 모습을 하고 있어야 했다. 아기는 부리를 닫은 채 케이건을 바라보았다. 케이건이 말했다.

"조금 전에 깨달았습니다. 우리는 이곳에 올 수 없습니다."

"하지만 왔잖아?"

"그럴 수가 없습니다!"

케이건은 목소리를 조금도 낮추지 않았다. 그는 나가들이 자신의 목소리를 들을 리가 없다는 것을 잘 알고 있었다. 하지만 긴장한 티나한의 깃털이 부풀어오르는 것은 문제가 될 수 있었다. 케이건은 그에게 주의 어린 눈빛을 준 다음 다시 아기에게 말했다.

"카시다 암각문 앞에서 저는 당신에게 질문을 했습니다. 시우쇠 님을 찾아내려면 즈믄누리로 가야 한다고. 그때 당신은 시우쇠 님이 땅을 딛고 있을 테니 즈믄누리로 가지 않아도 그분을 찾아내실 수 있다는 식으로 말씀하셨습니다. 그러니 걱정하지 말고 걸어가라고 하셨습니다."

"그렇게 말했어."

"그런데, 조금 전 당신은 시우쇠 님과 당신이 서로를 느낄 수 없다고 하셨습니다. 느낄 수 없는 상대를 어떻게 찾아낸다는 겁니까? 모순입니다. 그렇다면 결론은 카시다에서 하신 말씀이 거짓말이거나, 혹은 두 분이 서로를 느낄 수 없다는 것이 거짓말입니다. 전자가 거짓말일 가능성이 높다고 생각됩니다."

아기는 순순히 인정했다.

"그래. 카시다에서 한 말은 거짓말이었어. 나는 시우쇠가 어디 있는지 알 수 없어."

티나한은 볏을 뻣뻣하게 세웠다. 비형은 당황하여 시우쇠를 바라보았다. 하지만 시우쇠는 엎드린 모습 그대로 아래쪽만 바라볼 뿐 그들의 이야기에는 아무런 반응도 보이지 않았다. 케이건은 다시 아기에게 질문했다.

"그러면 우리가 어떻게 시우쇠 님을 찾아올 수 있었던 겁니까?"

"나는 북부군을 찾아왔어. 북부군이 있는 곳에 시우쇠가 있을 테니."

아기의 설명에 비형과 티나한은 만족한 표정을 지었다. 하지만 케이건은 의심 어린 표정으로 아기를 바라보았다. 신을 향하는 사람의 눈빛으로는 어울리지 않는 눈빛이었다.

"여신님. 그렇다면 왜 처음부터 그렇게 말씀하시지 않으신 건지 여쭤보고 싶습니다."

"상관없는 문제 아니야? 시우쇠가 있는 곳이 곧 북부군이 있는 곳이니까."

"불필요한 설명을 생략하신 거라는 말씀이십니까?"

"그래."

케이건은 절대로 믿을 수 없다는 표정을 지었다. 그 표정을 이해한 다른 수탐자들은 걱정스러운 낯빛을 떠올렸다. 케이건은 고개를 돌리며 낮게 말했다.

"여신이여. 거짓말을 하고 싶지는 않으니 말씀드립니다. 지금부터 어쩌면 저는 당신을 경계하는 언동을 보일지도 모르겠습니다. 아무래도 저는 당신을 완전히 신뢰하기 어렵군요."

"케이건!"

티나한이 분노한 어조로 속삭였다. 물론 말로 끝내는 것은 티나한에게 드문 경우였고 그는 두 손으로 땅을 짚으며 몸을 반쯤 일으켰다. 그러나 아기는 달래는 목소리로 말했다.

"티나한. 됐다. 진정하여라. 너희들의 길잡이를 믿어라."

"여신님. 저는 제 길잡이를 믿습니다. 하지만 케이건의 말은 너무……."

"괜찮다. 어쨌든 길잡이야. 뭔가 떠오르느냐? 북부군이 안전하게 퇴각할 시간을 벌려면 저들을 분주하게 만들어줘야 할 텐데."

"저곳에 지진을 일으키실 수 있으십니까?"

아기는 케이건의 과격함에 미소를 지었다.

"글쎄. 이 주위의 땅은 매우 안정되어 있다. 저 고대의 도시는 그 역사 동안 한 번도 그런 경험을 한 적이 없다. 그리고 지진의 여파는 북부군도 덮칠 텐데. 무엇보다 문제인 것은 심장탑 또한 위험하다는 점이지. 심장탑에는 사모 페이의 심장도 보관되어 있어. 네 왕이 위험하지 않은가?"

"여신님의 능력으로 이동하면서 제가 저자들의 목을 칠 수 있을까요."

"불가능해. 그런 이동 도중에는 저자들이 너를 건드릴 수 없는 것처럼 너 또한 저자들을 건드릴 수 없어. 그리고 네가 자꾸 무시하는 것 같은데, 비형을 좀 생각해 보지?"

비형의 얼굴을 슬쩍 본 케이건은 피비린내 풍기는 계획을 전부 포기했다. 보다 온건한 계획을 떠올린 케이건은 그것을 아기에게 말했다. 케이건의 상상력은 비형을 감탄하게 했고 티나한을 어리둥절하게 했다. 아기는 케이건의 제안이 실현 가능함을 확인해 주었다. 그러나 아기는 단서를 달았다.

"그런데 그건 시우쇠의 도움이 필요한 일이군. 시우쇠에게 도움이 필요하다고 말하면 무슨 뜻인지 알 거야. 그렇게 말해 줘."

케이건은 자신이 세계 제일의 단거리 전령이 된 것 같다고 생각하며 손 닿는 거리에 있는 시우쇠에게 아기의 말을 전달해 주는 좀 우스꽝스러운 역할을 수행했다. 시우쇠는 이해했다.

"재미있는 생각이군. 시작 신호는 네가 해라. 나와 아기는 서로 이야기할 수 없으니까."

케이건은 어색한 기분을 느끼며 시작이라고 말했다. 그러자 시우쇠가 자리에서 일어났다.

"가자."

"안 하십니까?"

"했다. 가자."

수탐자들은 아기를 쳐다보았다. 아기는 미묘한 미소를 지은 채 케이건을 바라보며 말했다.

"끝났으니까 일어나라. 다음에 주위를 살펴볼 수 있게 되면 그곳은 심장탑일 거다."

수탐자들은 약간 어이없는 기분을 느끼며 일어났다. 그리고 다음 순간 그들의 모습이 언덕 위에서 사라졌다.

숲을 빠져나왔을 때 륜은 갑자기 쏟아져 들어오는 엄청난 감정에 비틀거렸다.

그곳에 오레놀이 있었다. 오레놀은 흥분해 있었다. 용인이 아닌 자라 하더라도 대덕의 새된 목소리, 복잡하게 움직이는 두 손, 빠르게 움직이는 눈동자 등을 보면 그가 흥분해 있다는 것을 읽어낼 수 있을 것이다. 쉽게 흥분하는 사람의 몸동작과 정말 흥분하여 평소라면 상상도 하기 힘든 모습까지 보여주는 사람의 차이를 극명하게 깨달을 수 있는 륜에게는 오레놀의 흥분이 압도적으로 분명했다. 륜은 균형을 잃고 비틀거렸다. 사모의 손이 재빨리 다가와 그를 부축했다.

〈륜?〉

〈아니요. 괜찮습니다. 가보시죠.〉

사모는 걱정스러운 표정으로 륜을 바라보았지만 더 이상 니르지 않고 조심스럽게 걸음을 옮겼다. 반대쪽으로 다가온 베미온 또한 한껏 걱정스러운 표정을 지으며 륜을 부축하려 했다. 륜은 그들을 안심시키기 위해 짐짓 기운차게 걸었다. 하지만 잠깐 동안 륜은 오레놀 대신 다른 사람들을 보려 애썼다. 대덕의 흥분은 그들에게도 전염되고 있었고 륜은 한 번 걸러진 흥분에 먼저 익숙해지기로 했다. 마침내 오레놀을 보아도 좋겠다고 판단한 륜은 그의 얼굴과 목소리에 주의를 돌렸다.

"케이건 드라카 님 말입니다!"

라수 규리하가 대답할 것이다. 륜이 그런 생각을 하자마자 라수 규리하가 약간 짜증스러운 목소리로 말했다.

"그러니까 스님께서는 케이건 드라카 님이 오셨냐고 질문하신 것이군요?"

524

물론이지요! 오셨습니까?

"물론이지요! 오셨습니까?"

예. 조금 전에 모든 이보다 낮은 여신의 화신을 모시고 이곳에 오셨습니다.

"예. 조금 전에 모든 이보다 낮은 여신의 화신을 모시고 이곳에 오셨습니다."

조금 전? 그러면 지금 어디에 계십니까?

"조금 전? 그러면 지금 어디에 계십니까?"

류은 자신이 '먼저 듣고' 있다는 사실에 놀랐다. 그가 듣고 나서 두 사람이 말했다. 류이 가진 용인의 예민함은 그 어느 때보다 예리해져 있었다. 상대방이 하려는 말을 미리 짐작할 수 있는 그의 예민함은 이제 날카로워질 대로 날카로워져서 그 억양과 어조마저도 미리 알아버리고 있었다. 그 결과로 류은 말이 두 사람의 입 밖으로 나오기 전부터 그것을 '듣고' 있었다. 그래서 류에게 두 사람의 대화는 마치 메아리가 치는 것처럼 들렸다. 라수가 말했다.

"그 전에 제가 질문 좀 하겠습니다. 스님은 도대체 어떻게 저 위에서 내려오신 겁니까? 저는 조금 전 스님께서 어디에도 없는 신의 신체였나 하는 생각을 해보았습니다."

오레놀은 폭발적인 웃음을 터뜨렸다. 그 웃음이 웃기기 때문이 아니라 강렬한 흥분과 실망감 때문에 뛰쳐나오는 것임을 깨닫는 데는 보통의 감각으로도 충분했고, 그래서 라수는 불쾌해하는 대신 미심쩍은 표정으로 오레놀을 바라보았다. 오레놀은 괴로워하며 말했다.

"저도 그랬으면 정말 좋겠군요. 하지만 그렇지 않습니다. 하늘치 유적 탐사가 마침내 성공했습니다. 저는 참관인 자격으로 바이소 계곡에 갔다가 엉겁결에 하늘치 등에 오르게 되었습니다. 그곳에서 다섯 번째 종족이 남긴 유산을 이용하는 법을 터득하게 되었습니다. 그리고 그 유산을 통해 우리가 끔찍한 재난에 직면해 있다는 것을 깨닫게 되었고, 그래서 황급히 이곳으로 왔습니다. 이것이 지금 할 수 있는 최대의 설명이고, 더 긴 설명을 요구하면 당신의 목을 조르는 제 모습을 보게 될지도 모릅니다. 그러니 대답하십시오. 케이건 드라카 님은 어디에 계십니까!"

오레놀의 눈을 들여다본 라수는 대덕이 절대로 농담을 하고 있는 것이 아니라는 것을 알게 되었다. 그래서 라수는 오레놀의 말에 의해 발생하는 무수한 질문들을 잠시 억눌러둔 채 대답했다.

"케이건은 두 분의 화신을 모시고 다른 수탐자들과 함께 하텐그라쥬로 들어가셨습니다. 공작?"

라수의 시선을 받은 륜은 고개를 끄덕였다. 그에게는 라수의 말이 아직까지 메아리처럼 들렸다.

"지금 심장탑에 들어가셨습니다. 여신께서는 약속하신 대로 뭔가 조치를 취하셨습니다만 저는 그것에 대해서는 알 수 없습니다."

대답을 하면서 륜은 뒤늦게 도달한 다른 장수들이 자신들이 듣지 못한 이야기가 무엇인지 짐작하기 위해 대화에 귀를 기울이는 것을 느꼈다. 라수는 오레놀을 돌아보았다.

"들으셨……, 괜찮으십니까?"

라수는 갈라지는 목소리로 비명을 올렸다. 오레놀은 핏기가 가신 얼굴로 라수를 멍하니 마주보고 있었다. 그렇게 상장군을 바라보던 대덕은 갑자기 어깨를 축 늘어뜨렸다. 잠시 후 그의 입에서 꽤나 평범한 말이지만 언제나 무시무시한 느낌을 주는 그 유명한 말이 흘러나왔다.

"늦었군요."

대덕의 말에서 배어나오는 좌절감은 그들 모두를 얼어붙게 만들었다. 사모는 자신도 모르게 륜의 어깨를 꼭 끌어안았고 마루나래 또한 심상치 않은 기분을 느낀 듯 낮게 으르렁거렸다. 라수가 마치 도망칠 길 없는 악몽에서 깨어나고 싶은 사람처럼 거칠게 말했다.

"도대체 뭐가 늦었다는 겁니까, 스님?"

오레놀은 두 손으로 얼굴을 감싸쥐었다. 그의 손 사이로 공포의 예언이 흘러나왔다. 어울리지 않을 만큼의 명징성을 담고서.

"나가는 멸망할 겁니다."

주위를 둘러본 케이건은 가슴이 뛰는 것을 느꼈다. 난생처음 보는 광경이었지만 그곳은 심장탑 안쪽이었다. 비형은 나늬의 뿔을 만지작거렸다. 상황이 워낙 다급하게 진행되고 일행이 순식간에 획획 움직이고 있었기에 비형은 나늬를 떼어놓을 수 없었다. 그리고 그 때문에 나늬는 독특한 경력을 얻게 되었다.

"넌 세계 최초로 심장탑에 들어와본 딱정벌레가 된 거야. 물론 네 주인은 세계 최초로 심장탑에 들어온 도깨비가 되었고. 기분이 어때?"

나늬는 수화로 몇 마디 대답했고 비형은 그 수화를 보며 빙긋 웃었다. 나늬는 덥다고 대답했다. 딱정벌레의 수화처럼 그곳의 기온은 끔찍하게 더웠다. 티나한 또한 더위를 느끼며 비형이 아직 도깨비불을 운용하고 있는 것이 아닌가 의심했다. 하지만 비형의 질문은 티나한의 추측이 잘못된 것임을 알려주었다.

"그런데, 왜 이렇게 더운 거죠?"

티나한은 의아해하며 다른 사람들을 둘러보았다. 대답은 그의 등 뒤에서 나왔다.

"이곳에서 나가들 사이에 알력이 있었다. 그래서 한 수호자가 이 탑의 꼭대기에서 더운 공기를 계속 아래로 내려보내며 농성을 하고 있다. 정도 이상의 더위도 추위만큼이나 나가들에게 치명적이니까."

아기의 대답에 케이건은 짧게 고개를 끄덕였다. 시우쇠가 흥분하여 말했다.

"그런데 발자국 없는 여신은 어디에 있는 거야?"

케이건은 아기가 그 질문에 대답할 것을 기다리다가, 아기가 아무런 반응을 보이지 않는 것을 보고는 시우쇠의 말을 반복했다.

"여신님. 발자국 없는 여신의 신체는 어디에 있습니까?"

"몰라."

비형은 턱이 쑥 빠진 얼굴로 아기를 올려다보았다. 대답을 듣지 못하는 시우쇠는 초조한 표정으로 수탐자들을 둘러보았다. 케이건은 미간을 찡그리며 말했다.

"모르신다고요? 시우쇠 님의 경우와 같은 겁니까?"

"그래. 시우쇠의 경우처럼 나는 그 신체가 어디에 있는지도 알 수 없다."

"곤란하군요. 진작 말씀해 주셨으면 좋았을 텐데. 이 탑은 대단히 높습니다."

아기는 빙긋 웃었다.

"우리에겐 길잡이가 있잖아? 케이건. 네가 필요한 것이라면 뭐든 말해 주겠어. 이곳 하텐그라쥬에서 일어난 일들 중 네가 궁금해하는 것이 있다면 뭐든 질문해. 대답할 테니까. 그러면 너는 내가 알려준 것들을 통해 신체가 어디에 감금되어 있는지 짐작할 수 있을 거야."

케이건은 아기의 말에 내포되어 있는 의미를 깨달았다.

"당신이 스스로 짐작하실 수는 없는 겁니까?"

"그래. 신체나 화신에 관한 것이라면 나는 그럴 수 없어. 우회해서 생각하는 것조차 불가능해. 그러니까 네가 질문해야 해. 나는 알 수 없어."

케이건은 대화의 절반만 들으며 분노하고 있는 시우쇠를 잠깐 돌아보고는 그럴 법하다고 생각했다. 아기가 시우쇠를 곧장 보지는 못하더라도 시우쇠 주위에 있는 수탐자들은 시우쇠를 보고 있다. 아기가 땅 위에서 일어나는 모든 일을 안다면, 그녀는 시우쇠를 보고 있는 수탐자들의 시각도 알아야 한다. 그런데도 아기는 시우쇠가 어디에 있는지 알지 못했다. 케이건은 자신의 생각을 시험해보았다.

"아까 여신께서는 풀이 타고 있는 걸 보니 저기에 시우쇠가 있을 거라는 식으로 말씀하셨습니다."

"네가 시우쇠가 그곳에 있다고 말해 줬기에 짐작할 수 있게 된 거야."

"생각한 대로군요. 알겠습니다."

케이건은 이해했다. 그가 약간의 암시가 될 수 있는 것을 찾아낸다면 아기는 발자국 없는 여신의 신체가 어디에 있는지 짐작할 수 있게 되는 것이다. 케이건은 어떤 것이 암시가 될 수 있는지 생각해 보았다. 티나한과 비형은 케이건에게 대화를 맡겨두고는 주위를 경계했다. 케이건이 말했다.

"4년 전, 발자국 없는 여신의 감금이 발생한 시점을 전후하여, 이곳에 어떤 대규모의 장치가 운반된 적이 있습니까?"

"4년 전 하텐그라쥬의 유명한 대장장이 페니나 시에도가 제작한 커다란 금속 입방체가 이곳으로 옮겨온 적이 있었지. 그것은 51층으로 운반되어 설치되었어. 꽤 거대한 물건이라 옮기는 것이 정말 힘들었어. 그런데?"

케이건은 허무할 정도로 간단하게 문제가 풀렸음을, 그리고 아기의 말이 사실임을 알게 되었다. 신체나 화신에 대한 것이라면 아기는 우회하여 생각하는 것조차 불가능했다.

"발자국 없는 여신의 신체는, 아마도 어떤 구속력이 있는 장치에 의해 구속되어 있을 겁니다. 그것이 말씀하신 그 금속 입방체일 겁니다. 여신의 신체는 51층에 있습니다."

"아아, 그렇구나. 이해했어. 그러면 51층으로 올라가야겠군."

"꽤 다리가 아프겠군요."

"괜찮아. 곧 도착할 거야."

아기의 말대로 되었다.

수탐자들과 두 화신이 계단을 오른 순간 그들은 51층에 도착했다. 마치 즈믄누리로 돌아온 듯한 기분에 비형은 감탄하며 주위를 둘러보았다. 주위를 둘러보던 그의 눈에 기묘한 것이 들어왔다. 비형은 깜짝 놀라 케이건의 옷자락을 잡아당기며 말했다.

"저기 나가가 누워 있습니다."

케이건은 바라기를 움켜쥐며 그곳을 바라보았다. 어떤 여자 나가가 바닥에 엎드려 죽은 듯이 누워 있었다. 케이건은 낮게 속삭였다.

"비형. 만약을 대비해야 하니까 고개를 돌리시오."

비형은 긴장된 표정으로 고개를 돌렸다. 케이건은 티나한에게도 아기를 지키라는 식의 손짓을 보낸 다음 여자 나가에게 다가갔다. 여인의 모습을 살핀 케이건은 그 여자가 군인이며 꽤 높은 지위를 가지고 있을 거라고 생각했다. 바짝 다가간 케이건이 바라기를 뻗어 여인의 몸을 툭 건드렸지만 여인은 여전히 꼼짝도 하지 않았다. 티나한의 등 뒤에서 아기가 말했다.

"그 여인은 이곳의 열기 때문에 기절한 거다. 당장은 못 일어날 거야."

케이건은 고개를 끄덕이며 바라기를 위로 들어올렸다. 시우쇠가 말했다.

"뭐 하는 거냐?"

"목을 자를 생각입니다만."

"관둬! 여신을 구출하는 것이 급하다. 한가하게 그런 일을 하고 있을 시간이 없다!"

케이건은 그 말을 거부할까 하다가 비형을 떠올리고는 바라기를 다시 거둬들였다. 그리고 그들 앞쪽에 있는 문으로 다가갔다. 케이건은 바라기를 다시 움켜쥐며 조심스럽게 문을 밀었다. 그는 곧 문이 잠겨 있음을 알게 되었다. 시우쇠가 분노를 억지로 참는 목소리로 말했다.

"뭐 하는 거냐?"

"문이 잠겨 있습니다."

시우쇠는 두말없이 앞으로 성큼 걸어갔다. 그러고는 주먹을 잔뜩 끌어당겼다가 문을 후려쳤다. 케이건은 놀라며 몸을 돌렸다.

문은 산산조각이 나며 부서졌다. 하마터면 나뭇조각에 온몸이 찢어질 뻔한 케이건은 화를 내며 시우쇠를 바라보았다. 하지만 시우쇠는 그에겐 시선도 보내지 않은 채 방 안으로 들어갔다. 케이건은 시우쇠를 가리켜 성격이 불같다고 말하는 것이 무슨 의미가 있는지 생각하며 그 뒤를 따라걸었다. 그 뒤를 이어 티나한과 아기, 비형과 나늬가 걸어들어갔다.

방 안으로 들어간 케이건은 시우쇠가 방 가운데서 몸의 불길을 피워올리며 주위를 둘러보는 모습을 발견했다. 그리고 그의 앞쪽에 있는 금속 입방체 또한 발견했다. 그것은 꽤 거대한 물건이었고 그 안쪽은 나가나 인간 크기의 사람 한 명은 무리 없이 집어넣을 수 있을 만한 공간이 있는 듯했다. 케이건은 그토록 큰 물건을 이 높이까지 잘도 옮겼다고 생각했다. 그때 시우쇠가 격노하여 말했다.

"제기랄, 도대체 어디 있어!"

케이건은 고개를 갸웃했다.

"여기 있잖습니까?"

"여기라니, 그게 어디인데?"

케이건은 어이없다는 표정으로 시우쇠를 보다가 손을 들어 말없이 입방체를 가리켰다. 시우쇠는 그의 손가락이 가리키는 방향을 바라보다가 분노를 참지 못해 떨리는 목소리로 말했다.

"저 금속 상자야? 젠장, 이제 보이는군."

이제 보인다고? 케이건은 그 말에 대해 생각했다. 그러나 시우쇠는 더 이상 기다리지 않은 채 앞으로 달려갔다. 시우쇠는 금속 입방체 앞쪽의 두 개의 문을 보다가 그것을 움켜잡았다. 그리고 그것을 활짝 열어젖혔다.

수탐자들은 입방체 내부에서 흘러나오는 냉기에 움찔했다. 케이건은 놀라워하며 말했다.

"그렇군. 냉기였어. 냉기로 신체를 얼려놓은 거야. 그런데 이건 도대체 어떤 기술이지?"

케이건은 눈을 가늘게 떠서 냉동 장치 안쪽을 바라보았다. 그곳에는 젊은 여자 나가가 얼어붙은 모습으로 서 있었다. 그녀의 몸은 금속벽에 기대어져 있었고 두터운 얼음들이 그녀의 다리를 감싸고 있었다. 허리 옆으로 늘어뜨려져 있는 두 팔 또한 두터운 고드름덩이에 의해 결박되어 있었고 위쪽에서 흘러내리다가 얼어붙은 것 같은 얼음들은 그녀의 머리를 벽에 고정시켜놓았다.

빙하에 사로잡힌 시체 같은 모습이었다. 비형은 동정심에 신음을 흘렸다. 티나한 또한 그 끔찍한 모습에 볏을 꼿꼿이 세웠다.

시우쇠는 절망적인 몸짓으로 냉동 장치 안을 들여다보다가 케이건에게로 고개를 홱 돌렸다. 눈동자 없는 그의 두 눈은 활활 불타며 케이건을 노려보았다.

"이 안에 있냐?"

'맙소사. 그것도 가르쳐줘야 하나.' 케이건은 다시 손을 들어 얼어붙은 나가의 얼굴을 가리켰다. 하지만 시우쇠는 고개를 가로저었다. 화신의 목소리가 좌절감 때문에 흔들렸다.

"안 보여."

케이건은 '풀이 타는 것'과 '금속 상자'가 이들의 한계임을 깨달았다. 아무리 주위에서 암시를 주고 가르쳐준다 해도, 그럼으로써 신체의 주위까지 다가가게 할 수는 있어도, 신체를 직접 보는 것은 불가능하다. 케이건은 신들이 왜 이런 기묘한 구속에 놓여 있는지 의문스러워했다.

시우쇠가 몸을 돌려 케이건을 정면으로 바라보았다.

"너는 보이지?"

"예."

"너는 보이지. 그래. 너는 다 볼 수 있지."

케이건은 눈을 가늘게 뜨며 화염의 화신을 바라보았다. 시우쇠의 코와 입으로 새파란 불길이 들락거렸다. 그는 얼굴을 찡그리고 있었고 그러자 원래도 친근함을 느끼기 힘든 그 모습이 더욱 소름끼치게 바뀌었다.

"너는 다 볼 수 있다고……, 너만이!"

갑자기 시우쇠가 두 팔을 높이 쳐들었다.

오레놀의 기이한 예언이 불러온 경직 상태에 놓여 있던 라수는 먼 곳에 들려온 굉음에 간신히 그 경직에서 벗어날 수 있었다. 라수는 고개를 돌렸고, 그리고 비명도 내지르지 못한 채 얼어붙었다.

심장탑의 윗부분이 통째로 폭발하고 있었다.

200미터나 되는 심장탑의 위쪽 30미터 정도가 가루가 되며 폭발했다. 흙먼지와 연기가 사방으로 퍼져나갔고 그 때문에 짧은 순간 심장탑은 기묘하게 생긴 버섯처럼 보였다. 하텐그라쥬의 상공에서 일어난 이 소름 끼치는 재난에 륜은 육성과 니름 양쪽으로 비명을 내지르며 사모를 와락 끌어안았다. 그는 사모의 심장병이 당장 부서질 거라 믿었고 과거의 기억에 비늘을 세웠다. 그의 눈앞에서 요스비의 마지막 모습이 너무도 선명하게 펼쳐졌다. 그러나 사모는 죽지 않았다. 륜은 믿을 수 없다는 표정으로 사모를 바라보았다. 질린 표정으로 심장탑을 바라보던 사모는 동생의 걱정을 이해하고는 간신히 미소를 지었다.

〈괜찮아. 나는 괜찮아.〉

〈사모. 저는 누님이 죽는 줄로만…….〉

〈나는 괜찮아.〉

경악한 사람들 사이에서 섬뜩할 정도로 차분한 목소리가 흘러나왔다. 오레놀은 심장탑을 바라보며 말했다.

"시작되었군요."

하텐그라쥬의 시민들과 수비군은 굉음을 듣지는 않았다. 하지만 심장탑은 도시 어느 곳에서나 눈에 들어오는 높이였고 몇 사람은 때마침 그곳을 보고 있었다. 그들이 터뜨린 절규 같은 니름이 번져나가고 얼마 있지 않아 광대한 하텐그라쥬 내에 있는 모든 나가들이 그 공포스러운 광경을 보며 비늘을 세웠다.

대략 50층에 해당하는 높이 아래의 심장탑은 언제나와 같은 모습이었다. 하지만 그 윗부분은 흙먼지로 변해 구름처럼 부풀어오르고 있었다. 마지막 나가가 그곳을 바라보았을 때 흙먼지의 구름은 아래를 향하고 있었고 그래서 마지막 나가가 받은 인상은 압도적인 크기의 야자수라는 것이었다. 묘하게도 야자수와 닮은 모습으로 흙먼지는 원추형의 삐죽삐죽한 가지들을 그리며 아래로 늘어뜨려졌다.

그리고 그들의 머리 위로 파편과 잔해들이 쏟아졌다.

나가들은 정신적 비명을 지르며 머리를 감쌌다. 모든 나가들이 내뿜는 니름 때문에 그곳은 나가들에겐 정신이 나가버릴 만큼 '소란스러운' 곳이 되었다. 하지만 그들 중 다른 나가들과 좀 다른 반응을 보이는 자들이 있었다. 수호 장군들, 특히 하텐그라쥬 출신의 수호 장군들은 비늘을 뻣뻣하게 세운 채 심장탑을 바라보았다. 그 광경에 의아해하던 인실롭은 문득 그 이유를 알 것 같다는 생각을 했다. 그는 가까이 있던 넋이 나간 듯한 표정의 수호 장군에게 닐렀다.

〈괜찮소! 당신 심장병은 안전한 모양이군.〉

그는 인실롭을 돌아보았다. 그의 몸에 있는 비늘들이 너무 곤두서서 그는 나가가 아닌 존재처럼 보였다.

〈심장병은 모두 저 높이 아래에 있습니다. 나는 심장병이 깨질까봐 걱정하는 것이 아닙니다.〉

〈그러면 다른 이유가……, 설마! 여신은 몇 층에 계십니까?〉

〈51층입니다. 저 정도 높이일 것 같은데요.〉

인실롭은 상대방과 똑같은 모습으로 바뀌었다. 경악에 사로잡혀 있던 그가 간신히 니름을 꺼내놓은 것은 꽤 긴 시간이 지난 후였다.

〈도, 돌격! 심장탑으로 돌격!〉

인실롭은 어떻게 해야 한다는 계획 같은 것은 가지고 있지 않았다. 그리고 그 시점에서 그에게 그런 것을 요구하는 것은 무리였을 것이다. 인실롭은 심장탑에 빨리 가야 한다는 생각 외엔 아무것도 할 수 없었다. 다른 나가들 또한 비슷한 기분을 느끼고 있었기에 그에게 설명을 요구하거나 대책을 질문하는 자는 없었다. 다섯 개 군단의 나가들이 동시에 심장탑을 향해 움직였다. 그리고 얼마 있지 않아 그들은 분노와 당혹에 휩싸였다. 당황한 그들 사이에서 평범하다고까지는 할 수 없지만 전통적이기는 한 대화가 오갔다.

〈여기는 아까 지나갔던 곳 아냐?〉

〈그런 것 같은데?〉

수호 장군들과 병사들은 이루 말할 수 없는 공포를 느꼈다. 그들은 밤의 숲 속에서나 경험할 수 있는 상황에 자신들이 빠져 있음을 알게 되었다. 흔히들 '빙빙 돈다'고 니르는 바로 그 상황이었다. 심장탑을 향해 있는 힘껏 달렸지만, 그들은 계속해서 같은 곳으로 돌아오게 되었다. 하지만 시간은 밤도 아니었고 그들이 있는 곳은 숲 속도 아니었다. 그들은 이해할 수 없는 상황에 정신적 비명을 지르며 주저앉았다.

하텐그라쥬에 있는 나가들 중 심장탑의 폭발에 놀라지 않은 나가는 극히 드물었다. 그들은 대개 기절해 버린 비아스 마케로우처럼 주위의 상황을 느낄 수 없거나 심장탑을 볼 수 없는 곳에 있었던 사람들이었다. 하지만 완전한 인식 능력을 소유하고 있으며 심장탑의 폭발을 목격할 수 있는 위치에 있었으면서도 놀라지 않은 나가가 한 명 있었다.

수호자 세리스마는 불쌍하게도 놀랄 겨를도 없었다.

갑자기 건물이 폭발했을 때 세리스마는 몸이 갈기갈기 찢기는 고통을 겪으며 위로 치솟아올랐다. 눈에 보이는 것은 거의 없었고 자신이 어떤 모습을 하고 있는지도 알지 못한 채 세리스마는 악몽 같은 시간들 속에서 고문당했다. 자신이 떨어지고 있는지 치솟아오르고 있는지조차 알지 못했던 그에게는 수만 년 정도의 시간처럼 여겨지는 시간이 지난 후, 세리스마는 겨우 자신의 몸이 더 이상 움직이지 않는다는 확신을 얻을 수 있었다. 그는 시력을 회복하기 위해 눈을 껌뻑거렸다.

그리고 세리스마는 주위의 풍경에 놀랐다. 그는 엄청난 시간이 흘렀다고 믿었지만, 폭발은 이제 겨우 사그라들고 있었다. 그리고 세리스마는 심장탑 51층에 쓰러져 있었다. 자신의 위치를 파악하는 데 있어 세리스마는 주위의 모습에 아무런 도움을 받지 못했다. 그의 주위에는 아무것도 없었다. 벽도, 천장도, 계단도. 존재하는 것은 바닥과 몇몇 사람의 모습, 그리고 냉동 장치뿐이었다. 세리스마는 그 냉동 장치에 의해 이곳이 51층이라는 사실을 알게 되었다.

하텐그라쥬의 심장탑은 51층 이상의 모든 것을 잃어버렸다.

하텐그라쥬의 높은 상공을 지나는 거센 바람이 먼지 구름을 흩어놓았다. 드러난 바닥에는 놀랍게도 별다른 잔해가 없었다. 폭발의 힘이 시작된 곳이 이곳이었기 때문이다. 그리고 세리스마는 그 폭발의 원인이 무엇인지도 알 수 있었다. 불덩이에 도깨비의 피부를 대충 씌워놓은 것 같은 저 앞의 존재가 아니면 누가 그런 짓을 일으켰겠는가?

'시우쇠다. 저놈이 어떻게 여길?'

세리스마는 몸을 일으키려 했다. 하지만 그 간단한 행동은 세리스마의 의도대로 이루어지지 못했다. 세리스마는 고개를 숙여 자신의 몸을 보려 했다. 하지만 고개를 움직일 수 없었다. 세리스마는 그 사실에 당황했다. 그는 눈을 한껏 굴려 자신의 상태를 확인했다.

팔 하나는 어깨에서부터, 그리고 다른 팔은 팔꿈치에서부터 존재하지 않았다. 몸 곳곳에서는 기묘한 형태로 튀어나온 뼈들이 번득이고 있었고 다리 쪽은 보이지 않았지만 그쪽 또한 그다지 고무적이지 못한 광경일 것이 분명했다. 세리스마는 자신이 심장탑보다 더 심한 손상을 입었음을 알게 되었다. 고통이 없다는 사실은 그에게 기묘하게 느껴졌다. 신경의 어딘가가 잘못되었거나 세리스마의 두뇌가 엄청난 고통을 제대로 처리하지 못할 정도의 혼란에 빠진 것이 분명했다. 세리스마는 자신이 완전히 무력한 상태임을 알게 되었다. 그때 그의 눈에 저편에 쓰러져 있는 어떤 여인의 모습이 보였다.

여인은 그보다는 훨씬 양호한 모습을 하고 있었다. 폭발의 안쪽, 이곳 51층에 있었기 때문으로 여겨졌다. 세리스마는 그 여자가 누군지 알아보려 했지만 뒤통수를 이쪽으로 향하고 있었기에 알아볼 수 없었다. 머리를 움직일 수 없기에 더 이상의 시야는 제대로 확보할 수 없었고, 그래서 세리스마는 공포 속에서 청력에 주의를 기울여 보았다.

아기가 탐탁잖은 목소리로 말했다.

"이 과격한 짓은 시우쇠의 소행인가 보군."

티나한은 바닥에 주저앉아 있었다. 그의 머리 위에 있던 모든 것이 사라졌다. 바닥에 주저앉아 있었지만 서 있는 사람들과 비슷한 시야를 가질 수 있었던 티나한은 저 멀리 숲과 도시의 머리부분들을 볼 수 있었다. 비형은 나늬의 등을 덮듯이 엎드린 채 몸을 떨고 있었고 케이건은 어처구니없다는 표정으로 시우쇠를 바라보았다.

"왜 이러신 겁니까?"

"냉동 장치를 부술 수는 없으니까! 너를 부술 걸 그랬나?"

"그러지 않아주셔서 고맙군요."

"고마워할 것 없어! 그럴 수 없어서 안 그러는 것뿐이지, 나는 네녀석을 박살내고 싶으니까!"

시우쇠의 포효는 그대로 화염이 되어 그의 입가에서 출렁였다. 케이건은 고개를 갸웃했다. 그때 티나한의 등 뒤에서 아기가 말했다.

"마침내 셋이 모였다."

케이건과 티나한, 그리고 비형은 아기를 돌아보았다. 아기가 다시 우렁찬 목소리로 말했다.

"하나를 상대하기 위한 셋이 마침내 이 자리에 모였다. 이제 우리는 너를 일깨울 것이다."

케이건은 어리둥절했다. 아기의 말대로 그들이 여신을 구출하기 위해 온 것이 확실했지만, 셋은 아니었다. 이곳에 도달한 화신은 둘뿐이었다. 비형이 떨리는 목소리로 질문했다.

"여신님. 말씀하신 대로 발자국 없는 여신을 일깨워야겠지만, 셋은 아니잖습니까?"

"나는 발자국 없는 여신을 일깨우겠다고 말한 적이 없다."

수탐자들은 다시 당혹에 빠졌다. 그때 아기의 말을 전혀 듣지 못하는 시우쇠가 고함을 내질렀다.

"셋이 다 모였어! 이제 하나를 상대하겠다!"

케이건은 미심쩍은 표정으로 말했다.

"그 하나가 누군지 여쭤봐도 되겠습니까?"

"물론 너지!"

비형과 티나한의 눈이 크게 벌어졌다.

앞으로 내뻗은 시우쇠의 손가락은 케이건을 겨냥하고 있었다.

사모가 류의 품에서 빠져나갔다. 당황한 류이 허공을 붙잡으려 애쓰는 동안 사모는 오레놀의 곁에 순식간에 다가섰다. 그녀는 오레놀의 어깨를 붙잡아서는 친절하지 못한 방법으로 그를 돌려세웠다.

"뭐가 시작되었다는 거야?"

오레놀은 멍하니 사모를 바라보았다. 대덕의 얼굴은 침착해 보였지만 그것은 침착성이 아니었다. 사모는 대덕이 감정적 공황에 빠져 있음을 깨달았다. 그녀가 다시 오레놀의 어깨를 흔들고나서야 오레놀은 입을 열었다. 그의 말투는 마치 잠꼬대 같았다.

"셋이 하나를 일깨울 겁니다."

"여신을 구출한다고?"

"오랫동안 갇혀 있던 신이 풀려날 겁니다."

"그러니까 여신을 구출한다는 말이야?"

오레놀의 얼굴에 문득 조소 같은 것이 떠올랐다가 사라졌다. 하지만 그 희미했던 조소는 오레놀에게 활력을 돌려주었다. 오레놀은 훨씬 명확한 어투로 말했다.

"아니요. 어디에도 없는 신입니다."

사모의 몸에서 비늘이 요란하게 일어났다. 하지만 그녀의 목소리는 낮았다.

"설명해 봐."

주위의 다른 사람들도 경악을 채 감추지 못한 표정으로 오레놀의 얼굴을 바라보았다. 오레놀은 차분하게 말했다.

"갇혀 있었던 것은 어디에도 없는 신입니다. 지금 저곳에 발자국 없는 여신이 계십니다. 그리고 모든 이보다 낮은 여신과 자신을 죽이는 신도 계십니다. 세 분이 모인 거죠. 셋이 하나를 상대합니다. 그분들은 갇혀 있던 어디에도 없는 신을 해방할 겁니다. 그리고 변화를 재생산할 겁니다."

사모는 변화를 재생산한다는 것이 무슨 말인지 알 수 없었다. 그때 라수가 말했다.

"스님. 어디에도 없는 신이 어디에 갇혀 있었다는 말씀입니까?"

오레놀은 천천히 라수에게로 고개를 돌렸다. 하지만 그의 입에서 나온 말은 라수의 질문에 대한 대답이 아니었다.

"인간이 80년을 살면 장수한다고 말합니다. 100년을 살면 놀라운 일이라고 말합니다. 120년을 살면 아낌없는 축복의 대상이 됩니다. 하지만 천 년 이상을 살면 어떻게 되겠습니까? 그는 괴물이 됩니다. 사람들 사이에서 살 수 없는 존재가 됩니다."

라수는 불편한 표정을 지어보였지만 오레놀의 말을 가로막지는 못했다. 오레놀의 태도는 확고부동했다. 오레놀이 말하고 싶은 것을 전부 다 말할 것이며 방해는 절대로 받아들이지 않을 것임은 누구의 눈에도 분명했다.

"그런데 바로 그런 괴물이 우리들 곁에 있습니다. 이토록 슬픈 괴물이 있을까요. 헤아리기도 어려운 그 옛날, 그는 품었던 모든 희망에 배신을 당하고 가졌던 모든 것을 뺏긴 끝에 복수만 아는 괴물이 되었습니다. 그래서 그는 적을 사냥하여 먹어 치웁니다. 괴물에게 어울리는 일이겠지요."

오레놀이 말하기 전부터 그 말을 들었던 륜은 경악에 호흡을 멈췄다. 사모 또한 입을 감싸쥔 채 뒤로 몇 발자국 물러났다. 오레놀은, 동정심이 가득하지만 비난의 눈초리도 채 숨기지 못한 시선으로 사모와 륜을 번갈아 바라보았다.

"나가가 그를 괴물로 만들었습니다. 그는 천 년이 넘는 시간 동안 우리들 속에 숨은 채 나가들을 사냥해 왔습니다. 이것이 하인샤 대사원이 그에 대해 알고 있는 사실이며, 대사원이 숨겨온 사실이기도 합니다. 사람이 천 년을 살 수는 없다고 말하고 싶겠지요. 물론 사람은 그렇습니다. 하지만 그 괴물의 몸속에는 그 외에 다른 자도 있었습니다. 춤추는 자. 진정코 춤을 아는 자. 그자가 괴물 속에 있었습니다. 그리고 그자는 괴물과 함께 갇혀버렸습니다. 춤이 멈췄습니다. 그리고 그 때문에 모든 것이 멈춰버렸습니다."

오레놀은 심장탑의 부러진 윗부분을 돌아보았다. 그리고 사람들은 새롭게 알게 된 사실들에 대해 전율하며 대덕의 행동을 따라했다.

"그듸 저즈런 므흔 지잘 알외노라!"

시우쇠가 외친 아라짓 어는 케이건의 혼란을 가중시켰다. 내가 무슨 끔찍한 짓을 했다는 건가? 나가를 잡아먹은 것을 말하는 건가? 시우쇠는 다시 현대어로 바꿔 외쳤다.

"이 쳐죽일 놈의 자식아! 내가 지금 했던 말 기억나냐? 그래. 아라짓 어다! 1,500년 전의 말이다. 지금 이 말을 자유자재로 하는 사람은 아무도 없지. 오래된 말이니까. 하지만 권능왕 시대에도 이미 그런 사람은 없었어! 이 말은 천 년 전에는 이미 사라졌던 말이다. 그런데 그 이후로는 어떠냐? 사람들은 천 년 전의 말을 그대로 쓰고 있다! 제기랄, 너희들과 아무런 이야기도 나누지 않는 나가들마저 너희들과 말을 나누는 것에 문제가 없다. 그게 말이나 되는 소리냐! 언어가 고정되어 있지 않다면 말이다! 한계선 남쪽에 있던 나가들도 너희들과 똑같은 말을 쓴단 말이다!"

케이건은 그 말이 의미하는 바를 이해하기 어려웠다. 언어가 바뀌는 것이던가? 케이건은 간신히 그랬던 적이 있다는 것을 깨달았다. 한때 말은 바뀌고 바뀌었다.

그가 살던 시절, 이미 고대 아라짓 어는 상당한 학식을 쌓은 자들이나 이해할 수 있는 어려운 말이었다. 하지만 케이건은 그가 태어났던 시절의 말을 지금껏 무리 없이 사용하고 있었다. 무려 천 년이 넘는 세월 동안.

케이건은 그것이 상식적이지 않은 사실임을 이해했다.

'그래. 북부와 교류가 없던 나가들마저 북부와 똑같은 말을 쓰고 있어. 그 둘의 마지막 교류가 있었던 것은, 남부와 북부가 뒤섞여서 같은 말을 썼던 것은 대확장 전쟁이 마지막이었군. 그렇다면 대확장 전쟁 이후로 언어가 조금도 바뀌지 않았다는…… 말이 되는군.'

"대확장 전쟁 이후로 아무것도 변하지 않았어! 나가들은 남부에. 북부인들은 북부에! 나가들은 항상 심장 뽑고 쥐 잡아먹으며, 그러다가 죽어가. 북부인들은 항상 왕을 찾아다니지만, 결국 왕 없이 죽어가! 더 이상 하늘에 용이 날지 않고 빌어먹을 왕은 항상 없었어! 이토록 엄청난 정체(停滯)를 모르겠냐! 우주가 숨막힐 정도로 멈춰져 있다는 것을 못 느끼겠냐고!"

케이건은 무의식 중에 그 말에 대해 반대하고 싶은 기분을 느꼈다.

'하지만 지금 모든 것이 바뀌고 있잖아?'

"그게 네가 저지른 짓이다! 이 끔찍한 정체를 바꾸기 위해 모진 일이 일어나야 했다. 간신히 나가들은 전쟁을 알게 되었어! 북부인들은 왕을 찾았고 하늘에는 용이 날아다녀! 남부와 북부가 서로를 쳐죽이고 있지만, 그것은 동시에 생성이다! 변화의 생성이란 말이다! 이 세계에 변화가 일어나고 있다고! 이런 엄청난 규칙 파괴를 일으키기 위해 발자국 없는 여신이 지불해야 했던 대가는 가혹한 것이다. 빌어먹을, 나는 규칙 파괴라고 했다. 원래 규칙은 그게 아냐!"

케이건은 갑작스럽게 입을 열었다.

"원래 규칙이 뭔데?"

"이 썩을 자식아. 좋은 질문이다. 윷놀이는 윷가락 네 개로 하는 거다!"

비형은 웃음을 터뜨릴 것 같다고 생각했다. 하지만 도저히 웃음이 나오지 않았다.

"그게 규칙이야! 윷가락 네 개가 던져져야만 말들이 움직여! 변화가 계속 일어난단 말이다! 윷가락 세 개로는 아무것도 못해. 그래서 발자국 없는 여신은 엉터리 윷가락을 만들어내야 했어. 너를 대신할 윷가락 말이다!"

케이건은 눈앞이 하얗게 변하는 것을 느꼈다.

"나를 대신할?"

"그래. 네 번째 윷가락. 자기 속에 갇힌 윷가락. 그 엄청난 시간 동안 전령하지 않고 한 사람의 몸속에 숨어 있던 윷가락! 도대체 네가 지금까지 살아 있을 수 있는 것이 뭣 때문이었다고 생각하냐?"

"나는……, 나는 나가 체내의 소드락 때문에…… 소드락 중독으로……."

"헛소리 하지 마! 소드락은 더운 피 동물에게는 소용이 없어. 식물과 나가에게만 작용해! 그건 네가 만들어낸 기만적인 환상일 뿐이야. 만약 그게 환상이 아니라 실제로 작용했던 거라면, 그건 네가 그 효과를 바꿔버렸기 때문이겠지!"

케이건은 뒤로 물러났다. 시우쇠는 그를 따라가며 외쳤다.

"그 웃기는 접시는 속임수고 미끼일 뿐이야. 나의 도깨비들이 흔히 만들어내는 도깨비불처럼. 너만이 모든 화신을 찾아낼 수 있다. 깨지고 다시 붙는 접시야 눈속임일 뿐이지. 네가 나를, 아기를, 그리고 발자국 없는 여신이 있는 이곳을 찾아내었다. 우리는 서로를 찾지 못해. 아기는 시우쇠를 찾을 수 없었어! 시우쇠는 아기를 볼 수 없고! 너만이 모든 자를 찾아낼 수 있어. 바로 네가 자신을 죽이는 자를 죽음에서 다시 살려내며, 모든 이보다 낮은 자를 위로 떠오르게 하며, 발자국 없는 자의 발자국을 추적할 수 있어! 누가 그렇게 할 수 있겠나? 오직 바람만이 그렇게 할 수 있어."

파괴된 탑의 끄트머리에 몰린 케이건은 더 이상 물러나지 못했다. 그의 앞을 가로막듯이 선 시우쇠는 온몸에서 불길을 일으키며 노호했다.

"얼간아! 이제 기억을 떠올려라. 네 힘을 훔쳐 쓰던 녀석은 내가 태웠다. 이제 네힘과 함께 앞으로 나와라!"

"내 힘을…… 훔쳐 쓰던?"

"유해의 폭포! 그 녀석이 어떻게 멀리 떨어져 있는 두억시니를 통해 의사 소통을 할 수 있었겠나? 그 녀석은 네가 한눈파는 사이에 네 힘을 훔쳐 쓰고 있었다. 바로 너의 힘이지. 너는 조금 전에도 그 힘을 썼어! 나가들을 빙글빙글 돌게 만든 건 우리 둘이 아니라 너다. 너는 바람이다. 네가 어디에도 없는 신이다!"

시우쇠는 고개를 뒤로 돌렸다. 그의 눈은 허공을 보는 듯이 방황했고 시우쇠는 그런 방황에 분개했다. 그는 다시 케이건을 쏘아보며 외쳤다.

"이제 내게 그들을 돌려줘! 나는 두 여신과 너무 오랫동안 헤어져 있었다. 다시 윷놀이에 참가해!"

"케이건 드라카는 극연왕의 오라버니입니다. 나가들을 쳐죽이는 일밖에 몰랐던 누이에게 염증을 내다가 결국 누이를 떠나버린 그 왕자 말입니다."

라수를 비롯한 역사에 해박한 사람들 몇 명이 탄성을 질렀다. 그리고 극연왕이나 그 오라버니에 대해 자세히 알지 못하는 사모도 갑작스럽게 오래된 의문 하나가 풀리는 것을 느끼며 외쳤다.

"왕자! 그래서……."

"예?"

사모는 언젠가 티나한도 품었던 의문을 조심스럽게 말했다.

"나는 이상하다고 생각했어. 그에게는 아내가 있었다고 말하더군. 그런데 아라

542

짓 전사는 왕의 허락 없이는 아내를 얻을 수 없잖아. 나 이전에는 북부에 왕이 없었는데 케이건이 어떻게 아내를 얻을 수 있었는지 이상하다고 생각했어."

"예. 그분 말씀이군요. 그렇습니다. 아라짓 전사는 물론 왕의 허락 없이는 결혼할 수 없습니다. 하지만 예외가 있는데, 왕족일 경우는 허락이 필요하지 않습니다. 왕족의 혈통은 번성하는 것이 좋다고 생각했기 때문입니다. 아라짓의 왕족들은 보통 가장 용감한 아라짓 전사이기를 요구받았고 그 요구를 거절하지 않았기에 전쟁터에서 많이들 죽었습니다. 그래서 더욱 그런 규칙의 예외가 필요했을 겁니다. 그분은 아라짓 전사의 규칙을 어기지 않았습니다. 그분은 한 번도 자신이 지켜야 할 것을 어긴 적이 없었지요. 우리에게도 그러셨습니다."

"우리라니, 하인샤 대사원을 말하는 거야?"

오레놀은 계속 설명했다. 그의 말투는 이제 설법하는 것처럼 들렸다.

"고대 아라짓의 왕가는 대사원의 수호자이기도 했습니다. 케이건 드라카는 아라짓의 마지막 왕족이고, 그래서 왕가의 일원으로서 우리들의 요구를 들어주었습니다. 우리는 대대에 걸쳐 그분을 참 많이도 이용했지요. 물론 우리의 궁극적인 요구는 그분을 다시 왕좌에 복권시키는 것이었습니다. 아마도 그분은 우리들의 다른 요구를 들어주심으로써 그 요구를 피하려 하셨던 것으로 생각됩니다. 그분은 왕좌에 앉으면 자신이 죽을 거라고 생각하셨던 것 같습니다. 죽는 것을 두려워하시는 분은 아닙니다만 그 경우, 죄송합니다. 폐하. 나가들을 더 이상 사냥할 수 없기 때문입니다. 그분은 키탈저 사냥꾼이기도 하니까요."

사모는 질문했다.

"어떻게 아라짓의 왕자가 키탈저 사냥꾼이기도 한 거지?"

"누이에게서 도망친 다음 그분이 자신의 몸을 의탁한 곳이 바로 키탈저 사냥꾼들의 품이기 때문입니다. 키탈저 사냥꾼들은 도망쳐온 흑사자의 자손을 용의 자손으로 받아들였습니다. 그분이 아내를 만난 곳도 그곳이었습니다. 아, 용의 자손이라는 것은 키탈저 사냥꾼들이 자신을 지칭하는 말입니다. 그들이 모순의 힘을 믿었던 것도 모순이 용의 힘이라고 믿었기 때문입니다."

류은 나가답게 식물로 태어나 식물의 가장 큰 적이 되는 용의 모순을 곧장 떠올릴 수 있었다. 사모는 고개를 끄덕이며 말했다.

"그렇다면 나는 왕의 자격이 없군. 케이건이야말로 진실로……."

오레놀은 재빨리 고개를 가로저었다.

"폐하. 당신은 누구도 정당성을 의심할 수 없는 북부의 왕입니다. 아라짓 왕가의 마지막 후손인 케이건 드라카 님이 당신을 지명했으니까요. 아라짓의 왕가는 혈족 계승에 대해 그렇게까지 까다롭지는 않았으며 오히려 유연한 편에 가깝습니다. 영웅왕은 레콘이었지요. 폐하의 정당성은 세상의 누구보다도 완벽합니다."

"잘 모르겠군. 그리고 지금 당장 궁금한 것은 그것이 아니야. 나가들이 멸망할 거라는 것은 도대체 무슨 이야기지? 갇혀 있던 신이 드디어 풀려나는 것이라면, 그건 다행스러운 일이 아닌가?"

오레놀의 얼굴이 굳었다. 그는 이를 악문 채 말했다.

"말씀드렸듯이 케이건 드라카는 어디에도 없는 신의 신체입니다. 천년이 넘는 세월 동안 함께 있어온 두 분은 이제 더 이상 둘이 아닙니다. 저는 하늘치 위에서 모두 읽었습니다. 복잡한 설명은 관두겠습니다만 이미 알고 있는 정보들과 희망이 구현되는 능력을 잘 조합시키면 정보 자체에서 다른 정보들을 얻을 수 있다는 정도로만 말하겠습니다. 어쨌든 그분들은 더 이상 구분할 수 없는 존재가 되어 있습니다. 그렇다면 케이건 드라카에게서 어디에도 없는 신을 일깨운다는 것은, 케이건 드라카라는 나가 살육자에게 신의 힘을 부여하는 행위가 됩니다. 세상의 그 누구보다도 나가를 증오하는 신이 세상에 발을 딛게 되는 겁니다. 나가 살육신이지요."

사모는 눈앞이 아득하게 바뀌는 것을 느꼈다. 그 암흑 속을 방황하던 사모의 시야에 갑작스럽게 무엇인가가 나타났다.

그것은 아래로 흐르고 있었다.

하텐그라쥬의 심장탑, 혹은 심장탑의 잔해 위에 우뚝 선 채, 케이건은 극연왕을 떠올렸다.

재위 전반기에는 나가들에게 맹공을 퍼부어 대확장 전쟁에서 나가들이 거둔 성과의 대부분을 무효화시켰고, 후반기에는 그런 자신을 까맣게 잊은 채 북부의 모든 극을 잇는 것에 평생을 바쳤던 왕.

케이건은 그의 누이를 생각했다.

케이건이 떠난 이후 극연왕은 세상의 모든 극을 이으려 했다. 그녀는 시구리아트 유료 도로당의 격언을 듣는 편이 좋았을 것이다. 길은 방랑자가 흘렸던 눈물을 기억할 수 있지만, 그러나 방랑자를 따라갈 수는 없다. 모든 길이 누이에게로 통했지만 케이건은 누이에게 돌아가지 않았다.

그가 지은 죄가 너무도 가증스러웠기에.

케이건이 갑자기 말했다.

"내가 어디에도 없는 신의 신체라는 것이군."

"그렇다! 네 녀석이 죽기를 거부했기에 그 긴 시간 동안 전령이 이루어지지 않았다. 이제 발자국 없는 여신이 깨어나면 우리는 네 속에 있는 그를 꺼낼 것이다!"

"그냥 죽여도 되는데."

케이건의 말에 시우쇠는 움찔했다. 케이건은 서늘한 표정으로 말했다.

"나를 죽이면 내 속에 있던 어디에도 없는 신은 다른 인간에게로 전령할 거야. 그냥 나를 죽이기만 하면 돼. 그런데 왜 셋이 모인 거지? 셋만이 하나를 상대하지. 그렇다면, 이곳에 셋이 모였다는 것은 이미 내가 하나라는 말이군."

시우쇠의 몸 곳곳에서 불이 피어올랐다. 시우쇠의 말을 들을 수 없는 아기는 케이건의 말에 집중했다. 케이건은 계속 말했다.

"나는 신체가 아니야. 이미 화신이야. 그런 것이지?"

시우쇠는 자신도 모르게 외쳤다.

"아냐!"

"그렇지 않아. 나는 화신이야. 죽지 않고 지금까지 살아온 것도, 너희 셋을 찾아낸 것도 그 때문이야. 내가 느끼는 나는 극연왕의 오라비가 아니라 어디에도 없는 신이야. 하지만 나는 나를 극연왕의 오라비였던 어떤 얼간이로도 느껴. 어떻게 된 걸까."

케이건은 생각에 잠긴 것처럼 턱을 받쳤다. 그 동작은 한가로워보이기까지 했다. 문득 케이건의 손이 등 뒤로 옮겨갔다. 그의 손이 바라기에 닿는 것을 보며 아기는 여린 깃털을 부풀렸다. 케이건이 지나가는 투로 말했다.

"둘이 하나로 합쳐졌군."

비형의 입에서 신음이 흘러나왔다. 그때 아기가 솜털을 떨며 말했다.

"비형. 티나한. 발자국 없는 여신을 깨워. 아직 셋이 아냐! 저 얼간이 같은 시우쇠가 모든 걸 망쳐버리기 전에 빨리 셋을 만들어야 해! 저 나가를 죽여! 어딘가로 전령시키라고!"

케이건의 눈이 스르르 움직였다. 비형은 그 눈길에 꼼짝도 할 수 없게 되었다. 그리고 티나한은 떨면서 냉동 장치를 바라보았다.

열대의 햇빛 속에서 얼음이 녹아 흘러내리고 있었다.

사모가 갑작스럽게 말했다.

"잠깐. 어떤 방법이 있을지도 모르겠어."

오레놀이 사모를 돌아보았다. 사모는 그곳에 있지 않은 누군가에게 말하듯이 말했다.

"그래. 기억나는군. 그는 내가 누구인지 알아야 한다고 닐렀지."

다른 사람들도 사모에게로 시선을 돌렸다. 륜을 제외한 자는 아무도 왕이 말하는 그가 누구인지 짐작하지 못했다. 사모는 설명하는 대신 혼잣말처럼 말했다.

"케이건은 아라짓 전사이고, 그가 한 번도 자기가 지켜야 할 규칙을 어긴 적이 없다면……, 그렇다면 그는 내 명령에 복종해야 해. 왜냐하면—"

사모는 말을 끊지 않았다. 하지만 단어와 단어 사이의 그 짧은 순간, 누군가의 적의가 륜의 감각에 포착되었다. 그것은 비탄과 실망, 자기혐오에 가득 찬 것이었으며 분명히 피를 원하고 있었다. 인지하기도 힘든 짧은 순간 륜은 등 뒤에 있는 누군가를 보았다. 그리고 륜은 그 사람의 모든 것을 한꺼번에 느꼈다. 그것은 한 존재의 현재와 과거를 모두 인정해 버리는 것이며, 그 인정의 순간에서 륜은 상대방의 미래까지 알게 되었다. 그 미래에 개입하기로 결정한 것은 륜의 두뇌라기보다는 그 근육이었다. 륜이 몸을 던지기 직전, 사모는 말을 맺었다.

"―나는 북부의 왕이니까."

작살검이 가슴을 관통했을 때, 륜은 안도감을 느꼈다. 모든 것이 예상대로였기 때문이다.

그는 사모를 바라보았다.

사모는 부릅뜬 눈으로 그를 바라보고 있었다. 그녀가 떨리는 손을 내밀었을 때 륜은 피를 토하며 무너졌다. 앞으로 내밀어진 사모의 손은 허공을 방황했고 륜은 그녀의 발치에 쓰러졌다. 사모는 무릎을 꿇었다. 그리고 두려워하며 뻗은 손으로 륜의 양볼을 만졌다.

〈륜.〉

잘못 뻗어나온 기형의 나뭇가지인 양 륜의 등에서 작살검이 흉측하게 뻗어나와 있었다. 사모는 그 끔찍한 모습에 비늘을 세웠다. 그때 륜이 닐렀다. 〈고개를 드십시오. 누님!〉 피에 젖은 륜의 두 볼을 만지던 사모는 무의식중에 눈을 들어 공격자를 바라보았다.

사모가 외쳤다.

"키타타 자보로!"

아무도 움직일 수 없었다. 가슴을 찢고 폐부를 들어내는 듯한 미성의 외침. 그것은 태초에 세상을 열어버린 행위에 대해 가없는 혼돈이 내뱉었을 법한 비명이었다.

키타타 자보로 또한 들어올린 두 번째 작살검을 허공에 내버려둔 채 꼼짝도 하지 못했다. 물론 자보로 씨족의 말예는 잠시 멈출 계획 같은 것은 가지고 있지 않았다. 그러나 사모의 처절하리만큼 아름다운 비명은 그의 모든 사지를 결박하는 주박이나 다름없었다. 그래서 가까스로 움직일 수 있게 되었을 때 키타타는 변명을 해야 한다는 강박부터 해소했다.

"당신이 대호왕을 보호할 거라 믿었소. 공작. 하지만 내 목표는 대호왕이 아니라 처음부터 당신이었소."

륜의 입에서 피거품이 새어나왔다. 하지만 사모의 무릎에 얹힌 그의 얼굴은 평온했다. 뒤돌아볼 필요를 느끼지 못했던 륜은 사모의 품에 얼굴을 묻은 모습으로 말했다.

"알아요. 자보로 장군."

"안다고?"

"나는 용인입니다. 당신이 원하는 것을 너무 잘 알아요. 그리고 그것 때문에 내 몸은 당신의……, 요구대로 움직여버리게 되지요. 더군다나 당신은…… 누님을 보호하려면 움직이라는 식으로…… 생각했습니다. 그건 내가 도저히 거부할 수 없는……, 유혹적인 방식입니다. 조금 전…… 내 몸은 당신의 수족이나 다름없었습니다."

"도대체 왜!"

사모가 또다시 모든 자들을 굳어버리게 만드는 비명을 올렸다. 키타타는 호흡이 멈춰진 듯한 느낌에 황급히 왼손을 가슴으로 가져갔다. 살을 뜯어낼 듯이 가슴을 움켜쥔 키타타는 간신히 말을 할 자유를 회복했다. 그는 벌렁거리는 가슴을 누르며 힘겹게 말했다.

"나가 살육신을 놔두십시오. 폐하."

"뭐라고?"

"이곳, 침묵의 도시에서 나가의 파멸이 눈 뜨도록 내버려두십시오. 그것을 방해하지 마십시오."

괄하이드가 뒤늦게 노호하며 대도를 들어올렸다. 그러나 사모는 손을 들어 그를 제지했다. 괄하이드는 이해할 수 없다는 표정으로 대호왕을 바라보았다. 사모는 그에게 어떤 설명도 하지 않은 채 키타타 자보로를 쏘아보았다. 그녀는 본능적으로 그것이 유언이라는 것을 직감했다.

키타타 자보로는 더없이 차분하게 말했다.

"저를 용서하지 마십시오. 용서는 구하지 않겠습니다. 다만, 나가 살육신은 강림해야 합니다. 저곳에서 그가 죽음의 춤을 추도록 내버려두십시오. 현실적으로 저는 폐하나 다른 동료들을 당할 수 없습니다. 이곳에서 죽을 겁니다. 그것에 아무런 미련도 없습니다."

키타타는 작살검을 다시 곤추세웠다.

"그것이 자보로가 선택한 길입니다."

키타타의 작살검이 허공에서 섬뜩한 빛을 뿌렸다. 사모는 괄하이드의 대도가 휘둘러질 때 눈을 감았다.

제17장

독수(毒水)

생의 심오한 의문을 풀고 싶어하는 자들이 많다.
그 희망은, 당연하기에 특별히 언급되지 않는 전제를 가지고 있는데,
그것은 생에는 의문이 존재한다는 것이다.
자, 어떤 지혜로운 자에 의해 그 의문이 풀렸다고 가정해 보자.
그렇다면 그자는 그때부터 의문 없는 생을 살아야 할 것이다.
그런데, 그것은 우리의 전제와 정면으로 대치되는 생이다.
의문 없는 생이 생일까? 우리는 여기서 두 가지 설명 중 하나를 택해야 한다.
우리의 전제가 잘못되었다는 것,
혹은 그 지혜로운 자가 사기꾼이라는 것.

— 가이너 카쉬넙의 『생각하는 동물들』 서문

티나한은 바람에 깃털이 흔들리는 것을 느꼈다. 거세고 거침없는 바람이었다.

심장탑 51층의 면적이 작은 편은 아니었다. 하지만 그 위에서 바라보는 하텐그라쥬와 키보렌의 넓이는 광대했고 그에 대비되는 51층의 면적은 티나한에게 세워놓은 막대기 위에 서 있는 듯한 아슬아슬한 느낌을 주고 있었다. 물론 그 위에 지나치게 거대한 존재들이 한데 모여 있다는 것 또한 그런 불안정을 가중시키고 있었다. 일찍이 지상의 어떤 구조물도 세 명의 화신을 한꺼번에 영접하지는 못했을 것이다. 티나한은 위안을 얻기 위해 철창을 꽉 움켜쥐며 케이건을 바라보았다.

케이건은 고개를 약간 숙인 채 생각에 잠긴 표정으로 바닥을 바라보고 있었다. 신뢰할 수 있는 길잡이, 능숙한 여행가, 좀 특별한 친절함을 가진 그의 동료는, 사람이 아니었다.

티나한은 그 개념을 받아들이기 어려웠다. 케이건이 상냥하고 부드러운 호인이었던 것은 아니지만, 티나한은 어떤 경우에도 케이건이 자신의 적이 될 수 있다고 생각하지 못했다. 문득 티나한은 그것이 기묘한 일임을 깨달았다. '어떻게?' 대부분의 경우 케이건의 언동은 잘 단련되고 충분히 안정된 인격을 느끼게 하는 것들이었지만, 때론 성난 하늘치보다 더 끔찍한 것을 직시하고 있는 듯한 느낌을 주기에 충분한 모습들을 보이기도 했다. 티나한은 파름 평원에서 하늘치를 불러내려 3,000명이나 되는 두억시니를 학살했던 케이건을 떠올렸다.

'왜 나는 케이건이 위험하다는 생각을 한 번도 하지 못했지? 내가 만난 그 누구보다 위험해질 수 있는 녀석인데.'

심지어 티나한은 지금도 케이건이 위험하다는 느낌을 받을 수 없었다. 세상의 그 무엇보다도 끔찍한 것을 상대하는 것처럼 긴장하고 있는 아기의 반응은 티나한에겐 쉽게 납득되지 않는 것이었다. 아기는 다시 소리 죽여 외쳤다.

"티나한! 얼음이 녹을 때까지 기다릴 수 없어. 빨리 전령시켜!"

"여신님. 꼭 그렇게 해야 합니까? 잘 이야기하면……."

"레콘이 대화를 이야기하는 건 거기에 물이 있다는 뜻이지. 저까짓 물 몇 방울이 너를 죽이지는 않아!"

티나한은 창피함에 볏을 붉게 부풀리며 냉동 장치에서 흘러나오는 물을 흘깃 바라보았다. 아기의 말대로 그런 물에 빠져죽을 리야 없지만, 심리적인 공포는 현상을 무시하는 탁월한 능력을 가지고 있다. 티나한은 깃털을 부풀리며 그곳에서 눈을 돌렸다.

그러자 케이건과 눈이 마주치게 되었다.

케이건의 두 눈은 아무런 감정도 담지 않은 채 그를 향해 고정되어 있었다. 마치 어린애가 나무작대기로 그린 낙서의 눈 같은 무의미하고 생기 없는 눈이었다. 티나한은 자신도 모르게 그 눈에서 호의와 이해를 찾아보려 애쓰며 미소 지었다.

그때 시우쇠가 갑자기 움직였다. 시우쇠는 케이건이 티나한을 바라보는 틈을 노려 팔을 들어올렸다.

케이건의 팔이 잊혀진 전설의 도래처럼 움직였다.

눈길은 여전히 티나한에게 둔 채 케이건의 오른팔이 독자적으로 움직였다. 바라기를 문 그 오른손은 옆으로 내뻗어졌다. 티나한은 자신도 모르게 '쥐었다'가 아닌

'물었다'고 표현했음을 깨달았다. 그 오른손은 케이건의 어깨에 달려 있을 뿐인, 케이건과는 독자적인 뱀처럼 움직였다. 그리고 그 뱀은 입에 문 바라기를 시우쇠의 가슴에 겨냥했다.

시우쇠의 몸에서 거칠게 불티가 튀어오름과 동시에 화염의 화신은 뒤로 튕겨지듯 날아갔다.

시우쇠의 몸에서 돌개바람에 휘말린 꽃잎들 같은 불티가 튕겨져 날았다. 불똥과 함께 날아간 시우쇠의 몸은 51층의 바닥을 거의 가로질러 반대편 가장자리까지 도달한 후에야 겨우 땅에 떨어졌다. 시우쇠는 한쪽 무릎을 세우며 믿을 수 없다는 표정으로 케이건을 바라보았다. 티나한은 볏을 뻣뻣하게 세운 채 자신도 모르게 부리를 딱딱 부딪쳤다.

티나한을 바라보던 케이건은 그제야 고개를 돌렸다. 케이건은 먼저 시우쇠를, 그리고 바라기를 바라보았다. 시우쇠는 바닥에 주저앉은 채 온몸에서 불티를 날려 올리고 있었다. 케이건은 고개를 갸웃거렸다. 그리고 시험삼아 취해 보는 듯한 동작으로 바라기를 두 손으로 움켜쥐었다. 케이건은 고개를 돌려 저 아래쪽의 하텐그라쥬를 바라보았다.

케이건은 바라기를 낮은 궤도로 힘껏 휘둘렀다.

티나한과 비형은 숨이 멎는 공포를 느꼈다.

케이건이 바라기를 휘두른 순간 천지를 진동시키는 굉음과 함께 하텐그라쥬의 한 구역이 폭발을 일으켰다. 폭발의 형태는 기묘했다. 도시의 건물과 대로, 광장 위로 길이가 수백 미터는 족히 될 호선이 번개처럼 치달으며 잔해의 장막이 비스듬히 뛰쳐올랐다. 하텐그라쥬라는 얇은 도깨비지가 바라기에 의해 찢어지는 것 같았다. 비형이 신음을 흘리며 주저앉았다. 그런 상황에서 입을 열 수 있는 종족은 아마도 도깨비뿐일 것이다.

"지금 뭐 하는 겁니까?"

케이건이 고개를 돌려 비형을 바라보았다. 그의 얼굴은 묘하게 비형과 비슷했다. 케이건 또한 자신이 행한 일에 대해 불가해함을 느끼고 있었다. 케이건은 특유의 친절한 태도를 발휘하여 비형과 자신 둘 다를 만족시키기로 했다.

"한 번 더 해 봅시다. 그러면 우리 둘 다 지금 무슨 일이 일어나는 건지 알게 될 것 같소."

비형이 거부의 외침을 외칠 틈은 없었다. 케이건은 다시 바라기를 움켜쥐고 허공을 향해 있는 힘껏 휘둘렀다.

보이지 않는 거대한 손톱이 한량 없는 적의로 땅을 할퀴는 듯했다. 건물은 무너진다기보다 터져버렸고 포석과 돌기둥, 건물의 처마 등이 폭풍을 일으키며 치솟았다. 그리고 그 뒤편으로 잔해와 흙먼지들이 지상에 내려선 구름인 양 꿈틀거리며 압도적인 힘을 가진 것 특유의 무겁고 느린 모습으로 서서히 번져나갔다. 비형은 눈을 질끈 감으며 고개를 돌렸다.

"그만두세요! 예?"

케이건은 비형을 흘깃 바라보고는 바라기를 얼굴 앞에 세워들었다. 그리고 그곳에 비친 자신의 얼굴을 바라보았다. 바라기의 두 개의 칼날에는 각자 얼굴의 반이 비치고 있었고, 그래서 그곳에는 세로로 쪼개진 케이건의 얼굴이 그를 마주보고 있었다.

더없이 참담한 심정으로 키타타 자보로의 시신을 내려다보던 괄하이드는 폭음에 놀라 고개를 돌렸다. 그리고 하텐그라쥬에서 일어나는 광경을 돌아보곤 다시 경악했다.

도깨비 감투를 쓴 태고의 야수가 산더미 같은 앞발로 하텐그라쥬를 할퀴는 것 같았다. 대지를 강타하는 그 어떤 것도 보이지 않았지만 하텐그라쥬는 잔혹하게 찢겨져 너덜거렸다. 건물의 기초를 이루고 있었을 육중한 돌들이 먼지처럼 가볍게 날아올라 허공을 수놓았고 흙먼지는 심장탑을 뒤덮을 만한 기세로 피어올랐다. 초월적인 재난에 사람들은 입을 다물지 못했다.

라수는 전쟁 동안 몸에 익은 습관대로 거의 반사적으로 뇌룡공을 돌아보았다. 특별한 질문을 꺼내지 않은 것 또한 몸에 익은 습관이다. 필요할 경우 륜은 언제나 라수의 질문을 듣기도 전에 대답했다. 하지만 사모의 무릎에 얼굴을 묻은 채 엎드린 뇌룡공의 모습을 본 라수는 그가 자신의 의문을 해결해 줄 상태가 되지 못한다는 것을 깨달았다.

라수는 다른 사람에게로 고개를 돌렸다.

오레놀이 신음을 흘리며 말했다.

"저건 나가 살육신의 강림을 알리는 신호인가 보군요."

"그가 나가를 다 죽일까요?"

"그 외에 다른 일을 할 수 있는지 잘 모르겠습니다."

흥분 속에서도 라수는 오레놀의 대답이 기묘하다고 생각했다. 오레놀은 신의 전능함을 말하는 대신 신의 무능함을 말했다. 한 가지 일밖에 할 줄 모르는 신이라는 것은 라수에겐 당혹스러운 개념이었다. 라수는 주먹을 쥐었다 폈다 하며 다급하게 말했다.

"그렇다면 그는 우리 북부군에겐 아무런 위해도 가하지 않는 겁니까? 스님. 저…… 소름끼치는 폭력은 우리와는 상관없는 겁니까?"

"아마도 그럴 거라 생각됩니다."

라수는 키타타 자보로의 시신을 흘깃 바라보고는 말했다.

"그렇다면 저는 북부군의 안전한 퇴각을 위해 매진하고 싶군요."

괄하이드 규리하가 당혹한 표정으로 동생을 돌아보았다. 라수는 침착하게 말했다.

"북부군은 저를 따라 이 사지로 왔습니다. 지난 몇 달 동안의 행군이 역사상 가장 거대하고 동시에 그 거대함만큼이나 무의미한 행군이었음이 밝혀진 지금, 제가 할 수 있는 일은 그들을 한계선 너머로 안전하게 돌려보내는 일이라고 생각됩니다."

"하텐그라쥬의 사람들이……."

라수는 고개를 가로저어 대덕의 말을 중간에 가로막으며 말했다.

"저 하늘치에 우리도 올라갈 수 있습니까?"

대덕은 반사적으로 대답했다. 그는 자신이 발견한 놀라운 사실을 공유할 사람을 필요로 하고 있었다.

"원하기만 하면 됩니다. 저곳에 계단이 있습니다. 제가 타고 내려온 계단입니다. 당신도, 다른 누구도 그곳에 계단이 있기를 원하면 그 계단을 볼 수 있습니다. 그리고 딛고 올라갈 수 있습니다."

라수는 시험 삼아 대덕이 가리킨 방향을 바라보았다. 그리고 라수는 욕설이 튀어나오려는 것을 억눌렀다. 대덕의 말대로 그곳에는 계단이 있었다. 오레놀의 말은 계속되었다.

"처음 저 위에 올라갔을 때 우리는 유적을 만질 수 없었습니다. 지상에서 하늘치 유적을 바라보는 사람들이 그것을 볼 수만 있고 만질 수는 없다고 생각했기 때문이 아닌가 싶습니다. 그래서……."

"저 하늘치를 다시 북쪽으로 돌아가게 할 수도 있겠지요?"

"예? 아, 예. 가능합니다."

"알겠습니다."

그리고 라수는 대호왕을 바라보았다. 사모는 무릎에 놓인 륜의 머리를 두 손으로 감싸쥔 채 라수를 마주보았다. 라수의 얼굴은 딱딱하게 굳어 있었다. 그 표정은 내부의 긴장과 흥분을 감추고 있었지만, 바로 그 때문에 긴장과 흥분을 드러내고 있기도 했다. 감출 것이 없다면 감추지 않을 테니까.

"폐하. 회군을 윤허해 주십시오."

사모는 배신감과 동정심을 거의 동시에 느꼈다. 그러나 라수의 요구에는 부당함이 없었다. 그녀는 북부의 왕이었고 북부군은 나가를 도울 의무가 조금도 없다. 사모는 고개를 끄덕여야 한다는 것을 느꼈다. 그때 사모는 라수의 눈빛 속에서 기이한 의미를 발견했다. 사모는 그 의미에 놀랐지만, 이미 그녀의 고개는 위아래로 움직였다.

라수 규리하는 빠르게 지시를 내렸다. 상장군의 지시는 레콘의 목소리에 의해 증폭되어 북부군들 전체에 퍼졌다. 라수는 머리카락을 뒤로 쓸어넘긴 다음 대호왕을 향해 말했다.

"그럼, 이제 나가 살육신의 강림을 저지할 방법에 대해 이야기해 볼까요?"

사모는 웃음을 터뜨렸다. 그녀가 본 것은 정확했다. 라수 규리하는 북부군을 안전하게 퇴각시킬 의무를 다하려 하고 있었지만, 그 자신에 대해서는 좀 다른 계획을 가지고 있었다. 괄하이드 대장군은 놀란 표정으로 사촌동생을 향해 말했다.

"무슨 말이냐. 너는 돌아가지 않는다는 뜻이냐?"

라수는 대호왕을 향해 말했다.

"만일 폐하께서 돌아가라 하시면 폐하께서는 재위 이후 처음으로 반란을 경험하실 겁니다. 제가 이곳을 놓칠 것 같습니까?"

사모는 어찌할 수 없는 미소로 얼굴을 물들인 채 라수 규리하를 바라보았다. 그곳에는 4년 동안 방황하다가 마침내 자신의 자리로 돌아온 학자가 역사에 길이 남을 대사건의 목격자가 되려는 희망에 가득차 눈을 빛내고 있었다. 사모는 고개를 조금 내저으며 다시 륜을 내려다보았다. 그녀의 얼굴에 다시 수심이 떠올랐다.

그녀와 륜 곁에서는 베미온이 손등을 물어뜯으며 어쩔 줄 모르는 표정으로 륜을 바라보았다. 그는 갑자기 손을 뻗어 륜의 팔을 붙잡았다. 베미온의 얼굴에 당혹감이 떠올랐다. 사모는 의아한 표정으로 베미온을 바라보았다.

"베미온 마립간?"

베미온은 끙끙거리며 말했다.

"움직이지 않아요."

사모는 무슨 말인지 모르겠다는 표정을 지었다. 베미온은 륜의 팔을 두 손으로 움켜쥔 채 잇소리를 내며 그것을 끌어올리려 했다. 하지만 그 팔은 땅에 고정된 것인 양 움직이지 않았다. 사모는 당황하여 륜의 몸을 움직였다. 그리고 사모는 놀라운 사실을 알게 되었다. 그녀의 무릎에 올려놓은 륜의 머리는 쉽게 움직였지만, 그외 다른 부분들, 땅에 닿아 있는 부분들은 꿈쩍도 하지 않았다. 라수가 신음을 흘리며 말했다.

"어떻게 된 거야?"

사모는 황급히 고개를 숙여 류의 머리에 대고 닐렀다.

〈류. 류?〉

대답은 없었다.

사모의 무릎에 얼굴을 묻은 채, 류은 이 땅에 살았던 모든 용인들의 흔적을 읽었다.

그들 중에는 선한 자도, 악한 자도 있었고 어리석은 자도, 지혜로운 자들도 있었다. 태어났고 살아갔던 그들은 세계의 모퉁이마다 도저히 지워질 수 없는 흔적들을 남겨두었고 그 흔적들은 모두 류이 품어안아야 할 것들이었다.

세계가 그를 향해 니르고 있었다.

지층의 비좁은 틈을 힘차게 흐르는 지하수의 맥류. 나무 우듬지를 기어올라가는 사마귀의 작디 작은 허파가 내뿜은 바람. 창공의 바람은 자유롭다. 타버린 동물의 배에서 흘러나오는 침출수. 역동적인 암반의 춤. 다음 동작은 아마도 2만 년 후. 아니, 1만 7000년 후. 저 나뭇잎의 추락 때문에.

류이 가진 날카로움은 본능의 수준에서 발휘되고 있었다. 심장을 뛰게 하고 허파를 부풀리는 것처럼 류은 자신의 상처에 대해 아무렇지도 않게 개입했다. 류의 피가 상처 부위를 우회하면서 더 이상 실혈은 일어나지 않았다. 이미 흘린 피 또한 보충되었다. 류의 몸은 눈을 깜빡이는 데 필요한 힘보다 더 적은 노력으로 흘려버린 피를 보충했다. 몸을 누인 땅으로부터 류의 몸은 거침없이 물기를 흡수했고 물에 용해될 수 있는 모든 성분들 또한 물과 함께 흡수되었다. 식물이 그 뿌리로 양분을 빨아들이는 것과 유사한 작용이었다. 그리고 땅으로부터 흡수한 물질들을 육체에 더하기 위해 체내의 조성비가 눈 깜빡할 사이에 수십 번 이상 바뀌었다. 그 변화는 번갯불 같았다. 그 때문에 류의 몸은 유지에 필요한 모든 것을 '소화' 없이 얻어내고 있었다. 그리고 그것은 모두 상처 자체에 대한 죽음과 유리, 그리고 재생과 부활로 돌려졌다.

그 순간, 류은 지상에 한 번도 존재한 적이 없었던 생명체가 되어 있었다.

생물은 자신이 무생물로 바뀌는 것을 막는 기제를 가지고 있으며 그 능력이 다한 순간 무생물로 바뀐다. 그러나 몸에 꽂힌 작살검으로 바람을 느끼고 땅에 닿은 몸으로 양분을 흡수하며 흡수한 물을 태워 체내의 불로 변화시키는 류은 그 순간 경계에 걸쳐 있었다. 생물도 무생물도 아닌 존재. 하늘이 열린 이래 처음 꽃을 피운 나무. 그의 몸은 생명의 빠르고 긴박한 박자와 무기물의 장대하고 느린 호흡 양자를 모두 경험하고 있었다.

류은 자신의 몸이 자신을 구제하고 있다는 것을 모르고 있었다.

그것은 극도로 위험한 순간이었다. 누구나 알 듯 세상에는 놀라서 죽어버리는 사람이 있다. 자신이 죽었다고 믿는 순간 사람은 자신의 몸 상태가 어떠하건 죽어버릴 수 있다. 그리고 류이 처해 있는 위험은 자신의 생존성을 의심하는 것보다 더 심각한 것이었다. 류은 스스로를 둘러싼 자연의 흐름, 무기물의 흐름에 자신을 투사하고 싶은 견딜 수 없는 욕망을 느꼈다. 그것은 아름다웠고 심오했다.

죽음은 순박한 탈출이었다.

아스화리탈만이 류을 이해했다.

작살검이 류을 찌를 때 아스화리탈은 충격을 받았다. 하지만 이제 아스화리탈은 날개를 접은 채 류을 가만히 내려다보았다. 아스화리탈을 성장시킨 그 존재는 지금 경계에 걸쳐져 있었고 무엇으로든 성장할 수 있는 용은 류이 무엇으로 바뀐다 해도 괘념치 않았다. 용은 류이 그대로 멈춰버릴 가능성이 가장 높다고 생각했다. 형태 없는 뿌리로 대지와 직접 대화하고 영원성 속에 자신을 고정시키는 미래가 류의 앞길에 놓여 있었다. 그리고 아스화리탈은 그에 대해 아무런 유감도 느끼지 않았다.

그러나 다음 순간, 용은 어떤 부름을 느꼈다. 용은 고개를 좌우로 돌려 자신을 부른 존재를 찾으려 했다. 수직 날개 뿌리부분에 돋아난 가벼운 털들이 용의 움직임에 따라 가볍게 흔들렸다. 하지만 아스화리탈의 시야 어디에서도 그런 존재는 보이지 않았다. 문득 용은 자신이 착각하고 있음을 깨달았다. 용을 부르고 있는 것은 지금—이곳이 아니었다. 용은 난처하다는 기분을 느꼈고 그에 따라 그의 분화공들이 가볍게 벌름거렸다. 그때 또다시 부름이 들려왔다.

용은 그 부름을 거절할 수 없음을 알게 되었다.

아스화리탈은 날개를 펴 지금이 아닌—이곳이 아닌 곳을 향해 날아갔다.

용이 처음 도달한 곳은 6,800년 전의 라호친이었다.

소리 없이 눈이 내리고 있었다. 쓸쓸한 풍경을 둘러보던 용은 그것이 쓸쓸하기만 한 것이 아니라 기이하기도 하다는 것을 깨달았다. 눈은 선혈처럼 붉은 빛이었고 거대한 설원은 보랏빛의 퇴적이었다. 색채 외에 다른 것들도 혼돈되어 있었다. 설원에서 기대하기 힘든 향기들이 용의 주위를 스치고 지나갔다. 썰물이 빠진 모래밭에서 풍겨나오는 내음, 막 껍질을 벗긴 나무에서 흘러나오는 방향 등이 풍경을 무시하며 사방을 적셨다. 그러나 용은 크게 괘념치 않은 채 자신을 불러낸 자를 찾았다.

아무도 보이지 않았다.

아스화리탈은 다섯 가닥의 꼬리를 설원에 뿌려둔 채 주위를 획획 둘러보았다. 어디에도 무정물들뿐이었다. 설원은 완만한 구릉들로 뒤덮인 채 한없이 멀어지고 있었고 하늘은 무거워 보였다.

아스화리탈은 잠시 주의력을 잃었다. 그런 방심 상태에 빠져 있었기에 용은 자신의 배 부분에서 갑자기 걸어나온 사람의 모습에 기겁했다.

아스화리탈은 세 장의 날개를 모두 펼쳤다. 번개가 튀어오르며 순식간에 아스화리탈의 날개들은 수백 미터의 벼락 줄기로 바뀌었다. 하지만 아스화리탈의 배에서 나온 사람은 태평하게 걸어갔다. 아스화리탈은 의아한 기분으로 자신의 앞쪽으로 걸어가는 그 사람을 바라보았다. 문득, 아스화리탈은 그 사람이 자신을 '관통'해야만 그런 자세로 걸어갈 수 있음을 깨달았다. 용은 긴 목을 구부려 그 사람의 얼굴을 옆에서 바라보았다.

　주위의 풍경처럼 남자의 모습 또한 기괴했다. 아스화리탈은 그런 색깔의 사람을 본 적이 없었다. 분명히 인간으로 보였지만 그 얼굴은 초록빛이었다. 덥수룩한 남색 수염이 얼굴을 온통 뒤덮고 있어 용모는 알아보기 힘들었다. 짐승의 가죽으로 만들어진 두터운 옷은 조악하다 할 정도였지만 그 아래에는 땅딸막하지만 강인한 몸이 활기차게 움직이고 있었다. 발에는 커다란 눈신을 신어 눈밭에 발이 빠지는 것을 방지하고 있었고 내딛는 규칙적인 걸음은 남자가 눈신과 설원에 익숙함을 잘 드러내고 있었다. 그는 용의 존재를 조금도 눈치채지 못한 것처럼 걸어갔다. 용은 시험삼아 앞발로 남자의 어깨를 건드렸다.

　아스화리탈의 발은 남자의 어깨를 지나쳤다. 어르신이 된 것 같다고 생각하며 용은 그 사실에 대해 숙고했다. 그때 규칙적으로 걸어가던 남자의 걸음이 멈췄다. 남자는 의아한 듯 주위를 둘러보았다. 그의 입이 열렸고, 매우 탁하지만 가까스로 알아들을 수 있는 목소리가 흘러나왔다.

　"퀴도부리타?"

　순간 아스화리탈은 남자가 누구인지 알게 되었다. 남자는 주위에 무관심한 기질 때문에 부족민들에게 하늘치라는 이름을 얻었다. 그의 부족은 '하늘치'를 싫어하지는 않았지만 태평하게도 용근을 먹지 않고 용으로 키워버린 그 무심함에는 당혹을 금치 못했다. 이 시절에도 용근은 잡초처럼 흔하지는 않았지만 6,800년 후처럼 희귀한 것도 아니었다. 그리고 하늘치의 부족은 모두 용근을 먹음으로써 완전 동화를 이루고 있었다. 그런 완전 동화는 라호친의 살인적인 환경에서 부족을 보호하는 지혜였다. 그들은 서로에 대해 한없이 예민했고 그 때문에 서로에 대한 어떤 종류의 분쟁도 일으키지 않았다. 서로에 대한 완벽한 이해를 통해 부족은 군생체를 이루고 있었고 바로 그 군생체의 힘으로 발톱과 이빨을 곤두세운 채 달려드는 라호친의 소름끼치는 환경에 대항하고 있었다. 하지만 하늘치는 자신에게 주어진 용근을 내버려두어 용으로 만들었고 그 용에게 퀴도부리타라는 이름을 붙였다. 부족민들은 그런 사태에 대해 적절하게 대처할 수 없었다. 그런 상황을 상상도 해보지 못했기 때문이다. 그래서 부족민들은 의혹과 불안 속에서 하늘치와 그의 용을 바라보았다. 남자는 부족민의 시선에 아랑곳하지 않았다. 그것은 그의 성벽, 그리고 그가 용근을 먹지 않아서 부족민들에 대해 무심함을 유지할 수 있기 때문에 가능한 것이었다.

하지만 지금 하늘치는 용근을 먹었다면 좋았을 거라 생각하고 있었다. 그와 크게 싸운 퀴도부리타가 어딘가로 도망쳤고 그래서 하늘치는 넌더리를 내며 그 어린 용을 찾아나선 길이었다. 용근을 먹었더라면 용이 어디에 있는지 찾아내는 것은 쉬운 일일 것이다.

하늘치는 멍한 표정으로 주위를 둘러보았다. 아스화리탈은 그가 자신을 보지 못한다는 사실을 다시 확인할 수 있었다. 하늘치는 문득 자신이 설원 한가운데 서서 스스로를 위험에 노출시키고 있음을 깨달았다. 그는 고개를 아주 조금 내젓고는 다시 걸음을 옮겼다. 아스화리탈은 그에게 퀴도부리타가 어디에 있는지 가르쳐주고 싶었다. 아스화리탈은 그것을 알 수 있었다. 그러나 그때 다시 부름이 들려왔다.

'미안. 아직 익숙하지가 않군. 네가 들었던 것은 메아리야. 6,800년 전의 과거에 부딪쳐서 돌아온 반향이지. 자, 다시 날아라.'

아스화리탈은 날개를 폈다. 다시 날아오르기 전 아스화리탈은 '하늘치'를 흘끔 바라보았다. 6,800년 후 남자의 이름은 퀴도부리타에 관련된 흥미로운 헛소문을 만들어낼 것이다. 아스화리탈은 그것이 재미있다고 생각했다.

다시 비행하던 아스화리탈이 날개를 접었을 때 어디선가 쾌활한 목소리가 들려왔다.

"키탈저 사냥꾼들의 사냥 기호야. 흑사자와 용."

"흑사자와 용이요?"

"둘 다 나가에 의해 멸종한 것들이지. 키탈저 사냥어로 읽으면 케이건 드라카가 되네. 그 친구가 사용하는 이름은 거기서 따온 걸세."

아스화리탈은 주위를 관찰했다. 그리고 용은 자신이 즈믄누리의 성주 서재에 있음을 알게 되었다. 하지만 그것은 정확한 표현이라 하기 어려웠는데, 성주의 서재는 용의 거체가 들어갈 만큼 크지 않았다. 그 때문에 아스화리탈의 몸 상당 부분은 서재 바닥에 가라앉아 있었고 따라서 서재에 있는 것은 아스화리탈의 머리와 목 일부분이었다. 라호친의 풍경과 달리 서재의 풍경은 훨씬 정상적이었지만, 아스화리탈은 사물들의 윤곽이 조금 기묘하게 번득이는 것을 확인할 수 있었다. 아스화리탈은 그 사실에 대해 다시 숙고했다. 그러나 스스로를 만족시킬 만한 대답을 얻을 수 없었고 그래서 아스화리탈은 도깨비들을 바라보았다.

용의 앞쪽에서, 두 명의 도깨비가 이야기를 나누고 있었다. 용은 그중 한 명의 얼굴을 알고 있었다. 즈믄누리의 성주 바우 머리돌이었다. 즈믄누리의 11대 성주이며, 살아 있는 성주다. 즈믄누리의 장대한 역사에도 불구하고 그 성주가 열한 명뿐이었던 것은 성주들 대부분이 어르신의 형태로 남아서—자신의 불운을 슬퍼하며—긴 세월을 다스리곤 했기 때문이다. 바우 머리돌은 아직 죽지 않았고 그 또한 다른 열 명의 성주들과 마찬가지로 죽은 직후에 성주 자리를 누군가에게 물려주고 어르신들이 할 법한 재미있는 일에 전념할 야망을 품고 있었지만, 아마도 그 야망은 실현되기 어려울 것이다. 아스화리탈은 바우 성주와 대화를 나누고 있는 도깨비를 본 적이 없었다. 하지만 아스화리탈은 그 도깨비를 알고 있었다. 즈믄누리의 무사장 사빈 하수언이었다. 그 직함은 만약의 경우 피를 볼 일이 도깨비에게 발생했을 때 그에게 그 책임이 있다는 무서운 의미였지만, 사빈은 크게 신경 쓰지 않았다. 도깨비의 역사에서 그런 불운한 처지에 빠져야 했던 무사장은 한 명뿐이고 그 때문에 사람들은 즈믄누리의 무사장이 나설지도 모른다는 풍문만으로도 저 페시론 섬의 악당들이 맞이해야 했던 최후를 떠올리며 스스로 사태를 해결해 버렸다.

자신의 직업에 대해 만족스러워하지는 않지만 도깨비답게 거기서 불운의 소지를 발견하지도 않는 두 도깨비를 보며 아스화리탈은 흥미로운 기분을 느꼈다. 아스화리탈은 그들의 대화에 주의를 기울였다.

"그렇긴 하겠습니다만, 저라면 그런 위험한 곳에 들어갈 때의 동료가 제정신이라는 확증이 있는 편이 좋겠습니다. 혹 그 킴이 늘상 먹던 나가에 질린 나머지 별식으로 도깨비를 먹고 싶어하면 실로 곤혹스러운 일이지 않겠습니까?"

"그런 걱정은 하지 말게. 케이건의 분노는 모조리 나가들에게 돌려져 있어. 그리고 그에게 다른 분노를 살 수도 없어."

"분노를 살 수 없다고요?"

"그래. 서신에서 본 것처럼 그에겐 더 뺏을 수 있는 것도 없어. 나가들이 모조리 다 빼앗아 갔으니까. 좀 역설적으로 들릴지도 모르겠지만, 나가를 제외한 자들에게 있어서 케이건은 세상에서 가장 안전한 사람이라고 할 수 있지. 분노하게 할 수 없으니까."

사빈은 성주의 이야기를 이해할 수 없었지만 아스화리탈은 이해했다. 케이건은 안전하다. 나가를 제외한 자들에 대해서만. 그런데 케이건이 자신의 위험성을 드러내는 상대는 종족으로서의 나가다. 개인인 나가에게, 케이건은 때론 충성을 바치고 우정을 나누기도 했다. 사모 페이와 요스비가 그런 일탈의 대상이었다. 어떻게 그럴 수 있을까. 문득 아스화리탈은 6,800년 전에 보았던 '하늘치'를 떠올렸다.

그는 요스비를 닮았다.

아스화리탈은 그것이 기묘한 생각이라는 것을 스스로에게 확인해 주면서도 그 생각에 매료되었다. 요스비는 '하늘치'와 비슷하다. 문득 아스화리탈은 요스비에 대해 더 알고 싶다는 생각을 했다. 기다렸다는 듯이 다시 부름이 다가왔다.

'저곳으로, 그때로.'

아스화리탈은 날아올랐다.

아스화리탈은 밤의 하텐그라쥬에 도달했다. 그리고 앞에는 심장탑이 우뚝 솟아 있었다. 하마터면 심장탑을 들이받을 뻔했던 아스화리탈은 수직 날개를 곧추세우며 동시에 두 장의 수평 날개를 비틀었다. 공중에서 멈춘 아스화리탈은 눈앞에 한 나가의 얼굴이 있는 것을 발견했다.

창문을 통해 용을 바라보고 있는 것은 갈로텍이었다. 그러나 용은 갈로텍이 아무런 반응도 보이지 않는다는 것을 깨달았다. 갈로텍은 용에게 시선을 맞추지 않은 채 밤하늘을 바라보았다. 아스화리탈은 허공에 뜬 채 그를 물끄러미 바라보았다.

어떤 폭력적인 기분이 아스화리탈을 휘감았고 용은 갈로텍의 머리를 짓눌러주고 싶다는 욕망을 참기 힘들었다. 하지만 이제 용은 이 모험이 허락하는 것이 오직 관찰뿐임을 깨닫게 되었다. 아스화리탈은 홧김에 앞발을 휘둘렀지만 갈로텍의 상반신을 으깨고 심장탑에 심대한 타격을 주었을 그 공격은 허공을 갈랐다. 아스화리탈은 포기한 채 갈로텍을 바라보았다.

갈로텍이 갑자기 비늘을 조금 세우며 닐렀다.

〈용이라도 한 마리 날아올 것 같은 으스스한 밤이군요.〉

아스화리탈은 경이감을 느꼈다. 갈로텍은 비어 있는 공간을 바라보고 있었지만 그것이 그가 하고 있는 모든 행위는 아니었다. 아스화리탈은 갈로텍과 자신의 유사성을 발견했다. 그 유사성은 다른 시간과 다른 장소에 속한 두 사람 사이에 공명을 일으키고 있었다. 아스화리탈은 문득 자신을 사람으로 표현했음을 깨달았다. 아스화리탈은 자신이 누구인지 알 수 없었다.

'나는 누구지?'

아스화리탈의 시야에 들어오는 풍경 한구석이 갑자기 일그러졌다.

그러자 다음 순간 아스화리탈은 파름 산에 있게 되었다.

용은 눈앞에서 쥬타기 대선사와 오레놀이 대화를 나누는 것을 보았다. 뭔가 깊은 생각에 빠져 있는 것처럼 보이던 대선사가 말을 했다. 아스화리탈은 그 말에 귀를 기울였다.

"그래. 내 꿈에 어디에도 없는 신이 현몽하셨다. 신께서는 내게 도탄에 빠진 세상을 구하기 위해 조만간 용의 모습으로 세상에 화신(化身)하실 거라고 알리셨다."

순간 아스화리탈은 깨달았다.

공포 때문에 용의 모습으로 지금이 아닌—이곳이 아닌 곳을 떠돌고 있지만 그는 용이 아니었다.

'디듀스류노 라르간드 페이. 나는 륜 페이다.'

륜은 자신을 내려다보았다. 벼락이 번득이는 세 장의 날개와 다섯 가닥의 꼬리 대신 나가의 팔다리가 그곳에 있었다.

륜은 몸을 돌렸다.

저편에서 아스화리탈이 그를 바라보고 있었다. 그리고 그 앞에는 륜 자신이 등에 작살검을 꽂은 채 쓰러져 있었다. 순간적인 감정의 동요가 일어났지만 륜은 곧 자신을 진정시켰다. 아스화리탈이 희미하게 고개를 끄덕였다. 륜은 이해했다. 사람이 감당하기 힘든 이 무서운 여행에서 륜은 자신도 모르게 강력한 친구의 모습을 빌렸다. 아니, 그것은 여행도 아니었다. 진흙탕에 남겨진 발자국을 읽으며 지나간 동물의 모습을 추측하는 사냥꾼처럼 륜은 세계에 남겨진 자국을 읽으며 과거를 보고 있었다.

'네 모습을 빌려줘서 고마워.'

용은 미소를 지었다. 물론 용에게는 입이 없었다. 그리고 눈 주위의 근육들 또한 미소를 짓기에 적합하지 않은 형태였다. 하지만 륜은 아스화리탈이 미소를 지었음을 깨달았다. 그 미소는 그 이름의 원래 소유자의 미소와 닮아 있었다. 륜은 웃으며 다시 주의를 기울였고, 하텐그라쥬의 심장탑을 바라보았다. 갈로텍은 세리스마와 대화를 나누고 있었다.

세리스마와 갈로텍은 요스비를 알고 있었다. 그래서 륜 페이도 요스비에 대해 알게 되었다.

'세상이 나에게 니르고 있어.'

륜은 요스비를 직시했다. 인정하기 힘들었지만 마음속으로는 이미 짐작하고 있었던 것처럼, 요스비는 제정신이 아니었다. 요스비의 강력한 정신 억압 능력은 그 자신의 정신 구조에도 지속적이고 심대한 영향을 끼쳤고 어떤 의미에서도 그는 돌았다는 판정을 피하기 어려운 사람이었다. 하지만 그런 병리적 정신 상태였음에도 불구하고 요스비는 폭력적인 성격은 아니었다. 그것은 대부분의 이들에게 그저 유쾌하게 보이는 성격이었고 어떤 자들에게는 거부할 수 없는 매력으로 인식되었다. 케이건이 바로 그러했다. 그랬기에 흑사자와 용의 자손은 그 나가를 받아들였다.

그 순간, 륜은 다시 날아올랐다. 오로지 편의를 위해 륜은 당분간 그것이 어떤 여행이라는 착각을 유지하기로 했다.

륜이 도달한 곳은 거대한 강을 낀 키보렌의 어떤 지점이었다. 강을 바라본 륜은 그것이 무룬 강임을 깨달았다. 륜은 주위를 두리번거렸다. 그때 어떤 목소리가 들려왔다. 륜은 고개를 돌렸다.

구출대의 모습이 강변을 따라 그에게 다가오고 있었다. 륜은 반가움에 두 팔을 펼쳤지만, 곧 자신이 그들에게 보이지 않는다는 사실을 깨달았다. 륜은 그 사실을 인정하며 구출대를 바라보았다. 티나한은 무룬 강쪽으로 시선도 돌리지 않으려 했고 케이건은 머리를 그다지 움직이지 않으면서도 주위의 모든 것을 꼼꼼하게 관찰하고 있었다. 그리고 생각에 잠긴 것처럼 보이는 비형과 나늬가 그들과 함께 걷고 있었다. 비형이 갑자기 말했다.

"흑사자와 용……, 흑사자와 용……, 알았다! 나가들에 의해 멸종당한 것들이군요!"

'흑사자와 용. 케이건 드라카.' 륜은 생각했다. 뒤이어 티나한이 말했다.

"키탈저 사냥꾼식이야! 그래, 이제 생각났어! 전에 들어봤어. 키탈저 사냥꾼들 방식이야. 그자들은 원수를 죽이고 그 간을 꺼내어 씹어 먹었다고 했어. 맞지?"

륜은 케이건이 고개를 끄덕이는 것을 보았다. 비형이 두려워하는 표정으로 말했다.

"나가들이 도대체 당신에게 무슨 짓을 한 겁니까, 케이건?"

"왜 그런 생각을 하는 거요?"

"당연한 거잖습니까? 당신 이름이 나가에 의해 멸종당한 두 생물이고, 그리고 그걸 나가에 의해 멸망한 자들의 언어로 표현했고, 그러면서 나가에 의해 멸망한 자들의 방식으로 나가를 대하고 있어요. 당신은 그들을…… 사냥해서 삶아먹는다고 했죠. 도대체 나가들이 당신에게 무슨 짓을 했기에 이런…… 거의 경건하기까지 한 방식으로 그들을 대하고 있는 겁니까?"

'모든 것을 다 앗아갔지.' 류은 케이건을 바라보며 동정심에 숨이 끊어질 것 같았다. 류은 케이건이 당한 일을 알 수 있었다. 세계가 그를 향해 니르고 있었기 때문에.

그때 류은 부정의 의미를 들었다. 류은 세계를 바라보았다.

'그것이 아니라고?'

류은 그것이 무슨 의미인지 알 수 없었다. 세계는 인내심을 가지고 차근차근 설명했다. 류은 그 설명을 들으며 서서히 이해했다.

'잠깐. 케이건과 어디에도 없는 신은 현재 하나다. 케이건은 모두 뺏겼지만, 어디에도 없는 신은 그렇지 않다. 하지만 둘은 하나. 그렇다면……?'

류은 깨달았다. 그 순간 아스화리탈이 고개를 치켜들어 화염을 내뿜었다. 천공을 향해 치솟는 그 불기둥은 류에게 길잡이가 되었다. 류은 자신의 몸이 가볍게 떠오르는 것을 느꼈다. 류은 분명한 목적 의식을 가지고 그 불기둥을 향해, 지금—이곳을 향해 날아갔다.

라수는 깜짝 놀라서 하늘을 바라보았다. 아스화리탈이 갑자기 모든 힘을 다 해 불을 뿜어올렸다. 용이 뿜어올린 그 불기둥은 하늘치가 떠 있는 높이보다 더 높게 치솟아올랐다. 모든 사람들이 이 갑작스러운 행동에 놀라 고개를 들었지만 한 사람만은 그렇게 하지 않았다. 류을 내려다보고 있던 사모는 동생의 입이 움직이는 것을 발견했다.

"조용! 조용히 해 봐!"

왕의 명령에 사람들이 다시 아래를 내려다보았다. 아스화리탈 또한 그들과 함께 고개를 숙였다. 사모는 류의 입을 가리켰고 사람들은 입을 다물었다. 류에게 주의를 기울인 그들의 귀에 가느다란 목소리가 들려왔다.

"그에게…… 보여줘요."

"류? 류, 뭐라고 했니?"

"케이건에게…… 보여줘요. 그는 다 뺏겼지만, 모조리 뺏겼지만…… 인간들이 보관하고 있던 것이 있어요. 그건 우리 나가들에게…… 뺏기지 않았습니다. 그에게…… 그걸 보여줘요. 그가 모든 것을…… 다 뺏기지는 않았다는 것을 보여……."

"인간들이 보관하고 있던 것?"

"어디에도 없는 신이…… 인간에게…… 준……."

말이 이어지길 기다리던 사모는 문득 자신이 그 말을 들을 수 없다는 것을 알게 되었다. 무시무시한 추락감 같은 것을 느끼며 사모는 황급히 허리를 굽혔다. 류의 얼굴 가까이 얼굴을 가져간 사모는 숨이 멎을 것 같은 공포 속에서 류의 호흡을 살폈다.

사모는 안도했다. 류의 호흡은 미약하지만 끊어지지 않고 계속되고 있었다. 사모는 조심스럽게 동생의 볼을 쓸어 만졌다. 그리고 북부의 왕은 고개를 들어 베미온을 바라보았다. 베미온은 어쩔 줄 모르는 표정으로 류와 사모를 번갈아 바라보았다.

"베미온 마립간. 걱정하지 마. 류은 살아 있다."

베미온은 그 말을 알아듣는 것 같지 않았다. 그는 계속해서 류의 몸을 움직여 보려 애썼다. 사모는 그에게 뭔가 설명을 하려다가 포기하고는 오레놀을 바라보았다.

"대덕?"

오레놀은 흥분한 어투로 말했다.

"글쎄요. 무슨 의미인지 정확하게는 모르겠습니다만, 하텐그라쥬 공께서는 케이건 드라카 님의 상실감이 어디에도 없는 신의 선물을 통해 치유될 것이라고 말씀하시는 것 같습니다. 나가에 대한 케이건 드라카 님의 증오심은 그의 모든 것이 나가에 의해 상실되었다는 것에 기반하니까요. 만약 케이건 드라카 님께 남아 있는 것이 있다면 그 증오심은 약화될지도 모릅니다. 하텐그라쥬 공의 말씀은 케이건 드라카 님의 나가에 대한 증오가 인간에 대한 관심으로 바뀌게 될지도 모른다는……, 그런 의미로 하신 말씀 같습니다."

"그 선물이 뭐지?"

"모릅니다."

대호왕은 깜짝 놀랐다.

"모른다고?"

"신들이 그들의 선민 종족들에게 무엇인가를 줬다는 이야기가 있기는 합니다만. 예. 그런 것이 있을 거라는 가설이 있지요. 자신을 죽이는 신은 도깨비에게, 발자국 없는 여신은 나가에게, 그리고 모든 이보다 낮은 여신은 레콘에게 무엇인가를 준 다고 하지요. 하지만 그것이 무엇인지는 모릅니다."

"그걸 아무도 모른단 말인가?"

오레놀은 당황한 표정이 역력하여 주위를 둘러보았다. 방황하던 그의 시선이 문득 부러진 심장탑에 이르렀다. 심장탑을 바라보던 오레놀은 자신도 모르게 말했다.

"어쩌면 수탐자들은 알지도 모르겠습니다. 화신들을 찾아다닌 그들이라면……."

사모는 륜의 머리를 조심스럽게 내려놓았다. 륜의 얼굴이 땅에 닿지 않도록 사모는 그 머리를 옆으로 살짝 돌려놓았다. 그리고 사모는 벌떡 일어나며 말했다.

"그렇다면 내가 그들에게 묻고 오겠다."

괄하이드가 경악하여 외쳤다.

"위험합니다! 폐하. 제가 묻고 오겠습니다."

그리고 라수 규리하도 끼어들며 말했다.

"잠깐만. 스님. 스님께서는 아까 알던 사실들을 조합해서 모르는 사실을 알게 되는 방법이 있다고 하셨습니다. 그 방법이 하늘치의 등 위에 있다고요?"

오레놀은 난처한 표정으로 고개를 가로저었다.

"그건, 어, 그 방법은 자신이 이미 알고 있는 사실들을 정리해 보는 것이라고 생각하십시오. 하지만 이 경우에는 추론의 시작이 될 정보가 하나도 없습니다. 아마 쓸모가 없을 거예요."

사모는 마루나래에게 눈짓을 보냈다. 마루나래가 성큼 달려왔고 사모는 그 목의 갈기를 붙잡으며 말했다.

"그래도 시도해 보라! 그리고 짐은 수탐자들에게 물어보겠다. 그만, 말하지 마. 대장군. 하텐그라쥬를 짐보다 더 잘 아는 자는 여기에 없다. 그대는 북부군을 책임져야 한다. 대장군은 책임지고 북부군을 안전하게 하늘치의 등 위로 옮기도록."

괄하이드는 땅바닥에 있는 륜을 바라보며 난처한 표정을 지었다.

"하지만 하텐그라쥬 공은 움직이지 않는 것 같은데요. 공작은 어떻게 하실 생각입니까?"

사모는 주춤하며 륜을 내려다보았다. 그때 아스화리탈이 가볍게 앞발을 움직였다. 사모와 사람들은 놀랐지만 아스화리탈은 왼쪽 앞발을 부드럽게 륜의 등 위에 올렸다가 다시 내려놓았다. 사모는 그 뜻을 이해했다.

"하텐그라쥬 공에 대해서는 신경 쓰지 않아도 좋다. 아스화리탈이 그를 지킬 것이다."

괄하이드에게 말하고 있었지만 사모의 눈은 까마득한 곳에 있는 아스화리탈의 얼굴을 향하고 있었다. 하지만 아스화리탈은 조금 전 보여준 행동 이외에 더 이상의 다른 다짐을 보여주지 않았다. 뭔가 안심될 만한 행동이나 눈짓을 기대하던 사모는 아쉬움을 느끼며 말했다.

"그리고, 괄하이드 규리하. 그대는 인간이다. 어디에도 없는 신이 인간에게 준 것이 무엇인지는 모르지만 그건 짐에겐 없을 것이다. 하지만 그대나 다른 인간들에겐 있을 것이다. 그대는 그것을 찾아내야 한다. 그것이 짐이 그대에게 내리는 명령이다. 짐이 아직 그대의 왕이고, 그대가 충성의 서약을 귀히 여기는 변경백이라면, 괄하이드 규리하. 짐의 말을 따르라."

왕을 바라보던 괄하이드는 갑자기 손을 비틀어 자신의 대도를 거꾸로 쥐어 올렸다. 칼자루를 위로 향하게 들어올린 대장군은 그 주먹을 앞으로 내밀어 왕을 향했다.

"이 대도는 폐하의 것입니다. 저는 폐하를 따릅니다."

"고맙다. 짐의 변경백이여."

그리고 사모는 라수 규리하의 얼굴로 시선을 옮겼다.

"이런 부탁이 정말 기묘하다고 생각되지만, 그래도 간곡하게 부탁하겠다. 그대는……."

"저는 학자입니다. 폐하. 저도 폐하만큼 어디에도 없는 신이 인간에게 준 것이 무엇인지 알고 싶습니다. 스님과 함께 고민해보겠습니다."

"고맙다. 라수. 나가를 살려줘서……, 고마워."

"그건 제 호기심의 문제입니다."

사모는 라수에게 미소를 지어준 다음 마루나래의 등에 올랐다. 마루나래는 곧장 숲으로 뛰어들었다. 그리고 갈바마리와 다른 두억시니들이 으르렁거리며 왕의 뒤를 따라 바람처럼 달렸다. 라수는 왕과 금군이 사라진 방향을 바라보았다.

그들은 알지 못했지만 왕의 뒤를 따라 달리기 시작한 사람이 세 명 더 있었다. 도깨비 감투를 쓴 그들의 모습은 그들 자신에게도 보이지 않았다.

바닥 끄트머리에 있던 시우쇠는 몸을 일으켰다. 화염의 화신은 케이건을 바라보며 말했다.

"그 힘으로 무엇을 할 것인가."

케이건은 여전히 바라기의 두 칼날을 바라보았다. 화신은 분노하여 외쳤다.

"그 힘으로 무엇을 할 것인가!"

케이건은 바라기를 천천히 아래로 내렸다. 그는 냉동 장치와 수탐자들, 아기를 차례로 돌아보았다. 그리고 케이건은 시우쇠를 향해 말했다.

"나는 최후의 아라짓 전사이며 마지막 키탈저 사냥꾼이다. 그다지 사교적이지 못하다는 사실 이외에 그들의 공통점을 하나 들어본다면, 양자 모두가 나가들에 대해 받아낼 것이 있다는 사실이 그것이다."

케이건은 자신의 말을 경청하는 표정으로 말했다. 그리고 스스로에게 보내는 듯한 동작으로 고개를 끄덕였다.

"내가 원하는 것은 나가들의 절멸이다. 그것일 수밖에 없다."

"그들은 발자국 없는 여신의 아이들이다! 네가 어떻게 우리를 이곳으로 모이게 한 그녀를 실망시킬 생각인가! 그것이 그녀의 은혜에 대한 네 보답인가?"

"나가의 보답은 무엇이었나!"

케이건의 목에서 핏대가 부풀어올랐다. 케이건은 끓어오르는 격분을 가눌 수 없다는 듯 광포하게 외쳤다.

"내 희망에 대한 나가의 보답은 무엇이었나! 그들은 내 조국을 멸망시켰다. 그들은 내 아내를 찢어 죽였다. 그들은 내 희망을 가장 잔인한 형태로 짓밟았다! 이 몸! 이 추한 몸뚱이를 제외한 내 모든 것을 파괴했다! 나는 이 몸을 나가의 제삿날에 올릴 번제물로 바쳐도 좋아. 몸을 불사르는 그 불꽃 속에서 나는 웃을 것이다! 입술을 놀릴 수 있는 마지막 순간까지 나가의 죽음에 대해 기쁨의 웃음을 터뜨릴 것이다!"

케이건의 무자비한 분노는 화염의 화신마저 주춤하게 했다. 시우쇠는 낮게 으르렁거리며 말했다.

"그것은 지금의 일이 아니다. 그리고 너의 일도 아니다. 너는 어디에도 없는 신이지 복수심에 미친 케이건 드라카가 아니—"

"내가 곧 케이건 드라카다! 그리고 내가 살아 있는 이상 어떤 나가도 그것이 옛날 일이었다고, 자신과는 아무 상관도 없는 일이라고 말할 수 없어! 그들이 나라는 것을 만들어내었으니까!"

맞불이 부딪치는 것처럼 시우쇠 또한 분노했다. 시우쇠는 냉동 장치를 가리키며 외쳤다.

"그래서 모든 나가를 죽이겠다고? 그녀를 종족 잃은 신으로 만들겠다고?"

케이건은 말 대신 행동으로 대답하기로 결정했다. 그는 다시 바라기를 높이 들어올렸다. 비형이 비명을 질렀지만 케이건은 억제할 수 없는 분노를 담아 하텐그라쥬를 또다시 도륙했다. 그 모습을 본 시우쇠는 노호하며 두 팔을 들어올렸다.

키보렌 가운데를 걸어가는 세 명의 나가가 있었다. 주위를 둘러싼 풍경은 나가에게 한없는 만족감을 주는 것이었지만, 그래서 좌우의 두 나가는 마음 편한 산책이라도 나서는 것 같은 태도를 보이고 있었지만, 가운데서 걸어가는 나가는 그다지 만족스럽지 못한 얼굴로 주위를 두리번거렸다. 더군다나 가운데 있는 나가는 꽤나 나가답지 않은 일을 하고 있었다. 그는 어색한 기분을 느끼며 입 주위를 손으로 감쌌다. 그리고 좌우에 있는 두 나가들이 멍하니 바라보는 것을 무시하며 입을 열어 고함을 질렀다.

"달비 부위! 달비 부위이이이!"

좀 처절하기까지 하다.

키보렌의 대수호자 키베인은 갑자기 달려가버린 데오늬 달비를 찾아 대나무 군단을 잠시 떠난 상황이었다. 대장군 갈로텍이 안전하게 허물벗기를 마치고 대나무 군단에 복귀한 이후, 원래부터 데오늬에 대한 특별한 경계심을 품고 있지 않았던 대나무 군단의 군단병들은 이제 데오늬가 무슨 짓을 하건 아무런 신경도 쓰지 않았다. 그래서 키베인은 데오늬가 또 어딘가로 달려 가버렸다는 니름을 좀 늦게 전해 들었다. 키베인은 걱정 때문에 그녀를 찾아나서려 했고 그러자 군단병들은 '걱정할 필요 없다. 때 되면 돌아올 것이다.'라는 둥의, 도무지 포로를 대상으로 하는 니름이라고 생각되기 어려운 니름들로 키베인을 만류했다. 키베인은 그 상황이 꽤나 우습다고 생각했는데, 장수들은 고집을 부리며 데오늬를 찾아나서는 그에게 두 명의 호위를 붙여야 한다고 결정했기 때문이다. 물론 그것은 대수호자에 대한 예우의 표현이었지만 키베인은 키보렌에서 호위가 필요한 것은 오히려 불신자 쪽이 아닐까 하는 생각을 지우기 힘들었다. 호위 중 한 명이 대수호자의 생각을 뒷받침하는 니름을 꺼내었다.

〈대수호자님. 그냥 군단으로 돌아가셔서 기다리시면 돌아올 텐데요. 지금쯤 이미 돌아왔을지도 모르지요.〉

키베인은 자신의 생각을 표현해 보기로 했다.

〈코노리. 어쩐지 당신은 나보다 데오늬에 대해 덜 걱정하는 것 같군요?〉

〈네? 그야 대수호자님께서는…….〉

〈아니, 아니. 그런 니름이 아닙니다. 당신은, 그리고 다른 사람들도 그런 것 같은데, 모두들 내가 더 중요한 인물이라서 나를 더 걱정하는 것이 아니라 내가 더 불안하다고 생각하는 것 같아요. 맞습니까?〉

코노리는 억울하다는 표정으로 키베인을 바라보았다. 그러나 그녀가 닐렀을 때그 니름은 정직했다.

〈어, 솔직히 그런 느낌이 있는 것 같습니다.〉

키베인은 그녀를 위해 미소를 지으며 닐렀다.

〈예. 나도 그렇습니다.〉

대수호자의 니름에 코노리와 또 한 명의 병사 가이쥬도 미소 지으며 훨씬 정직한 태도로 닐렀다.

〈이상하다고 생각됩니다만, 저희들은 대수호자님이 길을 잃거나 물에 빠지거나할지도 모른다는 걱정은 됩니다만 데오늬 달비가 그럴 거라는 생각은 들지 않는군요. 데오늬 달비는…….〉

〈기다리고 있으면 뛰어올 것 같지요?〉

코노리와 가이쥬는 정신적 웃음을 터뜨렸다. 키베인은 부드럽게 닐렀다.

〈그래도 현실적으로 키보렌에서 더 위험한 쪽은 불신자여야 하지 않겠습니까. 음. 나는 현실적으로 생각하고 싶습니다.〉

〈무슨 니름이신지 알겠습니다.〉

코노리는 고개를 끄덕였다. 그리고 가이쥬는 먼 곳을 지그시 바라보는 시선으로닐렀다.

〈하지만 정말 그녀가 위험에 처해 있을 거라고는 생각되지 않는군요. 대수호자님.〉

〈가이쥬. 이곳에는 그녀가 북부에서 보지 못한 위험한 동식물들이 많습니다.

그녀가 자신의 무지 때문에 위험에 처할 가능성이 전혀 없다고는 니르기 어렵습니다.〉

〈하긴 위험할지도 모르겠군요. 그녀 때문에 키보렌이 위험할지도 모르겠습니다.〉

〈예?〉

가이쥬는 말 없이 손을 들어 바라보고 있던 방향을 가리켰다. 고개를 돌린 키베인은 신음을 흘렸다.

저편에 나무 등걸에 걸터앉아 있는 한 소녀의 모습이 있었다. 데오늬 달비였다. 그녀는 꽃을 한 무더기 무릎에 얹어둔 채 그것을 주물럭거리고 있었다. 민첩하게 움직이는 데오늬의 손이 무엇인가를 만들어내고 있는 것은 분명했지만 그것은 나가의 사회에는 존재하지 않는 물건이었기에 키베인은 그것이 무엇인지 짐작하지 못했다. 하지만 키베인은 그것이 데오늬의 머리 위에 있는 물건과 같은 것이리라 짐작했다.

그때 꽃줄기를 휘던 데오늬가 그들의 발소리를 듣고 고개를 들었다. 반가운 표정을 떠올리던 데오늬는 갑자기 자신의 손에 든 것을 떠올리고는 그것을 등 뒤로 와락 숨겼다. 그러고는 다시 고개를 돌려, 그제야 그들을 발견했다는 표정을 지어 보였다.

"어머? 안녕하세요. 대수호자님?"

가이쥬와 코노리는 데오늬가 듣지 못하는 폭소를 터뜨렸다. 키베인은 한숨을 내쉬고 싶은 것을 참으며 데오늬에게 다가갔다.

"예. 달비 부위. 뭐하고 있는 겁니까?"

"아무것도 하지 않고 있습니다. 대수호자님."

"등 뒤에 뭔가를 감추는 일만 제외하고 말이죠."

데오늬는 어떻게 그토록 부당한 의심을 하느냐는 표정으로 말했다.

"제 등 뒤에 뭔가가 있다고 의심하십니까, 대수호자님?"

"예. 아마도 당신 머리 위에 있는 것과 같은 거라고 생각합니다."

자신의 머리 위를 만져본 데오늬는 한숨을 내쉬고는 순순히 등 뒤에 숨긴 것을 내놓았다. 그것은 데오늬의 머리 위에 있는 것, 그러니까 '가지가 달린 꽃들을 서로 얽어매어 만들어진 둥그스름한 고리'의 만들다 만 물건이었다. 키베인은 고개를 갸웃했다.

"그게 뭡니까?"

"아스화리탈은 무겁습니다. 대수호자님."

키베인은 놀라거나 당황하는 대신 마음을 차분하게 가라앉혔다. 그는 능숙한 솜씨로 데오늬의 말을 되짚어갔고 두 병사는 숙련가의 솜씨가 펼쳐지는 광경을 흥미롭게 바라보았다. 그 결과로 그들은 아스화리탈이 무겁다는 것이 왜 문제가 되는지 알게 되었다. 데오늬의 말이 '이것은 화관이다.─꽃으로 만드는 머리장식이다.─꽃과 나무를 사랑하는 당신들을 약 올리려고 일부러 꺾은 것은 아니다.─내가 그렇게 무신경한 사람으로 보이나?─꽃은 원래 꺾여 있던 것들이다.─이렇게 많은 꽃이 한꺼번에 꺾인 것은 무거운 것이 짓밟고 지나갔기 때문이다.─코끼리보다도 훨씬 큰 것.─나는 그것이 아스화리탈이라고 생각한다.─아스화리탈은 크고 무겁다.'는 의미임을 알게 된 두 병사는 긴장하여 서로를 쳐다보았다. 그들 중 가이쥬가 재빨리 닐렀다.

〈대수호자님. 아마 정찰병들이 확인을 했을 겁니다. 하지만 일단은 빨리 군단으로 돌아가는 것이 좋겠습니다.〉

〈알겠습니다.〉"달비 부위. 빨리 군단으로 돌아가는 편이 좋겠습니다. 아스화리탈이 근처에 있다면 곧 전투가 시작될지도 모릅니다."

"알겠습니다. 대수호자님. 그런데……."

"예?"

데오늬는 미완성의 화관을 들어올렸다.

"아직 완성하지 않았는데요. 대수호자님."

"당신에겐 머리가 하나잖습니까. 달비 부위. 두 번째 것도 필요한가요?"

"이건 허물벗기를 무사히 마친 것을 축하드리는 의미로 대장군께 드릴 것입니다. 대수호자님."

키베인은 그 생각이 대단히 매혹적이라고 생각했다. 다행히도 키보렌의 대수호자는 갈로텍을 곤경의 늪으로 빠트리는 것이 그다지 점잖지 못하다는 것을 되새길 수 있었다.

대나무 군단으로 돌아온 키베인은 데오늬를 만류한 것이 옳은 결정이었음을 확인할 수 있었다. 갈로텍은 대단히 분노한 상태였고 화관 같은—나가에게는 모욕이 될 수도 있는—물건을 점잖게 받아들이는 포용력을 기대할 만한 상태는 분명 아니었다. 갈로텍은 대수호자를 보자마자 닐렀다.

〈대수호자님. 지금 하텐그라쥬와 북부군 사이에 무슨 일이 일어나고 있는지 아십니까?〉

키베인은 걱정스럽게 닐렀다.

〈전투가 벌써 시작되었습니까?〉

〈그건 분명히 아닙니다. 그걸 전투라고 할 수는 없지요. 하지만 그것이 무엇인지는 모르겠습니다.〉

갈로텍의 니름이 무슨 뜻인지 알 수 없었던 키베인은 대장군의 설명을 기다렸다. 대장군은 무의식 중에 비늘을 부딪치며 닐렀다.

〈도무지 이해할 수가 없는 일이 펼쳐지고 있습니다. 지금 하텐그라쥬 외곽에는 하늘치가 머물고 있습니다. 그리고 북부군은, 그걸 어떻게 이해해야 할지 모르겠습니다만, 허공을 밟으며 차근차근 하늘치의 등 위로 올라가고 있습니다.〉

〈예? 하늘치의 등 위라고요? 허공을 밟으며?〉

〈예. 그렇게 하고 있습니다. 어쨌든 정찰병들은 그들이 귀하다고 생각하는 모든 것에 걸고 그 보고가 사실이라고 맹세하더군요. 저는 뇌룡공이 하늘치를 정신 억압한 것이 아닌가 하는 황당한 생각마저 해보았습니다. 그리고 하텐그라쥬에서도 뭔가 심상찮은 일이 일어나고 있는 것 같습니다. 정찰병들은 하텐그라쥬 방향에서 이해할 수 없는 열폭풍을 보았다고 닐렀습니다. 하지만 어느 정도 이상 가까이 다가갈 수 없기에 그쪽에서 일어나는 일은 아직 알 수 없습니다.〉

뇌룡공 륜 페이의 가공할 감지 능력 때문에 정찰병들은 어느 정도 이상 북부군에게 다가갈 수 없다는 사실을 오래전에 깨달은 상태였다. 키베인은 갈로텍의 니름을 이해했다. 그는 무서운 기분을 느끼며 닐렀다.

〈그들이 설마 하텐그라쥬에 하늘치를 떨어뜨리려는……〉

〈그렇다면 그 등 위에 타지는 않을 겁니다.〉

대답이 빨랐기 때문에 키베인은 갈로텍 또한 그런 가설을 생각해보았음을 알 수 있었다. 키베인은 고개를 끄덕였다.

〈아, 그렇군요. 그렇다면 그들은 하늘치의 높이를 이용할 생각인 걸까요? 위에서 아래로 공격하는?〉

갈로텍은 무슨 황당한 니름이냐고 되물으려다가 겨우 키베인이 전쟁 초기부터 참전한 자신과는 다르다는 것을 떠올렸다.

〈대수호자님. 북부군은 투사 무기를 별로 가지고 있지 않습니다. 소드락을 복용한 우리가 눈 깜짝할 사이에 거리를 좁히는 것을 목격한 북부군은 이 전쟁 초기에 투사 무기를 이미 포기했습니다. 따라서 그들 자신의 몸을 던질 작정이 아닌 바에야 그들이 높이를 이용할 생각인 것 같지는 않습니다.〉

〈아, 그런가요. 그렇다면, 글쎄요. 왜 올라가는 걸까요?〉

갈로텍은 관자놀이 주변의 비늘을 조금 세우며 닐렀다.

〈정말 이상한 생각입니다만, 저는 그들이 북부로 돌아갈 아주 기이한 귀환 수단을 얻은 것이 아닌가 하는 생각이 듭니다.〉

〈북부로 돌아간다고요? 그렇다면 그들이 벌써 여신을……〉

〈아니요. 저는 아직 수력을 통제할 수 있습니다. 여신은 그대로 계십니다.〉

〈그렇다면 그들이 전쟁을 포기하고 돌아간다는 니름입니까? 여기까지 와서?〉

갈로텍은 잠시 니름을 멈춘 채 키베인을 마주보았다. 그는 내키지 않는 투로 닐렀다.

〈그렇게 생각하기도 어려운 것이 사실입니다.〉

갈로텍의 침중한 니름에 키베인은 덩달아 침중해졌다. 그때 키베인은 이 대화가 좀 이상한 것임을 깨달았다. 갈로텍에게는 주퀘도 사르마크라는 짝을 찾기 어려운 참모도 있거니와 대나무 군단의 다른 수호 장군들 또한 갈로텍의 고민에 동참해 줄 수 있는 충분한 자격이 있다. 어쨌든 갈로텍은 신명을 봉인당한 수호 장군에게 자신의 고민을 털어놓지 않아도 무방하다. 키베인은 갈로텍을 새로운 눈으로 바라보았다.

〈대장군님. 그런데 왜 제게 그런 니름을 하는 겁니까? 니르신 내용에 관심이 없다는 니름은 아닙니다만, 사르마크 상장군이나 다른 수호 장군들과 의논하셔야 하는 것 아닙니까?〉

갈로텍은 침울하게 닐렀다.

〈대수호자님. 당신은 제 제안에 아직 대답하지 않으셨습니다. 지금 대답해 주셨으면 좋겠습니다. 모든 나가들의 목숨을 통제하는 절대 지도자가 될 용의가 있습니까?〉

〈그 질문을 지금 하시는 이유가 뭔지 물어보기 두렵군요.〉

〈예. 짐작하시는 대로입니다. 만약 그럴 용의가 있으시다면 대나무 군단의 하텐그라쥬 입성은 당신의 지휘하에 일어나는 일이어야 합니다. 그 즉시 대수호자님께서는 지도그라쥬와의 인연을 잃게 될 겁니다. 대신 하텐그라쥬의 구원자가 되실 수 있겠지요. 그럴 용의가 없으시다면 하텐그라쥬 입성은 제 지휘하에 이루어지는 일입니다. 그 경우 다음번의 기회를 얻기는 어려울 겁니다. 제 생각대로 북부군이 귀환하는 거라면 그들은 다시는 똑같은 일을 재현할 수 없을 겁니다. 물론 그들이 하늘치를 완전히 통제한 것이라면 두 번째 키보렌 침략을 시도할 수 있을지 모르겠습니다만, 그들은 더 이상 병력을 모을 수 없을 겁니다. 저는 조심스럽게 군대에 의한 하텐그라쥬 공격은 재현되지 않을 거라 판단합니다. 따라서 하텐그라쥬의 구원자가 될 기회는 이것이 마지막입니다. 어쩌시겠습니까?〉

키베인은 거부감이 자신을 가득 채우는 것을 느꼈다. 그러나 감정에 의해 대답하고 싶지는 않았기에 키베인은 갈로텍의 니름을 다시 곱씹어보았다. 그때 키베인은 갈로텍의 니름에서 한 사람의 처신이 축소되거나 무시되고 있다는 사실을 깨달았다. 키베인은 갈로텍을 바라보며 자신의 귀를 가리켜보였다. 그리고 대수호자는 육성으로 말했다.

"만약 제가 대나무 군단을 이끌고 위기에 빠진 하텐그라쥬를 구하러 가는 것이라면, 저 뇌룡공에 맞먹는 위대한 수호자 갈로텍은 그때 무엇을 하고 있었던 겁니까?"

갈로텍은 약간 지체한 다음에 대답했다.

"보다 훌륭한 지도자를 인정하고 따르는, 보다 못한 자에게는 쓸모 있는 것임이 분명한 미덕을 발휘하고 있을 겁니다. 아마도 대수호자를 잘 보필하는 것이겠지요."

"그다음에는? 당신은 전쟁이 이곳에서 끝날지도 모른다고 생각하는 모양이군요. 당신의 입장은 뭐지요? 이것이 제가 하텐그라쥬의 구원자가 될 마지막 기회라면, 동시에 당신이 발을 뺄 마지막 기회이기도 하군요. 그렇다면 당신은 이것이 전후의 영웅이 되는 것을 모면할 마지막 기회라고 생각하고 있는 겁니까?"

갈로텍은 약간 놀란 표정으로 키베인을 바라보았다. 키베인은 그의 판단과는 좀 다른 인물이었다. 갈로텍은 새로운 존경심과 새로운 경계심을 동시에 느끼며 조심스럽게 말했다.

"말씀하신 대로 오늘 이 전쟁이 끝난다면, 전쟁 동안 형성된 나가 사회의 권력 구조는 그대로 고정되겠지요. 그것을 변화시킬 기회는 오늘이 마지막일 겁니다. 예. 영웅은 몹시 바쁜 존재지요."

그 자신이 다른 자들에게 이용당하는 영웅이기에 키베인은 갈로텍의 말을 쉽게 이해할 수 있었다. 전쟁이 갈로텍의 지휘하에 오늘 끝난다면 또 다른 눈부신 전과를 올려 갈로텍의 위치에 도전할 만한 경쟁자 같은 것은 등장하기 어려울 것이다. 따라서 갈로텍은 자신의 의사와 상관없이 모든 자들의 이용 대상이 될 수밖에 없다. 모든 야심가들이 전후의 나가 사회 재편에서 자신의 유용한 도구로 갈로텍을 노릴 테니까.

키베인은 갈로텍을 똑바로 바라보며 말했다.

"다른 계획을, 자신의 계획을 가지고 있습니까?"

"가지고 있습니다."

"당신은 책임감을 가지고 있는 사람이군요."

"무슨 말씀입니까?"

"이 전쟁 때문에 당신 자신의 계획을 방해받고 있지만, 이왕 맡은 전쟁은 다른 사람을 앞에 내세워서라도 훌륭히 끝낼 생각인 것이군요."

"저는 대장군입니다."

"당신의 계획이 무엇인지 물어봐도 되겠습니까?"

"말하고 싶지 않습니다. 개인적인 일입니다. 다만, 대수호자님. 제 제안을 받아들이실 경우를 가정하여 말씀드리겠습니다. 그 경우 저를 북부의 총독으로 임명해 주시면 좋겠습니다."

"총독?"

"점령지 사령관, 식민지 총독, 뺏은 땅 지키는 사람입니다. 북부를 제 관할 하에 둘 수 있도록 해주십사 부탁드리는 겁니다. 저는 북부에서 찾아야 할 것이 있습니다."

"분명 당신은 이 모든 일을 시작한 사람들 중 한 사람이었지요. 당신은 혹시 북부에서 뭔가를 찾기 위해 이 전쟁을 일으킨 겁니까?"

갈로텍은 키베인을 외면하며 말했다.

"개인적인 일입니다. 제 질문에 대해 대답해 주시는 것에 그것이 필요하십니까?"

키베인은 잠깐 고민했다. 그러나 처음부터 별로 고민할 필요는 없는 문제였다. 그의 입장은 극단적인 선택밖에 허락하지 않는 것이었다. 갈로텍이 자신의 계획 때문에 전후에 벌어질 권력 경쟁에 참가할 뜻이 별로 없다면 키베인으로서는 갈로텍의 지지를 받는 편이 잔여 수명을 보존하는 것에 도움이 된다. 그런 지지를 거부할 경우 그는 야심가들의 사냥감이 될 가능성이 높다. 그리고 나가 전체의 입장을 보더라도 대답은 마찬가지였다. 전후의 권력 공백 사태는 무서운 내전을 부를지도 모른다. 나가들에게는 지금 너무도 강력한 힘이 허락되어 있다. 물론 갈로텍은 그런 내전을 억제할 수 있는 가장 강력한 힘을 가지고 있지만 키베인의 경우도 그에 못지 않은 권리를 가지고 있다. 어쨌든 그는 하텐그라쥬와 지도그라쥬 양자의 지지를 받는 대수호자이므로.

키베인은 결정했다.

"제안을 따르겠습니다."

그것은 미묘한 대답이었다. 그리고 갈로텍은 그 미묘함을 깨달을 수 있었다. 키베인은 제안을 '받아들인다'고 말하는 대신 '따르겠다'고 말했다. 갈로텍은 적절한 대답을 고를 수 있었다.

"미안합니다."

"아니요. 별말씀을. 제가 당장 할 일은 별로 없을 것 같습니다만?"

"그렇습니다. 돌아가서 쉬십시오."

키베인은 갈로텍에게 인사하고 그의 곁을 떠났다. 조금 떨어진 곳에 있던 보라크 군단장과 수호 장군들이 갈로텍에게 다가가는 모습이 보였다. 갈로텍이 그들을 어떻게 하여 대수호자의 군대로 만들지 상상해 보는 것은 나름대로 상상력을 자극하는 맛이 있기는 했지만 커다란 흥미는 느껴지지 않았다. 키베인은 그보다는 데오늬에 대한 걱정을 느꼈다. 머리에 화관을 쓰고 있는 데오늬는 주위의 어떤 자제력 부족한 나가를 자극할 가능성이 농후했다. 그래서 키베인은, 자신의 손에 들어온 무수한 나가의 도시들과 강력한 군대와 유사 이래 어떤 지도자들에게도 주어진 적이 없는 완벽한 지배력에 대해 생각하는 대신, '북부군 부위 대나무 군단 포로'인 한 소녀를 걱정하며 바쁘게 걸음을 옮겼다.

갈로텍은 그다지 많은 니름을 소비하지 않고서도 의도했던 바를 성취할 수 있었다. 보라크 군단장과 대나무 군단의 수호 장군들은 대수호자의 체면을 생각하여 하텐그라쥬 해방 전투를 대수호자 키베인에게 바치자는 갈로텍의 제안에 쉽게 찬성했다. 그들은 오히려 갈로텍이 대수호자에게 좋은 예의를 보여준다고 찬사를 보내기까지 했다. 그들에게 몇 가지 지시를 내린 갈로텍은 군단 전체를 서서히 움직이도록 명령했다. 뇌룡공의 경이적인 감각 때문에 병력을 분산시키는 것은 아무런 의미가 없다는 것이 갈로텍의 판단이었고, 그래서 대나무 군단은 지금까지 이동해 왔던 것처럼 한데 뭉쳐 하텐그라쥬로 향했다. 급격하게 전투 상황이 발생하더라도 소드락 복용 시간만 있으면 수호 장군들은 충분히 대처할 수 있을 것이다. 갈로텍은 대충 그 정도로 생각한 다음 자신의 고민 속으로 빠져들었다. 그러자 주퀘도가 그에게 말을 걸어왔다.

"갈로텍."

"주퀘도. 대금을 듣고 싶은 겁니까?"

"그렇게 해주면 좋겠지. 하지만 용건은 그게 아니야. 네 속에 있는 것의 문제를 좀 이야기하고 싶은데."

갈로텍은 비늘을 부딪쳤다. 주퀘도는 갈로텍의 입을 이용해 한숨을 내쉬었다.

"어떻게 표현해도 좀 웃기는 일이 되겠지만 적당한 단어가 없으니 그냥 되는 대로 말하겠어. 난 지금 강변에 서서 홍수에 떠내려온 오래된 익사체들을 보는 기분을 느끼고 있어. 난생처음 보는 것 같은 친구들이 카린돌이라는 홍수 때문에 꾸역꾸역 몰려나오고 있군. 보통의 경우 스스로도 자신을 제대로 느끼지 못한 채 잠만 자고 있던 친구들이야. 지금 그런 해묵은 군령들이 위로 올라오고 있어. 네가 조금만 아래로 내려온다면 그자들을 볼 수 있을 거야."

갈로텍은 아찔한 기분을 느꼈다.

"밀려나온다고요?"

"그래. 밀려나와. 그 외에 다른 방법으로는 표현하기가 어렵군. 내려와서 카린돌과 이야기 좀 나눠보지 않겠나?"

"저를 죽일 겁니다. 지금 그 여자에게 신경 쓸 여유가 없습니다." 〈도대체 화리트는 뭘 하고 있는 거지.〉

"음. 너는 그렇게 쉽게 말하지만, 이 아래의 북새통을 보고나서도 그렇게 말하긴 어려울걸."

"이 위까지 올라올 것 같습니까?"

"이 기세가 꺾이지 않는다면, 조만간 그렇게 될 거야. 한 가지 고무적인 사실이 있긴 하지만."

"그게 뭐죠?"

주퀘도는 손을 움직여 턱을 긁었다. 하지만 비늘의 감촉은 주퀘도를 별로 만족시키지 못했고 그래서 주퀘도는 손을 도로 내려놓았다.

"이미 말했지? 해묵은 군령들이 위로 올라오고 있다고. 그런 영들조차도 별 어려움 없이 위로 올라오고 있어. 그런데 카린돌은 올라오는 길을 찾아내지 못하고 있어. 네 말대로 화리트가 그녀를 억제하고 있나봐. 그렇다면 그것은 이미 말했듯이 고무적인 사실이지. 하지만 바꿔말한다면 화리트의 억제조차도 이제 거의 효력이 다하고 있다는 의미이기도 해."

"언제쯤이면 앞으로 나올 수 있겠습니까?"

"몇 달 뒤? 며칠 뒤? 그렇지 않으면 몇 분 후? 이봐. 나는 이런 것 들어본 적도 없어. 도무지 짐작할 수가 없군."

"혹 화리트는 올라오지 않았습니까?"

"아, 그래. 화리트는 올라오지 않았어. 카린돌을 억제하려면 저 아래에 있어야 하는 것이 아닐까 싶군. 쳇. 끼워 맞추는 식의 가설들뿐이로군."

갈로텍은 자신이 느끼고 있는 것이 분노인지 우울인지 공포인지조차 알 수 없었다. 카린돌은 그를 죽이겠다고 선언했고 갈로텍은 그 선언의 진실성을 조금도 의심하지 않았다. 화리트의 표현처럼 거대한 증오나 거대한 분노처럼 결국 카린돌이 겉으로 드러나게 된다면 그녀는 기필코 갈로텍을 죽일 것이다.

문득 갈로텍은 피로감을 느꼈다.

전쟁은 분명히 그 끝을 보이고 있었고 그를 대신하여 전후의 나가들을 이끌 사람 또한 정해 둔 상태에서, 이제야말로 완전히 병탄된 북부에서 세페린의 살해자를 찾아나설 수 있게 된 상황에서 갈로텍은 내면의 문제에 시름하고 있는 자신을 용납하기 어려웠다.

'내 속에 너를 담고 싶었다. 그래서 그 녀석의 제안을 받아들였다.'

오래전, 샤나가가 달 뒤로 숨는 날, 적출식을 끝내고 허탈감에 괴로워하다가 다른 대부분의 청년들이 취하는 행동을 그대로 모방했던 한 수련자가 있었다. 고향을 떠나 방랑을 시작하는 것은 적출식을 끝낸 나가 청년들의 의식 같은 것이다. 비록 그 방랑이 그대로 인생이 되어버리는 다른 청년들과 달리 고향으로 돌아와 수호자의 길을 걷게 된다는 차이점이 있긴 하지만, 수련자들 또한 그 의식에 동참하는 것은 마찬가지다. 예를 들어 저 화리트 마케로우 또한 그런 방랑을 떠나는 것처럼 위장하려 했다. 갈로텍은 그렇게 다른 청년들과 함께 하텐그라쥬를 떠났다. 하지만 그의 상실감은 단순히 자신의 몸속에 있다가 더 이상 그렇지 않게 된 어떤 장기에 국한된 것은 아니었다. 그는 누이와의 연결을 완전히 잃었음을 알게 되었다. 지나치게 오랜 방랑 끝에 마침내 한계선 근처까지 도달하게 된 갈로텍은 그곳에서 얼어죽어도 나쁘지 않을 거라 생각하며 무계획하게 방랑했다. 하지만 동사의 운명 대신 그는 한 늙은 군령자를 만났다. 그 군령자는 한계선 지대를 이용하는 무뢰배의 일원이었고, 어떻게 보더라도 변변찮은 인물이었다. 그를 뒤쫓는 자를 피하기 위해 남쪽으로 지나치게 많이 내려올 만큼. 하지만 추적자들을 완전히 따돌리는 것에 정신이 팔려 있던 그 늙은 군령자가 내놓은 제안은 갈로텍에게 너무나 매혹적이었다.

'그래. 나는 나 자신을 너의 신전으로 꾸미고 너를 모시고 싶었다. 그러나 지금 그 신전은 어중이떠중이들의 굴혈이 되었고, 네가 있어야 할 자리에는 무서운 괴물이 몸부림치고 있구나. 그것이 나 갈로텍이다. 이보다 근사한 희극이 있을지 모르겠구나.'

갈로텍은 비명을 지르고 싶었다. 하지만 그러는 대신 갈로텍은 나가 살육자를 떠올렸다. 그것은 언제나 그의 가슴속에서 분노의 불길을 지필 수 있는 마법의 이름이었다. 갈로텍은 이를 악물며 말했다.

"일단은 화리트를 믿고 내버려둡시다. 적당한 대안이 떠오르지 않는군요."

"그러면 너는 뜻밖의 순간에 죽을지도 몰라."

갈로텍은 난폭하게 말했다.

"그러면 당신들에게는 곤란하겠군요. 갑자기 죽는 바람에 전령도 못할 테니."

"전령하지 마."

"예?"

"이 짓은 이제 그만둬야 해. 다른 녀석들이 들을지도 모르겠지만, 상관없어. 나는 더 이상의 전령에 찬성하지 않아. 만일 네가 위험에 처하면, 너를 도우려고 애쓰겠지만 전령하려고 애쓰지는 않을 거야."

"유료 도로당에게 복수했기 때문입니까?"

"천만에! 네 녀석은 나를 다시 유료 도로당에게 데려다줘야 해. 나는 그들에게 사과해야 하니까. 이미 말했지 않나? 그것은 잘못된 일이었어. 그리고 그것이 잘못이라는 것을 알기에 나는 지금 사과하고 싶다. 다시 그들에게 사과하기 위해 이 몸에서 저 몸으로 떠돌며 수백 년을 보내지는 않겠어. 그건 이중의 기만이야."

"주퀘도."

"함께 북부로 가자."

"예?"

주퀘도는 활기차게 말했다.

"카린돌이 너를 장악하려 한다면 내가 가만히 있지 않겠어. 우리 둘이서 그 여자를 눌러버리자고! 그리고 함께 북부로 돌아가자. 전쟁도 곧 끝날 것 같으니 이제 우리 일이나 하자. 너는 네 목적을 위해, 그리고 나는 유료 도로당에게 사과하기 위해서 북부로 가자. 두 사람이 있어도 식사는 한 끼만 해도 되니 우린 싸울 일이 없는 길동무가 될 거야."

"길동무요?"

"많이 격상시켜준 거다. 원래는 그냥 전속 악사라고 말하려고 했다. 대금은 꼭 챙겨라!"

갈로텍은 웃음을 터뜨렸다. 그리고 자신의 웃음에 놀라 더 크게 웃었다. 주위의 병사들이 당황한 표정으로 바라보았지만 갈로텍은 신경 쓰지 않은 채 말했다.

"예. 주퀘도. 북부로 갑시다."

카루는 믿을 수 없다는 심정으로 하텐그라쥬 외곽을 바라보았다. 하텐그라쥬 수비군의 모습은 어처구니없을 정도로 희극적이었다.

〈저 친구들이 도대체 뭘 하고 있는 거야? 왜 자꾸 빙글빙글 도는 거지? 이봐, 스바치. 저걸 좀 봐.〉

스바치는 낑낑거리며 그에게 다가왔다. 그의 등에는 찢어진 나가의 육신이 붙들어매어져 있었고 그래서 스바치는 힘들어하고 있었다. 창가로 다가오는 스바치를 보며 카루는 닐렀다.

〈교대할까?〉

〈아직은 괜찮아. 조금 더 가서.〉

카루는 스바치의 등 뒤를 바라보았다.

〈수호자 보트린. 당신은 어떻습니까?〉

스바치의 등 뒤에 묶여 있던 처참한 모습의 나가가 닐렀다.

〈나는 괜찮아요. 스바치가 힘들겠군요.〉

카루는 심장탑으로 들어서기 전에 떠올렸던 생각을 다시 떠올렸다. 보트린을 내버려둔 채 그들 둘만 올라오는 편이 훨씬 쉬웠을 것이다. 하지만 그들이 하텐그라쥬 전역에 걸쳐 혼란이 일어난 틈을 타 마케로우 저택에서 보트린을 빼내어 왔을 때 보트린은 다른 어느 곳보다 여신이 감금되어 있는 냉동 장치로 가길 원했다. 그리고 카루와 스바치는 지금부터 그곳으로 갈 작정이라는 니름을 한다는 실수를 저질렀다. 보트린은 그들에게 자신을 데려다 달라고 애원했다. 그들은 그 요구를 거절할 수 없었다.

창가에 도달한 스바치는 창밖을 보며 카루만큼 당황했다. 심장탑의 그 높이에서 그는 하텐그라쥬 수비군의 모습을 정확하게 볼 수 있었다. 그리고 그 모습은 그가 보았던 그 어떤 광경보다도 황당한 것이었다. 하텐그라쥬 수비군들은 필사적으로 빙글빙글 돌고 있었다. 그때 보트린이 그들의 모습을 묘사해 달라고 요구했다. 카루는 눈에 보이는 대로 닐렀고 그러자 보트린이 대답했다.

〈그건 아마도 어디에도 없는 신이 획책한 일일 겁니다. 지금 저 위에는 세 분의

화신이 모두 모여 계신 모양입니다. 아마도 방해하지 못하도록 그렇게 한 것이겠지요.〉

〈북부군이 발자국 없는 여신을 구출하기 위해 그분들을 데려온 것이겠지요. 그렇다면 우리가 올라갈 필요는 없는 것 아닐까요?〉

보트린은 부정했다.

〈아니요. 그렇다면 이상합니다. 지금 밖에서는 끔찍한 재난이 펼쳐지고 있다고 하지 않았습니까?〉

〈예. 보이지 않는 번개가 수십 개씩 땅을 때리고 있는 것 같습니다. 가주들은 모두 자기 집에 틀어박혀서 어쩔 줄을 몰라하고 있습니다. 그녀들의 문제가 그거지요. 언제나 위기가 닥치면 자기 집밖에 생각할 수 없다는 것.〉

〈그분들은 책임감이 강해서 그럴 겁니다. 아무런 책임을 질 필요가 없는 남자들이 그분들을 비웃을 권한은 없을 겁니다. 어쨌든, 하텐그라쥬를 대상으로 그런 재난이 펼쳐질 이유가 없습니다. 발자국 없는 여신을 감금한 것에 대해 그분들이 여신을 대신하여 분노하고 있는 것이 아니라면.〉

스바치는 비늘 서는 기분을 맛보며 닐렀다.

〈우리는 우리의 죄악 때문에 그분들의 징벌을 받는 것입니까?〉

〈우리의 죄는 분명히 대가를 치루어야 할 겁니다. 하지만 그 징벌을 왜 여신이 직접 내리도록 하지 않는 걸까요. 그분들은 여신을 구출해 내어 그분께 우리들을 넘겨줄 수 있습니다.〉

〈그 니름이 옳은 것 같군요.〉

카루는 보트린을 데려온 것이 역시 옳은 결정이었다고 생각하며 닐렀다.

〈왜 그분들은 아직 여신을 해방시키지 않는 걸까요?〉

〈저로서는 짐작하기 어렵습니다. 하지만 지금 저 위에서 뭔가 심상치 않은 일이 일어나고 있음은 분명합니다. 어서 빨리 여신께 가고 싶군요.〉

스바치는 그 니름에 동의했다. 그는 다시 기운을 끌어모아 계단을 밟았다.

티나한은 비형의 목덜미를 붙잡아 나늬의 등에 집어던졌다. 그리고 무턱대고 고함을 질렀다.

"나늬! 날아올라!"

마지막 순간까지도 티나한은 나늬가 자신의 말을 알아들을 것인지 걱정했다. 하지만 나늬는 기다렸다는 듯이 날아올랐다. 그 겉날개가 펴지는 것을 확인한 순간 티나한은 펄쩍 뛰어 계단이 있던 곳으로 향했다. 티나한이 50층으로 내려가는 계단에 뛰어들자마자 등 뒤에서 폭음이 들려왔다.

티나한의 대처는 그렇게까지 절실한 것은 아니었다. 시우쇠가 만들어낸 산더미같은 불은 소기의 목적을 달성하지 못했다. 시우쇠는 그것을 냉동 장치 쪽을 어림하여 집어던졌다. 하지만 그 불덩이는 허공에서 느닷없이 불어온 돌풍에 부딪쳐 튕겨올랐다. 불덩이는 길게 늘어나며 심장탑에서 하늘로 치솟는 불기둥을 형성했다. 시우쇠는 불의 으르렁거림으로 자신의 실망감을 토해 내며 자신의 몸 전체에서 불을 일으켰다. 케이건은 시우쇠가 냉동 장치에 달려들 작정이라는 것을 깨달았다. 케이건은 재빨리 말했다.

"그만둬. 시우쇠."

시우쇠는 걸음을 멈췄다. 그는 케이건을 향해 포효했다.

"셋이 너를 상대할 거다!"

"그래. 그렇게 해. 얼마든지 그러라고. 하지만 먼저 나가들이 다 죽고 나서."

"절대로 안 돼!"

케이건은 고개를 살짝 가로저었다.

"하텐그라쥬 수비군을 빙글빙글 돌게 만든 것이 내 능력이라고 했었지?"

시우쇠는 말이나 글로 표현될 수 없는 포효를 내지르며 달렸다. 하지만 냉동 장치를 향해 달린 시우쇠는 갑자기 걸음을 멈출 수밖에 없었다. 그는 가장자리로 달리고 있었다. 시우쇠는 격분하여 케이건을 바라보았다. 케이건은 고개를 끄덕였다.

"정말 그렇군."

시우쇠는 분노를 참지 못한 채 두 팔을 높이 들어올렸다. 그의 몸 전체에서 불길이 피어오르며 몸을 따라 위로 치솟았다. 손바닥에 이른 불길은 허공으로 치솟아 구를 형성했다. 케이건은 허리를 낮추며 바라기를 잡아당겼다. 하지만 시우쇠는 불덩이를 집어던지지 않았다. 대신 그것을 계속하여 부풀렸다. 케이건은 시우쇠가 무엇을 할 작정인지 깨닫고는 눈살을 찌푸렸다.

하텐그라쥬의 하늘에 두 번째 태양이 영글기 시작했다.

나늬에 탄 채 심장탑 주위를 선회하던 비형은 숨이 턱 막히는 기분을 느꼈다. 시우쇠는 감당할 수 없는 거대한 열을 한순간에 개방시켜 심장탑을 통째로 부술 작정이었다. 그때 한 바퀴를 돈 비형의 눈에 하텐그라쥬의 외곽이 눈에 들어왔다. 비형은 또다시 경악했다. 하텐그라쥬 외곽에서 거대한 대호가 용맹한 모습으로 달려오고 있었다. 순간 비형은 이곳에 사모의 심장병이 있을 거라는 사실을 떠올렸다.

"시우쇠 님! 그만둬요! 이곳에는 심장병들이 있잖습니까? 케이건! 당신은 아라짓 전사이지 않습니까! 왕을 보호해야 하잖습니까?"

비형의 외침은 나늬의 날갯짓 소리를 통과하지 못했다. 비형은 목숨을 걸고 다시 바닥에 착륙할 준비를 했다.

언덕을 뛰어오른 순간 마루나래가 갑자기 멈춰 서는 바람에 사모는 하마터면 그 등에서 떨어질 뻔했다. 간신히 마루나래의 털을 움켜잡은 사모는 당황하여 닐렀다.

〈왜 그러는 거야, 마루나래?〉

마루나래는 물론 입을 열어 대답하지는 않았다. 하지만 몸으로 대답했다. 마루나래는 온몸의 털을 빳빳하게 세운 채 경계심 가득한 시선으로 전방을 바라보았다. 사모는 마루나래를 따라 언덕 아래를 내려다보았다.

도시의 모습과 나가 군단의 모습이 한꺼번에 사모의 눈에 들어왔다. 사모는 군단의 모습에 놀라 쉬크톨을 움켜쥐었다. 그녀는 마루나래가 병사들의 모습에 긴장하는 거라고 생각했다. 하지만 잠시 후, 사모는 아무래도 자신의 추측을 포기해야 겠다고 생각했다.

병사들의 모습은, 그 상황에 포함되어 있는 절실함과 긴박감을 제외하고 본다면 더할 나위 없이 웃기는 모습이었다.

사모는 도무지 그들의 모습을 이해할 수 없었다. 수호 장군들과 병사들은 계속 해서 심장탑을 향해 달려가려 애썼다. 사모는 그들의 니름도 들을 수 있었다.

〈심장탑으로 가야 해!〉

하지만 그들은 계속해서 원래의 위치로 돌아오고 있었다. 그들 자신도 스스로의 어처구니없는 모습을 이해하고 있는 듯했고 그래서 격분에 찬 니름들이 두서없이 들려왔다. 그들의 난처한 상황을 이해하기 위해 사모는 먼저 웃음을 억눌러야 했 다. 간신히 자신을 진정시킨 사모는 그제야 아기가 했던 말을 떠올렸다.

〈이것이 북부군의 안전한 퇴각을 위해 여신께서 취하신 조처인가?〉

사모는 그것 외에 다른 대답이 없음을 깨달았다. 그리고 그 조처에 우선 감사했 다. 하지만 사모는 자신 또한 그곳에 뛰어들었다가는 비슷한 꼴이 될 거라는 강력 한 예감을 느꼈다. 사모는 어찌해야 좋을지 모르겠다는 표정으로 주위를 둘러보았 다. 그녀의 뒤를 따라온 금군들도 이런 희한한 구경거리는 처음 본다는 듯이 황당 해 했다. 갈바마리는 아예 두 입을 쩍 벌린 채 말했다.

"간다."

"온다."

사모가 예상했던 일이 일어났다. 갈바마리의 두 머리가 서로를 어처구니없다는 듯이 쳐다보았다.

"간다!"

"온다!"

사모에게는 갈바마리의 싸움을 말릴 여유는 없었다. 주위를 두리번거리던 그녀 의 눈에 심장탑 상층부가 들어왔고 다음 순간 사모는 헛바람을 삼켰다. 그 위에는 이루 형언할 수 없을 정도로 강력한 열기가 집중되고 있었다. 사모는 그것이 시우쇠가 일으키는 일임을 당장 깨달았다. 그리고 그 의도 또한 짐작할 수 있었다.

〈심장탑을 파괴할 작정인가?〉

사모는 빙글빙글 돌고 있는 수비군들을 바라보며 비늘을 세웠다. 심장탑이 파괴된다면 그녀 자신은 물론이거니와 하텐그라쥬의 모든 시민들도 다 죽게 될 것이다. 사모는 페로그라쥬와 악타그라쥬의 처참한 모습을 떠올렸다.

〈안 돼! 다른 방법이 있을 거야. 그들에게 알려줘야 해! 어디에도 없는 신이 인간에게 준 것을 보여줘야 한다고!〉

사모는 무턱대고 앞으로 달려가려 했다. 하지만 마루나래가 거부했다. 마루나래는 언덕 위에 선 채 꿈쩍도 하지 않았다. 사모는 대호를 채근했지만 대호는 아랑곳하지 않았다.

사모는 간곡하게 니르다가 육성으로 바꿔 말했다.

"저곳에 들어가면 우리도 저렇게 된다는 거지? 하지만 가야 해!"

마루나래는 그 소리에 반응을 보이긴 했다. 귀를 움직인 것이다. 하지만 그뿐, 더 이상의 움직임이 보이지 않았다. 좌절하는 사모에게 갈바마리의 고함이 들려왔다.

"간다!"

"온다!"

왈칵 화가 치밀어오른 사모는 고개를 홱 돌려 갈바마리를 쏘아보았다. 그러나 고함을 지르기 전, 사모의 머릿속에 아주 기이한 상상이 떠올랐다. 사모는 그것이 니름도 되지 않는다고 생각했다. 그러나 자기 자신과 싸울 수 있는 존재의 의미는 분명히 각별했다. 사모는 결국 손해될 것이 없다는 심정에서 갈바마리를 불러들였다. 그리고 자신의 가장 신뢰하는 금군에게 보통 사람이라면 웃어버릴 명령을 전달했다.

갈바마리는 웃지 않았다. 대신 사모의 명령을 충실하게 수행했다. 갈바마리가 언덕 아래로 걸어 내려가는 모습을 보며 사모는 조심스럽게 마루나래에게 개념을 전달했다.

'마루나래. 따라갈까?'

마루나래의 앞발이 움직였다.

사모는 환호를 내질렀다. 그녀의 거의 황당하기까지 한 계획에 마루나래가 동의했다. 그리고 사모는 마루나래의 판단을 확신했다. 그래서 그녀와 마루나래, 그리고 금군들은 갈바마리의 뒤를 따라 걸어갔다.

그들은 하텐그라쥬 외곽을 '똑바로' 가로질렀다.

빙글빙글 돌고 있던 나가들은 거의 정신이 나가버릴 것 같은 충격 속에서 그들을 바라보았다. 사모 페이와 두억시니들의 모습 자체도 경악스러운 것이었지만 그들이 심장탑을 향해 똑바로 걸어간다는 것은 그들을 황당한 기분에 빠져들게 하였다.

사모는 군단병들을 구출할 것인지를 잠깐 고민했지만 곧 그만두기로 했다. 그래서 사모는 갈바마리의 등만을 계속 바라보았다.

그리고 그들 앞에서, 갈바마리는 계속 그들을 엉뚱한 방향으로 이끌었다. 세상의 그 어떤 길잡이에게도 없는 독특한 능력이 그에게는 있었다.

"오른쪽으로 간다!"

"왼쪽으로 간다!"

사모는 갈바마리의 뒤를 따라가며 쾌활하게 외쳤다.

"그래! 그렇게 하라고!"

오레놀은 먼저 똑똑한 교위들과 장수들에게 상세한 설명을 해주었다. 잠시 후 그들 중 대덕의 말을 완전히 이해한 자들이 나타났고 그들은 하늘치의 등까지 이르는 거대한 계단을 보게 되었다. 물론 그들이 본 계단의 모습이 똑같지는 않았지만 어쨌든 그들은 하늘치의 등으로 오를 수 있게 되었다. 오레놀은 그자들에게 다른 자들을 가르치도록 지시했다. 그럼으로써 하늘치의 등에 오르는 방법을 전달하는 시간을 단축시켰다.

모든 북부군이 하나의 계단에서 병목 효과를 일으키는 일 같은 것은 발생하지 않았는데, 그것은 당연한 일이었다. 그들 한 사람 한 사람이 각자 자신만의 계단을 밟고 올라갔기 때문이다. 따라서 북부군은 날아오르는 새떼와 같은 모습으로 하늘치의 등 위로 걸어 올라갔다. 따라서 그들을 지체시킨 것은 정체가 아니라 다른 문제 때문이었다. 북부군의 시간을 소모시키는 것은 도통 소망할 줄 모르는 존재들이었다. 그들은 자신의 소망을 무가치한 공상으로 치부해 버리는 일에 지나치게 익숙한 자들이었고, 그래서 하늘치의 등에 이르는 계단을 보지 못했다. 다른 사람들이 함께 계단을 올라가며 그들을 이끈다면 큰 도움이 되겠지만 한 사람은 하나의 계단만 밟을 수 있었고, 그래서 그들은 어떻게든 자신의 계단을 만들어내어야 했다. 어느샌가 북부군의 퇴각은 소망할 수 있는 능력의 시험이 되고 있었다.

　가장 끈질긴 교위와 가장 입이 험악한 부위들이 소망할 줄 모르는 자들을 다그치는 모습을 보며 오레놀은 잠시 숨을 돌릴 시간을 얻었다. 그러자 그 곁에 서서 모든 북부군이 각자의 계단을 따라 하늘로 걸어올라가는 장대한 모습을 바라보던 괄하이드가 말했다.

　"그런데 이제 올라가야 하지 않으시겠습니까? 왕께서 부탁하신 일을 하시려면."

　"예. 이제 그래도 될 것 같습니다. 하지만 저 높은 계단을 밟아 올라가는 것은 힘이 너무 들 것 같군요. 저는 조금 전 즈라더라는 분께 부탁을 해두었습니다. 함께 올라가시겠습니까?"

　"아니요. 라수를 데려가십시오. 그가 더 도움이 될 겁니다. 저는 병사들을 다 올려보내고 마지막에 올라가도록 하겠습니다."

　레콘 즈라더는 자신의 도끼를 등에 맨 다음 오레놀과 라수 규리하를 양쪽 겨드랑이에 끼었다. 그리고 마음속으로 자신이 올라갈 계단을 그렸다. 다른 사람에게는 보이지 않았지만 즈라더가 보게 된 계단은 한 단의 높이가 20미터 가까운 거대한 것이었다. 다른 종족에게는 도무지 계단으로 보이지 않을 거대한 물건을 만들어낸 즈라더는 씩 웃은 다음 위로 뛰어올랐다. 허공을 밟고 올라가던 인간 병사들의 부러움을 받으며 즈라더는 단숨에 하늘치의 등 위에 올랐다. 라수 규리하는 먼저 올라와 있던 병사들이 손으로 다리를 주무르면서도 자신들이 있는 곳에 경외감을 느끼며 주위를 두리번거리는 모습을 보았다.

라수 규리하는 위화감 같은 것을 느꼈다. 하늘치의 등 위는 사람들의 역사에서 가장 신비로운, 절대로 다가설 수 없는 비경으로 인식되어온 장소였다. 그리고 풀한 포기도 나무 한 그루도 없는, 그리고 살아 있는 평야의 모습은 그런 비경의 느낌을 충분히 전달하고 있었다. 하지만 지금 그곳에는 키보렌에 들어온 이후로는 몸단장도 제대로 하지 않아서 지저분한 모습을 하고 있는 데다 높은 계단을 올라오느라 지쳐버린 병사들이 주저앉아 두런거리고 있었다. 라수는 그것이 마침내 품에 안게 된 꿈의 여인에게서 현실의 악취를 맡는 것 같은 불쾌한 경험이라고 생각했다. 하지만 라수는 곧 그런 생각을 떨쳐내었다. 땅바닥에 앉아 있는 병사들은 단순히 지친 병사들이 아니라 승리자들이었다. 그들은 역사상 그 누구도 해낼 수 없었던, 아니 그런 일을 생각도 해 본 적이 없는 행군을 끝까지 따라온 자들이었다. 그리고 하늘치 또한 사람들의 단순한 부주의에 의해 그 신비를 훼손당할 가냘픈 존재도 아니었다. 라수는 반드시 그러리라 확신하며 오레놀을 바라보았다. 오레놀은 즈라더에게 말하고 있었다.

"올라오다가 좋은 생각을 떠올렸습니다. 즈라더. 피곤하지 않다면 내려가서 계단을 만들지 못하는 사람들을 저희들처럼 데려와줄 수 있겠습니까? 다른 레콘들과 함께 말입니다."

"알았어."

즈라더는 곧장 몸을 돌려 뛰어 내려갔다. 그때 저편에서 병사의 모습으로 보이지 않는 사람들이 반가운 표정을 지으며 다가왔다. 그들 중 한 사람이 말했다.

"스님! 올라오셨군요. 그런데 우리 대장은 어디에 있습니까?"

"아아, 롭스. 티나한은 다른 수탐자들과 함께 하텐그라쥬로 들어갔습니다. 만약 제 생각이 맞다면 지금 그분은 심장탑에 계실 겁니다."

"음. 그러면 모두들 태운 다음에 심장탑으로 다가가도록 하겠습니다. 아래에는 얼마나 남았습니까?"

"이제 곧 다 올라올 겁니다. 하지만 심장탑으로 다가가는 것은 좀 걱정되는군요. 지금 거기서는 무서운 일이 벌어지고 있습니다."

롭스는 피식 웃었다.

"스님. 이곳에서는 물론 발아래의 광경이 잘 안 보이긴 합니다만, 심장탑의 경우는 예외입니다. 심장탑은 우리들이 있는 높이보다 몇십 미터쯤 낮을 뿐이니까요. 이곳에서는 그쪽이 아주 잘 보입니다."

오레놀은 아차 하는 표정을 지으며 심장탑 쪽을 바라보았다. 라수 또한 고개를 돌렸다. 그리고 그들은 깜짝 놀랐다. 오레놀은 자신도 모르게 말했다.

"저게 뭡니까?"

부러진 심장탑 상공에서는 기괴한 일이 벌어지고 있었다. 그것은 일견 구멍처럼 보였다. 허공에 뚫린 경계 없고 형체 없는 구멍이었다. 경계를 뚜렷이 보기는 어려웠지만 그것의 크기는 무지무지했다. 그리고 그 구멍 내부에서는, 상상력을 발휘한다면 불길과 번개라고 생각할 수도 있는 무엇이 흐릿하게 번득였다. 오레놀은 그 구멍 아래를 바라보았다. 그 아래는 심장탑이 있었고 그곳에는 이 먼 곳에서도 뚜렷이 알아볼 수 있는 시우쇠가 두 팔을 하늘로 들어올린 채 서 있었다. 롭스가 턱을 긁적이며 말했다.

"음. 스님. 저는 스님이 올라와서 설명해 주길 바랐습니다. 저는 그 기둥 읽는 일에 도통 소질이 없어서요."

라수가 말했다.

"저 모습은 악타그라쥬에서 시우쇠 님이 가짜 태양을 만들어낼 때의 모습을 연상시키는군요. 하지만 저건 도무지 불덩이라고 생각되지는 않는데요."

오레놀이 바쁘게 말했다.

"알겠습니다. 그러면 기둥을 읽어야겠습니다. 라수. 당신도 좀 도와주십시오."

라수는 고개를 끄덕이고는 걸어갈 준비를 갖췄다. 그리고 라수는 뭔가가 잘못되었다는 것을 알게 되었다. 오레놀이 당황한 얼굴로 그를 마주보고 있었다. 그러나 오레놀은 곧 자신의 머리를 탁 쳤다.

"어디로 가실 필요는 없습니다. 기둥을 가져오면 되니까요. 당신의 앞쪽에 다섯 개의 기둥이…… 아니, 꼭 기둥일 필요도 없군요. 그냥 벽이어도 상관없겠습니다. 당신이 읽을 수 있는 글이 새겨진 구조물이 나타나길 원하십시오. 일단은 당신이 잘 아는 책의 내용으로 시작해 보지요."

라수는 고개를 가로저었다. 그의 생각대로, 하늘치 등 위에서 만나게 될 신비는 충분히 풍요로운 것이었다.

"익숙해질 시간이 절실히 필요한 것 같습니다만, 지금 가장 부족한 것도 시간이겠지요. 알겠습니다."

라수는 적당한 크기의 벽을 시험 삼아 상상해 보았다. 그러자 훌륭한 부조로 장식된 벽이 그의 앞에 나타났다. 벽에는 음각으로 정교하게 글이 새겨져 있었다.

라수는 그 글이 무엇일지 알고 있었고, 읽어본 다음 자신이 제대로 했음을 깨달았다.

자신의 가장 소름 끼치는 작품으로 자평하는 『왕국의 몰락』 서문이 황공하리만큼 훌륭한 글씨로 새겨져 있었다. 라수는 그 훌륭한 글씨가 혹 자신의 허영을 상징하는 것이 아닌가 의심하며 조심스럽게 오레놀의 눈치를 살폈다. 하지만 오레놀은 아무것도 볼 수 없다는 표정으로 말했다.

"성공하셨습니까?"

라수는 오레놀이 자신의 벽을 보지 못한다는 사실에 감사하며 고개를 끄덕였다. 오레놀은 말했다.

"말씀하신 대로 시간이 없으니 한 번만 말하겠습니다. 처음에는 단어를 몇 개씩 바꿔보십시오. 구조물도 만들었으니 단어를 바꾸는 것쯤은 간단할 거라고 생각할지도 모릅니다만 꼭 그렇지는 않습니다. 자신이 잘 알고 있는 글의 일부가 바뀌면 그것을 오류라고 생각하게 되니까요."

라수는 자신의 글을 사용한 것이 다행이라고 생각했다. 다른 사람의 글을 바꾸는 것은 어렵겠지만 자신의 글을 바꾸는 것은 간단할 거라고 여겼기 때문이다. 오레놀의 설명은 계속되었다.

"전체 문장을 자유자재로 변화시킬 수 있게 되면 그다음은 행간의 의미들을 보다 뚜렷하게 하고 그 의미들을 이용하여 전체 논리를 체계화하십시오. 예. 아마도 책을 정독하는 것과 비슷하다고 생각하실 겁니다. 저도 그렇게 생각합니다. 다른 방법이 있을지도 모르겠습니다만 제가 터득한 것은 이 방법뿐입니다. 책을 읽는다는 것은 그 책을 그대로 암기하는 것이 아니라 책을 이용하여 자신의 머릿속에 또 한 권의 책을 만들어내는 것과 비슷하다고 생각됩니다. 다만 당신이 만들어낸 구조물은 그 머릿속의 책을 현실로 시각화시켜줍니다. 그러다가 당신이 예상치 못한 문장들이 등장하게 되는 것을 보게 될 겁니다. 그것은 아마도 당신의 직관력이 찾아낸 문장이거나 결론일 겁니다. 그렇잖으면 문장들 자체가 스스로 이끌어낸 결론일 수도 있지요. 그런 문장들을 이용하여 다시 전체의 일을 반복하십시오. 당신은 당신이 알고 있는 것들을 완벽하게 체계화할 수 있을 겁니다."

말이 이어지길 기다리던 라수는 그런 일이 일어나지 않으리라는 것을 알게 되고는 황급히 말했다.

"그걸로 끝입니까?"

"끝입니다. 간단한 일처럼 들리겠지만 그 효과에는 놀라실 겁니다. 익숙해지면, 당면 과제에 부합하는, 혹은 도움이 될 거라 생각되는 글이나 문장을 새겨놓고 해 보십시오."

"알겠습니다. 그런데 마지막으로 하나만 묻겠습니다. 하늘치는 도대체 뭡니까? 스님은 이미 그것을 알게 된 것 같으니 설명해 주시면 좋겠군요."

오레놀은 다급한 심사를 드러내며 빠르게 말했다.

"이제 영원히 우리 곁을 떠나버린 우리의 장형(長兄)이 우리들을 위해 남겨둔 유산입니다. 우리는 이제야 그들에 대해 알게 되었기에 그들을 다섯 번째 종족이라고 부를 수밖에 없지만, 사실 그들은 첫 번째입니다."

그리고 오레놀은 곧 허공을 응시했다. 라수는 대덕이 자신의 글을 읽고 있다는 것을 깨닫고는 더 이상 방해할 수 없다는 것을 알게 되었다. 그래서 라수는 자신이 만들어낸『왕국의 몰락』을 다시 바라보았다.

얼마 있지 않아 라수는 자신이 완전히 오해했음을 깨달았다. 다른 사람의 글을 바꾸는 것보다 자신의 글을 바꾸는 것이 훨씬 어려운 일이었다. 라수는 오기가 치밀어오르는 것을 느끼며 자신의 논리를 스스로 공격하기 시작했다.

지평선 안쪽에 있는 모든 자들은 하텐그라쥬의 부러진 심장탑 꼭대기에 영그는 불덩이를 볼 수 있었다. 조금 전까지 그것은 불이었다. 하지만 지금 그것은 불 이상의 불이 되었다. 심장탑 주위를 날던 비형은 입을 다물지 못했다.

사람들의 눈에 그것은 심장탑 상공의 하늘에 나타난 거대한 구멍처럼 보였다. 불은 빛과 열을 방사한다. 하지만 시우쇠가 극도로 집중시킨 불은 이제 빛과 열을 탐욕스럽게 삼키고 있었고, 그 빛과 열을 연료 삼아 검게 불타오르고 있었다. 그 때문에 검은 구멍이 거대해질수록 심장탑 위는 오히려 싸늘해졌다. 케이건은 그 공포스러운 구멍을 바라보며 말했다.

"저것은……."

알고 있었던 사실. 혹은 방금 알게 된 사실. 케이건은 말했다.

"네가 두억시니들의 신을 죽일 때 사용했던 그 불이군. 그걸로 나를 죽이려고?"

"너도 죽기를 바라는가!"

"아니. 나는 원하지 않아. 할 일이 있으니까. 그리고 인간들이 자신의 신보다 더 우월해진 것 같지도 않군. 내가 원하지 않는다면 너는 저 무서운 불로도 나를 어떻게 할 수 없어. 두억시니들의 신은 원했기 때문에 죽을 수 있었지. 그런데 내가 지금 무슨 말을 하고 있는 거지?"

시우쇠는 잠시 노기를 억누른 채 케이건을 바라보았다. 케이건의 얼굴에는 농담하는 기색이 없었다. 그는 자신의 말에 시우쇠보다도 더 혼란스러워하고 있는 것처럼 보였다. 시우쇠는 슬픔 속에서 말했다.

"너는 자신들의 신보다 더 위대해진 첫 번째 종족과 그들의 신에 대해 이야기하고 있다. 자신들의 신보다 더 위대해진 그 첫 번째 종족은 다른 종족들에게는 어쩔 수 없이 오만하게 보였다. 열등한 것은 우월한 것을 이해하기 힘드니까. 하지만 그들이 정말 오만한 자들이었다면 어느새 자신의 완전성을 구속하는 족쇄가 되어버린 자신들의 신을 그토록 세심하게 보살피지는 않았을 것이다. 그는 자신이 그들을 위해 할 수 있는 일이 하나밖에 남지 않았음을 알게 되었다. 그래서 그는 우리 네 명의 도움을 얻어 영원히 소멸했고, 그것으로서 자신이 보살피던 첫 번째 종족을 완전에 이르게 했다. 너는 자신을 보지 못하는 신에 대해 이야기하고 있다."

"자신을 보지 못하는 신?"

케이건은 그 말을 난생처음 들어본다고 생각했다. 하지만 그의 또 다른 부분은 그 말에서 익숙함을 느꼈다. 그리고 다른 감정들도. 케이건은 유래를 알 수 없는 자신의 감정에 당황했다. 시우쇠가 말했다.

"그래. 우리의 도움을 받아 그는 영원히 사라졌고 첫 번째 종족은 완전한 빛에 이르렀다. 그리고 그들이 지상에 남겨둔 불완전성의 찌꺼기들은 서로 뭉쳐 두억시니가 되었다. 그들이 지상에 흘린 눈물이지. 유해의 폭포는, 비록 자신이 찌꺼기임을 알게 되었지만 그의 다른 부분들이 정녕 신보다 위대해졌음을, 그리고 결코 두억시니가 신을 잃은 것이 아니라는 것을 알게 되고는 기쁘게 죽음을 맞이했다."

케이건은 갑작스러운 기억의 요동을 느꼈다. 그가 전혀 알지 못하고 그 긴 세월 동안에도 경험하지 못했던 일에 관한 기억들이 갑자기 그의 정신 속에서 부상했다. 케이건은 어떤 신의 마지막 모습을 바라보고 있던 자신의 모습을 떠올렸다.

그것은 비통한 기쁨과 처절한 환희의 순간이었다.

한 명의 신이 죽어가고 있었다. 그러나 그 우주적 슬픔의 순간에서, 신은 다가오는 소멸을 두려워하는 대신 자신이 가르치고 보살핀 종족이 이루어낸 것을 보며 기뻐하고 있었다. 케이건은 주위에 있는 다른 신들이 죽어가는 신을 부러워하고 있음을 깨달았다. 그리고 자신의 감정 또한 그들과 다르지 않다는 것을. 케이건은 그 기억의 거대함에 질려 뒷걸음질치고 싶었다. 거기에는 너무도 큰 기쁨과 너무도 큰 슬픔이 혼재했다.

갑자기 그의 등 뒤에서 다른 목소리가 들려왔다.

"신이 한 종족을 위해 할 수 있는 마지막 일은 그것이잖겠는가?"

케이건은 고개를 돌렸다. 티나한이 계단에서 머리를 내민 채 그를 바라보고 있었다. 그리고 그의 등 뒤에서 아기가 애타는 목소리로 말했다.

"시우쇠가 너에게 자신을 보지 못하는 신에 대해 이야기해 주었겠지. 그래. 케이건. 그것이 신이 할 수 있는 마지막의 일, 최선의 일이다. 자신이 보살피던 종족들이 마침내 기쁨의 목소리로 '신은 죽었다.'고 말할 수 있게 해주는 것. 그 환희의 순간을 생각해 봐. 케이건. 너의 인간을 떠올려! 네가 그들을 위해 해줄 수 있는 일들을 생각해!"

"나의 인간?"

"그래! 너의 인간 말이다!"

"……나의 인간이라는 것은 없다."

"케이건!"

케이건은 아기에게서 시선을 옮겨 허공을 바라보았다.

"나는 가진 것이 없다. 내게 남은 것이 있다면 나가뿐이다. 잡아먹어야 할 나가들. 너무 많다. 너무. 그토록 많이 잡아먹었는데, 아직도 이렇게 많다."

케이건은 쉰 목소리로 말했다.

"너무 많다."

케이건의 눈에서 갑자기 광채가 번득였다. 케이건은 고개를 들어 하늘에서 형성되는 구멍을 바라보며 빠르게 말했다.

"내가 원하지 않으면 저 불로도 나를 죽일 수는 없다. 너는 저 끔찍한 불로 이 심장탑을 가루로 만들어버릴 생각이겠지. 발자국 없는 여신의 영이 깃든 몸을 파괴해서 그녀를 어딘가의 다른 나가에게 전령시킬 생각이겠지. 관둬. 심장탑을 박살내면 네 생각대로 발자국 없는 여신은 어딘가로 전령하겠지. 하지만 심장탑이 파괴되는 순간 하텐그라쥬의 모든 나가들도 죽고 말아. 그녀는 이곳에서 훨씬 떨어진 도시의 나가에게로 전령할 수밖에 없겠지. 그런데 그녀는 너희 둘을 찾아낼 수 없어. 너희들 또한 그녀를 찾아낼 수 없고. 모든 자를 찾아내는 것은 나뿐이야. 셋이 모일 수 없어. 너희들은 다시 헤어지게 될 거야."

시우쇠는 폭소를 터뜨렸다.

"멍청아! 이 도시에는 심장 적출을 아직 하지 않은 나가도 있다. 그리고 저기서 빙글빙글 돌고 있는 녀석들 중에는 다른 도시 출신의 나가들도 있고! 이곳에도 여신이 전령할 나가는 무궁무진……."

순간 시우쇠는 멈칫하며 케이건을 살펴보았다. 케이건이 그토록 간단한 사실을 깨닫지 못할 리가 없었다. 시우쇠는 의혹을 느꼈다. 결코 반갑지는 않은 어떤 깨달음이 찾아들었을 때 시우쇠는 분노의 비명을 지르며 허공을 바라보았다.

검은 구멍이 보이지 않았다.

시우쇠는 격분을 참지 못하여 닥치는 대로 몸의 불을 피워올렸다. 시우쇠는 그곳에 자신이 만든 불이 그대로 남아 있을 것이라는 사실을 잘 알고 있었다. 케이건이 그것을 소멸시킬 수는 없다. 하지만 케이건은 그것을 잠시 감출 수는 있었다. 시우쇠의 시선을 빙빙 돌게 만들면 간단한 일이었다. 케이건은 입으로 아무 말이나 중얼거리며 그런 일을 시도했고, 성공했다. 티나한과 비형에게는 시우쇠가 자꾸 엉뚱한 방향을 바라보고 있는 것처럼 보였다.

케이건은 바라기를 들어 시우쇠를 겨냥했다.

"원하는 대로 다 해주겠어. 나가들을 다 죽인 다음에 나를 너희들 마음대로 해. 그때까지는, 나를 방해하지 마. 너희들과는 상관없는 문제 아냐? 나는 레콘이나 도깨비들을 다 죽이겠다고 말하는 것이 아냐. 내 식성은 단조롭지. 비늘 덮인 것들만이 내 목표야."

카루는 잠시 고민하다가 결국 질문을 하는 편이 가장 좋다고 생각했다. 그래서 그는 질문했다.

"죄송합니다. 도대체 저곳에서 무슨 일이 벌어지고 있는 겁니까?"

덕분에 카루는 목이 끊어질 뻔했다. 잔뜩 긴장하고 있던 티나한은 갑자기 들려온 목소리에 놀라 엄청난 속도로 철창을 휘둘렀다. 만약 궤도가 적절했다면 그 철창은 날카로움이 아닌 순수한 힘에 의해 카루의 목이나 허리쯤은 쉽게 절단했을 것이다. 하지만 카루는 계단 아래쪽에 있었고 티나한은 약간 높게 휘둘렀다. 자신의 머리 위를 벼락처럼 지나가는 파국에 카루는 기겁하며 사이커를 움켜쥐었다. 하지만 급박한 순간, 카루는 레콘을 상대로 철의 대화 따위나 신청하는 얼간이 짓은 현명하지 못하다는 것을 상기할 수 있었다. 그는 떨리는 목소리로 말했다.

"도대체 이게 무슨 짓입니까?"

다행히도 카루는 자신이 올바른 선택을 한 것임을 알게 되었다. 티나한은 그를 쪼개버릴 생각이 없었다.

"망할, 기척 좀 내고 말할 것이지! 놀랐잖냐!"

"저는 헛기침도 내고 발소리도 내고 그 외 생각나는 모든 짓을 다 해본 다음에 말한 겁니다."

티나한은 머쓱한 표정으로 좀 더 자세히 카루를 바라보았다. 그때 계단 아래쪽의 어둠에 조금 익숙해진 티나한은 카루의 등 뒤에 있는 스바치의 모습을 발견했다. 티나한은 그 또한 자신처럼 누군가를 업고 있다는 것을 깨달았다. 하지만 스바치의 등 뒤에 업혀 있는 것은 실로 무시무시한 것이었다. 티나한은 어이없다는 듯이 말했다.

"너희들은 도대체 뭐냐?"

"카루라고 합니다. 저 친구는 스바치, 그리고 업혀 있는 사람은 수호자 보트린입니다."

"수호자라고!"

티나한은 새로운 경계심을 느꼈다. 하지만 카루는 재빨리 손을 내저었다.

"아니, 잠깐. 적이 되고 싶지 않습니다. 당신이 북부군이며 여신을 구출하기 위해 온 사람이라면."

티나한은 눈앞에 있는 나가가 자신과 같은 목적을 가졌다는 식으로 말하고 있음을 깨달았다. 이해하기 어려웠지만 티나한은 잠시 폭력을 유보해 둔 채 말했다.

"나는 티나한이다. 발자국 없는 여신을 구출하고 너희들의 수호자들로부터 여신의 힘을 박탈하기 위해 화신들을 찾아서 이곳으로 모셔온 사람들 중 하나다. 그러니까 네가 말하는 것이 그리 틀리지는 않는군."

카루는 잠시 스바치를 돌아보았다. 그러고는 다시 고개를 돌려 티나한에게 말했다.

"그러면 수탐자입니까?"

"우리를 아나?"

"보트린이 닐러줬습니다. 그는 들을 수는 있지만 지금 상태가 좋지 못해 말할 능력은 없습니다. 알겠습니다. 당신들을 환영합니다. 우리들 또한 여신의 구출을 바랍니다. 그런데…… 지금 그런 일이 일어나고 있는 겁니까?"

티나한은 그만 말문이 막히는 것을 느꼈다. 그는 도대체 어떻게 사태를 설명해야 할지 알 수 없었다. 레콘의 대답이 늦어지자 카루는 용감하게도 그의 곁으로 다가왔다. 카루는 티나한처럼 계단에 엎드린 채 살금살금 기어 올라간 다음 계단 끝에서 고개를 내밀어 51층을 바라보았다.

얼마 동안 카루는 숨도 제대로 쉴 수 없었다. 계단 위의 광경은 초자연적이었다. 하늘에는 도무지 무엇인지 알 수 없는 구멍이 불타오르고 있었다. 그리고 그 구멍 아래에서 한 인간과 시우쇠일 것으로 생각되는 불덩어리 도깨비가 서로를 노려보고 있었다. 시우쇠와 케이건의 모습 사이로 카루는 냉동 장치를 확인할 수 있었다. 그곳에 어린 차가움 때문에 카루는 카린돌의 모습을 명확하게 구분할 수 없었다. 카루가 다시 아래쪽으로 몇 계단을 내려왔을 때 티나한의 등 뒤에 있던 아기가 속삭이듯 말했다.

"그렇지 않아. 간단하게 말해 준다면 어디에도 없는 신의 화신이 너희 나가들을 모두 죽이고 싶어한다. 그래서 그는 발자국 없는 여신이 풀려나는 것을 저지하고 있다. 셋이 하나를 상대하기 때문이야."

카루는 놀라움을 금할 수 없었다. 스바치와 보트린 또한 경악했다. 카루는 여러

가지 놀라움 중에서 가장 간단한 것부터 해결하기로 했다. 그는 아기를 유심히 바라보며 질문했다.

"혹 당신이……."

"나는 모든 이보다 낮은 여신이다."

"아! 그렇군요. 여신을 뵙게 된 것을 무한한 영광으로 생각합니다. 그런데 왜 어디에도 없는 신의 화신이 나가를 다 죽이고 싶어하시는 겁니까? 나가들이 여신의 힘으로 인간들을 죽였기 때문입니까?"

"일단 질문하지 말고 내 말 잘 들어라. 카루. 냉동 장치가 어느 쪽에 있는지 정확하게 말해다오. 방향과 거리를 상세하게."

카루는 의아해하다가 아기가 전혀 시선을 맞추지 않은 채 말한다는 것을 깨달았다. 카루는 아기가 장님이라고 생각했다. 하지만 곧 그것이 화신에게 어울리지 않는 일이라는 느낌을 받았다. 머리가 혼란스러워진 카루는 질문을 포기하고는 다시 고개를 내밀어 확인했다. 냉동 장치의 위치를 확인한 카루는 아래로 내려와 손가락으로 방향을 가리켰다.

"이쪽 방향으로 20미터쯤 떨어져 있습니다."

"정확하게 20미터냐? 중요한 일이다. 너는 정확하게 냉동 장치 앞에 설 수 있는 거리를 말해야 한다."

카루는 다시 고민한 다음 말했다.

"그 거리면 적당할 것 같습니다."

"알았다. 이곳에 있는 티나한은 사정 때문에 저곳에 갈 수 없다. 너를 그곳으로 빠르게 이동시켜 줄 테니 냉동 장치 안에 있는 나가를 죽일 수 있겠나?"

계단 아래쪽에 있던 스바치가 고개를 홱 쳐들었다. 그는 경악에 찬 표정으로 아기를 노려보았다. 그리고 스바치의 등 뒤에 있던 보트린 또한 놀라움에 찬 니름을 토해 내었다.

〈도대체 저 화신께서는 무슨 말씀을 하시는 거지?〉

카루 또한 그것이 궁금했고 그래서 아기에게 질문했다. 아기는 말했다.

"저 몸이 죽으면 발자국 없는 여신은 그 몸에서 빠져나와 다른 나가의 몸으로 옮겨갈 수 있다. 그러면 그 다른 나가가 발자국 없는 여신의 화신이 되어 우리 둘과 함께 어디에도 없는 신의 화신을 저지할 수 있다. 둘은 하나를 상대할 수 없다. 셋이 되어야 한다. 지금 네가 그렇게 하지 않으면 어디에도 없는 신의 화신은 너희들을 다 죽일 거다."

카루는 아기의 말을 이해하기 위해 애썼다. 그리고 스바치는 분노에 찬 표정으로 모든 사람들을 쳐다보았다. 카루는 스바치를 돌아보았다.

〈스바치.〉

〈내가 말하겠어! 잠깐 기다려.〉

스바치는 아기에게 말했다.

"무슨 말씀인지 알겠습니다. 모든 이보다 낮은 여신이여. 하지만 심장을 적출한 나가를 빠르게 죽일 수 있는 방법은 없습니다. 어쨌든 도깨비의 불이나 레콘의 힘이 없다면 말입니다. 카루는 시간을 꽤 잡아먹어야 할 텐데, 어디에도 없는 신이 그가 그녀를 죽일 때까지 가만히 구경하고 있겠습니까?"

"그녀? 여자인가 보군. 그리고 심장을 적출한 나가라면, 네 말대로 어렵겠군."

아기는 불만에 찬 신음을 흘렸다. 스바치는 마음속으로 안도의 한숨을 내쉬고 말했다.

"조금만 기다리면 안 되겠습니까? 얼음은 곧 다 녹을 겁니다. 그리고 그녀의 체온도 올라갈 테고요."

"어디에도 없는 신이 시간을 줄지 모르겠다."

"그럴 생각이 없는 것 같군요."

다시 계단 위를 살피던 카루가 말했다. 아기는 무슨 의미인지 알 수 없었다. 케이건이 이끌어주지 않는 이상 그녀는 냉동 장치나 그 안의 신체를 정확하게 볼 수 없었다. 하지만 티나한은 카루의 말을 정확하게 이해했다. 그는 좌절감 속에서 말했다.

"케이건이 냉동 장치의 문을 다시 닫았습니다."

냉동 장치의 문을 다시 닫은 케이건은 시우쇠를 쳐다보았다. 시우쇠는 노기충천한 모습이었지만 시각이 왜곡되어 있기에 그의 모습을 제대로 확인하지 못하고 있었다. 케이건은 문득 시우쇠를 그대로 아래로 밀어 떨어뜨리면 어떨까 하는 생각을 해보았다. 하지만 그렇게 한다고 해서 화염의 화신이 죽을 것 같지는 않았다. 혹 죽는다 하더라도 이곳에는 시우쇠가 전령할 도깨비가 하나 있었다. 케이건은 비형을 찾아보았다.

비형은 나늬와 함께 아래로 내려서려 하고 있었다. 케이건은 단조롭게 손짓했다. '내려오지 마시오.' 비형은 거부하듯 고개를 가로저었다. 케이건은 잠깐 고민하다가 바라기를 천천히 들어올려 자신의 왼팔 위에 얹었다. 그 뜻은 명백했다. 나늬가 크게 후퇴했다. 비형을 쫓아버린 케이건은 이제 티나한이 남았음을 상기하고는 주위를 두리번거렸다. 바닥을 본 케이건은 빙긋 웃었다. 그 웃음은 순진했다. 케이건은 오른발을 한 번 굴러 바닥에 고여있던 물을 찰박거리게 했다. 경쾌한 소리와 함께 물방울이 튀어올랐다. 케이건은 티나한이 절대로 다가오지 않으리라는 것을 확신했다.

그를 방해할 자는 없었다. 케이건은 천천히 가장자리로 걸어갔다. 하텐그라쥬의 전경을 죽 둘러본 케이건은 한 지점을 선택했다. 그는 바라기를 천천히 들어올렸다. 그 동작에는 물감을 잔뜩 묻힌 붓을 들어올리는 거장의 손길 같은 충만함이 있었다.

'나가는, 모두 죽을 것이다.'

파괴적인 붓질을 하려던 케이건은 갑자기 동작을 멈췄다.

그의 눈에 심장탑을 향해 달려오고 있는 일군의 무리가 들어왔다. 케이건은 바라기를 도로 내려놓았다. 그리고 얼굴을 찡그렸다. 그의 손끝이 떨렸다. 거기에는 나가가 있었다. 케이건은 난폭한 동작으로 다시 바라기를 들어올렸다. 그러나 끝내 바라기를 휘두르지는 못했다.

케이건은 아래를 향해 떨리는 목소리로 말했다. 그리고 그 목소리가 사모의 귀에 들리도록 바람에 그것을 실어 보냈다.

"돌아가십시오. 폐하."

마루나래의 등 위에 있던 사모는 깜짝 놀라서 위를 쳐다보았다. 사모는 까마득하게 높은 곳에 있는 케이건을 보고는 또다시 놀랐다. 케이건은 보통 말하는 정도의 어조로 말하고 있었다. 그런 목소리가 들릴 거리가 아니었다. 사모는 이해할 수 없는 기분 속에서 대답했다.

"케이건 드라카. 지금 무엇을 하고 있지?"

사모는 자신의 목소리가 들리지 않으리라고 생각했다. 하지만 케이건의 대답은 그녀의 귓가에 대고 이야기하는 것처럼 또렷하게 들려왔다.

"저는 나가를 죽일 겁니다. 폐하께서는 돌아가십시오."

사모는 더 이상 고민할 여유 없이 다급하게 말했다.

"허락하지 않는다."

"네까짓 나가가 감히 나에게 허락하느니 마느니 한단 말이냐!"

케이건은 폭발적인 괴성을 내질렀다. 그것은 하늘을 울리게 하는 대갈이었다. 갈바마리와 금군들은 켁켁거리며 뒤로 물러났고 마루나래는 털을 꼿꼿하게 세운 채 으르렁거렸다. 사모는 그 음성에 놀랐다. 그것은 그녀가 아는 케이건의 목소리였지만 너무도 생경하게 느껴지는 목소리이기도 했다. 그녀가 대답을 못 하고 있을 때 케이건이 다시 말했다.

"무례를…… 용서하십시오. 폐하. 제발 이곳을 떠나주십시오."

사모는 케이건이 혼란스러운 상태에 빠져 있음을 깨달았다. 하지만 케이건의 일부는 분명히 아라짓 전사로서 사모를 왕으로 여기고 있었다. 사모는 그 사실에 매달리기로 했다.

"케이건 드라카. 짐의 아라짓 전사여. 너의 왕이 하는 말을 들어라. 짐에게 설명하라."

"설명이라고요?"

"설명하라. 너는 내가 적으로 규정한 자와 싸우고 내가 친구로 규정한 자를 보호해야 하지 않느냐? 네가 어찌하여 내 명령도 없이 적을 규정하는 것인지 설명하라."

케이건은 입술을 떨었다. 그의 왕이 요구하고 있었다. 케이건은 왼손을 아래로 뻗었다.

사모는 마루나래가 갑자기 멀어지는 것을 느꼈다. 아래를 내려다본 사모는 깜짝 놀랐다. 그녀의 몸이 위로 떠오르고 있었다. 마루나래는 등 뒤의 무게가 갑자기 사라지자 어리둥절하여 위를 쳐다보다가 기겁하여 펄쩍 뛰어올랐다. 놀라운 도약력에 의해 마루나래는 사모와 같은 높이까지 이르렀지만, 대호에게는 안전하게 사모의 몸을 붙잡을 손이 없었다. 성급하게 발을 뻗으려던 마루나래는 그 동작이 사모를 파괴하고 말 것임을 깨닫고는 다시 발을 잡아당겼다. 땅에 내려선 마루나래는 무서운 포효를 뿜어올렸다. 그동안에도 사모의 몸은 계속 떠올랐다. 갈바마리가 갑자기 비명처럼 외쳤다.

"계단을!"

"올라간다!"

갈바마리는 심장탑 안으로 뛰어들었다. 입을 열어 말할 수는 없었기에 마루나래는 포효로써 갈바마리를 축복한 다음 그 뒤를 따라 달렸다. 그리고 그들 뒤로 다른 두억시니들이 달렸다.

사모는 곧 불안감을 버리기로 했다. 케이건이 그녀를 죽일 작정이라고는 생각하기 어려웠다. 그것을 원했다면 조금 전 하텐그라쥬를 상대로 저지른 폭력을 그녀에게 사용하는 것으로 충분했을 것이다. 그래서 사모는 추락에 대해 생각하지 않기로 했다. 대신 사모는 케이건의 얼굴을 똑바로 노려보려 애썼다. 케이건은 그녀의 시선을 조심스럽게 받아내었다. 나늬에 탄 비형이 한 번 그녀의 곁을 지나치며 그녀를 걱정스럽게 바라보았다. 사모는 비형에게 묻고 싶은 것이 있었지만 날개소리 때문에 이야기를 할 수 없었다. 그래서 사모는 비형에게 미소를 지어 준 다음 다시 케이건의 얼굴을 직시했다.

그녀의 발이 심장탑 51층에 내려서게 되었을 때도 사모는 아래를 내려다보지 않을 수 있었다.

케이건은 바라기를 다시 등 뒤에 걸었다. 그리고 사모 앞에 무릎을 꿇은 채 머리를 조아렸다.

"폐하를 내려다볼 수는 없었습니다."

어디에도 없는 신의 힘으로 자신을 끌어올린 거냐고 묻고 싶었지만 사모는 그러지 않았다. 그녀는 눈앞에 있는 자를 자신의 전사인 한 인간으로만 취급하기로 결심했다.

"알았다. 설명하라."

계단에 엎드려 있던 카루는 가슴이 답답해지는 것 같은 기묘한 느낌을 받았다. 그는 가면을 쓴 여인을 뚫어지게 바라보았다. 카루는 그 가면을 보고 그녀가 대호왕이라는 것을 추측할 수 있었다. 하지만 카루는 그 이상의 느낌을 받았다. 카루는 자신이 그녀를 알고 있다는 강력한 느낌을 받았다. 뭐라 말할 수 없는 불안 속에서 카루는 조금 전 케이건이 그녀를 나가라고 불렀다는 사실을 떠올렸다.

'설마?'

그때 보트린의 니름이 들려왔다.

〈카루. 스바치. 냉동 장치를 무력화시키는 방법을 알려드리겠습니다.〉

카루는 뒤를 돌아보았다. 보트린이 계속 닐렀다.

〈그 방법이 카린돌을 구하는 데 도움이 될지도 모르겠습니다.〉

스바치가 다급하게 닐렀다.

〈어서 닐러주십시오!〉

〈금속 상자의 왼쪽에 있는 돌출물을 유의해서 보면 항아리가 세 개 들어있습니다. 그중 가장 큰 항아리를 파괴하면 됩니다. 그러면 냉동 장치는 쓸모가 없어지게 됩니다.〉

스바치는 그 사실을 육성으로 바꿔 속삭였다. 아기가 말했다.

"그렇다면, 좋다. 내가 너희들 중 누군가를 이동시켜주겠다. 그 항아리를 파괴해

라. 누가 그렇게 하겠느냐?"

"제가 하겠습니다."

스바치가 대답했다. 그는 보트린을 묶고 있던 줄을 풀기 시작했다. 아기가 다시 말했다.

"어쩌면 어디에도 없는 신에 의해 죽게 될지도 모른다. 그리고 잠시만 기다려라. 지금 사모 페이가 그와 이야기를 하고 있다. 어쩌면 그녀도 위험해질지 모르거니와……."

아기의 말은 숨죽인 비명에 의해 중단되었다. 티나한과 스바치, 아기, 보트린은 놀란 표정으로 카루를 바라보았다. 카루는 믿을 수 없다는 듯이 말했다.

"정말 사모 페이입니까?"

"대호왕 말이냐? 그렇다."

카루는 고개를 팍 돌려 대호왕과 케이건을 바라보았다. 그리고 다른 자들 또한 기회를 엿보며 그들의 말에 귀를 기울였다.

케이건을 오로지 아라짓 전사처럼 대하는 사모의 태도는 효과가 있었다. 케이건은 아라짓 전사로서 말했다.

"폐하. 나가들은 폐하의 전사가 가진 모든 것을 앗아갔습니다. 그들은 제 희망을 이용하여 저를 철저히 배신했습니다."

"네 희망이 무엇이냐?"

"제가 원한 것 말씀이십니까?"

"그래. 네가 원했던 것이 무엇이냐? 짐에게 말하라."

케이건은 고개를 들어 사모를 바라보았다. 그의 눈에서 희미한 의혹이 피어올랐다. 사모는 자신을 억누른 채 차분하게 그를 마주보았다.

"네가 원했던 것이 무엇이냐?"

"사랑하기 위해 사는 삶."

사모는 잠시 동안 아무 말도 하지 못한 채 케이건을 바라보았다. 케이건의 목소리는 단조로웠고 그 말에는 뚜렷한 인상을 남기려는 어떤 기교도 내포되어 있지 않았다. 하지만 사모는 그 말이 귓속에 쾅쾅 울린다는 느낌을 받았다. '사랑하기 위해 사는 삶?' 사모는 그런 말이 어떻게 나가를 다 죽이려는 자의 입에서 나올 수 있는지 알 수 없었다. 그녀는 간신히 말했다.

"설명하라."

케이건은 갑자기 과거를 바라보는 눈으로 사모를 바라보았다. 그의 목소리에는 시간의 무게가 덧씌워졌고 사모는 태고로부터 들려오는 목소리를 듣게 되었다.

"그들은 이렇게 말합니다. 오늘은 세 놈을 잡았지. 마지막 새끼의 아가리를 찢어 놓고 그 입에 오줌을 눠줬지. 말도 못 하는 입에 뭐라도 쓸모가 있어야 할 것 아냐. 제 누이의 전사들. 저는 그것들이 싫었습니다. 제 누이를 살육의 여왕으로 이끄는 광전사들이 싫었습니다. 그자들 가운데, 유혈로 자신을 둘러 스스로를 파괴의 여왕으로 선언한 제 누이가 있었습니다. 그 손에 이 혐오스러운 검을 움켜쥔 채."

사모는 그 이야기를 쉽게 이해할 수 없었다. 머릿속으로 정신없이 생각해 본 후에야 사모는 케이건이 아라짓 전사와 극연왕에 대해 이야기하고 있다는 것을 깨달을 수 있었다. 마치 그녀가 이해했다는 것을 안다는 듯이 케이건은 부드러운 얼굴로 고개를 끄덕였다. 그는 말했다.

"저는 자신에게 물어보았습니다. 왜 사랑할 수 없을까?"

사모는 다시 충격을 받았다. 케이건은 계속 말했다.

"왜 이해할 수 없을까? 입장을 바꿀 수는 없을까? 길지 않은 생, 가슴에서 피비린내를 풍기며 살아야 할 이유가 있을까? 우리의 서로 다른 겉모습은 광적인 증오의 원인이 아니라 다시 없이 커다란 축복이 아닐까? 사람은 새로움 속에 살아간다. 모든 것은 항상 바뀌어 사람들에게 다가온다. 그렇다면, 우리는 비늘이 덮인 저 남부의 이방인들을 우리의 의식과 지혜를 발전시킬 새로운 자극으로 이해해야 하지 않을까? 그들은 우리의 적이 아니라 가장 고마운 선물이 아닐까? 대상이 없는 사랑은 없다. 그리고 새로운 대상은 새로운 사랑을 약속한다. 남쪽에서 온, 비늘 덮인 그들은 나의 또 다른 형제며 혈육이다. 그리고 축복이다. 나는 그들을 사랑하고 싶다. 그들은 얼마나 고마운 자들인가. 우리는 사랑할 수 있는 상대를 하나 더 얻었다."

케이건은 스스로에게 보내는 조소로 얼굴을 일그러뜨렸다.

"나는 그들을 진정으로 사랑하고 싶다."

사모는 이런 거대한 사랑을 이해할 수 없었다. 다르다는 것이 증오의 원인이 아니라 거대한 축복의 원인이 될 수 있는, 혹은 그러했던 사람이 그녀의 눈앞에 있었다. 사모는 니를 수 없는 감동 속에서 케이건을 바라보았다. 케이건의 얼굴이 갑자기 고통스럽게 일그러졌다. 그는 무서운 추억을 바라보는 자의 눈으로 사모를 바라보았다. 그의 손이 미세하게 떨렸다.

"그리고…… 그런 제게 어떤 나가가 다가왔습니다."

케이건은 한참 동안 말을 잇지 않았다. 사모는 감히 그를 다그칠 엄두를 내지 못했다. 케이건의 침묵은 건드릴 수 없는, 건드리는 것만으로도 고통을 받을 것 같은 비탄을 담고 있었다.

갑자기 케이건의 입이 열렸다.

"그 나가의 말은 정말 친절하게 들렸습니다. 제가 들었던 그 어떤 목소리보다 아름다운 목소리로 그 나가는 말했습니다. '이해합니다.' 정말 이해하는 것 같았습니다. '당신의 뜻을 이해합니다. 우리는 모두 알고 있습니다. 이 슬픈 사태를 해결할 방도는 하나뿐이라는 것을.' 그 나가는 더 이상 말하지 않았습니다. 단지 고매한 침묵으로 저를 설득했을 뿐입니다. 하지만, 그 침묵과 더불어 제시된 손짓의 의미는 분명했습니다. 왕국 아라짓에서 손가락 두 개를 이용한 그 손짓을 모르는 자는 아무도 없습니다! 빌어먹을! 그놈들은 인간처럼 다섯 개의 손가락을 가지고 있습니다. 의미가 너무 분명합니다! 예. 간단한, 너무도 직설적인 손짓이었습니다. 저는 결심했습니다. 그리고 스스로 옳은 일을 하고 있다는 확신 속에서 살육밖에 모르는 누이를 비난하고 그녀의 검을 훔쳐 그녀를 떠났습니다. 제 누이를 떠나는 길에서 제가 생각했던 것은 누이와의 아름다웠던 추억들이 아니었습니다. 저는 의기양양하여 생각했습니다. 이제 나가들과 우리 사이를 갈라놓는 저 저주받을 아라짓 전사들은 정체성의 수수께끼를 느껴야 할 것이다.”

사모는 바라기의 실종이 어떻게 해서 일어난 일인지 알게 되었다. 그리고 그 일에서 나가가 수행한 역할에 대해 이루 니르기 어려운 혐오감을 느꼈다. 그 나가는 북부에서 나가들을 사랑하고 이해하기를 원하는 유일한 사람을 가증스럽게 속였다. 죄책감에 고개를 가로젓던 그녀의 눈이 문득 시우쇠에게 머물렀다. 시우쇠는 저편에 가만히 선 채 그녀와 케이건을 바라보고 있었다. 케이건의 말이 계속되었다.

“예. 그렇게 되었습니다. 아라짓 전사들의 혼란을 틈타 나가들의 반격이 아라짓을 거세게 강타했습니다. 바라기를 잃은 제 나라는 몰락하기 시작했습니다.”

케이건은 다시 침묵했다. 그는 이제 아라짓의 무력한 몰락을 바라보고 있는 듯했다. 영웅왕의 검 아래에 이룩되었던 강력한 왕국은 그 검을 잃고 초라하게 시들어갔다.

“믿기 어려웠습니다. 살육귀들이 사라졌음에도 불구하고 새로운 사랑과 새로운 이해는 나타나지 않았습니다. 오히려 왕국의 몰락이 다가오고 있었습니다. 저는 증오의 기억이 너무 깊었기 때문이라고 믿었습니다. 하지만 가장 깊은 마음속으로는 제가 나가에게 속았음을 알고 있었습니다. 단지 인정하고 싶지 않았던 것이었습니다. 하지만 저 때문에 쓰러져가는 조국의 이름은 제 머릿속을 불태우는 악몽이 되어 돌아왔습니다. 저는 나가를 사랑하고 싶었습니다. 하지만 저 때문에 사랑하는 조국이 멸망했습니다. 아라짓의 가장 가증스러운 배신자. 왕국을 훔친 도둑. 그것이 저였습니다. 결코 조국으로 돌아갈 수 없었습니다. 저는 조국이 죽어가는 것을 바라보고만 있어야 했습니다. 그것은 전사의 죽음도 아니었습니다. 영웅왕의 나라는 병자처럼 볼품없이 말라죽어가고 있었습니다. 저는 아무것도 할 수 없었습니다.”

케이건의 얼굴에 갑자기 살기가 피어올랐다. 그의 손은 떨림을 멈춘 채 서서히 가슴으로 올라왔다. 사모는 그 움직임을 불안 속에서 바라보았다. 케이건은 어깨 뒤로 손을 넘겨 바라기의 칼자루를 움켜쥐었다.

"하지만 나가들을 잡아먹을 수는 있었습니다. 그것은 저를 받아들인 키탈저 사냥꾼들의 방식이었습니다. 용의 자손인 저는 그렇게 했습니다."

바라기를 움켜쥔 케이건의 손이 하얗게 물들었다. 사모는 불현듯 케이건이 첫 번째 나가 살육과 그 고기를 먹은 일을 회상하고 있음을 깨달았다. 그녀의 몸에서 비늘이 일어났다. 하지만 몸이 느끼는 공포와 무관하게 그녀의 마음은 한없는 동정심으로 가득차 흔들렸다.

"예. 저는 한계선 근처에서 힘없이 어슬렁거리는 나가를 잡았습니다. 그리고 그것을 삶았습니다. 그것으로써 저는 제 두 번째 장례식을 스스로 주관했습니다. 사랑했던 것을 잃었고, 사랑하고 싶었던 것도 잃었습니다. 나가의 고기가 제 목을 넘어갈 때 저는 제 속에서 울려퍼지는 단말마를 들었습니다. 처음 몇 번 동안은 그 소리 때문에 미칠 것 같았습니다. 하지만 곧 그 소리는 들리지 않게 되었습니다. 저는 제 속의 무엇이 완전히 죽었음을 알게 되었습니다."

사모의 눈에 은루가 고였다. 고통스러운 추억에 이르른 케이건은 빠르게 말했다.

"제 고통을 아는 자는 한 사람뿐이었습니다. 제 아내, 왕국의 도둑을 받아들인 그녀는, 고통이 무엇인지 아는 사람이었습니다. 별비의 가슴을 헤치고 그 간을 꺼내어 씹었던 그 여인은 그것을 알고 있었습니다. 바라기의 완전한 회수와 골칫덩이가 된 배신자를 제거하길 원했던 나가들은 저를 추적하는 대신 제 아내를 추적하기로 결정했습니다. 제 아내는 그 비늘 덮인 차가운 동물들을 사랑하고 싶은 생각은 없었지만, 제가 한때 그것을 원했다는 이유만으로 그들에게 갔습니다. 제가 죽어간다는 것을 알았기 때문이지요. 그래서 저를 옛날의 케이건으로 돌려놓으려 했습니다. 나가를 사랑하고 싶어하는 자로. 기다리던 나가들은 제 아내를 붙잡아 찢어 죽였습니다."

사모는 그만하라고 외치고 싶었다. 하지만 그 말은 그녀의 목에서 흘러나오지 않았다. 그리고 사모는 니를 수도 없었다. 케이건은 처연한 표정으로 고개를 떨구었다.

"그것이 나가들이 제게 한 일입니다. 폐하. 저는 그들을 죽일 겁니다."

사모는 가슴이 올올이 찢겨지는 듯한 고통을 느끼며 케이건을 바라보았다. 어떤 말도, 어떤 니름도 흘러나오지 않았기에 사모는 주먹을 움켜쥐었다. 그녀는 굳은 결심을 한 채 가면을 붙잡았다. 시우쇠가 흠칫했고 계단에 있던 자들의 상당수가 신음을 흘렸지만 사모는 그것을 깨닫지 못했다.

사모는 가면을 벗었다. 그리고 나가의 얼굴로 케이건을 바라보았다.

"더 이상 가면은 필요 없어. 이곳에는 왕과 아라짓 전사는 필요 없어. 내가 할 수 있는 사과와 내가 할 수 있는 속죄만이 있을 뿐이야. 케이건 드라카. 고개를 들어 나를 봐."

케이건은 천천히 고개를 들었다. 그는 동요 없는 시선으로 사모를 바라보았다. 사모는 은빛 눈물로 볼을 적신 채 그를 마주보고 있었다.

"케이건. 나는 너에게 사과하고 싶어."

케이건은 아무런 표정도 없는 얼굴로 사모를 바라보았다. 아주 짧은 순간, 케이건의 얼굴에 또 다른 얼굴이 나타났다가 사라졌다. 눈물 때문에 제대로 볼 수 없었던 사모는 그것을 보지 못했다. 케이건은 고개를 갸웃했다. 그는 시선을 낮추어 사모의 손에 들린 가면을 바라보았다. 그리고 그는 다시 사모의 얼굴을 바라보았다. 케이건의 얼굴에 또다시 다른 얼굴이 나타났다. 케이건은 죽어가는 자의 목소리처럼 희미하게 속삭였다.

"나가."

케이건의 몸이 치솟았다.

사모는 자신의 목이 찢어지리라는 것을 깨달았지만 눈을 감지는 않았다. 그녀는 눈을 똑바로 뜬 채 케이건을 바라볼 생각이었다. 하지만 시야를 가리는 은루 때문에 그녀가 볼 수 있었던 것은 많지 않았다. 그래서 사모가 들었던 것은 끔찍한 소음뿐이었다.

사모는 자신이 아무렇지도 않다는 것을 느끼고는 눈을 비볐다.

시야가 회복되자 사모는 케이건이 누군가와 싸우고 있음을 알게 되었다. 그것은

'알게 된' 것이지 본 것이 아니었다. 사모는 케이건과 싸우고 있는 상대를 제대로 보지 못했다. 그를 제대로 볼 수 있는 자는 아무도 없을 것이다. 시우쇠나 아기, 그리고 맞서 싸우고 있는 케이건조차도 그를 제대로 보지 못했다. 아기는 티나한의 등 뒤에서 신음을 흘렸다.

"세상에!"

계단에서 뛰쳐나가는 나가를 본 순간 아기는 그와 사모를 구하기 위해 그들을 급속하게 움직이게 했다. 하지만 사모는 움직이지 않았다. 어느 방향으로든 한 걸음만 움직였다면 그녀는 안전하게 아기에게로 끌려왔을 테지만 사모는 바라기의 공격에 자신을 내맡기듯 꿈쩍도 하지 않았다. 힘은 주어졌으되 방향이 주어지지 않은 셈이다. 그래서 아기가 행한 일의 영향을 받은 것은 계단에서 뛰쳐나간 나가, 즉 카루뿐이었다. 그런데 카루는 아기의 의도대로 계단으로 돌아오지 않았다. 카루는 아기의 힘을 받으며 방향은 자신이 결정했다. 그리고 카루는 번갯불 같은 속도로 움직이며 케이건을 공격했다. 그것은 전적으로 계단에서 뛰쳐나갔을 때 그가 삼킨 소드락 덕분이었다.

카루는 '볼' 수 있었다.

지독하게 왜곡되어 백일몽에 가까운 모습이었지만 카루는 케이건과 사모의 모습을 볼 수 있었다. 소드락의 급가속 상태에서 항진된 신체 능력이 그런 기적을 일으키고 있었다. 그 기적은 극히 제한적이었다. 카루의 공격은 번번이 엉뚱한 곳으로 빗나갔다. 그가 제대로 보지 못하고 있는 것은 분명했다. 하지만 주위에 호전적인 사이커가 춤추고 있다는 사실은 케이건을 자극하기에 충분했다. 케이건은 노호하며 바라기를 휘둘렀다. 카루가 아기의 의도대로 움직였다면 케이건 또한 카루를 볼 수 없었겠지만, 카루는 아기의 의도를 무시하며 움직이고 있었고 그래서 케이건은 흐릿한 환상 같은 모습의 카루를 볼 수 있었다. 하지만 그의 공격 또한 엉뚱한 허공을 갈랐다. 카루의 속도는 지나치게 빨랐다. 그래서 그들은 계속 빗나가는 공격을 교환했다.

카루가 자신의 의도를 무시하며 움직인다는 것을 깨달은 순간 아기는 카루를 움직이는 짓을 그만두려 했다. 카루에게 해가 될 가능성이 높았기 때문이다. 하지만 아기는 그럴 수 없었다. 케이건과 카루는 이미 싸움에 빠져들었고 만약 아기가 카루에게 가하고 있는 빠르기를 제거한다면 카루는 당장 목이 떨어지고 말 것이다. 아기는 어쩔 수 없이 카루에게 계속 힘을 가했다. 그 결과로 벼락의 경주 같은 싸움이 펼쳐졌다.

스바치가 몸을 벌떡 일으키며 외쳤다.

"저를 냉동 장치로 보내주십시오!"

그 소리에 놀란 케이건이 계단을 돌아보았다. 아기는 퍼뜩 스바치를 돌아보았다. 스바치 또한 소드락을 삼키려 하고 있었다. 아기는 외쳤다.

"안 돼! 못 본다!"

스바치는 입에 넣었던 소드락을 재빨리 뱉어내었다. 그는 놀란 표정으로 아기를 바라보았다가, 곧 헛손질을 하고 있는 카루를 보았다. 스바치는 이해했다는 듯이 빠르게 고개를 움직였다. 아기는 조금 전 카루가 가르쳐준 방향으로 주의 깊게 스바치를 움직였다.

스바치는 눈 깜짝할 사이에 냉동 장치 앞으로 이동했다. 시야가 순식간에 바뀌는 바람에 스바치는 잠깐 동안 자신이 어디에 있는지 알지 못했다. 그러나 그의 시야에 냉동 장치가 들어온 순간 스바치는 이해했다. 그는 황급히 냉동 장치의 왼쪽으로 움직였다. 그때 그의 등에 업혀 있던 보트린이 닐렀다.

〈스바치! 조심하십시오!〉

스바치는 고개를 휙 돌렸다. 그 순간 엄청난 힘을 지닌 손아귀가 그의 목을 움켜쥐었다. 그의 머릿속이 순식간에 캄캄해졌다.

케이건이 타오르는 눈으로 스바치를 노려보고 있었다. 그의 오른손은 바라기를 들어올리고 있었다. 무수한 나가의 생을 종결시킨 그 공포의 검이 곧 스바치의 두개골을 향해 내려쳐질 판국이었다.

"죽어라!"

"그만둬!"

허공에서 카루의 비명이 들려왔다. 동시에 케이건의 왼발 조금 옆의 바닥이 폭발하듯이 부서졌다. 허공에서 다시 카루의 분개한 비명이 들려왔다. 케이건은 으르렁거리며 스바치의 몸을 확 밀어젖히고 그 자리를 피했다. 곧 그가 서 있던 바닥이 보이지도 않는 사이커에 의해 찢어졌다.

스바치는 짧은 순간 안도감과 해방감을 느꼈다. 그의 발 아래에 더 이상 바닥이 없다는 사실을 깨달을 때까지.

스바치는 심장탑 아래로 추락하고 있었다.

보트린을 업고 있었기에 스바치의 무게중심은 뒤쪽에 있었다. 몸이 완전히 뒤집어지기 직전, 스바치는 사이커를 들어올렸다. '성급하면 안 돼.' 아래로 추락하는 그 짧은 순간 스바치는 나가에게서나 기대할 수 있는 극도의 냉정 속에서 세심하게 사이커를 겨냥했다. '성급하면 안 돼.' 시야에서 냉동 장치가 사라지기 직전, 스바치는 자신의 발을 겨냥하듯이 그것을 집어던졌다. 다음 순간 그의 눈에 들어오는 것은 넓은 하늘과 하텐그라쥬의 뒤집힌 모습이었다. 스바치는 사이커가 제발 제대로 날아갔기를 바라며 그 뒤집힌 세상을 바라보았다. 무서운 속도로 그의 몸이 아래로 추락했다.

〈제발, 카린돌을 구해 주세요!〉

그 순간 스바치는 자신의 발쪽에서 놀라운 속도로 날아오고 있는 뒤집힌 딱정벌레를 보았다. 스바치는 눈을 부릅떴다. 이해할 수 없는 일이었지만 스바치는 하텐그라쥬의 하늘에서 도깨비가 그를 향해 날아오고 있다는 사실을 인정해야 했다. 다행히 보트린이 그를 도와주었다. 〈수탐자입니다!〉 스바치는 허우적거리며 손을 내뻗었다. 희망에 찬 그의 부릅뜬 눈에 도깨비의 얼굴이 크게 들어왔다. 다음 순간 스바치는 극한 좌절감을 느꼈다. 마지막 구원이라고 믿었다가 느낀 좌절이었기에 그 좌절은 더욱 컸다.

도깨비의 얼굴은 공포에 질려 있었다. 그 공포의 의미는 자명했다. 도깨비는 스바치의 등에 업힌 보트린의 피투성이 몸을 보고 있었다.

카루는 스바치가 떨어지는 것, 그리고 그의 손에서 뭔가가 날아와 냉동 장치에 부딪히는 것을 보았다. 하지만 시야는 여전히 왜곡되어 있었고 그래서 카루는 스바치가 냉동 장치를 파괴했는지 알지 못했다. 카루는 분개하며 다시 케이건을 바라보았다. 그때 카루는 케이건이 자신의 목소리를 들었음을 깨달았다. '내가 왜 이야기를 못한다고 생각했지?' 카루는 자신의 어리석음을 저주하며 사모에게 닐렀다.

〈페이! 도망가십시오!〉

눈물을 닦아내던 사모는 케이건과 싸우는 상대가 자신을 향해 니르는 것을 듣고는 깜짝 놀랐다.

〈카루? 너인가?〉

〈그렇습니다! 도망치십시오!〉

사모는 다시 케이건을 바라보았다.

〈안 돼! 나는 그에게 사과해야 한다. 나는……〉

"케이건 드라카."

케이건은 사모를 돌아보았다. 조금 전까지 그녀를 바라보던 충성스러운 얼굴이 아니었다. 그는 적을 발견한 아라짓 전사의 격노와 사냥감을 향한 키탈저 사냥꾼의 집중력으로 그녀를 노려보았다. 그는 사모를 향해 덤비려 했다. 하지만 그때마다—헛손질이긴 하지만—카루의 공격이 그의 궤도를 바꿔놓았다. 케이건은 피를 토하듯 외쳤다.

"죽일 테다!"

"케이건 드라카. 내가 너의 눈물을 마시도록 허락해 줘."

케이건은 갑자기 한 대 맞은 듯한 표정으로 사모를 바라보았다. 사모는 은루에 젖은 볼에 웃음을 띠우며 말했다.

"부탁이야. 나는 나가 한 명에 불과할지도 모르지. 하지만 동시에 나는 너의 왕이잖아? 내가 너의 눈물을 다 마시고 죽으면, 나가를 용서해 주지 않겠어?"

어디로든 달려가려 했지만 그때마다 아래로 추락하는 방향으로 움직이게 되는 자신의 처지에 격분하고 있던 시우쇠는 사모의 말에 놀랐다. 시우쇠는 사모를 돌아보며 화염의 신음을 흘렸다.

"네가 신의 눈물을 마시겠다고?"

티나한의 등 뒤에서 아기 또한 부리를 벌린 채 멍한 표정으로 사모를 바라보았다. 사모는 계속해서 흘러나오는 은루를 훔치며 웃었다.

"륜은 말했어. 어디에도 없는 신이 인간에게 준 것을 너에게 보여주라고."

"내가 준 것?"

케이건이 멈춰섰다. 카루는 그를 공격하려다가 잠시 기다리기로 했다. 그는 주의 깊게 케이건의 주위를 달리며 사태를 관찰했다. 그리고 그제야 카루는 자신의 몸을 점령한 고통을 인지했다. 그의 옷은 너덜너덜해져 있었고 몸 곳곳의 비늘이 시커멓게 타버렸다. 아기의 힘에 의해 움직이면서도 자기의 의도대로 방향을 바꿔 버린 카루는 급격한 마찰에 의해 험한 꼴을 당한 상태였다. 카루는 고통을 억누르려 애쓰며 사모의 말에 귀를 기울였다.

"그래. 네가 준 것. 다른 신들도 그들의 선민 종족에게 무엇인가를 준다고 하던데."

케이건은 무의식적으로 대답했다.

"자신을 죽이는 신은 도깨비들에게 불을 주었다. 도깨비들은 그들의 신만큼이나 불을 자유로이 쓸 수 있다. 모든 이보다 낮은 여신은 레콘에게 무기를 준다. 성년이 된 레콘은 최후의 대장간에서 자신의 무기를 받는다. 발자국 없는 여신은 수호자들의 신명, 즉 이름을 주었다."

"그런 것이군. 알았어. 그렇다면 너, 아니, 어디에도 없는 신이여. 당신 또한 당신의 인간들에게 무엇인가를 주었을 겁니다."

"나의 인간 같은 것은 없다."

사모는 한숨을 내쉬었다.

"그렇다면 나는 왕으로서 내 전사 케이건 드라카에게 말해 주겠다. 케이건 드라카. 어디에도 없는 신이 그의 인간에게 준 것은 왕이다."

"왕이라고?"

케이건의 고개가 갸웃했다. 사모는 확신을 담아 말했다.

"그렇다. 너는 인간들의 눈물을 마시게끔 왕을 선물했다. 그리고 최후의 아라짓 전사이자 아라짓의 마지막 왕족인 네가 지명한 나는 너의 적법한 왕이다. 나는 너의 눈물을 마시겠다. 그리고 나가에 대한 너의 증오와 함께 죽겠다. 너는 그것을 알고 있었다. 너는 아직도 나가를 사랑하고 싶었던 거다."

"모욕적일 정도의 헛소리군."

"그렇지 않아. 오레놀 대덕은 신들이 변화를 재생산할 거라고 말했지. 지금까지는 변화가 없었어. 우리는 아직도 대확장 전쟁 당시의 말을 사용하고, 대확장 전쟁 당시의 생활 방식 그대로 살고 있어. 아무것도 바뀌지 않았어. 그렇다면 너 또한 그 옛날의 너 그대로일 거야. 다르다는 것을 기쁨과 감사의 대상으로 여길 줄 아는 너. 나가를 사랑하고 싶었던 너. 네 속 가장 깊은 곳의 너는 그대로일 거야. 너는 요스비를 사랑했다."

케이건이 숨 막힌 사람처럼 말했다.

"요스비."

"그래. 너는 요스비를 사랑했어. 그걸 부정하지는 않을 거야."

케이건의 어깨가 부들부들 떨렸다. 그의 눈에서 의심과 불안이 흘러나왔다. 사모는 말했다.

"그래서 너는 나를 준비했어."

"준비했다고!" 거의 비명이었다.

"그래. 너는 나를 준비했어. 너는 위기에 처한 북부를 위해 나를 왕으로 만들기도 했지만, 그보다는 다시 나가를 사랑하기 위해서 나를 준비한 거야. 왜 나가일까? 북부의 왕으로 나가라니? 나가일 수밖에 없지. 나가가 아닌 다른 자는 불가능해. 너는 나를 희생하여 네 눈물을 지우고 다시 나가들을 사랑해야 하니까."

"내가……, 내 눈물을 마실 왕을……, 준비했다는 것이군."

"바뀐 것은 없어. 너는 나가를 사랑해."

사모는 환하게 웃으며 두 팔을 벌렸다. 조건 없는 수용의 자세였다. 거기에는 자신의 죽음조차 수용하는 당당함이 있었다.

"나를 준비해 준 것에 대해 감사하겠어. 이제 내가 네 눈물을 마시고 죽겠어."

티나한은 가슴이 터져버릴 것 같은 느낌을 받았다. 륜을 위해 죽으려 했던 사모는 이제 모든 나가들을 위해 죽으려 하고 있었다. 그녀는 진정코 왕이었다.

카루에게는 사모의 말이 기이하게 들렸다. 너무 빠르게 움직이기 때문에 소리가 그를 제대로 따르지 못했다. 하지만 그 의미는 알 수 있었고, 카루는 그것을 용납할 수 없다고 생각했다. 그는 다시 케이건을 겨냥했다. 하지만 그 순간 사모의 말이 그를 주춤하게 했다.

"그 대신, 나가들을 살려줘. 그들을 사랑해 줘."

카루는 충격 속에서 비늘을 세웠다. 타버린 비늘들이 그를 고통스럽게 했다. 하지만 카루는 사모에게서 눈을 떼지 못했다. 모든 나가가 살아나게 된다고? 카루는 격심한 번민을 느꼈다. 계속되는 사모의 말은 그의 번민을 더욱 부채질했다.

"나가라는 나무에 삭풍을 불게 하지 마. 이 영원한 여름의 땅 키보렌에 겨울의 폭풍을 가져오지 마. 내가 단풍이 되겠어. 내가 낙엽이 되겠어. 케이건. 그렇게 하면 되는 거지?"

티나한은 눈앞이 부옇게 변하는 것을 느끼며 거칠게 볏을 흔들었다. 그렇게 내버려둬도 되는 것인가? 이것은 모든 나가들을 살려내기 위해 지불되어야 하는 대가인가? 티나한은 판단할 수 없었다. 하지만 그는 한 가지 사실만은 분명하다고 생각했다. 사모의 죽음은 평생을 따라다닐 아픔이 될 거라는 무서운 예감. 티나한은 그것이 싫었다.

지상의 그 어떤 존재보다 빠르게 움직이면서 카루 또한 같은 생각에 빠져들었다. 나가들의 생존이라는 거대한 요구 앞에서도 카루는 그것을 허용할 수 없는 이유를 찾기 위해 번민했다. 그는 그런 이유를 정말 찾아내고 싶었다. 카루는 다시 사모를 바라보았다.

그때 카루는 사모의 근처에서 무엇인가가 움직이는 것을 보았다. 왜곡된 시각을 저주하며 카루는 그것을 똑바로 보기 위해 애썼다.

티나한이 폭풍처럼 외쳤다.

"안—돼—!"

사모는 놀라서 티나한을 바라보았다. 티나한은 철창을 움켜쥔 채 계단에서 뛰쳐나오고 있었다. 그 순간 격통이 사모의 가슴을 관통했다. 사모는 휘청거리는 몸을 가누려 애쓰며 가슴을 내려다보았다. 그녀의 가슴 가운데서 피에 젖은 사이커의 칼날이 음습한 빛을 뿌리고 있었다. 사모는 흐르는 눈물을 내버려둔 채 고개를 뒤로 돌렸다. 그곳에 한 나가가 서 있었다. 은빛에 물든 그녀의 얼굴을 바라보며 사모는 그 이름을 닐렀다.

〈비아스 마케로우.〉

티나한이 계명성을 내질렀다.

격노에 찬 레콘이 내지를 수 있는 가장 거대한 계명성이 심장탑 위를 휩쓸고 지나갔다. 아무런 의미도 없는 외침일 뿐이었지만 동시에 무궁한 의미를 담고 있기도 했다. 빠르게 움직이고 있던 카루는 하마터면 날려갈 뻔했다. 케이건과 사모, 그리고 비아스 마케로우도 몇 발자국씩 물러났다. 거대한 계명성을 내뿜은 티나한은 그대로 깃털을 빳빳하게 세운 채 비아스를 노려보았다. 비아스는 그 눈을 마주보았다. 그리고 거의 태고까지 소급될 수 있는 공포를 느꼈다. 그 눈은 한 가지 의미만을 담고 있었다. 그녀의 남은 생명은 티나한이 철창이 닿는 거리까지 오는 데 걸리는 시간과 똑같았다. 그리고 그 시간은 매우 짧았다.

비아스는 주저 없이 왼팔로 사모의 머리를 감싸안았다. 그리고 그녀의 가슴에서 사이커를 뽑아들었다. 사모의 몸이 크게 꿈틀거렸다. 비아스는 뽑아든 사이커를 옆으로 돌렸다. 사이커의 칼날 끝이 사모의 목에 겨누어졌다. 티나한이 처절하게 외쳤다.

"그—만—둬—!"

"다가오지 마!"

비아스는 고함을 지르면서 동시에 사모의 목을 찔렀다. 사모는 온몸의 비늘을 부딪치며 입을 벌렸다. 비아스는 사모의 목을 거의 관통할 정도로 사이커를 찔러 넣은 채 외쳤다.

"누구라도 움직이면 목을 끊어버리겠다!"

티나한은 주춤하며 뒤로 한 발자국 물러났다. 온몸의 깃털이 부풀어 있었지만 티나한은 차마 달려들지 못했다. 비아스는 자신이 상황을 통제한다는 느낌에 희열을 느꼈다. 그때 비아스는 누군가가 그녀를 바라본다는 느낌을 받았다. 고개를 돌린 비아스는 희열이 싹 가시는 것을 느꼈다. 그곳에서는 온몸의 불을 활활 일으키며 시우쇠가 그녀를 노려보고 있었다. 잠시도 마주할 수 없는 눈빛이었다. 비아스는 비늘을 세우며 고개를 돌렸다. 그러나 그녀가 느껴야 하는 공포는 아직 시작도 되지 않은 셈이었다.

"쿠루루루룽!"

티나한은 고개를 돌렸다. 계단을 뛰어올라온 마루나래가 산노인의 격분을 담은 포효를 뿜어내고 있었다. 땅을 딛고 사는 생물이라면 하나 예외 없이 장송곡으로 받아들일 수밖에 없는 죽음의 노래였다. 심지어 나가에게도 사정은 마찬가지다. 산노인이 뿜어내는 포효에는 계명성에나 견줄 만한 진동이 있었고 그것은 나가의 몸을 휩쓴다. 비아스는 의도와 상관없이 몸의 비늘들이 서로 부딪치는 것을 느꼈다. 그 뒤를 이어 갈바마리가, 그리고 두억시니들이 뛰어올랐다. 이 까마득한 높이까지 단숨에 달려오느라 지쳐 있었지만 그들은 눈앞의 모습에 격분을 참지 못했다. 그들 앞쪽에서 갈바마리는 양팔을 긴장시켜 뿔을 발사하듯 뽑아내었다. 그것은 그대로 바닥을 뚫어버렸다. 갈바마리는 창 같은 두 개의 뿔, 그리고 머리 사이의 손과 다리 사이의 손 모두를 비아스에게로 향하며 외쳤다.

"사모 페이!"

"놔줘!"

그러나 비아스는 더 이상 공포를 느끼지 않았다. 화염의 화신과 화가 볏끝까지 치민 레콘, 그리고 대호와 스물둘의 두억시니. 그 어떤 담대한 자라도, 심지어 영웅왕이라 하더라도 두려움 없이는 마주볼 수 없는 적수들이 그녀에 대한 증오를 활활 불태우고 있었지만 비아스는 어떤 공포도 느끼지 않았다. 비아스 마케로우의 정신은 그런 경우 그녀 고유의 방식으로 움직인다. 그래서 비아스는 분노를 느꼈다. 그녀는 분노하고 또 분노했다. 비아스는 사모의 볼에 얼굴을 파묻듯이 한 채 닐렀다.

〈친구가 많군, 그래?〉

〈비아스…… 비아스. 제발…… 왜 이러는 거야?〉

〈여기 있을 때도 온갖 남자들을, 데리고 자지도 않을 남자들을 죄 끌어들이더니, 제 버릇은 어쩔 수 없군. 별의별 괴물들을 다 끌어모았군.〉

카루는 그 니름을 들으며 니르기 힘든 혐오와 적개심이 몸을 불태우는 것을 느꼈다. 그리고 고통 또한 느꼈다. 카루는 자신이 언제라도 비아스의 목을 찢어버릴 수 있음을 알고 있었다. 하지만 비아스와 사모는 바짝 붙어 있었고 카루의 왜곡된 시야로는 그 둘을 정확하게 구분할 수 없었다. 카루는 자신의 서툰 손놀림이 비아스가 아닌 사모를 찌르게 될 것을 두려워했다.

사모가 닐렀다.

〈비아스. 이러지 마. 이건…… 이건 나가 전체의 쇼자인테쉬크톨이야. 나는 하나의 가문이 아닌 나가 전체의 핏값을 씻어야 해. 나는 그에게 죽어야 해.〉

〈쇼자인테쉬크톨? 미친년. 그건 내가 꾸민 일이야!〉

사모는 그 사실을 짐작하고 있었다. 하지만 본인의 니름으로 듣는 것은 그녀를 한없는 슬픔으로 몰아갔다. 비아스는 난폭하게 닐렀다.

〈화리트는 내가 죽였어. 그리고 덤으로 네년도 하텐그라쥬에서 쫓아버렸지. 모든 나가들이 내게 감사했어! 나 비아스 마케로우에게! 알기나 해? 그건 내가 한 일이라고!〉

〈비아스.〉

〈이제 그년들이 나를 죽이려고 해. 감히 나를……. 내게 왜? 나는 그들을 위해 너를 쫓아보냈어. 얼간이 수호자들의 압제에서 그들을 해방했고 심장 파괴의 비밀도 가르쳐줬어. 나는 그들을 위해 뭐든 다했어. 그런데 어떻게 나를? 배덕한 년들. 내가 어떻게 해줬는데. 은혜도 모르는 비에나가들!〉

사모는 아무 니름도 나오지 않았다. 비아스 또한 더 이상 그녀에게 니를 생각이 없었다. 비아스는 고개를 들어 케이건을 바라보았다.

"당신이 나가를 다 죽일 건가?"

케이건은 대답 없이 비아스를 바라보았다.

"이년이 걸림돌이지? 내가 죽여주겠어. 나가를 다 죽여!"

티나한은 기가 막혀 말도 나오지 않았다. 비아스를 물끄러미 바라보던 케이건이 억양 없는 목소리로 말했다.

"나가를 다 죽이라고 했나. 그 이유는?"

"당신 또한 당해 봤잖아! 다 들었어. 나가들이 어떤 것들인지 잘 알고 있겠지! 이젠 나도 알아. 은혜도 모르는 것들. 나에게 보냈던 그 많은 선물과 환호를 쉽게도 망각한 채 나를 힐난하고 희생하려 했어. 얼간이를 가주로 내세워 나를 잡아먹으려고 했어. 용서할 수 없어! 싸구려 종족들, 죽여버려!"

케이건은 고개를 한 번 끄덕였다.

"내게 더 이상 사랑을 보내지 않는 것을 보느니 차라리 내가 죽이겠다는 것이군."

비아스는 목의 비늘을 부딪쳤다.

"그래! 불만 있나!"

케이건은 대답 없이 고개를 가로저었다. 비아스는 기세 있게 외쳤다.

"이제 할 말은 다 했어. 이년을 죽일 테니, 신인지 뭔지인지 하는 너. 나가를 멸절시켜!"

티나한은 비명을 내질렀고 카루는 될 대로 되라는 심정으로 사이커를 잡아당겼다. 그때 비아스가 곤혹스러운 니름을 내뿜었다.

〈이게 뭐야?〉

카루는 멈칫했다. 비아스는 팔을 계속 움직이려 애썼다. 하지만 사모의 목에 꽂힌 사이커는 마치 돌에 꽂힌 것처럼 움직이지 않았다. 그때 허공에서 거친 외침이 들려왔다.

"됐다! 붙잡았다. 그룸! 토카리!"

비아스는 어깨가 찢어지는 통증을 느꼈다.

비아스는 사이커를 놓으며 뒤로 휘청 물러났다. 고개를 한껏 좌우로 돌린 비아스는 두 자루의 작살검이 자신의 좌우 어깨를 꿰뚫고 있는 것을 보았다. 그때 보이지 않는 무엇이 그녀의 허리에 부딪쳤다. 비아스는 뒤로 벌렁 쓰러졌고 그 순간 작살검이 그녀의 어깨를 완전히 관통하며 살을 찢어발겼다. 비아스는 니름과 육성 양쪽으로 끔찍한 비명을 질렀다. 비아스의 온몸에서 비늘이 부딪치는 모습은 그녀를 마치 수천만 마리의 곤충떼로 이루어진 사람처럼 보이게 만들었다. 비아스는 공포에 휩싸인 눈으로 사모를 바라보았다.

사모는 기이한 모습으로 서 있었다. 두 팔을 뒤로 축 늘어뜨린 채 상당히 기울어 있는 그녀의 모습은 당장 쓰러지는 것이 마땅해 보였다. 하지만 사모는 쓰러지지 않았다.

비아스는 상황을 깨달았다. 그때 사모의 주위에서 무엇인가가 나타났다.

코네도 빌파가 사모의 몸을 안은 채 서 있었다. 그의 오른손에는 4번 의수인 집게가 붙어 있었고 그 집게는 비아스의 사이커를 강력하게 움켜쥐고 있었다. 허공에서 또 다른 두 사내가 나타났을 때 티나한은 비로소 환희에 찬 함성을 내질렀다. 그룸 빌파와 토카리 빌파가 그의 아버지에게서 사모를 받아 부축했다.

"발케네 도둑놈들!"

티나한의 외침에 코네도는 씩 웃었다. 그는 사이커를 움켜쥔 자신의 오른손을 통째로 분리해 버리고는 그곳에 다른 의수를 끼워넣으며 말했다.

"도둑이라면 이쯤은 돼야지."

"그래, 잘했다!"

아버지가 의수를 갈아끼우는 동안 그룸과 토카리는 걱정스러운 눈빛으로 사모의 몸을 조심스럽게 눕혔다. 그들은 사이커를 뽑아도 되는지 알 수 없다는 표정으로 아버지를 바라보았다. 코네도는 잠깐 고민하다가 어차피 뽑아야 할 것이라고 생각하고는 고개를 끄덕였다. 그룸 빌파는 그것을 붙잡고 단숨에 뽑았다. 사모의 몸이 급격하게 경련했다. 토카리는 황급히 옷을 찢어 사모의 상처를 감쌌다.

땅에 쓰러진 채 무서운 저주를 토해 내던 비아스는 안간힘을 다해 일어나려 했다. 하지만 두 팔이 제대로 움직이지 않았기에 비아스는 일어날 수 없었다. 비아스는 다시 저주를 토해 내었다. 사모의 상처를 싸매던 토카리가 짜증이 섞인 얼굴로 그녀를 돌아보았다. 갑자기 토카리의 얼굴이 기이하게 바뀌었다. 비아스는 그 표정이 무엇을 의미하는지 알 수 없었다. 그때 무엇인가가 그녀의 어깨에서 튀어나온 작살검을 붙잡았다.

비아스는 엄청난 통증에 미친 듯한 비명을 내질렀다. 그 비명은 티나한마저 깃털을 눕히게 만들었다. 작살검을 붙잡은 것은 그대로 그것을 끌어당겼고 비아스는 산 채로 불타는 것 같은 고통을 느꼈다. 비아스는 황급히 고개를 돌렸다.

〈세리스마!〉

엉망으로 부서진 세리스마가 땅에 쓰러진 채 작살검을 잡아당기고 있었다. 그의 두 다리는 그를 지탱할 수 없을 정도로 부서져 있었다. 그에게 남아 있는 것은 팔꿈치까지밖에 남지 않은 한쪽 팔뿐이었다. 세리스마는 그 반토막 팔로 땅을 할퀴며 기어갔다. 그리고 입으로는 비아스의 몸을 관통한 작살검을 물고 있었다. 그 끔찍한 모습에 티나한과 빌파 삼부자는 공포를 느꼈다. 뱀이 상처 입은 동물을 질질 끌고 가는 듯한 모습이었다. 비아스는 처절하게 닐렀다.

〈세리스마! 무슨 짓이야, 이거 놔!〉

세리스마는 아랑곳하지 않고 몸을 다시 끌어당겼다. 반밖에 남지 않은 팔로는 그 자신의 몸조차 끌어당기기 힘들 터이지만 세리스마는 기적적인 힘을 발휘하고 있었다. 그리고 고통을 견딜 수 없었던 비아스가 작살검이 당겨지는 대로 다리를 구르며 그의 뒤를 따라가고 있기도 했다. 세리스마는 바닥에 그 자신과 비아스의 핏자국을 길게 남기며 가장자리를 향해 기어갔다.

〈세리스마! 이 짓 멈춰!〉

〈비아스. 나와 함께 가자.〉

〈미친 놈! 이거 놔!〉

세리스마는 비아스의 니름에 아랑곳하지 않은 채 닐렀다.

〈카루. 그곳에 있다면, 너에게 진심으로 사과한다.〉

카루는 그 니름을 전해 들었다.

〈세리스마.〉

〈그리고, 카루. 부탁이 있다. 내 니름을 말로 전해다오. 나는 말할 수 없다.〉

카루는 그 니름을 따랐다. 그 덕분에 사람들은 허공에서 들려오는 목소리에 의해 세리스마의 의지를 전해 들을 수 있었다.

"모든 이보다 낮은 여신이여. 자신을 죽이는 신이여. 그리고 어디에도 없는 신이여. 저는 세리스마라고 합니다. 그리고 여신 감금을 계획한 자입니다. 저는 그것에 대해 용서를 구하거나 하지는 않겠습니다. 예. 이제 저는 제신(諸神)께서 저희들의 계획을 이용하신 것을 압니다. 발자국 없는 여신께서는 제 계획을 이용하여 다른 신들을 이곳에 모이게 하신 것이지요. 하지만 저는 제 계획이 여신께 도움이 되었다는 이유로 용서를 구하지 않는 것은 아닙니다. 저는 그것을 죄라고 생각하지 않습니다."

티나한이나 빌파 삼부자는 얼굴을 찡그렸지만 시우쇠는 당연하다는 표정을 지었다. 카루를 통해서 세리스마는 계속 말했다.

"토끼가 표범에게 불살(不殺)의 도덕을 말하는 것이 무슨 소용이 있습니까? 토끼도 그 말에는 웃을 겁니다. 저는 태어난 대로, 생긴 대로 살라는 소리를 하는 것이 아닙니다. 그것이야말로 죄입니다. 자기는 약하니까 표범에게 먹혀야 된다고 믿는 토끼입니다. 토끼는 자신을 부정의 대상이 아닌 긍정의 대상으로 바꿉니다. 표범보다 약한 부정적이고 수동적인 자신을 선택하는 대신 표범보다 작아서 잽싸게 토끼굴로 뛰어들 수 있는 긍정적이고 능동적인 자신을 선택합니다. 도망치는 토끼는 아름답기까지 합니다. 자신이 할 수 있는 모든 일에 어떤 제한도 두지 않습니다. 저도 제가 할 수 있는 일에 제한을 두지 않으려 했습니다. 자기 자신이라는, 세상에서 완전히 긍정할 수 있는 유일무이한 대상에게 제한과 족쇄를 두는 것이 죄입니다. 저는 제가 할 수 있는 일을 했다는 이유로 제신들과 제 계획 때문에 죽어간 북부의 모든 사람들 앞에서 용서를 구하지 않습니다."

티나한은 더 참지 못하고 외쳤다.

"빌어먹을, 네 말은 헛소리다! 그렇다면 능력만 되면 누구든 다른 사람들을 닥치는 대로 죽여도 된다는 거냐!"

"그것이 제 죄입니다."

"뭐라고?"

"그것이 제 죄입니다. 저 자신의 마지막 한 부분에 끝까지 제한을 두었다는 것이 제 죄입니다. 저는 저의 마지막 한 부분을 긍정하지 못했습니다. 저는 그것을 죄로 생각합니다."

티나한은 그것이 뭐냐고 묻지 않았다. 어쩐지 짐작할 수 있을 것 같았기 때문이다. 카루가 다시 말했다.

"다름을 긍정할 수 있는 능력. 저는 그것에 제한을 두었습니다. 그리고 똑같은 제한에 빠져 있는 비아스의 모습을 견딜 수 없습니다. 자기와 다른 세상 따위 부정해 버리고 없애버리려는 그 모습을 견딜 수 없습니다. 저는 이 여인과 함께 가겠습니다. 마지막으로, 케이건 드라카. 부탁하겠습니다."

케이건은 꿈틀거리며 기어가는 세리스마를 바라볼 뿐 아무런 반응도 보이지 않았다. 카루는 최대한 세리스마의 니름을 정확하게 말로 바꾸려 애쓰며 말했다.

"제가 듣고 이해한 것이 맞다면, 당신은 한때 그렇게 할 수 있었습니다. 다르다는 것을 긍정과 기쁨의 대상으로 여길 수 있었습니다. 다시 한번 그렇게 하십시오. 저처럼 되지 마십시오."

세리스마의 말을 더 이상 들을 수 없게 되었다. 니름으로 저주와 폭언, 애원을 토하던 비아스가 그것을 육성으로 토하기 시작했기 때문이다. 비아스는 두 팔이 파괴되었다 하더라도 자신의 힘이 다 부서진 세리스마의 힘보다 앞선다는 것을 알고 있었다. 하지만 어깨를 쥐어뜯는 통증은 계속해서 그녀를 배신했고 세리스마에게

서 벗어나려 할 때마다 비아스는 거꾸로 그에게 협력했다. 그리고 그런 자신을 믿을 수 없어했다. 그녀는 발로 땅을 밀며 계속 가장자리로 향하고 있었다.

"세리스마, 그만둬요! 제발 살려주세요!"

그리고 세리스마가 끄트머리를 넘어갔다.

비아스의 두 다리가 허공을 긁는 모습을 마지막으로 세리스마와 비아스는 심장탑 아래로 사라졌다.

티나한은 저 아래로 떨어지며 들려오는 비아스의 비명을 들었다. 그 비명은 오래 계속되지 않았다. 끔찍하면서도 묘하게 부드러운 소리가 들려왔을 때 티나한은 고개를 돌렸다.

사모 주위에는 많은 자들이 몰려섰다. 그들은 사모와 케이건을 번갈아 바라보았다.

아기를 업은 티나한, 마루나래, 그리고 두억시니들과 빌파 삼부자. 처음부터 모든 상황을 본 자들뿐만 아니라 뒤늦게 합류한 자들도 기묘하게 긴장된 분위기를 느끼며 케이건을 바라보았다. 다만 토카리는 정신없이 사모의 상처를 싸맸다. 자신의 아버지와 형과 마찬가지로 토카리 역시 나가를 치료하는 것보다는 죽이는 쪽의 기술에 더 익숙해 있었고 그래서 상처 입은 나가를 치료한다는 일에 대해 낯설음을 느꼈다. 다행히도 카루의 목소리가 들려왔다.

"여신님! 저를 멈춰주십시오!"

아기는 카루에게 가하던 힘을 없앴다. 빌파 삼부자처럼 카루가 갑자기 허공에서 나타났다. 그 모습은 처참했다. 옷은 거의 남아있지 않았고 몸 전체가 상당 부분 검게 타버린 상태였다. 하지만 카루는 고통을 억누르며 토카리에게 다가섰다. 토카리는 잠깐 경계했지만 티나한이 말했다.

"괜찮아. 아군이다."

토카리는 알았다는 눈짓을 한 다음 카루에게 호의적으로 고개를 끄덕여 보였다. 카루는 타버린 손가락을 힘들게 놀리려다가 포기하고는 토카리에게 말했다.

"제 허리에 있는 주머니에서 소드락을 꺼내주십시오. 주머니도 타버렸지만 안에는 괜찮은 것이 남아 있을지도 모르겠습니다. 그걸 페이에게……."

토카리는 잿더미가 되다시피한 주머니를 조심스럽게 다루었다. 그리고 그 안에서 타버리지 않은 소드락을 꺼냈다. 토카리는 한 알을 사모의 입에 밀어넣은 다음 또 한 알을 들어 카루를 바라보았다. 카루는 고개를 끄덕였고 토카리는 그것을 카루의 입에 넣어주었다.

사모가 진저리를 치며 눈을 떴다. 마치 그때를 기다렸다는 듯이 케이건이 말했다.

"사모 페이."

사모는 몸을 일으키려 애썼다. 토카리와 그룸이 조심스럽게 그녀를 앉힌 다음 부축했다. 사모는 케이건을 바라보았다.

"케이건."

"그게 아니다."

"뭐?"

케이건은 그 광경을 바라보았다. 실로 기묘한 광경이었다. 인간들과 레콘, 나가, 그리고 대호와 두억시니들. 그들이 앉아 있는 사모의 주위를 둘러싼 채 그를 마주 보고 있었다.

"너는 진실로 왕이다. 너는 인간의 왕이고 레콘의 왕이고 도깨비의 왕이다. 그리고 대호의 왕이며 두억시니들의 왕이다. 그리고 조금 전 너는 나가의 왕이 되려 했다."

사모는 목을 쓰다듬으며 희미하게 말했다.

"아직도 그럴 의향을 가지고 있어."

"하지만, 그건 아니다."

사모는 상처의 고통에 비늘을 세우며 케이건을 바라보았다. 케이건은 타이르는 듯한 어조로 말했다.

"이미 설명하지 않았나? 수호자의 신명은 다른 종족에게 쓸모가 없다. 레콘의 무기는 다른 종족이 쓸 수도 없거니와 자신의 무기를 건드리게 하는 레콘도 없지. 도깨비의 불 또한 마찬가지다. 하지만 왕은 모든 종족의 왕이다. 대호왕 사모 페이."

"모든 종족의?"

"어디에도 없는 신이 인간에게 준 것은 왕이 아니다."

사모는 처연한 얼굴로 케이건을 바라보며 반복했다.

"왕이……."

"아니다. 사모."

"그렇다면 뭐지? 어디에도 없는 신이 인간에게 준 것이 무엇이지?"

케이건은 생각에 잠긴 표정으로 고개를 조금 숙였다.

그들에게서 좀 떨어진 하늘치의 등 위에서 똑같은 질문이 제기되고 있었다. 오레놀은 라수의 진전에 감탄을 금하지 못했다. 라수는 이미 자신의 석벽을 사용하는 방법을 상당 부분 깨달았으며 능숙한 사용을 보여주었다. 라수가 보는 것을 볼 수 있었던 것은 아니지만 오레놀은 라수가 툭툭 꺼내어놓는 말들에 의해 라수가 얼마나 빠르게 추리를 하고 있는지 알 수 있었다.

원래부터 라수는 강력한 의심을 할 줄 아는 사람이었다. 자기 자신의 논리를 의심한다는 힘든 고비를 넘긴 라수는 거리낄 것이 없다는 듯이 회의와 의심을 풀어내었다. 라수는 석벽의 변화가 자신의 추리를 따라잡기 힘들어한다는 인상마저 느꼈다. 하지만 라수는 사유를 늦추지 않았다. 오레놀은 아예 자신이 다루고 있던 다섯 개의 기둥을 내버려둔 채 경이에 찬 표정으로 라수를 바라보았다.

갑자기 라수가 기진맥진한 표정으로 주저앉았다.

오레놀은 놀랐지만 다가가도 되는지 알 수 없었기에 초조함을 억누르며 기다렸다. 라수는 멍한 표정으로 앞쪽을 바라보고 있었다. 오레놀은 그곳에 라수의 석벽이 있을 거라 짐작했다. 라수의 입이 천천히 열렸다.

"세상에……."

"상장군님?"

라수는 오레놀을 흘깃 돌아보았다. 오레놀은 더 이상 참을 수 없었다.

"어디에도 없는 신이 인간에게 준 것이 무엇인지 알아내셨습니까?"

라수는 어리둥절한 표정으로 오레놀을 바라보다가 다시 자신만이 볼 수 있는 석벽을 바라보았다. 그의 입에서 다시 말이 흘러나왔다.

"세상에……."

그의 입을 주시하고 있던 오레놀은 폭력적인 충동마저 느꼈다.

케이건은 다시 고개를 들어 사모를 바라보았다.

"모른다."

"모른다고!"

"모른다. 그런 것은 아마 없을 것이다."

사모는 실망감에 찬 표정으로 티나한의 등 뒤에 있는 아기를 바라보았다. 하지만 아기는 부리를 닫은 채 아무 말도 하지 않았다. 사모는 다시 저편에 고립되어 있는 시우쇠를 바라보았지만 역시 신통한 대답을 얻지 못했다. 케이건 또한 사모의 시선을 따라 시우쇠를 보았고 눈길이 부딪치자 시우쇠는 적의를 감추지도 않은 채 난폭하게 으르렁거렸다. 케이건은 어깨를 가볍게 으쓱였다.

"그런 것은 없다. 그리고 내가 알 바도 아니고."

"케이건, 제발!"

"인간에게 준 것은 모른다. 하지만 나가에게 줄 것은 있는 것 같군."

사모는 끔찍한 기분을 느꼈다. 케이건은 방심한 듯한 얼굴로 시우쇠를 돌아보았다.

"이를테면 이런 것일까."

시우쇠는 흠칫하며 두 주먹을 쥐어올렸다. 하지만 케이건은 시우쇠를 보는 대신 고개를 더 들어올렸다. 그는 고개를 옆으로 약간 기울여 저 먼 곳을 바라보았다. 그가 바라보는 곳은 광대한 하텐그라쥬의 외곽 지대였다. 다른 사람들과 화신들의 시선도 케이건을 따라갔다. 하지만 그곳에는 눈길을 붙잡을 만한 특별함이 없었다. 그러나 케이건은 그 지점을 뚫어지게 바라보았다.

다음 순간, 도시 외곽의 상공, 비어 있는 허공에서 무엇인가가 출현했다.

티나한은 그것을 '무엇인가'로밖에 표현할 수 없었다. 그것은 움직임이었고, 어떤 모습도 갖추지 않았다. 티나한은 눈을 부릅 뜬 채 그것을 바라보았다.

다음 순간 땅과 하늘이 폭발적으로 부풀어올랐다.

티나한은 기겁하여 깃털을 부풀렸다. 하늘의 한 지점이 아래로 빠르게 녹아내림과 동시에 땅이 위로 치솟았다. 그것은 독이 잔뜩 올라 주체할 수 없는 두 마리 뱀처럼 사납게 꿈틀거리며 서로를 향해 돌진했다. 곧이어 두 뱀은 서로의 머리를 물어뜯었다. 하늘과 땅이 삽시간에 연결되며 시커멓게 소용돌이쳤다.

"회오리!"

티나한은 자신의 좋은 시력으로 그 회오리가 나무들을 닥치는 대로 잡아뽑아 위로 들어올리는 것을 보았다. 믿기 어려운 광경이었다. 땅에 단단히 뿌리를 박은 나무를 그대로 뽑아낼 수 있는 회오리는 거의 없다. 하지만 그 회오리는 잔디밭을 파헤치는 갈퀴처럼 밀림을 파헤쳤다. 고목들이 회오리를 타고 빙글빙글 돌았다. 땅의 잔해를 닥치는 대로 휘감아올리며 그 회오리는 기이한 모습으로 부풀었다. 마치 납작해지는 것 같았다. 그리고 회오리는 갑자기 폭발적으로 성장했다. 엄청나게 먼 곳이었기에 그 움직임을 볼 수 있을 뿐 가까이 있다면 너무나 빨라서 제대로 볼 수도 없었을 것이다. 그 회오리는 옆으로 무한히 팽창했다. 그 성장을 따라 그들의 얼굴이 빠르게 움직였다. 그리고 회오리는 어떤 회오리도 보여주지 못하는 모습으로 바뀌었다.

갈바마리가 그 광경을 간략하게 정리했다.

"여기를"

"둘러쌌다."

회오리는 거대한 바람의 장이 되어 광대한 하텐그라쥬를 둘러쌌다. 이제 그것은 직경이 몇 킬로미터도 넘는 거대한 회오리가 되었다. 그들의 머리 바로 위에서는 햇빛이 내려쬐고 있었지만 하텐그라쥬 외곽쪽의 하늘은 시커멓게 몰려든 구름으로 밤이 찾아온 듯 어두웠다. 티나한은 깃털을 부풀리며 케이건을 바라보았다.

케이건은 회오리를 조용히 바라보고 있었다. 그때 산사태 같은 소리가 사방에서 들려왔다. 회오리를 다시 주의 깊게 바라본 티나한은 결코 달갑지 않은 결론을 얻었다.

회오리가 하텐그라쥬를 향해 좁혀지고 있었다.

도시 외곽에 있는 집들이 날아오는 나무들에 부딪쳐 파괴되었다. 건물들이 파괴되며 바람에 휘말려 올라갔고 그 때문에 회오리는 한층 가공할 것으로 바뀌었다. 돌덩이들이 인정사정없이 서로 부딪치며 회오리 안에서 번갯불이 쉴새 없이 으르렁거렸다. 땅이 가련하게 몸을 떨었다. 몸서리쳐지는 소음들이 모든 곳을 가득 메웠다. 반파된 벽과 지붕이 곳곳에서 날아다녔다. 회오리는 하텐그라쥬를 집어삼키며 심장탑을 중심으로 꾸준히 좁혀들고 있었다.

티나한은 외쳤다.

"케이건! 멈춰!"

케이건은 생기 없는 표정으로 티나한을 바라보았다. 그의 표정에는 긍정도 부정도 존재하지 않았다. 다만 어떤 소음이 들리기에 돌아보는 정도의 관심밖에 없었다. 그리고 그 시선도 오랫동안 계속되지 않았다. 갑자기 케이건은 몸을 돌려 냉동 장치를 바라보았다. 그것을 바라보던 케이건은 그쪽을 향해 걸어갔다. 티나한이 다시 외쳤다.

"하텐그라쥬를 다 부술 작정인가!"

"우선은."

그 간단한 대답이 티나한을 얼어붙게 만들었다. 케이건은 누구도 돌아보지 않은 채 말했다.

"셋이 하나를 상대하지? 저걸 가져가야겠군."

"안 돼!"

빌파 삼부자와 두억시니들이 앞으로 달려갔다. 하지만 케이건은 뒤를 돌아보지 않았다. 다음 순간 갈바마리는 그룹 빌파와 정면으로 부딪쳤다. 비슷한 충돌이 곳곳에서 일어났다. 냉동 장치 주변의 물 때문에 움직일 수 없었던 티나한이 신음처럼 말했다.

"빙글빙글 돌고 있어."

코네도 빌파가 이를 갈며 갈바마리를 바라보았다.

"갈바마리! 아까 그것! 다시 해봐!"

그룸 빌파와 엉킨 채 주저앉아 있던 갈바마리가 두 얼굴 모두에 멍한 표정을 지은 채 코네도를 바라보았다. 코네도는 욕설을 내뱉으며 말했다.

"왼쪽! 오른쪽!"

갈바마리가 이해했다는 표정으로 일어났다. 간신히 갈바마리가 이해했지만 코네도는 늦었다는 느낌을 감출 수 없었다. 케이건은 이미 냉동 장치 앞쪽에 서 있었다. 게다가 갈바마리는 시간을 더욱 지체시켰다. 갈바마리의 두 머리는 서로 자신이 왼쪽으로 가겠다고 다투었다. 사모가 간신히 입을 열어 두 머리가 지향해야 할 바를 가르쳐주었을 때 케이건은 냉동 장치를 살펴보고 있었다.

케이건은 고개를 갸웃했다. 심장탑 왼쪽의 금속 돌출물에 사이커가 한 자루 박혀 있었다. 사이커가 아무리 예리하다지만 금속을 도깨비지처럼 꿰뚫을 리는 없었다. 케이건은 좀 더 자세히 관찰했다. 그 결과 사이커가 돌출물 속에 있는 어떤 항아리를 파괴한 채 걸려 있는 것임을 알게 되었다. 케이건은 그 항아리가 깨진 것이 마음에 들지 않았다. 그는 다시 냉동 장치의 앞쪽으로 돌아와 문을 살폈다. 문은 금속의 차가움으로 그를 마주볼 뿐이었다.

케이건은 그 문을 열었다.

문이 열리자마자 물이 급격하게 쏟아져나왔다.

케이건은 뒤로 물러나려 했지만 그때 물과 함께 무엇인가가 앞으로 쓰러졌다. 아무런 대비도 하지 않았던 케이건은 자신의 가슴으로 쓰러지는 그것을 반사적으로 붙잡았다. 그리고 그것이 놀랍도록 차갑다는 것을 알게 되었다. 물 또한 차갑기는 마찬가지였다. 케이건은 비틀거리며 뒤로 물러났다.

그리고 케이건은 자신의 품에 안겨 있는 나가 여인을 내려다보았다.

갑작스러운 상황에 놀란 것은 다른 사람들 또한 마찬가지였다. 시우쇠의 눈에서는 불똥이 튀었고 아기는 솜털이나마 빳빳하게 부풀렸다. 갈바마리도 잠시 싸우는 것을 멈춘 채 그 모습을 바라보았고 아무도 그를 재촉하지 못했다.

케이건은 완전히 젖어 있는 그 여인을 내려다보았다. 냉동 장치가 고장났고 그 때문에 얼음이 녹아 여인이 풀려난 것임을 알았지만, 잠깐 동안 케이건은 아무런 반응도 보이지 못한 채 여인을 내려다보고 있었다. 냉동 장치에서 흘러나온 물은 그의 정강이를 적신 채 바닥으로 퍼져나갔다. 더 이상 물이 쏟아지지 않게 되었을 때 케이건은 그녀를 다시 얼려야 된다는 것을 깨달았다. 하지만 무엇인지 알 수 없는 것이 여인의 얼굴에 있었고, 그래서 케이건은 다시 그 얼굴을 뚫어지게 바라보았다.

케이건이 평범한 나가 여인의 얼굴일 뿐이라고 생각했을 때 여인이 갑자기 눈을 떴다.

그 눈 속에서 빛이 번득였다고 생각한 순간 케이건은 모든 것이 바뀌었음을 알게 되었다. 케이건은 주위를 둘러보았다.

정신 질환자를 미치게 할 수 있는 풍경이 펼쳐져 있었다.

광선으로 구성된 세계였다. 질량은커녕 면적조차 존재하지 않았다. 직선, 곡선, 꺾인 선, 꿈틀거리는 선, 진저리치는 선, 유쾌한 선, 우울한 선, 가인의 고요한 한숨에 흔들리는 난초 같은 선. 보이는 것은 오로지 선밖에 없었다. 가없는 암흑을 배경으로 선으로 만들어진 면적과 선으로 만들어진 질량이 그곳에 있었다.

케이건은 상당한 거부감을 느끼며 그 선들을 하텐그라쥬와 연관지었다.

응축되었다가 위쪽으로 거대하게 폭발하는 저 선의 무더기는 시우쇠인 듯하다. 선은 시우쇠의 분노인지 시우쇠의 몸에서 뿜어져 상승하는 열기인지 뚜렷이 구분지을 수 없는 것을 시우쇠의 머리 위에 구현하고 있었다. 그리고 저편에 덩어리진 선들은 티나한인지 마루나래인지 뚜렷하지 않았다. 아마도 두억시니들일 거라 생각되는 선의 기괴함은 똑바로 바라보기도 힘들 정도였다.

케이건은 시선을 보다 먼 곳에 던졌다. 선들이 미쳐 날뛰고 있는 모습이 보였다.

두억시니들의 선과 달리 그 선들은, 정신없이 춤추고 있음에도 불구하고 오히려 담백함을 담고 있었다. 간단한 목적 하나만을 위해 움직이고 있기 때문이다. 주위를 죽 둘러본 케이건은 그 광분한 선들이 하텐그라쥬를 삼키기 위해 몰려드는 회오리라고 판단했다.

먼 곳을 바라보던 케이건은 시선을 가까이 끌어당겨 품속을 내려다보았다.

나가의 아이가 그를 올려다보고 있었다. 그 아이는 선으로 구성된 다른 모든 사물과 달리 케이건처럼 면적과 질량을 제대로 보유하고 있었다. 몇 살이나 되었는지 짐작하기 어려웠지만 아이의 비늘은 아직 유연했고 케이건은 팔뚝을 통해 아이의 작은 심장이 그 몸속에서 통탕거리고 있음을 느낄 수 있었다. 케이건을 바라보던 아이가 가볍게 눈인사를 하며 말했다.

"안녕?"

케이건은 마주 고개를 끄덕여주고는 아이를 내려놓았다. 아이는 어린 생물 특유의 불안하면서도 용케 쓰러지지는 않을 거라고 예상되는 동작으로 잠시 자신의 균형을 회복하려 애썼다. 겨우 똑바로 서게 된 나가의 아이는 케이건을 올려다보았다. 케이건은 바라기를 들어올렸다. 아이는 감식하는 듯한 눈으로 그 동작을 바라볼 뿐 두려움이나 증오는 보이지 않았다. 케이건은 어쩐지 그 얼굴이 낯익다고 생각했다. 하지만 케이건조차도 그 긴 사냥의 세월 동안 어린 나가를 잡아먹은 적은 단 두 번뿐이었다. 나가 아이의 얼굴이 낯익을 리가 없었다. 케이건은 어깨를 한 번 으쓱이고는 아이의 목을 뎅겅 잘랐다.

아이의 목에서 분리된 머리는 존재하지도 않는 바닥에 부딪힌 다음 데굴데굴 굴러갔다. 케이건은 무관심한 시선으로 그 머리를 잠시 바라보았다.

먼 곳을 바라보던 케이건은 시선을 가까이 끌어당겨 품속을 내려다보았다.

나가의 아이가 그를 올려다보고 있었다. 그 아이는 선으로 구성된 다른 모든 사물과 달리 케이건처럼 면적과 질량을 제대로 보유하고 있었다. 몇 살이나 되었는지 짐작하기 어려웠지만 아이의 비늘은 아직 유연했고 케이건은 팔뚝을 통해 아이의 작은 심장이 그 몸속에서 통탕거리고 있음을 느낄 수 있었다. 케이건을 바라보던 아이가 가볍게 눈인사를 하며 말했다.

"안녕?"

케이건은 마주 고개를 끄덕여주고는 아이를 내려놓았다. 아이는 어린 생물 특유의 불안하면서도 용케 쓰러지지는 않을 거라고 예상되는 동작으로 잠시 자신의 균형을 회복하려 애썼다. 겨우 똑바로 서게 된 나가의 아이는 케이건을 올려다보았다. 케이건은 바라기를 들어올렸다. 아이는 감식하는 듯한 눈으로 그 동작을 바라볼 뿐 두려움이나 증오는 보이지 않았다. 케이건은 어쩐지 그 얼굴이 낯익다고 생각했다. 하지만 케이건조차도 그 긴 사냥의 세월 동안 어린 나가를 잡아먹은 적은 단 두 번 뿐이었다. 나가 아이의 얼굴이 낯익을 리가 없었다. 케이건은 어깨를 한 번 으쓱이고는 아이의 목을 뎅겅 잘랐다.

아이의 목에서 분리된 머리는 존재하지도 않는 바닥에 부딪힌 다음 데굴데굴 굴러갔다. 케이건은 무관심한 시선으로 그 머리를 잠시 바라보았다.

먼 곳을 바라보던 케이건은 시선을 가까이 끌어당겨 품속을 내려다보았다.

나가의 아이가 그를 올려다보고 있었다. 케이건은 이제 이 짓을 그만두기로, 최소한 보류해 두기로 결정했다. 아이는 아이다운 미소를 지으며 말했다.

"잘 생각했어."

"영원히 다시 시작할 건가."

"그래. 그러니 목을 자르는 짓은 이제 그만두지. 아이고 어른이고 상관하지 않는군."

"상관해 본 적은 없어. 너는 도대체 누구지?"

아이는 커다란 웃음을 대답 삼아 케이건에게 보내주었다. 그리고 아이는 두 팔을 기이하게 흔들며 뛰어갔다. 케이건은 그 모습을 물끄러미 바라보았다. 달려가던 아이는 고개를 돌려 그를 멍하니 바라보았다. 어린애가 이해할 수 없는 어른의 반응을 탓하기라도 하듯 쳐다보는, 그런 눈빛이었다. 어떤 선 위에 멈춰선 아이가 말했다.

"뭐해?"

"아무것도."

"바보야, 아저씨?"

"취미는 아니지만."

"바보가 되는 취미를 가진 사람은 없어. 필요해서 그러기는 하지만."

케이건은 모호한 기분 속에서 아이를 바라보았다. 그것은 아이가 말하기 어려운 대답이었다. 케이건은 다시 아이의 얼굴을 들여보았다. 기시감이 더욱 짙어졌고 그것은 케이건에게 알 수 없는 불안을 선사했다. 결국 케이건은 질문했다.

"너는 누구지?"

"그건 아직은 중요한 문제가 아니야."

"그러면 중요 사항부터 논의해 보지."

"몇 개나?"

"식후에 처리하기 적당한 만큼."

"아저씨 식후? 내 식후?"

"별 차이는 없겠군."

아이는 의표를 찔렸다는 듯이 크게 웃었다. 나가의 식사 간격은 인간의 그것보다 월등히 길어질 수 있다. 아이는 그것을 자랑하려 했지만 케이건은 아이가 어른처럼 큰 생물을 삼키지는 못할 거라고 지적했다. 나가 아이는 웃음을 멈추고 말했다.

"그러면 두어 개만 시험해 볼까?"

"거기에 어떻게 하면 너를 죽일 수 있는가 하는 것도 포함되나?"

"원한다면 그것도 포함시킬게."

"좋아. 그럼 동의해."

"이리와."

케이건은 바라기를 등 뒤의 고리에 걸고는 아이에게 걸어갔다. 바닥은 없었고 선들뿐이었지만 케이건은 아랑곳하지 않고 걸어갔다. 케이건은 자신의 발 아래에서 선들이 파문처럼 번져가는 모습에도 별 관심을 두지 않았다. 케이건은 아이의 옆에 섰다. 그러자 아이가 다시 걸었다. 케이건은 어쩔까 하다가, 아이의 보조를 맞추며 걸었다. 주위를 흐르는 선에 손을 집어넣어 선들의 흐름에 동요를 만들던 아이가 말했다.

"용의 수호는 했어?"

"아니. 사모가 거부했어."

대답을 완전히 끝낸 후에야 케이건은 멈칫했다. 케이건은 충격과 격분에 싸인 눈으로 아이를 내려다보았다. 선들을 흔들리게 하는데 정신이 팔려 있던 아이는 조금 후에야 걸음을 멈추고는 케이건을 이상하다는 눈으로 돌아보았다. 케이건은 쉰 목소리로 말했다.

"요스비?"

"요스비는 죽었어. 알고 있잖아?"

"알고 있었어. 하지만 나는 죽은 자가 보내는 사어를 보았어."

"그럼 그 사어의 반대편에 누가 있었는지 몰랐던 거야?"

"모호해."

아이는 손을 위로 쭉 뻗고는 그것을 이리저리 흔들었다. 바람에 흔들리는 나뭇가지 같은 모습의 팔 위에 손이 나뭇잎처럼 흔들렸다. 광선들이 아이의 손을 흔드는 바람을 대신하고 있는 듯했다. 아이는 그렇게 나무 놀이를 하며 말했다.

"내일이 오늘보다 나을 거라는 어떤 가능성도 없다면, 사람이 할 수 있는 일은 뭐가 남을까?"

아이의 말은 케이건이 원하던 것이 아니었다. 케이건은 불만스러운 듯이 말했다.

"내일을 계속 오늘로 만들면 돼."

"오늘이 솟아나오는 샘은 내일이야. 키다리 아저씨. 샘물이 샘으로 환유될 수 있는 건가? 논점을 회피하지 마."

"가능성이 있다고 자신을 속이는 방법도 있지."

"나쁘진 않군. 실제로 그렇게 하면서 자기가 지혜롭다고 생각하는 사람도 많지. 하지만 아저씨는 그보다는 더 똑똑할 텐데?"

"케이건 드라카라고 불러."

"무뚝뚝하기는. 그런 말은 세수할 때 물 속에 비친 사람에게나 해줘. '안녕하시오. 나는 케이건 드라카요. 그렇게 인상 쓰는 이유가 뭐요? 내게 불만 있으면 말해보시지.'라고. 그러고 있으면 정말 어울릴 것 같아."

"너 계집아이니?"

"흐응."

아이는 신음인지 긍정의 대답인지 구분짓기 어려운 소리를 내며 계속 팔을 좌우로 흔들었다. 아이에 대한 관심을 잃은 케이건은 광란하는 광선들을 바라보았다. 광선으로만 표현되고 있음에도 불구하고 그것이 가진 끔찍한 파괴력은 여실히 드러나고 있었다.

키베인은 자신에게 있지도 않은 심장이 얼어붙는 느낌을 받으며 등 뒤를 바라보았다.

치명적인 회오리가 숲을 불태우며 다가오고 있었다. 물론 그곳에는 화염이 없었다. 하지만 나무들은 바스라지고 갈라지고 조각나며 타들어 갔다. 키베인의 눈에 하텐그라쥬를 구성하는 물질적, 정신적 유산들이 직경 10킬로미터짜리 맷돌에 부어넣어지고 있음은 분명했다. 그 맷돌을 빠져나온 것에서는 어떤 하텐그라쥬도 발견하기 힘들 것이다.

공포에 질린 대수호자는 그를 부르는 소리를 듣지 못했다. 누군가가 그의 어깨를 두드렸을 때에야 대수호자는 고개를 돌렸다. 데오늬 달비가 말하고 있었다. 키베인은 청각에 주의를 기울였다.

"대수호자님!"

"예, 달비 부위?"

"다리가 아픈 것이 낫습니다. 대수호자님!"

데오늬가 명랑하게 외쳤다. 키베인은 조금도 화내지 않으며 대답했다.

"내 생각도 그래요. 9할 이상 동의합니다. 그리고 다리가 왜 아파야 하는 건지 알게 되면 나머지 1할의 동의도 기쁨 속에서 당신에게 바치겠습니다. 다리가 왜 아파야 하지요?"

"저 탑을 올라가야 하니까요! 대수호자님!"

키베인은 데오늬가 말하는 저 탑이 무엇인지 확인하기 위해 두리번거리지는 않았다. 그럴 필요가 없었다. 그래서 키베인은 곧장 하텐그라쥬의 심장탑을 바라보았다.

그리고 키베인은 데오늬의 말을 이해했다.

회오리는 지독하게 거대해서 한눈에 그 규모를 파악할 수도 없었다. 하지만 키베인은 좁혀드는 회오리의 중심에 심장탑이 있음을 주저없이 인정했다. 그리고 거기에 대한 어떤 회의도 품지 않기로 했다. 이런저런 고민을 해보는 것은 그 시점에서 도무지 도움이 되는 일이 아니었기 때문이다. 하텐그라쥬의 심장탑이 좁혀드는 회오리의 중심점이라면, 그곳은 회오리에서 가장 먼 곳이기도 하다. 따라서 저 죽음의 회오리가 다가오는 것을 앉아서 바라보고 있는 것보다는 심장탑을 향해 달리는 편이 옳았다. 게다가 그 시점에서 심장탑이 가진 가치는 그것만이 아니었다. 심장탑의 꼭대기로 거대한 하늘치가 접근하고 있었다.

키베인은 자신의 머릿속에 떠오른 니름도 되지 않는 상상에 잠시 압도되었다. 키보렌의 대수호자는 묻기 싫다는 느낌이 분명한 어조로 데오늬에게 질문했다.

"저 위로 올라갈 수 있을 거라고 생각하십니까?"

심장탑은 그 윗부분에 상당한 타격을 입고 부러져 있었지만 아직도 웅장한 위용을 자랑하기에 충분한 높이로 솟아 있었다. 해일처럼 덮쳐오는 회오리 앞에서 그 부러진 꼿꼿함은 오히려 자랑스럽다. 그리고 심장탑을 향해 다가드는 하늘치의 높이는 남아 있는 심장탑의 꼭대기에서 몇십 미터 위였다. 심장탑 꼭대기는 비정상적으로 낮게 날고 있는 하늘치에게 가장 가까워지는 장소였다. 하지만 남은 거리를 뛰어넘기 위해서는 여전히 레콘의 능력이나 자기 기만이 필요했다.

그러나 데오늬는 그 사실에 아무런 구애도 받지 않는다는 듯 힘차게 고개를 끄덕였다.

"해야 합니다! 대수호자님!"

키베인은 그보다 나은 대답을 상상할 수 없었다. 그는 침착을 되찾았다.

"안된 일인지 잘된 일인지 모르겠습니다만, 우리는 최초의 등정자는 아니게 될 겁니다. 이미 북부군이 저 위로 올라갔습니다. 허공을 밟고서 말입니다. 어쩌면 우리도 허공을 밟아서 하늘치의 등에 오를 수 있을지도 모르지요. 당신 말이 맞습니다. 해야 합니다."

키베인은 모든 정신을 집중시켜 강력하게 닐렀다.

〈갈로텍 대장군!〉

갈로텍이 저편에서 그를 바라보았다. 말 위에 올라타 있는 갈로텍의 모습은 병사들을 사이에 두고서도 뚜렷하게 보였다.

〈대장군! 북부군이 하늘치의 등 위로 올라갔다고 했지요? 우리도 어쩌면 그 흉내를 내야 할지 모르겠습니다!〉

하늘치와 심장탑, 그리고 다가오는 회오리를 빠르게 둘러본 갈로텍은 대수호자의 니름을 이해했다. 하지만 갈로텍은 그 의견에 찬성하지 않았다.

〈혹 하늘치의 등 위로 올라갈 수 있을지 모른다 해도 심장탑이 파괴되면 하텐그라쥬 출신의 심장을 적출한 나가는 다 죽을 겁니다. 우리는 심장탑과 함께 살아나야 합니다.〉

갈로텍의 지적은 정확했다. 대수호자는 신음을 흘렸다. 갈로텍의 니름이 계속되었다.

〈하지만 일단 저곳으로 가야 한다는 데는 대수호자님께 동의합니다. 어차피 이곳에 있을 수는 없고, 아무래도 저곳이 중심점인 듯하군요. 그리고 심장탑을 지킨다는 이유에서도 저곳에 있어야 할 겁니다.〉

그리고 갈로텍은 지체 없이 명령했다.

〈모두들 소드락을 복용하라! 심장탑으로 간다!〉

병사들은 각자의 소드락을 꺼내어 입에 털어넣었다. 그리고 가공할 가속 속에서 심장탑을 향해 달려갔다. 가지고 있던 소드락을 꺼내어들던 키베인은 데오늬를 떠올리고는 비늘이 서는 느낌을 받았다.

언제나 누구보다 앞장서서 달려가는, 그래서 다른 사람들로 하여금 그녀를 뒤쫓아다니게 만드는 그녀는 나가가 아닌 인간이다. 소드락의 효과를 얻을 수 없는 몸을 가지고 있다. 하지만 인간의 주력으로 다가오는 회오리보다 더 빠르게 뛴다는 것은 아무래도 위험한 모험이었다.

키베인은 더 이상 생각하지 않았다. 주위의 병사들이 하나둘씩 소드락을 복용하고 번갯불로 바뀌어 사라지는 것을 보던 데오늬는 자신의 몸이 갑자기 위로 떠오르는 것을 느꼈다. 고개를 돌린 데오늬는 키보렌의 대수호자가 자신을 안아올렸다는 것을 알게 되었다.

"엄마한테 물어봐야 해요! 대수호자님!"

키베인은 데오늬가 도대체 어떤 중간 과정을 생략했는지 묻는 것조차 두려워졌다.

"……일단 살고 나서 자당께 여쭤봅시다!"

데오늬는 그 말에 키베인의 등 뒤를 바라보았다. 까마득한 높이로 치솟은 바람의 장막이 형체 없는 야수처럼 그들을 향해 달려오고 있었다. 데오늬는 눈을 동그랗게 떴다.

데오늬를 안고 달리는 대수호자를 본 다른 나가 병사들은, 주춤하면서도 인간 포로들에게 손을 내밀었다. 바르사 돌 교위는 깜짝 놀란 표정으로 자신에게 내밀어진 손을 바라보았다. 나가는 성마른 어조로 말했다.

"업히시오."

바르사는 뭔가 제대로 된 감사의 말을 할 여유도 없이 나가에게 업혔다. 소드락의 힘에 의해 나가는 무거운 그를 업고서도 놀랄 만큼 민첩하게 달려갔다. 하지만 회오리의 맹포한 기세는 그들의 속도마저도 느린 것으로 여겨지게 하기 충분했다. 나가의 등에 업힌 채 바르사는 두 가지 생각만을 계속했다. 자신이 나가의 조력을 받을 것이라고는 꿈에도 생각하지 못했다는 것과, 그리고 그 나가가 제발 달리기에 깊은 조예를 가지고 있으면 좋겠다는 것. 회오리는 그들의 발을 잡아챌 듯 으르렁거리며 다가왔다.

　나가 소녀는 아이 특유의 감성으로 케이건이 자신에 대한 관심을 잃었음을 깨달았다. 아이는 케이건의 곁으로 다가가 그 바지를 잡아당겼다. 광선의 회오리를 보던 케이건은 고개를 숙여 아이를 보았다.

　아이는 새삼 케이건의 키에 놀란 것처럼 정신없이 올려다보다가 뒤로 두어 발짝 통통 튀듯이 물러났다. 그 덕분에 아이는 턱이 뒤로 젖혀질 듯한 상태에서 벗어나 케이건을 바라볼 수 있게 되었다.

　"요스비는 죽었어. 그건 요스비가 아니야."

　"그럼 누구지."

　"보트린이라는 수호자가 있었어. 냉동 장치 안에 갇혀계신 여신을 사랑했지. 하지만 적극성을 가지고 있지 못했던, 물론 그를 위해 변호하자면 나가 사회에서 한 여성을 사랑하는 남성이라는 것이 좀 기괴한 관념이었다는 것을 말해 줄 수도 있을 테지만, 어쨌든 소심했던 그는 간혹 냉동 장치를 열어 신체의 모습을 보는 것으로써 자신과 타협했어. 그리고 그 덕분에 여신은 간혹 외부에 대한 영향력을 행사할 수 있었지."

　"여신이 요스비를 알고 있었나?"

　"요스비는 저번 신체였어."

　"그랬나. 그러면 여신은 간혹 요스비의 기억과 능력을 이용할 수도 있었겠군."

　"맞아."

　"그 사어를 보낸 건 발자국 없는 여신이었군."

　"선물 하나 할게."

　아이는 주위를 흐르는 광선을 두서없이 끌어모아 뭉쳤다. 그리고 그것을 꽃다발이라도 되는 양 케이건에게 내밀었다. 케이건은 무의식적으로 손을 내밀었다. 하지만 광선은 그의 손에 닿자 소리 없이 폭발하여 사방으로 날아갔다. 아이는 까르륵 웃었다. 케이건은 손을 끌어당겨 허리에 얹고는 아이를 내려다보았다.

"그래. 그건 가짜였어."

케이건은 아이가 광선의 속임수를 말하는 건지 요스비가 가짜였다고 말하는 것인지 알 수 없었다. 아마 중의적인 의미일 것이다.

"그런 장난을 통해 발자국 없는 여신은 나로 하여금 다른 두 화신을 찾아내게 했군. 이해했어. 그런데 용의 수호는 무슨 의미지."

아이는 방글방글 웃을 뿐 케이건의 말에 대답하지 않았다. 케이건은 답을 찾아내는 일이 자신에게 맡겨졌음을 깨달았다.

그는 생각했다.

"조금 전 사모는 내 눈물을 마시고 죽기를 원했지. 내가 사모에게 용의 수호를 맹세했다면, 나는 사모를 죽이는 대신 자신의 목숨을 끊어야 하지."

케이건은 이해했다.

"여벌 화살이군."

"여벌 화살? 으음. 그래. 최악의 경우 너 자신이 죽으면 어디에도 없는 신은 어딘가로 전령할 수 있을 테니까. 다시 윷가락이 네 개가 되는 거지. 하지만 나는 그 여벌 화살이 시위에 얹히지 않기를 바랐어."

"너는 발자국 없는 여신이냐?"

"아니."

"그렇다면 너는 도대체 누구지?"

"네가 아는 대로 말해 봐."

"나가 계집아이처럼 보이지만, 그 겉모습이 본질과 어떤 관련을 가지고 있다는 확신을 갖기 어렵군. 이런 독특한 장소에서는."

"그거 말고. 이렇게 하면 돼? 이런 표정을 지을까?"

아이는 갑자기 기이한 표정을 지었다. 어린이가 어른의 표정을 억지로 흉내내는 듯한 얼굴이었고, 당연히 꽤 우스꽝스러웠을 뿐만 아니라 조금도 도움이 되지 못했다. 케이건은 말했다.

"그만둬. 꼴사나우니까. 그래. 어디서 본 것 같은 얼굴이라고 생각했어."

아이는 꼴 사납다는 말에 비늘을 부딪쳤다. 그녀는 약간 쌀쌀맞게 말했다.

"누구랑 닮았지?"

"몰라."

"바보."

아이는 조그마한 손을 자신의 가슴에 얹으며 말했다.

"나는 그리미 마케로우. 카린돌 마케로우와 스바치의 딸이야. 내 어머니는 아까 아저씨 품에 쓰러진 그 신체였어. 내력이 참 대단하지? 아저씨의 시간에서 나는 아직 어머니의 배 속에 있는 알이야."

"내 시간? 그러면 네가 미래에서 왔다는 거냐?"

그리미는 그 질문에 대답하지 않은 채 손을 들어올렸다.

"내가 누구와 닮았는지 모르겠다면, 가르쳐주지. 저쪽에 있잖아."

케이건은 그리미가 바라보는 곳을 쳐다보았다.

티나한은 눈을 끔뻑거렸다. 하지만 그 동작을 통해 그가 원했던 것은 이루어지지 않았고, 티나한은 여전히 조금 전과 똑같은 광경을 바라보고 있었다. 티나한은 다른 사람들을 돌아보고는 그들 또한 그 만큼 놀랐다는 사실을 알게 되었다. 코네도 빌파가 멍한 목소리로 말했다.

"어디로 간 거야?"

시우쇠 또한 격노한 목소리로 비슷한 내용을 외쳤다. 티나한은 고개를 홰홰 내저었고 그러자 수염볏이 출렁거렸다. 티나한은 보고 싶지 않다는 시선으로 냉동 장치를 바라보았다.

냉동 장치는 조금 전과 그대로였다. 그 앞에는 물과 함께 한 명의 나가 여인이 정신을 잃은 채 쓰러져 있었다. 조금 전까지 그녀를 안고 있던 케이건은 어디로 갔는지 보이지 않았다. 모든 사람들이 당황한 표정으로 심장탑 51층의 바닥을 둘러보았지만 그곳에는 어차피 사람이 숨을 만한 장소도 없었다. 사모가 힘겹게 말했다.

"갈바마리. 다시 해 봐. 저 여인에게로 가 보자."

갈바마리는 다시 사람들을 양쪽으로 안내했다. 그들은 케이건이 만들어놓은 맴돌이 지대를 빠져나왔다. 시우쇠가 고함을 버럭 질렀고 그래서 사모는 갈바마리에게 상세한 지시를 내린 다음 시우쇠에게 걸어가게끔 했다. 갈바마리가 시우쇠에게로 걸어가는 동안 사람들은 당혹한 표정으로 카린돌 마케로우를 내려다보았다. 하지만 티나한은 그들에게서 조금 떨어진 뒤편에 서 있었다. 카린돌 마케로우 주변의 바닥은 온통 물바다였다. 티나한은 그쪽을 보고 싶지도 않았다.

그래서 티나한은 비형을 가장 먼저 발견했다.

"비형!"

사람들은 레콘이 내지르는 비명에 깜짝 놀랐다. 믿고 싶지 않았지만 그것은 분명히 공포에 질린 비명이었다. 사람들은 무엇이 레콘을 겁나게 한 것인지 알기 위해 고개를 들어올렸다. 다음 순간 그곳에 있는 각 종족들은 자신의 방식으로 경악을 표시했다.

전대미문의 광경이 그들을 향해 날아오고 있었다.

딱정벌레 나늬가 비틀거리며 힘겹게 날아오고 있었다.

딱정벌레는 자꾸만 아래로 떨어지려 했고 그때마다 안간힘을 다해 자신의 고도를 회복했다. 나늬가 그토록 힘겨워하는 것은 당연했는데, 지금 그 등에는 일반적인 탑승 인원을 초과한 인원이 타고 있었다. 그들 중 두 명은 조금 전 아래로 떨어졌던 스바치와 보트린이었다. 카루는 그들의 모습에 환호를 올리지도 못했다. 그들의 앞쪽에는 피에 흠뻑 젖은 비형이 타고 있었다. 그리고 누구의 눈에도 비형의 모습은 정상으로 보이지 않았다. 비형은 온몸을 부들부들 떨고 있었고 그 눈은 서서히 뒤집히고 있었다.

갈바마리의 인도를 받아 그들에게 걸어오던 시우쇠가 난폭하게 외쳤다.

"빌어먹을! 하텐그라쥬가 박살나게 생겼군."

티나한의 등에 업혀 있던 아기는 시우쇠의 목소리를 듣지는 못했다. 하지만 그녀는 시우쇠가 느끼고 있는 우려를 정확히 느낄 수 있는 유일한 존재였다. 비형이 자기 통제를 잃고 아킨스로우 협곡에서 벌어진 일을 하텐그라쥬에서 재현한다면,

시우쇠는 견딜 수 있겠지만 아기가 깃들고 있는 육이나 발자국 없는 여신이 깃들고 있는 신체는 그 불을 견딜 수 없을 것이다. 따라서 가까스로 한자리에 모이게 된 세 명의 화신은 다시 뿔뿔이 흩어져야 한다. 케이건이 사라진 마당에 그런 일이 벌어진다면 그들의 계획은 완전히 수포로 돌아간다. 시우쇠는 당장 결심했다. 그의 손에서 불길이 일렁거렸다. 티나한이 야수적인 감각으로 위험을 깨닫고는 고개를 획 돌렸다. 그는 몸을 부풀리며 외쳤다.

"뭐 하는 겁니까!"

"저대로 태워야 해! 너무 위험해! 저 녀석이 미쳐버리면 너희들은 물론이거니와 신체들도 다 죽는다. 가까스로 한자리에 모인 신들이 다시 흩어지게 돼!"

다음 순간 시우쇠는 그곳에 행동파가 자신만이 있는 것은 아니라는 사실을 알게 되었다.

티나한은 두 번 생각하지 않고 그대로 몸을 날렸다. 조금이라도 생각을 했다면 도저히 그럴 수 없었을 것이다. 하지만 그 시점에서 티나한을 인도한 것은 레콘의 오만함뿐이었다. 레콘은 자신이 하려는 일에 대한 방해를 용서하지 않는다. 심지어 자기 자신이라도.

그래서 티나한은 나늬의 등 위까지 뛰어올랐다.

그룸 빌파와 토카리 빌파가 동시에 비명을 내질렀다. 티나한은 공중에서 몸을 뒤집었다. 그리고 딱정벌레의 가공할 날개를 피하면서도 정확한 순간에 비형의 몸에 손을 뻗었다. 실로 묘기라 할 만한 광경이었다. 비형의 몸은 티나한의 품에 안겼다.

시우쇠는 두 손으로 일으키고 있던 불을 황급히 취소할 수밖에 없었다. 그는 분노에 찬 포효를 내뿜었다. 제대로 보이지는 않았지만 시우쇠는 티나한의 등 뒤에 아기가 업혀 있음을 알고 있었다. 그는 아기를 불태울 수 없었다.

나늬는 갑자기 몸이 가벼워진 것을 느끼고는 자신도 모르게 상승했다. 티나한은 다리를 구부려 간신히 나늬의 날개를 피하며 다시 51층의 바닥에 내려섰다. 쿵! 요란한 소리와 함께 착지한 티나한은 오로지 시우쇠를 한 번 노려보기 위해 지체했다.

"누가 그러게 내버려둔대! 가만히 있어. 움직이면 철의 대화다!"

시우쇠는 이 무례에 기가 막혀 잠시 동안 아무 말도 못했다. 티나한은 대답도 기다리지 않은 채 갑자기 사람들을 헤치며 달려갔다. 그의 품속에서 비형은 여전히 부들부들 떨고 있었다. 도깨비의 입에서 말도 아니고 신음도 아닌 기괴한 말들이 흘러나왔다. 티나한은 비형의 몸이 서서히 뜨거워지는 것을 느꼈다. 그 열기는 지나칠 정도였다. 티나한은 깃털이 타는 냄새를 맡았다. 하지만 레콘의 달리기는 멈추지 않았다.

사람들의 눈앞에서 또다시 전대미문의 광경이 펼쳐졌다.

티나한은 냉동 장치 앞에서 멈춰섰다. 그리고 비형을 바닥에 내려놓았다. 이미 뜨거워진 비형의 몸이 물웅덩이에 닿자 수증기가 거세게 피어올랐다. 그 수증기는 그대로 티나한의 얼굴을 뒤덮었지만, 티나한은 아랑곳하지 않았다. 대신 그는 두 손으로 물을 움켜쥐었다.

그리고 그 물로 비형의 몸에 묻은 피를 정신없이 닦아내었다.

사람들, 그리고 신들과 두억시니와 대호는 충격 때문에 아무 말도 하지 못했다. 그 때문에 들리는 것이라고는 찰박거리는 물소리뿐이었다. 티나한은 거의 무아지경에 빠져 비형의 몸을 닦았다. 그런 동작이 얼마나 계속되었을까, 티나한은 비형의 눈이 자신을 똑바로 바라보고 있음을 깨달았다. 아직까지 몸의 떨림이 멎지 않았지만, 비형은 웃고 있었다.

"비형."

"티나한. 우리는 케이건과 너무 오랫동안 함께 있었던 것 같죠?"

"제기랄, 괜찮아?"

"괜찮습니다. 그런데 케이건은 어디에 있지요?"

티나한은 대답할 말이 없었다. 그는 모호하게 고개를 이리저리 움직였다. 그의 눈이 한쪽 방향에 고정되었다. 비형은 그 눈길을 따라갔고 다른 사람들 또한 그쪽을 바라보았다.

조금 전까지 있지 않았던 사람이 서 있었다.

거대한 양날 도끼를 든 레콘이 온몸을 부풀린 모습으로 그들을 바라보고 있었다. 빌파 삼부자와 사모 페이는 그가 레콘 즈라더라는 것을 알아보았다. 즈라더는 격심한 혼란을 뚜렷이 드러내는 얼굴로 티나한을 바라보고 있었다. 그의 심정도 이해할 만하다. 물로 누군가의 몸을 씻어주는 레콘이라니, 도깨비 선짓국 만든다는 이야기만큼이나 황당한 장면이었다. 즈라더는 자신의 감정을 어떻게 정리해야 할지 짐작도 할 수 없었다. 혐오해야 하나? 그렇지 않으면?

즈라더는 경의 어린 동작으로 묵례했다.

"수탐자 티나한. 나는 즈라더요. 그리고 내 아내는 당신의 아내요."

그것은 레콘이 다른 레콘에게 바칠 수 있는 최대의 경의였다. 그것은 물론 말 그대로 아내를 내어주겠다는 의미는 아니다. 혹 티나한이 신부 탐색 도중 그의 아내를 뺏기 위해 싸움을 건다면 즈라더는 그의 창에 찔려죽을지언정 공격하지는 않는다는 의미다. 티나한은 해야 할 대답을 알고 있었지만, 너무 놀란 나머지 조금 늦게 말하고 말았다.

"즈라더. 내 철은 절대로 당신에게 말을 걸지 않을 거요."

티나한은 무슨 일이 있어도 즈라더를 공격하지 않겠다는 대답을 훌륭하게 해내었다. 즈라더와 티나한 모두 자신들이 평생 할 일이 없다고 생각했던 말을 꺼낸 직후라 아무도 입을 열지 못했다. 조금 후에야 즈라더가 약간 갈라지는 목소리를 가다듬으며 엄숙하게 말했다.

"티나한. 당신의 평생 숙원이 이루어졌다는 말을 전하는 사람이 나인 것을 크나큰 영광으로 생각하오. 고개를 들어 위를 보시오."

티나한은 그렇게 했다. 그러고는 환희에 찬 함성을 내질렀다.

도시 외곽에 도달했을 때 키베인은 걸음을 멈추고 말았다. 하텐그라쥬 수비군을 괴롭히고 있던 문제는 이제 대나무 군단의 병사들을 괴롭히고 있었다. 거의 포기한 채 주저앉아 있던 하텐그라쥬 수비군들 또한 다가오는 회오리에 놀라 다시 달리고 있었기에 그 지점에서는 끔찍할 정도의 혼란이 벌어지고 있었다. 모든 자들이 제멋대로의 방향으로 달렸기 때문에 서로 부딪히는 사람들이 속출했다. 그들은 화를 내다가 다시 공포에 휩싸여 달렸지만, 도무지 예상할 수 없는 방식으로 서로의 머리를 들이받는 꼴을 되풀이할 뿐이었다. 희극의 광경이라 보기에는 너무 끔찍한 그 광경에 키베인은 비늘을 세웠다. 그때 저편에서 누군가가 그를 향해 닐렀다.

〈대수호자님 아니십니까?〉

키베인은 데오늬를 내려놓고는 니름이 들려온 곳을 바라보았다. 수호 장군의 모습을 한 누군가가 그를 향해 아는 척을 했다. 하지만 키베인이 다가가려 하자 그는 황급히 손을 내저었다.

〈아니, 더 가까이 오지 마십시오. 그러면 틀림없이 어디가 어딘지 모르게 되실 겁니다.〉

키베인은 주춤하며 뒤로 물러났다. 수호 장군은 안도하며 닐렀다.

〈저는 수호 장군 인실롭입니다. 하텐그라쥬 수비를 책임지고 있었습니다만, 지금은 도저히 제 책무를 말씀드리기 어렵군요.〉

〈도대체 이곳에서 무슨 일이 벌어지고 있는 겁니까?〉

〈맴돌이입니다. 밤의 숲에서 벌어지는 그런 일입니다. 그런 일이 왜 백주대낮에 일어나는지는 저도 모르겠습니다. 아마 화신들 중 누군가가 우리들을 이곳에 묶어 놓기 위해 벌인 일 같습니다. 어쨌든 몇 발자국만 더 달려오시면 똑같은 처지가 되실 겁니다. 아, 대장군님!〉

말에 탄 갈로텍이 키베인의 옆에 도달했다. 갈로텍은 달려오면서 인실롭의 니름을 들은 듯 설명을 요구하지 않은 채 맴돌이 현상이 일어나는 지대를 살폈다. 하지만 그 또한 그런 괴이한 사태를 설명하거나 호전시킬 방법 같은 것은 떠올릴 수 없었다. 갈로텍은 등 뒤에서 다가오는 회오리를 돌아보고는 비늘을 부딪쳤다. 니름을 듣지 못하는 데오늬는 놀란 표정으로 나가들이 벌이고 있는 기괴한 소동을 바라보았다.

그녀는 누군가가 격한 충격 속에서 자신을 바라보고 있다는 것을 알지 못했다.

케이건은 무릎을 꿇었다. 턱이 덜덜 떨렸고 얼굴은 창백하게 변했다. 케이건은 저 편에 있는 광선들 사이로 보이는 한 여자를 보며 미칠 것 같은 격분과 고통, 애정과 분노를 동시에 느꼈다. 케이건은 자신이 느끼고 있는 감정이 무엇인지조차 제대로 알 수 없었다.

그의 눈에 들어오는 여인은 평범한 인간 여인이었다. 아마도 북부군에 속한 병사인 듯했지만 무장은 가지고 있지 않았다. 투구 대신 머리에 쓰고 있는 것은 황당하게도 화관이었다. 케이건은 그 화관을 이루고 있는 꽃을 알고 있었다. 원추리였다.

케이건은 신음을 흘렸다.

"여름⋯⋯."

불과 몇십 미터 앞쪽의, 분명히 시야에 닿을 거리에 있었지만 여인은 그를 보지 못하는 듯했다. 케이건은 그 사실에 사무치는 억울함을 느끼며 그리미를 돌아보았다. 그리고 그제야 케이건은 그리미가 누구를 닮았는지, 그리고 냉동 장치에서 떨어진 신체의 얼굴이 왜 낯익었는지를 알게 되었다. 종족의 차이는 뚜렷했지만 그 얼굴에는 과거 그의 아내였던 여인의 얼굴이 그대로 담겨 있었다.

그리미는 빙긋 웃었다.

"나늬들이 특별한 거야 전통이지만 이번 나늬는 정말 특이해."

"이번⋯⋯ 나늬?"

"그래. 저 나늬의 이름은 데오늬 달비야. 그리고 저 나늬는 미모가 아니라 달리기로 모든 종족들을 따라오게 만들어. 정말 인상적인 특징이야."

케이건은 그리미의 말을 이해하는 것이 두려워졌다. 그래서 그는 다른 질문을 꺼내었다.

"네가 어떻게 그녀를 닮은 거지?"

"나? 나는 보늬야. 보늬와 나늬가 닮은 거야 당연하지. 자매잖아. 그리고 내가 보

늬인 것도 이상할 것이 없지. 보늬는 모든 종족에게 다 태어나니까. 우리 어머니도
보늬였어. 유료 도로당의 당주는 이름도 보늬였다지? 하지만 나늬는 인간에게서
만 태어나지. 그리고 데오늬 달비는 이 시간의 나늬야."

그리미는 마침내 케이건이 두려워하며 꺼내지 못했던 말을 꺼내었다. 케이건은
떨리는 눈으로 그리미를 바라보았다. 그리미는 빙긋 웃었다.

"그래. 어디에도 없는 신이 인간에게 준 것은 나늬지."

케이건은 갑자기 알게 된 사실에 충격을 금치 못했다. 그는 혼란과 두려움 속에
서 그리미의 말을 부정했다. 하지만 그 말은 계속 그에게 되돌아왔다. 무엇보다도
끔찍했던 것은 케이건이 그것을 알고 있었다는 사실이었다. 그렇다. 케이건은 알
고 있었다. 어디에도 없는 신이 인간에게 준 것은, 오로지 인간에게서만 태어나는
한 사람, 나늬였다.

그때 데오늬가 갑자기 그를 향해 달려오기 시작했다. 케이건은 전율하는 두 팔
을 앞으로 힘껏 내밀었다. 그리미는 말없이 그 모습을 바라보았다.

데오늬 달비가 갑자기 달리는 것을 본 키베인은 비늘이 서게 놀랐다. 그런데 조
금 후 키베인은 더욱 놀랐다. 데오늬는 혼란을 일으키고 있는 나가들 사이를 똑바
로 가로질러 달려가고 있었다. 모든 나가들을 혼란으로 몰아가는 현상은 그녀에게
는 아무런 영향도 끼치지 않는 듯했다.

키베인이 그 상황을 해석하려 했을 때 갈로텍은 이미 그 상황을 이용하기로 결
심했다.

〈모두들 저 인간을 따라가라! 공격하지 마! 따라가라! 그녀는 맴돌지 않는다! 심
장탑으로 가! 모두들 심장탑으로 가!〉

나가들은 반신반의하면서도 데오늬를 따라갔다.

심장탑에 도달해서 하늘치의 등 위에 올라갈 생각을 하고 있던 데오늬는 갑자기
누군가에게 부딪치고는 깜짝 놀랐다. 그녀는 누군가의 가슴에 얼굴을 묻고 있었
다. 데오늬는 고개를 들어 위를 쳐다보았다.

어떤 인간 남자가 그녀를 안은 채 내려다보고 있었다. 데오늬는 그 눈이 참 이상

하다고 생각했다. 그 눈은 그녀를 잘 안다고, 그리고 그 사실을 다시 없는 기쁨으로 여기고 있다고 말하고 있었다. 하지만 그 눈은 한없이 슬프기도 했다. 데오늬는 그 슬픔을 걷어내어 주고 싶다고 생각했다. 하지만 동시에 데오늬는 그런 일은 절대로 불가능하다는 기이한 확신을 느꼈다.

그 남자가 갑자기 옆을 돌아보았다. 데오늬 또한 그렇게 했다. 그들의 곁으로 나가들이 달려가고 있었다. 나가 병사들은 그들을 한번씩 돌아보았지만 해코지를 하지는 않았다. 갈로텍이 공격하지 말라고 명령했기 때문이다. 그들은 그대로 케이건과 데오늬의 곁을 지나쳐 심장탑으로 달려갔다.

케이건이 보고 있던 것은 데오늬가 보고 있던 것과 달랐다.

케이건은 광선의 세계가 희미해지는 것을 보았다. 이제 그의 눈에는 광선들과 하텐그라쥬의 모습이 서로 뒤섞여보였다. 그 가운데서 그리미 마케로우가 그를 바라보고 있었다. 그리미 마케로우는 가볍게 손을 흔들었다.

"이제 떠나야겠군요. 마지막으로 말씀드린다면, 저는 그리미 마케로우가 아닙니다."

"아니라고?"

"예. 하지만 조금 전 보셨던 것은 그녀의 모습과 언동이 맞습니다. 그녀는 대단한 천재지요. 저는 그녀를 보는 것이 즐겁습니다. 그녀는 저의 존재를 깨닫고는 제게 자신의 모습을 하고서 당신을 찾아가 달라는 부탁을 했습니다."

"그렇다면 너도 미래에서 왔다는 거냐?"

"그렇다고 말할 수도 있지요. 하지만 저는 당신이 잘 아는 사람입니다."

"내가 잘 아는 사람?"

그리미 마케로우, 아니 그녀의 모습을 가지고 있던 자는 빙긋 웃었다. 그리고 갑자기 사라져버렸다.

광선의 세계는 더 이상 존재하지 않았다. 케이건은 주위를 빠르게 둘러보았다. 그를 둘러싸고 있는 것은 뚜렷한 형태와 정상적인 질감으로 가득찬 것이었다. 하지만 그의 가슴에 안겨 있는 여인의 느낌은 더 이상 느껴지지 않았다. 케이건은 데오늬를 찾았다.

데오늬는 케이건의 품에서 빠져나와 조금 떨어진 곳에서 그를 바라보고 있었다. 그녀의 눈은 혼란으로 가득했다. 데오늬는 다시 다가올 것처럼 발을 꿈틀했지만, 다음 순간 냉막한 예의로 그 발걸음을 멈췄다. 고개를 가로저은 데오늬는 차분하게 말했다.

"저는 데오늬 달비입니다. 누구십니까?"

케이건은 입술을 깨물었다. 꽉 움켜쥔 그의 두 주먹이 떨리고 있었다. 원추리 화관을 쓴 채 그를 바라보고 있는 그녀는 여름이었다.

케이건은 그녀를 안아야 했다.

그러나 다음 순간 케이건의 눈에 다가오는 회오리의 모습이 들어왔다. 케이건은 처참한 여름의 마지막 모습을 떠올렸다. 그의 입이 반사적으로 움직였다.

"가라."

"네?"

케이건은 눈을 감으며 말했다.

"가라. 회오리가 오고 있다."

조금 떨어진 곳에 있던 키베인이 퍼뜩 정신을 차려 뒤를 돌아보았다. 회오리는 이미 도시의 상당 부분을 잠식하며 다가오고 있었다. 키베인은 잠시 케이건의 눈치를 살폈지만 케이건은 두 눈을 감은 채 고개를 떨구고 있었다. 키베인은 데오늬의 손목을 움켜쥐었다. 데오늬는 한 번 휘청하다가 키베인을 따라 달리기 시작했다. 하지만 그녀는 계속 고개를 갸웃거리며 케이건을 돌아보았다.

케이건은 키베인과 데오늬가 한없이 멀어질 때까지 꼼짝도 하지 않은 채 그렇게 서 있었다. 가없는 슬픔이 그의 가슴을 미어지게 했고 새롭게 알게 된 사실은 그의 몸을 뒤흔들었다. 그는 이제 자신이 인간에게 준 것이 무엇인지 알고 있었다.

'나는 그들에게 나늬를 주었다.'

"그 쌍신검, 나가 살육자의 검이지?"

케이건은 눈을 떠 앞을 바라보았다. 아무도 없는 대로 한가운데 말에 탄 나가가

662

서 있었다. 나가는 한량없는 증오로 비늘을 부딪치며 그를 노려보고 있었다. 여느 때라면 그 분노에 공명하여 함께 분노했을 테지만, 케이건은 말없이 나가를 바라보았다. 나가가 말했다.

"나는 갈로텍이다. 세페린의 오라비지."

갈로텍은 그 사실이 세상의 그 무엇보다도 중요하다는 듯이 말했다. 하지만 케이건은 그 말을 이해할 수 없었다. 잠시 케이건의 반응을 기다리던 갈로텍은 케이건이 세페린을 모른다는 것을 깨달았다. 미쳐버릴 것 같은 분노가 그를 휘감았다. 갈로텍은 말에서 내려섰다. 그의 내면에서 주퀘도가 입을 제어하려 애쓰고 있었지만 갈로텍은 입을 내어주지 않았다. 갈로텍은 입을 내어줄 수 없었다. 그는 격분하여 외쳤다.

"머리를 재생시킨 나가를 기억하나!"

"기억해. 네가 그녀의 오라비라는 거냐?"

"그렇다! 내가 세페린을 부활시켰다. 그런데 네놈은 내 누이를 두 번 죽였어!"

갈로텍은 사이커를 뽑아들었다. 그리고 그것으로 케이건을 똑바로 겨냥했다.

"너를 찾아 이 전쟁을 일으켰다. 북부의 저 비늘 서는 땅을 방랑하며 오로지 너만을 찾았다. 그런데 우습게도 이곳 하텐그라쥬에서 너를 만나는군."

케이건은 천천히 세페린에 대해 생각해 보았다. 다시 나타난 그녀는 두억시니만도 못한 존재였다. 케이건은 갈로텍을 바라보았다. 저 나가가 그녀를 재생시켰다고? 자신의 누이를 복수밖에 기억하지 못하는 괴물로 만들었다고?

케이건은 부드럽게 말했다.

"어쩐지 우리는 서로 닮은 것 같군."

갈로텍은 케이건의 말에 기가 막혔다. 그는 격분하여 닐렀다.

〈그 검을 뽑아!〉

너무도 분노한 갈로텍은 그만 말 대신 니름을 사용했다. 그 순간 주퀘도는 입을 빼앗았다. 갈로텍의 입에서 절망에 찬 외침이 튀어나왔다.

"멍청아, 카린돌이 오고 있다!"

다음 순간 갈로텍은 온몸이 뻣뻣해지는 것을 느꼈다.

하늘치의 등 위에서, 티나한은 벅찬 감동을 가누지 못했고, 그 때문에 상당히 괴로워했다. 그는 자신이 하늘치의 등을 밟고 있다는 사실에 기쁨을 억누르지 못했다. 자신이 최초의 등정자가 아니라는 사실은 티나한에게 괴로움이 되지 않았다. 레콘은 자신이 원하기에 숙원에 매달리며, 다른 사람보다 먼저 성공하기 위해 노력하지는 않는다. 그래서 티나한의 기쁨은 조금도 훼손되지 않았다. 하지만 그의 곁에는 걱정과 번민이 지나치게 많았기에 티나한은 자신의 기쁨을 마음대로 표현할 수 없었다. 그래서 티나한은 차라리 즈라더를 돕는 것이 낫겠다고 판단하고는 아래로 내려갔다.

심장탑 꼭대기에서 즈라더는 나가들에게 계단을 만드는 법을 설명해 주며 간혹 자신의 설명을 이해하지 못하는 나가들을 직접 옮겼다. 티나한과 다른 레콘들 몇 명이 가담하자 점점 자신의 발보다는 레콘에 의해 올라가게 되는 사람들의 수가 더 많아졌다. 그리고 다른 사람들은 심장탑 꼭대기에서 계속 올라오는 나가들을 맞이하느라 정신이 없었다. 대호왕이 올라오는 자를 모두 받아주라고 명령했기 때문이다. 나가들은 경계심을 감추지 못한 채 올라섰지만 북부군은 말없이 회오리를 한 번 가리켜보였다. 나가들은 비늘을 부딪치며 고개를 끄덕였다.

비형은 이해할 수 없다는 표정으로 나늬를 바라보고 있었다. 조금 전, 하늘치가 그토록 가까이 다가왔음에도 불구하고 그와 스바치, 보트린을 구해 내었던 나늬는 이제 하늘치의 등 위에서 태연하게 앉아 있었다. 비형은 이해할 수 없다는 표정으로 간단한 수화를 보내었다. '너 미쳤니?' 나늬의 대답은 간단했다. '빛이 탄로났다.' 비형은 그 대답을 이해할 수 없었기에 고개를 가로저었다.

사모는 마루나래의 허리에 기댄 채 힘없이 앉아 있었다. 갈바마리와 금군들이 그녀의 주위를 삼엄하게 둘러싸고 있었다. 그러나 금군들은 카루가 조심스럽게 다가와 그녀를 바라보는 것을 용납했다. 사모는 슬픔이 가득한 표정으로 아무 곳도 바라보지 않은 채 앉아 있었다. 카루는 어떻게든 그녀에게 니름을 걸어보고 싶었

지만 차마 그녀를 방해할 수 없었다. 그래서 카루는 스바치를 돌아보았다.

스바치는 카린돌의 몸을 내려다보고 있었다. 카린돌의 몸은 시체처럼 아무런 반응도 없었다. 스바치는 가슴이 저며오는 느낌에 비늘을 세웠다. 그곳에는 카린돌의 영이 없었다. 스바치는 자신이 그녀가 깨어나지 않는 것을 무서워하는지 깨어나는 것을 더 무서워하는지 알 수 없었다. 그때 누군가가 그에게 다가왔다. 스바치는 본능적인 경계심으로 다가오는 자를 바라보았다.

시우쇠가 그곳에 서 있었다. 그리고 아기를 안은 괄하이드 규리하가 함께 서 있었다. 아기가 말했다.

"스바치. 그녀를 죽여야 해."

"뭐라고요?"

스바치의 몸에서 비늘이 부딪쳤다. 그 말을 들었던 사람들 모두가 우려의 표정을 지었고 카루의 경우에는 스바치를 돕겠다는 듯이 걸어왔다. 아기는 차분하게 말했다.

"다가오는 회오리가 보이나? 나는 저 회오리를 멈추려 했고 시우쇠도 그렇게 했다는군. 하지만 둘은 막을 수 없어. 세 번째가 필요해. 그 몸이 아직까지도 여신을 구속하고 있다는 것을 이해할 수 없어. 어쩔 도리가 없어. 그 몸을 파괴해서 발자국 없는 여신이 다른 자에게 전령되도록 해야 해. 셋이 하나를 상대하지. 셋이 된다면 저 회오리를 멈출 수 있어. 저대로 놔두면 심장탑은 파괴되고 말아. 그러면 하텐그라쥬 출신의 나가들도 다 죽게 돼."

스바치는 비늘을 부딪칠 뿐 아무런 대답도 하지 않았다. 시우쇠는 스바치의 눈에서 거부를 읽었다. 그는 괄하이드를 한 번 돌아보았다. 아기가 그를 볼 수도, 그 또한 아기를 볼 수 없었지만 시우쇠는 그렇게 했다. 그리고 시우쇠는 두 손을 모았다. 공을 감싸쥐듯 모인 두 손 가운데서 불길이 일렁거렸다. 스바치는 이를 악물며 사이커를 찾았지만 그 사이커는 냉동 장치에 꽂혀 있었다. 스바치는 카린돌의 몸 위에 자신의 몸을 던졌다. 시우쇠가 화염으로 그를 꾸짖으려 했을 때였다.

모든 이를 놀라게 하는 외침이 들려왔다.

"륜!"

사람들의 시선이 향한 곳에서 사모가 비틀거리며 일어났다. 갑작스러운 움직임 때문에서 다시 상처에서 피가 스며나왔다. 사모는 몇 번 비틀거렸고 두억시니들이 황급하게 그녀를 부축했다. 사모는 그들의 부축을 거의 깨닫지 못한 채 정신없이 걸어갔다. 그녀는 하텐그라쥬를 둘러싸고 있는 회오리를 바라보았다. 그녀의 입에서 또다시 비통한 외침이 들려왔다. 그녀는 니르면서 동시에 외치고 있었다.

"〈륜!〉"

괄하이드는 그제야 깨달은 사실에 소름이 돋는 것을 느꼈다. 그는 황급히 하텐그라쥬를 둘러싼 숲의 한 지점을 보려 했다. 하지만 륜과 아스화리탈이 있던 지점은 이미 회오리 저편으로 사라져 보이지 않았다. 북부군은 멍한 표정으로 회오리를 바라보았다.

갈로텍은 몸의 관절이 부서지는 느낌을 받았다. 그저 곧게 서있는 자세였지만 그 자세는 가장 참혹한 고문으로 그의 몸을 파괴했다. 몸 전체가 바깥을 향해 폭발하려는 것 같았다. 갈로텍은 자신의 니름이면서도 자신의 니름이 아닌 니름을 들었다.

〈갈로텍! 갈로텍!〉

그것은 카린돌의 니름이었다. 갈로텍은 마침내 카린돌이 자신에게 이르렀음을 알게 되었다. 그리고 거대하게 부푼 카린돌은 그의 몸을 그대로 파괴하고 있었다. 갈로텍은 흐려지는 시야 속에서 케이건을 바라보았다.

케이건은 바라기를 서서히 들어올리고 있었다. 그리고 그것으로 갈로텍을 겨냥하고 있었다.

갈로텍은 어떻게든 카린돌을 설득해 보려 애썼다. 지금 도와주지 않는다면 케이건에게 먹혀버릴 것이라고. 하지만 갈로텍은 니를 수 없었다. 게다가 갈로텍은 카린돌에게 그렇게 니르는 것이 도움이 될지 알 수 없었다. 카린돌이 원하는 것이 바로 그것일지도 모르기 때문이다. 갈로텍은 세페린의 이름을 마음속으로 부르며 죽음을 각오했다.

그때 케이건이 바라기를 휘둘렀다.

갈로텍의 몸에 닿지도 않을 거리였다. 하지만 갈로텍은 무엇인가가 자신의 몸을 휩쓸었다는 느낌을 받았다. 다음 순간 갈로텍은 더 이상 몸이 고통스럽지 않다는 것을 깨달았다. 아직까지 고통의 앙금은 남아 있었지만 지속적으로 가해지던 통증은 사라졌다. 갈로텍은 후들거리는 무릎으로 간신히 몸을 지탱한 채 케이건을 바라보았다.

"복수를 원하나?"

갈로텍은 믿을 수 없다는 표정으로 케이건을 바라보았다. 케이건은 조용히 대답을 기다리고 있었다. 갈로텍은 케이건의 눈치를 살피며 천천히 소드락을 하나 꺼내었다. 케이건은 아무런 반응도 보이지 않았다. 갈로텍은 그것을 입 안에 털어넣었다. 조금 후 갈로텍은 겨우 대답할 수 있게 되었다.

"네가 한 건가?"

"그래."

갈로텍은 재빨리 자신의 내부를 들여다보려 했다. 그리고 곧 그것이 불가능함을 깨달았다. 그의 내부에는 그 자신뿐이었다. 갈로텍은 더 이상 군령자가 아니었다. 갈로텍은 마음속으로 주퀘도의 이름을 불렀다. 대답이 없었다. 갈로텍은 그라쉐를, 노기를, 그리고 화리트를 불렀다. 그러나 그들 중 누구도 대답하지 않았다. 갈로텍은 케이건을 다시 바라보았다.

"어떻게?"

"왜라고 질문해 봐."

"왜?"

"내겐 물이 필요하거든."

"물이라니?"

"물이 가장 날카롭지. 이제, 그 물에 독을 풀어 온 세상을 중독시켜야 해."

갈로텍은 그 말을 이해할 수 없었다. 그는 갑자기 자신이 한없이 왜소해진 것처럼 느꼈다. 언제나 그의 내부에 있던 든든한 지지대가 깡그리 사라졌다. 그것은 견디기 힘든 상실감이었다. 갈로텍은 그대로 무릎을 꿇고 소리 높이 울고 싶었다. 그는 원했다. 무엇보다도 간절히 원했다. 한 가지 이유를.

케이건이 그를 도와주었다. 그는 거의 밀어로 들릴 만큼 부드럽게 말했다.

"복수를 원하나?"

갈로텍의 손아귀에 다시 힘이 들어갔다.

갈로텍은 뒤를 한 번 돌아보고는 다시 케이건을 바라보았다. 갈로텍은 사이커를 들어올리며 고개를 끄덕였다.

케이건은 바라기를 힘 있게 쥐어들었다. 굉음이 모든 곳을 지배했고 땅은 흐느끼듯 경련했다.

회오리가 포효하며 다가오고 있었다.

제18장

천지척사(天地擲栖)

대지를 윷판 삼아 하늘로 윷가락을 던진다.
네 개의 윷가락은 날고, 까불거리고, 부딪치고, 구른다.
도, 개, 걸, 윷, 모의 다섯 조합 중 하나가 나올 터인데,
그것은 어느 순간에 정해지는가?
물론 하늘로 던져진 순간이다. 그 순간 다섯 조합은 모두 긍정된다.
대지에 떨어졌을 때 나온 것이 무엇이든 그것은 이미 긍정된 우연 중 하나다.
그리고 윷놀이는 계속된다.

— 작자 미상 『천지척사』

활짝 열린 창문의 초대에 응한 햇살이 중요한 손님임을 자각하는 듯한 느린 발걸음으로 회담장 안으로 걸어들어오고 있다.

라수 규리하는 조금 전 탁자 끝에 머물렀던 햇살이 이제 탁자 중간쯤에 미치고 있음을 깨달았다. 시간이 제법 흐른 것이고, 라수는 그 사실에 대해 화를 내지 않았다. 시간이 지연된다 해서 그에게 해될 것은 없다. 반대로 라수가 기다리는 회담 상대에게는 막심한 도덕적 위기가 될 것이다. 지각은 간혹 사회적 지위의 과시가 될 수도 있지만 이 경우에는 전혀 그렇지 않다. 상대방은 라수가 그런 조그마한 사실로도 상대의 지위를 무시한 채 불명예의 수렁 속으로 밀어넣을—그리고, 황급히 내민 머리 위로 모욕의 진흙을 뒤집어씌울—수 있는 사람이라는 것을 잘 알고 있다. 따라서 지금 도착이 지연되는 것에 분통을 터뜨리는 것은 아직 이곳에 도달하지 못한 회담 상대 쪽일 것이다. 라수는 그 사실에 행복했다.

라수는 자신의 도덕적 승리를 보다 확고히 하기 위해 자신의 복장을 잠시 살폈다. 약간 비틀어진 소매 주위를 만지작거리던 라수는, 갑자기 울화통이 터지는 것을 느꼈다.

누군가가 말을 걸었다.

"불편하신 점이라도 있으신지요. 사도(司徒)님."

라수는 약간 놀랐다. 말을 건 사람이 볼 수 있는 것은 그의 등이며, 따라서 그의 어깨가 움직이는 것을 본 것이 아니라면 상대방은 한숨 소리를 들은 것이다. 라수는 후자의 가능성이 더 높다고 생각했다. 시모그라쥬 인들은 이제 웬만한 북부인들만큼이나 소리에 민감하다. 라수는 준비해 두지 않았던 해명을 빨리 가다듬었다.

"이 복장이 도통 마음에 들지 않는군요. 그리고 이런 복장을 하고 있어야 하는 신세 또한."

그리고 라수는 고개를 돌렸다. 나가는 어쩔까 하다가 웃음을 머금기로 했다. 별 의미가 없다는 점에서 언제나 무난한 표정이다.

"제가 보기에도 이 땅에서 그 옷은 좀 더울 것 같군요. 그런데 신세라 하심은 무슨 뜻인지요?"

라수는 그 말을 나가들이 땀 흘리는 자들에게 얼마나 익숙해졌는지에 대한 표지로 받아들이기로 했다. 그리고 그 사실에 대해 생각하며 말했다.

"괄하이드 태위(太尉)가 들으면 배를 잡고 웃겠지만 나는 노병이 된 것 같습니다. 가끔 내가 거친 식사와 불편한 잠자리, 그리고 지저분한 옷을 그리워한다는 것을 깨달으며 놀라곤 하지요."

끔찍했던 지난 전쟁을 상기시키는 말이었지만 나가는 조용히 웃었다.

"우리 모두 그때를 쉽게 잊을 수는 없겠지요."

"예. 그런데 의장님이 많이 늦으시는군요. 마케로우."

"소메로입니다."

라수는 약간 당혹한 표정으로 소메로 마케로우를 바라보았다. 소메로는 라수의 시선을 외면했다.

"죄송합니다. 제가 그것을 원하기에 제 주위 사람들은 저를 소메로라고 부릅니다."

"알겠습니다. 소메로."

라수는 마케로우 집안의 마지막 여인을 바라보며 키타타 자보로를 떠올리지 않을 수 없었다. 괄하이드의 대도에 목숨을 잃었던 키타타는 자보로로 불려지길 원했다. 라수는 소메로와 키타타의 차이가 성격의 차이인지, 그렇지 않으면 혈육을 잃은 방식의 차이인지 고민했다. 아마 둘 다일 것이다. 소메로는 겸연쩍은 얼굴로 말했다.

"이렇게 늦으실 분이 아닌데 이상하군요. 다시 사람을 보내볼까 합니다."

라수는 가볍게 묵례하며 자리에서 일어났다. 소메로는 제자리에 가만히 있었지만 라수는 그녀가 누군가에게 널렀을 거라 추측했다. 나가들은 소리에 익숙해졌지만 라수는 그들의 니름을 들을 수 없었으며, 앞으로도 그럴 날이 올지 의심스러웠다.

라수는 창가로 다가갔다. 그곳에 서 있던 세미쿼와 무핀토는 라수를 위해 옆으로 조금씩 비켰다. 창가에 선 라수는 시모그라쥬를 바라보았다.

시모그라쥬는 매혹적인 튀기였다.

고집스러운 형식주의자나 순수주의자가 아니라면—물론 고집은 그런 자들에게 세끼 식사보다 중요하다.—튀기의 아름다움이 무엇인지 잘 알 것이다. 물론 혼혈에는 안정적인 아름다움이 없다. 그 모든 부분은 불안하며 애써 형성된 균형은 다음 순간 언제나 무너진다. 하지만 그렇기에 혼혈은 어떤 순혈보다 동적인 아름다움을 가질 수 있다. 북부의 사도가 바라보는 시모그라쥬는 거의 춤추고 있었다. 라수는 코끼리가 백곰 가죽을 잔뜩 실은 채 대로 가운데를 걸어가고 있는 도시를 어떻게 표현해야 할지 알 수 없었다.

시모그라쥬는 건설과 파괴, 환호와 욕설, 고귀함과 비루함을 나누는 어떤 경계선도 허용치 않았다. 그 모든 것은 뒤섞여 끓어오르고 있었고 품위를 지키려는 어떤 시도도 이곳에서는 애처로운 몸부림으로 끝나고 말 것이다.

햇빛 찬란한 지붕 위에서는 나가 인부들이 비늘을 번득이며 망치질을 하고 있다. 그들은 훌륭한 장례식을 치른 목재들을 다룬다는 자부심으로 가득차 있었고 따라서 지붕 아래를 지나치다가 먼지 벼락을 맞게 된 레콘 행인의 투덜거림에는 신경 쓰지 않았다. 물론 그들에게는 자부심 이외에 '듣지 못했다'는 핑계도 준비되어 있을 것이다. 시장 한 편에서는 두 명의 인간과 나가 한 명이 그야말로 불꽃 튀기는 대치를 벌이고 있었다. '늙은 모친과 굶주린 자식들'에만 익숙해 있던 두 인간은 나가 상인이 내놓는 넋두리에 꽤나 당혹한 눈치였다. 나가 상인은 말라 죽어가는 나무에 대해 이야기했던 것이다. 그리고 두 인간은 '그깟 나무가 말라 죽든 말든'이라고 말해도 되는 건지 아닌지 알 수 없는 듯했다. 무지는 경외의 시작이며, 그들은 어울리지 않게도 '심려가 크시겠다'고 대답할 수밖에 없었다. 아마도 가격은 상인을 만족시키는 수준으로 결정될 것이다. 그러나 나가들의 도시에서 나가들을 손바닥 위에 놓고 가지고 노는 장사꾼들도 있었는데, 꽤나 넓은 장소를 차지한 채 그릇을 팔고 있는 레콘 보부상 같은 경우가 그러했다. 목기가 아닌 유기를 팔고 있으니 그 정도면 괜찮은 수완이다. 나가들은 적절한 장례식을 치렀음을 증명하는 제조자의 낙인이 없는 목기는 거들떠보지도 않을 것이다. 하지만 가격을 깎자는 소리를 들을 때마다 부풀어오르는 레콘의 모습은 나가 손님들로 하여금 비늘을 세우며 도망치게 하기 충분했다. 그러나 레콘의 곁에 있던, 아마도 동업자인 것으로 보이는 도깨비는 간단한 도깨비불로 도망치는 손님들의 발을 붙잡고 있었다. 묘하게 능률적인 동업자 관계다. 아마도 숙원 사업을 위한 자금 조달이 목적일 테지만, 만약 그 레콘의 평생 숙원이 당대 최고의 거상이 되는 것이라면 그 동업자 관계는 꽤 괜찮은 시작임이 분명하다. 자꾸 부풀어오르는 레콘에게 겁 먹고 도깨비가 허공에 만들어내는 기화요초에 넋이 나간 나가들은 미친 듯이 돈주머니를 풀고 있었다.

찢어지는 고함, 걸쭉한 욕설, 우마차 굴러가는 소리와 코끼리 짐 부리는 소리, 수상쩍기 짝이 없는 중개업자가 내놓은 검을 보며 그것이 정말 자신이 요구한 진품 쉬크톨인지, 그렇잖으면 다른 사기꾼들이 내놓은 것과 같은 사이커인지 고심하는 레콘의 신음이 뒤범벅되어 흐른다. 그곳에서 협잡꾼과 목청 좋은 상인, 번뇌에 빠진 구매자와 무뢰배, 내일 망해 버릴 도매업자와 건달들이 번영의 합창을 부르고 있었다. 시모그라쥬는 그 위에 쏟아지는 태양만큼이나 절절 끓고 있었다.

라수의 곁에 서 있던 세미쿼 역시 시모그라쥬의 모습에서 느끼는 바가 많은 듯했다. 그는 목소리를 조금 낮춰서 말했다.

"시모그라쥬에서 하루에 움직이는 돈이 얼마나 될지 짐작하시겠습니까? 제가 어제 들러본 주점에서 듣기로 이곳에서 금편 10만 닢짜리 부자는 부자 축에도 못 들어간다더군요."

라수는 여러 가지 생각이 동시에 머릿속에 떠오르는 것을 느꼈다. 나가들이 소리에 익숙해졌지만 역시 낮은 소리는 들을 수 없을 거라는 것, (나가들에게 니름이 있듯 소리를 사용하는 자들끼리도 비밀스러운 대화를 나눌 방법은 있다.) 시모그라쥬에 주점도 있다는 것, (나가들이 술을 마실까? 그렇잖으면 그 주점은 북부인 전용일까?) 시모그라쥬의 부는 짐작키도 어려울 정도라는 것, (역시 본격적인 관영 사업을 준비할 것.) 세미쿼가 어제 주점에 들렀다는 것 (빌어먹을 자식. 정보 수집을 핑계로 또 술 마셨나?) 등이 라수의 머릿속에 순간적으로 떠오른 생각들이었다. 세미쿼에게 확인해 볼 것은 마지막 생각뿐이었다.

"자네 술 마셨나?"

"아시잖습니까? 저 술 끊었습니다."

세미쿼는 정색을 하며 말했다. 옆에서 무핀토가 낄낄거리며 거들었다.

"예. 탁자에 가위 꽂아놓고는 한 모금도 안 마셨습니다. 지독하더군요."

라수는 세미쿼에게 미소로 감사 표시를 했다. 그리고 이제 세미쿼에게 내린 금주령을 철회해 달라고 대호왕에게 요청해도 되겠다고 생각했다. 대호왕은 세미쿼가 술에 취한 채 하늘누리에 오르다가 낙상한 이후 그런 명령을 내렸다. 그때 세미쿼가 말했다.

"사도님. 저기 좀 보십시오."

라수는 세미쿼가 가리킨 방향을 보았지만 그곳에는 지나치게 많은 사람이 있었다. 그리고 그들 중 누구도 구경거리가 되지 못할 정도로 평범한 모습을 하고 있지는 않았다. 발 앞을 지나가는 강아지에 놀라 요란하게 넘어지는 사람조차도 인파에게 정도 이상의 시선을 받지는 못했다. 라수는 세미쿼를 바라보았다.

"뭘 보라는 건가?"

"제가 보고 있는 동안 저게 세 번째로 넘어진 겁니다."

라수는 조금 전에 보았던 사람을 다시 보았다. 땅에 쓰러졌던 그 사람은 씩씩하게 일어나 또다시 달려오고 있었다. 라수는 신음을 흘렸다.

잠시 후, 데오늬 달비 대사가 회담장에 들어섰다.

라수는 자신도 모르게 대사의 무릎을 살폈다. 그 무릎은 꽤나 지저분했지만 용케 다치지는 않은 듯했다. 사람들이 말하는 데오늬 달비의 불가사의가 바로 그것이다. 소메로 마케로우에게 인사를 건넨 데오늬는 곧장 라수에게 걸어왔다. 라수는 묻는 시선을 보내었다.

"사도님! 급하게 알려드릴 것이 있어서 왔습니다. 대수호자님께서 이곳에 오십니다."

라수는 깜짝 놀랐다. 그리고 탁자 저편에 있던 소메로도 놀란 표정으로 고개를 갸웃했다.

"이곳이라니, 회담장 말인가?"

"그렇습니다. 대수호자님께서는 회담 전에 사도님을 잠시 뵙고 싶어하십니다. 고소리 의장님께서는 대수호자님을 수행하여 오시느라 늦으시는 겁니다."

라수는 낭패라고 생각했다. 지난 1년 동안 라수는 대수호자의 방문 요청을 네 번 정중하게 거절했다. 그러자 대수호자는 라수가 시모그라쥬를 방문하는 틈을 타서 전격적으로 찾아온 것이다. 걱정에 잠겨들던 라수는 문득 데오늬가 왜 사람을 보내지 않고 직접 찾아온 것인지 궁금해졌다.

"그런데 대사관에 아무도 없나? 왜 직접 온 거지?"

"이 회담장의 위치는 비밀이잖습니까? 사도님?"

"그건 나도 알아. 하지만 키보렌의 대수호자가 직접 온다면 비밀이고 뭐고 없을 텐데. 사람들이 다 알아볼 것 아닌가."

"대수호자님께서는 변복을 하고 오실 겁니다. 사도님."

"그런가? 으흠. 알았어."

데오늬는 다시 인사한 다음 대사관으로 돌아가려 했다. 그러나 그때 누군가가 회담장 안으로 빠르게 걸어 들어왔다. 들어온 나가의 모습은 회담장에 있던 사람들을 당황하게 했다. 머리에는 두건을 깊이 눌러쓰고 있었고 상하의는 북부인의 것이었다. 들어온 나가는 데오늬에게 말했다.

"어디 안 다치셨습니까, 달비 대사?"

데오늬 달비는 그 목소리를 알고 있었다. 그래서 두건 아래에서 키보렌의 대수호자의 얼굴이 나타났을 때 크게 놀라지는 않았다.

키보렌의 대수호자 키베인은 자신이 입고 있는 옷이 그렇게까지 시선을 끄는 것은 아니라고 설명했다. 이곳 시모그라쥬에서 북부인의 옷은 더위 때문에 오히려 북부인들이 입기 힘들다. 하지만 나가들은 별 무리 없이 입을 수 있으며, 이국적인 것에 대한 취미를 가진 자나 북부인들에게 편안하게 다가갈 목적을 가진 자들은 즐겨 그런 옷을 입는다. 하지만 나가들은 그들의 대수호자가 나가의 옷도 아닌 북부인의 옷을 입었으리라고는 상상도 못 할 것이다.

"그래서 훌륭한 변복이 되지요."

키베인은 재미있다는 듯이 말했다. 그리고 재미있다는 반응을 보여준 것은 떠날 때를 놓치고 그 자리에 붙잡히게 된 데오늬 달비뿐이었다. 키베인을 뒤따라온 칸비야 고소리 의장은 지각 때문에 마음이 편치 못했고 라수 또한 뜻하지 않은 대수호자의 등장에 긴장하고 있었다. 키베인은 그런 분위기를 눈치챈 듯 빠르게 말했다.

"도무지 만나주질 않으니 이렇게 무례하게 찾아올 수밖에 없군요. 라수 규리하. 시간을 많이 잡아먹지는 않겠습니다. 회담을 한 시간만 늦춰주시겠습니까?"

키베인의 말은 청유형이었지만 라수나 칸비야 모두 그것을 명령형으로 이해했다. 라수가 말했다.

"다른 사람들을 내보낼까요?"

"그러면 좋겠군요."

칸비야 고소리는 묵례한 다음 소메로 마케로우와 함께 회담장 밖으로 나갔다. 그리고 세미쿼와 무핀토, 데오늬도 그들의 뒤를 따라 나갔다. 회담장에 두 사람만이 남게 되자 키베인은 말했다.

"오래간만입니다. 미안합니다만 건강과 날씨 이야기는 대충 넘어가지요."

"지도그라쥬에서는 대수호자님의 소재에 대해 어떤 의견을 가지고 있습니까?"

"시모그라쥬로 신(新) 아라짓 사도 라수 규리하를 만나러 간 것으로 알고 있습니다. 물론 그들에게 직접 물어보면 그들은 몰랐다고 말하겠지요."

키베인의 솔직성은 라수에게도 같은 것을 요구하고 있었다. 라수는 말했다.

"대수호자님. 지금 당신은 신 아라짓과 접촉이 없을수록 유리합니다. 키보렌의 대수호자가 신 아라짓에 대해 호의를 가지고 있음이 분명해질수록 화를 내는 자들이 많아질 겁니다."

대수호자 키베인은 부드럽게 웃으며 말했다. 하지만 그것은 라수의 말에 대한 대답이 아니었다.

"전쟁이 일어날 겁니다."

라수는 한동안 침묵한 채 대수호자를 바라보았다.

가까스로 그의 입이 다시 열렸을 때 그 목소리는 미세하게 떨리고 있었다.

"내전입니까? 지도그라쥬와 시모그라쥬의?"

"내전은 내전입니다만 형태는 그렇지 않을 겁니다."

"무슨 말씀이십니까?"

"칸비야 고소리 의장은 영민한 사람입니다. 의장은 시모그라쥬의 중립성을 시모그라쥬의 무기로 바꿔놓았습니다. 아마도 향후 3대까지의 의장이 모두 금과옥조로 삼을 것이 뻔한 그녀의 방침 덕분에 지도그라쥬가 시모그라쥬를 향해 돌멩이 하나라도 던진다면 무시무시한 반향이 일어날 겁니다. 하지만 시모그라쥬를 곤경에 빠트리는 방법이 직접적인 공격만 있는 것은 아닙니다."

라수는 이해했다. 한계선 이남과 이북의 유일한 소통 장소가 된 시모그라쥬는 그 중개 이익만으로도 감당키 어려울 정도의 치부를 하고 있다. 따라서, 만약 한계선 이북에 전쟁이 일어난다면 시모그라쥬는 분명히 곤경에 빠지게 될 것이다.

"공격 목표는 신 아라짓이군요."

"그럴 가능성이 높다고 생각합니다."

라수는 분노에 떨리는 목소리로 말했다.

"지도그라쥬는 도대체 무엇을 원하는 겁니까? 그들은 키보렌의 대수호자를 데리고 있습니다. 하텐그라쥬가 사라진 지금 그들의 권위는 누구에게도 도전받지 않을 겁니다. 그런데 시모그라쥬의 머리를 눌러야 할 이유가 있습니까?"

"황금은 만능의 사다리입니다. 시모그라쥬는 너무 많은 황금을 쌓고 있습니다. 정복보다는 상업이 훨씬 확실한 돈벌이지요."

"세금을 거두십시오. 세금이라는 명목이 곤란하다면 대수호자에게 바치는 선물이나 공물이라고 하면 됩니다. 명목이야 아무래도 좋습니다. 시모그라쥬의 부를 지도그라쥬로 나눠주십시오. 시모그라쥬는 안전 보장을 위해 어느 정도의 지출을 할 수 있을 겁니다."

키베인은 고개를 가로저었다.

"아니요. 내가 시모그라쥬로부터 금편 한 닢만 받는다면 나도 당장 시모그라쥬와 똑같은 대접을 받게 될 겁니다. 대수호자의 자리에서 물러나는 거야 상관이 없지만 당신들을 위해선 내가 있는 편이 좋을 텐데요. 만약 내가 물러나고 강성 대수호자가 대두하게 된다면 전쟁은 반드시 일어날 겁니다. 그들은 하텐그라쥬의 몰락을 잊지 않았습니다. 그리고 페로그라쥬와 악타그라쥬의 일 또한 있지요."

라수는 분에 못 이겨 말했다.

"그들이 그 세 도시를 이야기한다면 저는 북부에서 사라진 도시를 서른 개라도 댈 수 있습니다."

"사도 라수. 마음의 천칭은 언제나 천칭 주인을 향해 기울게 마련입니다. 그건 아무 소용이 없습니다. 오히려 북부의 완전 정복 직전에 하텐그라쥬에 일격을 당해 전쟁을 끝내야 했으니 그들에겐 분한 기억만이 남아 있을 겁니다. 대수호자라는 지위가 종신직으로 취급되고 있는 것은 암묵적인 합의 때문입니다. 수호자의 지위가 종신직이니 대수호자 또한 그러하다는 식이지요. 하지만 그들은 필요하다면 얼마든지 그것이 종신직이 아니라고 주장할 수 있습니다. 처음부터 타협의 산물이기 때문에 그렇습니다."

라수는 아랫입술을 깨물었다.

"그렇다면 그들은 기어코 시모그라쥬를 약 올리기 위해, 단지 그런 이유로 우리를 도륙할 거란 말씀입니까?"

"그래서 나는 당신을 만나려고 했던 겁니다. 제안할 것이 하나 있습니다."

"그게 뭡니까?"

키베인은 모호하게 하늘을 가리키며 말했다.

"문제는 그들이 아직도 여신의 힘을 사용할 수 있다는 것에 있습니다. 그렇다면 문제를 해결하기 위해 어떤 수단을 사용해야 하는지는 분명하잖습니까?"

라수는 방어적인 태도로 입을 열었다. 하지만 말을 하는 대신, 라수는 다시 입을 다물고 침묵했다. 키베인은 약간 초조한 기색을 띠며 말했다.

"이해할 수 없는 일입니다. 그날, 하텐그라쥬에서의 그 끔찍했던 날 이후로 5년이 지났습니다. 하지만 아직까지도 수호자들은 여신의 힘을 자유로이 사용하고 있습니다. 당신들이 카린돌 마케로우의 몸을 가지고 있지요. 그 몸은 도대체 어떻게 된 겁니까? 그리고 거기에 깃들어 있던 여신은?"

라수는 외면하듯 고개를 돌렸다. 거리의 소음이 조금 전과 전혀 다른 느낌으로 다가왔다.

대호의 발이 힘차게 바위를 박찼다. 무너진 계곡의 틈을 이리저리 달리던 대호는 다시 힘껏 발을 굴러 낭떠러지 위로 뛰어올랐다. 계곡과 숲은 대호의 배 아래로 쑥 내려갔고 잠깐 동안 대호는 하늘을 날고 있었다. 굉장한 소리와 함께 땅에 발을 디딘 대호는 다시 숲을 가로질러 달렸다.

시모그라쥬를 떠난 지 다섯 시간, 대호는 날짐승들이나 어림할 수 있는 거리를 맹렬하게 주파하고 있었다. 마루나래라는 이름의 대호는 지난 1년 가까이 땅을 제대로 밟아본 적이 없다. 그래서 마루나래의 질주는 마치 분풀이처럼 보였다. 키보렌의 짐승들은 이 경이적인 광경에 거의 기절할 지경이었다. 마루나래가 달리는 방향을 따라 온갖 새들이 날아오르고 원숭이들이 끔찍한 불협화음을 내질렀다. 제각기 가진 재주에 따라 나무 위로, 굴 속으로, 물 속으로 뛰어들고 있으니 장관도 그런 장관이 없다.

거대한 나비 무리를 만난 마루나래는 주저없이 그 속으로 뛰어들었다. 수십만 마리의 나비들이 일제히 하늘로 날아오르는 광경은 눈(雪)을 모르는 이 땅이 상상만으로 만들어낸 폭설 같다.

거꾸로 내리는 휘황한 빛깔의 눈 속을 헤치며, 마루나래는 비행이라 표현하는 것이 어울리는 속도로 질주했다.

마루나래의 등 위에는 두 명의 나가가 앉아 있다. 한 명은 매우 어린 나가였고 마루나래의 털을 꼭 붙잡고 있었다. 하지만 어린 나가가 나가떨어지지 않는 이유는 더 큰 나가가 등 뒤에 앉아 있기 때문이다. 큰 쪽은 한 손만으로 대호의 털을 움켜쥐고 다른 손으로는 어린 나가를 감싸안고 있었다. 그 동작은 매우 능숙해보였다.

나가답게 그들은 얼굴을 때리는 바람에 구애되지 않은 채 대화를 나눌 수 있었다. 더 큰 쪽이 닐렀다.

〈조금 있으면 도착할 거야. 괜찮니?〉

〈괜찮아.〉

〈그렇게 보이지 않아. 그리미. 며칠만 기다렸으면 편안히 올 수 있었을 텐데.〉

〈며칠 후에 내가 뭘 원할지는 몰라. 하지만 오늘 나는 거기에 가길 원해. 사모.〉

사모 페이는 아이답지 않은 그리미 마케로우의 대답에 착잡한 기분을 느꼈다. 하지만 그녀가 뭔가 다른 니름을 떠올리기도 전에 목적지의 모습이 한눈에 들어왔다.

그들의 앞쪽으로 경이적인 장관이 떠올랐다.

그것은 일견 하늘을 떠받치고 있는 기둥처럼 보였다. 무서운 속도로 움직이고 가공할 위력으로 꿈틀대고 있었지만, 거기에는 든든한 기둥 같은 안정감이 있었다. 200미터를 훌쩍 넘는 거대한 회오리 바람. 5년 전에 발생한 이후로 그 바람은 한순간도 멈춘 적이 없고 다른 곳으로 이동하지도 않았다. 눈에 익은 모습이었지만 사모는 다시 가슴 한구석에 밀어닥치는 청량함을 느꼈다.

사모는 그리미를 내려다보았다.

그리미는 아무런 니름도 하지 않았다. 하지만 난생처음 보는 그 모습에 그리미가 놀란 것은 분명했다. 그것은 그리미가 가진 것 같은 지성에게도 경외감을 불러일으키는 장관이었다. 그리미가 한참 후에야 관심 없다는 투로 니른 것이 그것을 증명했다.

〈저게 그건가 보군. 못 알아볼 리는 없겠는데.〉

사모는 속으로 웃으며 대답했다.

〈그래. 다른 것과 착각할 일은 없지.〉

그리미는 결국 유혹을 이기지 못했다. 어쨌든 그녀는 다섯 살이다.

〈저기부터 가봐.〉

〈그럴까.〉

사모는 마루나래에게 개념을 전달했다. 마루나래는 탐탁지 않다는 반응을 보내어왔지만 그녀의 의도를 따라 움직였다. 회오리를 바라보느라 여념이 없었던 그리미는 서서히 느려진 마루나래의 속도를 느끼지 못했다. 회오리의 모습이 거대해질수록 그리미의 작은 몸에서 비늘이 일어났다. 마침내 마루나래가 걸음을 멈추었다. 사모는 조용히 기다렸다.

그리미가 마루나래의 정지를 깨달은 것은 그 일이 일어나고도 한참 후였다. 그리미는 고개를 돌려 사모를 바라보았다.

〈더 가까이 안 가?〉

〈더 가면 위험해.〉

그리미는 바닥의 풀을 바라보며 고개를 갸웃했다.

〈좀 더 가까이 가도 괜찮을 것 같은데. 저길 봐. 거의 몇백 미터 앞까지 풀들이 조

금도 흔들리지…….〉

〈아니. 여기서는 마루나래의 판단을 따라야 해. 그리미. 전혀 그렇게 보이지는 않겠지만, 몇 걸음 더 걸어가면 갑자기 몸이 휙 끌려갈 수도 있어. 우리의 존재 자체가 바람의 미세한 흐름에 영향을 주기 때문이야. 저 풀들은 오래전부터 균형을 이루었기에 저렇게 평온하게 있을 수 있는 거야.〉

〈내려줘.〉

마루나래는 바닥에 엎드렸다. 먼저 내려선 사모는 그리미가 땅을 디딜 수 있도록 도와주었다. 그리미는 니름 없이 회오리를 바라보았다.

사모는 어쩔 수 없이 스며드는 애수를 피하기 위해 주위로 시선을 돌렸다. 5년이 지난 지금 하텐그라쥬를 이루고 있던 대부분의 물체들은 기묘한 모양으로 변해 있었고 번식력 강한 식물들이 그 위를 그물처럼 뒤덮어 하텐그라쥬의 모습은 초록의 구릉지대처럼 보였다. 부러진 채 땅에 거꾸로 꽂혀 있는 조각품, 죽은 야수의 치열 같은 열주들, 넝쿨을 휘감은 채 고고하게 서 있는 기념탑. 하텐그라쥬의 마지막 모습은 묘하게 두억시니를 닮아 있었다. 그것은, 바꿔 니르면 아무것도 닮지 않았다는 말과 마찬가지다. 두억시니에게는 규칙이 없으므로. 하텐그라쥬는 그저 단순한 폐허가 아니었다. 그리미가 닐렀다.

〈소리 들어?〉

〈말했니?〉

〈아니. 소리 들어봐.〉

사모는 그렇게 했다. 끊이지 않는 웅웅거림이 들려왔다.

대폭포의 굉음이나 우레의 포효조차 비교되기 어려울 강력한 소리가 들려왔다. 회오리에서 흘러나오는 그 엄청난 소리는 내재된 파괴적인 힘을 유감없이 드러내고 있었다. 시모그라쥬에 주재하고 있는 데오늬 달비 대사의 중요 임무 중 하나는 그 회오리의 동향을 보고하는 것이고 그래서 사모는 그 회오리가 조금도 약화되지 않은 채 다가오는 정신나간 동물들을 가루로 만들어버리고 있다는 보고를 줄기차게 받을 수 있었다. 그리미가 닐렀다.

〈저 안에 부서진 심장탑이 있다고?〉

〈그래. 아마 지금도 남아 있을 거야.〉

〈사모가 살아 있으니까?〉

사모는 어쩔 수 없이 회오리를 바라보았다.

〈그래. 내가 살아있으니까.〉

〈아무도 저긴 들어갈 수 없겠군.〉

〈티나한이 몸에 쇠사슬을 스무 개 연결하고 도전했지만 거의 죽을 뻔한 다음 가까스로 빠져나왔지. 지금도 기억이 생생해. 그 엄청난 무게에도 불구하고 티나한은 위로 떠올랐고 스무 가닥의 쇠사슬은 당장이라도 끊어질 것처럼 불꽃을 튀기며 팽팽하게 잡아당겨졌지. 티나한이 쇠사슬을 팔뚝과 발목에 감으며 땅으로 도로 내려온 직후 쇠사슬들은 박살나며 부서졌어. 그래. 아무도 저기에 다가갈 수 없어.〉

〈그렇다면, 그 누구도 심장 파괴를 사용해서 사모를 죽일 수는 없는 것이군.〉

사모는 누가 그리미에게 그 사실을 가르쳐준 것인지 생각하지 않았다. 그리미는 스스로 깨달았을 것이다.

〈케이건 드라카는 언제나 아라짓 전사였지.〉

회오리가 3개월 동안이나 제자리를 지키고 있다는 보고를 들은 직후, 그 보고를 들은 라수 규리하는 자신의 환상벽과 대화를 나눈 다음 결론을 내렸다. 최후의 아라짓 전사 케이건 드라카는 그의 왕이 가진 유일한 약점을 봉인해 버린 것이다.

〈그 케이건 드라카라는 아저씨, 한번 만나보고 싶어. 모든 사람들이 그 아저씨에 대해 이야기하는데, 언제나 그 사람들이 평소에 보여주는 모습과는 전혀 다른 모습으로 이야기한단 니름이야.〉

〈다른 모습?〉

〈그 점잖은 괄하이드는 케이건에 대해 이야기할 때 젊은 망나니가 된 것처럼 기운차게 이야기하지. 잘난 척이 하늘을 찌르는 라수는 케이건에 대해 이야기할 때 잘 모르겠다는 투로 이야기하고. 그 정도만 해도 놀랍지만, 우수에 젖은 눈으로 이야기하던 티나한의 모습은 비늘이 빠질 정도로 충격적이었어.〉

사모는 웃음을 터뜨리고 말았다. 감상적이라는 평가에 격분해버릴 티나한이지만 케이건에 대해 이야기할 때의 그는 그런 혐의를 벗기 어려운 것이 사실이다. 그리미가 닐렀다.

〈이제, 거기로 가봐.〉

〈가까우니 걸어가도록 하지.〉

그리미는 동의했다. 사모는 마루나래에게 뒤를 따라오도록 한 다음 그리미의 보폭에 맞춰 천천히 걸어갔다.

탁자 위에 뿌려진 한 줌 햇살이 꾸준히 나뭇결을 적셨다. 키보렌의 대수호자 키베인은 탁자 위에 올려둔 자신의 팔뚝까지 번져오는 햇살을 보며 말했다.

"분명히 네 신은 다시 윷가락을 던지기로 했습니다. 그렇지요?"

"그렇습니다. 발자국 없는 여신께서 확인해 주셨습니다. 시모그라쥬의 번영 또한 그것으로 설명할 수 있습니다."

키베인은 고개를 끄덕였다.

"저도 그런 생각을 해봤습니다. 이것은 분명히 변화지요. 북부와 남부가 이런 식으로 만나 서로의 가능성을 탐구해 보는 것은. 그리고 같은 방식으로 지금 일어나려 하고 있는 전쟁 또한 설명할 수 있습니다. 전쟁 또한 변화지요."

라수는 슬픔 속에서 동의했다. 변화가 가져오는 것이 언제나 사람을 행복하게 하지는 않는다. 키베인이 말했다.

"앞으로 우리에게 다가올 것은 보수주의자와 전통주의자들의 괴로움이 될 만한 시대겠지요. 저는 변화 그 자체에는 찬성합니다. 결국 모든 것이 바뀌지 않는다면, 내일이 오늘의 단순한 확장에 불과할 뿐이라면 삶은 의미를 잃습니다. 그런 큰 찬성 속에서 저는 전쟁에도 찬성합니다. 그것은 분명 변화니까요. 하지만 그 찬성은 상대적인 것이며 저는 정체보다는 전쟁이 낫다는 의미로 말한 것입니다. 우리는 더 좋은 변화들을 고를 수 있는 능력을 발휘함으로써 고결함을 가꿀 수 있습니다. 사도. 도대체 여신의 힘은 어떻게 된 겁니까?"

"여신은 힘을 해방시켰습니다. 그 힘을 다시 거둬들이는 것은 앞으로 17년 후입니다."

키베인은 깜짝 놀랐다.

"17년이라고요?"

"그렇습니다. 앞으로 17년 동안 수호자들은 여신의 힘을 사용할 수 있습니다."

"너무 깁니다! 그건 지난 전쟁과 같은 전쟁을 네 번이라도 치를 수 있는 기간이군요. 왜 17년 후인 겁니까?"

"용서하십시오. 저는 그것에 대해 말씀드릴 권한이 없습니다. 지금 말씀드린 것도 다른 사람들에겐 절대로 말씀하시면 안 됩니다."

키베인은 손가락을 세워 탁자를 딱딱 두드렸다. 햇빛 속에서 그의 손가락을 덮은 비늘들이 반짝였다. 하지만 그늘 속에 있는 대수호자의 얼굴은 어두웠다.

"저는 17년 동안 지도그라쥬를 억제할 자신이 없습니다. 라수. 17년은커녕 17개월 후에도 지도그라쥬가 전사의 영광이 아닌 평화의 따사로움을 니르고 있다면 그것은 정녕 놀라운 일이 될 것입니다."

라수는 절망감을 느꼈다.

"그렇게 다급합니까?"

"그들이 무엇인가를 느끼고 있는지도 모르지요. 곧 여신의 힘이 자신들을 떠날지도 모른다는 불안감 말입니다. 나는 차라리 당신의 말을 그들에게 닐러주고 싶군요. 17년 후라고 니르면 그들의 다급함이 좀 수그러들지도 모르니까요. 어떻게 생각합니까?"

"그건 안 됩니다. 이 회담장을 나선 후에는 대수호자님께서도 그 사실을 잊어주셔야 합니다."

"그렇다면 당신이 제안할 것은 없습니까?"

"없습니다."

"간신히 되살아나고 있는 북부에는 나가의 또 한 번의 공세를 막아낼 힘이 없습니다."

"그럴지도 모르지요. 하지만 다시 이겨낼 수 있을지도 모르고. 대수호자님. 평등이라는 말을 아십니까?"

"안다고 믿습니다만 당신의 말을 듣고 싶군요."

"평등은 자신이 살 가치가 있다는 것을 증명할 기회가 공평하다는 뜻입니다. 그리고 그런 증명에 성공하지 못한 자까지 살려주는 것은 이미 불평등한 일입니다. 대수호자님. 신 아라짓은 자신을 증명할 것입니다. 증명하지 못한다면 사라질 뿐입니다. 그들에게 살짝 전달하십시오. 지나가는 니름처럼, 혹은 암시적으로, 그러나 분명히 알아들을 수 있게 전하십시오. 5년 전, 그들이 완전히 이겼다고 생각했을 때 라수 규리하가 어떤 일을 했는지를 상기하라고. 나, 라수 규리하는 키보렌의 심장에 작살검을 겨누었고 아무도 그것을 막지 못했습니다."

신 아라짓의 사도를 바라보던 키베인은 무거운 어조로 말했다.

"전쟁을 피할 생각이 없는 것이군요."

"아니요. 나는 피하고 싶습니다. 하지만 이미 가망성이 없는 일이라고 판명될 경우 미련을 갖지는 않을 겁니다. 그럴 시간에 차라리 나는 작살검을 준비할 겁니다."

키베인은 좌절이 묻어나는 동작으로 고개를 떨구었다. 한참 동안 그렇게 앉아 있던 키베인은 겨우 입을 열어 말했다.

"잘 알겠습니다. 제발 그들이 이성을 가지고 당신을 평가하기를 바랍니다. 고소리 의장님과의 회담 시간을 더 뺏어서는 안 되겠지요. 떠나기 전에 한 가지 말할 것이 있습니다. 주의하십시오. 대호왕에 대한 암살 계획이 있는 것 같습니다."

라수는 쓴웃음을 지었다.

"아무도 대호왕을 시해할 수는 없습니다. 최후의 아라짓 전사는 무엇보다도 강력한 방법으로 왕의 심장을 수호했습니다."

"그건 나도 잘 알고 있습니다. 하지만 직접적이고 난폭한 방법을 동원하면 심장을 적출한 나가 또한 죽일 수 있습니다. 하늘누리가 시모그라쥬를 방문한다는 소식이 전해진 직후 지도그라쥬에서 사라진 사람들이 몇 명 있습니다. 어쩌면 거칠고 조악한 방법이 동원될지도 모릅니다. 때론 정교한 계획보다 그런 임기응변 같은 계획이 더 저지하기 힘들지요."

"감사합니다. 주의하도록 하겠습니다."

대수호자는 고개를 끄덕이고 일어났다. 라수는 그를 배웅하기 위해 일어났다. 하지만 문 쪽으로 걸어가는 대신 대수호자는 잠시 제자리에 선 채 멍하니 라수를 바라보았다. 그 눈길은 피로해 보였다. 라수는 뭐라 위로하고 싶은 기분을 느꼈다. 하지만 그가 입을 열기 전 대수호자는 가볍게 말했다.

"우리는 과도기에 있고, 변화라는 것은 너무 끔찍합니다. 변화가 더 낫다는 것을 알지만 이것을 모두 포용하기는 어렵군요. 17년만 버텨보도록 합시다. 그 후에도 변화는 계속되겠지만 우리 세대가 책임져야 할 부분은 그때까지인 듯하군요."

"동감입니다. 대수호자님. 17년 후에 대수호자님을 다시 뵙고 싶습니다."

키베인은 대답 없이 미소를 보냈다. 그는 옷차림을 만지작거린 다음 주저없는 걸음으로 회담장을 나갔다.

대수호자가 밖으로 나간 다음 라수는 다시 의자에 앉았다. 말하기도 싫을 만큼 기운이 빠진 상태였고 고소리 의장과의 회담을 내일로 미루는 대안은 거부하기 힘들 정도로 매혹적이었다. 별 대단한 회담 내용이 있는 것도 아니다. 고소리 의장은 개량형 도깨비 감투가 시모그라쥬 내에서 사용되지 않기를 원했고 라수는 거기에 얼마든지 동의할 작정이었다. 도깨비 감투가 최고의 첩자를 위한 도구이리라는 것은 단견에 불과하다. 라수는 좀 서툴더라도 누군가와 대화를 할 수 있는 첩자를 더 높이 칠 것이며, 그런 맥락에서 아무와도 대화할 수 없는 도깨비 감투 착용자는 라수에게는 별로 매력적인 첩자가 아니었다. 게다가 온통 니름으로 이루어지는 나가의 대화를 엿듣는 것은 도깨비 감투를 썼건 쓰지 않았건 불가능하다. 라수는 고소리 의장에게 얼마든지 동의해 줄 작정이었다. 물론 그것은 라수만 아는 생각일 뿐이며, 회담은 아마도 건네주어도 무방한 대가를 이용하여 최대한의 이익을 얻어내는 라수의 정치적 기술이 펼쳐지는 향연장이 될 것이다. 라수는 벌써부터 진절머리가 나는 것을 느꼈다.

결국 회담은 세 시간 후에 끝났다. 라수는 막심한 피로를 느꼈지만 얻기로 작정했던 것을 거의 다 얻었기에 만족감을 느꼈다. 라수의 피로감은 얼굴에 드러날 정도였고, 그래서 세미쿼와 무핀토는 라수가 시모그라쥬 대사관에 머물지 않고 곧장 하늘누리로 돌아갈 작정이라고 말했음에도 불구하고 투덜거림을 자제했다. 세 사람은 일몰이 내리는 시모그라쥬의 외곽으로 빠져나가 정박 중인 하늘누리로 향했다.

시모그라쥬 교외에는 거대한 하늘치가 조용히 떠 있었다. 그것은 신 아라짓의 이동수도(移動首都)였으며 도깨비들의 온갖 기발한 발명품이 더해진 공중 요새이기도 한 하늘누리였다. 하늘치의 등 위에서는 상상력만으로 무엇이든 만들어낼 수 있지만, 그것은 상상한 자 본인에게만 유효하다. 세상에서 가장 강력한 노포를 상상하더라도 그 노포가 발사한 화살은 적에게 아무런 영향을 주지 않는 것이다. 하지만 도깨비들이 만들어내어 하늘치 등 위에 부착한 물건들은—비록 그 작동 원리를 도무지 이해할 수 없으며 그 외형만 보고는 무엇에 쓰이는 물건인지 짐작하기 어려울 때가 많지만—유감없이 효과를 발휘했다. 라수 규리하처럼 움직이는 계단을 상상할 능력이 없는 세미쿼와 무핀토는, 그래서 승강기에 오르며 그것을 만든 도깨비들에게 감사했다. 하지만 그들은 라수처럼 근사한 풍광을 보며 올라갈 수는 없었다.

하늘치 유적을 사용하는 능력에서 타의 추종을 불허하는 라수는 상상력의 일부만으로도 간단히 자동 계단을 만들어낼 수 있었다. 그는 자신의 상상에 의해 만들어진 계단에 몸을 실은 채 발아래로 서서히 낮아지는 시모그라쥬와 도시를 둘러싼 숲과 늪지를 물끄러미 바라보았다. 땅에서는 일몰이 완료되었지만 하늘로 올라감에 따라 라수는 다시 떠오르는 태양을 볼 수 있었다. 햇빛 속에서 어두운 땅을 내려다보는 것은 라수에게 묘한 슬픔을 느끼게 했다. 키베인의 고발은, 라수가 이미 알고 있던 사실의 확인에 불과했다.

환상벽과 나눈 대화에 의해 라수는 이미 지도그라쥬의 동향을 어느 정도 파악하고 있었다. 전쟁 재발 시점까지 명확하게 예측하는 것은 불가능했지만 라수는 그것이 머지 않았으리라 생각하고 있었다. 키베인이 내어놓은 17개월이라는 말은 그를 좀 놀라게 했지만 그 놀람도 예상치 못한 수준은 아니었다. 이미 1년 전부터 라수의 명령을 받은 자들이 북부 곳곳의 비밀 장소에 하늘누리의 보급소를 건설하고 있었고 또한 티나한의 하늘치 유적 발굴단은 라수의 요청에 따라 두 번째, 세 번째 하늘누리가 될 수 있는 후보 하늘치를 고르고 다녔다. 시모그라쥬에 도착하기 직전 라수는 티나한으로부터 괜찮은 하늘치를 발견했음을 보고받았다. 그가 그토록 키베인을 피했던 것은 키베인에게 행동할 기회를 주기 위해서였다. 라수는 한계선 이남에서 거의 유일하게 신 아라짓에 호의를 가지고 있는 유력자가, 생각하는 협조자가 아닌 행동하는 협조자로 바뀌길 원하고 있었다.

그리고 그 모든 사실은 라수를 슬프게 했다. 라수는 자신을 추슬렀다.

'17년만 버티자. 그때까지도 살아 있다면, 웃으며 하인샤 대사원에 들어가서 죽을 때까지 나오지 말자. 견디기 힘든 일들이 많이 있겠지만, 앞으로 17년만 버티면 된다.'

그리고 하늘치의 등 위에 도달한 라수는 첫 번째 고난이 기다리고 있음을 알게 되었다. 라수의 질문을 받고 대호왕의 위치를 보고한 병사는 라수의 얼굴이 확 바뀌는 모습에 겁을 먹었다. 라수는 자신을 억누르려 애쓰면서 다시 확인했다.

"폐하께서 어디로 가셨다고?"

"그리미가 뇌룡공을 보고 싶다고 졸라서……, 직접 마루나래에 태우고 그곳으로 가셨습니다. 사도님."

라수는 머리 끝이 쭈뼛 서는 것을 느끼며 천경유수(天京留守)에게 달려갔다. 천경유수는 하늘누리를 안전 속도 이상의 속도로 움직이라는 라수의 명령에 당황했다. 정도 이상의 속도를 내더라도 하늘치에게는 별 무리가 없지만 그 위에 건설된 각종 구조물들은 치명적인 타격을 받을 수도 있다. 현명한 사람이었던 천경유수는 하늘누리를 안전 속도로 움직이는 대신 딱정벌레들을 출동시키는 것이 어떠냐고 제안했다. 라수는 자신이 그 생각을 떠올리지 못했다는 사실에 놀라워하며 그 제안을 수락했다.

하늘누리로부터 서른 마리의 딱정벌레가 도깨비와 아라짓 전사들을 싣고 날아올랐다. 그들의 목표는 하텐그라쥬였다.

그리미 마케로우는 아스화리탈과 륜 페이를 물끄러미 바라보았다.

사정을 잘 알지 못하는 자에게, 그리고 관찰력이 부족한 자에게 그것은 크고 작은 두 그루의 나무처럼 보일 것이다. 그리미가 처음 받은 인상도 그런 것이었다. 세상에 짝을 찾아볼 수 없는 거대한 나무와, 거목의 발치에서 보호를 받듯 조용히 피어 있는 어린 나무. 하지만 아무리 관찰력이 부족한 자라도 10초 이상 바라본다면 그 나무들의 모습이 정말로 희한한 것임을 알 수 있을 것이다.

사모는 거대한 나무 쪽을 바라보며 닐렀다.

〈그날, 그 회오리 속에서 아스화리탈이 정확하게 무슨 일을 했는지는 알 수 없어. 라수 규리하도 짐작하지 못해. 하지만 우리가 돌아왔을 때 아스화리탈은 거의 부서진 조각 같은 모습이 된 채 서 있었어. 그리고 그 발 아래에는 륜이 아무런 피해도 받지 않은 모습으로 누워 있었지. 그리고 1년이 지났을 때 데오늬 달비는 상당히 어려워하는 투로 그들이 나무로 변하고 있다고 보고해 왔지.〉

아스화리탈의 모습은 나무로 변한 용 그 자체였다.

번개를 흩뿌리며 하늘을 불사르던 세 장의 날개는 위로 펼쳐져 거대한 나뭇가지가 되었다. 함수초 잎사귀처럼 하늘거리던 날개 가닥들에서는 가지가 돋아나와 잎사귀가 맺혔고, 그래서 그 모습은 잎에서 가지가 돋아나온 양 신비하게 보였다. 가슴과 머리 부분은 그 가지들에 가려 제대로 보이지 않았다. 하체는 그럭저럭 볼 수 있었지만 그 부분에 집중해서는 그것이 용의 하체임을 짐작할 방도는 거의 없었다. 무성한 잎과 넝쿨들이 뒤엉켜 하체를 감싸고 있기 때문이다. 조금 떨어져서 보앞을 때만이 그 전체적인 형태에서 어떤 상상이 가능할 뿐이다. 하지만 아무리 떨어져서 보더라도 거목의 주위에 돋아있는 관목 같은 나무들이 원래 아스화리탈의 다섯 꼬리였음을 짐작하기는 어려울 것이다. 아스화리탈의 모습을 생생히 기억하는 사모 페이도 그 나무들이 원래 아스화리탈의 일부분이었음을 깨닫기는 어려웠다.

아스화리탈의 본체였던 거목과 그 꼬리였던 관목들은 초승달처럼 둥그스름하게 배치되어 있었다. 그리고 그 초승달의 가운데 부분은 잔디 같은 풀이 빈틈없이 돋아 있는 공터였다. 그 공터 한가운데 조그마한 나무가 돋아 있었다.

〈가까이 가면 안 된다고?〉

〈그래. 어떻게 된 일인지는 아무도 모르지만 저 원 안쪽에 들어서면 당장 타죽고 말아.〉

〈아스화리탈이 뇌룡공을 보호하고 있는 것이군.〉

사모는 목이 메는 느낌에 참을 수 없었다. 하지만 그녀는 류 페이의 모습에서 고개를 돌리지 않았다.

공터 가운데 고요히 피어 있는 어린 나무는, 자세히 바라보면 도저히 나무라 할 수 없음을 알 수 있을 것이다. 그 꼿꼿하고 가느다란 줄기는 쇠로 이루어져 있었다. 그것은 원래 작살검이었다. 하지만 그 쇠칼날과 손잡이에서는 분명히 식물의 것인 가지들이 조심스럽게 돋아 있었다. 가지 끝에 매달린 잎사귀들은 묘하게 금속의 질감을 띠고 있었다.

그리고 그 뿌리 부분에는 류 페이가 누워 있었다.

빈틈없이 돋아난 잔디와 굵은 뿌리들이 뒤덮고 있었기에 류 페이의 모습은 거의 알아볼 수 없었다. 풀과 뿌리 사이로 조금씩 보이는 비늘들이 아니었다면 그것은 그저 나가 크기의 둔덕처럼 보였을 것이다. 사모는 이곳에 올 때마다 느꼈던 충동을 또다시 느꼈다. 그녀는 공터에 뛰어들어 류을 만지고 싶었다. 하지만 아스화리탈은 어떤 접근도 허용치 않았다.

그때 해가 졌다. 빠르게 다가오는 저녁 어둠을 바라보던 사모는 다시 아스화리탈을 바라보았다. 그리미 역시 말로만, 혹은 니름으로만 듣던 일을 기다리며 아스화리탈을 바라보았다.

거목이 빛나기 시작했다.

햇빛도, 달빛도, 촛불이나 횃불의 빛도 아닌 기이한 빛들이 잎사귀 사이에서 아롱졌다. 그 빛깔의 다양함은 이루 니를 수 없을 정도였고, 따라서 그 모습을 보며 무수히 많은 보석들이 과일처럼 매달린 광경을 연상하는 것은 간단한 일이었다. 하지만 가장 눈이 좋은 레콘이 확인한 사실에 의하면 그곳에는 보석이 아닌 빛만 존재했다. 사모는 그 빛들이 안개 속에서 보는 등롱과 비슷하며 어두워질수록 점점 더 밝아지지만 결코 눈이 아플 정도로 밝아지는 일은 없음을 알고 있었다. 그리고 밤이 깊어지면 그 빛들이 낙엽처럼 부드럽게 떨어져 공터에 쌓인다는 것도 알고 있었다. 새벽이 찾아올 때까지 꼼짝하지 않고 륜을 바라본 어느 날 밤 사모는 그 모습을 볼 수 있다.

사모는 마루나래의 등에 실었던 모피를 내리고는 닐렀다.

〈마루나래. 가서 더 달리고 사냥이라도 하렴. 하늘누리는 며칠 뒤에 이곳에 우리를 데리러 올 거야. 그때까지만 돌아오면 돼.〉

마루나래는 지체 없이 숲 속으로 달려갔다. 사모는 모피를 허리에 낀 채 그리미에게 다가갔다.

〈좋은 장소를 알고 있어. 그리미. 따라오렴.〉

그리미는 대호왕을 따라 걸어갔다. 사모는 이곳에서 밤을 보낼 때마다 사용하는 자리에 이르렀다. 밤바람을 별로 타지 않으며 이슬도 피할 수 있는 자리였다. 바닥에 모피를 깐 사모는 그리미를 그 위에 앉혔다. 그리미는 모피 위에 엎드려 두 손으로 턱을 괴었다. 사모는 그리미의 곁에 앉아 쉬크톨을 풀었다. 그리고 그녀들은 아무런 니름도 나누지 않은 채 아스화리탈과 륜을 바라보았다.

밤이 깊어갔다.

아스화리탈에서 빛들이 소르륵 떨어져내리기 시작했다. 사모는 그 모습을 물끄러미 바라보다가 고개를 돌려 그리미를 바라보았다. 그리미는 이미 엎드린 채 잠들어 있었다. 사모는 그 모습을 보며 미소를 지었다.

잠들어 있을 때는 그리미도 여신의 딸이 아닌 나가의 평범한 딸처럼 보인다.

그리미 마케로우는 카린돌 마케로우와 스바치의 딸이다. 하지만 그리미 마케로 우가 알에서 나와서 만난 어머니는 발자국 없는 여신이었다. 시우쇠는 어르신이 되었고 아기는 평범한 레콘의 어린 소녀로 자라났다. 하지만 발자국 없는 여신은 화신으로 남아 한 소녀의 어머니가 되었다. 그리미가 스물두 살이 될 때까지 여신 은 그리미를 보호하기로 했다. 평범한 어머니가 되기 위해 여신은 자신의 힘을 회 수하지 않았고 그래서 수호자들은 어리둥절해하면서도 여전히 여신의 힘을 사용 할 수 있었다. 그런 무단 도용은 앞으로 17년 동안 계속될 것이다.

사람들은 모두 여신의 결정에 대해 의아해했지만 왜 그런 결정을 내렸는지에 대 해 여신이 대답한 것은 단 한 번뿐이었다. 언젠가 그녀는 지나가는 니름처럼 대호 왕에게 닐렀다.

〈스물두 살이 되면, 물론 열두 살만 되어도 그렇게 생각하겠지만, 그리미에겐 더 이상 어머니가 필요 없겠지. 혹은 그때가 되면 카린돌이 제정신을 찾을 수 있을지 도 모르지.〉

사모가 들을 수 있던 설명은 그것뿐이었고 그 외에 여신이 다른 설명을 한 적은 없었다. 그리고 사람들은 그리미가 그토록 긴 보호를 필요로 하는 소녀인지에 대 해서는 이견이 별로 없었다. 그 어머니가 화신이었기에 그런 것인지 모르지만 그 리미는 어릴 때부터 초능력에 가까운 현명함을 보였다. 다른 모든 천재성과 마찬 가지로 그리미의 그것은 바라보는 이들로 하여금 안쓰러움을 느끼게 하는 천재성 이었다. 너무나 조숙하고 현명하지만, 경험의 뒷받침을 받지 못했기에 그리미는 언제나 불안한 모습을 보였다. 사모가 그리미를 가질 수 없었던 자식으로 여기고 있는 자신을 깨달은 것은 그리미가 두 살 되던 해였다. 그해에 그리미는 완벽한 니 름과 말을 구사할 수 있었고 사람들을 가장 조마조마하게 만들었다. 두 살짜리에 게 어떤 경험이 있겠는가? 그리미의 복장이나 모습은 세심한 관심에 의해 언제나 완벽했지만 그 정신 세계는 나이차가 너무 큰 손윗형제의 옷을 물려받아 소매와

바짓단을 끌고 다니는 소녀 같았다. 다섯 살이 된 지금 이제는 그런 모습이 많이 사라졌지만 사모는 여전히 안쓰러움을 느끼지 않고서는 그리미를 보기 힘들었다. 사모는 자신이 그리미를 의존적으로 만들지도 모른다는 위험을 느끼며 애써 공터로 시선을 옮겼다.

아스화리탈에서 떨어지는 광점들이 공터를 다채로운 빛깔로 물들였다.

부드럽게 떨어지는 광점 때문에 공터에서는 끊임없이 무엇인가가 움직이는 것처럼 보였다. 과거 사모는 류이 일어나려는 것인 줄 착각하고는 수도 없이 공터에 뛰어들려 했다. 그때마다 열성적인 저지가 있었기에 사모는 가까스로 살아남았다. 사모 페이가 홀로 공터를 방문하는 것을 사람들이 허락하게 된 것은 몇 개월 전의 일이었다.

하지만 자신이 많이 냉정해졌다고 믿는 지금도 사모는 당장이라도 류이 고개를 들어 미소를 보내어올 것 같은 느낌을 떨쳐내지 못했다.

새벽이 다가올 때 사모는 마침내 더 이상 자신을 억제할 수 없다는 느낌을 받았다. 사모는 발자국 없는 여신께 맹세코 분명히 무엇인가가 움직이고 있다는 느낌을 받았다. 냉철한 이성에 의해 사모는 자신이 환상을 보고 있다는 판단을 내렸지만, 그 느낌은 너무도 뚜렷했다. 사모는 억지로 잠든 그리미를 내려다보며 자신을 억눌렀다. 하지만 정신을 차려보면 어느샌가 사모는 공터 쪽을 멍하니 바라보며 엉거주춤 일어나 있었다. 사모는 비명을 지르고 싶었다. 류의 이름을 니르고 싶었다. 그리고 사모는 그런 일을 저지르면 자신이 더 이상 견딜 수 없으리라는 것을 알았다.

발 앞에 화살이 박혔을 때 사모는 공터를 향해 세 걸음째 걷고 있었다.

사모는 흠칫하며 허리로 손을 가져갔다. 손에 잡히는 것은 아무것도 없었고 뒤를 돌아본 사모는 자신이 무의식중에 모피를 떠나왔음을 알게 되었다. 사모는 뒤로 돌아 몸을 날렸다. 쉬크톨을 움켜쥔 사모는 긴장과 공포 속에서 조금 전 자신이 서 있던 땅을 바라보았다. 그 땅에는 화살이 박혀 있었다.

그리고 화살에는 도깨비지가 묶여 있었다.

사모는 혼란 속에서 그 화살을 바라보았다. 그녀의 눈에 그 화살은 거의 초현실적인 물체처럼 보였다. 전혀 예상하지 못한 물건이기 때문이다. 간신히 그것이 보통의 화살이며, 그 도깨비지에는 아마도 읽을 수 있는 내용이 적혀 있을 거라는 사실을 사모가 깨달은 것은 한참 후였다. 사모는 그리미를 다시 한번 돌아본 다음 조심스럽게 화살을 향해 움직였다.

갑자기 자신이 지나치게 노출되어 있다는 느낌이 그녀를 엄습했다. 사모는 주위를 조심스럽게 살폈지만 모피가 깔려 있는 자리보다 더 좋은 피신처는 없었다.

사모는 화살을 움켜쥐자마자 다시 황급히 잠자리로 돌아왔다.

서두르던 사모는 화살촉에 손을 다칠 뻔하면서 겨우 도깨비지를 풀어내었다. 사모는 조심스럽게 그것을 펼쳤다. 물론 아무것도 보이지 않았다. 그녀에겐 불이 없었고 아무리 나가의 눈이라도 밤의 어둠 속에서 도깨비지에 씌어 있는 글을 읽을 능력은 없었다. 잠깐 고민하던 사모는 그것이 도깨비지라는 사실에서 해결책을 떠올렸다. 사모는 도깨비지를 펼쳐 눈높이로 들어올린 다음 공터쪽을 향했다.

그녀의 예상대로였다. 양피지라면 거의 불가능했겠지만 도깨비지는 공터의 빛을 투과시켰다. 하지만 글자가 적힌 부분에서는 빛이 투과되지 못했다. 사모는 글자가 뒤집힌 것을 깨닫고는 도깨비지를 다시 뒤집어 들었다. 그러자 그럭저럭 읽을 수 있는 글이 떠올랐다.

대호왕 사모 페이. 지도그라쥬의 얼간이들은 실로 얼간이 같은 암살 계획을 꾸몄지만, 그래도 도구를 보는 감식안은 가지고 있는 듯하오. 그들이 도구로 선택한 것은 쥬어 센이라 불리는 남자요. 꽤 좋은 수완과 놀라운 운을 가진 자로 알려져 있지. 하지만 그 수완이나 운도 오늘로 끝날 거요. 그 자리에서 꼼짝도 하지 마시오. 내가 그들을 데리고 사라지겠소. 그 자리에 가만히 있어주기만 한다면 당신과 그리미는 그들이 볼 수 없는 내일의 일출을 볼 수 있을 거요.

사모는 어안이 벙벙한 심정으로 그 글자들을 다시 읽었다. 하지만 글자들은 바

꿔지 않았다. 그리고 존재하지 않던 서명이 떠오르지도 않았다. 사모는 문득 자신이 쓸데없는 일에 시간을 낭비하고 있음을 깨달았다. 사모는 도깨비지를 조심스럽게 접어 품속에 넣은 다음 쉬크톨을 뽑아들었다. 한자리에 가만히 있으라는 내용은 어쩌면 목표물을 제자리에 고정시켜두고 싶은 궁사의 소망일 수도 있지만 사모는 그 가능성을 곧 포기했다. 지난밤 내내 사모와 그리미는 한자리에 가만히 있었다. 사모는 그 서신의 발신인이 분명히 조력자일 거라고 믿기로 했다.

하지만 불안이 완전히 해소되기는 어려웠다. 사모는 기나긴 밤이 될 것임을 각오했다.

그녀의 예상대로 그 밤은 끔찍하게 길었다.

사모의 몸 곳곳이 긴장 때문에 발생한 통증을 호소해 왔고 쉬크톨을 움켜쥔 손은 저려서 감각이 없을 지경이었다. 그래서 사모는 수시로 쉬크톨을 놓고 손을 주물러야 했다. 그런 와중에 사모는 몇 번이나 그리미를 내려다보았지만 그리미는 한 번 뒤채지도 않은 채 잘 잤다. 사모는 두 사람 중 한 사람이라도 불안하지 않으니 다행이라고 생각했지만, 몇 번이나 그리미를 깨워 자신의 불안을 나누고 싶다는 충동을 느꼈다. 그리미는 단순한 소녀가 아니라 함께 불안을 나눌 만큼 충분히 조숙한 아이였다. 하지만 사모는 끝내 그리미를 깨우지 않았다.

영원히 새벽이 오지 않을 것 같은 그 밤은 꽤나 소란스러운 방법으로 끝나게 되었다.

사모는 환상을 보고 있다는 느낌을 받았다. 하지만 그녀를 향해 다가오는 덩치 큰 도깨비들과 아라짓 전사들의 모습은 충분히 사실적이었다. 예순 명이나 되는 도깨비와 인간들이 일으키는 왁자지껄함 속에서 사모는 그들의 말을 거의 이해하지 못했다. 그녀가 할 수 있었던 말은 하나뿐이었다.

"졸립군. 하늘누리로 돌아가자. 나는 쉬어야겠어."

왕의 상태를 이해한 전사들은 곧 침묵하며 대호왕을 옮길 준비를 했다. 사모 페이와 그리미 마케로우를 대신하여 두 명의 전사들이 그 자리에 남았다. 사모는 간신히 그들에게 마루나래가 돌아올 거라고 말할 수 있었다. 그리고 딱정벌레들의 비행이 시작되었다. 사모는 밤하늘을 날아가는 자신을 제대로 느끼지 못했다. 하늘누리에 도착했을 때 사모는 곧장 잠이 들었다.

잠에서 깬 사모는 자신이 하늘누리의 궁전 침실에 누워 있음을 알게 되었다. 사모는 침대 옆을 보았다. 그곳에서는 라수가 초췌한 모습으로 가만히 그녀를 내려다보고 있었다. 사모는 다시 똑바로 누우며 말했다.

"그리미는?"

"안전합니다. 지금 사람들에게 뇌룡공과 대화했다고 주장하는 것을 제외하면 별 이상은 없습니다."

사모는 어리둥절하여 라수를 바라보았다. 라수는 희미하게 웃었다.

"꿈속에서 그랬다고 하더군요."

라수는 그것이 별 의미 없는 꿈일 거라 생각하는 듯했다. 하지만 사모는 죽은 듯이 잠들었던 그리미를 떠올리고는 좀 다른 생각을 했다. 그녀는 곧 그리미와 대화를 해봐야겠다고 생각하며 말했다.

"암살자는?"

"한 명도 잡히지 않았습니다. 곤란하게 되었지요. 증인을 제시할 수 없으니까요. 서신을 보낸 자의 흔적 또한 찾을 수 없었습니다."

"서신을 보았군."

"예. 여러 번 읽어봤지만 누구인지 도무지 짐작할 수가 없군요. 그럼, 쉬도록 하십시오."

그리고 라수는 자리에서 일어나려 했다. 그때 사모가 말했다.

"잠깐만 더 있어주겠어?"

라수는 물끄러미 사모를 내려다보다가 다시 자리에 앉았다. 사모는 태양이 침실 벽에 그린 사각형을 바라보다가 말했다.

"이게 변화의 대가로군. 끝없이 계속되겠지?"

"그렇습니다."

"증오와 반목이 영원할 거라는 저주처럼 들리는군. 어떤 한 종족이 멸망할 때까지 계속되는 것은 아닐까? 어쩌면 단 하나의 종족만이 승리자가 되어 세계를 지배하게 될 때까지?"

"그럴 리는 없습니다. 빛이 탄로났으니까요."

"그렇군."

사모 페이는 알고 있었다. 라수는 언젠가 환상벽에서 읽은 그 충격적인 내용을 그녀에게 말해 주었다.

도깨비와 레콘, 나가, 인간은 두억시니를 남겨놓고 빛이 되어버렸던 첫 번째 종족처럼 완전해질 수 없다. 네 신 중 한 명이라도 자신의 소임을 다할 수 없게 되면 더 이상 윷가락은 던져지지 않는다는 것이 확인된 이상, 다른 세 종족을 포기하지 않고서는 어떤 종족도 완전성을 획득할 수 없다. 만약 네 종족 중 한 종족이 완전성을 획득하면 다른 종족은 변화 없는 정체에 빠져버리게 되므로.

"우리 네 종족은 모두 동시에 완전성을 얻어야 합니다. 한 종족이라도 그렇게 되지 못한다면 우리는 그 종족이 준비가 될 때까지 끝없이 기다려야 합니다. 그 기다림은 고통스러울 수도 있겠지만, 저는 되도록 그것이 즐거움이길 바랍니다."

"언제쯤 그렇게 될 수 있을까."

"수천 년? 수백만 년? 수십억 년?"

사모는 그 장대한 시간보다 그 말이 옳다는 사실에 더 큰 현기증을 느꼈다. 사모는 속삭이듯 말했다.

"길고 긴 기다림이겠군."

"첫 번째 종족은 그래서 하늘치 유적이 너무 빨리 발견되지 않기를 바랐지요. 우리가 지나치게 오래 기다리게 되는 것을 원하지 않았습니다. 그래서 그들은 그들만이 이해할 수 있는 방법에 의해 딱정벌레가 하늘치 주변으로 다가오지 못하도록 했습니다. 최소한, 딱정벌레를 이용하지 않고도 사람들이 하늘치의 등에 오를 수 있게 될 때까지 말입니다. 하지만 저 용맹한 티나한과 그의 동료들은 너무 빨리 진실을 드러내었지요. 뭐, 탓할 수야 없습니다만."

그리고 라수는 곧 발발할 전쟁에 대해 이야기하려 했다. 하지만 사모의 안색을 살핀 라수는 그것을 좀 천천히 이야기해야겠다고 판단하고는 그 이야기를 도로 삼켰다.

사모가 낮은 목소리로 말했다.

"짐이 믿고 싶은 누군가가 언젠가 짐에게 농담처럼 조언하더군. 자기 완성을 위해 살아가는 자를 조심하라고. 하지만 우리는 언젠가 다가올 완전성을 기다리고 있어. 우리 당대에는 절대로 볼 일이 없는 그것을. 이 시점에서, 짐은 그 조언이 무슨 뜻인지 모르겠군. 혹 그대는 짐작되나?"

"자기 완성을 위해 살아가는 자를 조심하라고요?"

"그래."

잠깐 생각하던 라수는 곧 쏟아내듯이 말했다.

"예. 그런 말이 있지요. 폐하. 근사하게 들리는 말입니다만, 그 말에는 함정이 있습니다. 자기 완성을 위해 살아간다고 말하는 순간 그자는 자기 부정에 빠지게 됩니다. 무엇인가를 완성하려면, 그것은 아직 완성되지 못한 것이어야 하니까요. 자기 완성을 위해 살아간다고 말하는 순간 그자의 인생은 완성되지 못한 것, 부족한 것, 불결한 것, 경멸할 만한 것으로 전락됩니다. 이 멋지고 신성한 생이 원칙적으로 죄를 가진 것이라는 판결을 받게 되는 거지요. 그리고 그자는 다른 사람의 인생마저도 그런 식으로 보게 됩니다. 자기 인생을 뭐라고 생각하건 그건 그 작자의 자유입니다만, 다른 사람의 인생까지 그렇게 보면 문제가 좀 있지요. 누가 그런 말을 했습니까?"

"어떤 두억시니였어."

라수는 폭소를 터뜨렸다. 사모는 약간 놀란 표정으로 라수를 바라보았다.

"감동적이군요. 두억시니가?"

"그게 왜 감동적이지?"

"5년 전까지 우리는 흔히들 두억시니가 죄의 대가로 그런 모습을 가지게 되었다고 믿고 있었지요. 신을 잃은 죄 때문에. 그런데 그 두억시니 중 한 명이 생은 원래

무죄이기에 완성하려, 속죄하려 애쓸 필요가 없다는 식으로 말했다는 것이군요. 감탄할 수밖에 없는데요. 그 두억시니는 우리에게 닥쳐올 변화에 대비하라고 말한 겁니다."

라수는 고개를 한 번 끄덕인 다음 계속 말했다.

"우리가 기다리는 완전성은, 물론 저는 그것이 무엇일지 짐작하기도 어렵습니다만, 최소한 불완전성의 반대 개념이 아닙니다. 자기 완성을 위해 살아간다고 말하는 작자들이 말하는 완전성과는 전혀 다른 것일 겁니다. 그런 자들이 말하는 완전성은 고정이고 정체입니다. 하지만 우리가 기다리는 그 완전성은 어쩌면 무수한, 끝없는 변화일지도 모릅니다."

"변화하는 완전성이라니, 기묘하게 들리는데."

"예. 저 자신에게도 그렇게 들립니다. 물론 제 말은 가설일 뿐이고 우리가 첫 번째 종족처럼 되기 전까지는 가설로 남아 있을 겁니다. 하지만 그것이 무엇일지 짐작하기 어렵더라도, 이제부터 우리에게 다가올 변화를 무서워하고 두려워할 필요는 없습니다. 더 이상의 변화를 감당할 수 없어서 자기 완성을 부르짖는 사람처럼 될 필요는 없습니다. 변화는 항상 기쁜 것만은 아닙니다. 때론 많은 눈물을 흘리게 합니다. 하지만 우리에겐 왕이 있습니다."

"눈물을 마시는 새……."

라수는 고개를 끄덕였다. 문득 라수는 자신이 쓸데없이 현학적인 이야기로 피곤한 왕을 괴롭히고 있음을 깨달았다. 라수는 사과하며 물러날 것을 허락해 주길 부탁했다. 사모는 허락했다. 문쪽으로 걸어가던 라수는 갑자기 생각난 것처럼 말했다.

"저, 그런데 폐하. 괜찮으시다면 한 가지만 더 말씀드리고 싶군요."

"그렇게 해."

라수는 빨리 말을 끝내기 위해 제자리에 선 채 말했다.

"하텐그라쥬 공략전에 참가했던 병사들 중 불면증을 호소하는 병사들이 많다는 보고를 드린 적이 있습니다. 기억하시는지요?"

"알고 있어. 그대는 귀하츠 신뷰레와 같은 현상일 거라고 했었지. 끔찍한 기억을 견디지 못하는 거라고."

"예. 그렇게 생각했습니다. 그런데 그들에 대해 조사하던 중 예상치 못했던 결과를 얻었습니다. 많은 병사들이 악몽과는 전혀 상관없는 문제라고 주장했습니다. 그냥 잠이 오지 않는다고 말했지요. 저는 그들에 대해 다각도로 조사해 봤습니다. 그리고 폐하께서 잠들어 계시는 동안 흥미로운 조사 결과가 나왔습니다. 불면증을 호소하는 병사들 모두가 전쟁 동안 특별한 식사를 한 적이 있습니다."

"특별한 식사?"

라수는 조심스럽게 말했다.

"아시겠지요. 하텐그라쥬로 진격하던 북부군은 거의 군량을 가지고 있지 않았습니다. 대부분은 현지에서 조달했지요. 혹은 쓰러뜨린 적에게서."

사모는 비늘이 서는 것을 느꼈다. 라수는 대호왕이 그의 말을 이해했음을 깨닫고는 빠르게 말했다.

"어쩌면 이 또한 쓸모없는 가설일지도 모릅니다. 하지만 저는 환상벽과 대화를 해보았고, 소드락을 복용한 나가를 먹은 자들이 일종의 항진 상태를 경험하고 있는 것일지도 모른다고 생각했습니다. 몸이 피로하지 않으니 잠이 오지 않는다는 거지요. 저는 그 가설에 입각하여 다른 가설을 얻어보았습니다. 제가 환상벽과 더불어 하는 일이 대개 그런 것이지요."

사모는 라수가 암시하고 있는 것을 깨달았다. 그녀는 다급하게 질문했다.

"결론은?"

"150년 이상 장복할 경우 특별한 효과가 나타날지도 모른다는 결론을 얻었습니다. 물론 실험할 수는 없습니다. 그렇게 오래 사는 사람은 없으니까요. 그리고 실험 내용 자체도 극단적인 상황이 아닌 이상 실행할 수 없는 것이고."

사모는 놀라 입을 벌렸다. 라수는 어떻게 말을 끝맺을까 고민하다가, 결국 아무 말도 못한 채 그저 고개만 숙여보인 다음 왕의 침실에서 나갔다.

일출은 바위에 별다른 영향을 끼치지 못했다. 까마득한 바위는 서쪽을 향하고 있기 때문이다. 그래서 바위는 다가오는 일출을 무시한 채 저물어가는 밤을 바라보고 있는 듯했다.

　바위의 표면에는 무수히 많은 글자가 새겨져 있었다. 많은 글자들이 훼손되어 내용을 알아보기 힘들었지만 문자의 침식이 위풍당당함의 침식으로까지 이어지지는 않았다. 밤을 바라보는 카시다 암각문은 여전히 고집스럽고 장려해 보였다.

　밤에서 걸어나오듯 서쪽에서 다가오는 여행자가 있었다.

　여행자는 보다 사막에 어울릴 것 같은 복장을 하고 있었다. 걸치고 있는 옷은 사막에서 방풍복이라 불리는 옷이었고 머리에는 커다란 두건을 덮어쓰고 있었다. 그래서 밤의 어둠이 아니라도 여행자의 얼굴을 살펴보는 것은 거의 불가능할 듯했다. 긴 거리를 걸어온 듯 여행자의 옷에는 흙먼지가 가득했다. 하지만 여행자의 발걸음은 규칙적이었다. 걷는 것에는 상당한 경력이 있는 듯하다. 카시다 암각문은 무관심한 관심으로 여행자를 바라보았다. 여행자는 카시다 암각문이 새겨진 바위 앞에서 걸음을 멈추었다. 여행자는 그곳에서 잠시 다리를 쉴 작정인 듯했다. 이리저리 주위를 둘러보던 여행자는 곧 마음을 정한 듯 암각문 아래에 떨어져 있는 바위를 골랐다. 여행자는 바위 위에 걸터앉았다. 하지만 두건은 그대로였고 신발을 벗지도 않았다. 여행자는 잠깐 동안만 쉴 작정인 듯했다.

　여행자는 갑자기 생각난 것처럼 품속을 뒤적거렸다. 잠시 후 여행자의 손에 대금이 한 자루 들려졌다. 여행자는 그것을 두건 아래로 가져갔다.

　청아한 소리가 울려퍼졌다.

　여행자는 노래 한 곡조가 끝날 때까지 쉴 모양이다. 대금 연주는 썩 훌륭했다. 그때 굼실 넘어온 햇살이 암각문이 새겨진 바위 위로 흘러내렸다. 여행자는 대금을 연주하면서 고개를 조금 돌렸다. 두건에 가려진 얼굴은 보이지 않았지만 여행자가 암각문을 바라보고 있음은 분명했다. 암각문을 바라보던 여행자는 다시 고개를 돌려 대금 연주에 열중했다.

음악이 멎는 것과 거의 동시에 여행자는 다시 걸을 준비가 되었다. 마법 같은 동작이었다. 대금은 어디론가 사라졌고 여행자는 걸음을 뗐다. 하지만 여행자가 다시 여행을 재개할 작정인 것 같지는 않았다. 여행자는 암각문으로 향했다. 바위 앞에 선 여행자는 암각문의 한 구절을 살펴보았다. 거기에는 이렇게 새겨져 있었다.

'사람들의 마음이 역시 미움으로 가득하다는 사실을 확인할 수 있다.' 미움이라는 단어는 새로 새겨진 것이 분명했다. 다른 글자들과 비교할 수 없을 만큼 조악했다. 여행자는 그것을 물끄러미 바라보다가 갑자기 허리춤을 뒤졌다. 단검을 꺼내든 여행자는 암살자 같은 동작으로 바위에 다가섰다.

다음 순간 카시다 암각문의 고집스러움은 무참하게 유린당했다.

잠깐 동안의 작업을 마친 여행자는 다시 마법 같은 동작으로 단검을 사라지게 했다. 여행자는 바위를 물끄러미 바라보다가 주저없이 몸을 돌렸다. 이제야말로 정말 여행을 재개하는 것이 분명했다. 여행자는 한 번 뒤돌아보는 일도 없이 걸어갔다.

여행자가 멀어지는 것에 비례하여 태양은 높이 솟아올랐다. 바위 위를 미끄러진 햇살은 오랜 세월 동안 사람들의 호기심과 안타까움을 자극해 왔던 암각문을 완벽하게 드러내었다. 그러나 그 암각문의 한 대목은 지난밤과는 다른 모습으로 바뀌어 있었다. 그곳에는 이렇게 새겨져 있었다.

'사람들의 마음이 역시 ……으로 가득하다는 사실을 확인할 수 있다.'

〈끝〉

지배자 성혀... 권능을 신뢰하는

많은 이들이 분명히 ... 하는 사실의 일...

용인들 중에는 영웅이나 위인은 커녕

이름이 솜 살려진 ... 조차 없다.

용인의 권능은 타인을 지배하거나

타인의 소유한 정보를 읽어내는

오히려 ... 지배당할 위험에

노출되게 만드는 것이 용신의 능력이다.

늘은, 둔감하다라는 것이

얼마나 강력... 지 알지 못하고 있다

그리고 ... 이 사실에서

사람들의 마음이 역시 ...으로 가득하다는 사실을 확인할 수 있다

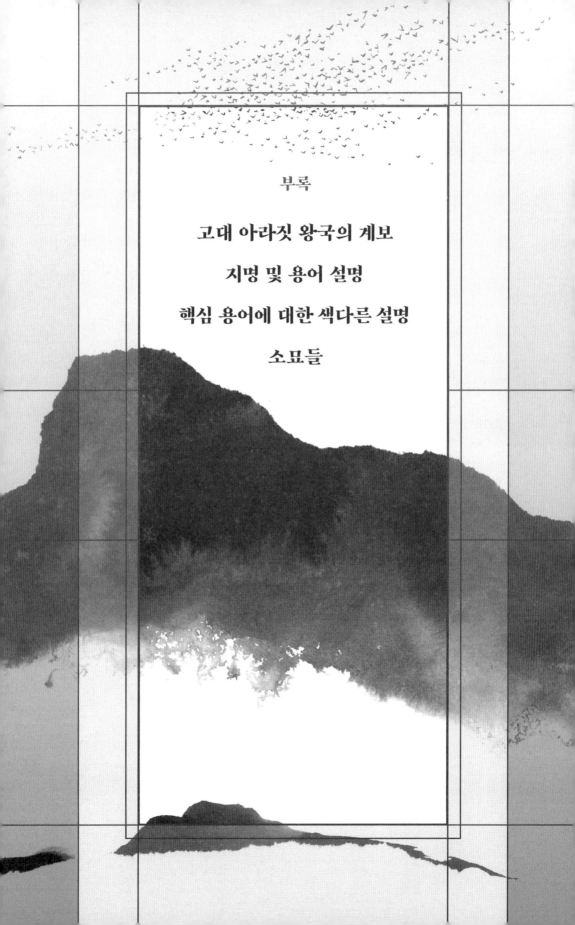

부록

고대 아라짓 왕국의 계보

지명 및 용어 설명

핵심 용어에 대한 색다른 설명

소묘들

……고대 아라짓 왕들의 칭호는 일반적으로 대관식에 마지막에 공표되었고, 그 이름들은 왕 자신이 정하는 경우가 보통이었다. 하지만 아버지의 이름을 잇지 않는 레콘이었던 아라짓의 시조는 이름으로 불리는 것을 더 좋아했으며 그런 경향은 이후의 여러 왕들에게서 찾아볼 수 있었다. 그런 경향이 별다른 문제점을 일으키지 않았던 이유는 다음과 같다. 복수왕 이후로 아라짓의 왕은 더 이상 다른 왕들과 구별 지어질 필요가 없었다. 물론 선대의 왕과 구별하기 위해서라도 왕명은 필요했다. 하지만 하나뿐인 태양에 다른 이름이 필요 없듯이 하나뿐인 왕을 지칭하는 데는 왕이라는 단어면 충분했다. 따라서 왕명은, 물론 왕의 칭호였기에 귀하게 여겨졌지만, 그다지 빈번하게 사용되지는 않았다. 그 때문에 왕명을 일종의 별명으로 생각하는 경향까지도 나타난다…… 왕국의 기나긴 역사는 나가와의 투쟁사라 해도 과언은 아니다. 하지만 칠백여 년의 장구한 역사 동안 전쟁이나, 혹은 전쟁 준비만 있었던 것으로 오해해서는 안 된다. 실질적으로 전투 행위가 있었던 시간들은 그 전체 역사의 일부분에 불과하며, 물론 왕들은 그 나머지 시간들에 전쟁을 준비하긴 했지만 칠백여 년이라는 엄청난 시간 동안 존속될 수 있는 내적 힘을 기르는 것 또한 게을리 하지 않았다…….

— 라수의 『왕국의 몰락』

고대 아라짓 왕국의 계보

1대 영웅왕 (1-47)

아라짓의 시조. 위대한 전사이며 모험가. 레콘에 한정지어 놓고 보더라도 역사상 그보다 더 강대한 전사는 아마도 없을 것이다…….

2, 3대 왕 불명.

4대 복수왕 (79-92)

왕국 아라짓에 대해 반역을 꾀하고 스스로를 왕이라 참칭한 마지막 반란자 기로인을 엔거에서 처단한다. '하늘에 두 태양이 없다. 두 번째 태양은 떨어져야 한다.'는 말로 유명하다. 당시 왕국 내에 손꼽히는 도시 중 하나였던 엔거는 복수왕의 가혹한 공격에 의해 파괴되어 황량한 평원으로 바뀌고 말았다.(현재의 엔거는 고대 도시 엔거와는 아무런 관련이 없는 도시다.) ……이후 지상에 왕이라 불리는 존재는 아라짓의 왕밖에 없게 된다.

5대 왕 불명.

6대 엄격왕 (164-195)

판사이의 육형제 탑을 건설함.

7대 전통왕 (195-208)

왕위 세습의 기틀을 쌓은 왕이다. 하지만 이후에도 아라짓의 왕위는 여러 번에 걸쳐 비혈족에게 계승된다. 또한 최초로 만민회의를 개최한 왕이기도 하다. 아라짓 건국 200년을 기념하는 행사로 열린 만민회의는 도깨비들의 즈믄누리와……. 이후로 50년마다 개최되는 정례 행사가 되었다.

8, 9, 10대 왕 불명.

11대 인식왕 (264-284)

이름은 발케네 쿠스. 이름이 알려진 몇 되지 않는 왕들 중 하나다. 당시엔 미지의 땅이었던 지러쿼터 산맥 이북을 탐험하고 자신의 이름을 따 그 지역을 발케네라 명명했다.

12대 법전왕 (284-295)

법전왕은 칙령과 조례로 구성되어 있던 아라짓의 법전을 통일하고 정립하였다. 군법의 성격이 강했던 그 이전까지의 아라짓의 법규들에 비해 보다 일반사법에 가까운 법전이 등장할 수 있었던 것은 수백 년의 투쟁에 의해 나가들의 세력을 상당히 위축시킬 수 있었기 때문이다.

13대 왕 불명.

14대 자애왕 (322-330)

왕명과 어울리지 않게도 자애왕의 시대에는 역사상 최악의 재난이 일어났다. ……결국 즈믄누리는 페시론 섬의 악당들에게 무사장을 파견하기로 결정했다. 재고를 부탁하는 자애왕의 강력한 요청은 묵살되었다. 어떤 부탁이라도 즐겨 받아들이는 도깨비들이지만 무사장의 파견 결정만큼은 번복하지 않았다. 무사장의 출전은 결정된 순간 절대로 돌이킬 수 없는 것이었다. 단신으로 페시론 섬에 상륙한 즈믄누리의 무사장은 그 후 한 시간에 걸쳐 페시론 섬의 생명체를 하나 남김없이 불태웠다. 쥐새끼 한 마리도 페시론 섬에서 살아나가지 못했다.

15대 침묵왕 (330-337)

……적을 잘 알고 싶어한 그의 욕망은 왕국의 백성들을 생각하는 훌륭한 태도였지만, 니름을 터득할 수 있다는 믿음은 조금 지나친 것이었다. 당연히 성공하지 못했다.

16, 17대 왕 불명.

18대 야명왕 (366-383)

……준동하고 있는 나가들을 견제하기 위해 천도를 단행했다. 천도 이후 이전 수도가 있던 지역은 상토(上土)로, 그리고 그에 대비하여 새로운 수도가 있는 지역은 하토(下土)로 불리게 되었다. 현재 상고토와 하고토로 불리는 지역이 바로 그곳들이다.

19, 20대 왕 불명.

21대 극연왕 (434-512)

어린 나이에 왕위에 오른 극연왕은 이후 78년이라는 아라짓 역사상 가장 긴 기간 동안 왕국을 통치했다. 왕위를 이을 예정이었던 그녀의 오라비가 그 자리를 고사했기에 어린 나이에 왕위에 오를 수밖에 없었던 것 같다. 가장 긴 재위 기간뿐만 아니라 가장 많은 치적으로도 유명하다. 새로이 세력을 키우고 있던 나가들을 기습적으로 공격하여 남쪽으로 멀리 몰아내었고…….

22대 독서왕 (512-547)

극연왕의 뒤를 이어 왕위에 오를 당시 독서왕은 예순일곱 세였다. 극연왕의 재위 중에 태어난 셈이었고, 그 점은 그 시대의 사람들 또한 마찬가지였다. 가장 나이 많은 노인들 외에는 나가의 공포를 아는 자들이 별로 없었고 사람들은 극연왕이 이룩한 안정을 사랑했다. 그 때문에 아라짓 역사상 최고령의 왕위 계승자가 대관식에 설 수 있었다. 사람들은 독서왕이 위대한 선왕과 비교될 시간도, 혹은 선왕이 이룩한 업적을 깎아먹을 시간도 별로 없을 거라 생각했던 것 같다. 하지만 독서왕은 의외로 장수했다. 그리고 그 외에는 별다른 특기 사항을 남기지도 못했다…….

23대 탐미왕 (547-583)

독서왕과는 달리 많은 특기 사항을 남겼지만 그 대부분이 사람들을 불쾌하게 만드는 것들이었다 한다. ……사후에 행해진 기록 파괴와 나가의 준동에 의해 그 악행에 대한 많은 기록이 사라졌다.

24대 추풍왕 (583-611)

……탐미왕의 기록이 제대로 남지 못했던 것은 추풍왕 시절에 일어난 나가들의 대공세 때문이기도 하다. 극연왕에 의해 극도로 위축되었던 나가의 세력은 백오십여 년이 지난 후에야 복구

되었다. 하지만 다시 되살아나게 되자 나가들은 북부를 향해 무서운 공격을 퍼부었다. 사람들은 거의 잊고 있었던 적들에 대한 기억을 힘겹게 되새겼지만, 이미 사라진 아라짓 전사는 되살릴 수 없었다. 추풍왕은 나가들을 막아섰던 가장 용맹한 전사들이 없는 상황에서 나가의 대공세를 맞이해야 했다.

25대 잔혹왕 (611-614)

아라짓 왕가에 단 두 명 존재했던 미치광이 중 하나다.(이 표현은 가이너 카쉬냅의 것이며 또 한 명의 미치광이는, 많은 사람들이 탐미왕이라고 추측하기는 하지만 누군지 정확하지 않다.) 스스로 잔혹왕이라는 왕명을 정한 이 정신병자는……. 잔혹왕을 암살한 자가 가이너 카쉬냅이라는 가설은 끊임없이 제시되지만, 가이너 카쉬냅 자신의 생몰연도마저 불명확하거니와 다른 확실한 증거도 없다. 이후 왕국은 걷잡을 수 없는 혼란에 빠져든다.

26, 27, 28, 29, 30대 왕 불명.

31대 권능왕 (689-701)

……이 참혹했던 시절, 왕국의 사람들에게는 단 두 가지 희망만이 남아 있었다. 다가오는 만민회의와 왕국의 북부를 지키고 있던 용장 후사린 규리하가 두 희망이었다. ……50년 만에 개최된 만민회의는 어이없는 파행으로 치달았다. 후사린 규리하가 왕국을 위해 목숨처럼 지키던 명예를 버리고 변경백 령을 떠났지만, 왕국의 몰락을 되돌리기에는 너무 늦은 시점이었다.

지명 및 용어 설명

계명성

레콘들이 앞길을 가로막는 것을 제거하기 위해 사용하는 수단들은 대부분 폭력적이다. 하지만 설득을 시도하기엔 상황이 여의치 않고 무기를 내밀기엔 부적합할 때 레콘은 고함을 지른다. 그리고 그 외침은 사색가를 방해하는 것 정도에 머물지 않는다. 그 강력한 외침은 생명체가 빚어내는 소규모 폭풍이라 할 수 있으며 대지를 진감케 하는 그 외침을 접했을 때는 귀머거리라도 뒤로 물러난다. 레콘이 계명성을 통해 퇴거를 권고했을 경우 어르신이라 하더라도 그 권고를 무시하기는 어렵다. 칼리도 지방에 전해지는 다음의 수수께끼는, 과장이 섞여 있지만 나름대로 계명성의 파괴력을 잘 나타낸다.

문: 집에 불기도 없는데 불이 났다. 그런데 아무것도 타지 않았다. 어째서일까?

답: 도깨비와 레콘이 지나가고 있었다.(도깨비가 실수로 불을 냈고, 당황한 레콘이 '불이야!'하고 외친 순간 집이 날아가버렸다.)

군령자

영육이 서로 의지하여 기능할 때 우리는 그것을 생명이라고 부른다. 그런데 영과 육은 단순한 1대 1 대응을 이루는 것은 아니다. 육의 활동성을 잃어버린, 즉 육체적 사망을 겪은 도깨비들의 경우 그들의 영은 다른 도깨비의 육에 의지하여 계속 존재하는 모습을 보여준다. 이를 어르신이라 부른다. 어르신의 예에서 볼 수 있듯 둘 이상의 영이 하나의 육에 의지하는 것은 실제로 가능하다. 이런 가능성이 나타난 또 다른 예가 바로 군령자다. 군령자는 다수의 영이 하나의 육에 공존하는 모습을 가진다. 이는 이미 기능하는 생명체, 즉 살아 있는 영육에 육이 죽은 영이 깃드는 구조를 가지며 절대로 죽은 시체에 영이 찾아드는 것은 불가능하다.(그것이 가능하다면 군령자는 불사다. 자신의 시체에 계속 깃드는 것을 통해 재생할 수 있으니까. 하지만 자신의 시체 곁에 머무는 어르신이 없듯 그런 일은 불가능하다.)

오로지 사람들의 영만이 군령자를 이룰 수 있다. 다른 동물들, 예를 들어 사랑했던 애견이나 애마의 영을 받아들이려 했던 군령자가 없었던 것은 아니지만 그런 시도는 모두 실패로 돌아갔다. 이를 근거로 펜조일은 오로지 사람만이 영을 가지고 있다고 주장했다. 하지만 반대 의견 또한 존재하는데, 유사설(類似設)이 그것이다. 나가와 레콘의 모습은, 혹은 인간과 도깨비의 모습은 상당히 다르며 결코 그들 사이에서 잡종이 생기지는 않는다. 하지만 이족 보행이라든가 손의 사용 등 선민 종족들은 서로 형태가 대단히 유사하다. 이런 육체적 유사성 때문에 영의 공존이 가능하며 육체적 형태가 지나치게 다른 동물들은 군령자가 될 수 없다는 것이 유사설이다.

규리하 지방

　과거 왕들은 직접 통치가 힘든 지러쿼터 산맥 서쪽의 험준한 땅에 변경백을 두어 그들로 하여금 그 험지에 왕의 은총을 전하게끔 했다. 그들 변경백은 지상에서 오로지 왕에 대해서만 책임을 지며 지러쿼터 산맥 서쪽에서는 무소불위의 권력을 가졌다. 왕의 권위를 인정하지 않는, 혹은 조용히 무시하고 싶어하는 사나운 자들을 상대로 펼쳐보인 그들 변경백의 용맹은 분명 많은 전설과 노래의 소재가 될 수 있었겠지만 잔혹한 장난꾼인 이야기꾼들은 그보다는 왕국 내의 두 번째 왕이라 할 수 있는 변경백의 흥미로운 위치를 더 자주 이야깃감으로 취급함으로써 변경백들을 서운하게 했다. 물론 그들 중 한 번이라도 갈등을 느껴보지 않은 자들은 없었을 것이며 왕과 변경백이 대단히 심각한 갈등을 일으킨 역사적 사례 또한 분명히 존재하지만, 마지막 변경백 후사린 규리하에 이르기까지 모든 변경백들은 왕의 권위를 인정했다. 왕국의 몰락과 마지막 변경백의 사망이 거의 같은 시대에 일어난 것은 그 시사하는 바가 크다. 결국 왕국 없이는 변경백령도 없는 것이다.

　마지막 변경백 후사린 규리하가 사라진 후 왕국 전체에 도래한 암흑과 야만은 지러쿼터 산맥 서편에도 찾아들었다. 그러나 그 땅이 망각하고 있던 전설, 즉 '결코 왕이 되지 않는 왕자(王者)들'의 전설은 과텔이라 불리는 한 기인에 의해 부활했다. 왕의 변경백으로 자처한 과텔의 행동이 왕이 없는 시대를 살고 있던 동시대인들에게 어떻게 비춰졌을지 짐작하는 것은 간단하다. 그러나 과텔은 의지와 끈기로 지러쿼터 산맥 서편을 야만의 시대 이전까지 회복시키는 데 성공했다. 그 땅은 명예로운 이름으로 불릴 자격을 되찾았고, 변경백 령이라는 이름이 어쩔 수 없이

자아내는 희극적인 정취를 피하기 위해 사람들은 그 땅을 규리하 지방이라 부르게 되었다. 그리고 참으로 오랜 세월이 흐른 후, 남쪽으로부터 들려오는 기이한 소식은 마침내 규리하 사람들로 하여금 왕에 대한 변경백의 오래된 책임을 되새기게 하고 있었다.

나가

　발자국 없는 여신의 선민 종족. 왕국 아라짓의 불행.

　아라짓 왕국을 멸망시킨 자들이며, 실질적인 세계의 지배자들이다. 물론 까다로운 자들은 그들이 세상의 반을 차지하고 있음을 고집스럽게 지적할 것이다. 세상의 반은 충분히 넓은 지역이지만 결코 전 세계라고 말할 수는 없다. 그러나 나가들이 알려진 모든 세계를 지배하지 않는 것은 다른 종족들의 반대 때문은 아니다. 자신들의 사소한 문제를 해결할 수 있다면 그들은 다른 종족의 찬성이나 반대 모두에 구애되지 않고 자신의 의지에 따라 전 세계를 지배할 수 있을 것이다. 나가들의 그 사소한 문제는, 개구리가 겨울에 울지 않는 이유와 정확하게 일치한다. 나가들은 자신들의 체온을 유지할 수 없다. 북쪽으로 향하는 여정의 도중 그들은 기필코 더 이상의 활동할 수 없는 차가운 기온을 맞닥뜨리게 되며 그 지점은 통칭 한계선이라 불린다. 그 한계선이 바로 파죽지세로 치닫던 나가를 억제했으며 다른 선민 종족들을 보존했다. 그러나 한계선은 왕국 아라짓을 보존하지는 못했다.

　기온에 대한 부적응 때문에 이들을 나약한 종족으로 착각한다면 그것은 크나큰 오해다. 이들은 세상의 어떤 생물도 감히 감당할 엄두를 낼 수 없는 일을 스스로에게 행한다. 모든 나가들은 스물두 살이 되었을 때 자신의 심장을 적출한다.

그 끔찍한 의식을 통해 이들은 사실상 무적의 존재가 된다. 어떤 생물에게 날개가 없다면 그 생물의 날개가 부러질 일은 없다. 심장이 없는 나가들은 죽일 수 없게 된다. 어쨌든 생물학적인 손상을 통해 이들을 살해하는 것은 극히 힘들다. 상당한 규모의 물리적 파괴를 통해서만이 심장을 적출한 나가를 제거할 가능성이 있다. 그것이 '상당한' 규모여야 하는 이유는 이들의 경이적인 재생 능력 때문이다. 심장을 적출한 나가는 지렁이나 불가사리 같은 단순한 생물들만이 견딜 수 있는 참혹한 손상마저도 어렵잖게 견디며 스스로를 재생한다.

이토록 강력한 자들이 다른 세 종족과 많은 것을 공유할 수 있었다면 모두에게 좋은 일이었을 것이다. 하지만 나가들은 다른 선민 종족들처럼 불을 사용할 수 있으면서도 살아 있는 생물만을 섭취하며 이런 기본적인 차이는 곧 화해가 불가능한 갈등을 가져왔다. 살아 있는 생물의 안정적인 공급을 위해 나가들은 숲을 필요로 했다. 수렵자와 경작자의 전통적인 대립은 대확장 전쟁이라는 전무후무한 대전쟁으로 비화되었다. 결과적으로 나가들은 한계선 이남에서 자신 이외의 모든 선민 종족을 일소했으며 그 땅에 자신들의 터전인 숲을 조성했다. 그리고 다른 선민 종족들, 즉 인간과 도깨비, 레콘은 나가들이 넘을 수 없는 한계선 북방의 땅에 거주하게 되었다. 그런 단절이 마치 태초부터 그러했던 것처럼 고정된 현재에, 나가들의 위대한 도시 하텐그라쥬에서는 그 단절에 대한 세심하면서도 치명적인 도전이 일어나고 있었다.

나가 살육자

나가들 사이에 전설적으로 내려오는 공포의 인물. 이 존재에 대한 정확한 보고는 없으며 그 목격담은 한결같이 본질에 대한 접근을 방해하는 공포에 의해 윤색되어 있다. 나가 살육자에 대한 온갖 공포스러운 전설과 괴담들에서 공통적으로 나타나는 특징을 간추려 보면 다음과 같다. 나가 살육자는 나가에 대한 끔찍한 증오를 가지고 있으며 주로 한계선 근처에서 출몰한다. 그리고 지상에서 짝을 찾아볼 수 없는 기괴한 검을 휘둘러 나가를 공격한다. 그런 조우에서는 나가의 자랑스러운 재생 능력도 아무런 도움이 되지 않는데, 나가 살육자는 나가를 잡아먹기 때문이다.

이 존재와 만날 가능성이 높은 한계선 근처의 나가 정찰 대원에게는 다음과 같은 모호한 경고문이 전해진다. '비늘이 딱딱하게 얼어붙는 땅에서 더 큰 추위를 느낀다면, 나가 살육자가 너를 바라보고 있는 것이다.'

나가 정찰대

나가들의 땅 키보렌을 순찰하는 정찰대. 나가들의 도시는 대개 몇 개의 정찰대를 가지고 있다. 이들은 키보렌을 오가며 외부인들의 침입을 경계하고 숲을 보살핀다.

나늬

나가와 도깨비, 레콘, 인간들이 세상을 평가하는 방식들은 공통점을 찾기보다 차이점을 찾는 것이 더 수월하다. 인간들이 덥다고 말할 때 나가들은 아마 춥다고 말할 것이며, 레콘들이 시원하다고 말하는 곳에서 인간들은 얼어붙을 것이다. 사랑이라는 보편적인 말에 대해서조차 이들 네 종족이 완벽하게 같은 감정을 느낀다고 말하기는 어렵다. 이토록 다른 네 종족이 똑같은 평가를 내리는 존재를 찾기란 매우 힘들 것이다. 그러나 전설에는 그런 존재가 하나 있는데, '나늬'라 불리는 종족 미상의 여인이 바로 그런 존재다. 나늬에 대해서는 그 이름 이외에 단 두 가지 사실만이 알려져 있다. 나늬는 여자다. 그리고 모든 종족에게 아름답게 보인다.

니름

나가들은 온도에 대한 부적응 이외에 또 다른 부적응을 가지고 있다. 나가들은 소리에 적응하지 못했다. 이들의 청력은, 귀머거리라 불릴 수준은 아니지만 시원찮은 편이다. 그리고 그 미약한 청력마저 그다지 이용하지 않기 때문에 사실상 귀머거리에 가깝다. 나가들은 자신들의 의사를 전달하기 위해 니름이라 불리는 비음성 수단을 사용한다. 이것은 정신의 언어이며 나가들끼리만 사용할 수 있다. 니름을 사용하는 행위를 '니르다'라고 표현한다.

나가들이 완전한 귀머거리, 혹은 벙어리가 되지 않은 것은 아마도 문자 때문일 것이다. 기록을 위해 나가들 또한 문자가 필요하고 나가들이 사용하는 문자는 다른 선민 종족들의 문자와 같다. 음성 언어에 기반을 둔 문자인 것이다. 그래서 나가들은 음성 언어도 익히는 것 같다.

대확장 전쟁

영웅왕 시대부터 시작된 전쟁. 나가들이 자신들의 영역을 넓히기 위해 시작된 전쟁으로 전쟁 결과 지상의 반인 남부를 자신들의 영역으로 만들었다.

도깨비

자신을 죽이는 신의 선민 종족. 두 번 죽는 자들.

모든 생명체는 언젠가 죽음이라는 최종적인 단계에 이른다. 심장을 적출한 나가들조차 때가 되면 죽는다. 하지만 도깨비들은 이 죽음이라는 단계에 이르러 다른 생명체들과 현격하게 다른 차이를 보여준다. 도깨비들의 죽음은 육과 영에 따로 일어난다. 수명이 다하여, 혹은 피치 못할 사고를 당해 죽은 다음 도깨비들은 어떤 가능성에 도전하게 된다. 살아 있는 도깨비를 찾아낼 수 있느냐 하는 도전이며 그 도전에 성공할 경우 도깨비들은 살아 있는 도깨비들의 근처에서 영으로 존재할 수 있게 된다. 이들 영적 존재들은 어르신이라 불린다. 이후 도깨비들의 최종적인 죽음, 즉 영의 죽음이 찾아오는 시기에는 별다른 규칙이 없다. 워낙 천차만별이라 어떤 시한을 말한다는 것이 쓸모가 없지만, 어르신으로 백여 년 정도를 존재하는 것에는 큰 무리가 없는 것 같다.

이들 도깨비의 놀라운 낙천성은 어쩌면 이런 생물이 아닌 것 같은 특이한 죽음에 기인한 것인지도 모른다. 도깨비들은 쾌활하다. 그리고 불쾌해하는 방법을 잘 모른다. 도깨비들은 어떤 상황에서도 웃을 이유를 찾아낼 수 있으며 어떤 불행에도 해학의 요소를 첨가할 수 있다. 물론 이 상냥한 자들은 다른 자들의 불행을 웃음거리로 만들지는 않는다. 하지만 누군가가 자신의 불행을 빨리 잊고 싶다면 도깨비와의 교류는 아마도 최선의 선택이 될 것이다.

사람들이 찾아낸 가장 무서운 도구인 불은 도깨비들에겐 장난감에 불과하다. 도깨비들은 불에 상처입지 않으며 탈 것이 없는 상황에서도 자유로이 불을 일으킨다. 또한 그 불을 마음대로 변화시킬 수 있다. 온도, 광도, 크기, 심지어 형태까지도. 세상에 온갖 비극을 가져올 수 있는 능력임이 분명하지만, 다행히도 도깨비들은 자신들의 불을 주로 세상에 희극적 요소를 부여하는 데 사용하길 즐긴다. 이들은 거의 완벽하게 비폭력적인 생물이며 폭력을 구사하는 것이 불가능하다. 피에 대한 강력한 공포를 가지고 있기 때문이다. 이들의 폭력성이 가장 난폭하게 표현되는 곳은 씨름판 정도일 것이다. 이들은 씨름을 좋아하며, 모든 도깨비는 거의 완벽한 씨름꾼이다.

도깨비 감투

도깨비들의 고안품이다. 불을 자유로이 다루는 도깨비들의 능력에 의해 만들어진 이 감투는 착용하게 되면 다른 자들에게 모습을 감추게 된다. 이것이 얼마나 가공할 무기인 것인지 깨달을 수 있는 것은 도깨비 이외의 존재들뿐이다. 도깨비들의 불과 마찬가지로 도깨비들은 감투에 대해 흥미로운 유희를 가능하게 하는 도구 이상의 의미를 부여하길 힘들어 한다.

도깨비불

1. 도깨비들이 일으키는 불로 그 모양이나 열의 높낮이는 실로 다양하다. 열이 없고 빛만 있는 것, 빛이 있고 열만 없는 것, 생물이나 도구의 형태를 흉내낸 모양을 한 도깨비불 등이 그렇다.

2. 도깨비의 어르신이 취하는 모습. 육을 잃은 도깨비들, 즉 어르신은 빠르게 이동할 때 자신을 불덩이 모습으로 바꾼다. 그리고 하늘을 날아다닌다. 따라서 어르신에겐 딱정벌레가 필요 없다.

두억시니

신을 잃은 종족이라고 불리며, 기형적인 모습을 가지고 있다. 이들에겐 정상적인 모습이라는 것이 아예 존재할 수 없다. 평균이라든가 기준이라는 것이 없기 때문이다. 이들의 형태나 습관, 활동에는 아무런 규칙성이 없다.

두억시니 병

두억시니처럼 모습이 끔찍하게 변형되는 병.

딱정벌레

도깨비들이 사육하는 승용 동물. 인간들도 키우긴 하지만 도깨비만큼 크게 키우지는 못한다. 몇 미터나 되는 큰 몸집으로 두 명의 성인─레콘의 경우엔 한 명─을 태우고 날 수 있다. 당연히 초식성이다. (도깨비들이 육식동물을 키울 리 없다.) 도깨비들과 수화를 통해 의사 교환이 가능하다. 손이 없으므로 딱정벌레는 더듬이를 이용하여 수화를 말한다. 따라서 수화라는 명칭은 좀 이상하지만 도깨비들은 손을 이용하므로 그 명칭은 그럭저럭 정확하다.

라호친가히

라호친 지방의 고유 견종. 주로 썰매를 끄는 데 이용되므로 사역견이라 할 수 있지만 강력한 힘과 공격 능력 때문에 번견이나 경비견으로도 무리 없이 이용된다. 하지만 수렵견으로는 좀 무리가 있는데, 이들이 물고 있는 사냥감을 포기하게 할 점잖은 방법이 별로 없기 때문이다. 그리고 애완견으로는 상당히 무리가 있을 것이다. 어느 정도의 극한 상황에서는 주인을 잡아먹는 난처한 버릇이 있기 때문이다. 라호친의 가혹한 환경에 적합한 개라 할 수 있다.

레콘

모든 이보다 낮은 여신의 선민 종족. 숙원의 추구자들.

선민 종족들 중 가장 거대한 체구를 가지고 있다. 그리고 속도와 크기가 반비례한다는 통속적인 믿음에는 별로 신경 쓰지 않는다. 이들은 거대하면서도 빠르다. 그리고 강하다. 이들의 가공할 육체 능력은 흔히들 바위를 깨고 하늘을 난다고 표현한다. 레콘에게 비행 능력은 없지만 보통의 나무는 가볍게 뛰어넘는 도약력과 인간이 힘껏 던진 물체는 모두 따라잡아 움켜쥘 수 있는 속력을 가지고 있으므로 비행 능력을 별로 부러워할 필요가 없다. 그리고 목소리만으로 천둥을 일으키는 능력을 가지고 있다. 이들의 거대한 외침인 계명성은 어떤 물리력으로도 제압할 수 없는 도깨비의 어르신마저 추방하는 능력을 가지고 있다.

설득과 협박 중 하나를 선택해야 할 경우 보통 협박 쪽에 매력을 느끼는 난폭한 성격을 가지고 있다. 그리고 그런 협박에 필요한 도구로써 자신들의 강력한 육체 능력과 계명성 이외에도 좋은 도구를 가지고 있다. 모든 레콘들은 일생에 한 번 최후의 대장간을 방문하여 그 자신만을 위해 제작되는 한 자루의 무기를 받는다. 레콘에게 맞춰지는 이 무기들은 대부분 거대하고 육중하며 운반자를 화나게 하는 끔찍한 화물일 뿐이지만 레콘의 힘과 결합했을 경우엔 가공할 무기이다. 다행히 레콘은 타인에게 자신의 무기를 만지도록 허락하지 않으므로 이런 난처한 화물 때문에 불행해진 운반자는 없다.

이토록 강력하면서 난폭한 존재들이 세계가 움직이는 방식에 관심을 가졌다면 세계는 오래 전에 레콘이 적절하다고 생각하는 방식으로 움직이고 있었을 것이다. 하지만 레콘은 세계에 별 관심이 없으며 그들의 가장 큰 관심 대상은 언제나 자기 자신이다. 이들은 흔히 숙원이라 불리는 하나의 목표를 자신에게 부여하며 모든 생을 통해 그 목표를 추구한다. 레콘이 숙원을 선택하는 데 특별한 기준은 없지만 굳이 찾아본다면 보통 평생 동안 할 만한 일을 선택한다. 그 외에는 별 기준이 없으며, 따라서 한 수레에 담긴 모래가 모두 몇 알인지 세고 말겠다는 숙원도 가능할 것이다. 충분히 평생 동안 할 만한 일이니까. 하지만 레콘의 성격을 놓고 볼 때 이런 숙원을 선택

할 가능성은 매우 낮을 것이다.

이 무서운 종족을 분노하게 할 만큼 어리석은 자는 아마 없을 테지만, 불가피한 사정에 의해 그런 다리를 건넜다면 잔명을 보존하기 위한 최선의 수단은 뱃사람이 되는 것이다. 모든 선민 종족 중 물보다 무거운 몸을 가진 유일한 종족인 레콘은 물을 끔찍하게 두려워하며 그 단어를 입에, 아니, 부리에 올리는 것조차 싫어한다.

모든 이보다 낮은 여신

레콘을 가호하는 신. 그리고 그 사원의 소재와 사제의 정체가 알려져 있지 않은 신이다.

무룬 강

키보렌의 한계선 근처에서부터 남부까지 흘러가는 거대한 강.

바라기

케이건 드라카의 검. 두 개의 칼날이 하나의 칼자루 위에 결합되어 있는 기이한 형태를 가지고 있다. 케이건 드라카는 그 검이 영웅왕의 검이라고 말했다.

발자국 없는 여신

나가를 가호하는 신. 그녀의 사원은 심장탑이다. 그리고 수호자라 불리는 남성 나가들이 그녀의 사제다.

밤의 따님

밤의 다섯 딸인 혼란, 매혹, 감금, 은닉, 꿈을 가리키는 말이다. 때로는 꿈만을 가리키는 말로 쓰이기도 한다.

사어

나가들이 사용하는 통신 수단. 뱀단지라 불리는 단지에 가득 담긴 뱀들을 이용한다. 사어를 통해 의사를 전달하기 위해서는 서로 공명하도록 조작된 두 개의 뱀단지와 두 명의 정신 억압자가 있어야 한다. 정신 억압자는 뱀들을 정신 억압하여 특정한 형태를 이루게 하며 이 뱀들이 그리는 형태는 다른 쪽의 뱀들에게 공명된다. 그리고 그런 공명은 어떤 거리에서도 가능하다. 뱀단지 사이의 거리가 수천 킬로미터라도 상관없는 것이다. 수신만 한다면 정신 억압자가 없어도 되겠지만 송수신을 모두 취급하기 위해서는 역시 정신 억압자가 필요하다.

사이커

나가들의 전통 도검. 만곡한 형태를 가지고 있는 베기 칼이지만 찌르기에도 별 무리가 없다. 놀랍도록 예리하다.

소드락

나가들이 사용하는 비약으로 17분 정도 생체를 극도로 활성화시킬 수 있다. 체온을 조절할 수 없는 나가가 한계선 근처의 추운 땅에서 정상적인 활동을 취할 수 있게 해주는 유일한 수단이다. (흑사자 모피 또한 같은 효과를 부여하지만 현재 흑사자는 멸종했다.) 소드락을 복용한 나가는 한계선 근처의 가장 추운 땅에서도 키보렌의 가장 더운 땅에서와 같은 정도의 활동 능력을 가지게 된다. 더운 지방에서 사용할 경우엔 놀랍도록 항진된 활동 능력을 가지게 된다.

쇼자인테쉬크톨

암살자 지명권, 복수권. 나가들의 처벌 수단 중 하나다. 피해 가문이 가해 가문의 일원을 암살자로 지명하여 범죄자의 체포와 처형을 일임하는 형태를 가진다. 암살자가 지명된 이후에는 절대로 중단되지 않으며 암살자, 혹은 범죄자 중 한 명이 사망했을 때만 종료된다. 암살자의 추적과 처형을 돕기 위해 쉬크톨이라는 검이 지급된다.

쉬크톨

쇼자인테쉬크톨의 암살자에게 지급되는 검. 사이커와 거의 같은 모습을 가지고 있지만 그보다 강하고 부러지지 않는다. 오로지 히참마의 잎으로만 부러뜨릴 수 있다. 한계선 이북, 그러니까 나가 이외의 자들에겐 한 자루도 넘어간 적이 없다. 그리고 두 번 사용되는 일도 없다. 암살자는 암살이 끝난 후 히참마의 잎을 이용하여 쉬크톨을 부러뜨리게 되어 있다.

시구리아트 유료 도로

유료 도로당에 의해 가꾸어지는 도로. 이 도로를 이용하기 위해서는 유료 도로당이 책정한 통행료를 지불해야 한다. 천사백여 년 전 대확장 전쟁이 막 시작되었을 무렵 생겨났다. 통행료를 징수하고 도로를 관리하기 위해 시구리아트 관문요새라 불리는 요새가 건설되어 있다. 유료 도로당의 거점인 이 요새는 과거 300명의 당원으로 수만 명의 주퀘도 군대와 싸워 이긴 전력이 있을 만큼 막강한 지형적 우위를 자랑한다.

신체(神體)

네 선민 종족은 각자 특별한 신들의 가호를 받는다. 신들은 자신이 가호하는 종족과의 특별한 연결을 위해 무작위로 선별된 한 개인에게 깃든다. 신이 깃든 이 개인을 신체라고 부른다. 신체를 통해 신들은 자신의 선민 종족이 무엇을 원하는지, 무엇을 원하지 않는지, 무엇이 부족하고 무엇이 과한지를 느끼게 된다. 하지만 신체는 자신의 내부에 신이 깃들어 있음을 느끼지 못한다. 신체가 사망하면 신들은 다른 신체로 옮겨간다.

심장 적출

스물두 살이 되었을 때 모든 나가들은 심장탑에서 자신의 가슴을 열고 심장을 적출한다. 이 무서운 의식을 통해 나가들은 불사에 가까운 몸을 가지게 된다. 적출된 심장은 병에 담겨 심장탑에 보관된다. 나가가 사망할 경우 심장병에 담긴 심장 또한 죽게 된다.

심장탑

나가들의 심장을 보관하는 탑. 또한 발자국 없는 여신의 사원이며 수호자들의 주된 생활 공간이기도 하다. 나가들의 모든 도시에는 그 중심부에 심장탑이 서 있다.

아라짓 전사

고대 왕국 아라짓의 전사들. 영웅왕의 검에 충성을 하고 왕에게 절대 복종한다. 이들의 역사는 곧 나가들과의 투쟁사라 할 만하다. 왕의 허락 없이는 자손을 가질 수 없다는 독특한 규칙을 가지고 있다.

아르히

염소젖이나 양젖으로 만드는 부드러운 맛의 술.

어디에도 없는 신

인간을 가호하는 신. 인간들의 도시에는 대개 그의 사원이 있다. 그리고 그 사원들의 총본산은 파름 산에 있는 하인샤 대사원이다.

어르신

도깨비가 육체적 사망을 겪은 후 변하게 되는 존재. 불에 대한 도깨비들의 지배력은 어르신이 된 이후 독특하게 변하는데 어르신들은 자기 자신을 도깨비불처럼 마음대로 변화시킨다. 어르신들은 영적 존재이며 물리력으로 이들을 강제하는 것은 불가능하다. 이 상황은 거꾸로도 작용하는데, 어르신들 또한 다른 존재에게 물리력을 가하는 것은 불가능하다. 따라서 육체 노동은 불가능하며 어르신들은 대개 저술이나 사유 등 정신 활동을 즐기는 편이다. (물론 장난을 즐기는 것은 살아 있는 도깨비와 똑같다.) 물리적 영향을 끼칠 수 없는 어르신은 당연히 붓을 쥐는 것이 불가능하다. 어르신의 저술 활동은 어린 도깨비들이 어르신의 구술을 받아 적는 형태로 이루어진다. 이것은 도깨비의 교육 수단이라 할 수 있다.

엔거 평원

고대 아라짓의 복수왕이 반역자 기로인을 처단한 곳. 복수왕의 명령에 따라 아라짓 전사들은 기로인을 처단한 후 그가 거점으로 삼았던 도시 엔거를 초토화시켜 평원으로 만들어버렸다.

왕독수리

남부에 서식하는 초대형 맹금. 악어를 낚아채는 사냥 실력을 가지고 있다.

용

최강의 생명체. 식물이며 동시에 동물이다. 포자를 이용하는 재생산이나 포식하지 않는 모습 등은 분명 식물에 가깝지만 그 활동성은 지극히 동물적이다. 적대적인 환경이 없을 경우 포자—발아—용화의 성장 단계를 거친 다음 용이 된다. 만약 주위의 환경이 적대적이라면 포자는 발아하지 않은 채 땅속에서 기다린다. 용으로 성장하면 적절한 연령에 이르러 포자를 뿌린다. 성장하는 방식에 따라 온갖 모습으로 바뀔 수 있으며, 완전히 성장한 후 용들은 불을 토하고 포자를 뿌린다는 점 외엔 공통점을 찾기 힘들 지경이다. 용의 화염은 알려진 어떤 불보다 강력하며 이에 견줄 수 있는 것은 도깨비불 정도가 고작이다.

용근

용화의 뿌리. 용화가 시든 후 이 뿌리 부분은 땅을 헤치고 나와 용이 된다. 지상으로 올라온 이후 용은 어떤 모습으로도 성장할 수 있다. 한편 용근에는 대단히 특별한 성질이 하나 있다. 용으로 눈뜨기 전의 용근을 사람이 섭취하면 그는 용인이라 불리는 존재가 된다.

용인

용근을 먹은 사람. 용인은 보통 사람이 상상하기도 힘들 만큼 예민하다. 일반인에겐 무의미한 작은 눈짓이나 입매의 떨림 같은 것들을 보며 용인은 상대방의 일대기를 읽어낸다.

유료 도로당

유료 도로를 지키고 가꾸는 집단. 과거에는 교통의 오지마다 여러 유료 도로당이 존재했던 듯하지만 도로왕의 시대 이후에는 시구리아트 유료 도로만이 남게 되었다. 따라서 현재 유료 도로당이라고 하면 보통 시구리아트 유료 도로당을 가리키는 말이 된다.

유해의 폭포

구출대가 두억시니들의 피라미드에서 목격하게 된 괴이한 존재. 그것은 벽을 타고 흐르는 유해의 흐름이었고 놀랍게도 사고할 수 있는 능력을 가지고 있었다.

인간

어디에도 없는 신의 선민 종족. 왕을 찾는 자들.

자보로

자보로 씨족이 지배하는 도시. 성벽이 높고 강건하기로 유명하다.

자신을 죽이는 신

도깨비들을 가호하는 신. 그 사원은 즈믄누리의 마지막 방으로 알려져 있는 곳이다. 해괴하기 짝이 없는 즈믄누리의 내부는 몇 걸음의 간단한 여정을 환상적인 모험으로 바꾼다. 그리고 즈믄누리의 마지막 방은 즈믄누리 내에서도 가장 도달하기 어려운 곳에 존재한다. 즈믄누리의 모든 구조를 알고 있는 성주를 제외하면 살아 있는 도깨비는—물론 살아 있는 인간이나 레콘, 나가도 마찬가지일 것이다.—절대로 마지막 방에 도달할 수 없다. 물리적으로 아무런 제한을 받지 않는 어르신들은 마지막 방에 출입할 수 있으며 그곳에서 자신을 죽이는 신에게 제를 올린다.

작살검

불사체에 가까운 나가들을 상대하기 위해 북부군이 고안한 검. 보통 북부군의 보병들은 세 자루의 작살검을 휴대한다. 한 번 몸에 박히면 잘 빠지지 않고 지속적으로 고통을 주어 나가들의 움직임을 방해한다.

정신 억압

일부의 나가들이 보여주는 독특한 정신 능력. 이 능력을 가지고 있는 나가를 정신 억압자라고 부른다. 정신 억압자는 저능한 동물들의 정신 구조를 지배할 수 있고 그 능력을 통해 해당 동물을 자유자재로 부린다. 고등 생물일수록 정신 억압은 힘들다 한다.—용을 정신 억압하는 것은 아마도 절대 불가능할 것이다.—정신 억압에는 여러 가지 활용이 있고 그중 널리 알려진 것에는 뱀단지를 이용한 사어 통신이 있다.

종규해석소

대사원의 의결기구. 재판정의 성격이 강하다. 해당 사건에 대한 종단의 대응이 결정될 때까지 참가자는 퇴장할 수 없다.

즈믄누리

도깨비들의 거성. 밤의 다섯 딸인 혼란, 매혹, 감금, 은닉, 꿈의 도움으로 건설되었다고 한다. 그 때문인지 모르지만 즈믄누리의 주변은 항상 어둡다. 상식적으로 가능하지 않은 환상적인 구조를 가지고 있으며 이 내부를 이동하기 위해서는 일반 건축물에 적용되는 상식을 모두 포기해야 한다. 즈믄누리에는 마지막 방이라 불리는, 성주를 제외하고서 살아 있는 도깨비는 절대로 도달할 수 없는 방이 있다. 이 방에서 성주와 어르신들은 자신을 죽이는 신께 제를 올린다.

지도그라쥬

나가의 강대한 도시. 하텐그라쥬와 능히 경쟁할 만한 힘을 가지고 있다.

지러쿼터 산맥

규리하와 왕국을 분리하는 산맥. 변경백의 땅 규리하는 산맥 서편에 존재한다.

최후의 대장간

알려진 세계의 최북단에 위치한 라호친에서 도 다시 북쪽으로 한참 올라간 곳에 존재한다. 이곳에서 최후의 대장장이라 불리는 대장장이가 별빛을 이용하여 철을 제련한다. 이 철은 레콘의 무기를 제작하는 데만 사용된다.

코끼리 부대

북부군의 기마대에 대항하기 위해 나가들이 정신 억압자들을 동원해 만든 코끼리 부대.

키보렌

한계선 이남의 숲. 나가들의 땅. 그 경계를 찾기도 힘들 만큼 계속 이어지는 숲이며 세계의 절반을 덮고 있다 한다. 화재나 병충해 등에 의한 피해는 나가 정찰대의 세심한 관리에 의해 복구된다.

키탈저 사냥꾼

자신들을 용의 자손이라 믿었던 고대의 전설적인 사냥 집단. 하늘치와 용을 제외한 모든 생물을 사냥할 수 있다고 주장했다. 그리고 용의 경우조차 존경 때문에 사냥하지 않는 것일 뿐 사냥이 불가능한 것은 아니라는 태도를 보여준 듯하다. 어처구니없을 정도의 자부심을 가진 사냥꾼들이다. 확실히 이들은 남다른 사냥 기술을 가졌던 듯하다. 하지만 설명하기 힘든 초인적인 능력을 가지고 있는 것은 아니었으며, 이들의 정녕 놀라운 점은 끈기인 듯하다. 대호 별비와 관련된 전설에서 그들의 집요함을 엿볼 수 있다. 키탈저 사냥꾼들은 자보로의 무라 마립간의 요청을 받아 별비 사냥에 착수했으며, 3대에 걸친 자기 파멸적인 도전 끝에 별비를 붙잡아 자보로에 가져왔다. 아마도 숙원에 도전하는 레콘의 끈기 정도만이 키탈저 사냥꾼의 집요함에 비교될 수 있을 것이다.

킴

도깨비들이 인간을 부르는 이름. 도깨비들에게 곡물을 선물한 전설적인 인간의 이름이기도 하다.

페로그라쥬

나가의 도시. 좋은 나무가 많아 고급 서판을 생산한다.

푼텐 사막

키보렌의 한계선과 접해 있는 북부의 사막. 횡단이 불가능할 만큼 거대한 사막은 아니지만 체온을 조절할 수 없는 나가는 절대로 넘을 수 없다. 그 외의 종족들은 그럭저럭 오갈 수 있으며 그런 여행자들을 상대로 영업하는 마지막 주막이 있다.

하늘치

하늘을 아무런 목적지 없이 그저 유유히 날고 있는 거대한 생물체. 수천 개의 눈을 갖고 있고 한 번 분개하면 어마어마한 공포를 몰고 온다. 그 등에는 정체가 알려지지 않은 신비한 유적이 있다.

하인샤 대사원

어디에도 없는 신을 모시는 사원들의 총본산. 파름 산에 위치한다. 건립 시점은 영웅왕 이전 시대까지 소급되지만 종단의 총본산으로 체제를 뚜렷이 한 것은 역시 아라짓의 건국 이후부터이다. 그리고 아라짓보다 오래 살아남았다.

하텐그라쥬

나가들의 도시 중 가장 번성한 도시로서 나가들 자신에 의해 냉혹의 도시로 불린다. 그리고 인간들은 목소리를 사용하지 않는 나가들의 특징에 빗대어 이를 침묵의 도시라고 부른다. 륜 페이와 사모 페이의 고향. 이곳에도 다른 나가의 도시들처럼 심장탑이 있지만 하인샤 대사원처럼 발자국 없는 여신을 모시는 사원의 총본산인 것은 아니다. 나가들의 도시는 독립적이다.

흑사자

나가에 의해 멸종한 생물. 그 모피는 스스로 열을 낼 수 있다. 고대 아라짓의 왕가는 흑사자를 자신의 상징으로 삼았다.

어쨌든 글쟁이는 글로 말하는 법이고, 완결된 글에 글쟁이가 덧붙이는 구구한 설명은 잠꼬대보다 그 위상이 별로 높지 않을 것입니다. 글과 독자가 만나는 자리에 주책 없이 끼어드는 글쟁이는 맞선 자리에서 눈치 없이 물러나지 않는 매파와 마찬가지겠지요. 하지만 황금가지 편집부의 요구가 있었기에, 타자가 도대체 무슨 생각으로 이 괴이한 잡문을 두드렸는지 독자분들이 짐작하는 데 도움이 될 몇 가지 암시를 제공하기로 했습니다. 독자 여러분들은 아래에 있는 암시들을 재미 삼아 읽어보셔도 좋고, 조금도 신경 쓰시지 않아도 무방합니다.

— 이영도

핵심 용어에 대한 색다른 설명

심장탑

심장은 생명의 중심이고, 사랑의 중심이지요. 물론 매혹적인 이성을 만났을 때 왼발 새끼발가락이 경련하는 사람이 없으라는 법은 없겠지만 보통은 심장이 뛰겠지요. 사랑이 뇌의 활동이라는 똑똑한 주장을 할 사람이 있다면, 박수 쳐드릴 테니 만족하시고 물러나 주시길.

나가는 심장을 적출합니다. 그리고 그 심장들은 대형 창고나 지하실, 혹은 금고가 아닌 탑에 보관됩니다. 탑은 하늘과 땅을 잇는 건물입니다.

하늘치

그 엄청난 크기나 특이한 생김새, 혹은 등에 있는 유명한 유적 등의 가시적인 특징들 또한 하늘치의 신비를 구성하는 강렬한 요소들이지만, 하늘치의 가장 놀라운 특징은 유념하지 않으면 알아차리기 힘든 부분에 있습니다. 하늘치는 땅에 발을 딛지 않는 생물입니다. 가장 높은 바람을 타는 새들조차 때가 되면 둥지에 몸을 누이고 그 날개를 쉬게 합니다만 하늘치는 그러지 않습니다. 물고기가 휴식하기 위해 강바닥을 찾을 필요가 없듯 하늘치는 땅에 그 거체를 의탁하지 않습니다. 하늘치들은 언제나 하늘과 땅 가운데에 깃들며 그들이 고집하는 그 위치는 그들의 등에 있는 운명적인 건물과 관련되어 있는 듯합니다.

눈물을 마시는 새

눈물은 아래로 떨어집니다. 하지만 새가 마신 눈물은 새와 더불어 상승할 수 있을 겁니다. 나가 살육자 케이건 드라카에 의하면 왕은 눈물을 마시는 새입니다.

용

용은 기이한 존재입니다. 그들 안에는 식물과 동물이 공존합니다. 땅속에서 태어나 하늘을 나는 용의 모습에는 땅과 하늘이 결합되어 있습니다. 그리고 씨앗이라는 '삶을 내포한 죽음'과 화염이라는 '죽음을 부르는 삶'이 그들 속에 결합되어 있습니다. 또한 이들은 아무렇게나 성장합니다. 배를 끌며 이동하고 성질이 고약한 것으로, 혹은 땅을 파헤치며 이동하고 유쾌한 것으로, 그렇지 않으면 번개를 몸에 두른 채 하늘을 날며 치명적인 화염을 내뿜는 것으로 성장할 수도 있습니다. 그리고 이들 모두는 용이라는 하나의 존재입니다. 모든 것을 내포하고 있기 때문에 무엇으로도 가변할 수 있는 하나의 존재가 용입니다.

무엇으로도 변할 수 있는 하나인 그들은, 대확장 전쟁 이후로 참으로 긴 시간 동안 지상에 모습을 드러내지 않았습니다.

바라기

바라기는 영웅왕의 검들이었던 해바라기와 달바라기가 합쳐져 만들어진 검입니다. 상당히 뻔뻔한 이름이라고 생각합니다. 해를 바라는 것이 무엇인지, 혹은 달을 바라는 것이 무엇인지 짐작하는 것은 그다지 어려울 것 같지 않습니다. 문제는 그 둘이 하나로 합쳐져 있다는 것에 있습니다. 바라기의 형태는 두 검의 합일을 의미하는 것처럼 보일 수도 있습니다만, 다시 생각해 보면 반드시 그렇지는 않다는 것을 알 수 있습니다. 돌멩이는 부딪쳐야 불꽃이 일고 칼날도 서로 부딪쳐야 싸움이 되겠지요. 칼날이 서로 부딪치는 검투를 통해 바라기는 모든 칼날을 만날 수 있습니다. 하지만 바로 옆에 있는, 자신과 평행하게 서 있는 칼날은 만날 수 없습니다. 평행선은 서로 만나지 않지요. 두 칼날이 나란히 서 있는 바라기의 형태는 오히려 절대적인 별리라고 말할 수 있습니다. 영웅왕 이후로 바라기는 오랜 시간 동안 자신의 짝을 만날 수 없었던 셈이지요.

케이건 드라카는 그런 검을 가지고 다녔습니다.

술

스라블에서 태어난 도깨비 비형의 증언을 따르자면 술은 달을 담아 마시는 차가운 불입니다. 매일 아침 동쪽에서는 불덩이 하나가 올라오지요.

판사이의 육형제 탑과 하텐그라쥬의 심장탑

불은 항상 위로 치솟습니다. 무거워서 아래로 처지는 불은 없습니다. 거대해질수록 불은 오히려 힘차게 하늘로 수렴합니다. 어쩌면 불의 고향은 하늘인가 봅니다.

탑은 하늘과 땅을 잇는 건물입니다. 판사이의 육형제 탑은 물 속에 잠깁니다. 그리고 하텐그라쥬의 심장탑은 바람에 둘러싸입니다.

씨름

씨름은 서로를 붙잡은 채 우열을 겨루는 놀이입니다. 두 맞수가 맞선 채 서로를 붙잡고 시작하며, 둘 중 한쪽이 땅에 발 이외의 다른 신체 부위가 닿는 것으로 끝나게 됩니다. 그렇지 않으면 씨름이 아니겠지요.

서로 만날 수 없는 바라기의 두 칼날과 달리 씨름은 서로를 만난 상태에서만 성립될 수 있습니다. 그리고 우열이 구분될 때까지, 즉 서로의 위치가 결정될 때까지 계속됩니다. 지는 쪽은 땅을 향한 쪽이고, 이기는 쪽은 하늘을 향한 쪽이겠지요. 두 씨름꾼은 그 위치를 결정하기 위해 모래밭 위에서 힘과 기예를 다해 춤을 춥니다.

케이건 드라카는 판막음 장사였습니다. 판막음이란 연속하여 이겨 더 이상 상대가 없는 상태가 되는 것을 말합니다.

남매

사모와 륜, 세페린과 갈로텍, 극연왕과 케이건 드라카 등 『눈물을 마시는 새』에는 많은 남매들이 등장합니다. 형제라고는 팔하이드 규리하와 라수 규리하가 사촌 형제로 나오는 것 정도가 유일한 상황에서 상당히 많은 편입니다. 물론, 자매 관계도 적은 편입니다.

다른 사람들도 마찬가지지만 나가들의 사회에서도 근친상간은 강력하게 터부시 되는 악습입니다. 모든 사람을 통틀어 남매는 서로 결합될 수 없는 남녀입니다. 가족 관계가 극히 희박한 레콘조차도 남매끼리는 결합하지 않습니다. 륜은 심장 적출 이후 자신이 사모의 남동생도 아니고, 그렇다고 해서 그녀의 침실에 들 수도 없는, 아무것도 아닌 존재가 되리라 생각합니다.

마케로우 남매들에 이르러 이 관계는 좀 더 복잡해집니다. 비아스와 화리트는 살해자와 피해자의 관계를 맺게 됩니다. 그리고 카린돌과 화리트는 하나의 육 안에 공존하게 됩니다. 하지만 결합은 존재하지 않습니다. 한편 사모 페이와 륜 페이의 경우엔 그 관계가 계속 변합니다. 추적, 도피, 재회, 희생, 희생에 기반한 재도피, 추적, 그리고 최후에 륜이 사모를 구하기 위해 작살검 앞에 뛰어드는 것으로 이들은 완전히 평행선에 도달하게 됩니다.

하지만 타자는 그것이 정말 평행선이라고 생각하지는 않습니다.

소묘들

나무 모으기

토디 시노크가 열정적으로 쏟아내는 낯선 비유들을 해독하려 애쓰던 사모 페이는 갑자기 반가움을 느꼈다. 낯익어서 그랬던 것은 아니다. 토디가 쓴 표현은 그녀가 한계선을 넘어 실제로 이종족들을 만난 후 처음으로 들은 인간이 쓸 법한 표현이었다.

"초를 들어? 너희는 정말 그런 니름을 쓰는군?"

"예? 니름?"

"아, 그런 말을 쓴다고. 초를 들 수 없다고 했지?"

"아아, 초 말씀입니까? 예. 저는 여성의 복식이나 나가 귀인의 옷에 대한 식견에선 도저히 마님에게 초를 들 수 없습니다. 하지만 확실히 말씀드릴 수 있는데 피혁에 대해서라면—"

"아니, 잠깐만. 그게 우리는 잘 안 쓰는 말이거든."

"예?"

"나가라면 초보다는 화로가 필요하지 않겠어?"

자신이 재치있게 대답했다고 여겼던 사모는 토디의 멍한 표정에 당황했다. 인간

730

의 표정을 읽는 것에 있어선 북부의 누구에게도 초를 들 수 없을 테지만 사모가 보기에 상대는 혼란스러워하고 있었다. 이어진 토디의 조심스러운 반문은 그녀의 판단을 뒷받침했다.

"우둔하여 거듭 여쭙는 것 정말 송구합니다만, 마님, 그게 무슨 말씀입니까?"

"나가에 대해 잘 모르나 보군. 과장해서 말하자면 우리가 밤에 일을 하려면 조명보다는 난방이 더 중요하거든."

"밤에 일을 한다고요?"

"응?"

사이좋게 의아함을 나누던 두 사람 중에서 있음 직하지 않은 가정의 도입이 필요함을 먼저 깨달은 것은 사모였다. 그녀는 믿기 어렵다는 투로 질문했다.

"잠깐만. 너 누군가에 대해 초를 들 수 없다는 말이 무슨 뜻인지 모르는 거야?"

"무슨 그런 말씀을. 그건 실력이나 기능, 솜씨 같은 면에서 누군가에게 상대가 안 된다는 뜻이지요. 제가 마님에 비하면 한마디 할 자격도 없다는, 대강 그런 뜻입니다."

"그래. 그런 뜻이지. 그런데 한마디 할 자격이 없는데 왜 초를 들 수 없는 거지?"

"예? 그야……?"

토디는 충격을 느꼈다. 사모의 의혹은 사실이었다. 토디는 정말 자신이 썼던 말이 무슨 뜻인지 알지 못했다. 사모 또한 충격에 빠져 눈앞에 있는 이 인간이 정말 인간이 맞나 하는 스스로도 헛웃음이 나올 의문을 느꼈다.

"이상하네. 그건 너희들만, 아니, 어쩌면 북부에서 너희와 함께 사는 다른 종족들도 쓸 수 있겠지만, 어쨌든 거의 인간 고유의 표현이라고 해도 되는 말이잖아. 그런데 그게 무슨 말인지 몰라?"

"아니오. 전 그게 무슨 뜻인지 알고 있습니다. 평생 써왔고요. 예. 어, 그런데 그게 왜 그렇게 되는 건지 모르겠……군요?"

어이없어하는 토디를 훑어보던 사모가 조금 후 자신 없게 말했다.

"그럴 수도 있으려나. 늘 쓰던 것이라면, 그래. 응. 익숙한 건 오히려 의문시하기 어려울 수도 있지. 말 그대로 익숙하니까. 늘 쓰던 말이라면 오히려 유래를 잘 모를 수도 있겠네."

역시 자신 없는 태도로 동의의 몸짓을 하던 토디는 그러면 당신은 그 표현이 무슨 뜻인지 아느냐고 묻는 시선을 보냈다. 그가 정말 모르고 있음을 확신한 사모는 놀라움을 억누르며 설명했다.

"한밤중에 장인이나 예인이 일을 하는 경우를 생각해봐. 조명을 밝혀두었지만 그래도 낮에 비해선 어두워. 그리고 사람은 간단한 일을 할 때도 보통 두 손을 다 쓰잖아? 한 손으로 하는 일이라도 다른 손으론 작업물을 누르거나 할 테니까."

"예. 가위는 한 손으로 움직이지만 다른 손으로는 자를 물건을 붙잡고 있어야 하니까요. 그 말씀이시죠?"

"맞아. 그래. 그런데 정밀한 작업을 해야 해서 조명을 좀 가까이 가져다 대거나 위치를 바꿀 필요가 있다면, 어떤 손으로 그렇게 하지? 손 두 개를 다 쓰고 있는데? 물론 작업을 잠시 멈추고 초의 위치를 조정해놓고 다시 작업을 할 수도 있겠지만 그건 귀찮겠지. 무슨 작업을 하고 있느냐에 따라 초의 위치를 계속 움직여야 할지도 모르고. 그럴 때 옆에 손이 빈 사람이 있다면 부탁할 수 있겠지."

"아! 여기 좀 비춰봐. 위로, 조금 왼쪽으로, 아니, 내 왼쪽. 이런 식으로?"

"오. 역시 인간이라서 잘 아네. 그래. 그런데 장인이라면 누구한테 그렇게 말하겠어? 일 배우려고 옆에서 보고 있는 도제한테 그렇게 명령하겠지. 도제도 장인이 작업하는 것을 잘 봐야 공부가 될 테니 초를 잘 비추는 건 자신에게도 중요할 테고."

토디는 감탄했다.

"그렇군요! 당연히 도제겠군요. 아아, 그러면 초를 들 수 없다는 건, 장인 수준은 커녕 장인 옆에서 초 들어줄 도제 수준도 안 된다…… 그런 뜻이군요!"

곧잘 적절한 상황을 떠올리며 빠르게 이해하는 토디를 보며 사모는 상대가 인간이 맞긴 한가보다고 생각하며 다시 속으로 웃었다. 토디가 말했다.

"그런데 그게 인간의 표현이라고요? 음. 도깨비는…… 오, 그렇군요. 도깨비불이 있으니까 누가 초를 들어줄 필요가 없겠군요. 납득이 됩니다. 그런데 레콘은? 레콘은 드물게라도 쓸 것 같은데요. 어떤 분야의 명인이 되겠다고 결심한 레콘이라면 도제를 데리고 있을 수도 있을 텐데요. 숙원으로 추구한 기술이니 분명히 배우고 싶을 만큼 대단한 수준일 테고요."

"그 도제들은 아마 인간이나 도깨비는 아닐 텐데. 레콘이 일하는 방식을 배울 인간이나 도깨비가 있을까? 돌은 손으로 대충 다듬어서 쓰면 된다는 스승이라면 많이 힘들 텐데. 같은 레콘일 테지. 그런데 비슷한 숙원을 가진 레콘 두 명이 그렇게 자주 만날 수 있을까? 관용어가 쓰일 만큼?"

"어, 음, 흠. 힘이 그렇게 필요 없는 일이라면……"

"조건이 늘어나고 있군. 그리고 레콘에겐 부인들이 있지?"

토디는 감탄했다. 확실히 레콘 장인이라면 도제보다는 한가한 부인들 중 한 명이 초를 들어줄 가능성이 더 높다. 숙원에 매진하느라 결혼도 하지 않고 독신으로 산, 그렇게 힘이 필요하지 않은 분야의 명인이라는 상당히 많은 조건이 필요한 경우를 제외하면 레콘에게 저 표현이 어울릴 경우는 별로 없다. 그리고 사례가 적다면 사모가 말했듯이 그런 특별한 사례를 위한 관용적 표현이 생기기도 어려울 것이다.

"그렇군요. 마님의 말씀이 옳습니다. 누군가에 대해 초를 들 수 없다는 말은 인간의 말이군요. 아무 생각 없이 써왔던 말인데, 그거 참 신기하네요. 그러면 나가는?"

"이미 말했듯이 우린 밤에 일하기 힘들어. 추워서. 정밀한 작업을 할 시간이 아니지. 정밀한 작업이 아니라면 굳이 조명을 이리저리 들이댈 필요도 없고."

"그렇군요. 그런데 마님께선 나가와 관계도 없고 쓰지도 않는 말을 어떻게 아시는 겁니까?"

"아니, 쓰지 않는 말은 아니야. 잘 안 쓴다는 거지. 아, 그래. 그거군. 미안. 잠깐 생각을 좀 정리할게."

사모의 손짓에 토디는 얼마든지 기다리겠다는 듯한 표정으로 대응했다. 멀리서 지금도 그의 말이었던 사체를 신나게 뜯어먹고 있는 대호를 감안한다면 특기할 만한 예절 감각이라 하겠다.

"응. 그래. 아까 넌 그 말이 익숙해서 모를 수 있다고 했었지. 그 가정이 맞는 것 같아. 그건 우리한테는 익숙한 말이 아니거든. 무슨 상황인지 상상하기도 어렵고. 그래서 처음 그 말을 듣게 되면 그게 무슨 뜻이냐고 묻게 돼. 그러니까 그 말을 들을 때마다 그게 무슨 뜻인지에 대한 설명도 항상 듣게 되는 거지. 그래서 한 번도 들어보지 못했다면 몰라도 일단 들어봤다면 그 유래도 알게 되는 거지. 게다가 우리 일상과 관련이 없는 이야기니까 거꾸로 기억에도 남고."

토디는 그 설명이 타당하다고 느꼈다. 만족하는 토디를 보며 사모는 다른 세상에 넘어온 것이 실감난다는 생각을 했다. 그러니까 상대의 화법을 상대에게 설명해주는 방식으로. 어찌 본다면 어처구니없는 일이라고도 할 수 있지만 사모는 이런 일이야말로 외려 있음 직하다고 느꼈다. '그러니까 현지에서는 찾기 힘든 다른 시각을 제공하는 건 이방인이라는 거지?'

그리고 사모는 그것이 거꾸로도 작용하는 건지 궁금해졌다. 흥정이 끝나고 거래품이었던 흑사자 모피를 손에 넣은 사모를 본 토디는 그제야 궁금함을 느꼈다.

"이제 북쪽에서도 편안히 계실 수 있겠군요. 그런데 그런 물건도 없이 어째서 남쪽의 귀인께서 한계선을 넘어오신 겁니까?"

그 질문을 받았을 때 사모는 자신의 의혹을 한 번 시험해보기로 했다.

그녀는 나무를 모으러 북쪽에 왔다고 대답했다.

토디는 어리둥절해하다가 눈을 크게 떴다. 그는 뭐라 대답해야 할지 몰라하는 사람의 전형을 보여주다가 머뭇머뭇 대답했다.

"나가는 정말 그런 말을 쓰는군요."

사모는 감탄했다.

"예스러운 표현이라서 일상에 쓰기엔 약간 제한적이지만."

"내용도 그렇죠. 일상에서 그런 말을 할 일이 자주 있을 것 같진 않죠……?"

토디는 대답을 구하듯이 바라보았다. 사모는 잠시 흑사자 모피를 내려다보다가 그것을 들어 어깨에 둘러보았다. 열을 볼 수 있었기에 그것이 따스하다는 것은 이미 보아서 알고 있었지만, 그 온기가 실제로 몸에 스며들자 사모는 다시 감탄하지 않을 수 없었다. 모피를 쓸어 만지며 사모는 쾌활하게 질문했다.

"혹시 왜 그런 뜻이 되는지 알아?"

"예? 어, 마님께선 모르십니까?"

"이거 참 희한하군. 그게 무슨 뜻인지는 잘 알지만 우리는, 최소한 나는 그게 어째서 그런 뜻이 되는지는 모르거든. 맥락을 알 수 없잖아. 나무를 모으는 것이 어째서? 그런데 조금 전의 그 일을 겪고 나니 혹시 북쪽의 너희들은 유래를 알고 있나 하는 생각이 들던데. 알아? 안다면 좀 가르쳐줄래?"

사모가 학구적인 의문에서 질문했다고 생각한 토디는 흉흉한 일이 아니었음을 깨닫고는 안도했다. 그는 조금 과장된 미소와 손짓을 하고 말했다.

"아아, 예. 알고 있습니다. 정말 신기하네요. 그건 그야말로 나가가 쓸 법한 표현인데 제가 나가 귀인께 설명해드리게 되다니. 예. 나무를 모으러 왔다는 말이 왜 죽으러 왔다는 말이 되느냐 하면……"

손가락 튕기기

비형 스라블은 그 흥미로운 의문을 아르히가 준 선물이라고 생각했다. 따라서 그를 가리켜 술을 과대평가하는 도깨비라고 할 수도 있을 테지만 그건 그다지 쓸모없는 서술이 될 것이다. 그가 나무랄 데 없는 어엿한 도깨비라고 말하고 싶은 것이 아니라면. 어쨌든 아침이 늦게 찾아드는 산지였기에 아직 하늘에서 장밋빛을 찾기 어려운 새벽녘, 유료 도로당 숙소에 누운 채 자신이 깨어난 건지 아직 자고 있는 건지 확신하지 못하는 상황에서 비형이 아르히에게 보내고 있던 찬사는 대충 이런 것이었다.

'와! 이런 건 내 머리로 떠올리기 어려운 건데. 어제 징수소에서 얻어 마신 아르히 덕분에 떠올린 것이 분명해. 나가는 손가락을 튕길까?'

사실만을 말하자면 이러하다. 어제 비형은 징수소 안에서 비를 긋게 해준 유료 도로당 징수원들에게 호감을 표시하기 위해 도깨비불을 사용하여 그들의 등잔에 불을 붙여주었다. 손가락을 튕겨 나비 모양의 도깨비불을 만들어낸 후 그걸 심지로 날아가게 하는 방식이었고 결과적으로 침묵 어린 주목이라는 예술가의 보답도 받을 수 있었다. 그 뿌듯한 기억이 잠과 아옹다옹하던 그에게 찾아들었고 눈을 뜬 비형이 본 것이 류 페이, 그러니까 나가의 얼굴이었다. 따라서 제반 사항들을 놓고 볼 때 그가 징수소에서 얻어 마셨던 아르히의 역할은 상당히 불확실하다. 차라리 그를 가리켜 술에 대한 의리를 아는 드문 주당이라고 말하는 편이 정확할지도 모른다. 불과 몇 시간 전 칭송했던 술을 저주하는 것으로 오전의 숙취에 대처하는 많은 주정뱅이들을 고려해볼 때 그러하다는 말이다.

'어제 나는 소리에 큰 의미를 두진 않았지만, 그러니까 소리 자체는 그냥 꾸밈이었지만, 아무래도 손가락 튕기기는 소리를 내기 위한 행동이지? 박수치기나 휘파람 불기처럼?'

그 가정이 옳다면 음성 언어 대신 니름을 주로 쓰는 나가에겐 그런 습관이 없을 거라고 쉽게 간주할 수 있다. 그들에게 박수를 치는 습관이 없는 것처럼. 하지만 비형이 아르히의 선물이라고 생각한 의문은, 그러니까 꽤 재미있을 것 같다고 생각한 의문은 그리 간단히 풀릴 만한 것이 아니었다. 왜냐하면 손가락 튕기는 소리가 그렇게 큰 것이 아니기 때문이다. 그리고 비형은 소리가 작으니까 소리에 무관심한 나가에겐 더더욱 그런 습관이 없을 거라 생각할 만큼 단순한 도깨비는 아니었다.

'거꾸로 소리를 쓰는 우리 입장에서 보자고. 박수나 휘파람처럼 큰 소리를 낼 다른 수단이 있는데 왜 고만고만한 소리를 내는 수단이 따로 필요한 거지? 큰 것은 작은 것을 겸할 수 있는데? 왜냐하면 큰 소리를 낼 수 없거나 내지 말아야 하는 때가 있기 때문이지. 아무 곳에서나 박수를 치고 휘파람을 부는 건 세상에 자기만 산다는 듯이 탁자를 쾅쾅 치고 고함을 고래고래 지르는 짓이나 다름없으니까. 들을 필요가 없는, 듣고 싶지 않은 사람들을 방해하지 않는 적당한 소리가 필요한 거지. 현재 3인칭인 사람들을 방해하지 않으면서 2인칭인 사람에게만 전달하면 되는 소리. 그리고 살다 보면 어디에도 2인칭이 없고 모든 자가 3인칭인 때가 있지?'

비형이 주목한 곳이 그곳이다. 물론 다른 사람을 대상으로도 쓸 수 있지만 손가락 튕기기의 대상은 자기 자신일 경우가 적지 않다. 많은 사람들이 스스로를 향해 손가락을 튕긴다. 골치 아픈 문제의 해답이나 난국을 타개할 해결책을 떠올린 자

신을 칭찬하기 위해 그렇게 하는 것이다. 그런데,

'손가락 튕기기가 자신에게 보내는 신호라면, 그런 것이 또 있을까?'

비형은 유사한 예가 별로 떠오르지 않는다는 사실에 흥미로움을 느꼈다. 특히 수많은 시각 신호들이 거의 순식간에 후보에서 제외된다는 것이 인상적이었다. 표정, 눈짓, 손짓, 입술 움직임, 턱짓, 어깻짓, 그리고 비형 자신이 딱정벌레와 대화하기 위해 사용하는 수화 같은 시각적 신호는 상대방을 전제하는 행동이다. 보여주는 것이지 보려는 것이 아니다.

'자기 자신에게 시각적 신호를 보여준다? 이상하잖아. 예를 들어 심한 실수나 잘못을 저지르고는 그런 자신을 야단치기 위해 자기 얼굴을 향해 손가락 욕설을 하는 사람이 있다면?'

비형은 미소를 참기 어려웠고 그게 타당한 반응이라고 판단했다. 그가 연상한 장면은 삼엄한 자기혐오보다는 비틀어진 익살에 가까웠다. 굳이 시각적 신호를 그런 용도로 쓰고 싶다면 벽에 비친 자신의 그림자를 향해, 혹은 수면에 비친 자신에게 그러는 것이 보다 진지한 의지 표명이 될 것이다. 그리고 그런 사실은 시각 신호의 객체 지향적 특성을 더욱 명확하게 한다. 시각 신호는 대개 객체를 향하는 것이며, 자기 자신을 향해 쓰고 싶다면 우회적인 방법을 통해 자신을 객체화한 후에야 쓸 수 있는 것이다.

시각은 객체를 향한다. 바꿔 말하면 시각은 객체를 결정짓는다. '시각은 배타적인 감각인가?'

시각은 세계를 파악하면서 동시에 그걸 보고 있는 자신을 세계와 분리시킨다. 자신이 두 눈 뒤편에 있다고 느껴보지 않은 사람이 어디 있을까? 비형은 누워 있던 바닥을 만지다가 등에 감각을 집중했다가 발가락을 꿈틀거려 보았다. 밤에 잠자리에 누워 눈을 감고 있다면 온몸을 감싼 피부 안쪽에 있는 자신을 느낄 수도 있을 것이다. 하지만 발은 손보다 내게서 멀리 있다는, 가만히 생각해보면 꽤 어이없는 생각이나 가정을 무의식적으로 해보지 않은 사람도 드물 것이다. 시각이 세계를 파악하면서 동시에 자신의 위치도 결정하기 때문이다. 나는 세계를 보는 창문인 눈 뒤편에 있다.

하지만 청각은 그렇지 않다. 앞과 뒤뿐인 시각과 달리 청각은 모든 방향을 향해 열려 있는데, 모든 방향에 반대되는 위치를 찾기란 지난하기 때문이다. 나는 왼쪽에서 들리는 소리의 오른편에 있고 오른쪽에서 들리는 소리의 왼편에 있으며, 앞에서 들리는 소리의 뒤편에 있고 뒤에서 들리는 소리의 앞에 있다. 이런 위치가 있을까? 억지로 찾으려 하면 하나의 점이 될 것이다. 하지만 그건 자신의 머릿속에 있는 점이다. 만질 수도, 느낄 수도 없는 그 하나의 점을 실감하기란 어렵다. 게다가 혹 빗속에 서 있기라도 해서 모든 방향에서 똑같이 빗소리가 들려온다면 그 가상의 점조차 결정하기 어려울 것이다.

'시각적 신호는 창문 밖에서 일어나는 일이고 그러니 창문 안쪽에 있는 나와 분리되어 있다는 느낌을 지우기 어렵지. 그래. 그래서 자신에게 시각적 신호를 보낸다는 것이 어색한 거야. 표정이든 몸짓이든 수신호든 시각적 신호는 바깥에 있는 다른 자들을 위한 것이야. 자기 자신에게 신호를 보내려면 청각적 신호여야 해. 소리는 안팎을 구분하지 않으니까. 벽을 만들지 않으니까. 그렇지? 그렇다면 그건 나가도 마찬가지 아닐까?'

나가는 귀머거리가 아니며 청력이 특별히 약한 것도 아니다. 류과 여행하며 비형이 확인했던 것처럼 나가가 듣겠다고 작정하고 청각에 주의를 기울이면 주변의 다른 종족들도 목에 핏대를 세울 필요가 없다. 같은 종족과 이야기할 때처럼 평범하게 말해도 나가는 들을 수 있다. 다만 주의를 기울이지 않으면 커다란 소리도 못 듣는 것일 뿐이다. 따라서 나가들의 사회에서 어떤 나가가 변덕을 부려 소리 신호를 쓰려고 해도 그건 쓸모없는 짓이 될 것이다. 상대가 들을 준비가 되어 있지 않을 테니까. 굳이 소리를 쓰고 싶다면 그 전에 상대에게 청각에 대한 주의를 촉구해야 하는 것이다. 그런 귀찮은 일을 할 필요가 없으니 더욱 나가들끼리는 소리를 낼 필요가 없다. 하지만 처음부터 자기 자신을 향한 소리라면? 소리를 내기 전에 먼저 청자에게 소리에 주의를 기울여 달라고 요청하고 승낙받는 번거로운 과정은 필요가 없다. 청자가 자신이니까.

'그러니 특별한 어려움은 없어. 소리를 못 듣는 것도 아니고, 자기 자신이 대상이라면 미리 청각에 집중해달라고 요청할 필요도 없어. 거의 무의식적으로 할 수 있을 테지. 그렇다면 역시 나가도?'

"내 생각엔 안 튕기는 것 같소."

"비결이 뭡니까, 케이건!?"

"옆에 누운 나가를 쳐다보며 계속 손가락을 튕기는 다른 도깨비를 찾아보시오. 뭘 궁금해하는 건지 대충 짐작할 수 있을 거요."

비형은 자신의 손을 쳐다보았다가 몸을 반쯤 일으켜 륜의 건너편에 누워있는 케이건 드라카를 바라보았다. 비형과 륜을 숙소 안쪽에 두고 문에 제일 가까운 쪽에 자리잡은 그들의 길잡이는 똑바로 누운 채 눈을 감고 있었다. 다시 누울지 잠시 고민하던 비형은 똑바로 앉아 잠든 륜을 내려다보았다.

"나가는 왜 손가락을 안 튕기는 거죠?"

"튕겨야 하오?"

"나가도 자기 자신에게 미소를 지어줄 수는 없을 텐데요?"

케이건은 눈을 뜨더니 고개를 조금 돌려 비형에게 얼굴을 향했다.

"자기 자신에게 미소?"

"그뿐만 아니라 한쪽 눈을 찡긋해줄 수도 없고, 고개를 끄덕여줄 수도 없을 텐데요. 자기 자신이니까요. 볼 수 없잖아요. 시각적 신호로는 어려워요. 자기가 자기에게 보내는 거라면 소리를 쓰는 것이 어울릴 것 같은데요?"

케이건은 다시 고개를 돌려 똑바로 누웠다. 그가 다시 잠들 작정인가 비형이 의심하게 되었을 때 케이건이 입을 열었다.

"나가의 약지가 미끄러워서인지도 모르겠소."

"음? 약지가 미끄럽다고요?"

"누군가가 어떤 행동을 하지 않는 이유를 말하라는 건 무엇인가가 존재하지 않음을 증명하라는 소리와 비슷해서 확실히 말하긴 어렵지만, 내 추측으론 그게 맞을 것 같소. 손가락 튕기기는 악기에 비유하면 타악기에 해당할 거요. 중지로 엄지

기부를 강하게 때려서 소리를 내는 거지. 동일하다고 할 순 없지만 비슷한 원리의 타악기로 종이 있소."

"예? 종? 땡, 땡 하는 그 종이오?"

"종소리는 그냥 금속을 때리는 소리가 아니오. 잔 모양의 종신이 울림통이 되어 금속의 타격음을 크게 증폭시킨 소리요. 그 울림통 구조가 없으면 볼품없는 소리가 나지. 손가락 튕기기도 마찬가지요. 타격하는 것은 중지지만 구부린 약지와 소지가 종신 역할을 해주기 때문에 그런 소리가 나는 거요. 둘 중에선 중지 바로 옆에 있는 약지가 더 중요한 것 같소. 흔히 가장 쓸모없는 손가락으로 여겨져서 단지 할 때 선택되기도 하고 다른 곳에 있으면 걸리적거리는 반지를 끼워두는 곳으로 취급되기도 하지만 손가락을 튕길 땐 그렇지 않은 거지. 한 번 약지를 쭉 펴거나 반대로 완전히 접은 채 손가락을 튕겨보시오."

무리한 시도를 반복해본 비형은 잠시 후 손가락이 뒤틀릴 것 같은 느낌을 받고는 급히 손을 펴 흔들었다. 도깨비가 놀라 바라보는 가운데 케이건의 설명이 이어졌다.

"손가락을 튕길 때 약지는 어중간한 정도로 구부러져 울림통을 만들어야 하오. 그런데 그 약지라는 것이 인간에겐 단독으로 움직이기 가장 힘든 손가락이오. 사실 레콘 빼곤 다 비슷비슷하게 힘들지. 그래서 엄지 기부가 약지를 잘 받쳐주어야 하는데, 나가의 경우 약지가 엄지 기부에서 좀 미끄러지는 것 같소. 확실하진 않지만 내 느낌으론 그런 것 같소. 땀이 안 나고 미세한 비늘이 덮여 있는 피부라서 더 미끄러운지도 모르지. 물론 그런 피부에도 장점이 있는데—"

비형은 그 설명에 그리 집중하지 못했으며 나가와 손가락 튕기기에 대해서도 거의 잊었다. 다른 것에 깊은 인상을 받은 탓이다.

"케이건? 어떻게 그런 걸 다 아시죠? 아니, 뭐, 자기가 늘 하던 거면서 원리도 몰랐던 거냐고 반문하시면 저도 할 말은 없지만, 그래도 중지 소리가 아니라 약지와 소지로 증폭시킨 소리라니. 그래서 타악기이고 종이라니. 킴은 보통 그런 걸 다 압니까?"

"위험한 칼잡이를 불능화하는 방법 중에 소지와 약지를 자르는 방법이 있소. 검을 다룰 때 결정적으로 중요한 손가락들이라 그걸 잘리면 일상생활은 그럭저럭 꾸려갈 수 있어도 좋은 칼잡이 노릇은 하기 힘들게 되오. 목을 베는 것보다는, 그리고 손을 통째로 잘라 여생을 비참하게 만드는 것보다는 좀 온화한 처분인 셈이지. 예전에 그런 처분을 당한 어떤 칼잡이가 손가락을 잘 튕기지 못하는 걸 본 적이 있소. 덕분에 손가락을 튕길 때도 검을 쓸 때와 마찬가지로 그 손가락들이 중요하다는 걸 알게 되었소."

길 알려주는 듯한 어조로 대답하는 케이건의 모습에 비형은 창백해졌고, 잊어버렸던 의문으로 돌아가지도 못했다. '밀접 관련자 같은 어조인데, 케이건의 손가락은 전부 붙어있잖아. 그런데 밀접 관련자라는 건 잘린 자 외에 자른 자도 포함되는 거지? 그렇다면?'에 해당하는 의혹에 사로잡힌 탓이다. 그래서 비형은 나가도 손가락을 튕기냐고 륜에게 물어보려는 계획을 잊어버렸다.

고양이 이마

레콘 티나한이 이마에 대한 자신의 인식에 의문을 가지게 된 것은 하늘치 등정대를 조직한 후였다. 그 전까지 티나한은 그걸 의문스러워해야 한다는 생각조차 하지 못했다. 미친 사람이나 철학자가 아니라면 자신이 팔이라 부르는 것이 팔이 맞는지 의심하는 사람이 있을까? 자신이 이마의 의미를 아는지도 의문시해본 적이 없었던 티나한은, 그래서 하늘치 등정대의 한 인간 대원이 한 말을 이해할 수 없었다. '이마가 넓어졌다고? 어떻게?'

티나한은 힘을 쓰는 일을 많이 하면 몸의 일부가 커질 수 있다는 것을 알고 있었다. 평균치보다 어깨가 넓은 사람을 보고 뭔가를 잡아당기는 일을 많이 한 사람일 거라 평범하게 예상할 수도 있었다. '하지만 이마로 무슨 일을 할 수 있는데? 박치기를 많이 하면 되나? 아니, 그러면 목이 굵어질 것 같은데?' 상상 속의 적수 몇 명의 두개골을 빠개본 후 티나한은 박치기가 목이나 상체의 힘으로 머리를 휘두르는 행위가 맞다고 판단했다. 티나한은 이마를 넓어지게 하는 일이나 운동을 떠올릴 수 없었다. 다행스럽게도 그의 동료 중엔 군령자가 있었고 인간의 영과 함께 레콘의 영도 지니고 있는 군령자 롭스는 티나한의 의문에 대응할 수 있었다.

"그러니까 인간한테는 이마가 머리 앞부분이 아니라 눈 위의 그 털에서 머리의 그 털이 난 부분까지라고? 털과 털 사이인 거야?"

"머리 앞부분인 건 맞지만, 맞아요. 털과 털 사이죠."

"그러면 넓어졌다는 건?"

"아래쪽 털이 그대로 있어도 위쪽 털이 많이 빠지면 인간이 이마라고 생각하는 부분의 면적이 늘어난다는 겁니다. 한가할 때마다 벽에 대가리를 박아댄 것이 아니라. 그 친구는 자기가 늙어간다고 한탄한 겁니다. 그런데 아직도 하늘치 등에—"

"잠깐만! 그러면 인간이 보기에 나는 이마가 없는 거야?"

"허리를 좀 구부려주면 때려서 어딘지 알려줄 수 있는데요."

"털이 없는 부분이 이마라면서?"

"인간일 때만 그렇다고요. 인간은 털 없는 부분이 눈에 잘 들어오니까 그런 것이고 털이 있을 땐 레콘이든 고양이든 다 머리 앞부분이 이마예요."

티나한은 롭스의 비유에 어색함을 느꼈다. 고양이? 왜 하필 고양이? 그때 롭스의 안에 있던 다른 영이 말문을 열고 싶은 충동을 느꼈다.

"그래. 고양이 이마빼기. 그런데 그 말이 좀 이상하지 않아? 뭐가요? 가만 생각해 보면 고양이는 이마가 어딘지 알기 어렵잖아? 이마가 어딘지 모르다니, 그게 무슨 소립니까? 우리 대장도 그게 있는데. 대장의 경우 벼슬이라는 표식까지 달려 있으니까 찾기가, 아니, 잠깐. 이 친구가 뭔 소리를 하는지 알 것 같은데. 뭐? 고양이는 보통 눈에서 정수리까지 부드럽게 이어지잖아. 이렇게 둥그스름하게. 그래! 그거. 그렇게 둥글게 이어지니까 어디까지 이마이고 어디서부터 정수리인지 애매하지 않아? 맞아. 안 그래도 개보다 주둥이도 짧아서 머리 전체가 공 같은데. 귀여우려고 단단히 작정한 동물이라고. 내가 살아있을 때 길렀던 고양이가 있는데, 아니, 그건 됐고, 인간은 눈 위에 눈두덩이가 있고 그다음에 눈썹이 있지만 고양이는 눈에서부터 바로 정수리로—"

자기들끼리의 대화에 빠져버린 군령자를 보다가 티나한은 겨우 인간들이 좁은 장소를 가리켜 고양이 이마빼기만큼 좁다고 말한다는 것을 알게 되었다. 그리고 롭스가 왜 고양이를 언급했는지도. 하지만 티나한은 왜 그런 비유를 쓰는지는 묻지 않기로 했는데, 롭스를 보고 있으니 인간들도 잘 모르는 것이 분명해 보였기 때문이다. 그래서 티나한은 그 의문을 머릿속의 잘 열지 않는 서랍 같은 곳에 집어넣은 다음 이마가 넓어졌다는 인간 동료에게 무슨 말을 해줄지 고민하기로 했다. 티나한이 보기에 그게 지도자다운 처신인 듯했고, 그런 생각을 떠올린 자신에게도 만족했지만, 사람은 이마가 넓어질 때 늙는 것이 아니라 무기를 놓을 때 늙는 거라고 말해주는 건 아무래도 아닌 것 같았다. 인간은 평생을 하나의 무기와 함께하지 않으니까. 그러면 인간은 도대체 언제 늙는 건가 티나한이 고민하는 동안 고양이 이마에 대한 의문은 티나한의 머릿속 변경 같은 곳으로 비참하게 추방되고 말았다.

하인샤 대사원의 고가람들 사이에 앉아 류 페이와 그의 주위를 빙글빙글 돌고 있는 두억시니들을 물끄러미 바라보는—애석하게도 때려치울 수도 없는—일에 진력이 나서 고개를 조금 돌렸다가 대호 마루나래를 보았을 때 티나한은 오래전에 추방했던 그 의문을 떠올렸다.

티나한은 고양이를 특별히 가까이해본 적이 없었다. 개는 어쩌면 방랑자의 벗이 될 수 있을지도 모르지만 고양이는 사람보다는 집에 속한 동물이다. 집고양이가 아닌 경우에도 자기의 영역에 집착하는 동물이므로 마찬가지다. 정주성인 것이다. 분류하자면 비정주성에 가까운, 하늘치의 등 위가 아닌 다른 거주지를 딱히 추구해본 적이 없는 티나한은 고양이와 별다른 연이 있기 힘들었다. '이렇게 오랫동안 고양이를 쳐다본 것도 드물었던 것 같네.' 기회가 왔고, 다른 곳에 잠시 주의를 돌리는 것도 나쁘지 않을 것 같았기에 티나한은 오래된 의문이나 해소해보기로 했다. '저게 좁은 건가?'

잠시 후 티나한은 미심쩍은 듯 고개를 갸웃했다. '별로 안 좁아 보이는데?'

티나한은 오래전 롭스들 중 한 명이 말했던 둥글게 이어진다는 말이 무슨 말인지 알 수 있었다. 마루나래의 눈에서부터 정수리까지, 아니, 그 뒤의 목과 어깨까지 부드럽게 선이 이어져서 딱히 구분되는 점이 없었다. 그렇기에 이마를 정의하는 건 주관적일 수밖에 없었는데, 티나한이 보기엔 눈에서부터 귀가 있는 곳까지가 마루나래의 이마처럼 보였다. 그런데 그 부분이 그렇게 좁다는 느낌이 들진 않았다.

"저 대호가 불안해하는 것 같은데요. 왜 그렇게 바라보십니까?"

말을 걸어온 건 승려 오레놀이었다. 티나한은 부리 끝으로 마루나래를 가리켰다.

"갑자기 생각난 건데 고양이 이마만큼 좁다는 말이 있잖아. 그래서 진짜 좁은가 살펴봤는데 그렇게 작다는 느낌이 안 드는걸."

"……저건 대호인데요?"

"응? 저 고양이는 대가리가 크다고? 절대적인 크기 문제였어?"

"예?"

"비율이 작다는 이야기 아니었어? 뭐랄까. 그래. 허리가 개미처럼 가늘다는 말도 있지? 하지만 정말 사람 허리가 개미허리만큼 가늘다면 그 사람은 이미 죽었거나 곧 죽을걸. 그렇잖아. 그 말은 개미허리의 절대적인 굵기가 아니라 개미허리와 다른 부분의 비율 때문에 생기는 인상을 말하는 거 아냐?"

"아아, 예. 그건 그렇죠."

"난 고양이 이마가 좁다는 말도 그런 것일 거라고 생각했는데. 그러니까 고양이는 얼굴 전체에서 이마가 차지하는 비율이 낮다거나, 그런 의미라고."

"논리적으로 들리는 말씀이군요. 그렇게 본다면……"

"그렇게 좁아 보이지 않아. 어쨌든 눈이 정수리 부근에 달린 거북이 같은 것에 비해 보면 재한테는 어엿한 이마가 있는 것처럼 보여. 저 줄무늬가 다 들어갈 정도니까 꽤 훤하다고 해도 될 것 같은데."

오레놀이 빙긋 웃었다. "말씀하신 대로입니다."

"그러면 왜 고양이 이마처럼 좁다는 거야? 이상하잖아."

그냥 적당히 넘어갈 수도 있었겠지만 오레놀은 학승의 버릇이 충동질 당하는 것을 느꼈다. 승려는 레콘의 곁에 나란히 앉으려다가 자신은 대호의 지척에 앉아 있어도 무방한 레콘이 아님을 깨닫고는 급히 다리를 다시 폈다.

"저도 그 말의 유래를 모릅니다만 추측해볼 순 있겠지요. 산문적으로 추측해보면 사람이 기르는 동물 중에 얼굴이 제일 작은 것이 고양이라서 그렇게 말한 것일지도 모르겠습니다. 아, 물론 사람이 기르는 것 중에 머리가 제일 작은 건 누에나 벌이겠지요. 하지만 그것들은 지나치게 작고 이목구비도 사람과 많이 달라서 의인화하기 어렵겠죠. 사람이 얼굴이라고 쉽게 받아들일 수 있는 것을 달고 있는 가축 중엔 고양이가 제일 작을지도 모르겠습니다."

"흠. 가축 중에서 얼굴 같은 걸 달고 있는 것 중엔 고양이가 제일 작다…… 글쎄?"

"예. 아까 언급하신 것이지만 사람은 개미를 가지고도 관용구를 만들었죠. 굳이 가축이어야 할 필요가 없다는 거죠. 그리고 얼굴처럼 보여야 한다는 조건이라면, 사람이 기르는 건 아니지만 사람과 동거한다고 해도 무방한 쥐가 있죠. 쥐에 대한 관용구는 많습니다. 낮말은 새가 듣고 밤말은 쥐가 듣는다, 쥐구멍에도 볕이 든다, 쥐뿔도 없다, 쥐 죽은 듯 고요하다, 쥐 잡듯이 잡는다, 소 뒷걸음치다가 쥐 잡는다, 고양이 앞의 쥐, 독 안에 든 쥐, 물에 빠진 쥐, 원, 쥐는 다사다난하게 사는군요. 그래서 빠져나갈 구멍을 보고 쥐를 몰아야 하는지도 모르겠습니다만, 어쨌든 많습니다. 그러니 그냥 얼굴이 작은 동물을 말하고 싶다면 쥐 이마라고 해도 될 것 같죠. 실제로 쥐 밑이 어쩌고 하는 말도 있긴 하고요."

"들으면 들을수록 굳이 고양이여야 할 이유가 없는 것 같은데."

"그런데 이마와 관련해서 고양이에겐 한 가지 재미있는 점이 있습니다."

"그게 뭔데?"

"그걸 말하기에 앞서 한 가지 여쭤보겠습니다. 사람이 쓰러지는 건, 물론 서 있을 힘이 없어서 자연스럽게 그렇게 되는 것이지만, 어떤 의미로는 자기방어이기도 하다는 것 아십니까?"

"뭐? 방어? 쓰러지면 때리기 힘들다고? 밟거나 차면 되는데?"

오레놀은 손사래를 쳤다.

"아니, 아니요. 싸움이 아니라, 음. 그냥 탈진해서, 아니면 병이 있거나 해서 쓰러지는 경우 말입니다. 몸이 안 좋아서 쓰러지는 것이오."

"아, 그거? 그게 왜 자기방어야?"

"겉으로 보면 정말 위험해 보이지요. 위험한 것이 맞고요. 하지만 결과적으로만 보면 그렇게 쓰러지는 것에도 좋은 점이 있습니다. 심장이 머리로 피를 보내기 좋게 되지요."

"응? 머리로 피를 보내?"

"예. 심장이 쿵쿵 뛰면서 온몸에 피를 돌게 하는 건 아시지요? 네 발로 서는 동물이라면 그 머리는 심장의 앞쪽에 있는 셈이고 따라서 심장의 관점에서 머리로 피를 보낸다는 건 그냥 앞으로 보내는 겁니다. 그런데 사람처럼 두 발로 서는 경우엔 머리가 심장 위쪽에 있게 됩니다. 그러니 서 있는 사람의 경우 머리로 피를 보내려면 심장은 피를 위로 흐르게 해야 하는 겁니다. 액체는 아래로 흐른다는 순리를 거스르면서 말입니다."

"허? 그렇군. 듣고 보니 그렇네. 위로 보낸단 말이지."

"건강한 사람에겐 그게 문제가 되지 않습니다. 우리 심장은 평생 그런 일을 해낼 수 있죠. 하지만 몸이 안 좋을 땐 이야기가 달라지지요. 그땐 누워 있는 것이, 그러니까 네발 동물처럼 머리와 심장을 비슷한 높이에 두는 것이 심장의 부담을 줄이는 것이 될 겁니다. 그러면 더 쉽게 머리로 피를 보낼 수 있을 테고, 어쩌면 더 빨리 정신을 차릴지도 모르지요."

"아하."

"그런데 간혹 쓰러진 사람을 보면 기겁해서 상대를 일으켜 세우거나 앉히려고 하는 사람들이 있지요. 심정적으로 이해할 수 있는 일입니다. 자기 눈앞에서 사람이 쓰러지는 걸 처음 보면 그럴 수 있지요. 그런 사람들은 자기 옷이 더러워지는 것도 마다치 않고 쓰러진 사람을 앉히려고 애씁니다. 동기만 보면 갸륵한 행동이라고 할 수 있지만, 사실 그건 상대를 돕는 것이 아니라 오히려 해를 끼치는 행동입니다. 방금 말한 것처럼 쓰러진 사람은 그대로 누워있는 것이 좋으니까요."

"오오. 그래. 무슨 말인지 알 것 같다."

"왜 이런 선량함이 해살의 원인이 되는 전형적인 사례가 발생할까요? 그건 무의식적인 고정 관념 때문입니다. 사람에게 있어 자연스럽고 옳은 자세는 정수리가 위를 향하는 자세라는 거죠. 그래서 그 사람들은 쓰러진 사람을 올바른 자세로 만들어주려고 애쓰는 거죠. 그런 고정 관념은 우리가 쓰는 다른 말에도 들어 있습니다. 예를 들어 상체와 하체라는 말이 있지요. 이상할 것이 없는 말 같지만 사실 그 말은 사람이 서 있을 때만 의미가 있습니다. 하지만 아픈 사람에게 있어 바른 자세는 눕는 겁니다. 그리고 건강한 사람도 하루의 3분의 1은 누워있고요. 그땐 상체와 하체는 같은 높이에 있게 되니 의미 불명이 됩니다. 하물며 네발 동물에게 그런 말을 쓸 수 있을까요? 곤충 같은 것도 그렇고 뱀이나 물고기 같은 경우는 말할 것도 없겠지요. 물론 가장 곤혹스러운 건 박쥐의 경우겠지만. 예. 대부분의 동물은 상체와 하체가 아니라 머리가 있는 쪽과 그 반대쪽, 그러니까 앞쪽과 뒤쪽이 있는 겁니다. 모든 동물에서 사람이 차지하는 미미한 비율을 놓고 보면 우리는 상체와 하체라는 오만한 말을 버리고 우리 몸도 전체와 후체로 구분하는 것이 옳을지도 모르지요." 오레놀은 손을 들어 가슴 부근을 가리켰다. "여기는 위쪽처럼 보이지만 사실은 전체인 겁니다. 머리와 가까운 쪽이니까요. 그리고 이쪽은 그 반대편이니 후체인 것이죠."

티나한은 웃다가 자기 벼슬 부근을 가리켰다. 오레놀은 고개를 끄덕였다.

"이마가 뭐냐고 물어보면 일반적으로 머리 앞쪽 부분이라고 대답하겠지만 엄밀히 말해 그건 사람이 서 있을 때만 옳은 말입니다. 누워있을 땐? 머리의 위쪽이라고 말해야겠지요. 정반대의 정의도 가능합니다. 그러니까 이마는 아래에 닿는 부분이라고 할 수도 있는 거죠."

"허? 아래에 닿는 부분?"

"음. 아무래도 잠깐 앉아야겠군요."

오레놀은 마루나래를 주시하며 조심스럽게 앉았다. 어쩌나 바라보던 티나한은 오레놀이 두 무릎을 세우더니 그 위에 이마를 얹는 것을 보다가 놀라 부리를 벌렸다. 오레놀이 다시 고개를 들고는 싱긋 웃더니 냉큼 일어났다.

"가이너 카쉬냅이 했던 말이 있죠. 움직이려는 사람을 받치는 건 발바닥이고, 생각하려는 사람을 받치는 건 엉덩이고, 피곤하거나 느긋한 사람을 받치는 건 등이고, 낙담하거나 괴로운 사람을 받치는 건 이마고, 다시 일어서려는 사람을 받치는 건 손바닥이다."

"그럴싸하네."

"그런데 고양이도 간혹 비슷한 자세를 하곤 합니다. 바닥에 앉아 두 앞발을 앞에 모으고 그 위에 이마를 얹죠. 고양이에 익숙한 사람은 어렵잖게 떠올릴 수 있는 자세인데 사실은 희귀한 자세입니다. 개는 별로 그러지 않습니다. 비슷한 자세를 취하더라도 보통 두 앞발 위에 이마가 아니라 턱을 얹죠. 다른 가축들도 그런 자세는 하지 않고요. 쥐? 할지도 모르지만 사람이 보는 곳에서 그러진 않는 것 같습니다. 사람이 볼 수 있는 곳에서 그러는 동물은 고양이가 유일하다고 해도 될 겁니다. 그런데 그렇게 고양이가 이마를 받치고 있는 모습을 보면 아래에 닿는 부분이 참 작다는 느낌이 들죠. 워낙 머리가 동글동글한 동물이라 그럴 겁니다. 공을 떨어뜨리면 바닥에 닿는 부분이 적겠지요? 고양이도 그렇습니다. 아래에 닿는 부분은 손톱만 한 부분밖에 없는 것 같습니다. 그 외의 머리통은 훤히 다 보이고요."

"이마는 아래에 닿는 부분인데 고양이는 아래에 닿는 부분이 좁다?"

"물론 이건 아무런 증거도 없는, 가설이라고 말하기도 부족한 이야기일 뿐입니다."

티나한도 오레놀의 설명이 객관적인 진실이라고 말하긴 어렵겠다고 생각했다. 그리고 그건 티나한이 그 이야기를 좋아하느냐 마느냐와 큰 관계가 없었다. 티나한은 그 설명이 재미있다고 느꼈다.

사실 티나한은 그 이야기에 대해 더 생각하고 있을 수도 없었다. 조금 전 오레놀이 무릎에 이마를 댔을 때 본 그의 반질반질한 뒤통수에 어떤 것을 떠올린 탓이다. '롭스. 인간에게 있어 이마는 털에서 털까지라고 했지? 그런데 인간이면서 위쪽 털이 없는 중들은 이마가 어디지? 뒤통수까지야? 말이 안 되지. 이마는 대가리 앞쪽이 아니라 괴로울 때 바닥에 닿는 부분으로 찾아야 하는 거야. 그러면 위쪽 털이 없는 중들도 이마가 어딘지 알 수 있지. 가이너 카쉬냅이 그랬다고.' 같은 생각을 하고 있는 티나한의 머릿속에서 고양이 이마에 대한 생각은 다시 추방자 신세가 되고 말았다.

모깃불

카루가 처음부터 두억시니의 도시로 가자는 스바치의 제안에 열렬히 찬성했던 것은 아니다. 키보렌에 익숙한 다른 나가 남자들과 마찬가지로 그는 두억시니의 도시가 접근해서는 안 되는 곳이라는 것을 잘 알고 있었다. 그리고 과거 어쩔 수 없이 그곳을 방문한 이후 카루의 견해는 더욱 확고해졌다. 하지만 스바치는 바로 그렇기에 잠시 쉬며 몸을 추스르기에 최적의 장소가 아니냐고 역설했다.

〈정찰대원들이나 다른 남자들은 접근하지 않는 곳인데 우리한텐 현지 사정에 해박한 안내인이 있잖나. 완벽하지.〉

카루는 단 하루의 경험을 어떻게 현지 사정에 해박 운운하는 니름으로 수식할 수 있냐고 항의했지만 스바치는 경험의 척도에는 기간만이 아니라 깊이도 있다고 대꾸했다. 그 니름에 동의할 마음은 없었지만 카루는 스바치의 첫 번째 지적은 무시할 수 없었다. 두 사람에겐 다른 나가의 시선이 닿지 않는 곳이 필요했다.

그들은 지쳐 있었다.

하텐그라쥬에서 도망 나올 무렵 카루와 스바치는 알게 된 사실에 대한 경악이나 분노, 탈출의 희열과 안도감, 그리고 어떻게 될지 모르는 미래에 대한 불안 같은 것은 느끼고 있었지만 생활의 곤란에 대해선 특별히 고민하지 않았다. 두 사람은 자신들의 잠행이 버틸 수 있을 때까지 키보렌을 돌아다니다가 하텐그라쥬가 아닌 다른 도시를 찾아가 아무 가문이나 방문하면서 휴식을 취하는 형태의, 그렇게 고되지는 않은 것이리라 무의식적으로 예상했다. 그걸 비논리적인 넘겨짚기라고 할 수도 없는데 나가의 도시들이 그렇게까지 긴밀하게 연결되어 있지 않았기 때문이다. 어떤 도시에서 도망쳐온, 여자도 아닌 남자들에 대해 다른 도시에서 관심을 둘 까닭이 별로 없다. 그게 그들이 아는 나가 사회였다.

하지만 여신의 실종이 키보렌 전체에 알려지고 여신의 구출이 나가의 지상 과제로 대두된 이후 나가의 도시들은 밀도 높은 상호 접촉을 가지기 시작했다. 북부를 향한 군사 작전을 시도하기 위해서라도 그건 당연한 일이었다. 위주그라쥬의 해름창에서 하텐그라쥬의 수호자를 맞닥뜨릴 수도 있게 된 상황이라 스바치와 카루는 도시 방문을 최대한 자제할 수밖에 없었다. 상황의 악화는 거기서 끝나지 않았는데 키보렌의 밀림마저 이전보다 훨씬 붐비는 곳이 되었기 때문이다. 과거 나가 남자들이 돌아다니며 자연스럽게 만들어진 희미한 숲길들은 북쪽으로 향하는 군대와 남쪽으로 돌아오는 전리품 수레 등에 의해 대로로 바뀌었다. 결국 두 사람은 그런 무리와 조우할 가능성이 있는 곳, 그러니까 이동이 편한 지형을 최대한 피해야 했다. 낮은 곳보다는 높은 곳으로. 평평한 곳보다는 비탈진 곳으로.

식량 수급이 어렵지는 않았다. 나가에게 있어 키보렌은 거대한 식량 창고니까. 하지만 낮은 곳으로 흘러 평평한 곳으로 모이는 물은 다른 문제였다. 두 사람이 끝없는 갈증에 시달렸다는 의미는 아니다. 땀을 흘리지 않는 나가들이었기에 고온의 밀림을 돌아다닌다고 해서 극심한 수분의 손실을 겪는 것도 아니고 동물을 산 채로 먹는다는 건 상당량의 수분도 동시에 섭취한다는 의미이며 두 사람 모두 이슬을 모아 마시는 재주 정도는 가지고 있었으므로. 하지만 필요할 때마다 쉽게 접근할 수 있는 안정적인 물이 없는 상태에서 심신의 소모는 날로 뚜렷해졌다. 두 사람에겐 나가의 눈을 염려할 필요가 없는 장소가 필요했다. 두억시니의 도시는 바로 그런 장소였다. 그리고 그 폐허화된 도시에는 두 사람이 일시적 피난처를 꾸미는 것에 도움이 될 부서진 벽과 지붕들도 있으며 과거 도시였으니 수원지도 있을 수 있었다. 카루가 동의할 수 없는 '현지 사정에 해박한 경험자' 부분을 차치하더라도 더할 나위 없는 조건이라 하지 않을 수 없었다. 결국 카루는 피라미드에서 충분한 거리를 둔 곳에 머무는 조건으로 두억시니의 도시로 향하는 것에 동의했다.

그리고 밤의 도래와 함께 피라미드에서 쏟아져나오는 뜨거운 박쥐들을 보자마자 카루는 무의식적인 감회에 젖어 피라미드를 향해 두어 걸음 걷고 말았다. 폐허의 돌들을 살펴던 스바치는 카루의 동작에 놀라 눈을 들어올렸다가 박쥐를 발견하고는 닐렀다.

〈그렇군. 저런 식이었단 말이지.〉

〈……저 안에서 볼 땐 박쥐들이 정말 찬란하게 보였는데, 지금 보니 그저 그렇군. 모깃불 같아.〉

〈모깃불은 너무하군.〉

불신자의 눈에 비행하는 박쥐의 모습은 검은 하늘을 날아가는 검은 점, 그러니까 보잘것없다는 말의 적절한 예처럼 보일 테지만 나가의 눈엔 그렇지 않다. 대부분의 경우 날짐승들의 체온은 높은 편이고 박쥐 또한 그러하다. 나가인 스바치의 눈엔 박쥐가 쥐나 토끼 같은 것들보다는 훨씬 뜨거워 보였고 차가운 저녁 하늘을 배경으로 피라미드에서 쏟아져나오는 막대한 수의 열원은 그에게 꽤 장관으로 보였다. 그러다가 스바치는 의아함을 느꼈다.

〈잠깐만. 이제 와서야 그걸 이상하게 여긴다는 것이 좀 니름이 안 되는 것 같지만, 그러면 자넨 저 안쪽을 몇 시간씩이나 돌아다녔으면서도 사모 페이가 니르기 전까지는 저 박쥐들을 알아차리지 못했다는 니름인가? 저렇게 뜨거운 걸?〉

〈나도 의아해했던 부분이군. 저 안에 있을 땐 정신이 없어서, 그리고 빠져나온 후로도 한동안은 다른 일로 바빠서 떠올리지 못했지만 가만 생각해보니 꽤 이상하더라고. 그래서 궁리해보았지. 확실히 결론을 내린 것은 아니지만 가설은 있어. 박쥐들은 우리와 비슷한 것 같아. 낮에 자고 있을 땐 체온이 떨어지는 거지. 낮이라 해도 햇빛이 들지 않는 저 안쪽은 꽤 추우니까.〉

〈그래?〉

예상했던 반응에 카루는 몸을 돌려 스바치의 불신감을 마주했다.

〈뭐라고 니를 건지 짐작이 대충 가지만, 좋아. 닐러봐.〉

〈글쎄. 카루. 저렇게 뜨겁잖아. 내가 알기로 태양이 없는 밤에 저렇게 뜨거울 수 있다는 건 저게 더운피 동물이라는 니름인데. 그리고 더운피 동물이라는 건 주변의 기온이 어떤가와 상관없이 자기 체온을 유지하는 동물이야. 주변이 춥다고 체온이 떨어진다면 그건 자네 니름대로 박쥐가 우리와 같다는 니름이겠지. 하지만 그렇다면 태양도 없는 이 시간에 어떻게 저렇게 뜨거울 수 있다는 건가? 모순이잖아.〉

〈예의를 아는 벗을 둔다는 건 역시 좋은 일이군. 내가 자신의 부주의나 불찰을 인정하기 싫어서 박쥐의 생태에 대해 어처구니없는 억측을 늘어놓는 거라고 니르는 느낌은 거의 들지 않았어.〉

〈오오, 그러면 내가 '그냥 하텐그라쥬에서 제일 유명한 여자와 같이 있다는 사실에 넋이 나간 나머지 눈에 뻔히 들어오는 박쥐를 못 봤다고 솔직하게 인정하면 그만일 텐데 이 녀석은 무슨 니름도 안 되는 망발을 늘어놓고 있는 거지?'라고 생각했다는 사실을 잘 숨겼다는 건가?〉

〈비아냥거리는 거야 자네 자유이긴 한데 두어 가지 묻고 싶은 것이 있군. 먼저, 자네도 박쥐에 대해선 나만큼 잘 모를 거야. 여기엔 동의하지?〉

스바치는 동의했다. 상당수 박쥐는 동굴 같은 곳에 사는데 동굴 출입을 즐기는 나가가 있기는 어려울 것이다. 동굴 깊은 곳에서 체온이 떨어져 오도 가도 못하게 될 수 있으므로. 그리고 나가는 주행성이고 박쥐는 야행성이다. 나가와 박쥐는 시간과 공간 모두 공유하지 않는 것이다. 학자라면 모를까 보통의 나가에게 있어 박쥐는 그다지 접점이 없는 동물, 익숙하지 않은 동물인 것이다.

〈맞아. 난 상식에 비추어 의문을 제시하는 것일 뿐이야. 자네 대답도 상식에 맞는 것이면 좋겠군.〉

〈노력해보지. 자넨 더운피 동물은 주변 기온과 상관없이 자기 체온을 유지한다고 했나?〉

〈그래서 더운피 동물이라고 니르는 건데.〉

〈그러면 더운피 동물은 절대로 얼어 죽지도, 타죽지도 않는 건가? 주변 온도와 상관없이 자기 체온을 유지하니까?〉

〈응? 그건…… 아니지?〉

〈더운피 동물이라고 해도 '주변과 상관없이' 체온이 변하지 않는 건 아냐. 주변과 대단히 상관이 있어. 그건 당연한 일이잖아. 열은 항상 높은 곳에서 낮은 곳으로 흐르니까. 쇠도 햇빛에 놓아두면 뜨거워지고 물도, 난 보지 못했지만 차가워지면 언다더군. 더운피 동물도 당연히 주변의 영향을 받아. 하지만 더운피 동물은 주변 온도 때문에 변화한 체온을 다시 조절하는 능력이 있는 거지. 높아지면 낮추고 낮아지면 높여. 더운피 동물의 체온은 계속 조절되는 거야. 그 조절 능력의 한계를 넘어버리면 체온의 변화를 막을 수 없게 되어서 죽는 것이고. 여기까진 상식적인가?〉

〈인정하지. 하지만 그 니름이 그 니름 아닌가? 끊임없이 조절해서 고정시킨다면 그걸 가리켜 그냥 더운피 동물의 체온은 고정되어 있다고 닐러도 되는 것 같은데.〉

〈아니. 다시 강조하는데 조절을 한다는 건 그게 일단은 변한다는 니름이야. 변하지 않는 걸 조절할 필요는 없으니까.〉

〈그건 그렇지. 그래서?〉

〈어느 정도로 변했을 때 조절을 시작할까?〉

〈응?〉

〈조금이라도 변하면 바로 조절을 시작할까? 그늘에 잠깐 들어갔다 나왔다 할 때마다 체온을 조절할까? 그건 너무 번거롭잖아. 잠깐. 다른 예를 들어보지. 열은 아니지만 물을 생각해보자고. 생물이라면 각자 생태에 따라 정도는 다르겠지만 체내에 어느 정도의 물을 가지고 있어야 해. 생물이라면 주변의 습도와 '상관없이' 자기 몸의 정해진 습도를 유지해야 한다고 할 수 있는 거지. 그 수분이 많이 빠져나가면 목이 마를 테고 그러면 물을 마셔서 다시 체내 습도를 높이는 거지. 더운피 동물의 체온과 비슷해. 하지만 그렇다면 생물은 목이 약간이라도 마르면 곧바로 물을 마실까? 그럴 수 없는 경우도 있잖아.〉

최근의 경험 때문에 카루의 예는 꽤 큰 호소력이 있었다. 스바치는 자기도 모르게 물 냄새를 찾아 숨을 깊이 들이마셨다. 카루가 계속 닐렀다.

〈우리도 그렇지만 대부분의 동물도 체내 습도가 조금 떨어진 정도는 버틸 수 있어. 그 상태가 오랫동안 지속되면 위험하지만 일정 기간은 괜찮은 거야. 다시 더운피 동물의 체온으로 돌아가자고. 그것들도 마찬가지인 거야. 체온이 약간 변화하는 것은 큰 문제가 없을 거야. 그 변화 허용량이랄까, 그건 더운피 동물의 종류마다 다를 테지. 만약 꽤 많이 변해도 버틸 수 있는 동물이라면?〉

〈체온이 크게 변화해도 조절하지 않고 그냥 놔둔다고?〉

〈더운피 동물이 어떻게 자기 체온을 조절하는지는 나도 몰라. 하지만 마술이 아니라면 자기가 먹고 마신 걸로 그러겠지. 그걸로 몸을 움직이는 것처럼 체온도 조절하는 거야. 그런데 박쥐는 잠에서 깨면 굉장한 활동을 해야 하잖아. 무려 하늘을 날지. 그러려면 먹고 마신 것을 체온 조절하는 것에 써야 할까, 아니면 날기 위해 아껴둬야 할까?〉

스바치는 감탄했다.

〈그렇군. 하늘을 난다는 엄청난 짓을 하니까…… 만약 박쥐가 체온이 많이 떨어져도 괜찮은 동물이라면 쉬고 있을 땐 굳이 체온 조절에 기력을 낭비하진 않는다. 따라서 낮에 자고 있을 땐 체온이 많이 떨어진다?〉

〈그래서 나가의 눈에 쉽게 들어오지 않는 거지.〉

〈일리가 있는데. 그리고 박쥐가 깨어나면 아껴뒀던 기력으로 햇빛이 없는 밤에 체온을 높이고 저렇게 날아다닌다는 거지. 그게 맞다면 그것참 부러운 재주군. 이제 우린 꼼짝없이 몸이 차가워질 텐데.〉

스바치는 애석해하며 피라미드에서 박쥐들이 쏟아져나오기 전에 하던 일, 그러니까 낮 동안 뜨겁게 달궈진 돌을 찾는 일로 돌아갔다. 폐허에서 그들이 찾을 수 있을 거라 기대했던 물건이었지만 애석하게도 단순한 생물학적 법칙이 그들을 방해했다. 햇빛이 제일 잘 드는 곳은 당연히 식물들도 제일 좋아하는 곳이라는 사실이 그것이다. 온갖 넝쿨과 잎사귀들 덕분에 깨끗이 노출된 채 낮 동안 잘 달궈진

넓고 평평한 돌을 찾는 것이 쉽지가 않았다.

결국 두 사람은 기대했던 사소한 사치를 포기하고 지금껏 해왔던 대로 사자나 표범 같은 것들의 공격을 피하기 좋은 곳을 찾기로 결정했다. 절대적으로 필요한 조치는 아니다. 밤에 체온이 낮아진다고 해서 나가가 대형 맹수의 손쉬운 사냥감이 되는 건 아니니까. 잘 죽지 않는다는 건 이미 사냥감과는 거리가 먼 특징이며 대형 맹수라 해도 몸이 갈기갈기 찢어지는 것도 아랑곳하지 않고 격렬히 저항하는 나가에게 쉽게 덤벼들지는 못한다. 다만 혹 심하게 다칠 경우 몸이 재생할 때까지 잠행이 힘들어질 수 있기에 카루와 스바치는 대형 맹수에게 잘못된 신호를 보내지 않으려 노력해왔다.

적당한 위치를 찾아 드러누운 두 사람은 체온이 점점 떨어지는 것을 느끼며 잠에 빠져들길 기다렸다. 그러다가 스바치가 자신의 입술을 두드렸다.

〈그런가. 그러면 모기는…… 그런 건가.〉

〈모기?〉

〈아까 이야기 도중에 나왔던 모깃불 말이야. 모깃불이 뭔지는 알지?〉

〈유래 니르는 건가? 내가 알기로 그건 모기가 순식간에 뜨거워졌다가 빠르게 식는 걸 보고 하는 니름인데. 아니, 잠깐. 모기는 박쥐처럼 스스로 체온을 높이는 것이 아니야. 모기가 뜨거워지는 건 더운피 동물의 뜨거운 피를 빨기 때문이야. 모기가 워낙 작아서 그 뜨거운 피가 겉으로 비치는 거지.〉

〈그건 나도 알아. 그래. 뜨거운 물을 그릇에 부은 경우와 같지. 그런데 모깃불 같다는 니름은 뜨거워지는 것만 니르는 것이 아니라 빨리 식는 것까지 포함해서 하는 니름이거든. 금방 달아올랐다가 금방 식는다는 거지. 그런데 그게 좀 이상하거든. 아무리 더운피 동물의 피가 밖으로 흘러나오면 곧 식는다고 해도 그렇게 빨리 식지는 않아. 게다가 생각해보면 모기가 피를 빨 때 그 피는 한 번도 외부에 노출되지 않은 채 더운피 동물의 몸에서 모기의 몸속으로 그대로 이동하는 것이거든. 그렇다면 오히려 더 늦게 식어야 하지 않겠어? 그런데 금방 식거든.〉

〈그래? 난 그거 직접 본 적이 없는데. 그렇게 빨리 식나?〉

〈응. 더운피 동물의 몸 한 곳이 이상하게 뜨거워져서 저기 모기가 있구나 싶은 순간 다시 식어버리거든. 작아서 쉽게 보이지는 않지만. 혹시 모기는 필요할 때 체온을 낮출 수 있는 것 아닐까?〉

〈뭐? 체온을 낮춘다고?〉

〈박쥐와 반대로. 모기가 앉아서 피를 빨 땐 어쩔 수 없이 외부적 요인에 의해 뜨거워지지만, 피를 다 빨고 날아가기 전에 체온을 다시 떨어뜨리는 거지.〉

〈격렬한 활동을 하기 위해 체온을 높이는 건 이해가 가지만 왜 일부러 낮춘다는 건가. 그것도 공짜로 얻은 열기를 일부러 버리다니.〉

〈더운피 동물의 피는 모기에 비해 훨씬 크고 두꺼운 그 몸을 데울 정도로 뜨거운 것이겠지. 그러면 상대적으로 훨씬 섬세한 모기한텐 지나치게 강한 열기일지도 몰라. 게다가 모기는 알도 물에 낳고 그래서 애벌레일 땐 물속에 사는 곤충이잖아. 한낮에는 날아다니지도 않고.〉

스바치의 니름에 대해 곰곰이 생각해본 카루는 특별히 오류로 보이는 것은 없다고 느꼈다. 밤하늘을 날아다니는 열원들이 그리는 부정형의 선들을 바라보며 카루는 수긍의 니름을 표했다. 스바치가 닐렀다.

〈묘하군. 나는 동물은 주변에 따라 체온이 변하는 동물과 변하지 않는 동물만 있다고 생각했는데. 우리 나가와 인간, 레콘, 도깨비를 가장 확실하게 구분해주는 것도 그것이고.〉

〈그렇게 보는 것이 보편적이겠지.〉

〈하지만 박쥐는, 흠. 분명히 더운피 동물이거든. 저것 봐. 저렇게 차가운 하늘을 날아다니는데 뜨겁잖아. 그런데 저 박쥐는 낮에 쉴 때 체온이 낮아지도록 내버려두고…… 그리고 모기. 곤충은 보통 우리처럼 주변의 온도에 따라 체온이 변하는 것들이잖아. 그런데 곤충인 모기는 체온이 쓸데없이 높아지면 자기가 일부러 낮추고…… 이래서야 둘의 구분이 무슨 의미가 있는지 모르겠군.〉

〈아예 주변의 기온을 바꿔버리는 나가도 있지.〉

〈……여신의 힘을 훔쳐서.〉

스바치는 차갑게 분노했다.

〈미친 것들. 이름을 주신 은혜에 그런 식으로 보답을 하나.〉

〈스바치.〉

〈뭔가, 카루?〉

〈꼭 카린돌 마케로우를 구출하자고.〉

〈……그래.〉

낮 동안 쌓여있던 열기가 서서히 사라지는 키보렌 속에서 두 나가 또한 서서히 차가워지며 잠에 들었다.

벼락 본 나가

갈로텍이 독 오른 뱀 같은 기세로 닐렀다.

⟨그따위 동정을 닐러서 나를 더 비참하게 만드는 짓은, 너 자신을 위해 그만두는 것이 좋을 거다. 하텐그라쥬에서 네가 돌려받아야 할 것만 불어날 뿐이니까!⟩

류은 부드럽게 웃으며 닐렀다.

⟨예. 다음에 만날 때는 분명히 하텐그라쥬겠군요.⟩

대답하면서 류 페이는 갈로텍이 니른 '동정'에 담겨있는 이상한 느낌에 집중했다. 굳이 뭔가를 캐내겠다는 의지가 있었던 것은 아니었다. 그저 무의식적인 호기심에, 비유하자면 시야 가장자리에 뭔가가 움직이는 것 같아 반사적으로 곁눈질을 하는 정도의 행동을 용인의 방식으로 했을 뿐이다. 거기엔 류의 예민함을 자극하는 이질성이 있었다. '내가 보기엔 동정심의 표현으로 상대적 우위를 확정하려는 범박한 시도로 치부하는 것이 더 당신다운 것 같은데. 아프기 때문인가? 하지만 그것도 명쾌한 대답 같진 않은데.' 갈로텍은 강구할 수 있는 모든 방법으로 자신을 보호하고 있었지만 스스로도 잊어버릴 정도로 대수롭잖게 여기는 어떤 기억들마저 단단히 틀어쥐고 있지는 않았고 류은 거의 순식간에 그걸 읽어낼 수 있었다. 마치 벼락이 떨어지는 모습을 관찰하듯 순식간에—

—그 날개들에 어지간한 적란운도 품기 어려운 벼락들을 가득 품은 거대한 용에 대한 상세한 보고를 전해받자 주퀘도 사르마크는 있지도 않은 육체의 통증이 느껴진다는 식의 반응을 보였다. 근심을 나누려던 갈로텍은 문득 주퀘도의 근심이 이상한 방향성을 가지고 있음을 깨달았다. 주퀘도는 모든 나가들이 '진짜 벼락 본 나가'가 될 것을 염려하고 있었다. 갈로텍이 설명을 요청하자 주퀘도는 '너는 은유적인 벼락 본 나가지만 이제 모든 나가들이 진짜 벼락 본 나가가 될 수도 있지 않냐, 학습된 본능이라는 건 무서운 거니까.'라는 대답으로 갈로텍의 의문을 부풀렸다.

"너희들은 무의식적으로 그 용에게 달려갈 수도 있잖아."

"예? 우리가?"

"그러니까, 벼락 본 나가. 다른 사람들과 반대로 행동하는 녀석 말이야. 관용어이지만 이 경우엔 그게 실제로 이루어질 수도 있다고. 그 용한테서 도망쳐야 하는데 거꾸로 달려갈지도 모르잖아."

"그게 무슨 니름입니까?"

"아니, 그러니까 너희들은 벼락이 치면 본능적으로 그쪽으로 달려가잖아. 어릴 때부터 철저하게 교육을 받아서. 키보렌에 산불이 일어나면 안 되니까. 그 어떤 종족보다 불씨를 신경질적으로 짓밟고 뭉개잖아. 어차피 재생이 되니 화상 좀 입는 것도 감수할 수 있을 테고 낙엽 속에 숨은 불씨 같은 것도 다른 종족들보다 훨씬 잘 볼 수 있으니까 더더욱 광적으로…… 그래서 벼락 본 나가…… 음?"

"……그렇네요?"

갈로텍의 대답에 주퀘도는 말문이 막힌 듯했다. 입의 주도권이 계속 자신에게 있음을 확인한 갈로텍은 서둘러 머리를 굴려보았다.

"아니, 그거, 예. 정말 신기하네요. 논리는 나무랄 데 없군요. 확실히 그래요. 나가가 벼락이 떨어진 곳으로 급히 달려가는 모습, 미친 듯이 불을 짓밟는 모습, 눈을 부라리며 숨은 불씨를 찾는 모습, 다 그려집니다. 예. 정말 나가답다고 생각되네요.

그렇군요. 문제는 그런 모습을 제가 한 번도 본 적이 없고 보여준 적도 없다는 점이군요."

"정말?"

"예."

"그럼 너희들은 벼락 치는 곳으로 달려가지 않는다고?"

"물론 가까이서 불을 본다면 당연히 끄려고 시도하겠지만 벼락만 보고 달려가지는 않습니다만."

"허! 이상하군. 벼락 본 나가는 벼락만 보면 무의식적으로 달려가는 나가의 습성에 비추어 무모함이나 용감함, 반골 정신 같은 걸 나타내는 말인데 나가에겐 그런 습성이 없다고? 이게 무슨 일이야."

'그리고 그 습성이라는 게 꼭 있어야 할 것 같은 습성이고.' 그 때문에 갈로텍은 혼란스러웠다. 그가 방심한 사이 주퀘도는 손을 가져가더니 갈로텍으로서는 의미를 짐작하기 어려운 이상한 방식으로 움직였다. 혼잣말을 중얼거리는 것보다 손을 괴이하게 움직이는 것을 남에게 보이는 쪽이 더 곤란하다고 생각한 갈로텍은 급히 손을 도로 뺏으며 말했다.

"혹시 제가 남자라서 그럴까요? 그런 일은 여자들이 하는 거니까 남자애한텐 굳이 그런 가르침을 주지 않았을지도 모르겠네요. 어쨌든 우리 사회에서 남자들은—"

"글쎄. 무슨 말을 하는진 알겠지만 이건 경우가 다른 것 같은데. 나가들 중에 성인이 된 후 키보렌을 집으로 삼을 가능성이 더 높은 건 남자 아닌가?"

갈로텍은 자신이 나가가 아닌 듯한 기분이 들어 당혹스러워졌다. 옳은 지적이었다. 정찰대를 제외한다면 키보렌을 돌아다니는 나가들은 남자들이고 그들이 성인이 된 후엔 가문에서 더 이상 통제할 수 없다는 것을 고려한다면 오히려 나가의 관점에선 그들이 가문에 있는 동안, 그러니까 어린 남자애들에게 그런 습관을 주입하려 시도하는 것이 합당할 것이다. 그러나 갈로텍은 벼락을 향해 달려가라는 식의 조언이나 가르침을 받은 기억이 없었다. 한편 손을 움직일 수 없게 된 주퀘도는 어휘들로 같은 행동을 해보려 했다.

"어쩌면…… 그래. 서로 모르니까…… 남북이 오랫동안 분리되었다는 사실 때문에 생겨난 말일지도 모르겠군."

"무슨 말입니까?"

"서로 알고 지냈으면 나가가 벼락을 향해 달려가지 않는다는 걸 알 테니 그런 말이 안 생겼겠지만 떨어져 산 탓에 북부에선 아무도 나가에 대해 알지 못하니까…… 그래. 북부의 어떤 재기 넘치는 작자가 만들어낸 이야기일지 모르지. 나가에 대해 알려진 사실들만 가지고 말이야. 나가는 나무를 소중히 한다, 따라서 불을 꺼린다, 산불을 일으킬 수 있는 벼락을 경계할 것이다, 그러니 벼락이 떨어지면 나가는 불을 끄기 위해 미친 듯이 달려갈 거다. 대강 이런 식으로. 말은 되잖아. 그리고 생존 본능에 위배되는 것 같은 모습이 사람들을 사로잡아서 그런 표현까지 만들어진 것일지도 모르지."

"잠깐만요. 그러니까 그건 그냥 상상력만 가지고 만들어낸 이야기라는 겁니까? 우리를 몰라서?"

"그럴지도 모르겠다고. 그런 경우들이 있기는 하잖아. 이쪽에선 누구나 저쪽이 이러이러하다는 걸 상식으로 여기는데 저쪽은 그게 난생처음 들어본 소리인 경우. 이것도 그런 경우인가 보지. 어쨌든 넌 그런 이야기를 모르는 것 같은데?"

납득할 수 있는 이야기였지만 개인적인 경험 탓에 갈로텍은 주저했다. 나가살육자가 한계선 북쪽의 추위를 나타내는 일종의 우화나 상징이 아닌 실재하는 인물이었음을 인정해야 했던 바로 그 비늘 떨어질 것 같은 경험 때문에. 그리고 그런 의문을 품어야 한다는 것도 깨닫지 못했던 의문의 존재를 알게 된 경험 또한 강렬했다. 왜 우리는 어린 나가들에게 벼락 치는 곳을 향해 달려가라는 가르침을 주지 않는 거지? 자타공인 수목애호가들인데. 허물을 벗을 때는 남의 눈을 피하라는 가르침보다 더 중요할 것 같은 그 가르침을 받았던 적이 없다는 사실은 갈로텍에게 해결할 수 없는 모순처럼 느껴졌다. 그러나 주퀘도는 자신의 고민이 고민할 필요가 없는 문제였음이 판명되자마자 그걸 즉각 망각하는 현실주의자의 전범을 보여주었다. 헛웃음 한 번 터뜨리지 않은 채 주퀘도는 즉각 그 용이 가져올 수 있는 다른 문제들을 궁리하기 시작했다. 그 현실성의 요청이 거대했기에 갈로텍은 자신의 고민을 잠시 젖혀두고 소환에 응할 수밖에 없었다.

그리고 갈로텍이 방기해 두었던 의문은 그가 예상하지 못한 방식으로 해결되었다. 우연히 갈로텍의 의문을 알게 된 비아스 마케로우는 니를 줄 아는 동물에 대한 경멸감을 숨기는 것에 실패하며 닐렀다.

〈그런 옛날이야기가 있기는 합니다. 대장군님.〉

〈있다고?〉

〈소드락이죠. 그 효과에 대한 오래된 표현이 있습니다. 소드락을 먹으면 벼락이 떨어지는 것도 보고 피할 수 있다. 예. 물론 과장법입니다. 뱃가죽과 등가죽이 달라붙었다는 식의 니름과 같은. 어쨌든, 벼락 본 나가라는 건 그 니름 때문에 생긴 니름입니다. 번개가 치는 것을 눈으로 보고서 피했다, 그러니까 보통은 대처할 수 없는 급박한 위기도 피할 수 있는 기민한 사람이나 임기응변에 탁월한 사람을 가리키는 니름입니다.〉

갈로텍은 비아스의 니름 곳곳에 묻어있는 아니꼬움을 자신의 성취에 대한 칭찬으로 받아들이기로 하고 자신의 의문에 집중했다.

〈잠깐만. 의미가 정반대인데. 그러면 북부에서 그 니름은 마땅히 피해야 하는 위험을 향해 달려가는 분별없는 자라는 의미이고 여기선 피하기 힘든 곤경도 능히 피해내는 사람이라는 건가?〉

〈소드락에 대해 잘 모르는 어리석은 불신자들이 제멋대로 상상한 이야기인가 보죠. 소드락에 대해 모르면 짐작하기 어려운 속뜻이잖습니까.〉

갈로텍은 그 니름이 그럴듯하다고 생각했다. 조금 더 고민해보았다면 북부인들이 왜 이해할 수 없는 표현을 그냥 사용하지 않다가 잊어버리는 대신 다른 해석을 궁리해가며 보존했는지 의아해할 수도 있겠지만 주퀘도에게 그 이야기를 들었을 때부터 나무들을 걱정하고 있던 갈로텍은 그러지 않았다.

〈하지만 그래도 이해가 안 되는 점이 있는데. 그 이야기가 와닿은 건 그럴듯하게 느껴졌기 때문이야. 왜 나가에겐 그런 습관이 없는 거지?〉

〈예? 무슨 니름입니까. 습관이라니.〉

〈벼락을 향해 달려가는 습관 말이야. 있어야 할 것 같지 않나? 키보렌을 지키려면.〉

비아스는 동물의 지성에 뭘 기대하겠냐는 심정을 역력히 드러냈다.

〈여신의 신랑이시여. 어떤 나무들은 그 나이가 천 년을 가볍게 넘기도 합니다만.〉

〈……그래서, 마케로우 장군?〉

〈그런 나무들은 당연히 그 근방에서 가장 높은 나무일 겁니다. 대장군님. 그리고 벼락은 높은 곳에 떨어지지요. 그렇다면 그런 나무들은 평생 동안 얼마나 많은 벼락을 경험하겠습니까? 다른 나무들에 비해 압도적으로 많겠지요. 하지만 그럼에도 불구하고 죽지 않고 그렇게 나이를 먹을 수 있다는 건 그 나무들이 벼락을 잘 버틴다는 니름이지요. 벼락을 맞았다고 해서 순식간에 커다란 횃불이 되어 산불을 일으키진 않는다는 겁니다. 물론 상대적으로 벼락에 약한 나무들도 당연히 있을 겁니다. 하지만 방금 니른 내용을 생각해 보십시오. 그런 나무들이 벼락을 잘 맞을 만큼 크게 자라날 수 있겠습니까? 그러니 벼락에 약한 나무들은 자연스럽게 벼락을 덜 맞게 됩니다. 그것들이 못 자라는 동안 벼락에 강한 나무가 웃자라서 대신 벼락을 맞아주니까요.〉

비아스의 니름을 생각해 본 갈로텍은 그 논리에 하자가 없음을 인정했다.

〈벼락에 맞아도 버틸 수 있다…… 그런 나무들이 더 크게 자라 벼락을 막아준다……〉

〈그리고 벼락이 치면 반드시 산불이 나는 것도 아닙니다. 벼락이 칠 때마다 반드시 산불이 난다면 세상에 숲이라는 것이 존재할 수가 있겠습니까? 벼락이 칠 땐 보통 비도 오기 마련입니다. 비가 없이 떨어지는 마른 번개도 있기야 하지만 그게 그렇게 흔한 건 아니고요.〉

〈비. 그렇군. 비가 내릴 땐 산불이……〉

〈그리고 나가가 정신나간 불신자처럼 뛰어다니기 좋은 기온도 아니고요. 우리는 남자애들한테 할 수도 없는 짓을 하라고 요구하진 않습니다. 왜 걸맞지 않은 짓

을 하라고 가르칩니까.〉

비아스는 남자는 갈등도 알력도 경쟁도 없는 숲에서 아무 짓도 하지 않고 편안하게 살다가 도시에 와서 여자의 집을 찾은 다음 여자와 도시의 일에 방해되지 않도록 다시 숲으로 떠나면 되는 거라고 니르진 않았다. 그러나 갈로텍은 그런 니름을 들은 것으로 간주하기로 했다. 그리고 그 니름에 전혀 신경 쓰지 않았다.

갈로텍은 나무들을 보며 자신의 아둔함에 기막혀하기에도 바빴다.

물론 비가 올 때 나무는 젖어 잘 타지 않을 것이다. 하지만 비가 오지 않아도 나무는 이미 항상 젖어있다. '어떻게 저렇게 축축한 것이 쉽게 불타오를 거라고 생각했지?' 축축하다는 표현은 논리적이라기보다는 감성적인 것이었지만, 어쨌든 갈로텍은 주변에 있는 나무의 내부에 있는 물을 확실히 느낄 수 있었다. 뿌리가 대지에서 빨아올려 나뭇잎까지 끌어올리는 수분, 그리고 나뭇잎에서 발산하는 습기, 항상 발산하기만 하는 것은 아니다. 어떤 거목들은 그 줄기로 주변의 습기를 빨아들이기도 한다. 나무가 반드시 뿌리로만 수분을 섭취하는 것은 아니므로. 갈로텍은 이제 벼락에 잘 버틴다는 니름이 무슨 뜻인지 잘 알 수 있었다. 그 니름을 한 비아스보다 더 확실하게. 왜냐하면 나무는, 살아있는 나무는 항상 젖어있는 나무이므로.

그가 그렇게 물을 감지할 수 있는 것은 발자국 없는 여신의 힘 덕분이다. 그리고 그가 그 힘을 다룰 수 있게 된 건 이미 오래전의 일이다. 주퀘도의 염려를 들었을 무렵 갈로텍은 이미 자신이 다루고 있는 힘에 대한 신비감도 거의 잃은 채 수족을 쓰듯 그 힘을 사용하고 있었다. 하지만 그때도 갈로텍은 이전과 같은 시각으로 나무를 보고 있었다. 다른 종족들과 시력도 다르고 나무에 대한 감정 또한 다름에도 불구하고 다른 종족과 똑같은 시각으로. 딱딱하고 메마른 목질 덩어리. 난폭하게 니른다면 서 있는 땔감이다. '인정하긴 싫지만 그렇지 않고서야 벼락이 떨어지면 바로 불탈 거라 걱정했을 리가. 그런데 왜' ―

― '그런 생각을 했나?'

류은 갈로텍의 요청을 납득할 수 있었다. 여신을 감금한 수호자에 대한 거대한 불쾌감이나 자신과 사모를 이런 지경으로 몰아넣은 음모가에 대한 격렬한 증오 때문에 자신의 공감을 부정해버리는 짓은 자기 자신에게도 예민한 류이 할 수 없는 일이었다.

'어쨌든 재미있군. 당신이 여신의 사랑에서 완전히 벗어났음을 그때 깨달았다니. 처음 그런 계획을 세울 때도 아니고 여신을 실제로 가두었을 때도 아니고 바로 그때. 여신처럼 행동하면서 여신처럼 세상을 보지는 않았다는 것을 깨달았을 때.'

나무를 자르고 태우는 일에 익숙한 북부인이라면 생나무를 불태우는 것이 어렵다는 것을 경험으로 잘 알 것이다. 약간 역설적이지만 나무를 사랑하는 나가는 바로 그렇기에 그걸 되도록 해치려 하지 않고 따라서 나무를 해치는 일의 어려움도 알지 못한다. 갈로텍은 그런 보통의 나가였다. 여신이 아니다. 여신이라면 그런 걱정을 하지는 않을 테니. 그가 훔친 여신의 능력으로 직접 확인한 것처럼.

'비형은 자신이 그랬다는 것을 잊어버렸지만 내가 얻은 예민함 덕분에 우연히 알게 된 사실이 있어. 한때 그는 나가가 손가락을 튕기는지 궁금해했지. 그 이유가 재미있어. 그는 나가도 자기 자신에게 미소를 지어줄 순 없을 거라고 했지. 자기 자신에게 보내는 신호라면 시각 신호가 아니라 음향 신호를 써야 한다. 도깨비답지. 그렇지? 그럴듯하잖아. 그러고 보니 우리는 그런 신호를 쓰진 않아. 우리는 너무도 이성적이고 냉철해서 자기 자신의 친구나 비판자가 되어줄 필요도 없는 걸까? 우리는 우리 자신의 응원이나 비판 같은 것이 필요 없나? 그런데, 그렇지 않아. 비형의 의문 덕분에 내가 깨달은 것이 하나 있지. 그걸 스스로 깨달았을 것 같지가 않은데, 우리도 혀를 차. 알지? 혀 차기. 그런데 혀를 차는 것이 무슨 신호일까. 일단 자신이 볼 수 있는 것이 아니니 시각은 아냐. 그렇다면 혀를 댔다 떼는 그 감각을 원하는 것이겠어? 그건 이상하지. 특별히 즐겁거나 유쾌한 감각도 아닌데. 그건 소리야. 스스로 깨닫지도 못한 채 그러지만, 나가도 자신을 향해 소리를 내고 그걸 들어. 자신을 향해 말한다고. 우리는 우리의 반응이 필요해. 그리고 그건 비형이 지적했듯이 소리로만 표현할 수 있지. 그러니 소리를 쓰지 않겠다면 또 다른 내가 필

요하지. 내가 또 다른 당신이라고?'

누구보다도 능숙하게 여신의 힘을 사용하는 자들, 누구보다도 여신인 것처럼 행동할 수 있는 자들, 그렇기에 누구보다도……

'아냐. 난 당신이 아냐. 나는 무의식적으로 여신과 하나 되었다고 느끼지 않았어. 나는 심장을 가지고 있어. 내 심장…… 그래.'

륜은 자신의 거대한 불쾌감과 강렬한 증오에도 예민했다.

'난 당신을 또 다른 나로 볼 수 없고, 당신을 동정해줄 수도 없어.'

그리고 륜은 약간의 시간이 흘렀다는 것을 깨달았다. 륜이 벼락을 본 시각은 극히 짧았지만 그래도 용인이 아닌 자도 느낄 수 있는 지체는 있었다. 그래서 다른 이들에게 륜의 모습은 잠시 멈췄다가 니른 것처럼 보였다.

〈그다음에는, 아마도 더 이상 서로를 볼 일이 없을 겁니다.〉

〈동의한다.〉

〈하텐그라쥬에서.〉

〈하텐그라쥬에서.〉

륜은 몸을 돌렸다. 그리고 어둠 속에서 그를 바라보는 군중들의 시선을 무시하며 시모그라쥬를 떠났다.

동생

흑사자 모피 위에 엎드린 채 나무로 변한 류 페이와 아스화리탈을 보던 그리미 마케로우는 계속 한 가지 니름이 떠오르는 것을, 그런데 그게 왜 떠오르는 건지 모르겠다는 느낌을 받았다. 게다가 그게 무슨 뜻인지도 알 수 없었다. 그때 곁에 있던 사모가 놀라 닐렀다.

〈뭐라고 말했니?〉

〈응?〉

〈방금 넌 말을 했어. 나무를 모은다고.〉

"아? 내가 말을 했나. 그 말이 갑자기 떠올랐어. 그건 나가의 고상한 표현으로 죽는다는 뜻이지?"

"맞아."

"이상하잖아. 나가가 화장을 하는 것도 아닌데. 차라리 나무가 된다고 하면…… 아."

그리미는 잠깐 머뭇거렸고 사모는 참착함을 잃지 않으려 애썼다. 그리미는 시선을 조금 떨어뜨린 채 말했다.

"이제 왜 그 말이 궁금해졌는지 알겠어. 응. 인간의 시각에서 나무가 된다고 하

770

면 그건 죽는다는 말이 될 수도 있을 거야. 약간의 상상력만 있어도 천천히 썩어가며 나무와 풀에 흡수되는 숲 속의 시체를 떠올릴 수 있겠지. 하지만 뇌룡공은 산 채로 나무가 되었어. 마치 나무가 된다는 말은 죽는다는 말이 될 수 없음을 스스로 보여주려는 것처럼. 그리고 보니 정말 나가들은 나무가 된다고 말하지 않고 나무를 모은다고 닐러. 이상하잖아. 게다가 그 니름 자체도 왜 그런 의미가 되는지 모르겠어. 왜 나무를 모은다는 니름이 죽는다는 니름이 되는 거야?"

"다행히 내가 아는 이야기군. 그걸 알게 된 과정이 재미있지만. 내게 그걸 알려준 건 내가 북부에서 만난 인간이었지. 그 모피는 원래 그 인간의 것이었지."

"흠?"

사모는 오래전 있었던 토디 시노크와의 만남에 대해 말하고는 그에게 들었던 설명을 그리미에게 들려주었다.

"그때 모은다는 니름은 회합을 주선한다는 의미야. 사실 나무들은 모일 수 없지. 움직이지도 않잖아. 그러니 스스로 주선자가 되어 그런 나무들을 모은다면, 그럴 수 있다면, 그런 발상에는 나가적인 낭만이 있지."

"나가가 죽을 때 나무들이 임종하기 위해 모여든다고? 나가적인 낭만이라는 것이 무슨 말인지는 알겠지만, 어떻게 '그럴 수 있는' 거지?"

"그렇게 어려운 이야기는 아냐. 숲 속에서 생의 끝을 맞이하는 나가를 생각해봐. 그녀는 누워있겠지? 하늘을 보고 있을 거야. 그렇다면 주변의 나무들이 어떻게 보일까?"

그리미는 소리 없는 웃음을 터뜨렸다. 역시 약간의 상상력만 있으면 쉽게 떠올릴 수 있는 장면이다. 누워있는 나가의 눈에 나무의 수관부는 시야 중앙에 있는 가상의 점을 향해 모여드는 것처럼 보일 것이다. 거기에 약간의 감흥만 더한다면 나무들이 머리를 모은 채 죽어가는 자신을 내려다보고 있다고 느낄 수도 있을 것이다.

"숲 한가운데서 누워야만 보이는 장면이구나. 흐음. 그래. 더 냉철한 척해도 나가 또한 다른 사람들과 마찬가지로 서서 볼 때 보이는 풍경이 올바른 세상 모습이라고 무의식적으로 생각하니까. 어쩔 수 없지."

"응? 그래서?"

"응? 아아. 그래서 위가 앞이 되고 아래가 뒤가 되는 시점의 세상은 약간 이상한 세상, 실제 세상과 다른 세상, 실제 세상의 법칙과 달리 절대 움직이지 않는 나무가 자기를 위해 모일 수도 있는 세상인 거지. 이성으로는 그렇지 않다는 것을 잘 알고 있어도."

사모는 고개를 끄덕였다. "그런 식으론 생각해보지 못했어."

"음…… 그러면 나가들이 잠을 잘 때는? 아, 밤엔 잘 안 보이겠네. 알겠어. 그런데 그 설명을 북쪽에서 들었다고?"

"놀랍게도, 그래. 아마 키보렌의 주민이라고 일컬어지는 나가가 사실은 숲 사람이라기보다는 도시 사람에 가깝기 때문일지도 모르겠어. 우리는 거의 대부분 도시출신이야. 도시에서 태어나지. 그리고 심장을 적출할 때까지 도시의 보호를 받으며 성장해. 다른 것 다 제외하더라도 심장탑을 만들고 그걸 제대로 기능하게 하려면 나가에겐 도시가 필요하지."

"그래."

"그건 아마 심장탑이 없던 시절, 굳이 거대한 도시를 만들지 않고 적당히 흩어져살아도 무방했던 고대의 선조들이 만들어낸 표현일 테고. 그분들한테는 그 표현이훨씬 쉽게 와닿았겠지. 하지만 도시민인 우리한텐 와닿지 않아. 그러니 유래를 잊어버린 채 그냥 관용적인 표현으로 쓴 거지. 하지만 우리를 숲의 사람들이라고 여기는 북쪽의 사람들은 그걸 더 쉽게 이해하는 것이겠지. 남쪽으로 내려와 우리가사는 것을 직접 보지 않았으니 나가는 숲에서 태어나고 숲에서 죽는다는 니름을비유로 받아들이기보다 훨씬 사실에 가깝게 느낄 테고 그러니—"

"아니면 잊어버리지 않았기 때문에."

"응?"

"사모가 그 인간에게 초를 든다는 인간의 표현에 대해 설명해주었다고? 그리고그 인간은 사모한테 나무를 모은다는 나가의 표현을 설명해주었고? 신기한 일이지만, 거기서 가장 신기한 건 이야기를 나눈 것 그 자체지. 나가와 다른 세 종족은 그렇게 긴 세월 동안 서로 떨어져 살았지만 사모는 아무렇지 않게 토디 시노크와 이야기를 나눴지. 말이 조금도 변하지 않았기 때문에. 심지어 자기는 쓸 일이 없는 상대의 니름까지도 잊지 않았지."

사모는 놀랐다가 곧 경악했다. 그녀는 부릅뜬 눈으로 류과 아스화라탈이 있는 곳을 바라보았다. 그곳은 바로 오레놀이 어디에도 없는 신의 구속과 그로 인해 발생한 우주의 정체에 대해 설명한 곳이기도 하다. 곁에서 그 이야기를 듣고 있던 이들 중 나가를 몰살시킬 살육신의 탄생을 원했던 키타타 자보로가 작살검으로 류을 찔렀다. 사모는 이를 악물었다. 그 일이 일어난 건……

〈아냐.〉

사모는 억지로 고개를 돌렸다. 그녀를 부른 그리미의 니름에는 그렇게 하게 만드는 힘이 있었다. 그리미가 닐렀다.

〈그때 이상한 걸 깨달았어야 했다고? 북부에 올라오자마자? 어떻게 대화가 통하는지 의아하게 여겼어야 했고, 뭔가 세상이 잘못되었다는 것을 느꼈어야 했고, 그래서 어디에도 없는 신께 무슨 일이 일어났다는 걸 감지했어야 하고…… 사모. 정말로?〉

긴장 탓에 사모는 비늘이 일어서는 것을 제대로 억제하지 못했다. 그리미는 어른의 그런 모습을 보는 아이의 당혹감과 아이의 그런 모습을 포용하는 듯한 어른의 표정이 뒤섞인, 그녀만이 지을 수 있는 기묘한 표정을 지어 보였다.

〈사람들 중에 누군가가 그걸 깨달을 거라고 예상했다면 신들이 그렇게 거창하게 일을 벌이진 않았겠지. 신들도 기대하지 않았던 일을 못 해냈다고 자책하며 뇌룡공에게 미안해하는 건…… 좀 심하잖아.〉

잠시 후 사모가 힘없이 말했다.

"누나니까."

"흐―음."

불분명한 소리로 불분명한 대답을 한 그리미는 그걸로는 뭔가 모자라다 느낀 듯 덧붙여 닐렀다.

〈나도 동생이 생기면 사모 기분을 알 수 있을까.〉

사모는 움찔했다. 그녀가 뭐라 니르기 전에 그리미가 먼저 웃음소리 비슷한 것을 냈다.

〈농담하는 거야. 농담. 그래. 사모는 상냥하니까 그런 생각 해봤겠지. 이 아이한테 자기 상태에 쉽게 공감할 수 있는 비슷한 존재가 있으면 외롭지 않고 좋을 텐데. 그런데 화신의 아이가 세상에 두 명이나 있어도 되는 건가? 잘 모르겠지만 하나도 많은 것 같은데. 이런 식이야?〉

사모의 사유는 좀 더 나가 어른스러운 방식이었지만 본질적으로는 같다. '평생을 함께 나눌 자매가 아니라 클 때까지만 함께 할 수 있는 남동생이라도 있으면 이 아이가 자라는 동안 큰 도움이 될 텐데.' 하지만 사모는 모든 이보다 낮은 여신의 화신이나 다른 누군가에게 그런 의견을 공개하진 않았다. 그녀 자신의 경험을 투영한 판단처럼 보이게 될까 거북했거니와, 무엇보다도 그리미가 지적한 것처럼 화신의 아이가 세상에 두 명이나 있어도 되는지 알 수 없었다. 그게 옳은 일인지 그른 일인지에 대해 생각하는 것조차 어려웠다. 마치 그녀를 도와주듯 그리미가 말했다.

〈그 정도 생각을 하는 데 신의 지혜까지 필요하진 않겠지. 우리 엄마도 잘 알 텐데 안 하는 걸 보면 필요 없다고 생각하나 봐.〉

〈그러……려나.〉

그리미는 졸린 듯 온몸의 긴장을 풀었다. 그녀는 흑사자 모피에 뺨을 댄 채 그 온기를 즐기며 닐렀다.

〈언제나 신경 써줘서 고마워. 사모. 그럴 의리도 없는데 그냥 가여워 보인다고 앞뒤 따지지도 않고 그러는 사모는 손해만 보는 사람이야. 내가 보기엔 사모가 더 걱정이야. 아마 늙어 죽을 때까지 자기가 아니라 곤란해하는 다른 사람들 때문에 고생하게 될걸. 출신이 희한한 아이가 느낄지 모르는 외로움까지 걱정해줄 필요는 없어.〉

〈……니름 그대로 아직 가슴에 칼 대려면 까마득한 꼬마는 어른의 걱정을 사양

할 권리가 없어.〉

〈정말 괜찮아. 꼭 필요하면 만들면 되지. 어쩌면 우리 엄마도 필요하다고 생각하면 스스로 만들라는 생각으로 내버려 두는 건지도 모르겠어. 아, 그래. 신이었던 적이 없어서 단정하긴 어렵지만, 그거 어쩐지 신다운 태도 같지 않아?〉

사모는 혼란에 빠졌다. 조금 후에야 그녀는 그리미가 널리 받아들여지는 전제, 너무도 당연한 거라서 굳이 따로 언급할 필요도 없는 전제를 아무렇지도 않게 무시했다는 것을 깨달았다. 그런 뻔한 니름을 하는 것에 어이없는 기분을 느끼며 사모가 닐렀다.

〈그리미. 짝은 고를 수 있고 자식은 낳을 수 있지만, 부모와 자매는 택하거나 만들 수 없어.〉

〈왜?〉

사모는 이것이 어린아이의 '왜'인지 어른의 그것인지 구분하기 어려웠다.

〈왜라니.〉

그리미는 한때 초를 들 수 없었던 왕의 것이었고 그 후 나무를 모으고 싶었던 암살자의 것이었던 모피에 이마를 묻으며 중얼거렸다.

"용은 무엇이든지 될 수 있잖아. 그렇다면 내 동생도 될 수 있겠지."

재미있는 읽을거리가 되었는지,
그렇잖으면 머리만 더 혼란스러워졌는지 모르겠습니다.
읽어주신 여러분께 진심으로 감사드리며
항상 좋은 책이 함께 하는 즐거운 나날이길 바랍니다.
감사합니다.

남도에서 타자 이영도 드림.